FRANCE

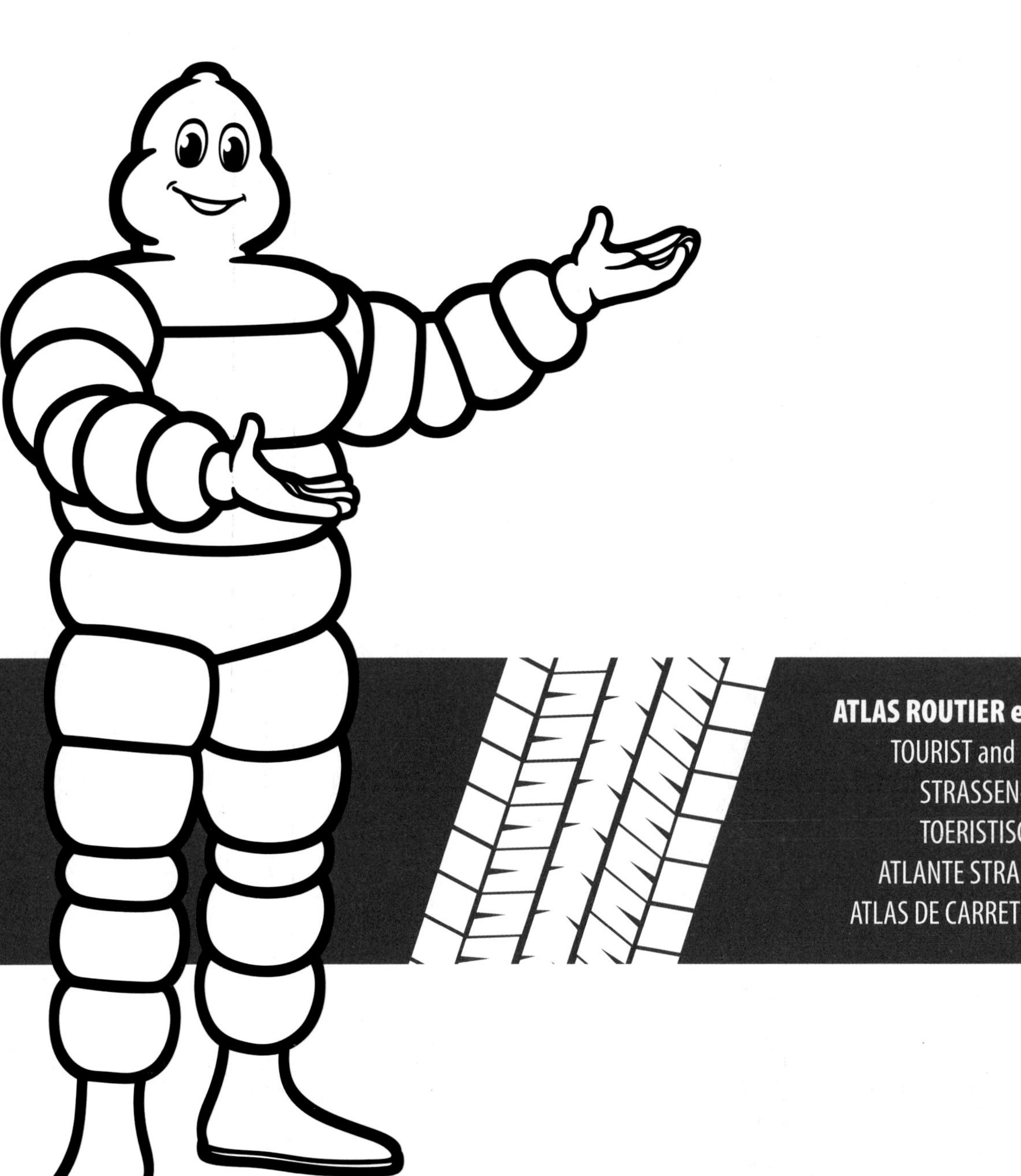

ATLAS ROUTIER et TOURISTIQUE
TOURIST and MOTORING ATLAS
STRASSEN- und REISEATLAS
TOERISTISCHE WEGENATLAS
ATLANTE STRADALE e TURISTICO
ATLAS DE CARRETERAS y TURÍSTICO

Grands axes routiers
Main road map
Durchgangsstraßen
Grote verbindingswegen
Grandi arterie stradali
Carreteras principales
MANCHE
ATLANTIQUE
BRIGHTON
Dunkerque
Calais
Boulogne-sur-Mer
St-Omer
LILLE
Douai
Valenciennes
ARRAS
Abbeville
AMIENS
St-Quentin
Dieppe
Cherbourg-en-Cotentin
Le Havre
ROUEN
BEAUVAIS
Montdidier
Compiègne
LAON
Soissons
Reims
CHARLEVILLE-MÉZIÈRES
CAEN
ST-LÔ
ÉVREUX
Senlis
VERSAILLES
PARIS
ÉVRY-COURCOURONNES
MELUN
Vitry-le-François
TROYES
Argentan
Avranches
St-Malo
Brest
ST-BRIEUC
Fougères
ALENÇON
Dreux
CHARTRES
QUIMPER
Pontivy
RENNES
LAVAL
LE MANS
Châteaudun
Sens
Montargis
ORLÉANS
AUXERRE
VANNES
Redon
Châteaubriant
Vendôme
ANGERS
BLOIS
TOURS
St-Nazaire
NANTES
Saumur
Vierzon
BOURGES
NEVERS
Autun
Cholet
Châtellerault
CHÂTEAUROUX
LA ROCHE-S-YON
Les Sables-d'Olonne
POITIERS
MOULINS
NIORT
Montluçon
Vichy
LA ROCHELLE
GUÉRET
Roanne
Rochefort
Saintes
Cognac
LIMOGES
Thiers
CLERMONT-FERRAND
ANGOULÊME
Issoire
ST-ÉTIENNE
PÉRIGUEUX
TULLE
Brive-la-Gaillarde
AURILLAC
LE PUY-EN-VELAY
BORDEAUX
Libourne
Bergerac
Arcachon
MENDE
CAHORS
Villeneuve-s-Lot
RODEZ
AGEN
Millau
Alès
MONT-DE-MARSAN
MONTAUBAN
ALBI
NÎMES
Dax
Castres
AUCH
MONTPELLIER
Bayonne
TOULOUSE
DONOSTIA-S. SEBASTIÁN
Béziers
BILBAO
PAU
TARBES
CARCASSONNE
Narbonne
VITORIA-GASTEIZ
PAMPLONA
St-Gaudens
FOIX
PERPIGNAN
ANDORRA LA VELLA

Trouvez bien plus que votre route !

Explore beyond your route! • Finden Sie mehr als nur Ihren Weg! • Vind zoveel meer dan alleen maar uw reisweg! • Per non perdersi e non perdersi nulla! • Encuentre mucho más que el camino!

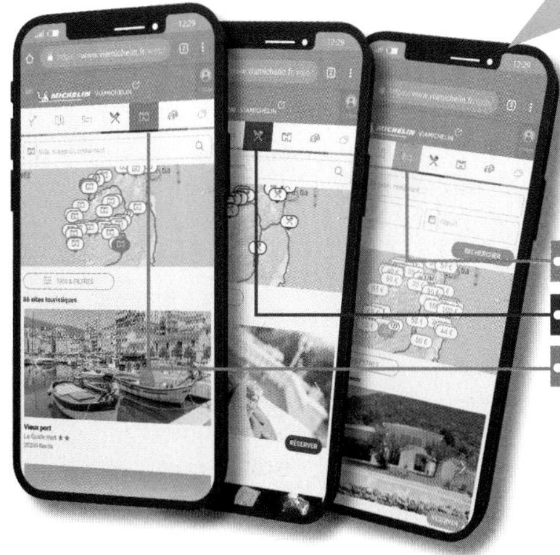

•HÔTELS*

•RESTAURANTS*

•SITES TOURISTIQUES*

Comment utiliser les QR Codes .... p. 427

How to use the QR Codes • Wie verwendet man QR Codes • Hoe moet u de QR Codes gebruiken • Come si usano i codici QR • Cómo utilizar los códigos QR

* Hotels, Restaurants, Touristic Sites • Hotels, Restaurants, Touristische Sehenswürdigkeiten • Hotels, Restaurants, Toeristische plaatsen • Hotels, Ristoranti, Luoghi d'interesse • Hotels, Restaurante, Lugares turísticos

DÉPARTS EN VACANCES
POUR ÉVITER LE STRESS, PENSEZ À :

LA VOITURE

- ☐ PRESSION PNEUS
- ☐ NIVEAU HUILE
- ☐ NIVEAU LIQUIDE DE REFROIDISSEMENT
- ☐ NIVEAU LIQUIDE LAVE-GLACE
- ☐ PLEIN CARBURANT
- ☐ RACLETTE ANTI-GIVRE
- ☐ CHAÎNES

LA SÉCURITÉ

- ☐ GILET JAUNE + TRIANGLE
- ☐ ÉTHYLOTEST
- ☐ PERMIS DE CONDUIRE
- ☐ PAPIERS DU VÉHICULE (CARTE GRISE, ATTESTATION D'ASSURANCE)
- ☐ NOTICE DU VÉHICULE
- ☐ COORDONNÉES DE L'ASSISTANCE

S'ORIENTER

- ☐ ATLAS, CARTES ET FEUILLE DE ROUTE

LA SANTÉ

- ☐ TROUSSE DE SECOURS
- ☐ CARTE VITALE
- ☐ CARNET DE SANTÉ
- ☐ LUNETTES DE SOLEIL
- ☐ CHAPEAUX
- ☐ ÉCRAN SOLAIRE

LA FAMILLE

- ☐ JEUX ENFANTS (CONSOLE DE JEUX, LECTEUR DVD, LIVRES, ETC.)
- ☐ BIBERON D'EAU
- ☐ VAPORISATEUR
- ☐ MÉDICAMENT CONTRE LE MAL DES TRANSPORTS
- ☐ REPAS (PETIT POT POUR LES BÉBÉS, PIQUE-NIQUE, COLLATION, ETC..)
- ☐ CONTRÔLE DU SIÈGE AUTO POUR ENFANTS
- ☐ PARE-SOLEIL

BONNE ROUTE !

ROULEZ ZEN !

RÉAGIR
EN CAS D'ACCIDENT

PROTÉGER

- Allumez vos feux de détresse.
- Garez-vous avec prudence en évitant de gêner l'accès des secours.
- Mettez les passagers à l'abri à l'extérieur du véhicule ; sortez par le côté opposé au trafic.
- Sur autoroute, placez-vous derrière les barrières de sécurité, dirigez-vous immédiatement vers la borne d'appel d'urgence et attendez les secours.
- Sur route, balisez l'accident par un triangle à 200 mètres en amont, à condition qu'il soit possible de le faire en toute sécurité. **Attention :** ne fumez pas à proximité du lieu de l'accident, afin d'éviter un incendie.

LES NUMÉROS UTILES

- **MONDIAL ASSISTANCE :**
  01 40 255 255 (24h/24)
- **EUROP ASSISTANCE :**
  01 41 85 85 85 (24h/24)
- **ASSURANCES ASSISTANCE :**
  ALLIANZ : **0800 103 105**
  DIRECT ASSURANCE : **01 55 92 27 20**
  GROUPAMA : **01 45 16 66 66**
  INTER MUTUELLES ASSISTANCE : **0800 75 75 75**
  MAAF : **0800 16 17 18**
  MACIF : **0800 774 774**
  MAIF : **0800 875 875**
  MATMUT : **0800 30 20 30**

RADIO AUTOROUTE
ÉCOUTEZ **107.7**

ALERTER

- **Sur autoroute,** appelez depuis une borne d'appel d'urgence, que vous trouverez tous les deux kilomètres.
- **En cas d'absence de borne,** vous pouvez **composer le 112** à partir d'un téléphone fixe, d'une cabine téléphonique ou d'un téléphone mobile (numéro d'urgence gratuit).

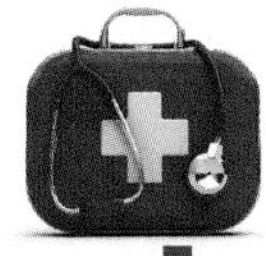

SECOURIR

- Ne déplacez pas les victimes, sauf en cas de danger imminent tel un incendie.
- Ne retirez pas le casque d'un conducteur de deux-roues.
- Ne donnez ni à boire ni à manger aux victimes.

REMPLIR OU PAS UN CONSTAT ?

Le moindre accrochage de circulation exige que les automobilistes échangent leurs coordonnées. **Si l'un refuse, il y a délit de fuite.** En revanche, en cas d'accrochage léger, vous avez tout à fait le droit de ne pas établir de constat et de ne pas déclarer l'incident à votre assureur. **Mais évaluez les conséquences :** il se peut que l'autre conducteur rédige de son côté un constat, et qu'il le remplisse unilatéralement, et qu'il expédie ensuite à son assureur en affirmant que vous vous êtes opposé à l'établissement de ce document amiable. **Méfiez-vous** également des chocs qui peuvent vous sembler très légers en apparence, mais coûtent cher à réparer. Le mieux est de remplir un constat et de ne l'envoyer à l'assureur qu'après un chiffrage précis des travaux de remise en état. **Si les réparations sont d'un coût limité,** il est préférable de ne pas déclarer l'incident pour échapper au malus. **Indemniser directement l'autre automobiliste est parfaitement légal.**

VOYAGER
AVEC DES ENFANTS

N'oubliez pas de faire des pauses-détente pour vous dégourdir les jambes !

Où et comment installer les enfants ?

Il est interdit et dangereux de faire voyager un enfant en voiture sans équipement adapté à sa taille. En France, l'utilisation d'un dispositif de retenue adapté est obligatoire jusqu'à l'âge de 10 ans (ou jusqu'à la taille de 1,50 m). Pour les bébés jusqu'à 15 mois, la position dos à la route est de loin la plus recommandée, après désactivation de l'airbag passager s'il est en place avant.

5 GESTES À BANNIR

ENFANT CEINTURÉ AVEC ADULTE

La ceinture entoure le corps de l'adulte et de l'enfant posé sur ses genoux. En cas de ralentissement fort, la sangle va bloquer l'enfant, tandis que votre corps projeté en avant va littéralement l'écraser. Risque de lésions gravissimes sur un simple coup de frein.

BÉBÉ ASSIS SUR LES GENOUX

Tout petit, votre nouveau-né se transforme en projectile au premier ralentissement brusque. Même en l'absence de tout accident, un freinage appuyé suffit à le projeter violemment vers le pare-brise. Vos bras même agrippés à lui ne peuvent pas le retenir. En cas de choc dès 20 km/h., des blessures lourdes peuvent l'handicaper à vie.

CEINTURE SOUS L'ÉPAULE

À partir de 10-11 ans, les enfants commencent à prendre quelques libertés avec la ceinture. Ils décrètent que la sangle près de leur cou les gêne et la font passer sous l'aisselle. Une forte décélération provoquerait une lésion thoracique lourde.

ENFANT, DEBOUT ENTRE LES SIÈGES

Surtout dans les monospaces, les enfants adorent rester debout, à l'arrière, entre les sièges avant, en prenant appui sur les dossiers. Un coup de frein fort et l'enfant se transforme en projectile vers le pare-brise !

SIÈGE SANS HARNAIS ATTACHÉ

De nombreux enfants sont juste posés dans leur siège, sans que le harnais soit fixé. L'utilité du siège est alors réduite à néant. De même, ne laissez pas le harnais trop relâché sur le corps de l'enfant : la retenue en cas de choc ne se ferait qu'avec un temps de retard entraînant alors une compression excessive du thorax.

Comment occuper vos enfants ?

Les enfants aiment jouer. Incitez-les à se distraire avec leurs occupations favorites (console électronique, jeux de poche) et organisez des jeux oraux :

C COMME CHAMPION Désignez une lettre de l'alphabet : le 1er qui trouve dans le paysage environnant 3 éléments commençant par cette lettre a gagné !

JEUX DES PLAQUES Faites une phrase avec les lettres des plaques d'immatriculation des véhicules croisés sur la route. (ex : **AB 123 CD** = > « **A**lexandre **B**oit du **C**hocolat au **D**entifrice... »)

JEU DES VOITURES Choisissez et comptez le nombre de voitures d'une marque ou d'un modèle précis.

C TU OÙ C ? Retrouvez une ville ou un lieu-dit amusant sur les pages de l'atlas. On commence par un indice sous forme de devinette. (ex : « c'est dans la région où sont fabriquées les espadrilles » ...)

CHACUN SON SIÈGE*

Groupe 0
(0 à 10 kg } jusqu'à 70cm)
et 0+ (0 à 13 kg } jusqu'à 80cm)

SIÈGE « COQUE » AVEC HARNAIS DOS À LA ROUTE, PLACÉ DE PRÉFÉRENCE À L'ARRIÈRE DU VÉHICULE OU DEVANT EN DÉSACTIVANT L'AIRBAG

Groupe 1
(9 à 18 kg } jusqu'à 1m)

SIÈGE AVEC HARNAIS ET RENFORTS LATÉRAUX, PLACÉ À L'ARRIÈRE DU VÉHICULE

Groupe 2 (15 à 25 kg) et Groupe 3 (22 à 36 kg) / jusqu'à 1m5

REHAUSSEUR AVEC DOSSIER + CEINTURE DE SÉCURITÉ À L'ARRIÈRE DU VÉHICULE

* Sièges et rehausseurs doive obligatoirement posséder un visa d'homologation cer tifiant qu'ils répondent aux normes européennes.

CONDUIRE
DANS DES CONDITIONS DIFFICILES

GÉRER LES INTEMPÉRIES

PLUIE

Sous la pluie, le risque d'accident est multiplié par trois : la visibilité est réduite, les distances de freinage sont allongées de moitié. **Au-dessus de 80 km/h,** une pellicule d'eau peut se former entre le pneu et la chaussée : c'est le phénomène « d'aquaplaning », d'autant plus dangereux que la direction risque alors de ne plus répondre...

En règle générale, il faut **réduire sa vitesse de 20 km/h au moins**, allumer ses feux de croisements, **garder largement ses distances** de sécurité et freiner progressivement par petites impulsions. La pluie vous fait perdre 30 à 50 % d'adhérence et les risques de dérapage se trouvent accrus. Attention : une petite pluie fine peut constituer un piège redoutable, la chaussée peut alors devenir aussi glissante que de la neige !

BROUILLARD

Avant le départ, vérifiez l'éclairage de votre véhicule ; sur la route, **allumez vos codes** ou feux de brouillard. **Réduisez votre vitesse** en fonction de la visibilité et gardez largement vos distances de sécurité avec le véhicule qui vous précède.

Utilisez régulièrement **vos essuie-glaces** et **allumez vos feux de détresse** en cas d'arrêt sur la chaussée (panne, bouchon, accident...)

GLACE ET VERGLAS

Une voiture qui perd sa trajectoire sur la glace devient irrattrapable, même entre les mains les plus expertes. Mais le verglas « noir » peut aussi vous surprendre par plaques ponctuelles sur une route totalement dégagée. **Méfiez-vous**, lorsque la température est négative, des zones restées dans l'ombre, des bordures de bois, des secteurs sujets à brouillard.

NEIGE

Elle fait chuter l'adhérence jusqu'à 80 %. Mais attention, le plus traître dans la neige, ce n'est pas la chaussée plus glissante, mais la grande variation entre les niveaux d'adhérence : **la neige fraîche** offre une adhérence certes basse, mais continue. Au contraire, **un tapis neigeux ancien** accentue les adhérences très variables et peu prévisibles d'un mètre à l'autre, et enfin, **la neige fondante** se colle dans les sculptures des pneus et crée un effet « patinoire ».

RESPECTER LES DISTANCES

Votre distance d'arrêt n'est pas aussi courte que la distance de freinage dont est capable votre voiture car elle intègre votre temps de réaction. Au mieux, il vous faut 1 seconde pour réagir avant d'appuyer sur la pédale de frein en cas d'imprévu... voire 2 en cas d'attention relâchée. **À 90 km/h,** en **1 seconde,** vous parcourez **25 mètres** avant de commencer à freiner.

2H DE CONDUITE = TEMPS DE RÉACTION X2

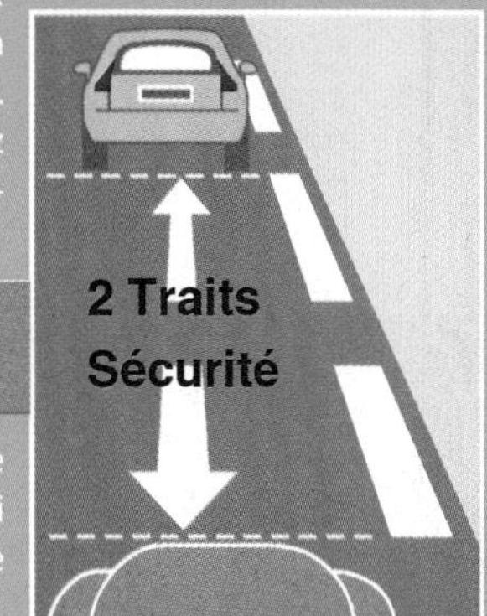

À 130 km/h, cette seconde représente 36 mètres ce qui porte à 129 mètres votre distance de freinage !

UNE PAUSE DE 10 MINUTES MINIMUM TOUTES LES 2 HEURES EST INDISPENSABLE !

MÉDICAMENTS

Fiez-vous aux pictogrammes de couleur inscrits sur les boîtes **(jaune, orange, rouge):** ils indiquent le degré d'assoupissement que la prise des comprimés engendre.

ÉVITER L'ENGOURDISSEMENT

- étirez-vous
- tendez un à un les bras à l'horizontale devant vous, en « cassant » le poignet vers l'extérieur et en le faisant pivoter
- placez tour à tour les bras à l'horizontale sur les côtés, avant-bras replié, et dirigez-les vers l'arrière en forçant légèrement sur l'articulation des épaules
- faites pivoter votre tête de gauche à droite, et effectuez des petites rotations.

CONDUIRE DE NUIT

La nuit représente moins de 10 % du trafic mais **35 % des blessés** et **44 % des personnes tuées** sur la route.

4 FOIS + DE RISQUE D'AVOIR UN ACCIDENT ENTRE 22H ET 6H DU MATIN !

LES HEURES À ÉVITER

PNEUS NEIGE OU CHAÎNES ?

- **LES PNEUS NEIGE** sont très utiles durant toute la saison hivernale. Sur la neige, ils permettent de **limiter la perte d'adhérence,** et se révèlent **excellents pour la pluie**. Il faut surtout les monter par quatre.
- **LES CHAÎNES ne sont à utiliser que ponctuellement,** en cas de **chaussée entièrement enneigée.** Elles peuvent être rendues obligatoires par les forces de l'ordre. Les chaînes se montent sur les roues motrices de votre voiture.

L'ENTRETIEN DE VOTRE AUTOMOBILE

PLANNING DE RÉVISION DE LA VOITURE

ESSUIE-GLACE & LAVE-GLACE

ÉCHÉANCE Essuie-glace à vérifier **tous les 3 mois.** Le niveau de lave-glace est à vérifier **avant chaque départ.**

RISQUES Stries lors du balayage.

AMORTISSEURS

ÉCHÉANCE À vérifier **tous les 80 000 km.**

RISQUES Perte de la tenue de route de votre voiture (tenue de cap, adhérence sur les chaussées déformées, efficacité au freinage). Risque insidieux, car très progressif, et donnant dans un premier temps une impression de confort.

FREINS

ÉCHÉANCE **Selon recommandation du garagiste.** Si vous entendez un fort bruit métallique lors des ralentissements, c'est que les plaquettes de frein sont arrivées à usure totale.

RISQUES La capacité de freinage est alors réduite de 90 %.

LIQUIDE DE FREINS

ÉCHÉANCE À changer **tous les 2 ans.**

RISQUES Absence soudaine de répondant en appuyant sur la pédale (Formation de bulles dans le circuit de freinage qui se charge progressivement en eau).

ÉCLAIRAGE

ÉCHÉANCE
Code et pleins phares à vérifier **périodiquement.**

PRESSION DES PNEUS

ÉCHÉANCE **Tous les mois, et avant un long déplacement.**

RISQUES Dégradation de la tenue de route, surtout en virage. Allongement des distances de freinage. Échauffement et risque d'éclatement. Usure accélérée de la bande de roulement et fatigue de la structure du pneu.

CONTRÔLE TECHNIQUE

En France, toute voiture âgée de 4 ans doit passer un contrôle technique.

- La première visite doit se faire dans les six mois avant son quatrième anniversaire.
- La date de première immatriculation portée sur la carte grise fait référence pour définir le jour ultime de passage au contrôle. Par la suite, les visites se font tous les deux ans.
- L'administration n'envoie aucune convocation : c'est à vous de présenter spontanément votre voiture dans un centre agréé.
- Le passage coûte autour de 65 € et exige un rendez-vous.

FOCUS PNEUS

Ne prenez la route qu'avec des pneus en bon état. Eux seuls assurent le contact de votre voiture avec la chaussée. Voici ce qui peut les altérer et donc vous obliger à un remplacement.

USURE

INDICATEUR Légalement, la profondeur des sculptures doit être au minimum de 1,6 mm. Le niveau du témoin d'usure est localisé par un triangle sur le flanc *(un bibendum chez Michelin).*

RECOMMANDATION Les pneus se changent au minimum 2 par 2 (par essieu). Même si le pneu n'est pas usé de façon homogène, et à partir du moment où une zone a atteint la hauteur minimum du témoin d'usure. Faites régler en même temps la géométrie des suspensions.

HERNIE

INDICATEUR Petite bosse sur le flanc du pneu.

RECOMMANDATION Si la hernie est grosse, il faut changer le pneu.

DÉCHIRURE

INDICATEUR On peut l'évaluer en soulevant le caoutchouc.

RECOMMANDATION Un simple accroc de surface n'est pas problématique. En revanche, si on voit la trame du pneu, il faut le changer.

SOUS-GONFLAGE PROLONGÉ

INDICATEUR Pas obligatoirement visible à l'extérieur.

RECOMMANDATION Si vous avez roulé plus de 20 km avec un déficit de pression d'un bar (1 kg), il faut faire examiner l'intérieur du pneu par un professionnel (risque de déchapage = perte de la bande de roulement).

CONSEIL DE BIB !

POUR BIEN GONFLER SES PNEUS

- SURGONFLEZ de 0,3 bar (300 grammes) en cas de voiture chargée ou de pneus chauds. (Ou alors reportez-vous aux préconisations du constructeur : sur un nombre croissant de voitures, les préconisations de pression en charge sont nettement plus élevées).
- N'oubliez pas de VÉRIFIER LA PRESSION sur la roue de secours. S'il s'agit d'une roue galette, la pression peut être très élevée (3 à 4 bars).
- SURGONFLEZ de 0,4 bar (400 grammes) à l'arrière du véhicule, si vous tractez une caravane.

LÉGISLATION FRANÇAISE
INFRACTIONS ET SANCTIONS

CONTRAVENTIONS
AVEC RETRAIT DE POINTS

NATURE DE LA FAUTE	AMENDE	RETRAIT DE POINTS	SUSPENSION DE PERMIS	SANCTION POSSIBLE
Non présentation de l'attestation d'assurance	35 €	-	-	-
Usage du téléphone tenu en main en conduisant. Port à l'oreille d' un dispositif audio (oreillette, casque, etc...)	135 €	3	-	-
Circulation sur bande d'arrêt d'urgence	135 €	3	MAXI 3 ANS	-
Changement de direction sans avertissement préalable (clignotant)	35 €	3	MAXI 3 ANS	-
Arrêt ou stationnement dangereux	135 €	3	MAXI 3 ANS	-
Défaut de port de ceinture de sécurité		3	-	-
Défaut de port de casque (2 roues motorisées)		3	-	-
Non-respect de l'arrêt au feu rouge ou au stop ou au cédez le passage		4	MAXI 3 ANS	-
Refus de priorité		4	MAXI 3 ANS	-
Circulation en sens interdit		4	MAXI 3 ANS	-
Marche arrière ou demi-tour sur autoroute et rocade d'accès		4	MAXI 3 ANS	-
Non-respect de la distance de sécurité entre 2 véhicules		3	MAXI 3 ANS	-
Chevauchement de ligne continue		1	MAXI 3 ANS	-
Franchissement de ligne continue		3	MAXI 3 ANS	-
Dépassement dangereux		3	MAXI 3 ANS	-
Non-respect de la priorité aux piétons		6	MAXI 3 ANS	-
Circulation à gauche sur une chaussée à double sens		3	MAXI 3 ANS	-
Circulation de nuit ou par visibilité insuffisante sans éclairage		4	MAXI 3 ANS	-
Conduite en état alcoolique (0,5 à 0,8 g/litre de sang, 0,2g en période probatoire)		6	MAXI 3 ANS	IMMOBILISATION

LES PRINCIPAUX DÉLITS

NATURE DE LA FAUTE	AMENDE	RETRAIT DE POINTS	SUSPENSION DE PERMIS	SANCTION POSSIBLE
Excès de vitesse > 50 km/h	1 500 €	6	MAXI 3 ANS	PASSAGE AU TRIBUNAL AUTOMATIQUE
Défaut d'assurance	3 750 €	-	SUSPENSION/ANNULATION DE 3 ANS (SANS SURSIS NI PERMIS BLANC)	IMMOBILISATION/ CONFISCATION
Refus d'obtempérer	MAXI 7 500 €	6	MAXI 3 ANS (ANNULATION POSSIBLE)	PRISON (MAXI 1 AN)
Mise en danger de la vie d'autrui	MAXI 15 000 €	-	MAXI 5 ANS (ANNULATION)	PRISON (MAXI 1 AN)
Usage de fausses plaques	3 750 €	6	3 ANS	PRISON (MAXI 5 ANS)
Usurpation de plaques	MAXI 30 000 €	6	MAX 3 ANS (ANNULATION)	PRISON (MAXI 7 ANS)
Délit de fuite	MAXI 75 000 €	6	MINI 5ANS (PAS DE PERMIS BLANC)	PRISON (MAXI 3 ANS)
Conduite avec une alcoolémie égale ou supérieure à 0,8 g/litre de sang ou en état d'ivresse manifeste. Refus de se soumettre à une vérification de présence d'alcool dans le sang.	MAXI 4 500 €	6	SUSPENSION/ANNULATION DE 3 ANS (SANS SURSIS NI PERMIS BLANC)	IMMOBILISATION/ PRISON 2 ANS
Récidive de conduite avec une alcoolémie égale ou supérieure à 0,8 g/litre de sang ou en état d'ivresse manifeste	9 000 €	6	ANNULATION DE 3 ANS (SANS SURSIS NI PERMIS BLANC)	IMMOBILISATION/ CONFISCATION/ PRISON 4 ANS
Conduite sous l'effet de drogue ou refus de dépistage de drogue	4 500 €	6	SUSPENSION/ANNULATION DE 3 ANS (SANS SURSIS NI PERMIS BLANC)	IMMOBILISATION/ CONFISCATION/PRISON 2 ANS
Conduite sans permis de conduire	MAXI 15 000 €	-	-	IMMOBILISATION/ CONFISCATION/PRISON 1 AN
Conduite malgré une suspension administrative ou judiciaire du permis de conduire ou une rétention du permis de conduire	MAXI 4 500 €	6	SUSPENSION/ANNULATION DE 3 ANS (SANS SURSIS NI PERMIS BLANC)	IMMOBILISATION/ CONFISCATION/PRISON 2 ANS
Accident occasionnant des blessures graves (incapacité temporaire de travail > 3 mois) avec circonstances aggravantes (emprise d'alcool...)	MAXI 150 000 €	6	MAXI 5 ANS (ANNULATION)	IMMOBILISATION /PRISON (MAXI 10 ANS)
Accident avec homicide involontaire	MAXI 75 000 €	6	MAXI 5 ANS (ANNULATION)	IMMOBILISATION /PRISON (MAXI 5 ANS)

Légende

Routes

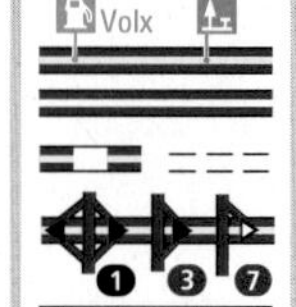

Autoroute - Station-service - Aire de repos
Double chaussée de type autoroutier
Autoroute - Route en construction
(le cas échéant : date de mise en service prévue)
Échangeurs : complet - partiels
Numéros d'échangeurs
Route de liaison internationale ou nationale
Route de liaison interrégionale ou de dégagement
Route revêtue - non revêtue
Chemin d'exploitation - Sentier

Largeur des routes

Chaussées séparées
4 voies
2 voies larges
2 voies
1 voie

Distances (totalisées et partielles)

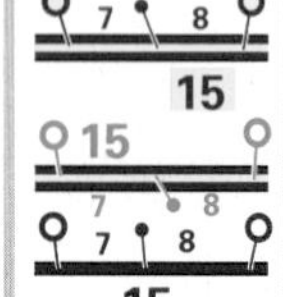

Section à péage
sur autoroute
Section libre sur autoroute
sur route

Numérotation - Signalisation

Route européenne - Autoroute - Route métropolitaine
Route nationale - départementale

Alertes Sécurité

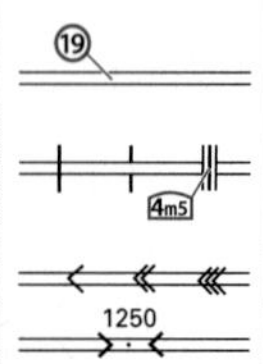

Limites de charge : d'un pont, d'une route
(au-dessous de 19 t.)
Passages de la route :
à niveau - supérieur- inférieur
Hauteur limitée (au-dessous de 4,50 m)
Forte déclivité (flèches dans le sens de la montée)
de 5 à 9%, de 9 à 13%, 13% et plus

Col et sa cote d'altitude
Parcours difficile ou dangereux
Route à sens unique - Route réglementée
Route interdite
Restrictions de circulation
liées à la pollution
Pont mobile - Barrière de péage

Transports

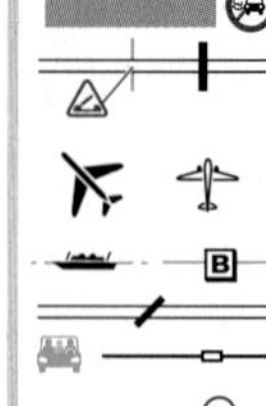

Aéroport - Aérodrome
Transport des autos :
par bateau - par bac
Bac pour piétons et cycles
Covoiturage - Voie ferrée - Gare

Administration

Frontière - Douane
Capitale de division administrative

Sports - Loisirs

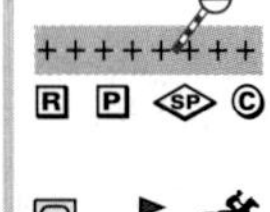

Stade - Golf - Hippodrome
Port de plaisance - Baignade - Parc aquatique

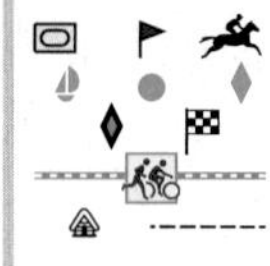

Base ou parc de loisirs - Circuit automobile
Piste cyclable / Voie Verte
Refuge de montagne - Sentier de randonnée

Curiosités

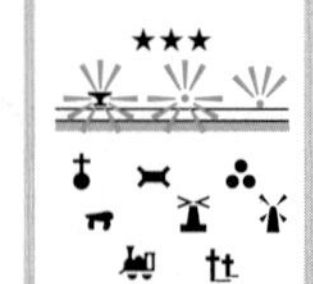

Principales curiosités : voir LE GUIDE VERT
Table d'orientation - Panorama - Point de vue
Parcours pittoresque
Édifice religieux - Château - Ruines
Monument mégalithique - Phare - Moulin à vent
Train touristique - Cimetière militaire
Grotte - Autres curiosités

Signes divers

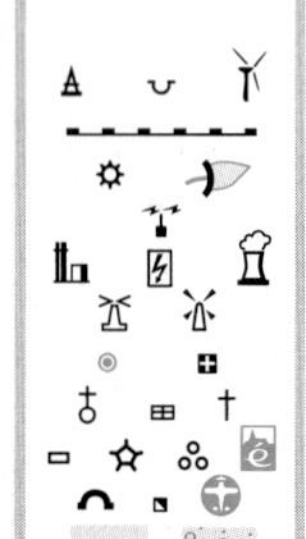

Puits de pétrole ou de gaz - Carrière - Éolienne
Transporteur industriel aérien
Usine - Barrage
Tour ou pylône de télécommunications
Raffinerie - Centrale électrique - Centrale nucléaire
Phare ou balise - Moulin à vent
Château d'eau - Hôpital
Église ou chapelle - Cimetière - Calvaire
Château - Fort - Ruines - Village étape
Grotte - Monument - Altiport
Forêt ou bois - Forêt domaniale

Key

Roads

Motorway - Petrol station - Rest area
Dual carriageway with motorway characteristics
Motorway - Road under construction
(when available : with scheduled opening date)
Interchanges: complete, limited
Interchange numbers
International and national road network
Interregional and less congested road
Road surfaced - unsurfaced
Rough track - Footpath

Road widths

Dual carriageway
4 lanes
2 wide lanes
2 lanes
1 lane

Distances (total and intermediate)

Toll roads
on motorway
Toll-free section on motorway
on road

Numbering - Signs

European route - Motorway - Metropolitan road
National road - Departmental road

Safety Warnings

Load limit of a bridge, of a road
(under 19 t)
Level crossing:
railway passing, under road, over road.
Height limit (under 4.50 m)
Steep hill (ascent in direction of the arrow)
5 - 9%, 9 -13%, 13% +
Pass and its height above sea level
Difficult or dangerous section of road
One way road - Road subject to restrictions
Prohibited road
Traffic restrictions
due to air pollution
Swing bridge - Toll barrier

Transportation

Airport - Airfield
Transportation of vehicles:
by boat - by ferry
Ferry (passengers and cycles only)
Carpooling - Railway - Station

Administration

National boundary - Customs post
Administrative district seat

Sport & Recreation Facilities

Stadium - Golf course - Horse racetrack
Pleasure boat harbour - Bathing place - Water park
Country park - Racing circuit
Cycle paths and nature trails
Mountain refuge hut - Hiking trail

Sights

Principal sights: see THE GREEN GUIDE
Viewing table - Panoramic view - Viewpoint
Scenic route
Religious building - Historic house, castle - Ruins
Prehistoric monument - Lighthouse - Windmill
Tourist train - Military cemetery
Cave - Other places of interest

Other signs

Oil or gas well - Quarry - Wind turbine
Industrial cable way
Factory - Dam
Telecommunications tower or mast
Refinery - Power station - Nuclear Power Station
Lighthouse or beacon - Windmill
Water tower - Hospital
Church or chapel - Cemetery - Wayside cross
Castle - Fort - Ruines - Stopover village
Grotte - Monument - Mountain airfield
Forest or wood - State forest

Zeichenerklärung

Straßen

Autobahn - Tankstelle - Tankstelle mit Raststätte
Schnellstraße mit getrennten Fahrbahnen
Autobahn - Straße im Bau (ggf. voraussichtliches
Datum der Verkehrsfreigabe)
Anschlussstellen: Voll - bzw. Teilanschlussstellen
Anschlussstellennummern
Internationale bzw.nationale Hauptverkehrsstraße
Überregionale Verbindungsstraße oder Umleitungsstrecke
Straße mit Belag - ohne Belag
Wirtschaftsweg - Pfad

Straßenbreiten

Getrennte Fahrbahnen
4 Fahrspuren
2 breite Fahrspuren
2 Fahrspuren
1 Fahrspur

Entfernungen (Gesamt- und Teilentfernungen)

Mautstrecke
auf der Autobahn
Mautfreie Strecke auf der Autobahn
auf der Straße

Nummerierung - Wegweisung

Europastraße - Autobahn - Straße der Metropolregion
Nationalstraße - Departementstraße

Sicherheitsalerts

Höchstbelastung einer Straße/Brücke
(angegeben, wenn unter 19 t)
Bahnübergänge: Schienengleich, Unterführung,
Überführung. Beschränkung der Durchfahrtshöhe
(angegeben, wenn unter 4,50 m)
Starke Steigung (Steigung in Pfeilrichtung)
5-9%, 9-13%, 13% und mehr
Pass mit Höhenangabe
Schwierige oder gefährliche Strecke
Einbahnstraße - Straße mit Verkehrsbeschränkungen
Gesperrte Straße
Verkehrsbeschränkungen aufgrund der
Luftverschmutzung
Bewegliche Brücke - Mautstelle

Verkehrsmittel

Flughafen - Flugplatz
Schiffsverbindungen:
per Schiff - per Fähre
Fähre für Personen und Fahrräder
Mitfahrzentrale - Bahnlinie - Bahnhof

Verwaltung

Staatsgrenze - Zoll
Verwaltungshauptstadt

Sport - Freizeit

Stadion - Golfplatz - Pferderennbahn
Yachthafen - Strandbad - Badepark
Freizeitanlage - Rennstrecke
Radwege und autofreie Wege
Schutzhütte - Markierter Wanderweg

Sehenswürdigkeiten

Hauptsehenswürdigkeiten: siehe GRÜNER REISEFÜHRER
Orientierungstafel - Rundblick - Aussichtspunkt
Landschaftlich schöne Strecke
Sakral-Bau - Schloss, Burg - Ruine
Vorgeschichtliches Steindenkmal - Leuchtturm - Windmühle
Museumseisenbahn-Linie - Soldatenfriedhof
Höhle - Sonstige Sehenswürdigkeit

Sonstige Zeichen

Erdöl-, Erdgasförderstelle - Steinbruch - Windkraftanlage
Industrieschwebebahn
Fabrik - Staudamm
Funk-, Sendeturm
Raffinerie - Kraftwerk - Kernkraftwerk
Leuchtturm oder Leuchtfeuer - Windmühle
Wasserturm - Krankenhaus
Kirche oder Kapelle - Friedhof - Bildstock
Schloss, Burg - Fort, Festung - Ruine - Übernachtungsort
Höhle - Denkmal - Landeplatz im Gebirge
Wald oder Gehölz - Staatsforst

Verklaring van de tekens

Wegen
Autosnelweg - Tankstation - Rustplaats
Gescheiden rijbanen van het type autosnelweg
Autosnelweg - Weg in aanleg (indien bekend: datum openstelling)
Aansluitingen: volledig, gedeeltelijk
Afritnummers
Internationale of nationale verbindingsweg
Interregionale verbindingsweg
Verharde weg - Onverharde weg
Landbouwweg - Pad

Breedte van de wegen
Gescheiden rijbanen
4 rijstroken
2 brede rijstroken
2 rijstroken
1 rijstrook

Afstanden (totaal en gedeeltelijk)
Gedeelte met tol op autosnelwegen
Tolvrij gedeelte op autosnelwegen
op andere wegen

Wegnummers - Bewegwijzering
Europaweg - Autosnelweg - Stadsweg
Nationale weg - Departementale weg

Veiligheidswaarschuwingen
Maximum draagvermogen: van een brug, van een weg (indien minder dan 19 t)
Wegovergangen: gelijkvloers, overheen, onderdoor. Vrije hoogte (indien lager dan 4,5 m)
Steile helling (pijlen in de richting van de helling) 5 - 9%, 9 - 13%, 13% of meer
Bergpas en hoogte boven de zeespiegel
Moeilijk of gevaarlijk traject
Weg met eenrichtingsverkeer - Beperkt opengestelde weg
Verboden weg
Verkeersbeperkingen tegen luchtvervuiling
Beweegbare brug - Tol

Vervoer
Luchthaven - Vliegveld
Vervoer van auto's: per boot - per veerpont
Veerpont voor voetgangers en fietsers
Carpoolplaats - Spoorweg - Station

Administratie
Staatsgrens - Douanekantoor
Hoofdplaats van administratief gebied

Sport - Recreatie
Stadion - Golfterrein - Renbaan
Jachthaven - Zwemplaats - Watersport
Recreatiepark - Autocircuit
Fietspad / Wandelpad in de natuur
Berghut - Afstandswandelpad

Bezienswaardigheden
Belangrijkste bezienswaardigheden: zie DE GROENE GIDS
Oriëntatietafel - Panorama - Uitzichtpunt
Schilderachtig traject
Kerkelijk gebouw - Kasteel - Ruïne
Megaliet - Vuurtoren - Molen
Toeristentreintje - Militaire begraafplaats
Grot - Andere bezienswaardigheden

Diverse tekens
Olie- of gasput - Steengroeve - Windmolen
Kabelvrachtvervoer
Fabriek - Stuwdam
Telecommunicatietoren of -mast
Raffinaderij - Elektriciteitscentrale - Kerncentrale
Vuurtoren of baken - Molen
Watertoren - Hospitaal
Kerk of kapel - Begraafplaats - Kruisbeeld
Kasteel - Fort - Ruïne - Dorp voor overnachting
Grot - Monument - Landingsbaan in de bergen
Bos - Staatsbos

Legenda

Strade
Autostrada - Stazione di servizio - Area di riposo
Doppia carreggiata di tipo autostradale
Autostrada - Strada in costruzione (data di apertura prevista)
Svincoli: completo, parziale
Svincoli numerati
Strada di collegamento internazionale o nazionale
Strada di collegamento interregionale o di disimpegno
Strada rivestita - non rivestita
Strada per carri - Sentiero

Larghezza delle strade
Carreggiate separate
4 corsie
2 corsie larghe
2 corsie
1 corsia

Distanze (totali e parziali)
Tratto a pedaggio su autostrada
Tratto esente da pedaggio su autostrada
su strada

Numerazione - Segnaletica
Strada europea - Autostrada - Strada metropolitane
Strada nazionale - dipartimentale

Segnalazioni stradali
Limite di portata di un ponte, di una strada (inferiore a 19 t.)
Passaggi della strada: a livello, cavalcavia, sottopassaggio
Limite di altezza (inferiore a 4,50 m)
Forte pendenza (salita nel senso della freccia) da 5 a 9%, da 9 a 13%, superiore a 13%
Passo ed altitudine
Percorso difficile o pericoloso
Strada a senso unico - Strada a circolazione regolamentata
Strada vietata
Limitazioni al traffico legate all'inquinamento
Ponte mobile - Casello

Trasporti
Aeroporto - Aerodromo
Trasporto auto: su traghetto - su chiatta
Traghetto per pedoni e biciclette
Carpooling - Ferrovia - Stazione

Amministrazione
Frontiera - Dogana
Capoluogo amministrativo

Sport - Divertimento
Stadio - Golf - Ippodromo
Porto turistico - Stabilimento balneare - Parco acquatico
Area o parco per attività ricreative - Circuito automobilistico
Pista ciclabile / Viottolo
Rifugio - Sentiero per escursioni

Mete e luoghi d'interesse
Principali luoghi d'interesse, vedere LA GUIDA VERDE
Tavola di orientamento - Panorama - Vista
Percorso pittoresco
Edificio religioso - Castello - Rovine
Monumento megalitico - Faro - Mulino a vento
Trenino turistico - Cimitero militare
Grotta - Altri luoghi d'interesse

Simboli vari
Pozzo petrolifero o gas naturale - Cava - Centrale eolica
Teleferica industriale
Fabbrica - Diga
Torre o pilone per telecomunicazioni
Raffineria - Centrale elettrica - Centrale nucleare
Faro o boa - Mulino a vento
Torre idrica - Ospedale
Chiesa o cappella - Cimitero - Calvario
Castello - Forte - Rovine - Paese tappa
Grotta - Monumento - Altiporto
Foresta o bosco - Foresta demaniale

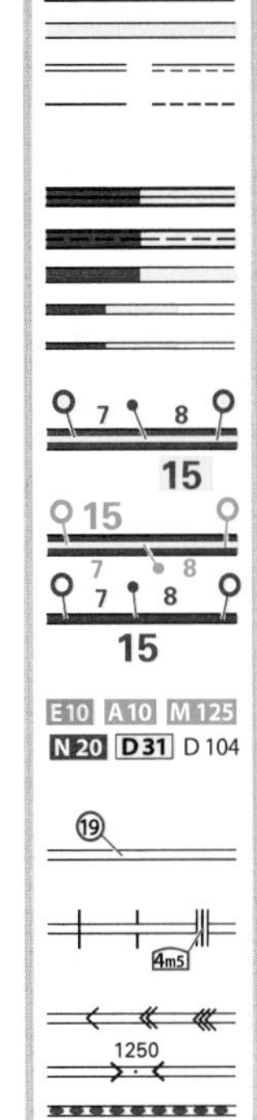

Signos convencionales

Carreteras
Autopista - Estación servicio - Área de descanso
Autovía
Autopista - Carretera en construcción (en su caso : fecha prevista de entrada en servicio)
Enlaces: completo, parciales
Números de los accesos
Carretera de comunicación internacional o nacional
Carretera de comunicación interregional o alternativo
Carretera asfaltada - sin asfaltar
Camino agrícola - Sendero

Ancho de las carreteras
Calzadas separadas
Cuatro carriles
Dos carriles anchos
Dos carriles
Un carril

Distancias (totales y parciales)
Tramo de peaje en autopista
Tramo libre en autopista
en carretera

Numeración - Señalización
Carretera europea - Autopista - Carretera metropolitana
Carretera nacional - provincial

Alertas Seguridad
Carga límite de un puente, de una carretera (inferior a 19 t)
Pasos de la carretera: a nivel, superior, inferior
Altura limitada (inferior a 4,50 m)
Pendiente pronunciada (las flechas indican el sentido del ascenso) de 5 a 9%, 9 a 13%, 13% y superior
Puerto y su altitud
Recorrido difícil o peligroso
Carretera de sentido único - Carretera restringida
Tramo prohibido
Restricciones circulatorias ligadas a la contaminación
Puente móvil - Barrera de peaje

Transportes
Aeropuerto - Aeródromo
Transporte de coches : por barco - por barcaza
Barcaza para el paso de peatones y vehículos dos ruedas
Coche compartido - Línea férrea - Estación

Administración
Frontera - Puesto de aduanas
Capital de división administrativa

Deportes - Ocio
Estadio - Golf - Hipódromo
Puerto deportivo - Zona de baño - Parque acuático
Parque de ocio - Circuito automovilístico
Pista ciclista / Vereda
Refugio de montaña - Sendero balizado

Curiosidades
Principales curiosidades: ver LA GUÍA VERDE
Mesa de orientación - Vista panorámica - Vista parcial
Recorrido pintoresco
Edificio religioso - Castillo - Ruinas
Monumento megalítico - Faro - Molino de viento
Tren turístico - Cementerio militar
Cueva - Otras curiosidades

Signos diversos
Pozos de petróleo o de gas - Cantera - Parque eólico
Transportador industrial aéreo
Fábrica - Presa
Torreta o poste de telecomunicación
Refinería - Central eléctrica - Central nuclear
Faro o baliza - Molino de viento
Fuente - Hospital
Iglesia o capilla - Cementerio - Crucero
Castillo - Fortaleza - Ruinas - Población-etapa
Cueva - Monumento - Altipuerto
Bosque - Patrimonio Forestal del Estado

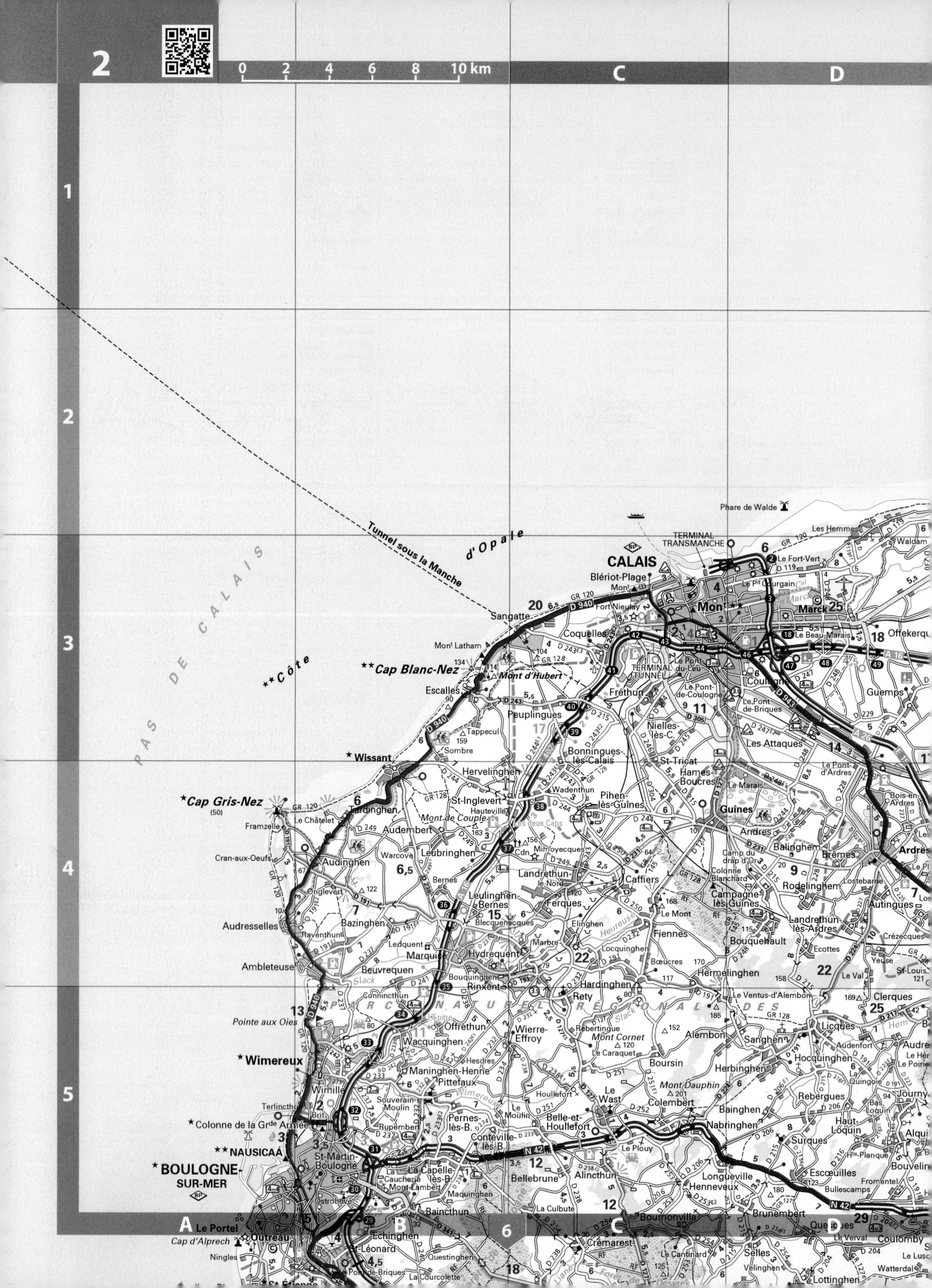

2
0 2 4 6 8 10 km
C
D
1
2
3
4
5
A
B
6
Phare de Walde
Les Hemmes
TERMINAL TRANSMANCHE
CALAIS
Blériot-Plage
Tunnel sous la Manche
d'Opale
PAS DE CALAIS
★★Côte
Sangatte
Coquelles
Mont Latham
★★Cap Blanc-Nez
Mont d'Hubert
Escalles
Peuplingues
Fréthun
TERMINAL TUNNEL
Le Pont-du-Leu
Coulogne
Marck
Le Beau-Marais
Offekerque
Guemps
Nielles-lès-C.
Les Attaques
Le Fort-Vert
Waldam
Fort Nieulay
Tappecul
Sombre
★Wissant
Hervelinghen
Bonningues-lès-Calais
St-Tricat
Hames-Boucres
Le Pont-d'Ardres
★Cap Gris-Nez
Framzelle
Le Châtelet
Tardinghen
St-Inglevert
Hauteville
Mont de Couple
Les deux Caps
Wadenthun
Pihen-lès-Guînes
Guînes
Andres
Balinghem
Brêmes
Ardres
Bois-en-Ardres
Audembert
Leubringhen
Warcove
Cran-aux-Oeufs
Audinghen
Onglevert
Mimoyecques
Caffiers
Landrethun-le-Nord
Camp du drap d'Or
Colonne Blanchard
Rodelinghem
Campagne-lès-Guînes
Lostebarne
Autingues
Bazinghen
Raventhun
Audresselles
Leulinghen-Bernes
Ferques
Elinghen
Le Mont
Fiennes
Landrethun-lès-Ardres
Bouquehault
Crézecques
Ecottes
Ambleteuse
Ledquent
Marquise
Hydrequent
Marbre
Locquinghen
Bœucres
Hermelinghen
Beuvrequen
Bouquinghen
Rinxent
Hardinghen
Rety
Le Val
St-Louis
Yeuse
Slack
Connincthun
PARC NATUREL RÉGIONAL DES
Le Ventus-d'Alembon
Clerques
Pointe aux Oies
L'Epitre
Offrethun
Wierre-Effroy
Rebertingue
Mont Cornet
Le Caraquet
Alembon
Sanghen
Licques
Audenfort
★Wimereux
Wacquinghen
Hesdres
Maninghen-Henne
Pittefaux
Boursin
Herbinghen
Hocquinghen
Le Poirier
Wimille
Souverain-Moulin
Houllefort
Le Wast
Mont Dauphin
Colembert
Rebergues
Journy
Terlincthun
★Colonne de la Grde Armée
Rupembert
Pernes-lès-B.
Le Moulin
Belle-et-Houllefort
Bainghen
Nabringhen
Haut-Loquin
Alquines
★★NAUSICAÁ
St-Martin-Boulogne
Conteville-lès-B.
Le Plouy
Surques
★BOULOGNE-SUR-MER
La Caucherie
La Capelle-lès-B.
Mont-Lambert
Bellebrune
Alincthun
Longueville
Henneveux
Escœuilles
Bullescamps
Bouvelinghem
Ostrohove
Maquinghen
La Culbute
Brunembert
Quesques
Le Portel
Outreau
Cap d'Alprech
Ningles
Baincthun
Echinghen
St-Léonard
Questinghen
Pont-de-Briques
La Courcolette
Crémarest
Bournonville
Le Cantinard
Selles
Velinghen
Le Verval
Colembert
Lottinghen
Watterdal
Le Luc
Coulomby

E
F
G
H
3
Oostdu
Koksijde-Ba
St-Idesbald
De Panne
Oosthoek
Westhoek
Plopsaland
Ten Bogaer
Bray-Dunes
Charrière
Adinkerke
DUNKERQUE
Zuydcoote
Leffrinckoucke
Bommelaers Wall
Ghyvelde
Malo-les-Bains
Meulhouck
De Moeren
ZONE INDUSTRIELLE PORTUAIRE
Hameau-des-Dunes
Fort-Mardyck
St-Pol-sur-Mer
Rosendaël
Leffrinckoucke-Village
Tiegerveld
Grand-Fort-Philippe
Mardyck
Grde Synthe
Petite Synthe
Coudekerque-Branche
Uxem
Les Moëres
Le Casino
Beauvo
Pont-à-Charrettes
Kromen-Houck
Houtem
Téteghem-Coudekerque-Village
Galghouck
Hameau-des-Neiges
La Brouckstraete
Doorntje
Escardines
Pt-Fort-Philippe
Les Dunes-d'Oye
Les Huttes
Loon-Plage
Le Bout-d'Oye
Gravelines
Cappelle-la-Grde
Fort Vallières
Benkies-Meulen
Pont-aux-Cerfs
Hondschoote
L'Etoile
Oye-Plage
Armbouts-Cappel
Warhem
St-Georges-sur-l'Aa
Pont-de-Spycker
Pt Millebrugghe
Grd Millebrugge
Hoymille
Craywick
Spycker
Coppenaxfort
Bierne
Bergues
Haeghe-Meulen
Killem
Haezepoel
Killem-Linde
Rattekot
Steene
Brouckerque
Les Cinq Chemins
Rexpoëde
Le Guindal
St-Folquin
Bourbourg
Socx
St-Omer-Capelle
Hagedoorn
Le Nieppe
Crochte
Quaëdypre
West-Cappel
Les Cinq Chemins
Oost-Cappel
Pitgam
Byssaert
Vieille-Eglise
Nouvelle-Eglise
Le Laurier
Mannequebeurre
Looberghe
Quathove
Drincham
Le Sprey
Bissezeele
La Belle-Vue
Wylder
Roesbrugge-Haringe
St-Nicolas
Cappelle-Brouck
Eringhem
Bambecque
Fort-Bâtard
Ste-Marie-Kerque
Spreuwkoot
La Kruystraete
Aandenkot
La Bistade
L'Hossenaere
Le Tilleul
St-Pierre-Brouck
Lynck
Zegerscappel
Hennuin
Audruicq
Esquelbecq
Wormhout
Herzeele
Pont-l'Abbesse
Pont-du West
La Cloche
Houtkerque
Nortkerque
Bollezeele
Bac-de-Millam
L'Erkelsbrugge
Le Kieken-Put
Ostove
Le Fort-St-Jean
Merckeghem
Blanc-Pignon
Ruminghem
Ledringhem
Kruysweg
Millam
Holque
Riet-Veld
Muncq-Nieurlet
Les Cinq Rues
Ste-Mildrède
Zutkerque
Le Ruth
Volckerinckhove
Oudezeele
Droogland
Polincove
Rubrouck
Le Cygne
St-Laurent
Cocove
Forêt d'Eperlecques
Wattendam
Watten
Winnezeele
Recques-sur-Hem
Arnèke
Le Temple
Blockhaus
Wulverdinghe
Broxeele
Zermezeele
Le Peckel
La Recousse
Le Communal
Lederzeele
Bleue-Maison
Ganspette
Point du Jour
Ochtezeele
Hardifort
Le Riveld
Wolphus
Bois du Ham
Loverstel
Le Menegat
Steenvoorde
Le Mont
Nordausques
Parc d'Attractions
Tournehem-sur-la-Hem
Cassel
Terdeghem
Bayenghem-lès-Eperlecques
Eperlecques
St-Momelin
Noordpeene
Wemaers-Cappel
Monts des Récollets
Godewaersvelde
Nort-Leulinghem
Houlle
Serques
Nieurlet
Zuytpeene
Buysscheure
Booneghem
St-Sylvestre-Cappel
La Ronville
Moulle
Bavinchove
Oxelaëre
Mentque-Nortbécourt
Tilques
Les Trois-Rois
Ste-Marie-Cappel
Eecke
Salperwick
Clairmarais
Petit Difques
Grand Difques
Romelaëre
Forêt d'Rihoult-Clairmarais
Nortbécourt
Schoubrouck
L'Hazewinde
St-Martin-lez-Tatinghem
St-Bernard
Ferme
Moringhem
La Maison Blanche
Hondeghem
Flê
Barbinghem
Liheuse
Cormette
La Wattine
Laurline
ST-OMER
Le Nieppe
Cäestre
Quercamps
Boisdinghem
Tatinghem
Malhove
Staple
Longue-Croix
La Bréarde
Vernove
Zudausques
Etang d'Harchelle
La Creule
Rouge-Croix
Acquin-Westbécourt
Etrehem
Arques
La Crosse
Bradelles
Nordal
Queimes
Longuenesse
Ebblinghem
Leulinghem
Abbe St-Paul
Wisques
Ascenseur
Les Fontinettes
Westbécourt
Lauwerdal
Le Val-d'Acquin
Le Val-de-Lumbres
Campagne-lès-W.
Renescure
Wallon-Cappel
Les Cinq Rues
Hazebrouck
Borre
Strazeele
Blendecques
Gondardenne
La Raiderie
Le Poovre
Wizernes
Lynde
Setques
Hallines
Ingeland
Lauwette
Wardrecques
Pont-d'Asquin
Le Croquet
Sercus
Le Bourbourg
Lumbres
Esquerdes
La Coupole
Bilques
Belle-Croix
Sec-Bois
Bayenghem-lès-S.
La Pourchinte
Heuringhem
Blaringhem
Morbecque
Affringues
Wavrans-sur-l'Aa
Elnes
Pihem
Helfaut
Sablonnière
Racquinghem
La Belle Hôtesse
La Rue-du-Bois
Vedringhem
Coubronne
Cochendal
Le Camois
La Motte-au-Bois
7

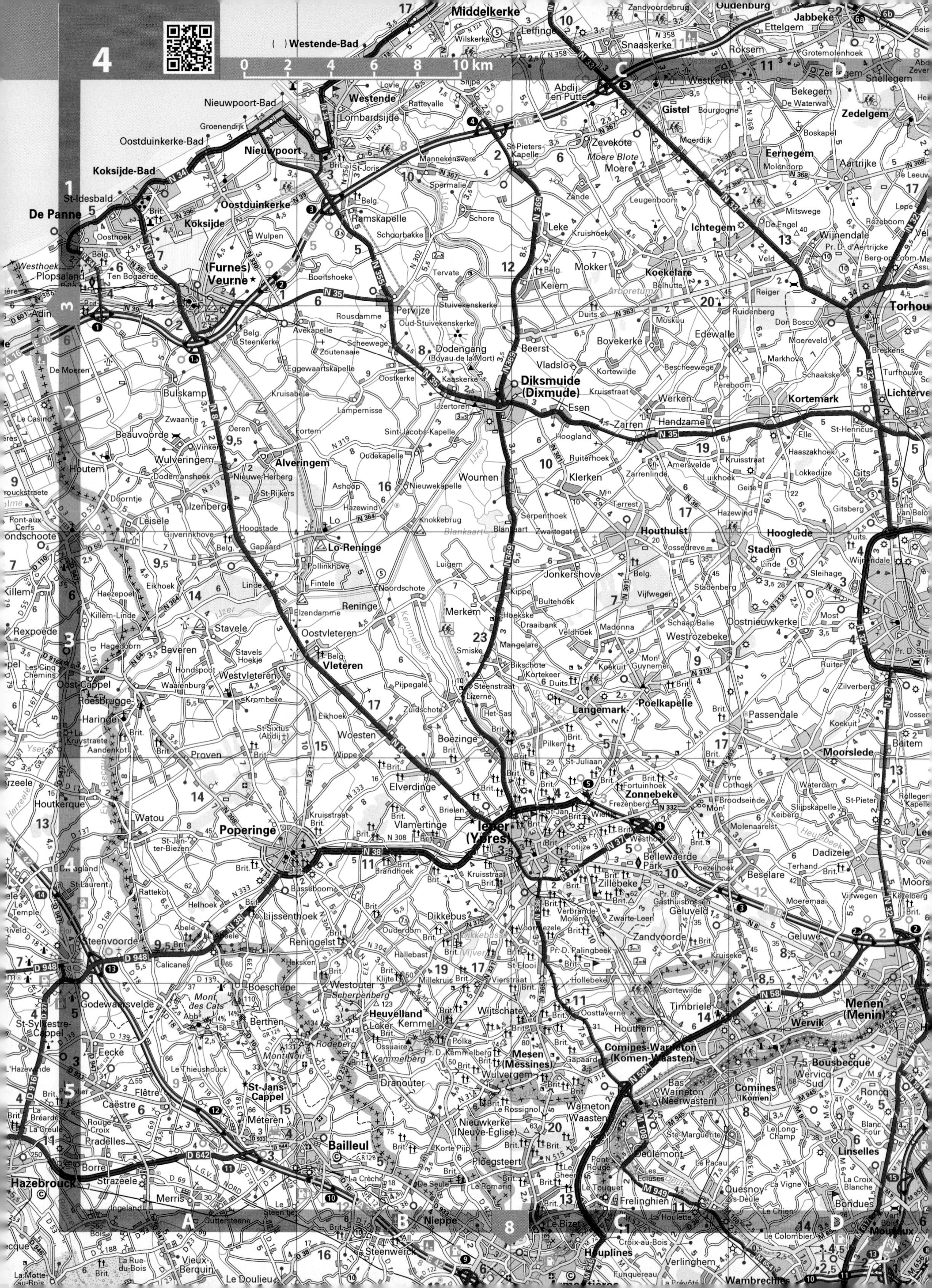

4
Westende-Bad
0 2 4 6 8 10 km
Middelkerke
Leffinge
Zandvoordebrug
Oudenburg
Jabbeke
Ettelgem
Snaaskerke
Roksem
Grotemolenhoek
Westende
Lombardsijde
Nieuwpoort-Bad
Groenendijk
Oostduinkerke-Bad
Nieuwpoort
St-Joris
Mannekensvere
Spermalie
Slijpe
Abdij-Ten Putte
Westkerke
Gistel
Bekegem
Zedelgem
Snellegem
Zevekote
Moere Blote
Moere
St-Pieters-Kapelle
Eernegem
Aartrijke
Koksijde-Bad
St-Idesbald
De Panne
Oostduinkerke
Koksijde
Oosthoek
Wulpen
Ramskapelle
Schoorbakke
Schore
Leke
Kruishoek
Zande
Leugenboom
Ichtegem
Mitswege
Wijnendale
Westhoek
Plopsaland
Ten Bogaerde
(Furnes) Veurne
Booitshoeke
Tervate
Keiem
Mokker
Koekelare
Belhutte
Torhout
Adinkerke
Pervijze
Rousdamme
Stuivekenskerke
Oud-Stuivekenskerke
Duits.
Ruidenberg
Don Bosco
Avekapelle
Scheewege
Zoutenaaie
Dodengang (Boyau de la Mort)
Beerst
Bovekerke
Edewalle
Moereveld
De Moeren
Eggewaartskapelle
Oostkerke
Kaaskerke
Diksmuide (Dixmude)
Vladslo
Kortewilde
Bescheewege
Markhove
Schaakske
Turfhouwe
Bulskamp
Kruisabele
Lampernisse
IJzertoren
Esen
Werken
Kortemark
Lichtervelde
Le Casino
Zwaantje
Beauvoorde
Oeren
Vinkem
Wulveringem
Alveringem
Fortem
Sint-Jacobs-Kapelle
Oudekapelle
Hoogland
Zarren
Handzame
Elle
St-Henricus
Haaszakhoek
Ruiterhoek
Klerken
Zarrenlinde
Amersvelde
Kruisstraat
Lokkedijze
Houtem
Dodemanshoek
Nieuwe-Herberg
St-Rijkers
Ashoop
Nieuwekapelle
Woumen
Luikhoek
Geite
Gits
Izenberge
Leisele
Hazewind
Knokkebrug
Lo
Blankaart
Serpenthoek
Zwartegat
Houthulst
Hooglede
Staden
Hondschoote
Gijverinkhove
Hoogstade
Gapaard
Lo-Reninge
Vossedreve
Linde
Sleihage
Pollinkhove
Fintele
Luigem
Jonkershove
Stadenberg
Killem
Eikhoek
Haezepoel
Noordschote
Reninge
Kippe
Bultehoek
Vijfwegen
Killem-Linde
Elzendamme
Merkem
Hoekske
Draaibank
Veldhoek
Madonna
Schaap Balie
Oostnieuwkerke
Rexpoëde
Stavele
Oostvleteren
Westrozebeke
Hagedoorn
Beveren
Stavels Hoekje
Vleteren
Smiske
Mangelare
Les Cinq Chemins
Hondspoot
Westvleteren
Bikschote
Kortekeer
Koekuit
Guynemer
Poelkapelle
Langemark
Oost-Cappel
Waaienburg
Krombeke
Pijpegale
Steenstraat
Lizerne
Roesbrugge
Haringe
Eikhoek
Zuidschote
Het-Sas
Passendale
Beitem
La Kruystraete
Aandenkot
St-Sixtus (Abdij)
Woesten
Boezinge
Pilkem
Proven
Wippe
St-Juliaan
Moorslede
Tyne Cothoek
Fortuinhoek
Zonnebeke
Frezenberg
Waterdam
Broodseinde
St-Pieter
Houtkerque
Watou
Poperinge
Elverdinge
Kruisstraat
Vlamertinge
Brielen
Ieper (Ypres)
Wieltje
Westhoek
Bellewaerde Park
Keiberg
Slijpskapelle
Molenaarelst
St-Jan-ter-Biezen
Brandhoek
Potijze
Poezelhoek
Beselare
Dadizele
Terhand
Droogland
St-Laurent
Rattekot
Helhoek
Busseboom
Lijssenthoek
Dikkebus
Zillebeke
Gasthuisbossen
Geluveld
Moeremaai
Vijfwegen
Kezelberg
Abele
Steenvoorde
Calicanes
Reningelst
Ouderdom
Hallebast
Verbrande Molen
Zwarte-Leen
Zandvoorde
Geluwe
Heksken
Westouter
Scherpenberg
Klijte
Millekruis
Vierstraat
St-Elooi
Pr.-D. Palingbeek
Hollebeke
Kruiseke
Boeschepe
Godewaersvelde
Mont des Cats
Abbé
Berthen
Heuvelland
Loker
Kemmel
Polka
Wijtschate
Oosttaverne
Houthem
Kortewilde
Timbriele
Wervik
Menen (Menin)
St-Sylvestre-Cappel
Eecke
Rodeberg
Kemmelberg
Pr. D. Kemmelberg
Mesen (Messines)
Gapaard
Comines-Warneton (Komen-Waasten)
Bousbecque
L'Hazewinde
Le Thieushouck
St-Jans-Cappel
Mont Noir
Dranouter
Wulvergem
Bas-Warneton (Neerwaasten)
Comines (Komen)
Wervicq-Sud
Roncq
Flêtre
Caëstre
Méteren
Le Rossignol
Nieuwkerke (Neuve-Eglise)
Warneton (Waasten)
Rouge Croix
Pradelles
Bailleul
Ste-Marguerite
Le Long-Champ
Blanc Four
Linselles
La Créule
Borre
Korte Pijp
Ploegsteert
Deulémont
Hazebrouck
Strazeele
La Crèche
De Seule
Le Romarin
Pont Rouge
Le Pacau
Quesnoy-sur-Deûle
La Vigne
La Croix Blanche
Merris
Ingeland
Le Touquet
Les Ecluses
Frelinghien
Le Chien
Bondues
Outtersteene
Steent'je
Nieppe
Le Bizet
La Houlette
Le Colombier
Mouveaux
Steenwerck
Houplines
Croix-au-Bois
Vieux-Berquin
Verlinghem
Le Doulieu
Wambrechies
A
B
C
D
8

5
E
F
G
H
Eeklo
Waarschoot
Sleidinge
Evergem
Oostkamp
Beernem
Knesselare
Ursel
Zomergem
Lovendegem
Waardamme
Hertsberge
Aalterbrug
Aalter
Bellem
Merendree
Vinderhoute
Mariakerke
GENT
(GAND)
Wingene
Ruiselede
Lotenhulle
Poeke
Poesele
Nevele
Vosselare
Drongen
Afsnee
St-Martens-Latem
Hille
Zwevezele
Schuiferskapelle
Kanegem
Tielt
Pittem
Koolskamp
Ardooie
Aarsele
Vinkt
Deinze
Deurle
De Pinte
St-Denijs-Westrem
Zwijnaarde
Merelbeke
Dentergem
Wontergem
Gottem
Machelen
Petegem-aan-de-Leie
Astene
Nazareth
Schelderode
Melsen
(Roulers)
Roeselare
Meulebeke
Markegem
Oeselgem
Olsene
Ingelmunster
Oostrozebeke
Zulte
Wakken
Gavere
Asper
Zingem
Izegem
Wielsbeke
St-Baafs-Vijve
St-Eloois-Vijve
Kruishoutem
Lendelede
Desselgem
Waregem
Nokere
Wannegem-Lede
Nederzwalm
Zwalm
Munkzwalm
Roborst
St-Eloois-Winkel
Hulste
Bavikhove
Beveren-Leie
(COURTRAI)
KORTRIJK
Kuurne
Harelbeke
Deerlijk
Wortegem-Petegem
Oudenaarde
(Audenaarde)
Ename
Horebeke
Gullegem
Heule
Bissegem
Vichte
Anzegem
Gijzelbrechtegem
Ingooigem
Kaster
Elsegem
Leupegem
Maarke-Kerkem
Maarkedal
Etikhove
Schorisse
Brakel
Zwevegem
St-Lodewijk
Otegem
Tiegem
Kerkhove
Berchem
Kluisbergen
Lauwe
Marke
Bellegem
Knokke
Heestert
Waarmaarde
Rugge
Avelgem
Moen
Kwaremont
Aalbeke
Rollegem
Mouscron
(Moeskroen)
Dottignies
(Dottenijs)
St-Denijs
Kooigem
Outrijve
Escanaffles
Orroir
Amougies
Russeignies
(Rozenaken)
Mont-de-l'Enclus
Kluisberg
Ronse
(Renaix)
Ellezelles
(Elzele)
Flobecq
(Vloesberg)
Luingne
Herseaux
Spiere-Helkijn
(Espierres-Helchin)
Pottes
Celles
Anseroeul
Dergneau
Wattripont
Estaimpuis
Wattrelos
Leers-Nord
Pecq
Warcoing
Hérinnes
Arc
Ainières
St-Sauveur
Ellignies
Cordes
ROUBAIX
Estaimbourg
Lahamaide
Ostiches
PARC NATUREL DU PAYS DES COLLINES
9

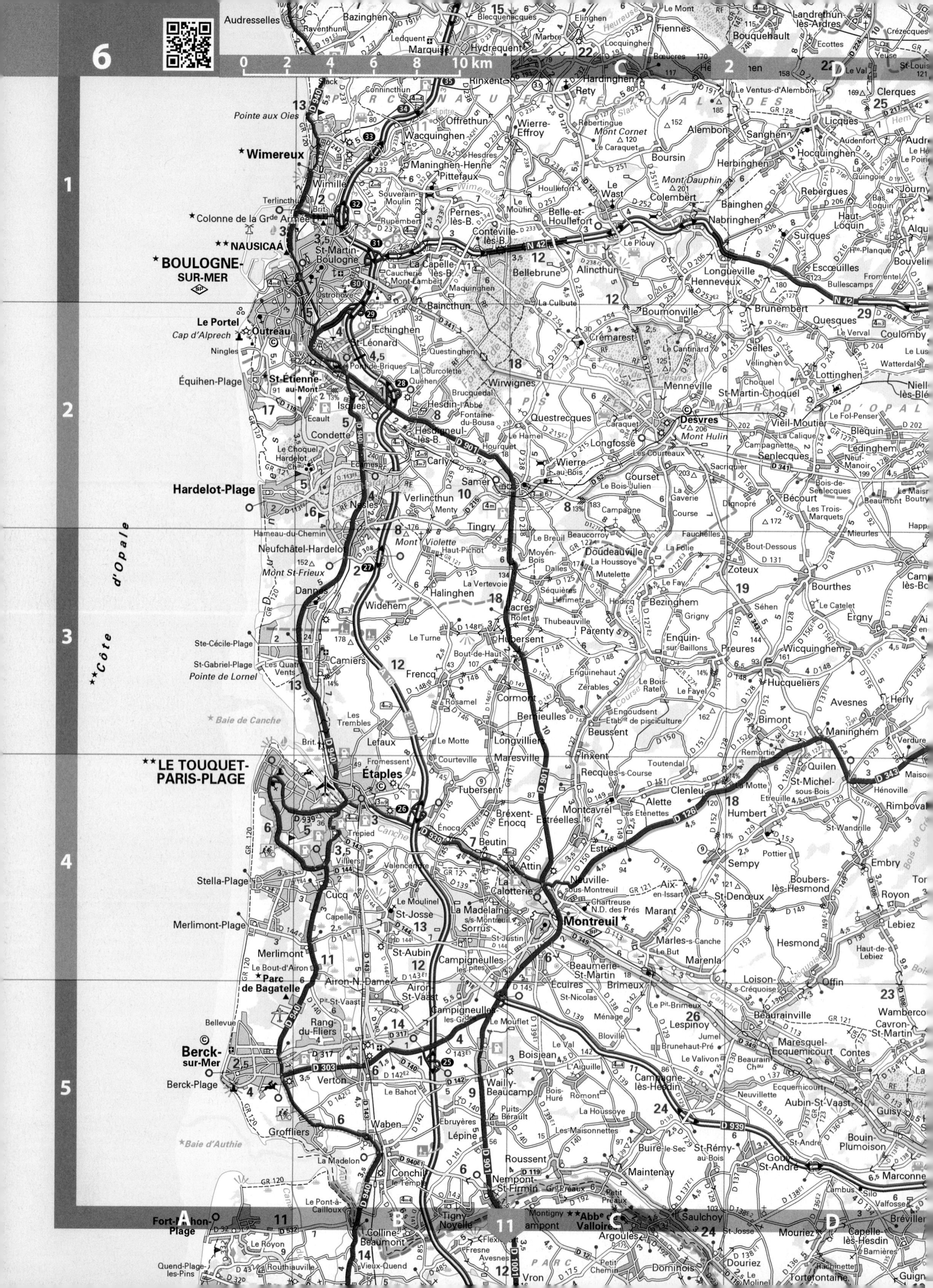
6
0 2 4 6 8 10 km
A
B
C
D
1
2
3
4
5
Audresselles
Bazinghen
Marquise
Hydrequent
Fiennes
Landrethun-lès-Ardres
Bouquehault
Rinxent
Hardinghen
Rety
Clerques
Licques
Pointe aux Oies
Wimereux
Wimille
Wacquinghen
Offrethun
Wierre-Effroy
Alembon
Sanghen
Colonne de la Grde Armée
NAUSICAÁ
BOULOGNE-SUR-MER
St-Martin-Boulogne
Conteville-lès-B.
Belle-et-Houllefort
Le Wast
Colembert
Nabringhen
Bellebrune
Alincthun
Longueville
Henneveux
Le Portel
Outreau
Cap d'Alprech
Équihen-Plage
St-Étienne-au-Mont
Echinghen
St-Léonard
Pont-de-Briques
Baincthun
Crémarest
Bournonville
Brunembert
Desvres
Menneville
St-Martin-Choquel
Lottinghen
Wirwignes
Questrecques
Isques
Condette
Hesdin-l'Abbé
Hesdigneul-lès-B.
Longfossé
Wierre-au-Bois
Samer
Courset
Hardelot-Plage
Nesles
Verlincthun
Tingry
Neufchâtel-Hardelot
Mont St-Frieux
Mont Violette
Doudeauville
Dannes
Widehem
Halinghen
Lacres
Parenty
Bezinghem
Zoteux
Bourthes
Ergny
Côte d'Opale
Ste-Cécile-Plage
St-Gabriel-Plage
Pointe de Lornel
Camiers
Frencq
Hubersent
Enquin-sur-Baillons
Preures
Wicquinghem
Hucqueliers
Baie de Canche
Cormont
Bernieulles
Beussent
Bimont
Avesnes
Herly
Maninghem
LE TOUQUET-PARIS-PLAGE
Étaples
Longvilliers
Maresville
Recques-s-Course
Clenleu
Tubersent
Brexent-Enocq
Montcavrel
Alette
Humbert
Beutin
Attin
Estrée
Sempy
Stella-Plage
Cucq
La Calotterie
Neuville-sous-Montreuil
Aix-en-Issart
St-Denœux
Embry
Merlimont-Plage
St-Josse
La Madelaine-s/s-Montreuil
Sorrus
Montreuil
Marant
Merlimont
St-Aubin
Campigneulles-les-Ptes
Beaumerie-St-Martin
Brimeux
Marles-s-Canche
Marenla
Hesmond
Parc de Bagatelle
Airon-N.-Dame
Airon-St-Vaast
Écuires
Loison-s-Créquoise
Beaurainville
Rang-du-Fliers
Campigneulles-les-Gdes
Lespinoy
Wamberco
Berck-sur-Mer
Berck-Plage
Verton
Boisjean
Wailly-Beaucamp
Campagne-lès-Hesdin
Maresquel-Ecquemicourt
Contes
Groffliers
Baie d'Authie
Waben
Lépine
Buire-le-Sec
St-Rémy-au-Bois
Aubin-St-Vaast
Gouy-St-André
Conchil-le-Temple
Roussent
Nempont-St-Firmin
Maintenay
Marconne
Fort-Mahon-Plage
Colline-Beaumont
Tigny-Noyelle
Abbe de Valloires
Argoules
Saulchoy
Mouriez
Capelle-lès-Hesdin
Quend-Plage-les-Pins
Dominois
Vron

7
3
E
F
G
H
1
2
3
4
5
8
12
13
Blockhaus
Wulverdinghe
Lederzeele
Broxeele
Arnèke
Zermezeele
Ochtezeele
Bois du Ham
Le Mont
Nordausques
Tournehem
Bayenghem-lès-Eperlecques
Houlle
Moulle
Serques
St-Momelin
Nieurlet
Buysscheure
Noordpeene
Zuytpeene
Wemaers-Cappel
Monts des Récollets
Godewaersvelde
St-Sylvestre-Cappel
Eecke
Nort-Leulinghem
Mentque-Nortbécourt
Tilques
Salperwick
Clairmarais
Bavinchove
Oxelaëre
Ste-Marie-Cappel
Les Trois-Rois
Schoubrouck
Moringhem
St-Martin-lez-Tatinghem
St-Bernard
Forêt de Rihoult-Clairmarais
La Maison Blanche
Hondeghem
Caëstre
ST-OMER
Malhove
Le Nieppe
Staple
Longue-Croix
Bréarde
La Creule
Rouge-Croix
Pradelles
Quercamps
Boisdinghem
Acquin-Westbécourt
Zudausques
Longuenesse
Arques
La Crosse
Ebblinghem
Hazebrouck
Borre
Strazeele
Leulinghem
Wisques
Blendecques
Ascenseur
Les Fontinettes
Campagne-lès-W.
Renescure
Wallon-Cappel
Les Cinq Rues
Le Val-d'Acquin
Wizernes
Lynde
Sercus
Le Bourbourg
Lumbres
Setques
Hallines
Esquerdes
La Coupole
Bilques
Wardrecques
Pont-d'Asquin
Le Croquet
Morbecque
Samette
Bayenghem-lès-S.
Affringues
Elnes
Wavrans-sur-l'Aa
Pihem
Helfaut
Heuringhem
Racquinghem
Blaringhem
La Belle-Hôtesse
La Motte-au-Bois
La Rue-du-Bois
St-Pierre
Fourdebecques
Cantemerle
Remilly-Wirquin
Assinghem
Plouy
Ecques
Quiestède
Roquetoire
Wittes
Boëseghem
Steenbecque
Le Préavin
Wismes
Campagnette
Salvecques
Forestel
Cléty
Inghem
Herbelles
Cauchie
St-Augustin
Warne
Ligne
La Jumelle
Aire-s-la-Lys
Thiennes
Forêt de Nieppe
Haverskerque
Merville
Warnecque
Ouve-Wirquin
Mont-Lemaître
Thérouanne
Glomenghem
Moulin-le-Comte
Mametz
Pecqueur
Houleron
La Laque
Tannay
Le Sart
Drionville
La Bucaille
Cloquant
Piquendal
Dohem
Avroult
Upen d'Aval
Upen d'Amont
Nielles
Blessy
St-Quentin
Isbergues
St-Venant
Bas-Hamel
St-Floris
Thiembronne
Merck-St-Liévin
Westrehem
Delettes
Ham
Witternesse
Lambres
Guarbecque
Les Amuzoires
Le Loquin
St-Martin-d'Hardinghem
Bout-de-la-Ville
Coyecques
Enguinegatte
Serny
Liettres
Quernes
Rombly
Mazinghem
Berguette
Robecq
Pacault
Le Cauroi
Fauquembergues
Glein
Nouveauville
Erny-St-Julien
Estrée-Blanche
Linghem
Ham-en-Artois
La Miquellerie
Riez-du-Vinage
Renty
Audincthun
Pétigny
Enquin-les-Mines
Fléchinelle
Norrent-Fontes
Orgeville
Manqueville
Busnes
L'Eclème
Mont-Bernanchon
Dennebrœucq
Reclinghem
Bomy
La Tirmande
Rely
St-Hilaire-Cottes
Lillers
Gonnehem
Assonval
Wandonne
Dennlys Parc
Rupigny
Cuhem
Fléchin
Ligny-lès-Aire
Lespesses
Bourecq
Le Vert-Dragon
Gournay
Rimeux
Mencas
Vincly
Ecoufflans
Greuppe
Boncourt
Pippemont
Lières
Ecquedecques
Le Reveillon
Busnettes
Werppe
Oblinghem
Bellefontaine
Matringhem
Beaumetz-lès-Aire
Febvin-Palfart
Auchy-au-Bois
Ames
Hurionville
Rieux
Chocques
Vendin
Radinghem
Laires
Le Plouy
Westrehem
Senlis
Hézecques
Honninghem
Amettes
Burbure
Allouagne
Labeuvrière
Annezin
Coupelle-Vieille
Lugy
Livossart
Nédon
Nédonchel
Ferfay
Rimbert
Lozinghem
Lapugnoy
Fouquières
Le Groseillier
Hurtebise
Fontaine-lès-Hermans
St-Pierre
Fouquereuil
Fruges
Lisbourg
Ramiéville
Palfart
Bailleul-lès-Pernes
Aumerval
St-Nicolas
Auchel
Marles-les-Mines
Bois des Dames
Gosnay
Vaudricourt
Verchin
Prédefin
Fontaine-lès-Boulans
Fiefs
Cauchy-à-la-Tour
Floringhem
Pernes
Calonne-Ricouart
Hesdigneul-lès-B.
Drouvin-le-Marais
Coupelle-Neuve
Ruisseauville
Quéveaussart
Sains-lès-Pernes
Sachin
Camblain-Châtelain
Labuissière
Avondance
Canlers
Crépy
Heuchin
Pressy
La Clarence
Bruay-la-Buissière
Haillicourt
L'Ermitage
Sénécoville
Crépieul
Ambricourt
Equirre
Bergueneuse
Boyaval
Tangry
Marest
Divion
Faux
Noyelles
Ruitz
Azincourt
Tramecourt
Tilly-Capelle
Teneur
Eps
Bours
Ourton
Houdain
Maisnil-lès-R.
Barlin
Planques
Maisnil
Anvin
Le Pit Anvin
Herbeval
Hestrus
Donjon
Monneville
Diéval
Beugin
Bucamps
Maisoncelle
Erin
Monchy-Cayeux
Valhuon
Antin
Antigneul
La Comté
Ranchicourt
Rebreuve-Ranchicourt
Baraffle
Olhain
Le Nouveau Monde
Le Fond-de-Barle
Monts
Béalencourt
Blangy-sur-Ternoise
Fleury
Conteville-en-Ternois
St-Martin
Huclier
Belval
Britel
Bajus
Hermin
Gauchin-Légal
Fresnicourt-le-Dolmen
Wamin
Blingel
Humerœuille
Bermicourt
Sautricourt
Falempin
Wavrans-sur-Ternoise
Hernicourt
Grossart
Troisvaux
Brias
La Thieuloye
Houvelin
Auchy-lès-Hesdin
Rollancourt
Eclimeux
Pierremont
Libessart
Ostreville
Monchy-Breton
Magnicourt-en-Comte
Caucourt
Frévillers
Estrée-Cauchy
Grigny
Le Bas-Parcq
Le Parcq
Incourt
Neulette
Humières
Croix-en-Ternois
Gauchin-Verloingt
Rosemont
Grandcamp
St-Michel-s-T.
Rocourt-St-Laurent
Orlencourt
Marquay
Béthonsart
Les Quatre Vents
Cambligneul
Hesdin
Estruval
Beauvois
Siracourt
Ramecourt
St-Pol-s-Ternoise
Roëllecourt
Bailleul-aux-Cornailles
Chelers
Villers-Brûlin
Villers-Châtel
Marconne
Ste-Austreberthe
Fresnoy
Vieil-Hesdin
Noyelles-lès-Humières
Œuf-en-Ternois
Croisette
Wignacourt
Herlin-le-Sec
Tachincourt
Foufflin-Ricametz
Ligny-St-Flochel
Tincques
Tincquette
Béthencourt
Mingoval
Savy-Berlette
Agnières
St-Georges
Willeman
Wail
La Neuville-Planquette
Aubigny-en-Artois
Watelet
Le Forestel
Guinecourt
Héricourt
Hautecloque
Maisnil
Ternas
Averdoingt
Vandelicourt
Berles-Monchel
Brailly
Le Quesnoy-en-Artois
Quatrevaux
Linzeux
Framecourt
Neuville-au-Cornet
Maizières
Tilloy-lès-Hermaville
Hermaville
Vacqueriette-Erquières
Galametz
Blangermont
Flers
Buneville
Gouy-en-Ternois
Penin
Izel-lès-Hameau
Haute-Avesnes

8
0 2 4 6 8 10 km
C
4
D
7
13
A
B
C
D
Lijssenthoek
Reningelst
Dikkebus
Ouderdom
Geluveld
Zandvoorde
Zwarte-Leen
Geluwe
Boeschepe
Westouter
Scherpenberg
Heuvelland
Loker
Kemmel
Wijtschate
Oosttaverne
Houthem
Kortewilde
Timbriele
Menen (Menin)
Wervik
Godewaersvelde
Mont des Cats
Berthen
Rodeberg
Mont Noir
Kemmelberg
Mesen (Messines)
Comines-Warneton (Komen-Waasten)
Bousbecque
St-Sylvestre-Cappel
Eecke
L'Hazewinde
Le Thieushouck
Flêtre
St-Jans-Cappel
Dranouter
Wulvergem
Nieuwkerke (Neuve-Église)
Le Rossignol
Warneton (Waasten)
Bas Warneton (Neerwasten)
Comines (Komen)
Wervicq-Sud
Roncq
Caëstre
Méteren
Bailleul
Pradelles
Borre
Strazeele
Hazebrouck
Merris
Ploegsteert
Le Romarin
De Seule
La Crèche
Deûlémont
Ste-Marguerite
Linselles
Le Touquet
Frelinghien
Quesnoy-s-Deûle
Bondues
Nieppe
Le Bizet
Houplines
Steenwerck
Le Doulieu
Vieux-Berquin
Croix-du-Bac
Erquinghem-Lys
Armentières
La Chapelle-d'Armentières
Verlinghem
Wambrechies
Marquette-lez-Lille
Marcq-en-B.
Mouvaux
Neuf-Berquin
Bac-St-Maur
Sailly-s-la-Lys
Fleurbaix
Pérenchies
Lompret
St-André-lez-Lille
La Madeleine
Merville
Estaires
La Gorgue
Bois-Grenier
Prémesques
Lomme
Lambersart
Mons-en-Barœul
Haverskerque
St-Floris
Calonne-sur-la-Lys
Lestrem
Laventie
Ennetières-en-Weppes
Capinghem
Sequedin
LILLE (RIJSEL)
Hellemmes-Lille
Escobecques
Radinghem-en-W.
Englos
Hallennes-lez-H.
Loos
Ronchin
Lezennes
Robecq
Paradis
La Fosse
Fromelles
Aubers
Le Maisnil
Erquinghem-le-Sec
Beaucamps-Ligny
Hauboudin
Lesquin
Vieille-Chapelle
Fournes-en-W.
Santes
Emmerin
Wattignies
Faches-Thumesnil
Mont-Bernanchon
La Couture
Richebourg
Neuve-Chapelle
Herlies
Wavrin
Noyelles-lès-S.
Templemars
Vendeville
Gonnehem
Lacon
Hinges
Illies
Wicres
Marquillies
Sainghin-en-Weppes
Houplin-Ancoisne
LILLE-LESQUIN
Chocques
Oblinghem
Vendin-lès-B.
Essars
Le Touret
Festubert
Lorgies
Mémorial Indien
Seclin
Gondecourt
Annezin
Béthune
Gorre
Givenchy-lès-la-B.
Violaines
La Bassée
Salomé
Hantay
Don
Herrin
Chemy
Allennes-les-Marais
Avelin
Ennevelin
Pont-à-Marcq
Fouquières
Beuvry
Cuinchy
Cambrin
Auchy-les-Mines
Billy-Berclau
Annœullin
Bauvin
Provin
Carnin
Camphin-en-Carembault
Phalempin
Attiches
Mérignies
Fouquereuil
Gosnay
Vaudricourt
Verquigneul
Labourse
Sailly-Labourse
Annequin
Haisnes
Douvrin
Wingles
Meurchin
Carvin
Libercourt
Tourmignies
La Neuville
Hesdigneul-lès-B.
Drouvin-le-Marais
Verquin
Noyelles-lès-V.
Vermelles
Hulluch
Bénifontaine
Pont-à-Vendin
Wahagnies
Mons-en-Pévèle
Bruay-la-Buissière
Haillicourt
Houchin
Nœux-les-Mines
Mazingarbe
Loos-en-Gohelle
Vendin-le-Vieil
Annay
Estevelles
Oignies
Thumeries
Maisnil-lès-R.
Ruitz
Hersin-Coupigny
Barlin
Grenay
Courrières
Harnes
Ostricourt
Moncheaux
Sains-en-G.
Bully-les-Mines
Lens
Loison-s-Lens
Montigny-en-Gohelle
Dourges
Évin-Malmaison
Leforest
Raimbeaucourt
Olhain
Bracquencourt
Bouvigny-Boyeffles
Aix-Noulette
Liévin
Angres
Le Louvre
Noyelles-s/s-Lens
Fouquières-lès-L.
Roost-Warendin
Courcelles-lès-L.
Auby
Gauchin-Légal
Fresnicourt-le-Dolmen
Servins
Colline de N.-D. de Lorette
Éleu-dit-Leauwette
Avion
Sallaumines
Billy-Montigny
Hénin-Beaumont
Noyelles-Godault
Caucourt
Estrée-Cauchy
Gouy-Servins
Souchez
Givenchy-en-Gohelle
Méricourt
Rouvroy
Drocourt
Lauwin-Planque
Flers-en-Escrebieux
Waziers
Cambligneul
Ablain-St-Nazaire
Carency
Maisnil-Bouché
Camblain-l'Abbé
Villers-Châtel
Mémorial canadien
Bois-Bernard
Esquerchin
Cuincy
Mingoval
Savy-Berlette
Agnières
Capelle-Fermont
Villers-au-Bois
Mont-St-Éloi
Neuville-St-Vaast
Vimy
Farbus
Willerval
Acheville
Arleux-en-Gohelle
Fresnoy-en-Gohelle
Izel-lès-Équerchin
Quiéry-la-Motte
Neuvireuil
DOUAI
Lambres-lez-Douai
Berles-Monchel
Aubigny-en-Artois
Frévin-Capelle
Acq
Écoivres
La Targette
Thélus
Bailleul-Sir-Berthoult
Mauville
Courchelettes
Les Épis
Tilloy-lès-Hermaville
Haute-Avesnes
Hermaville
Bray
Marœuil
Écurie
Roclincourt
Gavrelle
Fresnes-lès-Montauban
Vitry-en-Artois
Brebières
Corbehem
Férin
Roucourt

9
Zwevegem
St-Lodewijk
Ingooigem
Kaster
Elsegem
Otegem
Tiegem
Waarmaarde
Knokke
Heestert
Berchem
Kluisbergen
Nukerke
Bellegem
Rollegem
Avelgem
Moen
Outrijve
Kluisberg
Mont-de-l'Enclus
Amougies
Mouscron
(Moeskroen)
Dottignies
(Dottenijs)
Spiere-Helkijn
(Espierres-Helchin)
St-Denijs
Kooigem
Bossuit
Escanaffles
Orroir
Russeignies
(Rozenaken)
Mont-de-l'Enclus
Ronse
(Renaix)
Ellezelles
Flobecq
(Vloesberg)
Luingne
Herseaux
Pottes
Celles
Anserœul
Wattripont
Dergneau
Estaimpuis
Warcoing
Herinnes
Arc
Ainières
St-Sauveur
Wattrelos
Leers-Nord
Pecq
Cordes
Ellignies-lez-Frasnes
Frasnes-lez-Anvaing
ROUBAIX
Lys-lez-L.
Leers
Estaimbourg
Anvaing
Velaines
Bailleul
Néchin
Obigies
Mont
St-Aubert
Hem
Toufflers
Templeuve
Ramegnies-Chin
Fourcroix
Kain
Bizencourt
Montrœul-au-Bois
Hacquegnies
Houtaing
Thimougies
Sailly-lez-L.
Forest-s-Marque
Willems
Blandain
Rumillies
Maulde
Grandmetz
Chapelle-à-Wattines
Ligne
Tressin
Baisieux
Froyennes
Orcq
Warchin
Gaurain-Ramecroix
Gallaix
Chéreng
Marquain
TOURNAI
(DOORNIK)
Vaulx
Barry
Pipaix
Leuze-en-Hainaut
Chapelle-à-Oie
Blicquy
Anstaing
Sainghin-en-M.
Gruson
Camphin-en-Pévèle
Froidmont
Ere
La Louvière
Bouvines
Esplechin
St-Maur
Calonne
Vezon
Tourpes
Aubechies
Cysoing
Wannehain
Willemeau
Antoing
Fontenoy
Baugnies
Willaupuis
Ellignies-Ste-Anne
Bourghelles
Rumes
Bruyelle
Péronnes
Wasmes-Audemez
Taintignies
Guignies
Braffe
Thumaide
Belœil
Louvil
Cobrieux
Bachy
Wez-Velvain
Maubray
Bury
Genech
Jollain-Merlin
Hollain
Templeuve
La Glanerie
Lesdain
Brunehaut
Laplaigne
Callenelle
Roucourt
Basècles
Quevaucamps
Stambruges
Mouchin
Howardries
Rongy
Bléharies
Mortagne-du-Nord
Wiers
Péruwelz
Blaton
Cappelle-en-Pévèle
Nomain
Aix-en-Pévèle
Maulde
Flines-lès-Mortagne
Hergnies
Bon-Secours
Harchies
Auchy-lez-Orchies
Rumegies
Thun-St-Amand
Orchies
Sameon
Landas
Lecelles
Nivelle
Bruille-St-Amand
Vieux-Condé
Bernissart
Pommerœul
Beuvry-la-Forêt
Rosult
St-Amand-les-Eaux
Odomez
Condé-s-Escaut
St-Aybert
Thivencelle
Coutiches
Sars-et-Rosières
Millonfosse
Fresnes-sur-Escaut
Hensies
Flines-lez-Raches
Bouvignies
Tilloy-lez-M.
Hasnon
Escautpont
Crespin
Thulin
Marchiennes
Wandignies-Hamage
Bruay-sur-l'Escaut
Vicq
Quiévrain
Elouges
Lallaing
Rieulay
Raismes
Beuvrages
Onnaing
Quiévrechain
Fenain
Wallers
Fosse
Anzin
Audregnies
Pecquencourt
Bellaing
Aubry-du-H.
St-Saulve
Rombies-et-Marchipont
Bruille-lez-M.
Hornaing
Hérin
Haveluy
Oisy
VALENCIENNES
Hélesmes
Erre
Marly
Estreux
Somain
Escaudain
Denain
Sebourg
Saultain
Curgies
Abscon
Aniche
Centre Minier
Aubercichourt
Rouvignies
Aulnoy-lez-V.

10
0 2 4 6 8 10 km
C
D
1
2
3
4
5
A
B
C
D
20
Côte Picarde
Côte d'Albâtre
Onival
Ault
Le Bois-de-Cise
Mers-les-Bains
Le Tréport
Calvaire des Terrasses
Eu
Blingues
Mesnil-Sorel
Mesnil-Val
Mesnil-Sterling
Criel-Plage
Flocques
Les Quesnels
Ponts-et-Marais
Jardin Ju
Etalondes
St-Pierre-en-Val
Mont Jolibois
Criel-sur-Mer
Heudelimont
Boscrocourt
La Bourdaine
Le Fresn
Mesnil-en-Caux
Tocqueville-s-Eu
Touffreville-s-Eu
St-Rémy-Boscrocourt
Godelmesnil
Neuvillette
Assigny
Le Thil
St-Sulpice-s-Yères
Biville-s-Mer
Penly
Baromesnil
Etocquigny
Litteville
Canehan
St-Martin-Plage
Brunville
St-Martin-le-Gaillard
Berneval-s-Mer
Berneval-le-Grand
Vassonville
St-Martin-en-Campagne
Guilmécourt
Cuverville-sur-Yères
Sept-Meules
Belleville-sur-Mer
Greny
Bois-Ricard
Auquemesnil
Le Coudroy
Bracquemont
Englesqueville
Tourville-la-Chapelle
Melincamp
Grattepanche
N.-D. Bon-Secours
Puys
Silo
St-Quentin-au-Bosc
St-Aignan
DIEPPE
Derchigny
Glicourt
Valleuse
Phare d'Ailly
Vasterival
Pourville-s-Mer
Port-l'Ailly
Graincourt
Gouchaupre
Le Burel
Regnetuit
Val-du-Roy
Grèges
Sauchay-le-Haut
La Vauvaye
Intraville
Taillemesnil
Avesnes-en-Val
Aigumont
Ste-Marguerite-s-Mer
Varengeville-s-Mer
Neuville-lès-D.
Coquereaumont
Sauchay-le-Bas
Brétigny
Etrimont
Villy-le-Haut
Quiberville-Plage
Petit-Appeville
Thibermont
Breuilly
Maisoncelle
Quiberville
Manoir d'Ango
Jardin
Etran
Ancourt
Le Bucq
Bailly-en-Rivière
Blanques
Folny
Hautot
Rouxmesnil-Bouteilles
Martin-Église
Bellengreville
Bray
St-Ouen-s/s-Bailly
Feuilloy
Touffécal
Blainville
Les Vertus
Calmont
Archelles
Tocqueville
Envermeu
Monthuit
Montigny
Pelvert
Flainville
Longueil
Tous-les-Mesnils
Le Hamelet
Offranville
Gruche
Arques-la-Bataille
St-Nicolas-d'Aliermont
St-Laurent
Renouval
Les Ifs
La Londe
Fresnoy-Folny
Englesqueville
St-Aubin-s-Scie
St-Aubin-le-Cauf
Angreville
Fumechon
Les Vieux Ifs
Silo
Bailly-en-Campagne
St-Denis
Ouville-
D 925
D 940
D 1015
D 1314
D 920
D 149

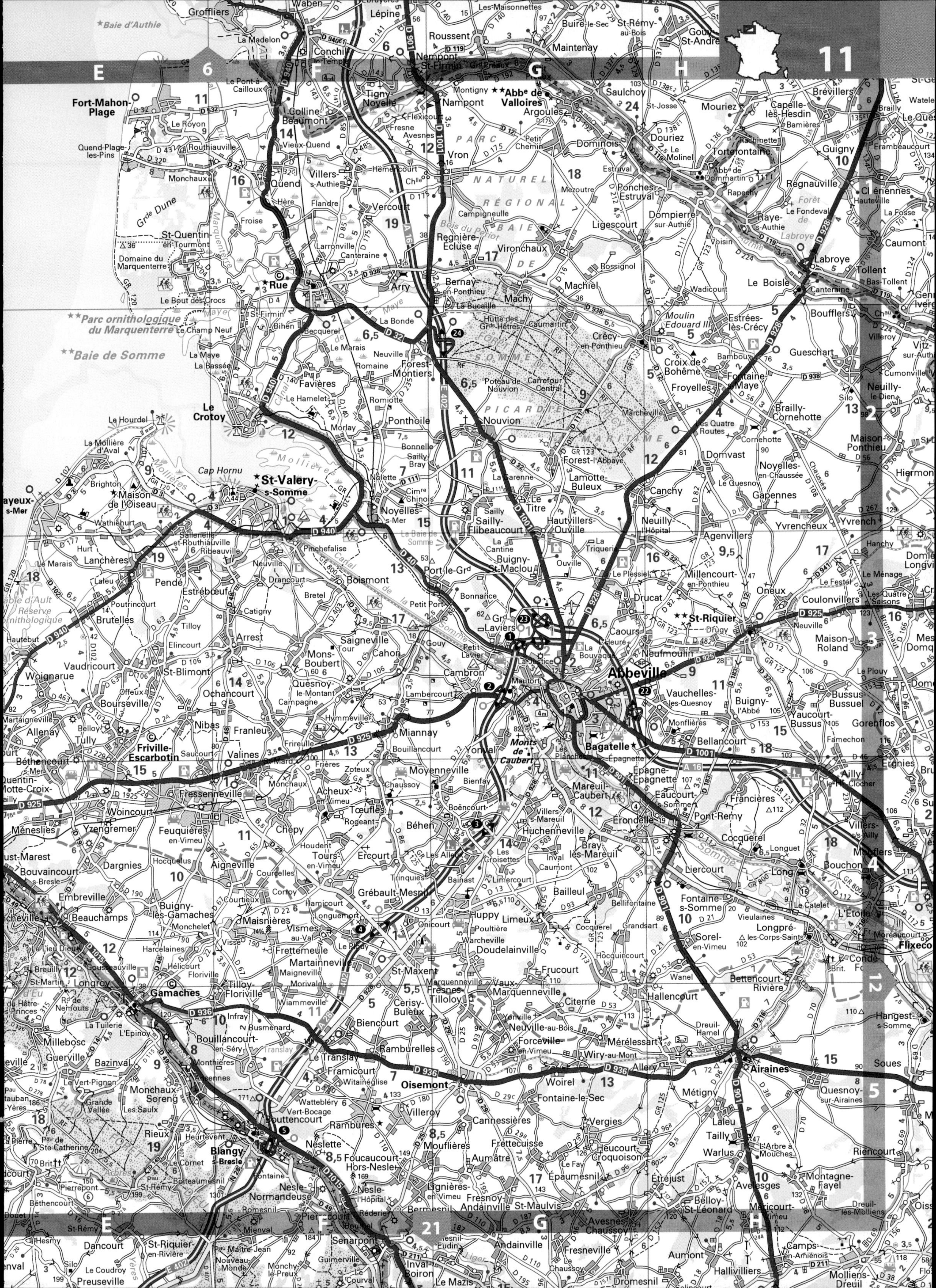

E 6 F G H

Baie d'Authie
Groffliers
Waben
Lépine
Roussent
Les Maisonnettes
Buire-le-Sec
St-Rémy-au-Bois
Gouy-St-André
La Madelon
Conchil-le-Temple
Nempont-St-Firmin
Gd Préaux
Maintenay
Le Pont-à-Cailloux
Tigny-Noyelle
Montigny
Abbe de Valloires
Saulchoy
Mouriez
Capelle-lès-Hesdin
Brévillers
Fort-Mahon-Plage
Colline-Beaumont
Nampont
Argoules
St-Josse
Bamières
Le Royon
Flexicourt
Fresne
Avesnes
Petit Chemin
Dominois
Douriez
Rachinette
Tortefontaine
Guigny
Erambeaucourt
Quend-Plage-les-Pins
Routhiauville
Vieux-Quend
Le Molinel
Abbe de Dommartin
Monchaux
Quend
Villers-s-Authie
Hémercourt
Vron
Parc Naturel Régional
Estruval
Ponches-Estruval
Rapechy
Regnauville
Forêt
Le Fondeval
Hauteville
Gde Dune
Hère
Flandre
Vercourt
Campigneulle
Mezoutre
Dompierre-sur-Authie
Raye-sur-Authie
Labroye
La Fosse
Froise
Bois du Petior
Baie de
St-Quentin-en-Tourmont
Larronville
Regnière-Écluse
Vironchaux
Ligescourt
Caumont
Domaine du Marquenterre
Canteraine
Rossignol
Voisin
Labroye
Tollent
Rue
Arry
Bernay-en-Ponthieu
Machiel
Wadicourt
Le Boisle
Bas-Tollent
Le Bout des Crocs
Machy
Canteraine
Boufflers
Parc ornithologique du Marquenterre
St-Firmin
La Bucaille
Hutte des Gds Hêtres
Caumartin
Moulin Édouard III
Estrées-lès-Crécy
Le Champ Neuf
Bihen
La Bonde
Crécy-en-Ponthieu
Villeroy
Vitz-sur-Authie
Baie de Somme
Becquerel
Le Marais
Neuville
Forêt de Crécy
Croix de Bohême
Bamboury
Gueschart
La Maye
La Bassée
Romaine
Forest-Montiers
Cumonville
Favières
Poteau de Nouvion
Carrefour Central
Fontaine-sur-Maye
Froyelles
Neuilly-le-Dien
Le Hamelet
Romiotte
Marcheville
Silo
Le Crotoy
Le Hourdel
Morlay
Ponthoile
Nouvion
Les Quatre Routes
Brailly-Cornehotte
La Mollière d'Aval
Bonnelle
Sailly-Bray
Forest-l'Abbaye
Domvast
Cornehotte
Maison-Ponthieu
Cap Hornu
Mollières
La Garenne
Lamotte-Buleux
Noyelles-en-Chaussée
Hiermont
Brighton
St-Valery-s-Somme
Maison de l'Oiseau
Nolette
Cimre Chinois
Le Titre
Canchy
Le Quesnoy
Gapennes
Cayeux-s-Mer
Wathiéhurt
Noyelles-s-Mer
Sailly-Flibeaucourt
Hautvillers-Ouville
Neuilly-l'Hôpital
Yvrencheux
Yvrench
Saillenelle-et-Routhiauville
Ribeauville
La Baie de Somme
Agenvillers
Hanchy
Hurt
Lanchères
Pinchefalise
La Cantine
La Triquerie
Buigny-St-Maclou
Millencourt-en-Ponthieu
Domléger-Longvillers
Le Marais
Neuville
Port-le-Grd
Ouville
Le Plessiel
Le Ménage
Laleu
Pendé
Estrébœuf
Drancourt
Boismont
Canal de la Somme
Oneux
Le Festel
Les Quatre Saisons
Réserve ornithologique
Poutrincourt
Bretel
Bonnance
Drucat
St-Riquier
Coulonvillers
Brutelles
Catigny
Petit Port
Grd Laviers
Caours
Drugy
Neuville
Maison-Roland
Tilloy
Arrest
Saigneville
Petit Laviers
Heure
Neufmoulin
Hautebut
Elincourt
Tour
Cahon
Gouy
La Bouvaque
Le Plouy
Vaudricourt
Mons-Boubert
Cambron
La Justice
Abbeville
Vauchelles-les-Quesnoy
Bussus-Bussuel
Woignarue
St-Blimont
Offeux
Quesnoy-le-Montant
Campagne
Lambercourt
Mautort
Buigny-l'Abbé
Yaucourt-Bussus
Bourseville
Ochancourt
Hymmeville
Monflières
Gorenflos
Martaigneville
Allenay
Belloy
Tully
Nibas
Franleu
Miannay
Monts de Caubert
Bagatelle
Bellancourt
Famechon
Friville-Escarbotin
Saucourt
Frireulle
Valines
Bouillancourt
Yonval
Les Planches
Épagnette
Béthencourt-s-Mer
Quentin-Lamotte-Croix-au-Bailly
St-Mard
Frières
Zoteux
Moyenneville
Bienfay
Épagne-Épagnette
Eaucourt-s-Somme
Francières
Ailly-le-Ht-Clocher
Monchaux
Chaussoy
Mareuil-Caubert
Fressenneville
Acheux-en-Vimeu
Tœufles
Rogeant
Boëncourt
Woincourt
Béhen
Villers-s-Mareuil
Huchenneville
Erondelle
Pont-Remy
Villers-s-Ailly
Ménesiles
Yzengremer
Feuquières-en-Vimeu
Chépy
Houdent
Tours-en-Vimeu
Bray-lès-Mareuil
Cocquerel
Longuet
Mouflers
Ercourt
Les Alleux
Les Croisettes
Inval
Caumont
Bouchon
Ault-Marest
Bouvaincourt-s-Bresle
Dargnies
Hocquelus
Aigneville
Courcelles
Trinquies
Bainast
Limercourt
Liercourt
Long
Embreville
Conroy
Grébault-Mesnil
Bailleul
Bellifontaine
Fontaine-s-Somme
Le Catelet
L'Étoile
Beauchamps
Buigny-lès-Gamaches
Courtieux
Hamicourt
Maisnières
Longuemort
Huppy
Limeux
Vieulaines
Longpré-les-Corps-Saints
Monchelet
Vismes-au-Val
Onicourt
Poultière
Cocquerel
Grandsart
Sorel-en-Vimeu
Moreaucourt
Flixecourt
Le Lieu Dieu
Harcelaines
Visse
Frettemeule
Le Plouy
Warcheville
Doudelainville
Hocquincourt
Conde-Folie
Bouttencourt
Breuilly
Gousseauville
Hélicourt
Floriville
Martainneville
Maigneville
St-Maxent
Frucourt
Wanel
Bettencourt-Rivière
St-Martin
Longroy
Gamaches
Tilloy-Floriville
Morival
Marquenneville
Fresnes-Tilloloy
Vaux-Marquenneville
Citerne
Hallencourt
Bois du Hêtre-Princes
Rd de Nemours
Wiammeville
Cérisy-Buleux
La Tuilerie
L'Épinoy
Infray
Biencourt
Yonville
Neuville-au-Bois
Dreuil-Hamel
Hangest-s-Somme
Millebosc
Guerville
Bouillancourt-en-Séry
Busménard
Translay
Le Translay
Forceville-en-Vimeu
Mérélessart
Rambures
Wiry-au-Mont
Airaines
Bazinval
Monthières
Framicourt
Allery
Soues
Le Vert-Pignon
Oisemont
Witainéglise
Woirel
Métigny
Quesnoy-sur-Airaines
Monchaux-Soreng
Grande Vallée
Les Saulx
Watteblery
Vert-Bocage
Villeroy
Fontaine-le-Sec
Hautuban
Les Yères
Bouttencourt
Cannessières
Vergies
Laleu
Rieux
Heurtevent
Rambures
Mouflières
Tailly
L'Arbre à Mouches
Riencourt
Pierre
Pte de Ste-Catherine
Blangy-s-Bresle
Neslette
Frettecuisse
Heucourt-Croquoison
Warlus
Brit
Le Cornet
Foucaucourt-Hors-Nesle
Aumâtre
Le Fay
Épaumesnil
Étréjust
Avelesges
Montagne-Fayel
Pierrepont
St-Rémy
Boiteaumesnil
Fontaine
Nesle-l'Hôpital
Lignières-en-Vimeu
Fresnoy-Andainville
St-Maulvis
Belloy-St-Léonard
Méricourt-en-Vimeu
Dreuil-lès-Molliens
Béthencourt
Nesle-Normandeuse
Romesnil
Bermesnil
Avesnes-Chaussoy
St-Rémy
Mienval
Pierrecourt
Rederie
Hesmy
Dancourt
St-Riquier-en-Rivière
Pau
Maître-Jean
Senarpont
Bourbel
Mesnil-Eudin
Liger
Andainville
Fresneville
Aumont
Camps-en-Amiénois
Envalanches
Silo
Le Coudroy
Nouvel-Monde
Guimerville
Monchy-le-Preux
Le Courval
Inval-Boiron
Hallivilliers
Molliens-Dreuil
Preuseville
Le Mazis
Dromesnil

E F G

12
0 2 4 6 8 10 km
Lebiez
Sains-lès-Fressin
L'Epaule
L'Ermitage
Planques
Azincourt
Sénécoville
Tramecourt
Crépieul
Ambricourt
Bergueneuse
Boyaval
Tangry
Teneur
Tilly-Capelle
Maisoncelle
Eps
Anvin
Donjon
Bours
Noyelles
Faux
Loison-s-Créquoise
Offin
Wambercourt
Cavron-St-Martin
Le Nouveau Monde
Le Fond-de-Barle
Monts
Béalencourt
Erin
Monchy-Cayeux
Conteville-en-Ternois
Huclier
Belval
Valhuon
Antin
Antigneul
Lespinoy
Jumel
Brunehaut-Pré
Le Valivon
Beaurainville
Maresquel-Ecquemicourt
Contes
St-Martin
Wamin
Blingel
Blangy-sur-Ternoise
Fleury
Sautricourt
Falempin
Britel
Brias
La Loge
Forêt d'Hesdin
Auchy-lès-Hesdin
Haras
Humerœuille
Bermicourt
Wavrans-sur-Ternoise
Libessart
Hernicourt
Grossart
Troisvaux
Ostreville
Ecquemicourt
Neuvillette
Aubin-St-Vaast
Guisy
Huby-St-Leu
Grigny
Rollancourt
Incourt
Eclimeux
Pierremont
Croix-en-Ternois
Gauchin-Verloingt
Rosemont
Rocourt-St-Laurent
Orlencourt
Le Bas-Parcq
Le Parcq
Bouin-Plumoison
St-André
St-Rémy-au-Bois
Gouy-St-André
Hesdin
Marconne
Marconnelle
Ste-Austreberthe
Neulette
Humières
Beauvois
Siracourt
Ramecourt
St-Pol-s-Ternoise
Grandcamp
St-Michel-s-T.
Roëllecourt
Fresnoy
Estruval
Noyelles-lès-Humières
Œuf-en-Ternois
Vieil-Hesdin
Lambus
Silo
Valfosse
Vallières
Croisette
Herlin-le-Sec
Tachincourt
Foufflin-Ricametz
Ligny-St-Flochel
Brévillers
St-Georges
Wail
Willeman
Guinecourt
Pronay
Wignacourt
Herlincourt
Ternas
St-Josse
Mouriez
Capelle-lès-Hesdin
Bamières
Watelet
Brailly
Le Forestel
Le Quesnoy-en-Artois
Quatrevaux
Galametz
Linzeux
Héricourt
Hautecloque
Ocoche
Sains
Maisnil
Neuville-au-Cornet
Douriez
Dominois
Le Molinel
Rachinette
Tortefontaine
Guigny
Erambeaucourt
Vacqueriette-Erquières
Blangermont
Framecourt
Buneville
Gouy-en-Ternois
Abbé de Dommartin
Estruval
Ponches-Estruval
Regnauville
Chériennes
Hauteville
Erquières
Fillièvres
Blangerval-Blangermont
Flers
Écoivres
Monts-en-Ternois
Magnicourt-s-Canche
Rapechy
Fontaine-l'Etalon
La Fosse
Haut-Mainil
Quœux-Haut-Mainil
Aubrometz
Conchy-s-Canche
Monchel-s-Canche
Hautecôte
Nuncq-Hautecôte
Moncheaux-lès-Frévent
Houvin-Houvigneul
Ligescourt
Dompierre-sur-Authie
Forêt
Le Fondeval
Raye-s-Authie
Labroye
Voisin
Caumont
Montorgueil
Haravesnes
Boubers-s-Canche
Ligny-s-Canche
Sibiville
Séricourt
Honval
Berlencourt-le-Cauroy
Frévent
Canettemont
Rossignol
Labroye
Tollent
Bas-Tollent
Selandre
Rougefay
Le Pit Bouret
Rebreuve-s-Canche
Rosière
Le Boisle
Wadicourt
Canteraine
Vaulx
Bachimont
Vacquerie-le-Boucq
Cercamp
Gennes-Ivergny
Moulin Edouard III
Estrées-lès-Crécy
Boufflers
Buire-au-Bois
Fortel-en-Artois
Bouret-s-Canche
La Couture
Estrée-Wamin
Crécy-en-Ponthieu
Le Ponchel
Villeroy
Vitz-sur-Authie
La Neuville
Boffles
Rebreuviette
Oppy
Beaudricourt
Croix de Bohême
Bambou
Gueschart
Bois de Auxi
Bonnières
Fontaine-s-Maye
Cumonville
Willencourt
Nœux-lès-Auxi
Ivergny
Froyelles
Neuilly-le-Dien
Acquet
Lannoy
Auxi-le-Château
Villers-l'Hôpital
Beauvoir
Le Souich
Sus-St-Léger
Brailly-Cornehotte
Silo
Beauvoir-Wavans
Canteleux
Brévillers
Les Aymonts
Les Quatre Routes
Cornehotte
Maison-Ponthieu
St-Lot
Neuvillette
Bouquemaison
Lucheux
Domvast
Noyelles-en-Chaussée
Hiermont
Béalcourt
Fortel
Remaisnil
Barly
Le Quesnoy
Gapennes
Bernâtre
Maizicourt
Frohen-s-Authie
Canchy
Montigny-les-Jongleurs
St-Acheul
Mézerolles
Outrebois
Ransart
Haute Visée
Grouches-Luchuel
Neuilly-l'Hôpital
Yvrench
Yvrencheux
Conteville
Heuzecourt
Occoches
Agenvillers
Hanchy
Agenville
Grimont
Le Meillard
Hem-Hardinval
Risquetout
Bout des Prés
Milly
La Triquerie
Millencourt-en-Ponthieu
Domléger-Longvillers
Boisbergues
Le Plessiel
Le Festel
Le Ménage
Prouville
Mont-Renault
Doullens
Halloy
Drucat
Oneux
Coulonvillers
Les Quatre Saisons
Cramont
Autheux
Hardinval
Bretel
Gézaincourt
Authieule
Amplier
St-Riquier
Drugy
Neuville
Longvillers
Beaumetz
Bernaville
Orville
Caours
Heure
Maison-Roland
Mesnil-Domqueur
Domesmont
Vacquerie
Fienvillers
Longuevillette
Freschevillers-lès-Doullens
Neufmoulin
Abbeville
Ribeaucourt
Gorges
Beauval
Sarton
Vauchelles-les-Quesnoy
Buigny-l'Abbé
Le Plouy
Bussus-Bussuel
Domqueur
Houdencourt
Épécamps
Lanches-St-Hilaire
Candas
Petit Amplier
Montplaisir
Marieux
Monflières
Yaucourt-Bussus
Gorenflos
Fransu
Barlette
Fieffes-Montrelet
Terramesnil
Bagatelle
Épagnette
Bellancourt
Famechon
Franqueville
St-Hilaire
Berneuil
Beauquesne
Épagne-Épagnette
Eaucourt-s-Somme
Ailly-le-Ht-Clocher
Ergnies
Brucamps
Domart-en-Ponthieu
Bonneville
Valheureux
Fieffes
Vert-Galant
Val Vion
Francières
Le Rosel
Raincheval
Érondelle
Pont-Remy
Surcamps
Villers-s-Ailly
Vauchelles-lès-Domart
St-Léger-lès-Domart
Pernois
Canaples
La Vicogne
Cocquerel
Longuet
Mouflers
Puchevillers
Liercourt
Long
Bouchon
La Folie
Berteaucourt-les-Dames
Halloy-lès-P.
Cité souterraine de Naours
Val de Maison
Bellifontaine
Fontaine-s-Somme
Vieulaines
Le Catelet
L'Étoile
St-Ouen
Bettencourt-St-Ouen
Havernas
Wargnies
Naours
Talmas
Septenville
Héris
Sorel-en-Vimeu
Longpré-les-Corps-Saints
Moreaucourt
Ville-le-Marclet
Flixecourt
Vignacourt
Olincourt
Rubempré
Hocquincourt
Wanel
Condé-Folie
Pierregot
Mirvaux
Hallencourt
Bettencourt-Rivière
Bourdon
Flesselles
Montonvillers
Villers-Bocage
Beaucourt-s-l'Hallue
Hangest-s-Somme
Yzeux
St-Vaast-en-Chaussée
Frémont
Bertangles
Molliens-au-Bois
Montigny-s-l'Hallue
Dreuil-Hamel
Mérélessart
Crouy-St-Pierre
Belloy
Rainneville
Airy-au-Mont
A
B
C
D
22
1
2
3
4
5
7
8
11
13
14
24
26

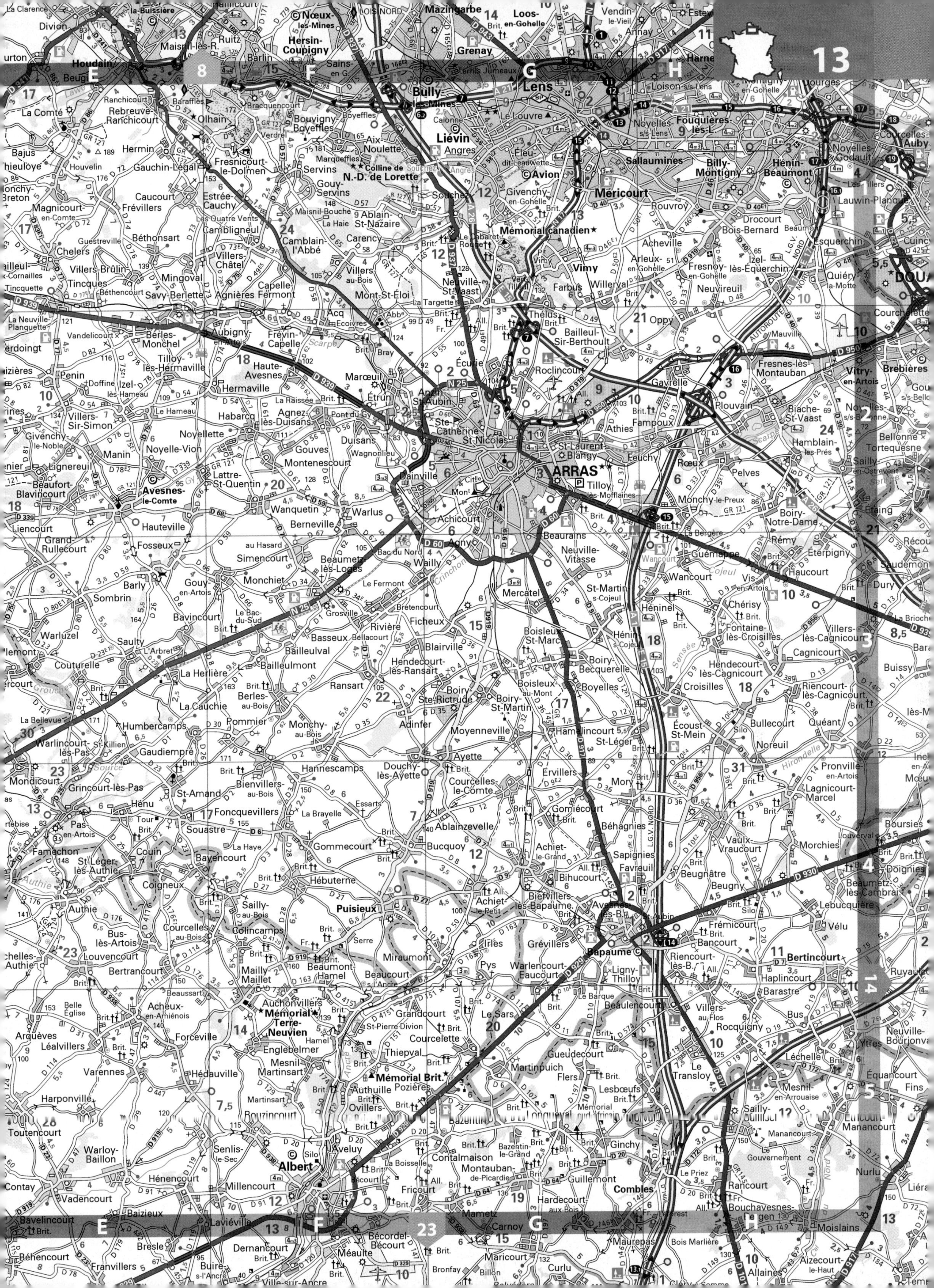

13
E
F
G
H
8
23
14
Houdain
Bully-les-Mines
Liévin
Lens
Avion
Méricourt
Sallaumines
Noyelles-Godault
Hénin-Beaumont
Billy-Montigny
Fouquières-lès-L.
Grenay
Hersin-Coupigny
Barlin
Ruitz
Divion
Loos-en-Gohelle
Mazingarbe
Noeux-les-Mines
Vendin-le-Vieil
Annay
Harnes
Courcelles-lès-Lens
Loison-s/s-Lens
Noyelles-s/s-Lens
Aix-Noulette
Souchez
Givenchy-en-Gohelle
Vimy
Mémorial canadien
Colline de N.-D. de Lorette
Ablain-St-Nazaire
Carency
Olhain
Camblain-l'Abbé
Villers-Châtel
Aubigny-en-Artois
Mont-St-Eloi
Neuville-St-Vaast
Thélus
Farbus
Willerval
Arleux-en-Gohelle
Acheville
Rouvroy
Drocourt
Izel-lès-Équerchin
Quiéry-la-Motte
Douai
Courchelettes
Vitry-en-Artois
Brebières
Fresnes-lès-Montauban
Gavrelle
Plouvain
Oppy
Bailleul-Sir-Berthoult
Roclincourt
Écurie
Anzin-St-Aubin
Ste-Catherine
St-Nicolas
St-Laurent-Blangy
Athies
Fampoux
Feuchy
ARRAS
Tilloy-lès-Mofflaines
Beaurains
Achicourt
Agny
Dainville
Duisans
Marœuil
Étrun
Habarcq
Avesnes-le-Comte
Hauteville
Wanquetin
Warlus
Berneville
Simencourt
Beaumetz-lès-Loges
Wailly
Neuville-Vitasse
Mercatel
St-Martin-s-Cojeul
Wancourt
Guémappe
Monchy-le-Preux
Rœux
Pelves
Biache-St-Vaast
Hamblain-les-Prés
Boiry-Notre-Dame
Rémy
Éterpigny
Haucourt
Vis-en-Artois
Chérisy
Fontaine-lès-Croisilles
Hendecourt-lès-Cagnicourt
Cagnicourt
Villers-lès-Cagnicourt
Riencourt-lès-Cagnicourt
Quéant
Bullecourt
Noreuil
Croisilles
Écoust-St-Mein
St-Léger
Hénin-s-Cojeul
Héninel
Boiry-Becquerelle
Boyelles
Boisleux-St-Marc
Boisleux-au-Mont
Boiry-St-Martin
Hamelincourt
Moyenneville
Ervillers
Mory
Gomiécourt
Béhagnies
Sapignies
Favreuil
Beugnâtre
Beugny
Vaulx-Vraucourt
Lagnicourt-Marcel
Morchies
Lebucquière
Vélu
Frémicourt
Bancourt
Bapaume
Riencourt-lès-B.
Bertincourt
Haplincourt
Barastre
Bus
Rocquigny
Villers-au-Flos
Le Transloy
Lesbœufs
Sailly-Saillisel
Mesnil-en-Arrouaise
Manancourt
Équancourt
Ytres
Neuville-Bourjonval
Nurlu
Moislains
Bouchavesnes-Bergen
Rancourt
Combles
Guillemont
Ginchy
Longueval
Flers
Gueudecourt
Martinpuich
Courcelette
Le Sars
Warlencourt-Eaucourt
Ligny-Thilloy
Beaulencourt
Grévillers
Irles
Pys
Miraumont
Achiet-le-Grand
Achiet-le-Petit
Biefvillers-lès-Bapaume
Bihucourt
Avesnes-lès-B.
Bucquoy
Ablainzevelle
Courcelles-le-Comte
Ayette
Douchy-lès-Ayette
Adinfer
Ransart
Monchy-au-Bois
Hendecourt-lès-Ransart
Blairville
Ficheux
Rivière
Bailleulval
Basseux
Bailleulmont
Berles-au-Bois
La Cauchie
Pommier
Humbercamps
Gaudiempré
Warlincourt-lès-Pas
Pas-en-Artois
Hénu
St-Amand
Souastre
Foncquevillers
Gommecourt
Hannescamps
Bienvillers-au-Bois
Hébuterne
Puisieux
Serre
Beaumont-Hamel
Beaucourt-s/l'Ancre
Mailly-Maillet
Colincamps
Sailly-au-Bois
Courcelles-au-Bois
Coigneux
Couin
Bayencourt
Authie
St-Léger-lès-Authie
Famechon
Bus-lès-Artois
Louvencourt
Bertrancourt
Acheux-en-Amiénois
Auchonvillers
Mémorial Terre-Neuvien
Englebelmer
Mesnil-Martinsart
Hamel
Thiepval
Mémorial Brit.
Authuille
Pozières
Ovillers
Aveluy
Albert
Bouzincourt
Senlis-le-Sec
Hénencourt
Millencourt
Laviéville
Méaulte
Bécordel-Bécourt
Fricourt
Contalmaison
Montauban-de-Picardie
Mametz
Carnoy
Maricourt
Hardecourt-aux-Bois
Maurepas
Forceville
Hédauville
Varennes
Harponville
Warloy-Baillon
Toutencourt
Contay
Vadencourt
Baizieux
Bavelincourt
Béhencourt
Franvillers
Dernancourt
Buire-s/l'Ancre
Ville-sur-Ancre
Arquèves
Léalvillers
Gouy-en-Artois
Barly
Fosseux
Sombrin
Warluzel
Saulty
Couturelle
La Herlière
Bavincourt
Grincourt-lès-Pas
Mondicourt
Sus-St-Léger
Manin
Noyelle-Vion
Lattre-St-Quentin
Gouves
Montenescourt
Noyellette
Agnez-lès-Duisans
Hermaville
Haute-Avesnes
Tilloy-lès-Hermaville
Berles-Monchel
Frévin-Capelle
Acq
Capelle-Fermont
Savy-Berlette
Agnières
Mingoval
Tincques
Villers-Brûlin
Chelers
Béthonsart
Cambligneul
Frévillers
Caucourt
Estrée-Cauchy
Magnicourt-en-Comte
Gauchin-Légal
Fresnicourt-le-Dolmen
Hermin
Servins
Gouy-Servins
Villers-au-Bois
Izel-lès-Hameau
Penin
Villers-Sir-Simon
Givenchy-le-Noble
Lignereuil
Beaufort-Blavincourt
Liencourt
Grand-Rullecourt
Ranchicourt
Rebreuve-Ranchicourt
La Comté
Bajus
Houvelin
Maisnil-lès-R.
Bouvigny-Boyeffles
Angres
Éleu-dit-Leauwette

0 2 4 6 8 10 km
DOUAI
CAMBRAI
Denain
Somain
Lallaing
Waziers
Sin-le-Noble
Auby
Flines-lez-Raches
Marchiennes
Fenain
Escaudain
Haveluy
Hérin
Anzin
Raismes
Abscon
Aniche
Auberchicourt
Centre Minier
Lourches
Douchy-les-Mines
Bouchain
Iwuy
Avesnes-les-Aubert
Solesmes
Caudry
Le Cateau-Cambrésis
Beauvois-en-Cambrésis
Marcoing
Arleux
Vitry-en-Artois
Brebières
St-Amand-les-Eaux
Bruay-sur-l'Escaut
Le Catelet
Bohain-en-Vermandois
Mémorial Américain
Abbe de Vaucelles
Mémorial Canadien
PARC NATUREL RÉGIONAL
SCARPE
ESCAUT
A B C D
9
13
24

15
MONS (BERGEN)
Jemappes
St-Ghislain
Boussu
Le Grand-Hornu
Quaregnon
Hornu
Colfontaine
Frameries
Cuesmes
Flénu
Wasmes
Pâturages
La Bouverie
Dour
Elouges
Quiévrain
Hensies
Crespin
Thulin
Hainin
Pommerœul
Bernissart
Tertre
Ghlin
Hautrage-Etat
Montrœul-sur-Haine
Condé-s-l'Escaut
Thivencelle
St-Aybert
Fresnes-sur-Escaut
Vicq
Quarouble
Quiévrechain
Rombies-et-Marchipont
Saultain
Estreux
Sebourg
Curgies
Préseau
Jenlain
Bry
Eth
Roisin
Wargnies-le-Gd
Wargnies-le-Petit
Maresches
Villers-Pol
Sepmeries
Orsinval
Le Quesnoy
Potelle
Villereau
Jolimetz
Ghissignies
Louvignies-Quesnoy
Salesches
Poix-du-Nord
Englefontaine
Hecq
Locquignol
Vendegies-au-Bois
Robersart
Bousies
Croix-Caluyau
Fontaine-au-Bois
Preux-au-Bois
Landrecies
Maroilles
Happegardes
Ors
Bazuel
Catillon-sur-Sambre
La Groise
Mazinghien
Rejet-de-Beaulieu
Ribeauville
Wassigny
Oisy
Boué
Etreux
Vénérolles
Hannapes
La Neuville
Esquéhéries
Dorengt
Le Nouvion-en-Thiérache
Prisches
Beaurepaire-sur-Sambre
Fesmy-le-Sart
Barzy-en-Thiérache
Fontenelle
Floyon
Papleux
La Flamengrie
La Capelle
Buironfosse
Sommeron
Etrœungt
Avesnes-sur-Helpe
Avesnelles
Bas-Lieu
St-Hilaire-s-Helpe
Dompierre-s-Helpe
Taisnières-en-Thiérache
Marbaix
Grand-Fayt
Petit-Fayt
Le Favril
Cartignies
Boulogne-sur-Helpe
Haut-Lieu
Sains-du-Nord
Rainsars
Féron
Glageon
Wignehies
Fourmies
Anor
Mondrepuis
Rocquigny
Larouillies
Clairfayts
Sémeries
Liessies
Ramousies
Felleries
Sars-Poteries
Beugnies
Solre-le-Château
Dimechaux
Solrinnes
Eccles
Bérelles
Choisies
Obrechies
Damousies
Wattignies-la-Victoire
Dimont
Dourlers
St-Aubin
Semousies
Flaumont-Waudrechies
Éclaibes
Écuélin
Beaufort
Limont-Fontaine
St-Remy-du-Nord
Aulnoye-Aymeries
Berlaimont
Sassegnies
Leval
Monceau-St-Waast
Noyelles-s-Sambre
Pont-sur-Sambre
Boussières-sur-S.
Vieux-Mesnil
Hautmont
Neuf-Mesnil
Hargnies
Louvroil
Maubeuge
Rousies
Ferrière-la-Gde
Cerfontaine
Recquignies
Boussois
Assevent
Marpent
Jeumont
Colleret
Quiévelon
Aibes
Elesmes
Mairieux
Bersillies
Bettignies
Vieux-Reng
Villers-Sire-Nicole
Gognies-Chaussée
Erquelinnes
Merbes-le-Château
Solre-sur-Sambre
Binche
Estinnes-au-Val
Estinnes-au-Mont
Villers-St-Ghislain
Harmignies
Spiennes
Mesvin
Nouvelles
Asquillies
Harveng
Noirchain
Genly
Bougnies
Quévy
Givry
Havay
Quévy-le-Grand
Blaregnies
Aulnois
Rouveroy
Vellereille-le-Sec
Peissant
Croix-lez-Rouveroy
Fauroeulx
Haulchin
Merbes-Ste-Marie
Eugies
Sars-la-Bruyère
Blaugies
Wihéries
Erquennes
Athis
Montignies-sur-Roc
Onnezies
Audregnies
Angre
Angreau
Autreppe
Fayt-le-Franc
Gussignies
Bellignies
Hon-Hergies
Houdain-lez-B.
Taisnières-s-Hon
Bavay
Malplaquet
Feignies
La Longueville
Audignies
Mecquignies
Obies
Bermeries
Gommegnies
Amfroipret
Frasnoy
Preux-au-Sart
St-Waast
Bettrechies
La Flamengrie
Parc Naturel Régional de l'Avesnois
Forêt de Mormal
Valenciennes

0 2 4 6 8 10 km
Charleroi
Jumet
Ransart
Auvelais
Sambreville
Farciennes
Tamines
Moignelée
Piéton
Souvret
Roux
Aldegonde
Fontaine-l'Évêque
Monceau-sur-Sambre
Dampremy
Châtelineau
Pont-de-Loup
Falisolle
Aisemont
Ressaix
Leval-Trahegnies
Goutroux
Marchienne-au-Pont
Montignies-sur-Sambre
Châtelet
Aiseau-Presles
Le Roux
Vitrival
Binche
Waudrez
Épinois
Anderlues
Buvrinnes
Blancs Trieux
Leernes
Mont-sur-Marchienne
Marcinelle
Le Bois du Cazier
Couillet
Bouffioulx
Presles
Abbaye de Bonne-Espérance
Haulchin
Landelies
Montigny-le-Tilleul
Loverval
Chamborgneau
Sart-Eustache
Cocriamont
Fauroeulx
Vellereille-les-Brayeux
Montifaut
Mont-Ste-Geneviève
Les Bonniers
Hourpes
Abbaye d'Aulne
Bomerée
Les Haies
Lausprelle
Figotterie
Gazelle
Lobbes
Bienne-lez-Happart
La Bruyère
Tri d'Haies
Jamioulx
Joncret
Acoz
Villers-Poterie
Gougnies
Devant les Bois
Peissant
Merbes-Ste-Marie
Calvaire
Les Waibes
Le Bout
La Haut
Odrimont
Gerpinnes
Noechamps
Sars-la-Buissière
Gozée
Grogerie
Haies
Les Bultiaux
Flaches
Fromiée
Chevêne
Rubignies
Bois de Villers
Thuin
Pierre de Zeupire
Beignée
Nalinnes
Hymiée
Biesme
Scri
Merbes-le-Château
Fontaine-Valmont
La Maladrie
Tingremont
Tri des Marais
Mettet
Erquelinnes
Labuissière
Biercée
Biesme-sous-Thuin
Marbaix
Ham-sur-Heure
Ahérée
Hanzinne
Les Bruyères
Omboie Fontaine Haute
Ragnies
Thuillies
Tri-des-Sarts
Tarcienne
Hanzinelle
Oret
Solre-sur-Sambre
Thure
Hantes-Wihéries
Leers-et-Fosteau
Cour-sur-Heure
Thy-le-Château
Gourdinne
Somzée
Jeumont
Montignies-St-Christophe
Les Rinwez
Donstiennes
Ossogne
Berzée
Thy-le-Bauduin
Côroi
Marpent
Pont romain
Sartiau
Strée
Viscourt
Pry
Laneffe
Donvau
Stave
Bersillies-l'Abbaye
Bousignies-sur-Roc
La Marzelle
Mertenne
Rognée
Thyria
Chastrès
Fraire
Morialmé
Les Pavillons
Colleret
Thirimont
L'Ermitage
Clermont
Fontenelle
Walcourt
Fairoul
St-Aubin
Florennes
Corenne
Les Quatre Bras
Comagne
Le Pachis
Castillon
Gerlimpont
Yves-Gomezée
Cousolre
Reugnies
Beaumont
Leval-Chaudeville
Gravelinne
Vogenée
Hemptinne
Chaumont
Aibes
Marcignies
Pont du Prince
Boussu-lez-Walcourt
Silenrieux
Daussois
Les Haies-de-Cousolre
Leugnies
Barbençon
Erpion
Féronval
Eau d'Heure
Jamiolle
Jamagne
Barrière-Luc
Bérelles
Les Quatre Vents
Solre-St-Géry
Barrages de l'Eau d'Heure
Ry-Jaune
Philippeville
Vodecée
Villers-le-Gambon
Eccles
Hestrud
Grandrieu
Vergnies
Lautenne
Les Champs-Elysées
Le Hameau
Terniau
Four à verre
Falemprise
Soumoy
Villers-Deux-Églises
Franchimont
Frasies
Renlies
Barrage de la Plate Taille
Senzeille
Neuville
Samart
Merlemont
Solre-le-Château
L'Écrevisse
Sivry-Rance
Le Fribou
Lacs de l'Eau d'Heure
Cerfontaine
Beaurieux
Moulard
Sautin
Sivry-Gare
Fourbechies
Sautour
Sart-en-Fagne
Épinoy
Le Troupeau
Vieux Sautour
L'Épine
Crismont
La Louvière
La Ronce
Froidchapelle
Forêt de Senzeille
Villers-en-Fagne
Clairfayts
La Pierre qui Tourne
Le Canon
Rance
Romerée
Ri de Froment
Bois de Tout Vent
Pierraille
Les Courtinsarts
Roly
Beaumont
Montbliart
Le Planiau
Champ Colin
St-Hubert
Bois de Revleûmont
Étang du Fraiti
Boucheron
Touvent
Queue de Rance
Matagne-la-Grande
Willies
Eppe-Sauvage
Eau d'Eppe
Bois Robert
Bois de Walestru
Culot du Bois
Les Géronsarts
Fagnolle
Matagne-la-Petite
Champiau
Croix-Trélon
Parc départemental du Val Joly
Lambercies
Bois d'Aublain
Institut Royal Météorologique
Treignes
St-Hermain
Moustier-en-Fagne (Domaine privé)
Les Desiviers
Bois de la Fagne
N.-D. de la Brouffe
Mariembourg
Dourbes
Bois de Neumont
Étang de Virelles
Frasnes
Nismes
Viroinval
Forêt de Trélon
Robechies
Site de Blaimont
Eau Blanche
Vierves-sur-Viroin
Bailièvre
Fondry des Chiens
Olloy-sur-Viroin
Wallers-en-Fagne
Baives
Beauchamp
Trieissart
Aublain
Boussu-en-Fagne
Grottes de Neptune
Parc Naturel
Trélon
Étang de la Folie
Chapelle de l'Arbrisseau
Vaulx
Lompret
Dailly
Couvin
Petigny
St-Joseph
Chapelle des Monts
Virelles
Salles
Moranrieux
Macon
St-Remy
Les Neuf Maisons
Pesche
Forêt de Viroin
Ohain
Villers-la-Tour
Chimay
Gonrieux
Pont du Roi
Oignies-en-Thiérache
Monceau-Imbrechies
Boutonville
Baileux
Presgaux
Forêt de Nismes
Melsart
Trieux-de-Bléfontaine
Momignies
Les Heules
Forges
Bourlers
Hermeton
Regniessart
Beauwelz
Seloignes
Eau Noire
Abri de Hitler
Brûly-de-Pesche
Couvin
La Fourchinée
Bois de Chimay
Franche Forêt
Pilarde
Bout d'En Haut
La Saboterie
Par-de-la-l'Étang
Passe-d'Anor
Bois de la Thiérache
Bois de Gonrieux
Bois de Croy
Four Matot
Villa-Lamarche
Scourmont
Forges Jean Petit
Taille Engelée
La Forge du Prince
Anor
Le Lobiette
Macquenoise
Fourneau-Philippe
Milourd
La Masure
Loge Wactiaux
Forge-Philippe
Abbaye N.-D. de Scourmont
Les Parçonniers
Le Marais
Les Riezes
Brûly
Moulin Manteau
Le Paquis
Pavillon de Diane
L'Ermitage
Le Vieux Gauchier
Riezes
Nimelette
Lisbonne
Cul-des-Sarts
Petite Chapelle
Gué-d'Hossus
Étang du Pas Bayard
Forêt de Signy-le-Petit
Cendron
Le Gruerie
L'Escaillère
La Huguette
Forêt d'Hirson
Les Grands-Riaux
A
B
C
D
1
2
3
4
5
N 90
N 5
N 53
N 40
N 97
N 99
N 98
E 420
A 5

15
26

17
E
F
G
H
1
2
3
4
5
27
Floreffe
Malonne
Wépion
Naninne
Dave
Faulx-les-Tombes
Ohey
Gesves
Evelette
Havelange
Fosses-la-Ville
Sart-St-Laurent
Bois-de-Villers
Lustin
Maillen
Sart-Bernard
Trì d'Avillon
Assesse
Profondeville
Rochers de Frênes
Crupet
Florée
Schaltin
Hamois
Miécret
Jeneffe
Barvaux-Condroz
St-Gérard
Domaine d'Annevoie-Rouillon
Annevoie-Rouillon
Godinne
Durnal
Spontin
Natoye
Emptinne
Achet
Mohiville
Yvoir
Evrehailles
Braibant
Dorinne
Purnode
Denée
Warnant
Anhée
Abbe de Maredsous
Sosoye
Chau de Montaigle
Chau de Crèvecoeur
Ciney
Sovet
Pessoux
Nettinne
Sinsin
Leffe
Lisogne
Thynes
Leignon
Falaën
Sommière
Bouvignes-s-Meuse
Weillen
DINANT
Sorinnes
Foy-N.-D.
Flavion
Serville
La Merveilleuse
Rer Bayard
Anthée
Onhaye
Anseremme
Freÿr
Dréhance
Furfooz
Celles
Conneux
Domaine provincial de Chevetogne
Serinchamps
Morville
Hastière-Lavaux
Walzin
Aiguilles de Chaleux
Vêves
Chevetogne
Buissonville
Rochers de Freÿr
Falmignoul
Falmagne
Custinne
Mont-Gauthier
Humain
Hastière-par-delà
Waulsort
Blaimont
Hulsonniaux
Houyet
Hermeton-s-Meuse
Omezée
Soulme
Surice
Gochenée
Mesnil-St-Blaise
Ciergnon
Rochefort
Heer
Agimont
Feschaux
Finnevaux
Mesnil-Eglise
Wiesme
Hour
Wanlin
Villers-s-Lesse
Eprave
Jemelle
Trou de Rond Tienne
Grotte de Lorette
Doische
Fort de Charlemont
Givet
Baronville
Focant
Lessive
Han-s-Lesse
Grotte de Han
Gimnée
Foisches
Fromelennes
Grottes de Nichet
Martouzin-Neuville
Vaucelles
Rancennes
Dion
Beauraing
Pondrôme
Lavaux-Ste-Anne
Ave-et-Auffe
Hierges
Charnois
Chooz
Winenne
Wellin
Resteigne
Tellin
Aubrives
Landrichamps
Wancennes
Lomprez
Halma
Chanly
Vireux-Wallerand
Vireux-Molhain
Felenne
Honnay
Sohier
Vonêche
Froidfontaine
Montigny-sur-Meuse
Fays Famenne
Daverdisse
Euro Space Center
Fépin
Hargnies
Bourseigne-Neuve
Bourseigne-Vieille
Vencimont
Malvoisin
Redu
Transinne
Haybes
Sart-Custinne
Patignies
Haut-Fays
Gembes
Fumay
Rienne
Willerzie
Gedinne
Porcheresse
Villance
Maissin
Anloy
Louette-St-Pierre
Louette-St-Denis
Bièvre
Graide

0 2 4 6 8 10 km
A
B
C
D
1
2
3
4
5
34
Côte d'Albâtre
Fécamp
Criquebeuf-en-Caux
Yport
Vaucottes-s-Mer
Vattetot-s-Mer
Aiguille de Belval
Valleuse du Cure
Falaise d'Amont
Étretat
Bénouville
Froberville
Falaise d'Aval
La Manneporte
Les Aygues
La Hêtrée
Bordeaux-St-Clair
Les Loges
Gerville
Cap d'Antifer
La Place
Le Tilleul
Le Mont-Roti
Jumel
La Poterie-Cap-d'Antifer
Ste-Marie-au-Bosc
Pierrefiques
Fongueusemare
Beaurepaire
Cuverville
Sausseuzemare-en-Caux
Port pétrolier du Havre-Antifer
Bruneval
Villainville
Les Groseilliers
Écrainville
Belvre
Plage de Bruneval
St-Jouin-Bruneval
Beaumesnil
Gonneville-la-Mallet
Criquetot-l'Esneval
Goderville
La Mare-Goubert
Le Grand Hameau
Anglesqueville-l'Esneval
Heuqueville
Vergetot
La Forge
Buglise
Turretot
Le Coudray
St-Sauveur-d'Émalleville
St-Martin-du-Bec
Le Bec
Écuquetot
Cauville-sur-Mer
Rimbertot
Mannevillette
N.-D.-du-Bec
Hermeville
Goustimesnil
Angerville-l'Orcher
Virville
Rolleville
Graimbouville
Equeville
Café Blanc
St-Supplix
St-Barthélemy
Fontenay
Manéglise
Étainhus
La Brière
Octeville-sur-Mer
Épouville
Sainneville
St-Andrieux
Dondeneville
Montivilliers
La Cour Souveraine
Fontaine-la-Mallet
St-Laurent-de-Brévedent
Canyon Park
Écreville
Épretot
Le Grand Hameau
St-Martin-du-Manoir
La Demi-Lieue
Le Frescot
Ignauval
Cap de la Hève
Ste-Adresse
Sanvic
Graville
Harfleur
Gournay
Gainneville
Gonfreville-l'Orcher
La Queue du Gril
Rogerville
Oudalle
St-Vincent-Cramesnil
Sandouville
St-Aubin-Routot

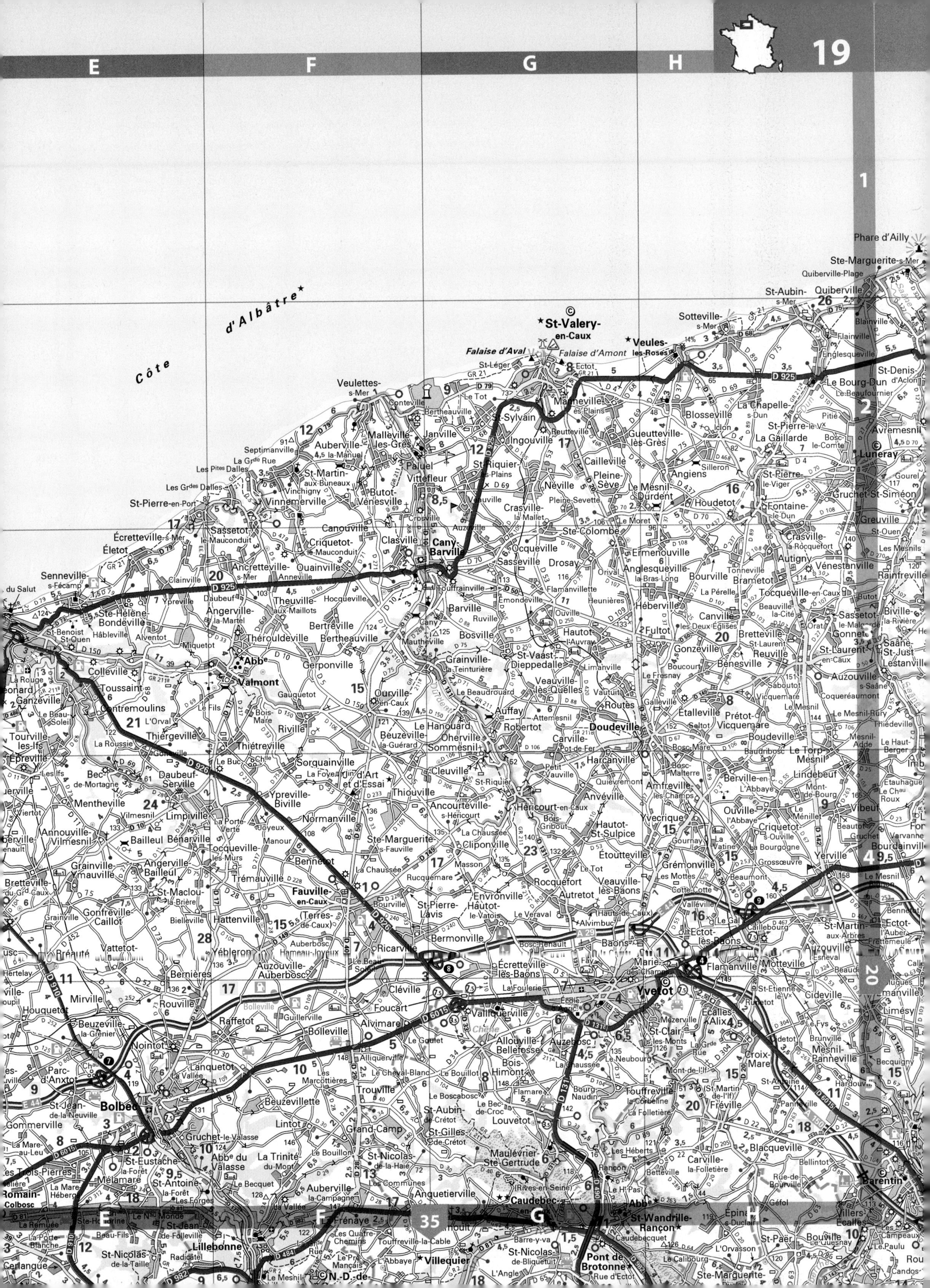

19
E
F
G
H
1
2
3
4
5
20
35
Côte d'Albâtre
Phare d'Ailly
Ste-Marguerite-s-Mer
Quiberville-Plage
St-Aubin-s-Mer
Quiberville
Sotteville-s-Mer
St-Valery-en-Caux
Falaise d'Aval
Falaise d'Amont
Veules-les-Roses
St-Léger
Ectot
Blainville
Flainville
Englesqueville
St-Denis-d'Aclon
Le Bourg-Dun
Le Beaufournier
Veulettes-s-Mer
Conteville
Le Tot
Bertheauville
St-Sylvain
Manneville-ès-Plains
Blosseville
La Chapelle-s-Dun
Pitié
Avremesnil
St-Pierre-le-Vx
Iclon
La Gaillarde
Bosc-le-Comte
Luneray
Septimanville
Auberville-la-Manuel
Malleville-les-Grès
Janville
Ingouville
Reutteville
Gueutteville-les-Grès
La Grde Rue
Les Ptes Dalles
Les Grdes Dalles
St-Martin-aux-Buneaux
Paluel
St-Riquier-ès-Plains
Cailleville
Pleine-Sève
Angiens
Silleron
St-Pierre-le-Viger
Gourel
Vinchigny
Vittefleur
Néville
Le Mesnil-Durdent
Houdetot
Gruchet-St-Siméon
St-Pierre-en-Port
Vinnemerville
Butot-Vénesville
Vauville
Crasville-la-Mallet
Pleine-Sevette
Fontaine-le-Dun
Greuville
Sassetot-le-Mauconduit
Canouville
Crosville
Auzouville
Ste-Colombe
Le Moret
St-Ouen
Écretteville-s-Mer
Életot
Criquetot-le-Mauconduit
Clasville
Cany-Barville
Ocqueville
Ermenouville
Crasville-la-Rocquefort
Les Mesnils
Senneville-s-Fécamp
Ancretteville-s-Mer
Ouainville
Anneville
Sasseville
Drosay
Anglesqueville-la-Bras-Long
Bourville
Tonneville
Brametot
Autigny
Vénestanville
Rainfreville
Clainville
Daubeuf
Theuville-aux-Maillots
Hocqueville
Touffrainville
Flamanvillette
Heunières
La Pérelle
Tocqueville-en-Caux
Ste-Hélène-Bondeville
Ypreville
Angerville-la-Martel
Barville
Émondeville
Héberville
Canville-les-Deux-Églises
Beauville-la-Cité
Sassetot-le-Malgardé
Biville-la-Rivière
Bertreville
Ruville
Ouville
Fultot
St-Benoist
St-Ouen
Hâbleville
Alventot
Miquetot
Thérouldeville
Bertheauville
Cany
Mautheville
Bosville
Hautot-l'Auvray
Bretteville-St-Laurent
Gonnetot
St-Laurent-en-Caux
Saâne-St-Just
Lestanville
Abbe
Valmont
Colleville
Gerponville
Grainville-la-Teinturière
St-Vaast-Dieppedalle
Limanville
Gonzeville
Bénesville
Reuville
Auzouville-s-Saâne
Coqueréaumont
La Rouge
Toussaint
Gauguetot
Le Beaudrouard
Veauville-lès-Quelles
Vautuit
Boucourt
Le Fresnay
Sauboutot
Vicquemare
Ganzeville
Contremoulins
Le Fils
Bois-Mare
Ourville-en-Caux
Auffay
Robertot
Attemesnil
Routes
Galleville
Étalleville
Prétot-Vicquemare
Le Mesnil
Le Mesnil-Rury
Thiédeville
Le Beau-Soleil
L'Orval
Riville
Le Hanouard
Doudeville
Seltot
Tourville-les-Ifs
Thiergeville
Beuzeville-la-Guérard
Oherville
Carville-Pot-de-Fer
Boudeville
Mesnil-Adde
Épreville
La Roussie
Goderville
Thiétreville
Sommesnil
Bosc-Mare
Baudribosc
Le Torp-Mesnil
Le Haut-Berger
Les Ifs
Le Buc
Sorquainville
Cleuville
Harcanville
Bec-de-Mortagne
Daubeuf-Serville
La Foyeaux
Jin d'Art et d'Essai
Petit Vauville
Bosc-Malterre
Quièvremont
Berville-en-Caux
Lindebeuf
Étaubague
Le Chau Roux
Mentheville
Ypreville-Biville
Thiouville
St-Riquier
Anvéville
Amfreville-les-Champs
L'Abbaye
Mont-de-Bourg
Vibeuf
Viertot
Vilmesnil
Limpiville
Ancourteville-s-Héricourt
Héricourt-en-Caux
Bois-Gribout
Ouville-l'Abbaye
Le Ménillet
Criquetot-s-Ouville
Annouville-Vilmesnil
Bailleul
Bénarville
La Porte-Verte
Joyeux
Manour
Normanville
Ste-Marguerite-s-Fauville
La Chaussée
Clipponville
Hautot-St-Sulpice
Yvecrique
Gournay
La Vatine
Beautot
Gruchet
Varvanne
Bourdainville
Tocqueville-les-Murs
Angerville-Bailleul
Bennetot
Masson
Étoutteville
La Bourgogne
Grossœuvre
Yerville
Grainville-Ymauville
St-Maclou-la-Brière
Trémauville
Fauville-en-Caux
La Chaussée
Rucquemare
Envronville
Rocquefort
Le Tot
Veauville-lès-Baons
Grémonville
Les Mottes
Beaumont
Bretteville-du-Grd-Caux
Gonfreville-Caillot
Bielleville
Hattenville
Bourville
St-Pierre-Lavis
Hautot-le-Vatois
Autretot
Cotte Cotte
Valleville
Le Mesnil
Bennetot
Ectot-l'Auber
Grainville
Terres-de-Caux
Le Veraval
Alvimbuc
Hauts-de-Caux
Le Gal
Callebourg
St-Martin-aux-Arbres
Frettemeule
Vattetot-s-Beaumont
Bréauté
Yébleron
Auberbosc
Hameau-Joyeux
Ricarville
Bermonville
Bosc-Renault
Baons
Ectot-lès-Baons
Auzouville-l'Esneval
Hertelay
Bernières
Auzouville-Auberbosc
Le Beau Soleil
Écretteville-lès-Baons
Fay
Marie-des-Champs
Flamanville
Motteville
Mirville
Cléville
La Foulerie
Yvetot
St-Étienne-le-Vx
Gideville
Houquetot
Rouville
Bolleville
Foucart
Valliquerville
École
Rumetot
Limésy
Beuzeville-la-Grenier
Raffetot
Guillerville
Bolleville
Alvimare
Mézerville
Écalles-Alix
Nointot
Le Goulet
Allouville-Bellefosse
Auzebosc
St-Clair-les-Monts
Le Neubourg
La Grde Rue
Le Fys
Brunville
Mesnil-Panneville
Becquigny
Lanquetot
La Vallée
Alliquerville
Bois-Himont
La Chaussée
Croix-Mare
Parc-d'Anxtot
Les Marcottières
Le Cheval-Blanc
Le Bouillot
Mont-de-l'If
St-Antoine
Hardouville
Bolbec
Beuzevillette
Trouville
Le Boscabosc
Le Bec-de-Croc
Flamare
Bourg-Naudin
Touffreville-la-Corbeline
La Folletière
St-Martin-de-l'If
Fréville
Panneville
St-Jean-de-la-Neuville
Lintot
St-Aubin-de-Crétot
Louvetot
Gommerville
Gruchet-le-Valasse
Grand-Camp
St-Gilles-de-Crétot
Blacqueville
Bellintot
La Mare-au-Leu
St-Eustache-la-Forêt
Abbe du Valasse
La Trinité-du-Mont
Le Bouillon
St-Nicolas-de-la-Haie
Maulévrier-Ste-Gertrude
Les Héberts
Rançon
Betteville
Carville-la-Folletière
Rue-de-Bourville
Barentin
Les Trois-Pierres
Mélamare
St-Antoine-la-Forêt
Le Becquet
Les Communes
Anquetierville
Rives-en-Seine
Le Ht Pas
Abbe
Gefol
Romain-Colbosc
La Mare Héberg
Les Forges
Auberville-la-Campagne
La Vallée
Caudebec-en-Caux
St-Wandrille-Rançon
Épinay-s-Duclair
Villers-Écalles
Les Campeaux
La Remuée
Ste-Hélène
Le Nd Monde
St-Jean-de-Folleville
Frénaye
Caudebecquet
Bouville
Beau-Fils
La Porte-Blanche
Lillebonne
Les Quatre Chemins
Touffreville-la-Cable
Barre-y-va
St-Nicolas-de-Bliquetuit
Pont de Brotonne
L'Orvasson
St-Paër
Le Paulu
St-Nicolas-de-la-Taille
Rue Mancais
Le Pré
L'Abbaye
Villequier
N.-D.-de-
L'Angle
Rue d'Ectot
Le Calibourg
Ste-Marguerite-
Cerlangue
Le Mesnil
Candos
Rou
A 29
A 150
E 44
D 925
D 926
D 6015
D 131
D 910
GR 21
GR 211

20
0 2 4 6 8 10 km
C
10
D
A
B
36
1
2
3
4
5
19
Criel-sur-Mer
Penly
Biville-s-Mer
Assigny
Brunville
Canehan
Baromesnil
St-Martin-le-Gaillard
Cuverville-sur-Yères
Sept-Meules
Guilmécourt
Greny
Auquemesnil
Berneval-le-Grand
Belleville-sur-Mer
Bracquemont
N.-D. Bon-Secours
DIEPPE
Phare d'Ailly
Pourville-s-Mer
Varengeville-s-Mer
Ste-Marguerite-s-Mer
Quiberville-Plage
Derchigny
Glicourt
Tourville-la-Chapelle
St-Quentin-au-Bosc
Gouchaupre
Avesnes-en-Val
Grèges
Neuville-lès-D.
Intraville
Sauchay-le-Haut
Sauchay-le-Bas
Manoir d'Ango
Hautot-s-Mer
Longueil
Offranville
Rouxmesnil-Bouteilles
Martin-Église
Ancourt
Bellengreville
Envermeu
St-Ouen-s/s-Bailly
Bailly-en-Rivière
Arques-la-Bataille
St-Aubin-s-Scie
St-Nicolas-d'Aliermont
Martigny
Miromesnil
Sauqueville
Ambrumesnil
Le Bourg-Dun
Avremesnil
Luneray
Gueures
Tourville
Dampierre-St-Nicolas
St-Jacques-d'Aliermont
Douvrend
N.-D. d'Aliermont
Wanchy-Capval
Londinières
Colmesnil-Manneville
Aubermesnil-Beaumais
Manéhouville
Anneville-s-Scie
Le Bois-Robert
St-Germain-d'Étables
Meulers
Freulleville
Ste-Agathe-d'Aliermont
Thil-Manneville
Auppegard
Hermanville
Gruchet-St-Siméon
Brachy
Crosville-s-Scie
La Chaussée
La Chapelle-du-Bourgay
Torcy-le-Grand
Torcy-le-Petit
St-Vaast-d'Équiqueville
Croixdalle
Fréauville
Bailleul-Neuville
Greuville
Bertreville-St-Ouen
Lammerville
Lintot-les-Bois
Dénestanville
Ste-Foy
Ricarville-du-Val
Osmoy-St-Valery
Vénestanville
Rainfreville
Omonville
Longueville-s-Scie
St-Honoré
Les Grandes-Ventes
Bacqueville-en-Caux
St-Crespin
Bures-en-Bray
Baillolet
Royville
Belmesnil
Criquetot-s-Longueville
Les Cent-Acres
Muchedent
Mesnil-Follemprise
Lamberville
St-Ouen-le-Mauger
St-Mards
Gonneville-s-Scie
Le Catelier
Mesnières-en-Bray
Saâne-St-Just
Lestanville
Auzouville-s-Saâne
Beauval-en-Caux
St-Pierre-Bénouville
Cropus
Ardouval
Fresles
Pommeréval
St-Martin-l'Hortier
Heugleville-s-Scie
N.-D.-du-Parc
St-Hellier
Cressy
Bully
Quièvrecourt
Biville-la-Baignarde
Belleville-en-Caux
Auffay
Sévis
Bellencombre
Ventes-St-Rémy
Esclavelles
Calleville-les-Deux-Églises
Val-de-Saâne
St-Denis-s-Scie
Vassonville
Le Bosmelet
La Crique
Rosay
Maucomble
Massy
Vibeuf
La Fontelaye
St-Vaast-du-Val
Tôtes
St-Maclou-de-Folleville
Montreuil-en-Caux
St-Victor-l'Abbaye
Yerville
Bourdainville
Bertrimont
Bracquetuit
Beaumont-le-Hareng
St-Saëns
Bosc-Mesnil
Bradiancourt
Ancrétiéville-St-Victor
Varneville-Bretteville
Fresnay-le-Long
Étaimpuis
Grigneuseville
Neufbosc
Gueutteville
Beautot
St-Ouen-du-Breuil
Saussay
Hugleville-en-Caux
La Houssaye-Béranger
Cottévrard
Bosc-Béranger
St-Martin-Osmonville
Montérolier
Sommery
Émanville
Limésy
Butot
Grugny
Frichemesnil
Authieux-Ratiéville
Bosc-le-Hard
Critot
Rocquemont
Mathonville
Mauquen
St-Austreberthe
Le Bocasse
Parc Zoo
Clères
Esteville
Yquebeuf
Claville-Motteville
Estouteville-Écalles
Bosc-Bordel
Goupillières
Sierville
St-Germain-s/s-Cailly
Buchy
Bosc-Roger-s-Buchy
Anceaumeville
Fresquiennes
Mont-Cauvaire
Cailly
Vieux-Manoir
La Rue-St-Pierre
Pavilly
Montville
Fontaine-le-Bourg
St-André-s-Cailly
Longuerue
Ste-Croix-s-Buchy
Bois-Héroult
Bosc-Édeline
Barentin
Eslettes
Bosc-Guérard-St-Adrien
Bois-Guilbert
Malaunay
Quincampoix
Pierreval
St-Germain-des-Essourts
Bierville
Héronchelles
Le Houlme
Houppeville
Morgny-la-Pommeraye
Boissay
La Hallotière
D 925
D 929
D 915
D 927
D 928
D 919
A 29
A 28
E 44

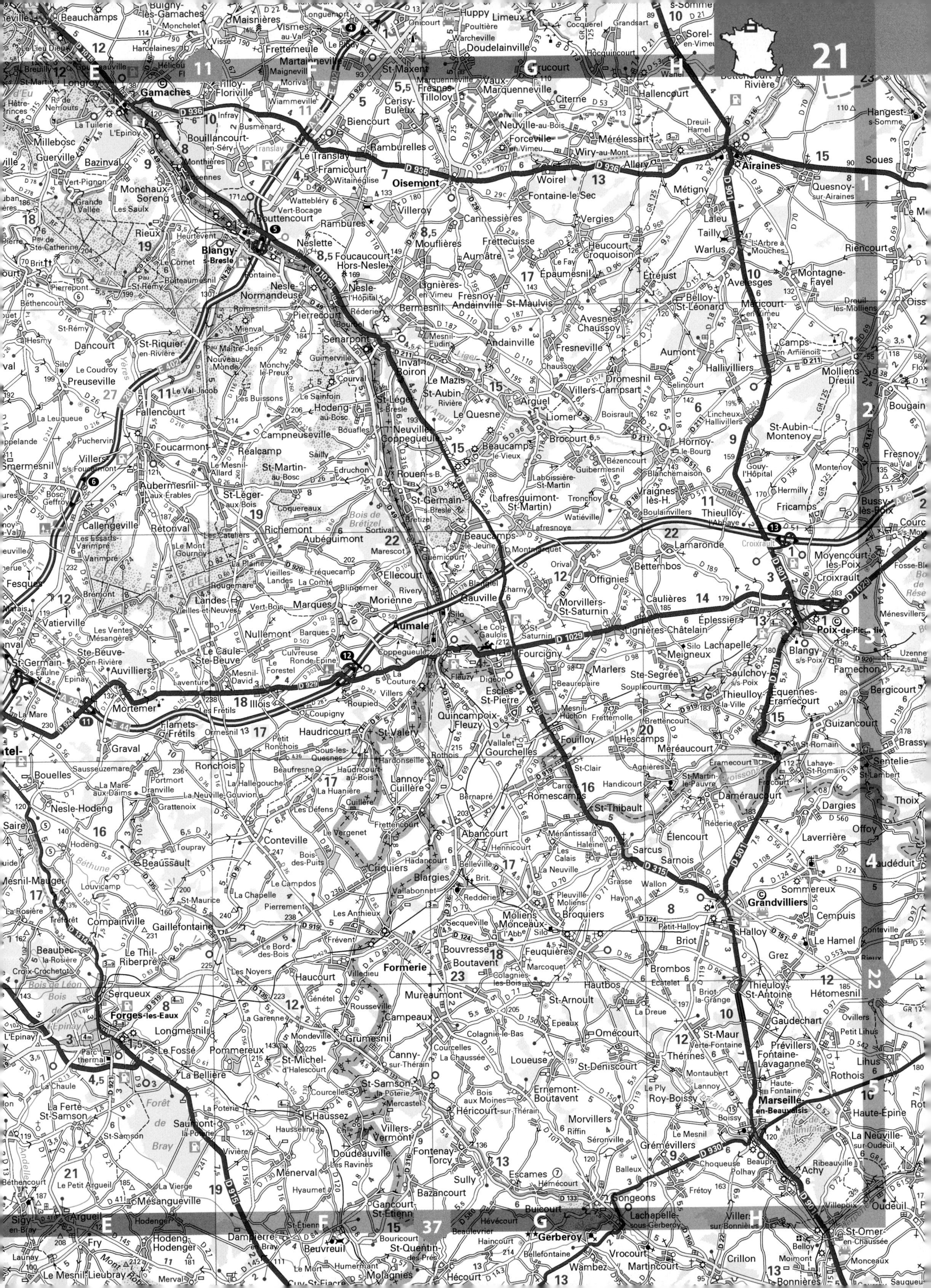
11
E
F
G
H
Beauchamps
Bouillancourt-en-Séry
Maisnières
Vismes-au-Val
Frettemeule
Martainneville
St-Maxent
Huppy
Limeux
Doudelainville
Sorel-en-Vimeu
Gamaches
Longroy
Tilloy-Floriville
Cerisy-Buleux
Vaux-Marquenneville
Hallencourt
Citerne
Biencourt
Neuville-au-Bois
Mérélessart
Forceville-en-Vimeu
Wiry-au-Mont
Allery
Airaines
Hangest-s-Somme
Soues
Milleboso
Guerville
Bazinval
Monchaux-Soreng
Le Translay
Framicourt
Ramburelles
Oisemont
Woirel
Fontaine-le-Sec
Métigny
Quesnoy-sur-Airaines
Senarpont
Rieux
Blangy-s-Bresle
Boutencourt
Rambures
Villeroy
Cannessières
Vergies
Laleu
Tailly
Warlus
Riencourt
Neslette
Foucaucourt-Hors-Nesle
Mouflières
Aumâtre
Frettecuisse
Heucourt-Croquoison
Nesle-Normandeuse
Nesle-l'Hôpital
Lignières-en-Vimeu
Fresnoy-Andainville
St-Maulvis
Épaumesnil
Étréjust
Avelesges
Montagne-Fayel
Bermesnil
Belloy-St-Léonard
Méricourt-en-Vimeu
Dancourt
St-Riquier-en-Rivière
Andainville
Avesnes-Chaussoy
Fresneville
Aumont
Camps-en-Amiénois
Molliens-Dreuil
Preuseville
Inval-Boiron
Le Mazis
St-Aubin-Rivière
Dromesnil
Villers-Campsart
Hallivilliers
Fallencourt
Hodeng-au-Bosc
St-Léger-s-Bresle
Le Quesne
Arguel
Liomer
Brocourt
Hornoy-le-Bourg
St-Aubin-Montenoy
Bougain
Foucarmont
Réalcamp
Campneuseville
Neuville-Coppegueule
Beaucamps-le-Vieux
Villers-s/s-Foucarmont
St-Martin-au-Bosc
Rouen-s-B.
Aubermesnil-aux-Érables
St-Léger-aux-Bois
St-Germain-s-Bresle
Vraignes-lès-H.
Thieulloy-l'Abbaye
Fricamps
Fresnoy-au-Val
Callengeville
Rétonval
Richemont
Aubéguimont
Beaucamps-le-Jeune
Lamaronde
Moyencourt-lès-Poix
Croixrault
Bettembos
Offignies
Ellecourt
Morienne
Marques
Gauville
Morvillers-St-Saturnin
Caulières
Éplessier
Lignières-Châtelain
Poix-de-Picardie
Aumale
Nullemont
Fourcigny
Lachapelle
Blangy-s/s-Poix
Meigneux
Auvilliers
Le Caule-Ste-Beuve
Ste-Beuve-en-Rivière
Mortemer
Illois
Escles-St-Pierre
Ste-Segrée
Saulchoy-s/s-Poix
Thieulloy-la-Ville
Equennes-Éramecourt
Famechon
Bergicourt
Flamets-Frétils
Haudricourt
St-Valery
Quincampoix-Fleuzy
Gourchelles
Fouilloy
Hescamps
Méréaucourt
Guizancourt
Graval
Bouelles
Ronchois
Lannoy-Cuillère
Romescamps
St-Thibault
Daméraucourt
Dargies
Thoix
Nesle-Hodeng
Conteville
Criquiers
Abancourt
Sarcus
Élencourt
Sarnois
Laverrière
Offoy
Beaussault
Blargies
Grandvilliers
Sommereux
Compainville
Gaillefontaine
Moliens
Monceaux-l'Abbé
Broquiers
Feuquières
Briot
Halloy
Cempuis
Le Hamel
Beaubec-la-Rosière
Le Thil-Riberpré
Haucourt
Formerie
Bouvresse
Boutavent
Hautbos
Brombos
Grez
Serqueux
Forges-les-Eaux
Mureaumont
Campeaux
St-Arnoult
Thieuloy-St-Antoine
Hétomesnil
Longmesnil
Grumesnil
Omécourt
St-Maur
Gaudechart
Prévillers
Pommereux
St-Michel-d'Halescourt
Canny-sur-Thérain
Loueuse
St-Deniscourt
Thérines
Fontaine-Lavaganne
Lihus
Rothois
La Bellière
St-Samson-la-Poterie
Haussez
Héricourt-sur-Thérain
Ernemont-Boutavent
Roy-Boissy
Marseille-en-Beauvaisis
Haute-Épine
La Ferté-St-Samson
Saumont-la-Poterie
Villers-Vermont
Doudeauville
Fontenay-Torcy
Morvillers
Grémévillers
La Neuville-sur-Oudeuil
Achy
Ménerval
Sully
Escames
Mésangueville
Bazancourt
Songeons
Oudeuil
Sigy-en-Bray
Argueil
Hodeng-Hodenger
Dampierre-en-Bray
Gancourt-St-Étienne
Beuvreuil
St-Quentin-des-Prés
Gerberoy
Lachapelle-sous-Gerberoy
Villers-sur-Bonnières
St-Omer-en-Chaussée
Fry
Molagnies
Hécourt
Wambez
Vrocourt
Martincourt
Crillon
Bonnières
Fesques
Bois de Brétizel
Forêt de Bray
37
22

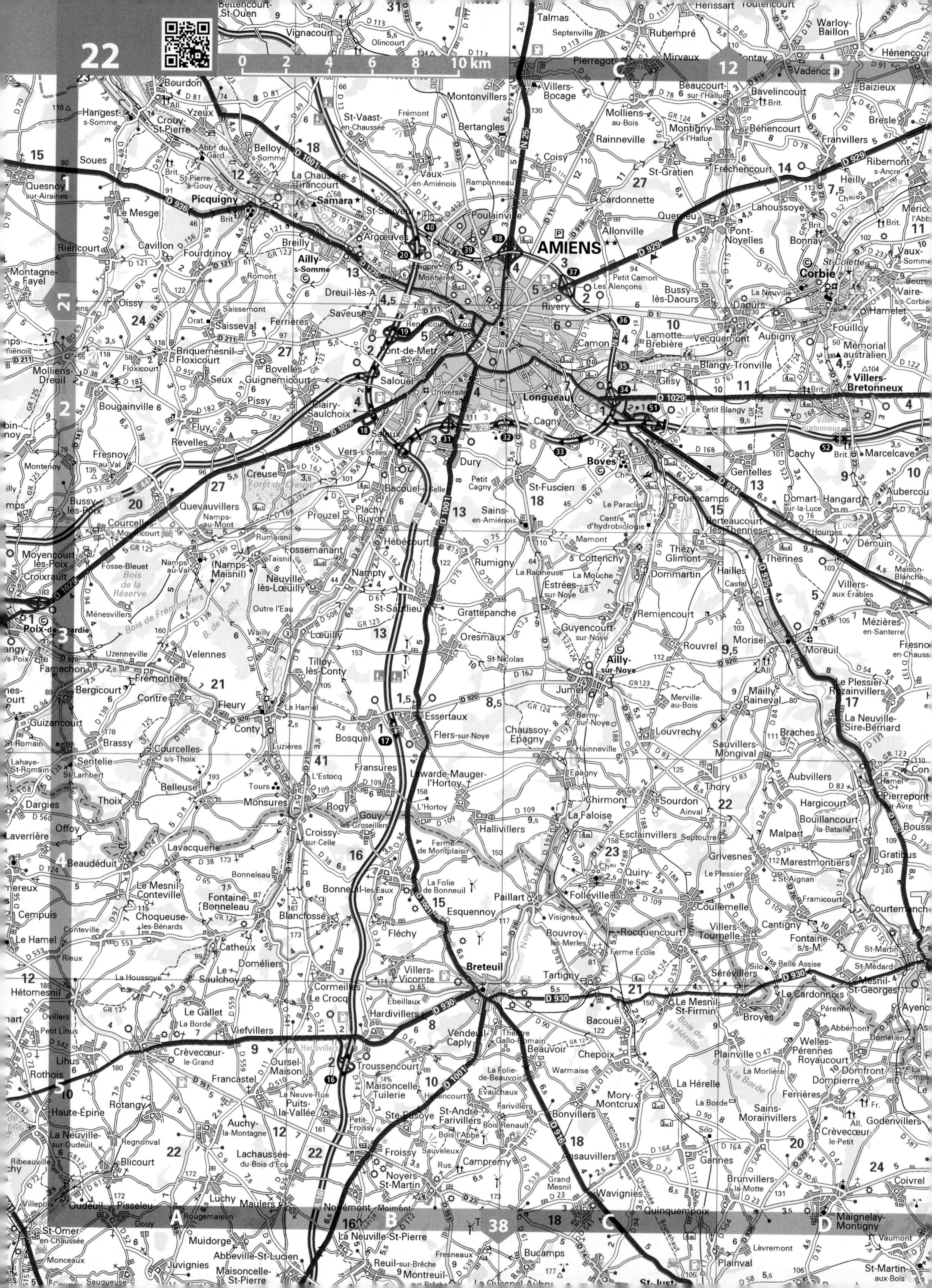

22
0 2 4 6 8 10 km
12
21
38
A
B
C
D
AMIENS
Talmas
Rubempré
Vignacourt
Olincourt
Warloy-Baillon
Hénencourt
Pierregot
Mirvaux
Vadencourt
Bourdon
Hangest-s-Somme
Yzeux
Croüy-St-Pierre
Montonvillers
Villers-Bocage
Beaucourt-sur-l'Hallue
Bavelincourt
Baizieux
St-Vaast-en-Chaussée
Frémont
Bertangles
Molliens-au-Bois
Montigny-s-l'Hallue
Béhencourt
Bresle
Belloy-s-Somme
Rainneville
Franvillers
Soues
Coisy
St-Gratien
Fréchencourt
Ribemont-s-Ancre
Quesnoy-sur-Airaines
La Chaussée-Tirancourt
Vaux-en-Amiénois
Rampenneau
Heilly
Picquigny
Samara
Cardonnette
Lahoussoye
Le Mesge
St-Sauveur
Poulainville
Querrieu
Argœuves
Allonville
Pont-Noyelles
Bonnay
Riencourt
Cavillon
Fourdrinoy
Breilly
Ailly-s-Somme
Montagne-Fayel
Romont
Dreuil-lès-Amiens
Petit Camon
Les Alençons
Bussy-lès-Daours
Corbie
Oissy
Saissemont
Saveuse
Rivery
Daours
Vaire-s/s-Corbie
Hamelet
Saisseval
Ferrières
Camon
Lamotte-Brebière
Vecquemont
Aubigny
Fouilloy
Molliens-Dreuil
Briquemesnil-Floxicourt
Bovelles
Pont-de-Metz
Blangy-Tronville
Mémorial australien
Floxicourt
Seux
Guignemicourt
Salouël
Glisy
Villers-Bretonneux
Bougainville
Pissy
Clairy-Saulchoix
Université
Longueau
Le Petit Blangy
Fluy
Revelles
Saleux
Cagny
Fresnoy-au-Val
Monteñoy
Vers-s-Selles
Dury
Boves
Gentelles
Cachy
Marcelcave
Creuse
Forêt de Creuse
Bacouel-s-Selle
Petit Cagny
St-Fuscien
Fouencamps
Aubercourt
Bussy-lès-Poix
Quevauvillers
Plachy-Buyon
Prouzel
Le Paraclet
Domart-sur-la-Luce
Hangard
Courcelles-s/s-Moyencourt
Namps-au-Mont
Sains-en-Amiénois
Centre d'hydrobiologie
Berteaucourt-lès-Thennes
Rumaisnil
Hébécourt
Mamont
Thézy-Glimont
Hourges
Démuin
Moyencourt-lès-Poix
Fossemanant
Cottenchy
Fosse-Bleuet
Namps-au-Val
(Namps-Maisnil)
Rumigny
Hailles
Thennes
Croixrault
Bois de la Réserve
Neuville-lès-Lœuilly
Nampty
La Racineuse
La Mouche
Estrées-sur-Noye
Dommartin
Castel
Villers-aux-Érables
Maison-Blanche
Ménesvillers
Outre l'Eau
St-Sauflieu
Grattepanche
Remiencourt
Poix-de-Picardie
Bois de Frémontiers
B. de Wailly
Wailly
Lœuilly
Oresmaux
Guyencourt-sur-Noye
Morisel
Moreuil
Mézières-en-Santerre
Uzenneville
Velennes
Tilloy-lès-Conty
St-Nicolas
Ailly-sur-Noye
Rouvrel
Fresnoy-en-Chaussée
Famechon
Frémontiers
Le Plessier-Rozainvillers
Bergicourt
Contre
Fleury
Jumel
Merville-au-Bois
Mailly-Raineval
Essertaux
Le Hamel
La Neuville-Sire-Bernard
Guizancourt
Conty
Chaussoy-Epagny
Berny-sur-Noye
Louvrechy
Brassy
Bosquel
Flers-sur-Noye
Braches
St-Romain
Courcelles-s/s-Thoix
Luzières
Hainneville
Sauvillers-Mongival
Lahaye-St-Romain
Sentelie
St-Lambert
L'Estocq
Fransures
Lawarde-Mauger-l'Hortoy
Epagny
Thory
Aubvillers
Belleuse
Tours
Monsures
Rogy
L'Hortoy
Chirmont
Sourdon
Ainval
Hargicourt
Pierrepont-sur-Avre
Dargies
Thoix
Gouy-les-Groseillers
Hallivillers
La Faloise
Bouillancourt-la-Bataille
Offoy
Laverrière
Croissy-sur-Celle
Esclainvillers
Septoutre
Malpart
Lavacquerie
Ferme de Montplaisir
Grivesnes
Gratibus
Beaudéduit
Bonneleau
Le Plessier
Marestmontiers
St-Aignan
Quiry-le-Sec
Le Mesnil-Conteville
Bonneuil-les-Eaux
La Folie de Bonneuil
Paillart
Folleville
Coullemelle
Framicourt
Fontaine-Bonneleau
Esquennoy
Visigneux
Cantigny
Courtemanche
Cempuis
Choqueuse-les-Bénards
Blancfossé
Rouvroy-les-Merles
Villers-Tournelle
Fontaine-s/s-M.
Le Hamel
Fléchy
Rocquencourt
Conteville
Catheux
Ferme École
St-Martin
Rieux
Le Saulchoy
Doméliers
Villers-Vicomte
Breteuil
Tartigny
Sérévillers
Belle Assise
St-Médard
La Houssoye
Cormeilles
Mesnil-St-Georges
Hétomesnil
Le Crocq
Ébeillaux
Le Mesnil-St-Firmin
Le Cardonnois
Ayencourt
Ovillers
Le Gallet
La Borde
Hardivillers
Bacouël
Broyes
Pérennes
Petit Lihus
Viefvillers
Vendeuil-Caply
Théâtre Gallo-Romain
Abbémont
Crèvecœur-le-Grand
Beauvoir
Chepoix
Welles-Pérennes
Royaucourt
Lihus
Oursel-Maison
Troussencourt
Plainville
La Morlière
Domfront
Rothois
Francastel
Maisoncelle-Tuilerie
La Folie-de-Beauvoir
Warmaise
Mory-Montcrux
La Hérelle
Dompierre
Haute-Épine
La Neuve-Rue
Puits-la-Vallée
Hénencourt
Évauchaux
Farivillers
Ferrières
Rotangy
Auchy-la-Montagne
Petit-Froissy
Ste-Eusoye
St-André-Farivillers
Bois-Renault
Bonvillers
Sains-Morainvillers
Godenvillers
La Neuville-sur-Oudeuil
Regnonval
Bois-l'Abbé
Crèvecœur-le-Petit
Blicourt
Lachaussée-du-Bois-d'Écu
Froissy
Sauveleux
Campremy
Ansauvillers
Gannes
Ribeauville
Noyers-St-Martin
Grand Mesnil
Brunvillers-la-Motte
Coivrel
Villepoix
Oudeuil
Pisseleu
Luchy
Maulers
Noirémont
Moimont
Wavignies
Quinquempoix
Rougemaison
Douy
St-Omer-en-Chaussée
Muidorge
La Neuville-St-Pierre
Maignelay-Montigny
Vaumont
Abbeville-St-Lucien
Fresneaux
Bucamps
Lèvremont
Monceaux
Juvignies
Maisoncelle-St-Pierre
Reuil-sur-Brêche
Montreuil
Plainval
St-Martin-aux-Bois
St-Just

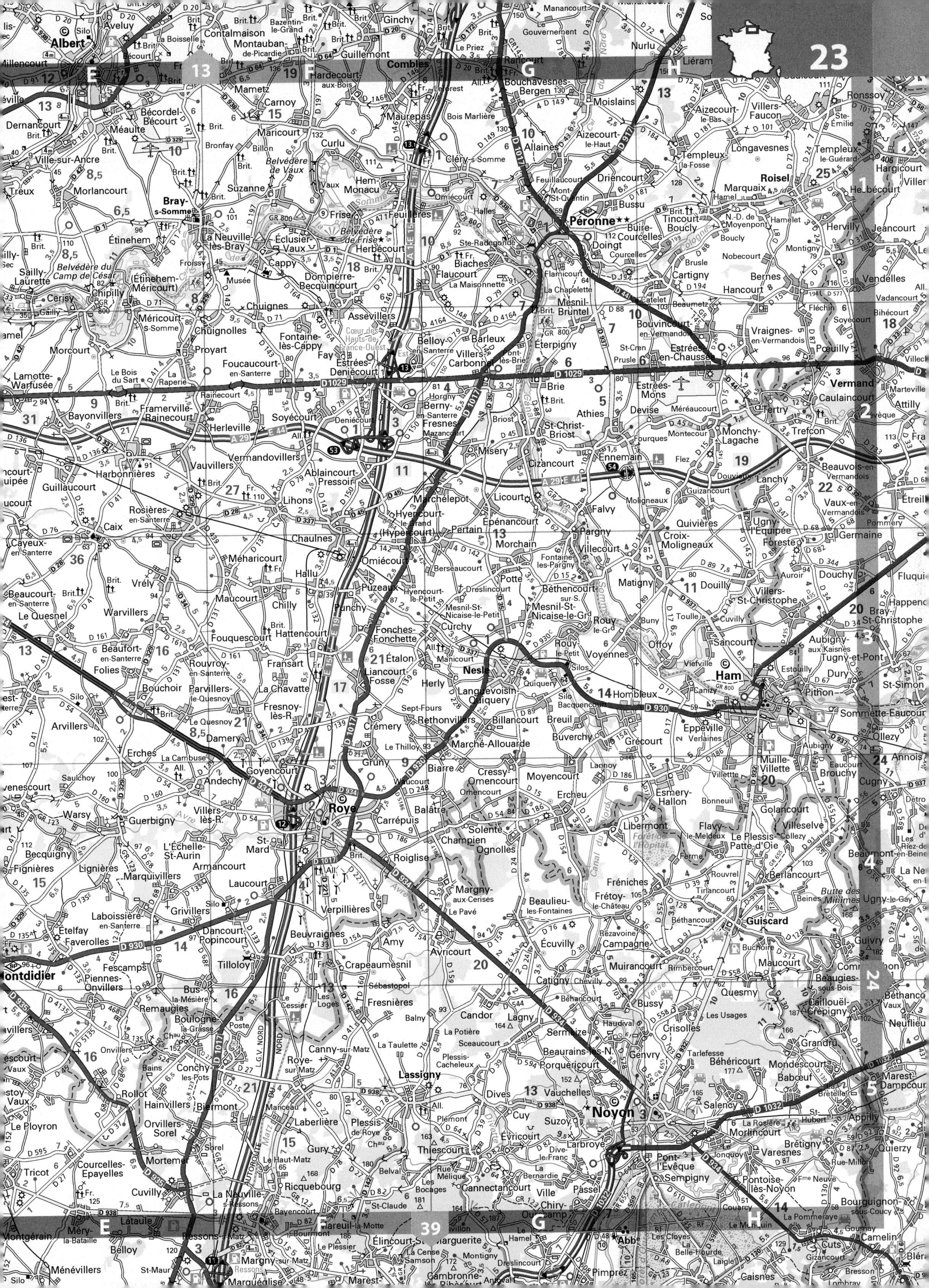

Albert
Aveluy
Contalmaison
Bazentin-le-Grand
Ginchy
Montauban-de-Picardie
Guillemont
Combles
Rancourt
Manancourt
Le Gouvernement
Nurlu
Liéramont
Millencourt
Hardecourt-aux-Bois
Mametz
Carnoy
Bécordel-Bécourt
Méaulte
Dernancourt
Maricourt
Maurepas
Bois Marlière
Bouchavesnes-Bergen
Moislains
Aizecourt-le-Bas
Aizecourt-le-Haut
Villers-Faucon
Ronssoy
Ste-Émilie
Curlu
Bronfay
Billon
Belvédère de Vaux
Cléry-s-Somme
Allaines
Templeux-la-Fosse
Longavesnes
Templeux-le-Guérard
Hargicourt
Ville-sur-Ancre
Morlancourt
Treux
Suzanne
Hem-Monacu
Feuillaucourt
Mont-St-Quentin
Driencourt
Bussu
Marquaix
Hamel
Roisel
Hesbécourt
Villeret
Bray-s-Somme
Frise
Omiécourt
Halles
Péronne
Buire-Courcelles
Tincourt-Boucly
N.-D. de Moyenpont
Hamelet
Hervilly
Jeancourt
Étinehem
La Neuville-lès-Bray
Éclusier-Vaux
Feuillères
Belvédère de Frise
Herbécourt
Ste-Radegonde
Doingt
Courcelles
Boucly
Nobecourt
Montigny
Sailly-Laurette
Belvédère du Camp de César
Chipilly
(Étinehem-Méricourt)
Froissy
Musée
Cappy
Dompierre-Becquincourt
Biaches
Flaucourt
La Maisonnette
Flamicourt
La Chapelette
Brusle
Cartigny
Bernes
Hancourt
Vendelles
Vadancourt
Cerisy
Gailly
Méricourt-s-Somme
Chuignes
Chuignolles
Assevillers
Mesnil-Bruntel
Catelet
Beaumetz
Bouvincourt-en-Vermandois
Fléchin
Bihécourt
Soyécourt
Morcourt
Proyart
Fontaine-lès-Cappy
Cœur des Hauts-de-France-Ouest
Fay
Belloy-en-Santerre
Barleux
Villers-Carbonnel
Pont-lès-Brie
Éterpigny
Vraignes-en-Vermandois
Pœuilly
Lamotte-Warfusée
Le Bois du Sart
La Raperie
Foucaucourt-en-Santerre
Estrées-Deniécourt
St-Cren
Prusle
Estrées-en-Chaussée
Vermand
Marteville
Rainecourt
Horgny
Brie
Estrées-Mons
Caulaincourt
Attilly
Bayonvillers
Framerville-Rainecourt
Herleville
Deniécourt
Berny-en-Santerre
Fresnes-Mazancourt
Briost
St-Christ-Briost
Athies
Devise
Méraucourt
Montecour
Monchy-Lagache
Tertry
Trefcon
Vermandovillers
Ablaincourt-Pressoir
Misery
Cizancourt
Ennemain
Fourques
Flez
Douvieux
Beauvois-en-Vermandois
Harbonnières
Guillaucourt
Vauvillers
Lihons
Marchélepot
Licourt
Falvy
Moligneaux
Guizancourt
Lanchy
Vaux-en-Vermandois
Étreillers
Pommery
Caix
Rosières-en-Santerre
Chaulnes
Hyencourt-le-Grand (Hypercourt)
Pertain
Épénancourt
Morchain
Pargny
Villecourt
Croix-Moligneaux
Quivières
Ugny-l'Équipée
Germaine
Cayeux-en-Santerre
Méharicourt
Omiécourt
Berseaucourt
Fontaine-lès-Pargny
Matigny
Foreste
Douchy
Fluquières
Vrély
Hallu
Puzeaux
Potte
Béthencourt-sur-S.
Douilly
Villers-St-Christophe
Auroir
Beaucourt-en-Santerre
Le Quesnel
Warvillers
Maucourt
Chilly
Punchy
Hyencourt-le-Petit
Dreslincourt
Mesnil-St-Nicaise-le-Petit
Mesnil-St-Nicaise-le-Gd
Rouy-le-Gd
Buny
Toulle
Cuvilly
Happencourt
Bray-St-Christophe
Hattencourt
Fouquescourt
Fonches-Fonchette
Curchy
Rouy-le-Petit
Voyennes
Offoy
Sancourt
Aubigny
Tugny-et-Pont
Dury
St-Simon
Beaufort-en-Santerre
Folies
Rouvroy-en-Santerre
Fransart
Étalon
Liancourt-Fosse
Manicourt
Nesle
Herly
Quiquery
Silos
Ham
Estouilly
Canizy
Hombleux
Pithon
Sommette-Eaucourt
Bouchoir
Parvillers-le-Quesnoy
La Chavatte
Languevoisin-Quiquery
Bacquencourt
Arvillers
Fresnoy-lès-R.
Sept-Fours
Rethonvillers
Billancourt
Breuil
Eppeville
Verlaines
Ollezy
Le Quesnoy
Damery
Crémery
Le Thilloy
Marché-Allouarde
Buverchy
Grécourt
Muille-Villette
Annois
Erches
La Cambuse
Goyencourt
Gruny
Biarre
Cressy-Omencourt
Moyencourt
Lannoy
Villette
Brouchy
Saulchoy
Andechy
Roye
Wacourt
Omencourt
Ercheu
Esmery-Hallon
Cugny
Warsy
Guerbigny
Villers-lès-R.
Avre
Carrépuis
Balâtre
Solente
Libermont
Bonneuil
Golancourt
Villeselve
Becquigny
Fignières
L'Échelle-St-Aurin
St-Mard
Roiglise
Champien
Ognolles
Flavy-le-Meldeux
Le Plessis-Patte-d'Oie
Collezy
Forêt de l'Hôpital
Ferme
Beaumont-en-Beine
Lignières
Marquivillers
Armancourt
Berlancourt
Laucourt
Margny-aux-Cerises
Fréniches
Frétoy-le-Château
Rouvrel
Tirlancourt
Beines
Butte des Minimes
Ugny-le-Gay
Laboissière-en-Santerre
Grivillers
Verpillières
Le Pavé
Beaulieu-les-Fontaines
Béthancourt
Guiscard
Etelfay
Faverolles
Dancourt-Popincourt
Beuvraignes
Amy
Avricourt
Écuvilly
Rézavoine
Campagne
Buchoire
Maucourt
Guivry
Montdidier
Fescamps
Tilloloy
Crapeaumesnil
Muirancourt
Rimbercourt
Commenchon
Piennes-Onvillers
Sébastopol
Catigny
Chevilly
Beaugies-sous-Bois
Bus-la-Mésière
Le Cessier
Les Loges
Fresnières
Béhancourt
Quesmy
Béthancourt
Caillouël-Crépigny
Remaugies
Balny
Candor
Lagny
Bussy
Les Usages
Vaux
Neuflieux
Boulogne-la-Grasse
La Poste
La Potière
Sceaucourt
Sermaize
Haudival
Crisolles
Onvillers
Canny-sur-Matz
La Taulette
Plessis-Cacheleux
Beaurains-lès-N.
Genvry
Tarlefesse
Grandrû
Mondescourt
Bains
Conchy-les-Pots
Roye-sur-Matz
Lassigny
Porquéricourt
Béhéricourt
Babœuf
Marest-Dampcourt
Rollot
Hainvillers
Biermont
Manceau
Dives
Vauchelles
Noyon
Salency
Bretelle
Le Ployron
Orvillers-Sorel
Laberlière
Plessis-de-Roye
Plémont
Cuy
Suzoy
La Rosière
Morlincourt
St-Hubert
Appilly
Mortemer
Gury
Thiescourt
Évricourt
Larbroye
Dive-le-Franc
Jonquoy
Brétigny
Varesnes
Quierzy
Tricot
Courcelles-Epayelles
Le Haut-Matz
Belval
Rue Mélique
La Bernardie
Pont-l'Évêque
Sempigny
Rue-Millon
Cuvilly
Ricquebourg
Les Bocages
Cannectancourt
Ville
Passel
Pontoise-lès-Noyon
Neuve
Bourguignon-sous-Coucy
La Neuville-s-Ressons
St-Claude
Chiry-Ourscamp
Lataule
Méry-la-Bataille
Bayencourt
Mareuil-la-Motte
Élincourt-Ste-Marguerite
Hamel
Abbé
Les Cloyes
La Pommeraye
Le Meniuin
Camelin
Montgérain
Ressons-s-Matz
Belloy
Margny-sur-Matz
Le Plessier
La Cense
Samson
Montigny
Dreslincourt
La Belle-Hourde
Laigle
Cuts
Gizancourt
Blérancourt
Ménévillers
St-Maur
Cambronne-Ribécourt
Pimprez
Caisnes
Bresson
Marquéglise
Marest
Canal du Nord
Somme
Cologne
Verse
Divette
Matz
Avre
E
F
G
H
13
39
24

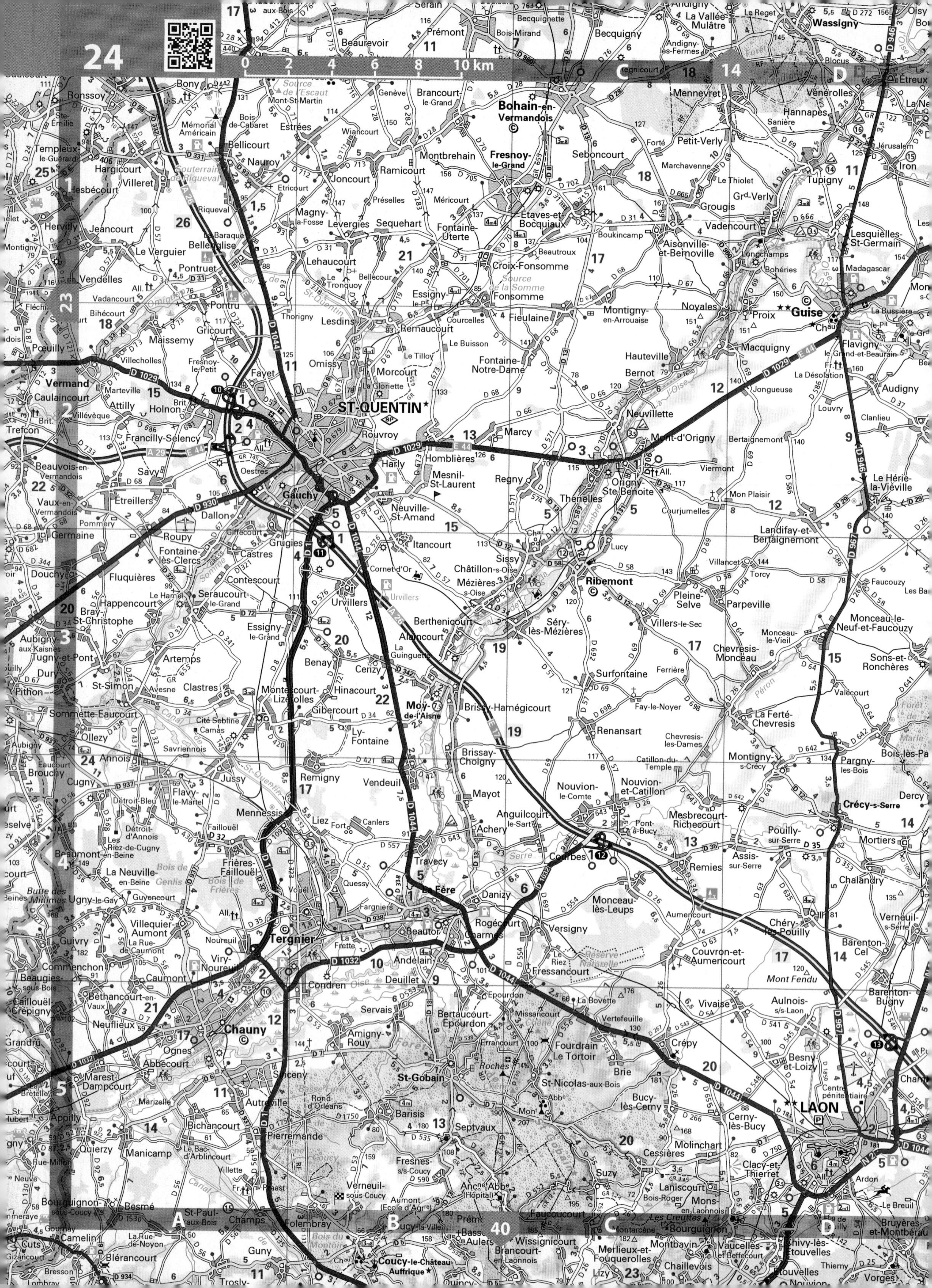
0 2 4 6 8 10 km
Beaurevoir
Prémont
Becquigny
La Vallée-Mulâtre
Wassigny
Bony
Brancourt-le-Grand
Bohain-en-Vermandois
Mennevret
Vénérolles
Étreux
Ronssoy
Genève
Mont-St-Martin
Source de l'Escaut
Mémorial Américain
Bellicourt
Estrées
Wiancourt
Fresnoy-le-Grand
Seboncourt
Petit-Verly
Hannapes
Templeux-le-Guérard
Hargicourt
Villeret
Hesbécourt
Nauroy
Souterrain de Riqueval
Joncourt
Ramicourt
Montbrehain
Marchavenne
Le Thiolet
Tupigny
Iron
Etricourt
Riqueval
Magny-la-Fosse
Levergies
Sequehart
Préselles
Méricourt
Fontaine-Uterte
Étaves-et-Bocquiaux
Grougis
Grd-Verly
Vadencourt
Lesquielles-St-Germain
Hervilly
Jeancourt
Le Verguier
La Baraque
Bellenglise
Lehaucourt
Croix-Fonsomme
Boukincamp
Aisonville-et-Bernoville
Longchamps
Bohéries
Madagascar
Pontruet
Vendelles
Le Tronquoy
Bellecour
Essigny-le-Pit
Source de la Somme
Fonsomme
Beautroux
Noyales
Proix
Guise
Vadancourt
Pontru
Thorigny
Lesdins
Remaucourt
Courcelles
Fieulaine
Montigny-en-Arrouaise
Bihécourt
Maissemy
Gricourt
Le Buisson
La Bussière
Flavigny-le-Grand-et-Beaurain
Macquigny
Pœuilly
Villecholles
Fresnoy-le-Petit
Fayet
Omissy
Le Tilloy
Morcourt
Fontaine-Notre-Dame
Hauteville
Bernot
La Désolation
Vermand
Caulaincourt
Marteville
Holnon
Attilly
La Gloriette
ST-QUENTIN
Jongueuse
Audigny
Trefcon
Villévèque
Francilly-Selency
Rouvroy
Neuvillette
Louvry
Clanlieu
Marcy
Mont-d'Origny
Bertaignemont
Beauvois-en-Vermandois
Savy
Oestres
Harly
Hombières
Mesnil-St-Laurent
Regny
Origny-Ste-Benoite
Viermont
Le Hérie-la-Viéville
Vaux-en-Vermandois
Etreillers
Gauchy
Dallon
Pommery
Neuville-St-Amand
Thenelles
Mon Plaisir
Courjumelles
Germaine
Roupy
Giffecourt
Grugies
Itancourt
Sissy
Lucy
Landifay-et-Bertaignemont
Douchy
Fontaine-lès-Clercs
Castres
Fluquières
Contescourt
Cornet d'Or
Châtillon-s-Oise
Mézières-s-Oise
Ribemont
Villancet
Torcy
Faucouzy
Les Bar
Happencourt
Le Hamel
Seraucourt-le-Grand
Urvillers
Pleine-Selve
Parpeville
Bray-St-Christophe
Aubigny-aux-Kaisnes
Essigny-le-Grand
Berthenicourt
Alaincourt
Séry-lès-Mézières
Villers-le-Sec
Monceau-le-Vieil
Monceau-le-Neuf-et-Faucouzy
Tugny-et-Pont
Artemps
Benay
La Guinguette
Chevresis-Monceau
Sons-et-Ronchères
Dury
St-Simon
Clastres
Cerizy
Surfontaine
Ferrière
Pithon
Avesne
Montescourt-Lizerolles
Hinacourt
Moÿ-de-l'Aisne
Brissy-Hamégicourt
Fay-le-Noyer
Valécourt
Sommette-Eaucourt
Cité Sebline
Camas
Gibercourt
Ollezy
Ly-Fontaine
Renansart
La Ferté-Chevresis
Forêt de Marle
Aubigny
Savriennois
Chevresis-les-Dames
Eaucourt
Annois
Brissay-Choigny
Montigny-s-Crécy
Pargny-les-Bois
Bois-lès-Pargny
Brouchy
Jussy
Remigny
Vendeuil
Catillon-du-Temple
Cugny
Flavy-le-Martel
Mayot
Nouvion-le-Comte
Nouvion-et-Catillon
Dercy
Détroit-Bleu
Mennessis
Liez
Canlers
Anguilcourt-le-Sart
Mesbrecourt-Richecourt
Crécy-s-Serre
Faillouël
Détroit-d'Annois
Les Riez-de-Cugny
Achery
Pont-à-Bucy
Pouilly-sur-Serre
Mortiers
Beaumont-en-Beine
Frières-Faillouël
Travecy
Couvron
Courbes
Assis-sur-Serre
Remies
La Neuville-en-Beine
Bois de Genlis
Bois de Frières
Quessy
Chalandry
Butte des Minimes
Ugny-le-Gay
Guyencourt
Vouël
La Fère
Danizy
Monceau-lès-Leups
Aumencourt
Fargniers
Villequier-Aumont
Tergnier
Beautor
Rogécourt
Charmes
Versigny
Chéry-lès-Pouilly
Verneuil-s-Serre
Guivry
La Rue-de-Caumont
Viry-Noureuil
Noureuil
La Frette
Andelain
Le Riez
Réserve Naturelle
Couvron-et-Aumencourt
Barenton-Cel
Commenchon
Caumont
Condren
Deuillet
Fressancourt
Mont Fendu
Beaugies-sous-Bois
Caillouël-Crépigny
Béthancourt-en-Vaux
Servais
Épourdon
La Bovette
Vivaise
Aulnois-s/s-Laon
Barenton-Bugny
Neuflieux
Chauny
Amigny-Rouy
Bertaucourt-Épourdon
Missancourt
Vertefeuille
Crépy
Grandrû
Ognes
Forêt
Errancourt
Fourdrain
Le Tortoir
Abbécourt
Marest-Dampcourt
Sinceny
St-Gobain
Roches
Brie
Besny-et-Loizy
St-Nicolas-aux-Bois
Bucy-lès-Cerny
Centre pénitentiaire
Appilly
Marizelle
Autreville
Rond-d'Orléans
Barisis
Abbé
Mont
LAON
Bichancourt
Septvaux
Cerny-lès-Bucy
Pierremande
Molinchart
Quierzy
Manicamp
Le Bac-d'Arblincourt
Fresnes-s/s-Coucy
Cessières
Clacy-et-Thierret
Rue-Milon
Villette
Suzy
Ardon
Neuve
Verneuil-sous-Coucy
Anc. Abbé (Hôpital)
Laniscourt
Bourguignon-sous-Coucy
Besmé
Aumont (École d'Agre)
Bois-Roger
Mons-en-Laonnois
Le Breuil
St-Paul-aux-Bois
Champs
Folembray
Bucy-la-Ville
Prémontré
Faucoucourt
Les Creuttes
Bourguignon
Bruyères-et-Montbérault
Camelin
La Rue-de-Noyon
Bois du Montoir
Basse
Aulers
Wissignicourt
Montarcène
Montbavin
Vaucelles
Chivy-lès-Étouvelles
Cuts
Blérancourt
Guny
Coucy-le-Château-Auffrique
Brancourt-en-Laonnois
Merlieux-et-Fouquerolles
Chaillevois
Étouvelles
Thierny
Vorges
Bresson
Trosly
Lizy
Canal de St-Quentin
Oise
Somme
Serre
Sambre
Péron
Souche
A 26
A 29
E 44
E 17
D 1029
D 1044
D 930
D 946
D 967
D 1032
D 937
D 1
A B C D
14
23
40

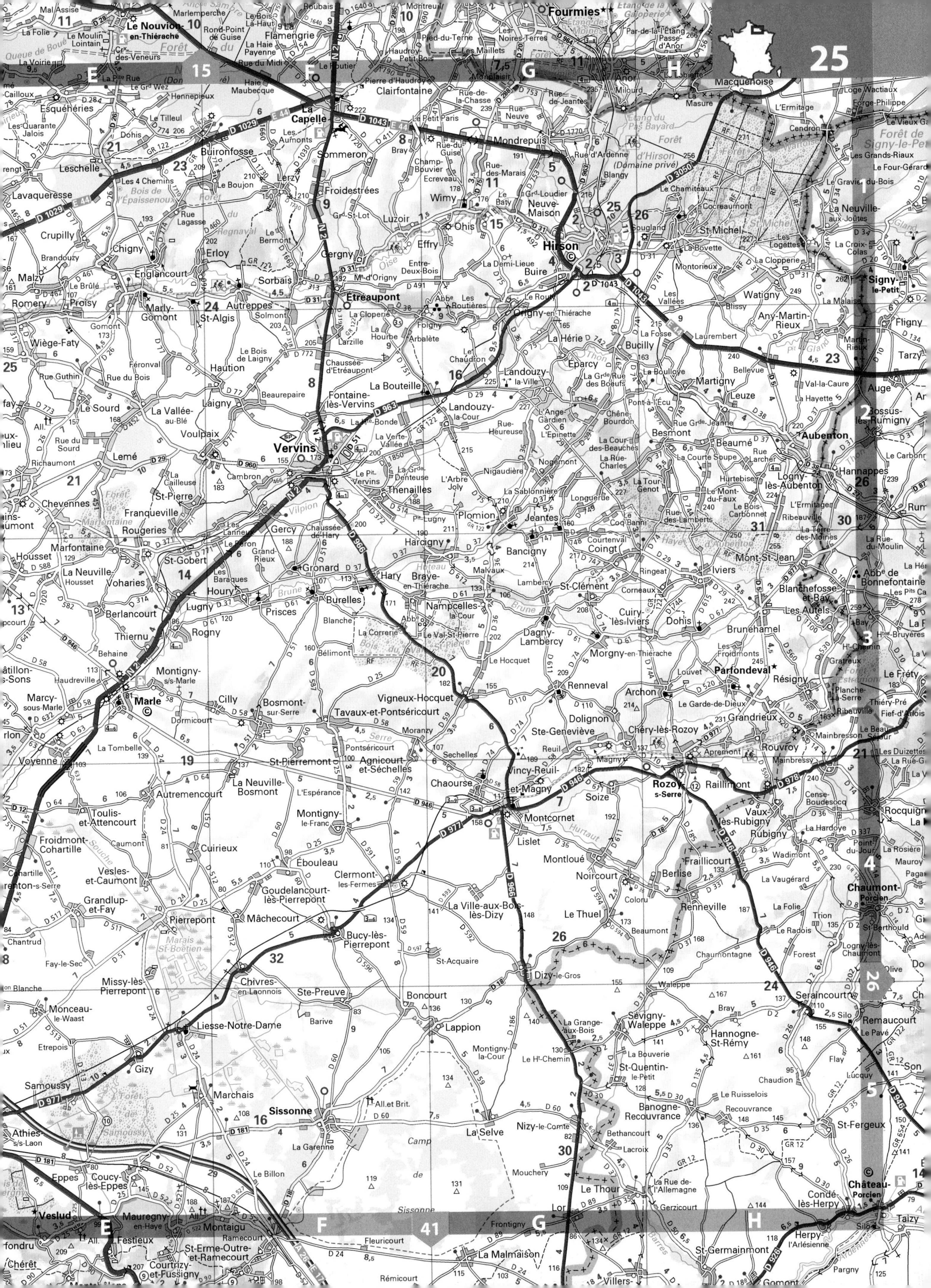

25
Le Nouvion-en-Thiérache
Fourmies
Anor
Macquenoise
La Capelle
Clairfontaine
Mondrepuis
Hirson
St-Michel
Signy-le-Petit
Forêt de Signy-le-Petit
Forêt d'Hirson (Domaine privé)
Buironfosse
Lerzy
Froidestrées
Sommeron
Wimy
Neuve-Maison
Ohis
Effry
Luzoir
Gergny
Erloy
Chigny
Englancourt
Sorbais
Étréaupont
Autreppes
St-Algis
Marly-Gomont
Proisy
Romery
Malzy
Crupilly
Esquéhéries
Leschelle
Lavaqueresse
Wiège-Faty
Haution
Laigny
Fontaine-lès-Vervins
La Bouteille
Landouzy-la-Ville
Landouzy-la-Cour
Éparcy
La Hérie
Bucilly
Martigny
Leuze
Aubenton
Besmont
Beaumé
Logny-lès-Aubenton
Vervins
Voulpaix
La Vallée-au-Blé
Le Sourd
Lemé
Thenailles
Plomion
Jeantes
Bancigny
Coingt
Iviers
Mont-St-Jean
Harcigny
Gercy
Gronard
Hary
Braye-en-Thiérache
Burelles
Prisces
Houry
Lugny
Rogny
Berlancourt
Thiernu
St-Gobert
Voharies
Marfontaine
Rougeries
Franqueville
St-Pierre
Chevennes
Housset
La Neuville-Housset
Nampcelles-la-Cour
Dagny-Lambercy
St-Clément
Cuiry-lès-Iviers
Dohis
Morgny-en-Thiérache
Brunehamel
Parfondeval
Résigny
Renneval
Archon
Dolignon
Ste-Geneviève
Chéry-lès-Rozoy
Grandrieux
Rozoy-s-Serre
Raillimont
Rouvroy
Montigny-s/s-Marle
Marle
Cilly
Bosmont-sur-Serre
Vigneux-Hocquet
Tavaux-et-Pontséricourt
St-Pierremont
Agnicourt-et-Séchelles
Chaourse
Vincy-Reuil-et-Magny
Montcornet
Soize
Lislet
Montloué
Noircourt
Berlise
Fraillicourt
Renneville
Le Thuel
Vaux-lès-Rubigny
Rubigny
Chaumont-Porcien
Voyenne
Autremencourt
La Neuville-Bosmont
Toulis-et-Attencourt
Montigny-le-Franc
Froidmont-Cohartille
Cuirieux
Vesles-et-Caumont
Grandlup-et-Fay
Pierrepont
Mâchecourt
Goudelancourt-lès-Pierrepont
Ébouleau
Clermont-les-Fermes
Bucy-lès-Pierrepont
La Ville-aux-Bois-lès-Dizy
Dizy-le-Gros
Chivres-en-Laonnois
Missy-lès-Pierrepont
Ste-Preuve
Boncourt
Lappion
Sévigny-Waleppe
Hannogne-St-Rémy
Seraincourt
Remaucourt
Liesse-Notre-Dame
Gizy
Marchais
Samoussy
Sissonne
Nizy-le-Comte
La Selve
Banogne-Recouvrance
St-Quentin-le-Petit
St-Fergeux
Château-Porcien
Condé-lès-Herpy
Athies-s/s-Laon
Eppes
Coucy-lès-Eppes
Veslud
Mauregny-en-Haye
Montaigu
Le Thour
Lor
St-Germainmont
Herpy-l'Arlésienne
St-Erme-Outre-et-Ramecourt
La Malmaison
Camp de Sissonne
E F G H
15
41
26

26
0 2 4 6 8 10 km
Chimay
Couvin
Haybes
Fumay
La Platale
Brûly
Brûly-de-Pesche
Bois de Gonrieux
Abbe N.-D. de Scourmont
Forêt de Signy-le-Petit
Rièzes
Nimelette
Cul-des-Sarts
Petite Chapelle
L'Escaillère
Gué-d'Hossus
Pavillon-de-Diane
Revin
la Faligeotte
Mont Tranet
Mt Malgré-Tout
Calvaire des Manises
Les Vx Moulins-d'Hargnies
Anchamps
Roches de Laifour
Laifour
Dames de Meuse
Roche à sept heures
Roc-la-Tour
Longue Roche
Monthermé
Deville
Roche aux sept villages
Tournavaux
Rer des quatre Fils Aymon
Chau Regnault
Bogny-s-Meuse
Joigny-s-Meuse
PARC
NATUREL
RÉGIONAL
DES
Regniowez
Taillette
Rocroi
Le Rouilly
Le Gros-Caillou
La Patte d'Oie
Censes-Gallois
Vallée de Misère
Censes-Bel-Air
Le Grd Hongreau
Neuve-Forge
Les Mazures
Bourg-Fidèle
St-Nicolas
Brognon
Étang de la Motte
La Croix-Bala
(Neuville-lez-Beaulieu)
Trou-de-Sormonne
Signy-le-Petit
Beaulieu
Fosses-Rousseaux
Éteignières
Bas-Taillis
Haut-Taillis
Sévigny-la-Forêt
Le Cheval Blanc
Vieille-Forge
Bois d'Harcy
Lac des Vieilles Forges
Fligny
Pont-d'Any
Mon Idée
Maubert-Fontaine
Martin-Rieux
Tarzy
Auvillers-les-Forges
Dorville
La Neuville-aux-Tourneurs
Tremblois-lès-Rocroi
La Croix-du-Cavalier
Renwez
Sécheval
Montcornet
Arreux
L'Hermitage
Val-la-Caure
Auge
Antheny
Foulzy
Wagny
Étalle
Chilly
Le Piquet
Rimogne
Harcy
Le Châtelet-s-Sormonne
Murtin-et-Bogny
Quartzite
Houldizy
Sorel
Nouzonville
Bossus-lès-Rumigny
Fontenelle
Champlin
Girondelle
Marby
Laval-Morency
Blombay
Lonny
Cliron
Charoué
Aubenton
Hannappes
Le Carbonnet
Estrebay
Les Oliviers
Laval-d'Estrebay
Flaignes-Havys
Le Clos-Berteaux
Sormonne
Tournes
Damouzy
CHARLEVILLE-MÉZIÈRES
Aiglemont
Rumigny
Prez
Havys
Belzy
L'Échelle
La Rue-du-Moulin
La Houssoie
Aouste
La Reupette
Le Cerleau
Cernion
Rouvroy-Audry
Wartigny
Ham-les-Moines
Bolmont
Étion
La Mal Campée
Montcy-St-Pierre
Abbe de Bonnefontaine
La Hérissonnerie
Le Maipas
Logny-Bogny
Servion
Remilly-les-Pothées
Hardoncelle
Haudrecy
Belval
Warcq
Montcy-N.-D.
La Croix-d'Aouste
Liart
Les Pts Caillaux
Aubigny-les-Pothées
Villaine
La Grève
Sury
La Férée
Les Hénaux
Les Bonnomets
Vaux-Villaine
Neufmaison
Giraumont
St-Marcel
Prix-lès-M.
Hies-Bruyères
Lépron-les-Vallées
Clavy-Warby
This
Sept-Fontaines (Ance Abbe)
Mohon
Villers-Semeuse
Lumes
Le Bois-des-Haies
Marlemont
Fontaine-Olive
Malgrétout
Neuville-lès-This
Fagnon
Le Fréty
La Viotte
Cornaux
La Guinguette
Le Faluel
Warby
Forge-Maillard
Warnécourt
La Francheville
Planche-à-Serre
Thiéry-Pré
Fief-d'Arlois
St-Jean-aux-Bois
Maranwez
La Saboterie
Les Vallées
Forêt du Hailly
Thin-le-Moutier
Forêt de Froidmont
Évigny
Mondigny
Les Ayvelles
St-Marceau
Le Beau Séjour
Suberteaux
Grande Forêt
Librecy
La Fosse-au-Mortier
Ecogne
Gruyères
Cléfaye
Chalandry-Elaire
Flize
Les Duizettes
La Rue-Giboudelle
La Verrerie
Montmeillant
Signy-l'Abbaye
La Vénerie
La Vaux Gravier
Les Corbeaux
Champigneul-s-Vence
St-Pierre-s-Vence
Boulzicourt
Étrépigny
Cense-Boudesoco
Rocquigny
La Romagne
Sous-les-Faux
Maimby
La Besace
Courcelles
Dommery
La Fosse-à-l'Eau
Bellevue
Guignicourt-s-Vence
Hocmont
Yvernaumont
Balaives-et-Butz
La Hardoye
Point-du-Jour
La Rosière
Les Fondys
Mauroy
Pagan
Rogiville
Le Faurigault
La Platte-Pierre
Jandun
Touligny
Barbaise
Villers-s-le-Mont
Butz
Élan
Chaumont-Porcien
Draize
Gauditout
Lalobbe
La Sauge-aux-Bois
Forêt de Mortier
Hameuzy
Launois-s-Vence
Raillicourt
Montigny-s-Vence
Poix-Terron
St-Roger
Forêt d'Élan
Trion
St-Berthould
Givron
La Neuville-lès-Wasigny
La Pte Guinguette
Les Tavernes
Naugerin
La Crête
Terron-lès-Poix
Villers-le-Tilleul
Singly
Logny-lès-Chaumont
Adon
Bégny
Grandchamp
Les Forges
Wagnon
Fosse-Mouillée
Le Parlier
Viel-St-Remy
Le Ronceau
Neuvizy
La Bascule
La Horgne
Les Trois-Maisons
Les Poursaudes
Ste-Olive
Doumely-Bégny
Wasigny
Maheru
Villers-le-Tourneur
La Crête-Mouton
Chappes
Herbigny
Mesmont
Margy
Faissault
Harzillemont
Hagnicourt
Les Hauts-Chemins
Mazerny
Beauvois
Terron-lès-Vendresse
Remaucourt
Le Pavé
Justine-Herbigny
Beaumont-en-Aviotte
Novion-Porcien
Les Haies
Buissonwé
Baâlons
Omont
Mont Damion
Flay
Hauteville
Sery
Provizy
Machéroménil
Saulces-aux-Tournelles
ARDENNES WOINIC
Le Pas
Puiseux
Wignicourt
St-Loup-Terrier
La Naux-d'Huy
Bouvellemont
Chagny
Lucquy
Son
La Malmaison
Silo
Corny-Macheroménil
Vaux-Montreuil
Aboncourt
Chesnois-Auboncourt
Terrier
Jonval
Thorin
Dyonne
Saulces-Monclin
Monclin
La Saintinerie
Le Plain
Guincourt
Louvergny
St-Fergeux
Vauzelles
Les Normands
La Cour-des-Rois
Les Aisements
L'Anerie
La Sabotterie
Marquigny
Arnicourt
Inaumont
Auboncourt-Vauzelles
Sorcy-Bauthémont
Le Pt Ban
Écly
Faux
Le Pré-Boulet
Tourteron
Château-Porcien
Condé-lès-Herpy
Sorbon
Le Pont-d'Arcole
Bertoncourt
Novy-Chevrières
Lucquy
Bauthémont
Lametz
(Bairon et ses environs)
Taizy
Harby
Sausseuil
Ecordal
Allanc-Huy-et-Sausseuil
Suzanne
Longwé
Le Chesne
Nanteuil-s-Aisne
Rethel
Amagne
Coucy
Doux
Charbogne
St-Lambert-et-Mont-de-Jeux
Day
Montgon
Pargny
Resson
A
B
C
D
1
2
3
4
5
16
28
25
24
42

Rienne
Willerzie
Étang de Boiron
Gedinne-Station
Sclassin
Le Mont
Porcheresse
Lesse
Villance
Calvaire
Maissin
Anloy
Bois de Rienne
Louette-St-Pierre
Louette-St-Denis
Croix Scaille
Bièvre
Graide
Graide-Station
Our
Beth
Opont
Frênes
Framont
Libramont-Chevigny
Recogne
Neuvillers
Ochamps
Roûmont
Houdremont
Longchamps
Naomé
Moulin de Naomé
Bellefontaine
Paliseul
Jehonville
Le Sart
Forêt de Luchi
Luchi
Nafraiture
Monceau-en-Ardenne
Merny
Linchamps
Petit-Fays
Orchimont
Oizy
Baillamont
Carlsbourg
Offagne
Acremont
Blanche Oreille
Bois d'Outrouge
La Dauphine
Hérisson
Les Hautes-Rivières
Gorges
Conrade
Six Planes
Moulin de Mitauge
Launoy
Nollevaux
Glaumont
Assenois
Les Corettes
Vresse-s-S.
Gros-Fays
Parc Nature
Membre
La Haisette
Chairière
Cornimont
Vivy
Almache
Plainevaux
Fays-les-Veneurs
La Flèche
Burhémont
Grandvoir
Bohan
Roches-la-Dame
Laforêt
Mogimont
Menuchenet
La Géripont
Bertrix
Le Saupont
Rossart
Petitvoir
Les Dolimarts
Mouzaive
Bellevaux
Biourge
Orgeo
Warmifontaine
Nevraumont
Camp militaire
Rochehaut
Ucimont
Alle
Frahan
Sensenruth
Noirefontaine
La Cornette
Auby-s-Semois
Plat Bois
Gribomont
Harfontaine
ARDENNES
Bagimont
Botassart
Les Hayons
Saut des Sorcières
Ménugoutte
St-Médard
Rogissart
Poupehan
Curfoz
Tombeau du Géant
Cugnon
Mortehan
Martilly
Sugny
Pussemange
Ban d'Alle
Chaire à prêcher
Abbe N.-D. de Clairefontaine
Dohan
Renauvanne
Les Fourches
Straimont
Forêt d'Herbeumont
Corbion
Bouillon
Roches de Dampire
Herbeumont
Grandville
Rer du Pendu
Beaubru
Forêt de Bouillon
Tombeau du Chevalier
Notre-Dame
Moulin-à-Vent
Ancn Prieuré de Conques
Gernelle
Forêt de Sedan
Les 4 Chemins
À la Maison Blanche
Libaipire
les Epioux
Rumel
Bosseval-et-Briancourt
Le Sautou
Les Amerois
Blanc Sart
Roche du Chat
Rer du Pinco
Issancourt-et-Rumel
Fleigneux
Le Dos du Loup
Rer de Bohanan
Chiny
Vivier-au-Court
St-Menges
Olly
La Chapelle
Les Douze Cents
Muno
Ste-Cécile
Rer du Hat
Défilé du Paradis
St-Albert
Illy
Le Charmoi
Vrigne-aux-Bois
Montimont
Givonne
Grand Hé
Watrinsart
Lacuisine
Iges
Villers-Cernay
Fontenoille
La Neuville
Floing
Pouru-aux-Bois
Les Quatre Arbres
Martué
Le Faucon
Vrigne-Meuse
Sedan
Glaire
Daigny
Francheval
Le Chesnois
Lambermont
Chassepierre
Florenville
Izel
Pin
Le Dancourt
Donchery
Balan
La Moncelle
Rubécourt-et-Lamécourt
Escombres-et-le-Chesnois
Bois du Banel
Pouru-St-Remy
Messincourt
Messempré
Pont-à-Bar
Frénois
Wadelincourt
Lamécourt
Douzy
Sachy
Pure
Matton-et-Clémency
Tremblois-lès-Carignan
La Croix-Piot
Ossuaire
Bazeilles
Williers
Villers-s-Bar
Pont-Maugis
Chiers
Osnes
Les Deux-Villes-Bse
Cheveuges
Bois de la Marfée
Noyers-Pont-Maugis
Remilly-Aillicourt
Brévilly
Tétaigne
Mogues
St-Aignan
Pt-Remilly
Les Deux-Villes-Hte
Mohimont
Abbe d'Orval
Chaumont
Thelonne
Mairy
Carignan
Villers-devant-Orval
Triage du Omicourt
Chéhéry
Lombut
Pouilly-et-Charbeaux
Margny
Angecourt
Amblimont
Euilly-et-Lombut
Blagny
Auflance
Rocan
Bulson
Beaumesnil
Villers-devant-Mouzon
Linay
de Sapogne
Connage
Haraucourt
Sailly
Ste-Barbe
Arboretum
Autrecourt-et-Pourron
Vaux-lès-Mouzon
Fromy
Moiry
Sapogne-sur-Marche
Vendresse
Mouzon
Villy
Montlibert
Chémery-Chéhéry
Raucourt-et-Flaba
Pourron
Silo
Moulins-St-Hubert
Bois de la Riotte
Thonne-le-Thil
Malmy
Villers
Maisoncelle-et-Villers
Villemontry
Malandry
Margut
Signy-Montlibert
Avioth
Ambly
Artaise-le-Vivier
Montgarni
Flaba
La Ferté-s-Chiers
St-Walfroy-Ermitage
La Neuville-à-Maire
Autréville-St-Lambert
Olizy-sur-Chiers
Thonnelle
Les Huttes
Yoncq
Alma
Bois d'Inor
Bièvres
La Besace
Le Vivier
Inor
Lamouilly
Chauvency-St-Hubert
Sauville
Forêt du Mont-Dieu
Stonne
La Bagnolle
Létanne
Pouilly-sur-Meuse
Thonne-les-Prés
Ancne Chartreuse
Mémorial de Stonne
La Thibaudine
Martincourt-sur-Meuse
Nepvant
Le Mont-Dieu
Mont Damion
Beaumont-en-Argonne
Chauvency-le-Château
Luzy-St-Martin
Forêt de Jaunay
Tannay
Les Grandes-Armoises
Mont du Cygne
Bois de Sommauthe
Brouennes
Ginvry
Bronelle
Vigneul-s/s Montmédy
La Berlière
Cesse
Cervisy
Iré-les-Prés
Sy
Oches
Forêt de Dieulet
Silo
Bois de Sy
Les Petites Armoises
Verrières
Sommauthe
Laneuville-sur-Meuse
Stenay
Quincy-Landzécourt
Han-lès-Juvigny
Baâlon

0 2 4 6 8 10 km
A
B
C
D
1
2
3
4
5
Renonquet
Burhou
Braye Bay
Quesnard
Saline Bay
Braye
Newtown
Longis Bay
Clonque Bay
Raz Island
Trois Vaux
St-Anne
Essex
Hanging Rock
Tête de Judemarre
Telegraph Bay
Alderney
(Aurigny)
Raz Blanchard
Cap de la Hague
Sémaphore
Roche Gélétan
Les Herbeuses
Gros du Raz
Goury
St-Germain-des-Vaux
Anse St-Martin
La Coque
Pointe Jardeheu
Port-Racine
La Roche
Auderville
Le Hâble
Omonville-la-Rogue
Omonville-la-Petite
Rue-Désert
Digulleville
Baie d'Écalgrain
Manoir du Tourp
Jobourg
Mont Pali
Éculleville
Rocher du Castel-Vendon
Gruchy
C. R. O. S. S.
Nez de Voidries
Dannery
Landemer
Nez de Jobourg
Herqueville
La Rue-de-Beaumont
Gréville-Hague
Urville-Nacqueville
Beaumont-Hague
Herquemoulin
Baie du Houguet
Branville-Hague
Pierres Pouquelées
(La Hague)
Léveillé
Rue-d'Ozouville
Prieuré
Anse de Vauville
Vauville
Jardin botanique
Ste-Croix-Hague
Centre Scientifique
Le Petit Thot
Flottemanville
Camp Maneyrol
La Croix-aux-Rois
La Croix-Frimot
Les Noës
Calvaire des Dunes
Biville
Gourbesville
Le Val-de-Bas
Acqueville
Vasteville
Pénitot
Herquetot
Héauville
Le Manoir
Teurthéville-Hague
Clairefontaine
Crasville
Siouville-Hague
La Vieswille
Quetteville
Helleville
Les Conte
St-Christo du-Foc
Flamanville
Couvert
Diélette
La Petite Siouville
Arthur
Bretantot
Les Pipets
La Croix-Georges
Sotteville
Sémaphore
Tréauville
Cap de Flamanville
Bonnemains
Quesnay
Benoîtville
Le Point du Jour
Houel
Falaises
Les Pieux
Sciotot
Grosville
Anse de Sciotot
Fme de Becqueville
Le Comte
Le Rozel
Fritot
Bernay
Longueville
St-Germain-le-Gaillard
Le Poux
Pierreville
Pointe du Rozel
Hauteville
La Croix Morain
Surtainville
La Mare-du-Parc
Scye
Béghin
St-Paul
Sénoville
Bastard
Baubigny
Sortosville-en-Beaumont
La Vallée
Le Meaudenaville
Les 4 Barrières
Hatainville
St-Pierre d'Arthéglise
Les Moitiers-d'Allonne
Masse de Romond
La Haye-d'Ectot
Roches du Rit
Carteret
Barneville-Carteret
Chapelle
Cap de Carteret
Rouallé
St-Jean-de-la-Rivière
Barneville-Plage
St-Georges-de-la-Rivière
ILES ANGLO-NORMANDES
(CHANNEL ISLAND)
MANCHE
ALDERNEY
Cherbourg-en-Cotentin
Diélette
GUERNSEY
SARK
Carteret
JERSEY
Chausey
Granville
Dinard
St. Malo
Liaison maritime:
passant les autos
ne les passant pas
Liaison aérienne

30

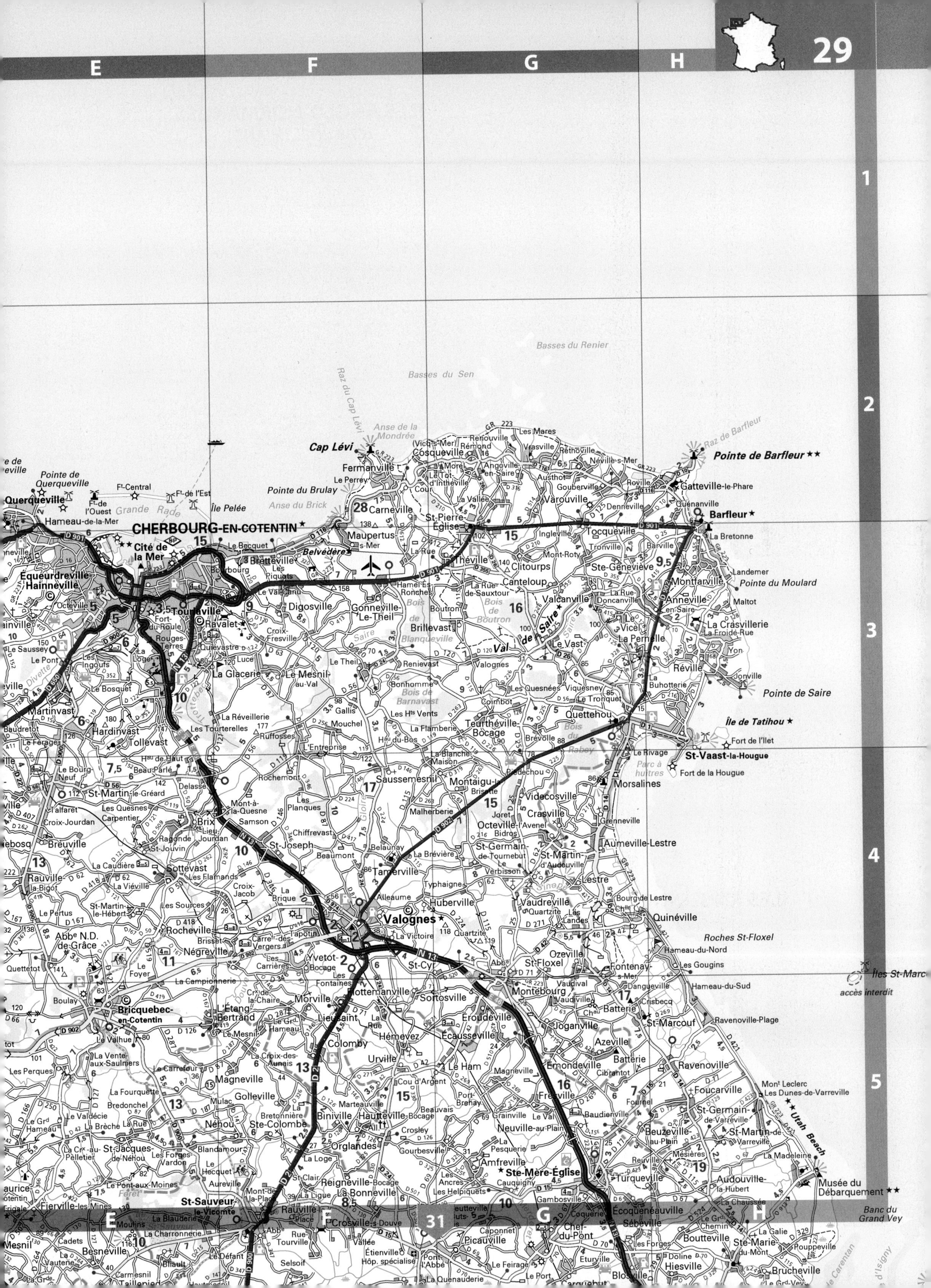
E
F
G
H
1
2
3
4
5
Basses du Renier
Basses du Sen
Raz du Cap Lévi
Anse de la Mondrée
Cap Lévi
Raz de Barfleur
Pointe de Barfleur ★★
Gatteville-le-Phare
Barfleur ★
La Bretonne
Landemer
Pointe du Moulard
Montfarville
Maltot
Anneville-en-Saire
La Crasvillerie
La Froide-Rue
Yon
Réville
Jonville
Pointe de Saire
Île de Tatihou ★
Fort de l'Ilet
St-Vaast-la-Hougue
Fort de la Hougue
Le Rivage
Parc à huîtres
Morsalines
Quettehou
Pointe de Querqueville
Querqueville
Ft de l'Ouest
Ft-Central
Ft de l'Est
Île Pelée
Grande Rade
Hameau-de-la-Mer
CHERBOURG-EN-COTENTIN ★
Cité de la Mer
Équeurdreville-Hainneville
Octeville
Tourlaville
Ravalet
Fort-du-Roule
Rouges Terres
Quièvastre
Luce
La Glacerie
Le Mesnil-au-Val
Le Becquet
Bretteville
Les Piquets
Bourbourg
Le Val-Canu
Belvédère
Maupertus-s-Mer
Carneville
Pointe du Brulay
Anse du Brick
Fermanville
Le Perrey
Cosqueville
Rémond
Renouville
Les Mares
Vrasville
Réthoville
Néville-s-Mer
Roville
Gouberville
Varouville
Denneville
Quénanville
Angoville-en-Saire
Le Tôt-d'Inthéville
La Vallée
St-Pierre-Église
Théville
Ingleville
Tocqueville
Tronville
Barville
Mont-Roty
Ste-Geneviève
Clitourps
Canteloup
La Rue-de-Sauxtour
Bois de Boutron
Valcanville
Val de Saire ★
Le Vast
Le Vicel
La Pernelle
La Buhotterie
Les Quesnées
Viquesney
Le Tronquet
Digosville
Gonneville-Le-Theil
Brillevast
Croix-Fresville
Hamel-ès-Ronches
Bois de Barnavast
Le Theil
Renievast
Bonhomme
Les Hts Vents
Teurthéville-Bocage
Brévolle
Bois du Rabey
Coimbot
Gallis
Mouchel
La Flamberie
Hau du-Bos
L'Entreprise
Ruffosses
La Blanche Maison
Piedechou
Martinvast
Hardinvast
Tollevast
La Réveillerie
Les Tourterelles
Le Bosquet
Les Ingoufs
Le Saussey
Le Pont
Baudretot
Le Férage
Le Bourg-Neuf
Beau-Parlé
Hau de-Haut
Delasse
St-Martin-le-Gréard
Les Quesnes
Carpentier
Talfaret
Croix-Jourdan
Mont-à-la-Quesne
Samson
Rochemont
Les Planques
Saussemesnil
Montaigu-la-Brisette
Malherberie
Chiffrevast
Videcosville
Crasville
Joret
Octeville-l'Avenel
Bidros
Brix
Lieu-Jourdan
Ragonde
St-Jouvin
St-Joseph
Beaumont
Belaunay
La Brévière
St-Germain-de-Tournebut
St-Martin-d'Audouville
Aumeville-Lestre
Grenneville
Breuville
Rauville-la-Bigot
La Caudière
Sottevast
Les Flamands
La Viéville
St-Martin-le-Hébert
Les Sources
Le Pertus
Croix-Jacob
La Brique
Tamerville
Le Verbisson
Lestre
Typhaigne
Huberville
Alleaume
Valognes ★
La Victoire
Quartzite
Vaudreville
Les Landes
Bourg de Lestre
Quinéville
Roches St-Floxel
Hameau-du-Nord
Les Gougins
Abbe N.D. de Grâce
Rocheville
Brisset
Négreville
Carrefr-des-Vergers
Tapotin
Yvetot-Bocage
St-Cyr
Ozeville
St-Floxel
Fontenay-s-Mer
Hameau-du-Sud
Îles St-Marcouf
accès interdit
Quettetot
Le Foyer
La Campionnerie
Les Carrières
Fontaines
Boulay
Bricquebec-en-Cotentin
Crx de la Chaire
L'Étang-Bertrand
Le Mesnil
Morville
Lieusaint
Hotteманville
Sortosville
Montebourg
Vaudival
Dangueville
Crisbecq
Batterie
St-Marcouf
Ravenoville-Plage
Le Valhue
Le Grd Hameau
Hémevez
Éroudeville
Écausseville
Joganville
Azeville
Ravenoville
Colomby
Urville
Le Ham
Émondeville
Cibrantot
La Vente-aux-Saulniers
Les Perques
Le Carrefour
Magneville
6 Croix-des-Aunais
Cou d'Argent
Port-Brehay
Fresville
Fournel
Foucarville
Monl Leclerc
Les Dunes-de-Varreville
Utah Beach ★★
La Fourquette
Bredonchel
Mulac
Golleville
Bretonnière
Marteauville
Beauvais
Grainville
Baudienville
St-Germain-de-Varreville
St-Martin-de-Varreville
Le Valdécie
Le Grd Hameau
La Brèche
La Rue
Néhou
Ste-Colombe
Biniville
Hautteville-Bocage
Le Val
Neuville-au-Plain
Beuzeville-au-Plain
Mésières
La Madeleine
La Crx-au-Pelletier
St-Jacques-de-Néhou
Les Forges-Vardon
Blandamour
Orglandes
La Loge
Crosley
Gourbesville
La Pesquerie
Amfreville
Ste-Mère-Église ★
Cauquigny
Reuville
Turqueville
Audouville-la-Hubert
Musée du Débarquement ★★
Le Hecquet
Aureville
Le Pont-aux-Moines
St-Clair
Reigneville-Bocage
La Bonneville
Les Ancres
Les Helpiquets
Gambosville
Fierville-les-Mines
Mont-de-la-Place
St-Sauveur-le-Vicomte
La Blauderie
Rauville-la-Place
La Ligue
Écoquenéauville
Sébeville
La Chaussée
Banc du Grand Vey
Moulins
La Charronnerie
Abb.
Crosville-s-Douve
31
Caponnet
Picauville
Chef-du-Pont
Coquerie
Chemin
Boutteville
La Galie
Ste-Marie-du-Mont
Pouppeville
Cadets
Besneville
Rue-Tourville
La Vallée
Étienville
Hôp. spécialisé
Pont-l'Abbé
Les Forges
Doline
Hiesville
Brucheville
Le Défant
Carmesnil
Taillepied
Selsoif
Le Feirage
Le Port
Éturville
Blosville
La Quenauderie
Vauterie
Mesnil
Divette
Saire
Gloire
Douve

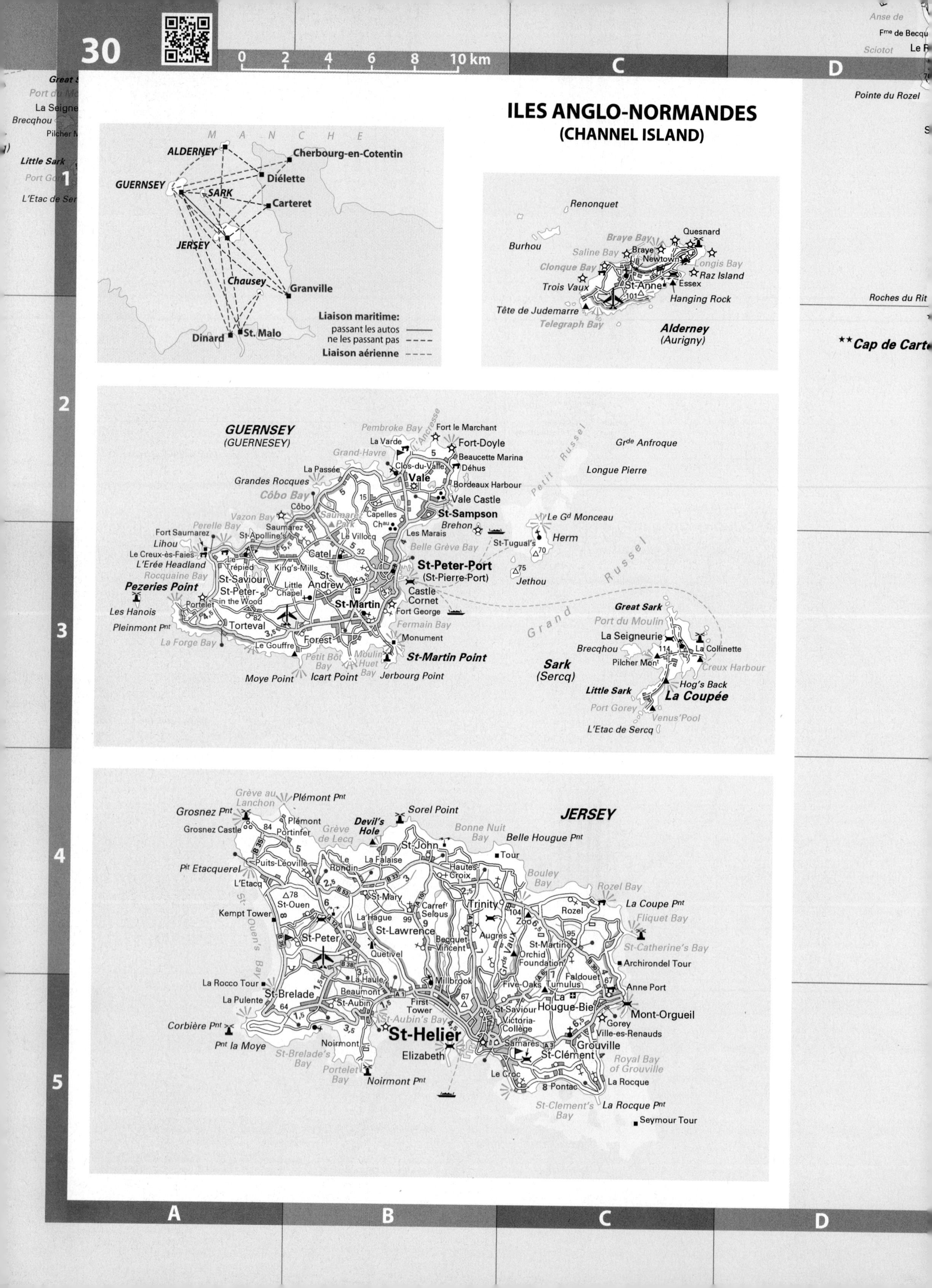

30
0 2 4 6 8 10 km
ILES ANGLO-NORMANDES
(CHANNEL ISLAND)
M A N C H E
ALDERNEY
Cherbourg-en-Cotentin
Diélette
GUERNSEY
SARK
Carteret
JERSEY
Chausey
Granville
Dinard
St. Malo
Liaison maritime:
passant les autos
ne les passant pas
Liaison aérienne
Renonquet
Burhou
Braye Bay
Quesnard
Saline Bay
Braye
Newtown
Longis Bay
Clonque Bay
Raz Island
St-Anne
Essex
Trois Vaux
Hanging Rock
Tête de Judemarre
Telegraph Bay
Alderney
(Aurigny)
GUERNSEY
(GUERNESEY)
Pembroke Bay
Fort le Marchant
La Varde
Fort-Doyle
Grand-Havre
Beaucette Marina
La Passée
Clos-du-Valle
Déhus
Vale
Grandes Rocques
Bordeaux Harbour
Côbo Bay
Vale Castle
Côbo
St-Sampson
Vazon Bay
Saumarez Park
Capelles
Perelle Bay
Saumarez
Brehon
Fort Saumarez
St-Apolline's
Le Villocq
Les Marais
Lihou
Belle Grève Bay
St-Tugual's
Le Creux-ès-Faies
Catel
L'Erée Headland
Le Trépied
King's-Mills
St-Peter-Port
(St-Pierre-Port)
Rocquaine Bay
St-Andrew
Pezeries Point
St-Saviour
Little Chapel
Castle Cornet
St-Peter-in the Wood
St-Martin
Portelet
Les Hanois
Fort George
Torteval
Fermain Bay
Pleinmont Pnt
Monument
La Forge Bay
Le Gouffre
Forest
Petit Bôt Bay
Moulin Huet Bay
St-Martin Point
Moye Point
Icart Point
Jerbourg Point
Grde Anfroque
Longue Pierre
Petit Russel
Le Gd Monceau
Herm
Jethou
Grand Russel
Great Sark
Port du Moulin
La Seigneurie
Brecqhou
La Collinette
Pilcher Mont
Creux Harbour
Sark
(Sercq)
Hog's Back
Little Sark
La Coupée
Port Gorey
Venus'Pool
L'Etac de Sercq
Grève au Lanchon
Plémont Pnt
Grosnez Pnt
Sorel Point
JERSEY
Grosnez Castle
Plémont
Devil's Hole
Portinfer
Grève de Lecq
Bonne Nuit Bay
Belle Hougue Pnt
St-John
Tour
Puits-Léoville
Le Rondin
La Falaise
Hautes-Croix
Pit Etacquerel
Bouley Bay
L'Etacq
Rozel Bay
St-Ouen
St-Mary
Carrefr Selous
Trinity
La Coupe Pnt
Kempt Tower
La Hague
Rozel
Fliquet Bay
Zoo
St-Lawrence
St-Ouen's Bay
St-Peter
Becquet-Vincent
Augres
St-Martin
St-Catherine's Bay
Quetivel
Orchid Foundation
Archirondel Tour
Grds Vaux
Faldouet
La Rocco Tour
La Haule
Millbrook
Five-Oaks
Tumulus
Anne Port
St-Brelade
Beaumont
La Hougue-Bie
La Pulente
St-Aubin
First Tower
Mont-Orgueil
St-Saviour
Gorey
Victoria-College
Ville-es-Renauds
St-Aubin's Bay
Corbière Pnt
St-Helier
Samarès
Grouville
Noirmont
Pnt la Moye
St-Brelade's Bay
Elizabeth
St-Clément
Royal Bay of Grouville
Portelet Bay
Le Croc
La Rocque
Noirmont Pnt
Pontac
St-Clement's Bay
La Rocque Pnt
Seymour Tour
Pointe du Rozel
Roches du Rit
Cap de Carteret
A
B
C
D
1
2
3
4
5

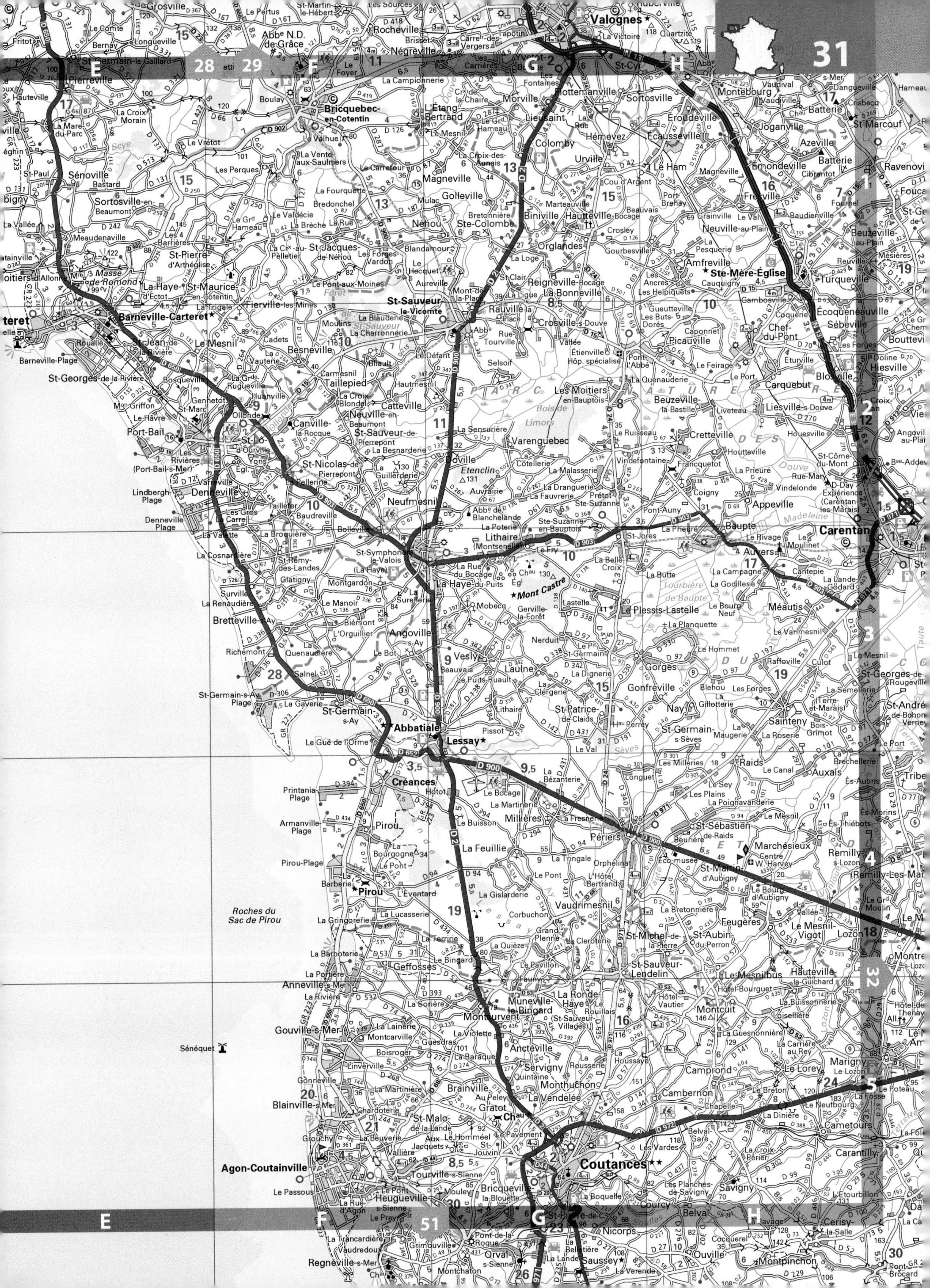
31
28
29
E
F
G
H
32
51
Valognes
Bricquebec-en-Cotentin
Montebourg
Ste-Mère-Église
St-Sauveur-le-Vicomte
Barneville-Carteret
Barneville-Plage
St-Georges-de-la-Rivière
Port-Bail
Denneville
Denneville-Plage
La Haye-du-Puits
Lessay
Abbatiale
Créances
Pirou
Pirou-Plage
Roches du Sac de Pirou
Périers
Marchésieux
St-Sauveur-Lendelin
Carentan
Baupte
Auvers
Méautis
Sainteny
Gouville-s-Mer
Blainville-s-Mer
Agon-Coutainville
Coutances
Marigny
Regnéville-s-Mer
Montmartin-s-Mer
Lindbergh-Plage
Printania-Plage
Armanville-Plage
St-Germain-s-Ay
St-Germain-s-Ay-Plage
Mont Castre
Le Plessis-Lastelle
Picauville
Chef-du-Pont
Carquebut
Liesville-s-Douve
Hiesville
Écoquenéauville
Turqueville
Picauville
Les Moitiers-en-Bauptois
Varenguebec
Canville-la-Rocque
St-Lô-d'Ourville
Lithaire
Gorges
Gonfreville
Nay
Raids
Auxais
Feugères
Montcuit
Cambernon
Camprond
Monthuchon
Ancteville
Servigny
Gratot
Brainville
Montsurvent
Geffosses
Anneville-s-Mer
Muneville-le-Bingard
Vaudrimesnil
St-Michel-de-la-Pierre
Savigny
Cametours
Carantilly
PARC NATUREL RÉGIONAL

0 2 4 6 8 10 km
C
D
Iles St-Marcouf
accès interdit
Hameau-du-Sud
St-Marcouf
Ravenoville-Plage
Azeville
Batterie
Ravenoville
Foucarville
Mont Leclerc
Les Dunes-de-Varreville
Utah Beach
St-Germain-de-Varreville
St-Martin-de-Varreville
Beuzeville-au-Plain
La Madeleine
Turqueville
Audouville-la-Hubert
Musée du Débarquement ★★
Banc du Grand Vey
Roches de Grandcamp
Grandcamp-Maisy
Pointe du Hoc ★★
St-Pierre-du-Mont
Pointe et raz de la Percée
★★Omaha Beach
★★Plages
Sébeville
Boutteville
Ste-Marie-du-Mont
Pouppeville
Hiesville
Blosville
Brucheville
Vierville
Rochefort
Angoville-au-Plain
Passe de Carentan
Passe d'Isigny
Géfosse-Fontenay
Cricqueville-en-Bessin
Englesqueville-la-Percée
Asnières-en-Bessin
Vierville-s-Mer
Les Moulins
U.S.A.★★★
Monᵗ 5 th E.S.B.
Ste-Honorine-des-Pertes
Port-en-Bessin-Huppain
Louvières
Cardonville
La Cambe
Deux-Jumeaux
Montigny (Formigny-la-Bataille)
St-Laurent-s-Mer
Colleville-s-Mer
St-Germain-du-Pert
Osmanville
Brévands
Isigny-s-Mer
Canchy
Longueville
Formigny
Surrain
Carentan
Catz
Les Veys
Ecrammeville
Aignerville
Trévières
Mosles
Tour-en-Bessin
St-Hilaire-Petitville
St-Pellerin
Monfréville
Colombières
Bricqueville
Mandeville-en-Bessin
Sully
Vaucelles
Les Oubeaux
Vouilly
Castilly
Rubercy
Saonnet
Cussy
Barbeville
Montmartin-en-Graignes
Neuilly-la-Forêt
Bernesq
Blay
Crouay
La Folie
St-Marcouf
Lison
Le Breuil-en-Bessin
St-Georges-de-Bohon
Graignes-Mesnil-Angot
St-André-de-Bohon
Cartigny-l'Épinay
St-Martin-de-Blagny
Musée de la Mine
Le Molay-Littry
Campigny
Ranchy
Subles
Agy
St-Jean-de-Daye
Le Mesnil-Véneron
Tournières
Le Tronquay
Arganchy
Tribehou
Airel
St-Fromond
Ste-Marguerite-d'Elle
Littry
Noron-la-Poterie
Le Dézert
Moon-s-Elle
Cavigny
St-Clair-s-l'Elle
Cerisy-la-Forêt
Vaubadon
Castillon
Le Hommet-d'Arthenay
St-Jean-de-Savigny
Trungy
Remilly-s-Lozon (Remilly-Les-Marais)
Les Champs-de-Losque
La Meauffe
Balleroy-s-Drôme
St-Paul-du-Vernay
Pont-Hébert
Villiers-Fossard
Couvains
Montfiquet
Le Mesnil-Eury
Lozon
Amigny
Le Mesnil-Rouxelin
St-Georges-d'Elle
Bérigny
La Bazoque
Planquery
Cahagnolles
Montreuil-s-Lozon
Rampan
St-André-de-l'Épine
Litteau
Ste-Honorine-de-Ducy
Hébécrevon (Thèreval)
St-Georges-Montcocq
La Luzerne
Foulognes
Cormolain
ST-LÔ
Agneaux
St-Pierre-de-Semilly
La Barre-de-Semilly
St-Gilles
Marigny-Le-Lozon
Le Mesnil-Amey
St-Germain-d'Elle
(Montrabot)
Sallen
Livry
Rouxeville
St-Jean-des-Baisants
(St-Jean-d'Elle)
La Vacquerie
Souterroscope
Caumont-l'Éventé
Baudre
Canisy
Gourfaleur
La Mancellière-s-Vire
Lamberville
Biéville
(Caumont-s-Aure)
St-Ébremond-de-Bonfossé (Bourgvallées)
St-Martin-de-Bonfossé
Quibou
Carantilly
Cametours
St-Samson-de-Bonfossé
Ste-Suzanne-s-Vire
Le Mesnil-Raoult
Sept-Vents
La Lande-s-Drôme (Val-de-Drôme)
Cahagnes
Amayé-s-Seulles
A
B
C
D
52
Dangy
Cerisy-la-Salle
Le Mesnil-Herman
Condé-s-Vire
Roches de Ham
Torigny-les-Villes
St-Amand-Villages
Placy-Montaigu
Le Perron
Dampierre
Les Loges
Benneville
St-Pierre-du-Fresne
Soulles
St-Romphaire
Brectouville

E
F
G
H
1
2
3
4
5
du
Débarquement
Côte
de
Nacre
Batterie
Cap Manvieux
Arromanches-les-Bains
St-Côme-de-Fresné
Gold Beach
Centre Juno Beach
Juno Beach
Paisty-Vert
La Rivière
Courseulles-s-Mer
St-Aubin-s-Mer
Langrune-s-Mer
Luc-s-Mer
Sword Beach
Rade de Caen
Lion-s-Mer
Petit-Enfer
La Brèche-d'Hermanville
Colleville-Montgomery-Plage
Ouistreham
Riva-Bella
Cabo
Manvieux
Longues-s-Mer
Tracy-s-Mer
Asnelles
Le Hamel
Mont Fleury
Ver-s-Mer
Graye-s-Mer
Vaux
Bernières-s-Mer
Ste-Marie
Fontenailles
Le Pit Fontaine
Meuvaines
Crépon
Ste-Croix-s-Mer
Banville
Tailleville
La Délivrande
Douvres-la-Délivrande
Aunay
La Rosière
Vaux-s-Aure
Magny-en-Bessin
Ryes
Pierre-Artus
Colombiers-s-Seulles
Cresserons
Hermanville-s-Mer
St-Sulpice
Sommervieu
Bazenville
Tierceville
Reviers
Bény-s-Mer
BAYEUX
Villiers-le-Sec
Le Manoir
Creully
Prieuré
Amblie
Moulineaux
Basly
Colomby-Anguerny
Plumetot
Colleville-Montgomery
St-Vigor-le-Gd
Esquay-s-S.
Vienne-en-Bessin
St-Gabriel-Brécy
Pierrepont
Fontaine-Henry
Thaon
St-Martin-des-Entrées
Vaussieux
Jardins
Lantheuil
Le Fresne-Camilly
La Mare
Périers-s-le-Dan
St-Aubin-d'Arquenay
Merville-Franceville-Plage
Sallenelles
Descanneville
Cabourg
Gonneville-en-Auge
Varaville
Crémel
Bussy
Vaux-s-S.
Martragny
Rucqueville
Cully
Cainet
Colomby-s-Thaon
Villons-les-Buissons
Mathieu
Biéville-Beuville
Amfreville
Bas-de-Bréville
Petiville
Monceaux-en-B.
Nonant
Damigny
Coulombs
Secqueville-en-Bessin
Camilly
Cairon
Lasson
Anisy
Le Londel
Bénouville
Pegasus Bridge
Bréville-les-Monts
Bénéauville
Cachy
Carcagny
Ducy-Ste-Marguerite
St-Léger
Ste-Croix-Grd-Tonne
Neuf-Mer
Le Vey
Les Buissons
Cambes-en-Plaine
Buron
Mâlon
La Bijude
Épron
Beauregard
Blainville-s-Orne
Ranville
Arbre-Martin
Le Mariquet
Bavent
Robehomme
La Vallière
Juaye
Ellon
Condé-s-Seulles
Loucelles
Brouay
Bretteville-l'Orgueilleuse
Bray
Rosel
Vieux Cairon
St-Contest
Lebisey
Longueval
Hérouvillette
Escoville
Le Prieuré
Bricqueville
Juaye-Mondaye
Douet
Chouain
Audrieu
Putot-en-Bessin
Gruchy
St-Louet
Cussy
La Folie-Couvrechef
Hérouville-St-Clair
Ste-Honorine-la-Chardronnette
Bois de Bavent
Ronchevillle
Basseneville
Couvert
Pont-Roch
Cristot
(Thue-et-Mue)
Le Hamel
Rots
Authie
Abbe d'Ardenne
Colombelles
Cuverville
Bures
Bucéels
Verrières
Les Hts Vents
Norrey-en-Bessin
St-Manvieu-Norrey
Carpiquet
St-Germain-la-Bl.-Herbe
Festyland
Touffréville
Bures-s-Dives
St-Samso
Lingèvres
St-Pierre
Le Mesnil-Patry
Marcelet
Bretteville-s-Odon
Mondeville
Giberville
Sannerville
Démouville
Troarn
St-Pi
Tilly-s-Seulles
Fontenay-le-Pesnel
St-Martin
Cheux
Mouen
Le Mesnil
CAEN
Banneville-la-C.
La Rue Haute
Hottot-les-Bagues
Juvigny-s-Seulles
Cormelles-le-Royal
Le Mesnil-Frémentel
Mannevillle
St-Pair
Guilleville
Onchy
Tessel
Rauray
Verson
Louvigny
Émiéville
St-Ouen-du-Mesnil-Oger
Le Lion Vert
St-Vaast-s-Seulles
Vendes
Bretteville
Colleville
Tourville-s-Odon
Fontaine-Étoupefour
Éterville
Fleury-s-O.
Cagny
Grentheville
Le Poirier
Frénouville
Le Fresne
Mouesnots
Senevière
Grainville-s-Odon
Mondrainville
Les Forges
Baron-s-Odon
Maltot
La France
Étavaux
St-André-s-Orne
Ifs
Hubert-Folie
Soliers
Four
Franqueville
Argences
Orbois
Sermentot
Monts-en-Bessin
Noyers
Missy
Tourmauville
Bras
Bourguébus
Bellengreville
Vimont
Les Pédouze
Le Coisel
Les Moulinets
Fains
Gavrus
Le Bon-Repos
Feuguerolles-Bully
St-Martin-de-Fontenay
Castine-en-Plaine
Verrières
Tilly-la-Campagne
Silo
La Hogue
(Moult-Chicheboville)
Croi
Feuguerolles-s-Seulles
Anctoville
St-Louet
Le Grand-Haut Fecq
Monceaux-(Val-d'Arry)
Tournay-s-Odon
Bougy
Esquay-N.-D.
Vieux
May-s-O.
Chicheboville
Ingouville
Airan
Villy-Bocage
Villodon
Ragny
Le Locheur
Évrecy
Avenay
Fierville
Bully
Rocquancourt
Beneauville
Valmeray
Villers-Bocage
Parfouru-s-Odon
Neuilly-le-Malherbe
Champs-Goubert
Amayé-s-Orne
Pont-du-Coudray
Percouville
Clinchamps-s-Orne
Le Val
Fontenay-le-Marmion
Garcelles-Secqueville
Billy
Cesny-aux-Vignes
Le Rue
Landes-s-Ajon
Vacognes-Neuilly
Le Homme
Maizet
Laize-la-Ville
Lorguichon
(Castelet)
Conteville
(Valambray)
Épinay-s-Odon
Épene
Longchamps
Ste-Honorine-du-Fay
Les Ifs
(Laize-Clinchamps)
La Ruelle
La Jalousie
St-Aignan-de-Cramesnil
Poussy-la-Campagne
Le Torps
Bray-la-Campagne
Maisoncelles-Pelvey
Le Mesnil-Hervieu
Malherbe-s-Ajon
Le Mont
Préaux-Bocage
Bretteville
Jouette
Caillouet
Cinq-Autels
Danneville
E
Longvillers
Maisoncelles-s-Ajon
F
Le Grand-Mesnil
53
Outrécy
G
Cesny-le-Puceux
Cintheaux
H
Fierville-Bray
La Vallée
La Féterie
Courqueret
Trois-Monts
Montigny
L'Es Rues
Le Hutray
Boulon
St-Sylvain
Cauvicourt
Le Mesnil
Glatigny
St-Georges-d'Aunay
Bauquay
Le Mesnil-au-Grain
St-Agnan-le-Malherbe
(Montillières-s-Orne)
Grimbosq
Bretteville-s-Laize
Haut-Mesnil
Gouvix
Goupillières
La Caine
St-Laurent-de-Condel
Brieux
Le Bû-s-Rouvres
Condé-s-Ifs
34

0 2 4 6 8 10 km
18
33
54
LE HAVRE
Ste-Adresse
Cap de la Hève
Octeville-sur-Mer
Montivilliers
Harfleur
Gonfreville-l'Orcher
Épouville
Sainneville
Epretot
St-Aubin-Routot
Rogerville
Oudalle
Sandouville
St-Vigor-d'Ymonville
PORT 2000
Grand Canal du Havre
Pont de Normandie
Honfleur
Côte de Grâce
Villerville
Cricquebœuf
Pennedepie
Trouville-s-Mer
DEAUVILLE
Côte Fleurie
Bénerville-s-Mer
Blonville-s-Mer
Villers-s-Mer
Falaise des Vaches Noires
Houlgate
Cabourg
Merville-Franceville-Plage
Dives-s-Mer
Touques
Pont-l'Évêque
Beuzeville
Fiquefleur-Équainville
Fatouville-Grestain
Équemauville
Gonneville-s-Honfleur
Barneville-la-Bertran
St-Gatien-des-Bois
Tourville-en-Auge
St-Benoît-d'Hébertot
St-André-d'Hébertot
Canapville
Tourgéville
Vauville
St-Vaast-en-Auge
Dozulé
Troarn
Beuvron-en-Auge
Cambremer
Crèvecœur-en-Auge
Mézidon-Canon
LISIEUX
Blangy-le-Château
Cormeilles
Le Brévedent
St-Hymer
Fierville-les-Parcs
Coquainvilliers
Ouilly-le-Vicomte
Hermival-les-Vaux
St-Martin-de-la-Lieue
Le Mesnil-Guillaume
St-Germain-de-Livet
Parc Zoo Cerza
Bonnebosq
Léaupartie
Victot-Pontfol
St-Pierre-des-Ifs
Livarot
St-Julien-le-Faucon
A 13
A 29
A 131
A 132
E 46
D 579
D 613
D 675
A B C D

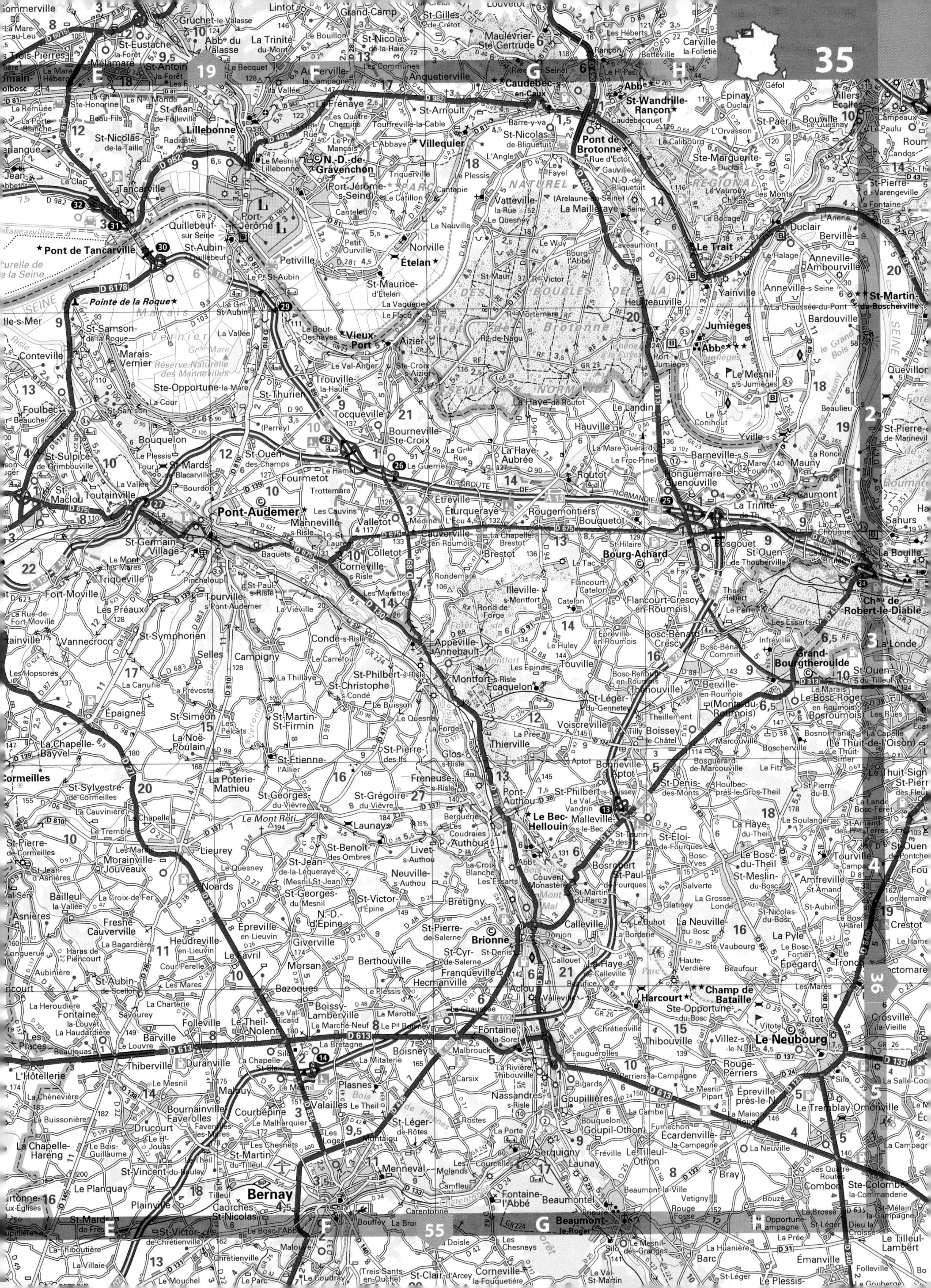

Lillebonne
Tancarville
Pont de Tancarville
Quillebeuf-sur-Seine
Port-Jérôme
N.-D.-de-Gravenchon
Villequier
Caudebec-en-Caux
St-Wandrille-Rançon
Pont de Brotonne
Le Trait
Duclair
Jumièges
St-Martin-de-Boscherville
Ételan
Norville
Vieux-Port
Aizier
La Mailleraye-s-Seine
Heurteauville
Forêt de Brotonne
Parc Naturel Régional des Boucles de la Seine Normande
Pointe de la Roque
Marais-Vernier
St-Samson-de-la-Roque
Conteville
Foulbec
Bouquelon
St-Sulpice-de-Grimbouville
St-Maclou
Toutainville
Pont-Audemer
Manneville-s-Risle
Corneville-s-Risle
Bourneville-Ste-Croix
Tocqueville
Routot
Rougemontiers
Bouquetot
Bourg-Achard
Bosgouet
La Bouille
Chau de Robert-le-Diable
Grand-Bourgtheroulde
La Londe
Appeville-Annebault
Montfort-s-Risle
Illeville-s-Montfort
St-Philbert-s-Risle
Campigny
Selles
Triqueville
Fort-Moville
St-Symphorien
Épaignes
Cormeilles
St-Georges-du-Vièvre
Lieurey
Le Bec-Hellouin
Brionne
Pont-Authou
Harcourt
Champ de Bataille
Le Neubourg
Thiberville
Bernay
Serquigny
Beaumont-le-Roger
Boisney
Plasnes
Menneval
Thibouville
Duranville
Malouy
Courbépine
Broglie
A 13
A 28
AUTOROUTE DE NORMANDIE
E
F
G
H
19
55
36

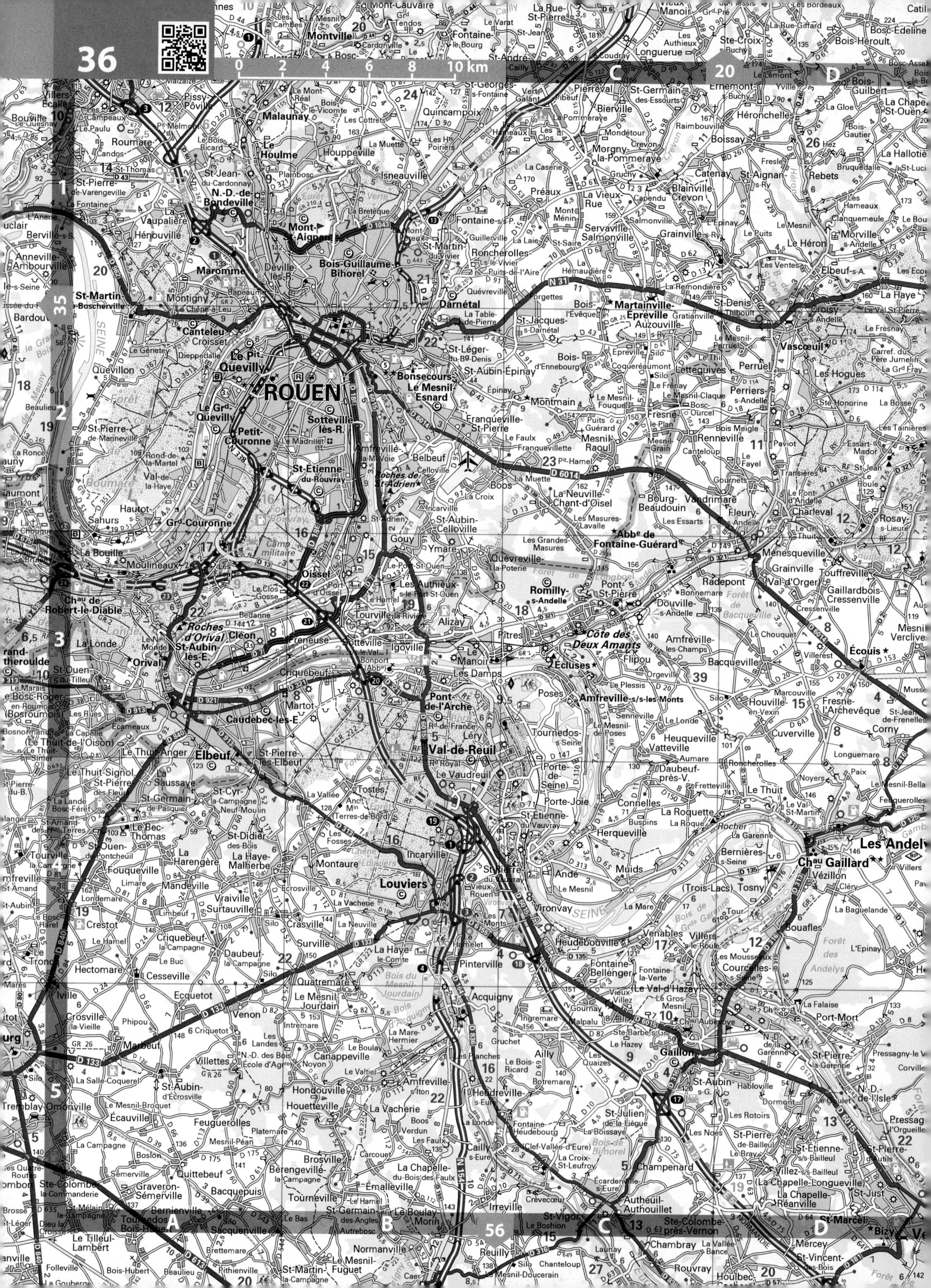
0 2 4 6 8 10 km
20
C
D
A
B
C
D
56
35
1
2
3
4
5
ROUEN
Montville
Malaunay
Le Houlme
Houppeville
Isneauville
Quincampoix
Pissy-Pôville
Roumare
St-Jean-du-Cardonnay
N.-D.-de-Bondeville
Mont-St-Aignan
Bois-Guillaume-Bihorel
Maromme
Déville-lès-R.
Darnétal
St-Martin-de-Boscherville
Canteleu
Croisset
Le Pt-Quevilly
Le Grd-Quevilly
Petit-Couronne
Sotteville-lès-R.
St-Étienne-du-Rouvray
Bonsecours
Le Mesnil-Esnard
Franqueville-St-Pierre
Belbeuf
Boos
Grd-Couronne
Moulineaux
Chau de Robert-le-Diable
Roches d'Orival
Cléon
St-Aubin-lès-E.
Orival
Oissel
Tourville-la-Rivière
Caudebec-lès-E.
Elbeuf
St-Pierre-lès-Elbeuf
Pont-de-l'Arche
Val-de-Reuil
Le Vaudreuil
Léry
Poses
Amfreville-s/s-les-Monts
Côte des Deux Amants
Écluses
Pîtres
Romilly-s-Andelle
Pont-St-Pierre
Radepont
Abbe de Fontaine-Guérard
Martainville-Épreville
Ry
Préaux
Blainville-Crevon
Vascœuil
Perriers-s-Andelle
Charleval
Fleury-s-Andelle
Écouis
Les Andelys
Chau Gaillard
Louviers
Incarville
Gaillon
St-Aubin-s-G.
Vironvay
Heudebouville
Acquigny
Pinterville
Le Neubourg
St-Pierre-du-Vauvray
Muids
Tosny
Venables
Bouafles
Port-Mort
Cailly-s-Eure
Champenard
Autheuil-Authouillet
St-Marcel
Bizy
Vernon
Seine

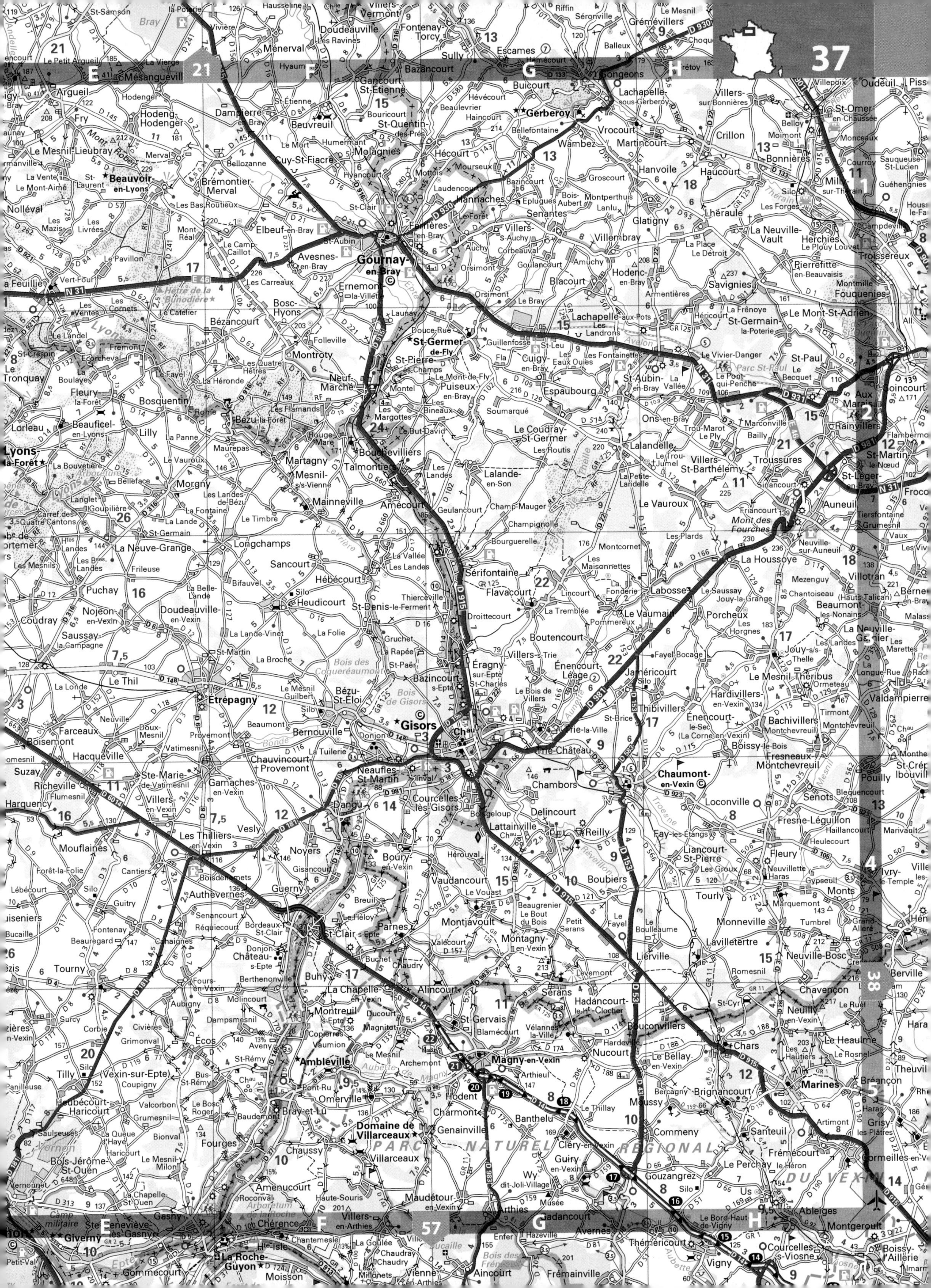

E F G H

21

St-Samson
Bray
La Potrie
Vivière
Hausseline
Villers-Vermont
Doudeauville
Les Ravines
Fontenay-Torcy
Riffin
Séronville
Le Mesnil
Grémévillers
Ménerval
Hyaum
Sully
Escames
Hamécourt
Balleux
Choqueuse
Le Petit Argueil
La Vierge
Mésangueville
Bazancourt
Songeons
Frétoy
Argueil
Hodeng
Hodeng-Hodenger
Dampierre-en-Bray
St-Étienne
Gancourt-St-Étienne
Beuvreuil
Bouricourt
St-Quentin-des-Prés
Buicourt
Hévécourt
Beaulevrier
Haincourt
Gerberoy
Bellefontaine
Lachapelle-sous-Gerberoy
Villers-sur-Bonnières
Villepoix
Oudeuil
St-Omer-en-Chaussée
Fry
Mont Robert
Le Mesnil-Lieubray
Merval
Bellozanne
Cuy-St-Fiacre
Humermont
Le Mont
Molagnies
Hécourt
Wambez
Vrocourt
Martincourt
Crillon
Moimont
Belloy
Monceaux
Bonnières
Courroy
Sauqueuse-St-Lucien
Guéhengnies
Le Mont-Aimé
St-Laurent
Beauvoir-en-Lyons
Brémontier-Merval
Hyancourt
Mottois
Mourseux
Laudencourt
Hannaches
Bazincourt
Groscourt
Bois-Aubert
Eplugues
Hanvoile
Haucourt
Milly-sur-Thérain
Nolléval
Les Mazis
Les Livrées
Les Bas Routieux
St-Clair
Montperthuis
Lanlu
Senantes
Glatigny
Lhéraule
Les Forges
Mont-Réal
Elbeuf-en-Bray
St-Aubin
Le Camp-Caillot
Ferrières-en-Bray
Le Forêt
Villers-s-Auchy
Auchy
Corbeauval
Villembray
La Neuville-Vault
Herchies
Le Plouy Louvet
Campdeville
Le Pavillon
Avesnes-en-Bray
Gournay-en-Bray
Orsimont
Goulancourt
Amuchy
La Place
Le Détroit
Hodenc-en-Bray
Pierrefitte-en-Beauvaisis
Troissereux
La Feuillie
Vert-Four
Les Carreaux
Ernemont-la-Villette
Blacourt
Savignies
Montmille
Fouquenies
Hêtre de la Bunodière
Les Cornets
Les Ventes
Le Catelier
Bosc-Hyons
Launay
Le Bray
Armentières
Lachapelle-aux-Pots
Héricourt
La Frênoye
St-Germain-la-Poterie
Le Mont-St-Adrien
Le Landel
Bézancourt
Douce-Rue
St-Germer-de-Fly
Guillenfosse
St-Leu
Les Landrons
Avelon
Fremont
Folleville
Fla
Cuigy-en-Bray
Les Eaux Ouies
Les Fontainettes
Le Vivier-Danger
Parc St-Paul
St-Paul
Le Becquet
St-Crespin
Ecorcheval
Montroty
St-Pierre-ès-Champs
Le Mont-de-Fly
Le Pont-qui-Penche
Goincourt
Le Tronquay
Les Quatre Hêtres
La Hérond
Neuf-Marché
Montel
Puiseux-en-Bray
Espaubourg
St-Aubin-en-Bray
La Vallée
Aux Marais
Boulaye
Le Fayel
Fleury-la-Forêt
Bosquentin
Rome
Les Flamands
Les Margottes
Les Bineaux
Soumarqué
Ons-en-Bray
Marconville
Rainvillers
Lorleau
Beauficel-en-Lyons
Lilly
Bézu-la-Forêt
Rouge-Mare
Le But-David
Le Coudray-St-Germer
Trou-Marot
Le Ply
Bailly
Flambermont
Lyons-la-Forêt
La Bouvetière
La Panne
Maurepas
Bouchevilliers
Les Routis
Lalandelle
Le Trou-Jumel
Villers-St-Barthélemy
Troussures
St-Martin-le-Nœud
St-Léger-en-Bray
Belleface
Le Vauroux
Martagny
Mesnil-s/s-Vienne
Talmontier
Les Landes
Lalande-en-Son
La Petite-Landelle
Sinancourt
Morgny
Les Landes-de-Bézu
Mainneville
Amécourt
Geulancourt
Champ-Mauger
Le Vauroux
Francourt
Auneuil
Langlet
Goupillière
Carref. des Quatre Cantons
La Fontaine
Le Timbre
Champignolle
Mont des Fourches
Tiersfontaine
Grumesnil
Le Mortemer
La Lande
St-Germain
Bourguerelle
Les Plards
Neuville-sur-Auneuil
Vaux
Les Landes
Les Basses Landes
La Neuve-Grange
Longchamps
La Vallée
Montcornet
La Houssoye
Les Mesnils
Frileuse
Sancourt
Les Landes
Sérifontaine
Les Maisonnettes
Villotran
Hébécourt
Flavacourt
Lincourt
La Fonderie
Labosse
Le Saussay
Jouy-la-Grange
Mezenguy
Chantoiseau
Berneuil
Puchay
La Belle-Lande
Bifauvel
Silo
Heudicourt
Thierceville
Le Vaumain
(Hauts-Talican)
Beaumont-les-Nonains
Coudray
Nojeon-en-Vexin
Doudeauville-en-Vexin
St-Denis-le-Ferment
Droittecourt
La Tremblée
Pommereux
Porcheux
Les Horgnes
Saussay-la-Campagne
La Lande-Vinet
La Folie
Boutencourt
La Neuville-Garnier
Les Landes
Les Marettes
Gruchet
La Rapée
Villers-s-Trie
Jouy-s/s-Thelle
St-Martin
La Broche
Bois des Coquereaumont
St-Paër
Éragny-sur-Epte
Énencourt-Léage
Fayel-Bocage
Jaméricourt
La Longue-Rue
Le Thil
Le Mesnil Guilbert
Bazincourt-s-Epte
St-Charles
Le Bois de Villers
Le Mesnil-Théribus
Ormeteau
Valdampierre
La Londe
Étrépagny
Bézu-St-Éloi
Bois de Gisors
Hardivillers-en-Vexin
Bachivillers
Montchevreuil
Tirmont
Farceaux
Neuville
Doux-Mesnil
Beaumont
Bernouville
Gisors
Trie-la-Ville
St-Brice
Thibivillers
Énencourt-le-Sec
(La Corne-en-Vexin)
Boisemont
Provemont
Vatimesnil
Bonde
Donjon
Boissy-le-Bois
Fresneaux-Montchevreuil
Hacqueville
Chauvincourt-Provemont
La Tuilerie
Trie-Château
Chaumont-en-Vexin
Pouilly
St-Crépin-Ibouvillers
Suzay
Richeville
Ste-Marie-de-Vatimesnil
Gamaches-en-Vexin
Neaufles-St-Martin
Inval
Chambors
Loconville
Senots
Bléquencourt
Harquency
Flumesnil
Villers-en-Vexin
Dangu
Courcelles-lès-Gisors
Delincourt
Fresne-Léguillon
Haillancourt
Heulecourt
Marivault
Vesly
Boisgeloup
Lattainville
Reilly
Fay-les-Étangs
Mouflaines
Les Thilliers-en-Vexin
Noyers
Boury-en-Vexin
Hérouval
Liancourt-St-Pierre
Les Groux
Fleury
Neuvillette
Haras
Ivry-le-Temple
Forêt-la-Folie
Cantiers
Gisancourt
Vaudancourt
Boubiers
Tourly
Gypseuil
Monts
Lébécourt
Authevernes
Boisdenemets
Guerny
Le Vouast
Marquemont
Tumbrel
Guitry
Senancourt
Breuil
Beaugrenier
Le Bout du Bois
Petit Serans
Le Fayel
Le Boulleaume
Monneville
Grand Alleré
Bucaille
Fontenay
Réquiecourt
Bordeaux-St-Clair
Le Héloy
St-Clair-s-Epte
Parnes
Montjavoult
Montagny-en-Vexin
Lavilletertre
Neuville-Bosc
Beauregard
Cahaignes
Château-s-Epte
Donjon
Valécourt
Buchet
Lierville
Romesnil
Berville
Tourny
Berthenonville
Buhy
Chaudry
Levemont
La Chapelle-en-Vexin
Alincourt
Serans
Hadancourt-le-Ht-Clocher
Chavençon
Fours-en-Vexin
Molincourt
Montreuil-s-Epte
Ducourt
St-Gervais
Blamécourt
Bouconvillers
St-Cyr
Neuilly-en-Vexin
Le Ruel
Aubigny
Dampsmesnil
Magnitot
Vélannes-la-Ville
Hardeville
Le Heaulme
Le Rosnel
Surcy
Corbie
Civières
Écos
Aveny
Copierres
Vaumion
Nucourt
Le Bellay-en-Vexin
Chars
Les Hautiers
Grimonval
St-Rémy
Ambléville
Le Mesnil
Archemont
Magny-en-Vexin
Arthieul
Tilly
(Vexin-sur-Epte)
Bus-St-Rémy
Pont-Ru
Hodent
Bercagny
Brignancourt
Marines
Bréançon
Théuville
Panilleuse
Coupigny
Omerville
Charmont
Le Thillay
Moussy
Santeuil
Grisy-les-Plâtres
Heubécourt-Haricourt
Valcorbon
Le Bosc Roger
Bray-et-Lû
Domaine de Villarceaux
Genainville
Banthelu
Commeny
Artimont
Grumesnil
Baudemont
Fourges
Bionval
La Queue d'Haye
Chaussy
Villarceaux
Parc Naturel Régional du Vexin
Cléry-en-Vexin
Guiry-en-Vexin
Frémecourt
Le Héron
Cormeilles-en-Vexin
Saulseuses
Vernon
Bois-Jérôme-St-Ouen
Haricourt
Le Mesnil-Milon
Wy-dit-Joli-Village
Musée
Gouzangrez
Le Perchay
Us
Vernonnet
La Chapelle-St-Ouen
Amenucourt
Roconval
Arboretum de la Roche
Haute-Souris
Maudétour-en-Vexin
Arthies
Le Bord-Haut-de-Vigny
Ableiges
Montgeroult
Camp militaire
Ste-Geneviève-lès-Gasny
Gasny
Giverny
Chérence
Villers-en-Arthies
Gadancourt
Avernes
Théméricourt
Courcelles-s-Viosne
Boissy-l'Aillerie
Petit-Val
Gommecourt
La Roche-Guyon
Hte-Isle
Chantemesle
La Goulée
Chaudray
Vienne-en-Arthies
Les Millonets
Moisson
Enfer
Hazeville
Bois des Frênes
Aincourt
Frémainville
Vigny

38
57

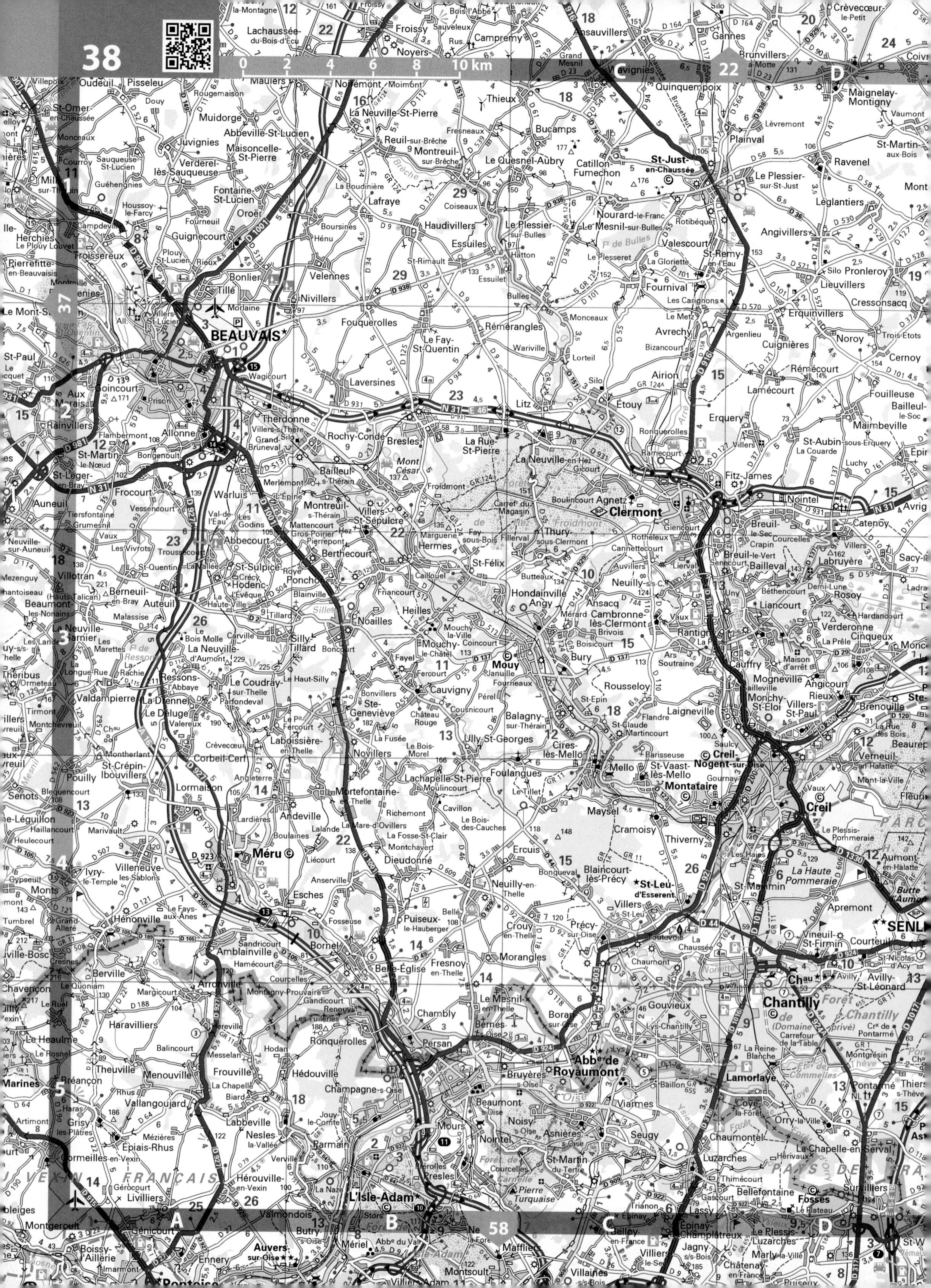

38
0 2 4 6 8 10 km
22
58
37
A
B
C
D
BEAUVAIS
Clermont
Creil
Chantilly
Méru
Mouy
St-Just-en-Chaussée
Nogent-sur-Oise
Montataire
Senlis
L'Isle-Adam
Auvers-sur-Oise
Pontoise
Abbe de Royaumont
Lamorlaye
Luzarches
Fosses
Beaumont-s-Oise
Persan
Chambly
Liancourt
Breteuil
Noailles
Mello
Précy-sur-Oise
St-Leu-d'Esserent
Gouvieux
Orry-la-Ville
Marines
Froissy
Noyers
Campremy
Ansauvillers
Wavignies
Quinquempoix
Maignelay-Montigny
Nivillers
Tillé
Allonne
Goincourt
Frocourt
Warluis
Auneuil
Bresles
Therdonne
Rochy-Condé
La Rue-St-Pierre
Litz
Étouy
Agnetz
Fitz-James
Breuil-le-Vert
Breuil-le-Sec
Nointel
Catenoy
Hermes
Berthecourt
St-Sulpice
Abbecourt
Ponchon
Heilles
Hondainville
Angy
Cauffry
Laigneville
Mogneville
Monchy-St-Eloi
Villers-St-Paul
Rieux
Brenouille
Cramoisy
Thiverny
St-Maximin
Vineuil-St-Firmin
Courteuil
Avilly-St-Léonard
Coye-la-Forêt
Asnières-s-Oise
Viarmes
Seugy
Noisy-s-Oise
Nointel
Presles
Mours
Bernes-s-Oise
Bruyères-s-Oise
Ronquerolles
Hédouville
Frouville
Labbeville
Nesles-la-Vallée
Valmondois
Butry
Mériel
Amblainville
Hénonville
Ivry-le-Temple
Lormaison
Andeville
Esches
Fosseuse
Bornel
Belle-Église
Fresnoy-en-Thelle
Puiseux-le-Hauberger
Dieudonné
Neuilly-en-Thelle
Ercuis
Crouy-en-Thelle
Morangles
Boran-sur-Oise
Cires-lès-Mello
Balagny-sur-Thérain
Ully-St-Georges
Cauvigny
Novillers
Laboissière-en-Thelle
Ste-Geneviève
Silly-Tillard
Le Coudray-sur-Thelle
La Neuville-d'Aumont
Ressons-l'Abbaye
Le Déluge
Corbeil-Cerf
St-Crépin-Ibouvillers
Pouilly
Villeneuve-les-Sablons
Valdampierre
Auteuil
Berneuil-en-Bray
Villotran
Beaumont-les-Nonains
La Neuville-Garnier
Montreuil-s-Thérain
Villers-St-Sépulcre
Bailleul-s-Thérain
Mont César
Forêt de Hez-Froidmont
Rémérangles
Laversines
Fouquerolles
Le Fay-St-Quentin
Haudivillers
Essuiles
Velennes
Bonlier
Juvignies
Verderel-lès-Sauqueuse
Muidorge
Oudeuil
Pisseleu
Milly-sur-Thérain
Troissereux
Guignecourt
Fontaine-St-Lucien
Abbeville-St-Lucien
Reuil-sur-Brêche
Montreuil-sur-Brêche
La Neuville-St-Pierre
Thieux
Bucamps
Le Quesnel-Aubry
Catillon-Fumechon
Nourard-le-Franc
Le Mesnil-sur-Bulles
Le Plessier-sur-Bulles
Valescourt
St-Remy-en-l'Eau
Fournival
Avrechy
Airion
Erquery
Lamécourt
Rémécourt
Cuignières
Erquinvillers
Lieuvillers
Angivillers
Plainval
Ravenel
Léglantiers
Cressonsacq
Noroy
Fouilleuse
Maimbeville
St-Aubin-sous-Erquery
Avrigny
Sacy-le-Grand
Labruyère
Bailleval
Rosoy
Verderonne
Angicourt
Verneuil-en-Halatte
Aumont-en-Halatte
Apremont
Forêt de Chantilly
VEXIN FRANÇAIS
PAYS DE FRANCE

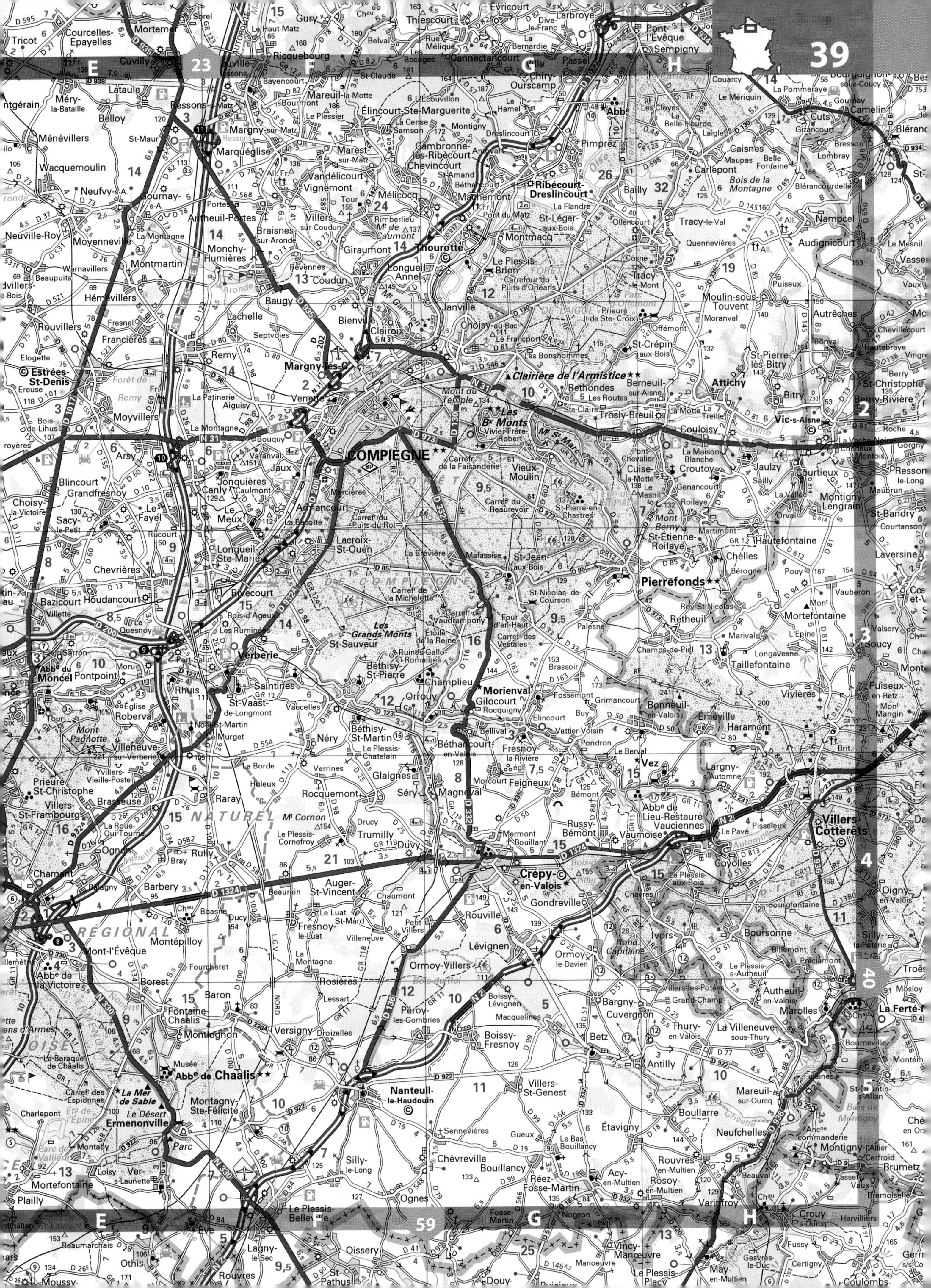

23
E
F
G
H
Tricot
Courcelles-Epayelles
Mortemer
Gury
Thiescourt
Evricourt
Larbroye
Pont-l'Évêque
Sempigny
Cuvilly
Ricquebourg
Cannectancourt
Passel
Chiry-Ourscamp
Lataule
Ressons-s-Matz
Mareuil-la-Motte
Élincourt-Ste-Marguerite
Méry-la-Bataille
Belloy
Ménévillers
Margny-sur-Matz
Marquéglise
Cambronne-lès-Ribécourt
Chevincourt
Pimprez
Wacquemoulin
Marest-sur-Matz
Vandélicourt
Vignemont
Ribécourt-Dreslincourt
Bailly
Carlepont
Neufvy-s-A.
Gournay-s-A.
Mélicocq
Machemont
Antheuil-Portes
Villers-sur-Coudun
St-Léger-aux-Bois
Tracy-le-Val
Nampcel
Neuville-Roy
Moyenneville
Braisnes-sur-Aronde
Monchy-Humières
Giraumont
Thourotte
Montmacq
Audignicourt
Montmartin
Coudun
Longueil-Annel
Le Plessis-Brion
Tracy-le-Mont
Hémévillers
Baugy
Janville
Moulin-sous-Touvent
Autrêches
Rouvillers
Lachelle
Bienville
Clairoix
Choisy-au-Bac
Francières
Remy
Margny-lès-C.
St-Crépin-aux-Bois
Estrées-St-Denis
Clairière de l'Armistice
Berneuil-sur-Aisne
Rethondes
Attichy
Venette
Les Bts Monts
Trosly-Breuil
Moyvillers
Vic-s-Aisne
Arsy
COMPIÈGNE
Vieux-Moulin
Cuise-la-Motte
Croutoy
Jaulzy
Courtieux
Blincourt
Grandfresnoy
Jonquières
Canly
Jaux
Armancourt
Choisy-la-Victoire
Sacy-le-Petit
Le Fayel
Le Meux
Lacroix-St-Ouen
St-Jean-aux-Bois
St-Étienne-Roilaye
Chelles
Hautefontaine
Chevrières
Longueil-Ste-Marie
Pierrefonds
Bazicourt
Houdancourt
Rivecourt
St-Nicolas-de-Courson
Retheuil
Mortefontaine
Les Grands Monts
St-Sauveur
Verberie
Béthisy-St-Pierre
Champlieu
Taillefontaine
Moncel
Pontpoint
Saintines
Rhuis
St-Vaast-de-Longmont
Orrouy
Morienval
Gilocourt
Bonneuil-en-Valois
Vivières
Roberval
Villeneuve-sur-Verberie
Néry
Béthisy-St-Martin
Béthancourt-en-Valois
Fresnoy-la-Rivière
Éméville
Haramont
Vez
Prieuré St-Christophe
Villers-St-Frambourg
Brasseuse
Raray
Rocquemont
Glaignes
Séry-Magneval
Feigneux
Largny-s-Automne
Abbe de Lieu-Restauré
Vauciennes
Villers-Cotterets
Ognon
Rully
Trumilly
Duvy
Russy-Bémont
Vaumoise
Chamant
Barbery
Auger-St-Vincent
Crépy-en-Valois
Coyolles
Gondreville
Oigny-en-Valois
Mont-l'Évêque
Montépilloy
Fresnoy-le-Luat
Rouville
Lévignen
Ormoy-le-Davien
Ivors
Boursonne
Abbe de la Victoire
Borest
Rosières
Ormoy-Villers
Fontaine-Chaalis
Baron
Péroy-les-Gombries
Boissy-Fresnoy
Bargny
Cuvergnon
Thury-en-Valois
La Villeneuve-sous-Thury
Autheuil-en-Valois
Marolles
La Ferté-M
Montlognon
Versigny
Betz
Antilly
Abbe de Chaalis
Nanteuil-le-Haudouin
Villers-St-Genest
Mareuil-sur-Ourcq
Ermenonville
Montagny-Ste-Félicité
Étavigny
Boullarre
Neufchelles
Chèvreville
Silly-le-Long
Bouillancy
Acy-en-Multien
Rouvres-en-Multien
Rosoy-en-Multien
Montigny-l'Allier
Mortefontaine
Plailly
Ognes
Réez-Fosse-Martin
Varinfroy
Crouy-s-Ourcq
Le Plessis-Belleville
59
Oissery
Vincy-Manœuvre
Lagny-le-Sec
Le Plessis-Placy
May-en-Multien
Ève
Othis
Rouvres
St-Pathus
Forêt de Compiègne

0 2 4 6 8 10 km
24
39
60
A
B
C
D
1
2
3
4
5
SOISSONS
Coucy-le-Château-Auffrique
Anizy-le-Chau
Vailly-s-Aisne
Braine
Villers-Cotterêts
La Ferté-Milon
Neuilly-St-Front
Fère-en-Tardenois
Château-Thierry
Chau de Fère
Butte de Chalmont
Longpont
Folembray
Prémontré
Bassoles-Aulers
Brancourt-en-Laonnois
Faucoucourt
Wissignicourt
Merlieux-et-Fouquerolles
Bourguignon
Montbavin
Vaucelles-et-Beffecourt
Chivy-lès-Etouvelles
Etouvelles
Chaillevois
Lizy
Royaucourt-et-Chailvet
Nouvion-le-Vineux
Presles-et-Thierny
Vorges
Laval-en-Laonnois
Urcel
Lierval
Monthenault
Colligis-Crandelain
Monampteuil
Chavignon
Vaudesson
Pargny-Filain
Filain
Chevregny
Trucy
Pancy-Courtecon
Allemant
Vauxaillon
Pinon
Leuilly-sous-Coucy
Crécy-au-Mont
Terny-Sorny
Neuville-sur-Margival
Laffaux
Margival
Nanteuil-la-Fosse
Aizy-Jouy
Ostel
Braye-en-Laonnois
Sancy-les-Cheminots
Chavonne
Soupir
Moussy-Verneuil
Bourg-et-Comin
Celles-sur-Aisne
Vregny
Chivres-Val
Condé-s-Aisne
Missy-sur-Aisne
Bucy-le-Long
Crouy
Clamecy
Braye
Vuillery
Leury
Juvigny
Chavigny
Cuffies
Vauxrezis
Pasly
Pommiers
Villeneuve-St-Germain
Venizel
Sermoise
Ciry-Salsogne
Vasseny
Chassemy
Brenelle
Presles-et-Boves
St-Mard
Viel-Arcy
Dhuizel
Vauxtin
Courcelles-s-Vesle
Paars
Bazoches-sur-Vesle
St-Thibaut
Ville-Savoye
Mont-Notre-Dame
Mont-St-Martin
Lhuys
Jouaignes
Tannières
Quincy-s/s-le-Mont
Limé
Cerseuil
Lesges
Cuiry-Housse
Couvrelles
Augy
Serches
Acy
Billy-s-Aisne
Belleu
Vauxbuin
Courmelles
Noyant-et-Aconin
Septmonts
Ploisy
Berzy-le-Sec
Rozières-s-Crise
Buzancy
Chaudun
Villemontoire
Vierzy
Tigny
Hartennes-et-Taux
Parcy-et-Tigny
Villers-Hélon
Muret-et-Crouttes
Maast-et-Violaine
Nampteuil-s/s-Muret
Chacrise
Ambrief
Droizy
Launoy
Arcy-Ste-Restitue
Beugneux
Cramaille
Grand-Rozoy
St-Rémy-Blanzy
Le Plessier-Huleu
Oulchy-la-Ville
Oulchy-le-Chau
Rozet-St-Albin
Montgru-St-Hilaire
Breny
Armentières-s-Ourcq
Bruyères-s-Fère
Nanteuil-N.D.
Villeneuve-sur-Fère
Coincy
Saponay
Seringes-et-Nesles
Sergy
Cierges
Villers-sur-Fère
Mont-Audefroy
Loupeigne
Mareuil-en-Dôle
Bruys
Chéry-Chartreuve
Dravegny
Cohan
Coulonges-Cohan
Fresnes-en-Tardenois
Beuvardes
Ronchères
Champvoisy
Épieds
Bézu-St-Germain
Le Charmel
Jaulgonne
Mont-St-Père
Chartèves
Verdilly
Mézy-Moulins
Épaux-Bézu
Bonnesvalyn
Courchamps
Monthiers
Licy-Clignon
Bussiares
Hautevesnes
Torcy-en-Valois
Belleau
Étrepilly
Bois Belleau
Grisolles
Rocourt-St-Martin
La Croix-sur-Ourcq
Latilly
Priez
Sommelans
Chézy-en-Orxois
St-Gengoulph
Dammard
Monnes
Passy-en-Valois
Macogny
Marizy-Ste-Geneviève
Marizy-St-Mard
Troësnes
Noroy-sur-Ourcq
Chouy
Ancienville
Faverolles
Oigny-en-Valois
Dampleux
Corcy
Fleury
Louâtre
Montgobert
Puiseux-en-Retz
Soucy
Cœuvres-et-Valsery
St-Pierre-Aigle
Dommiers
Missy-aux-Bois
Cutry
Laversine
Saconin-et-Breuil
St-Bandry
Montigny-Lengrain
Ressons-le-Long
Ambleny
Pernant
Mercin-et-Vaux
Osly-Courtil
Fontenoy
Berny-Rivière
St-Christophe-à-Berry
Cuisy-en-Almont
Nouvron-Vingré
Morsain
Vézaponin
Épagny
Bieuxy
Bagneux
Tartiers
Vassens
Audignicourt
Nampcel
Blérancourt
St-Aubin
Selens
Trosly-Loire
Guny
Champs
St-Paul-aux-Bois
Besmé
Camelin
Pont-St-Mard
Juméncourt
Landricourt
Quincy-Basse
Coucy-la-Ville
Fresnes-s/s-Coucy
Suzy
Cessières
Molinchart
Clacy-et-Thierret
Bruyères-et-Montbérault
Forêt de Pinon
Fort de la Malmaison
Chemin des Dames
Montigny-l'Allier
Gandelu
Veuilly-la-Poterie
Germigny-s/s-Coulombs
Marigny-en-Orxois
Coulombs
Crouy-s-Ourcq
AUTOROUTE
L'EST
A4-E50
N 2
N 31
E 46
D 1
D 6
D 925
D 973

41
E
F
G
H
25
30
Eppes
Coucy-lès-Eppes
La Garenne
Le Billon
Mouchery
Bethancourt
Lacroix
Le Thour
La Rue de l'Allemagne
Sissonne
Veslud
Mauregny-en-Haye
Montaigu
Ramecourt
Festieux
St-Erme-Outre-et-Ramecourt
Fleuricourt
Frontigny
La Malmaison
Gerzicourt
St-Germainmont
Herpy-l'Arlésienne
Talzy
Courtrizy-et-Fussigny
Montchâlons
Orgeval
Aubigny-en-Laonnois
Goudelancourt-lès-Berrieux
St-Thomas
Rémicourt
Magnivillers
Robert-Champ
Villers-devant-le-Thour
Le Tremblot
Juzancourt
Balham
Gomont
Blanzy-la-Salonnaise
Pargny
Bièvres
Arrancy
Ployart-et-Vaurseine
Aizelles
Berrieux
Amifontaine
Plesnoy
La Maladrerie
Asfeld
Aire
Avançon
Chermizy-Ailles
La Bove
Bouconville-Vauclair
Ste-Croix
Corbeny
Damary
Prouvais
Proviseux-et-Plesnoy
Vieux-lès-Asfeld
St-Loup-en-Champagne
Faucherelles
Neuville-s-Ailette
Juvincourt-et-Damary
Mont de Nizy
Le Champ Roland
Guignicourt
Bellevue
Évergnicourt
Avaux
Brienne-s-Aisne
Vauboison
Sault-St-Remy
Craonne
La Ville-aux-Bois-lès-Pontavert
La Musette
Neufchâtel-s-Aisne
Menneville
Poilcourt-Sydney
Le Ménil
Houdilcourt
Roizy
Bergnicourt
Oulches-la-Vallée
Paissy
Craonnelle
Vassogne
Moulins
Pontavert
Berry-au-Bac
Condé-s-Suippe
Variscourt
Pignicourt
L'Utilité
L'Écaille
St-Remy-le-Petit
Jumigny
Beaurieux
Gernicourt
Aguilcourt
Bertricourt
Bertaucry
L'Espérance
Chaudardes
Cote 108
Mt de Sapigneul
Auménancourt
St-Étienne-s-Suippe
La Gentillerie
Œuilly
Cuiry-lès-Chaudardes
Orainville
Maizy
Concevreux
Muscourt
Roucy
Bouffignereux
Cormicy
Auménancourt-le-Petit
Boult-s-Suippe
Bazancourt
Révillon
Beauregard
Meurival
Glennes
Guyencourt
Châlons-le-Vergeur
Cauroy-lès-Hermonville
Loivre
Bermericourt
Bourgogne
Isles-s-Suippe
Warmeriville
Merval
Ventelay
Le Moncet
Bourgogne
Hermonville
Brimont
(Bourgogne-Fresne)
Pomacle
Ragonet
Vaudétré
Romain
Vaux-Varennes
Villers-Franqueux
La Verrerie
Courcy
Fresne-lès-Reims
Bouvancourt
Marzilly
Lutherney
Fort
Lavannes
St-Masmes
Basliex-lès-Fismes
Courlandon
Huit-Voisins
L'Orme
Montigny-s-Vesle
Pévy
Toussicourt
Pouillon
Thil
Modelin
Witry-lès-Reims
Caurel
Breuil-s-Vesle
Les Vantaux
L'Orée-du-Bois
Trigny
Chenay
St-Thierry
Bétheny
Époye
Fismes
Magneux
Unchair
Jonchery-sur-Vesle
Prouilly
Merfy
La Neuvillette
Berru
La Bonne-Maison
Hourges
Châlons-s-Vesle
Muizon
Maco
La Malle
Le Linguet
Vandeuil
Branscourt
Courcelles-Sapicourt
Champigny
St-Brice-Courcelles
Cernay-lès-Reims
California
Serzy-et-Prin
Crugny
Rosnay
Gueux
Thillois
REIMS
Nogent-l'Abbesse
Beine-Nauroy
Montazin
Savigny-s-Ardres
Treslon
Janvry
Tinqueux
Arcis-le-Ponsart
Germigny
Ormes
Prin
Faverolles-et-Coëmy
Méry-Prémecy
Vrigny
Pargny-lès-R.
La Maison-Blanche
Taupinière
Brouillet
Bouleuse
Coulommes-la-Montagne
Bezannes
Champagne Ardennes T.G.V.
Cormontreuil
St-Léonard
Fort de la Pompelle
La Bertonnerie
Les Marquises
Lagery
Lhéry
Tramery
Peuzennes
Aubilly
Jouy-lès-R.
Les Mesneux
Taissy
Trois-Puits
Sillery
Prunay
Poilly
Sarcy
St-Euphraise-et-Clairizet
St-Lié
Ville-Dommange
Champfleury
Varsovie
Mont Ferré
Puisieulx
Aulnay
Bligny
Bouilly
Sacy
Villers-aux-Nœuds
Montbré
Les Monts Fournois
Beaumont-s-Vesle
St-Antoine
Ville-en-Tardenois
Courmas
Écueil
Villers-Allerand
Rilly-la-Montagne
Romont
Mailly-Champagne
Verzenay
Aougny
Chaumuzy
Chambrecy
Chamery
Montchenot
Phare aérien
Romigny
Marfaux
Pourcy
Nogent
Sermiers
Mont Joli
Chigny-les-Roses
Ludes
Mont Sinaï
Verzy
Olizy
Champlat-et-Boujacourt
La Neuville-aux-Larris
Moulin d'Ardre
Courtaumont
Courtagnon
Craon-de-Ludes
Faux de Verzy
Les Petites Loges
Anthenay
Jonquery
Cuchery
Nanteuil-la-Forêt
Forêt de la Montagne de Reims
Le Cadran
Les Hajes
Vauremont
Ville-en-Selve
La Neuville-en-Chaillois
Villers-Marmery
Passy-Grigny
Cuisles
Belval-sous-Châtillon
Bois de St-Quentin
PARC NATUREL RÉGIONAL DE LA MONTAGNE DE REIMS
Trépail
Billy-le-Grand
Le Grand Essart
Trotte
Basliex-s/s-Châtillon
Orcourt
Grand Pré
Cormoyeux
St-Imoges
Germaine
Louvois
Vertuelle
Tour Brisset
Vaudemange
Châtillon-s-Marne
Vandières
Montigny
Bois du Roi
Villers-s/s-Châtillon
Montorgueil
Fleury-la-Rivière
(Val de Livre)
Tauxières-Mutry
Verneuil
Binson-et-Orquigny
Romery
Bellevue
La Neuville
Fontaine-sur-Ay
Bouzy
Ambonnay
Mareuil-le-Port
Reuil
Tincourt
Venteuil
Hautvillers
Champillon
Mutry
Troissy
61
Cumières
La Malmaison
Port-à-Binson
Bouquigny
Cerseuil
La Cave
Damery
L'Écluse
Dizy
Mutigny
Avenay-Val-d'Or
Leuvrigny
Œuilly
Montvoisin
La Chaussée
Mardeuil
Aÿ-Champagne
Tours-s-Marne
Isse
42

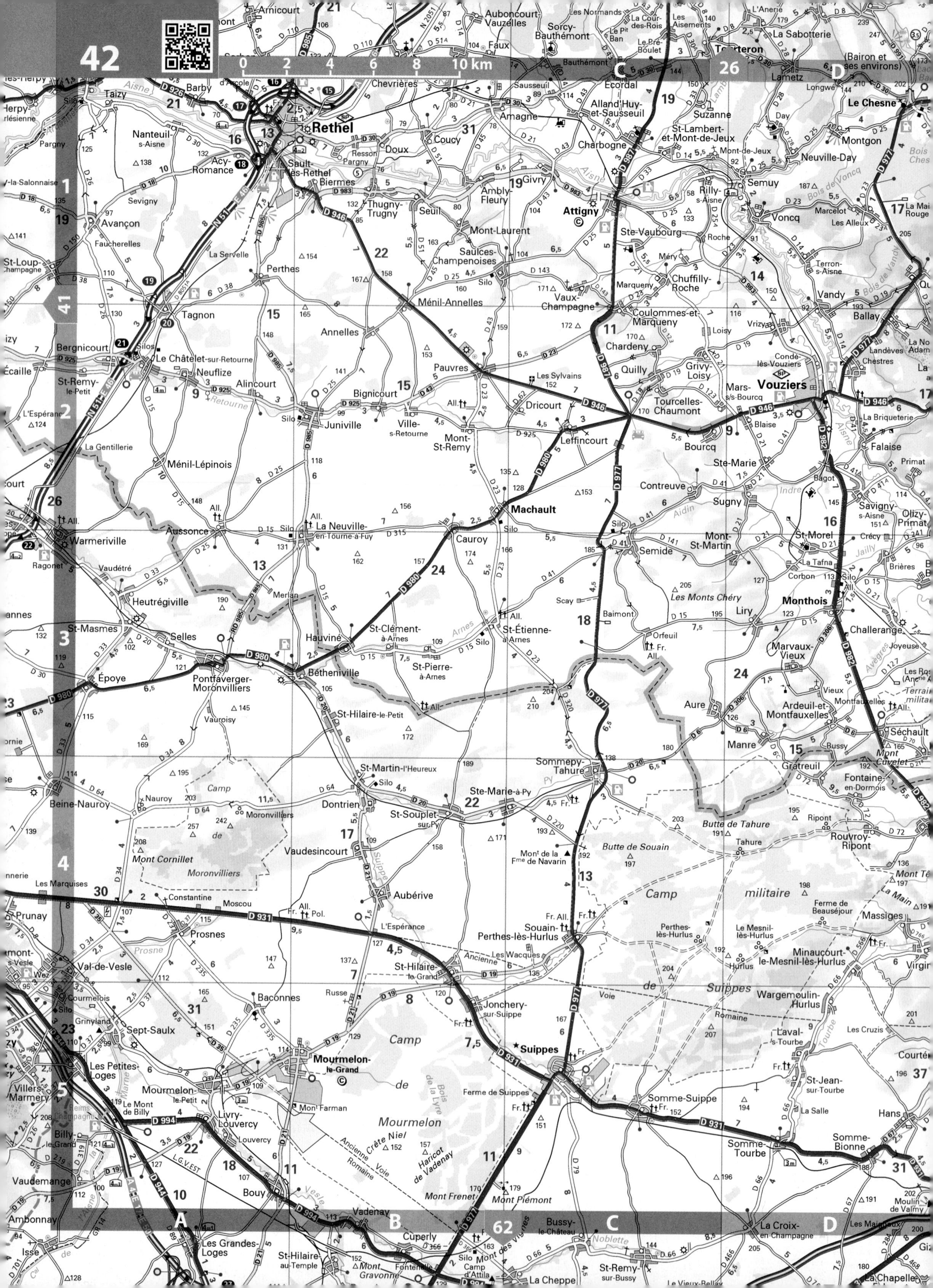

42
0 2 4 6 8 10 km
26
62
41
37
17
A B C D
1 2 3 4 5
Arnicourt
Aubocourt-Vauzelles
Les Normands
Sorcy-Bauthémont
Le Pt Ban
Le Pré-Boulet
La Cour-des-Rois
Les Aisements
L'Anerie
La Sabotterie
Tourteron
Lametz
(Bairon et ses environs)
Le Chesne
Faux
Bauthémont
Chevrières
Sausseuil
Ecordal
Alland'Huy-et-Sausseuil
Suzanne
Longwé
Day
Montgon
Neuville-Day
Bois Ches
Taizy
Barby
Aisne
Rethel
Nanteuil-s-Aisne
Acy-Romance
Sault-lès-Rethel
Biermes
Coucy
Doux
Resson
Pargny
Amagne
Charbogne
St-Lambert-et-Mont-de-Jeux
Mont-de-Jeux
Semuy
Rilly-s-Aisne
Bois de Voncq
Voncq
Marcelot
Les Alleux
La Mal Rouge
Pargny
Sevigny
Avançon
Faucherelles
St-Loup-Champagne
La Servelle
Thugny-Trugny
Seuil
Givry
Ambly-Fleury
Attigny
Mont-Laurent
Saulces-Champenoises
Ste-Vaubourg
Roche
Méry
Chuffilly-Roche
Terron-s-Aisne
Vandy
Bois de Vandy
Ballay
Perthes
Tagnon
Ménil-Annelles
Annelles
Vaux-Champagne
Coulommes-et-Marqueny
Marqueny
Loisy
Vrizy
Chardeny
Quilly
Grivy-Loisy
Condé-lès-Vouziers
Chestres
Landèves
La Ma Adam
Bergnicourt
Le Châtelet-sur-Retourne
Neuflize
Alincourt
Pauvres
Les Sylvains
Tourcelles-Chaumont
Mars-s/s-Bourcq
Vouziers
St-Remy-le-Petit
L'Espérance
Écaille
Retourne
Bignicourt
Juniville
Ville-s-Retourne
Mont-St-Remy
Dricourt
Leffincourt
Bourcq
Blaise
La Briqueterie
Falaise
Primat
La Gentillerie
Ménil-Lépinois
Machault
Contreuve
Sugny
Ste-Marie
Bagot
Indre
Aidin
Savigny-s-Aisne
Olizy-Primat
Warmeriville
Ragonet
Aussonce
La Neuville-en-Tourne-à-Fuy
Cauroy
Semide
Mont-St-Martin
St-Morel
Crécy
Jailly
Vaudétré
Heutrégiville
Merlan
Scay
Baimont
Les Monts Chéry
Corbon
La Tafna
Monthois
Brières
St-Masmes
Selles
Hauviné
St-Clément-à-Arnes
Arnes
St-Étienne-à-Arnes
Orfeuil
Liry
Marvaux-Vieux
Challerange
Joyeuse
Époye
Pontfaverger-Moronvilliers
Bétheniville
St-Pierre-à-Arnes
Vieux
Ardeuil-et-Montfauxelles
Aure
Séchault
Vauroisy
St-Hilaire-le-Petit
Sommepy-Tahure
Manre
Bussy
Mont Cuvelet
Gratreuil
Fontaine-en-Dormois
St-Martin-l'Heureux
Beine-Nauroy
Nauroy
Camp de Moronvilliers
Mont Cornillet
Dontrien
Ste-Marie-à-Py
St-Souplet-sur-Py
Butte de Tahure
Tahure
Ripont
Rouvroy-Ripont
Vaudesincourt
Suippe
Mont de la Fme de Navarin
Butte de Souain
Les Marquises
Constantine
Moscou
Prunay
Aubérive
L'Espérance
Camp militaire
Ferme de Beauséjour
Massiges
La Main
Prosnes
Souain-Perthes-lès-Hurlus
Perthes-lès-Hurlus
Le Mesnil-lès-Hurlus
Hurlus
Minaucourt-le-Mesnil-lès-Hurlus
Virgin
Val-de-Vesle
St-Hilaire-le-Grand
Les Wacques
Ancienne
Voie de Suippes
Romaine
Wargemoulin-Hurlus
Les Cruzis
Courmelois
Baconnes
Russe
Jonchery-sur-Suippe
Sept-Saulx
Grinyland
Camp
Suippes
Laval-s-Tourbe
Courtém
Les Petites-Loges
Mourmelon-le-Grand
de
Mourmelon-le-Petit
Mont Farman
Ferme de Suippes
Somme-Suippe
St-Jean-sur-Tourbe
La Salle
Hans
Villers-Marmery
Le Mont de Billy
Reims-Champagne
Livry-Louvercy
Louvercy
Mourmelon
Bois de la Lyre
Crête Niel
Billy-le-Grand
L.G.V. EST
Ancienne Voie Romaine
Haricot de Vadenay
Somme-Tourbe
Somme-Bionne
Vaudemange
Bouy
Vesle
Mont Frenet
Mont Piémont
Moulin de Valmy
Ambonnay
Vadenay
Cuperly
Bussy-le-Château
Noblette
La Croix-en-Champagne
Les Maigneux
Isse
Les Grandes-Loges
St-Hilaire-au-Temple
Mont Gravonne
Fontenelle
Camp d'Attila
Mont des Vignes
La Cheppe
St-Remy-sur-Bussy
Le Vieux-Bellay
La Chapelle
D 926
D 946
D 983
D 985
D 980
D 977
D 931
D 994
D 944
D 982
D 925
D 20
D 19
D 21
D 30
D 33
D 41
D 37
N 51
E 46
A 4
A 34

Sauville
Anc^ne Chartreuse
Le Mont-Dieu
Mémorial de Stonne
Mont Damion
La Thibaudine
Beaumont-en-Argonne
Pouilly-sur-Meuse
Martincourt-sur-Meuse
Nepvant
Luzy-St-Martin
Brouenne
Tannay
Les Grandes-Armoises
Mont du Cygne
La Berlière
Cesse
Bronelle
E
F
G
H
27
Sy
Oches
Forêt de Dieulet
Cervisy
Vigneul-s/s-Montmédy
Iré-les-Prés
Les Petites-Armoises
Verrières
Sommauthe
Laneuville-sur-Meuse
Stenay
Baâlon
Quincy-Landzécourt
Han-lès-Juvigny
Bazancourt
Brieulles-s-Bar
St-Pierremont
Vaux-en-Dieulet
Belval-Bois-des-Dames
Beaufort-en-Argonne
Juvigny-sur-Loison
Châtillon-sur-Bar
Fontenois
Les Champys
Wiseppe
Mouzay
Authe
Autruche
Beauclair
Charmois
Loison
Louppy-sur-Loison
Noirval
Belleville-et-Châtillon-sur-Bar
Fossé
Halles-s/s-les-Côtes
Villefranche
Les Forgettes
Saulmory-Villefranche
Germont
Bar-lès-Buzancy
Nouart
Montigny-devant-Sassey
Tailly
Harricourt
La Malmaison
Buzancy
Barricourt
Sassey-sur-Meuse
Lion-devant-Dun
Boult-aux-Bois
Les Tuileries
Mont-devant-Sassey
Thénorgues
Briquenay
Villers-devant-Dun
Côte de Châtel
Milly-sur-Bradon
Côte St Germain
Brandeville
Sivry-lès-Buzancy
Bayonville
Andevanne
Murvaux
Bréhéville
Longwé
Les Quatre Charmes
Verpel
Chennery
Rémonville
Doulcon
Dun-s-Meuse
Lissey
Landreville
Cléry-le-Petit
Fontaines-St-Clair
La Petite Lissey
Beffu-et-le-Morthomme
Le Morthomme
Imécourt
Aincreville
Écurey-en-Verdunois
Liny-devant-Dun
Ladhuy
Cléry-le-Grand
Bantheville
Réville-aux-Bois
Champigneulle
Landres-et-St-Georges
St-Georges
Haraumont
Talma
Brieulles-sur-Meuse
Grandpré
St-Juvin
Romagne-s/s-Montfaucon
U.S.A
Cunel
Vilosnes-Haraumont
Monument Américain
Chevières
Sommerance
Sivry-sur-Meuse
Termes
Marcq
Gesnes-en-Argonne
Bois de Dannevoux
Dannevoux
Senuc
Fléville
Cierges-s/s-Montfaucon
Mouron
Grandham
Cornay
Exermont
Nantillois
Consenvoye
Vaux-lès-Mouron
Haumont-près-Samogneux
Samogneux
Butte de Montfaucon
Septsarges
Montcheutin
Le Bois-de-Lord
Châtel-Chéhéry
Abbatiale
Les Granges
Eclisfontaine
Gercourt-et-Drillancourt
Drillancourt
Brabant-sur-Meuse
L'Espérance
Épinonville
Ivoiry
Montfaucon-d'Argonne
Cuisy
St-Lambert
Lançon
Le Mesnil
Baulny
Forges-sur-Meuse
Samogne
Autry
Les Bièvres
Apremont
Charpentry
Béthincourt
Regnéville-sur-Meuse
Charlevaux
Montblainville
Silo
Véry
Malancourt
Côte de l'Oie
Condé-lès-Autry
Binarville
Varennes-en-Argonne
Cheppy
Haucourt
Cote 304
Le Mort-Homme
Champ
Champneuville
La Mare-aux-Boeufs
Cumières-le-mort-homme
Bois du Cheppy
Bois de Malancourt
Chattancourt
Vacherauville
Servon-Melzicourt
Bel Orme
Butte de Vauquois
Marre
Avocourt
Esnes-en-Argonne
La Claire
Fort de Marre
Vauquois
Boureuilles
Montzéville
Fort de Bois Bourrus
Vienne-le-Château
La Harazee
Forêt de Hesse
Germonville
Melzicourt
Thierville-sur-Meuse
St-Thomas-en-Argonne
Le Four-de-Paris
Verrières-en-Hesse
Vignéville
La Placardelle
Abancourt
Jardin Fontaine
Ville-s-Tourbe
Bois d'Hauzy
La Renarde
Béthelainville
Glorieux
Malmy
Vienne-la-Ville
Lachalade
La Forestière
Neuvilly-en-Argonne
Fromeréville-les-Vallons
Forêt des Hauts-Bâtis
Aubréville
Récicourt
Dombasle-en-Argonne
Carrefour de la Croix de Pierre
Le Claon
Sivry-la-Perche
Baleycourt
Naviaux
Les Petits-Bâtis
Cousances
Fort de Regret
Moiremont
Le Neufour
Courcelles
Parois
Brabant-en-Argonne
Jouy-en-Argonne
Champ de Tir
Le Poncelet
La Neuville-au-Pont
Florent-en-Argonne
La Noue St-Vanne
Le Jarcq
Blercourt
Mémorial
Moulin-Brulé
Maffrécourt
Les Islettes
Les Vignettes
Bois-Bachin
Clermont-en-Argonne
Vraincourt
Auzéville-en-Argonne
Brocourt-en-Argonne
Nixéville-Blercourt
Voie Sacrée
Côte de Biesme
Rampont
Mont Yvron
Chaudefontaine
Vaux
Les Senades
Jubécourt
Lempire-aux-Bois
La Grange-aux-Bois
Beauchamp
Ville-sur-Cousances
Les Souhesmes-Rampont
Braux-Ste-Cohière
Ste-Menehould
La Contrôlerie
Futeau
Bellefontaine
Rarécourt
Vadelaincourt
Lemmes
Dommartin-Dampierre
Salvange
Julvécourt
Bois de Souhesmes
Verrières
Argers
Dampierre
Orbeval
Froidos
Osches
Maupertuis
Élise-Daucourt
Voilemont
Châtrices
Forêt de Beaulieu
Bois de Lavoye
Lavoye
Autrécourt-sur-Aire
Ippécourt
Souilly
Senoncourt-les-Maujouy
63
44

0 2 4 6 8 10 km
A
B
C
D
1
2
3
4
5
43
64
Villers-devant-Orval
Margny
Gérouville
Meix-devant-Virton
Robelmont
Trou des Fées
St-Léger
Châtillon
Meix-le-Tige
Rachecourt
Villy
Moiry
Sapogne-sur-Marche
Herbeuval
Breux
Sommethonne
Malandry
Margut
Signy-Montlibert
Avioth
Thonne-le-Thil
Thonne-la-Long
Virton
Belle-Vue
Ethe
Belmont
Bleid
Mussy-la-Ville
Willancourt
La Ferté-s-Chiers
St-Walfroy-Ermitage
Olizy-sur-Chiers
Thonnelle
Dampicourt
St-Mard
Latour
Gomery
Signeulx
Musson
Baranzy
Bièvres
Inor
Lamouilly
Chauvency-St-Hubert
Thonne-les-Prés
Verneuil-Petit
Verneuil-Grand
Rouvroy
Écouviez
Harnoncourt
Ruette
Ville-Houdlémont
Gorcy
Longwy
Cosnes-et-Romain
Martincourt-sur-Meuse
Nepvant
Chauvency-le-Château
Montmédy
Lamorteau
Pont-Camus
Allondrelle-la-Malmaison
la-Malmaison
St-Pancré
Villers-la-Chèvre
Brouennes
Villécloye
Velosnes
Torgny
Tellancourt
Fresnois-la-Montagne
Bronelle
Vigneul-s/s-Montmédy
Iré-les-Prés
Bazeilles-sur-Othain
Othe
Épiez-sur-Chiers
Charency-Vezin
Villette
Montigny-s-Chiers
Cons-la-Grandville
Stenay
Baâlon
Quincy-Landzécourt
Han-lès-Juvigny
Iré-le-Sec
Flassigny
Viviers-s-Chiers
Ugny
Juvigny-sur-Loison
Villers-le-Rond
Colmey
Flabeuville
Fermont
Mouzay
Wiseppe
St-Hilaire
Marville
St-Jean-lès-Longuyon
Longuyon
Doncourt-lès-Longuyon
Beuveille
Charmois
Forêt de Woëvre
Louppy-sur-Loison
Remoiville
Jametz
Petit-Failly
Petit-Xivry
Grand-Failly
Noërs
Pierrepont
Saulmory-Villefranche
Rupt-sur-Othain
Arrancy-sur-Crusne
Sassey-sur-Meuse
Lion-devant-Dun
Delut
Dombras
St-Laurent-sur-Othain
Sorbey
Han-devant-Pierrepont
Dimbley
Constantine
Milly-sur-Bradon
Côte St Germain
Brandeville
Vittarville
Merles-sur-Loison
Châtillon
St-Pierrevillers
St-Supplet
Murvaux
Dun-s-Meuse
Bréhéville
Lissey
Peuvillers
Villers-lès-Mangiennes
Pillon
Rouvrois-sur-Othain
Duzey
Nouillonpont
Cléry-le-Petit
Fontaines-St-Clair
La Petite Lissey
Mangiennes
Handeville
Woecourt
Cléry-le-Grand
Liny-devant-Dun
Écurey-en-Verdunois
Damvillers
Muzeray
Réville-aux-Bois
Étraye
le Bois des Moines
Billy-sous-Mangiennes
Rampont
Brieulles-sur-Meuse
Haraumont
Mureau
Romagne-sous-les-Côtes
Spincourt
Vilosnes-Haraumont
Wavrille
Gibercy
Côte de Morimont
Vaudoncourt
Houdelaucourt-sur-Othain
Monument Américain
Sivry-sur-Meuse
Crépion
Montaubé
Loison
Domremy-la-Canne
Dannevoux
Moirey-Flabas-Crépion
Chaumont-devant-Damvillers
La Gélinerie
Bois d'Hingry
Sorel
Les Warières
Ville Forêt
Gouraincourt
Nantillois
Septsarges
Consenvoye
Flabas
Ville-devant-Chaumont
Azannes-et-Soumazannes
Forêt de Spincourt
Senon
Dommary-Baroncourt
Haumont-près-Samogneux
Gercourt-et-Drillancourt
Drillancourt
Gremilly
Les Crocs
Bois d'Arc
Amel-s-l'Étang
Éton
Cuisy
Brabant-sur-Meuse
Pierreville
Remany
Renonvaux
Naumoncel
Béthincourt
Forges-sur-Meuse
Samogneux
Beaumont-en-Verdunois
Ornes
Maucourt-sur-Orne
L'Épina
Regnéville-sur-Meuse
Louvemont-Côte-du-Poivre
Champs de Tir
Mogeville
Gincrey
Foameix-Ornel
Longeau
Malancourt
Haucourt
Le Mort-Homme
Cote 304
Côte de l'Oie
Champ
Champneuville
Champs de Bataille
Bezonvaux
Dieppe-sous-Douaumont
Morgemoulin
Étain
Rouvres-en-Woëvre
Cumières-le-mort-homme
Tranchée des Baïonnettes
Douaumont
Fort de Douaumont
Vaux-devant-Damloup
Fromezey
Chattancourt
Vacherauville
Ossuaire
Haraigne
Broville
Lanhères
Marre
Bras-sur-Meuse
Cimetière national
Damloup
Abaucourt-Hautecourt
Le Haut Bois
Le Moulin
Avocourt
Esnes-en-Argonne
La Claire
Charny-s-Meuse
Froideterre
Abri
Mémorial
Fleury-devant-Douaumont
Fort de Vaux
Soupleville
l'Hôpital
Warcq
Boinville-en-Woëvre
Fort de Marre
Hautecourt-lès-Broville
Herméville-en-Woëvre
Montzéville
Fort de Bois Bourrus
Belleville-sur-Meuse
Fort de Souville
Fort de Tavannes
Eix-Abaucourt
Moranville
St-Maurice-lès-G.
Darmont
Germonville
Vigneville
Thierville-sur-Meuse
Côte St-Michel
Eix
Grimaucourt-en-Woëvre
Gussainville
Buzy-Darmont
Verrières-en-Hesse
Jardin Fontaine
Camp militaire
Blanzée
Braquis
Parfondrupt
Béthelainville
Fromeréville-les-Vallons
Glorieux
VERDUN
Moulainville
Le Bourbeau
Mandre
Châtillon-sous-les-Côtes
Dombasle-en-Argonne
Regret
Belrupt
Watronville
Ville-en-Woëvre
Hennemont
Sivry-la-Perche
Baleycourt
Fort de Regret
Belleray
Ronvaux
Pareid
Jouy-en-Argonne
Frana
Billemont
Champ de Tir
Haudainville
Fort du Rozelier
Haudiomont
Manheulles
Hannoncelle
Pintheville
E 44
E 50
A 4
D 643
D 964
D 603
D 618
D 905
D 906

Messancy
Sélange
Dippach
Bertrange
Itzig
Hesperange
Athus
Pétange
Aubange
Bascharage
Sanem
Leudelange
Mont-St-Martin
Longlaville
Differdange
Herserange
Mondercange
Bettembourg
Frisange
Mondorf-les-Bains
Schifflange
Esch-sur-A.
Kayl
Dudelange
Rumelange
Audun-le-Tiche
Villerupt
Thil
Tiercelet
Ottange
Volmerange-les-Mines
Kanfen
Hettange-Grande
Cattenom
Aumetz
Rochonvillers
Tressange
Angevillers
Havange
Algrange
Thionville
Yutz
Nilvange
Fontoy
Hayange
Florange
Uckange
Fameck
Richemont
Guénange
Metzervisse
Audun-le-Roman
Piennes
Tucquegnieux
Briey
Moyeuvre-Gr^de
Rosselange
Amnéville
Hagondange
Rombas
Maizières-lès-M.
Walygator Parc
Homécourt
Jœuf
Auboué
Conflans-en-Jarnisy
Jarny
Woippy
Vigy
METZ
Gravelotte
Moulins-lès-M.
Longeville-lès-M.
Le Ban-St-Martin
Scy-Chazelles

0 2 4 6 8 10 km
45
66
A
B
C
D
1
2
3
4
5
NATURPARK
Hunsrück
SAAR
Hesperange
Remich
Schengen
Perl
Mondorf-les-Bains
Mondorff
Évrange
Frisange
Roeser
Dalheim
Waldbredimus
Stadtbredimus
Wellenstein
Nennig
Kirf
Freudenburg
Serrig
Kastel-Staadt
Saarburg
Taben-Rodt
Mettlach
Merzig
Orscholz
Cloef
Besseringen
Brotdorf
Hilbringen
Merschweiller
Malbrouck
Manderen
Apach
Sierck-les-Bains
Rustroff
Kirsch-lès-Sierck
Ritzing
Launstroff
Waldwisse
Montenach
Cattenom
Berg-s-M.
Rettel
Hunting
Malling
Kœnigsmacker
Kerling-lès-Sierck
Oudrenne
Kirschnaumen
Halstroff
Rémeling
Grindorff-Bizing
Schwerdorff
Zoufftgen
Rodemack
Breistroff-la-Grande
Roussy-le-Village
Boust
Hettange-Grande
Basse-Ham
La Grange
Guentrange
Thionville
Yutz
Manom
Valmestroff
Elzange
Inglange
Kuntzig
Hackenberg
Budling
Monneren
Laumesfeld
Waldweistroff
Colmen
Neunkirchen-lès-Bouzonville
Siersburg
Rehlingen
Flastroff
Terville
Florange
Illange
Stuckange
Distroff
Metzervisse
Volstroff
Kédange-s-Canner
Klang
Kemplich
Menskirch
Dalstein
Chémery-les-Deux
Filstroff
Guerstling
Heining-lès-B.
Bouzonville
Vœlfling-lès-B.
Villing
Uckange
Fameck
Bertrange
Guénange
Bousse
Richemont
Rurange-lès-Thionville
Luttange
Ébersviller
Freistroff
Vaudreching
Hestroff
Anzeling
Holling
Brettnach
Oberdorff
Tromborn
Rémering
Berviller-en-Moselle
Falck
Hargarten-aux-Mines
Amnéville
Hagondange
Zoo
Walygator Parc
Talange
Maizières-lès-M.
Mondelange
Trémery
Ay-s-Moselle
Flévy
Ennery
Hauconcourt
Chailly-lès-Ennery
Antilly
Argancy
Bettelainville
St-Hubert
Vigy
Burtoncourt
Gomelange
Bettange
Valmunster
Téterchen
Ottonville
Éblange
Mégange
Guinkirchen
Roupeldange
Denting
Coume
Guerting
Varsberg
Creutzwald
Boulay-Moselle
Hinckange
Volmerange-lès-Boulay
Charleville-s/s-Bois
Condé-Northen
Niedervisse
Momerstroff
Bisten-en-Lorraine
Porcelette
Halling-lès-Boulay
Narbéfontaine
Helstroff
Boucheporn
Loutremange
Les Étangs
Varize
Brouck
Vaudoncourt
Bannay
Landonvillers
Silly-sur-Nied
Glatigny
Noisseville
Servigny-lès-Ste-Barbe
Ste-Barbe
Failly
Vany
Chieulles
Malroy
Charly-Oradour
Hayes
Sanry-lès-Vigy
Woippy
St-Julien-lès-M.
Mey
Vantoux
Montoy-Flanville
Courcelles-Chaussy
Marange-Zondrange
Bionville-s-Nied
Hte-Vigneulles
Bambiderstroff
Longeville-lès-St-Avold
Laudrefang
METZ
Moulins-lès-M.
Coincy
Ogy
Marsilly
Colligny
Raville
Fouligny
Plappecourt
Longeville-lès-M.
Le Ban-St-Martin

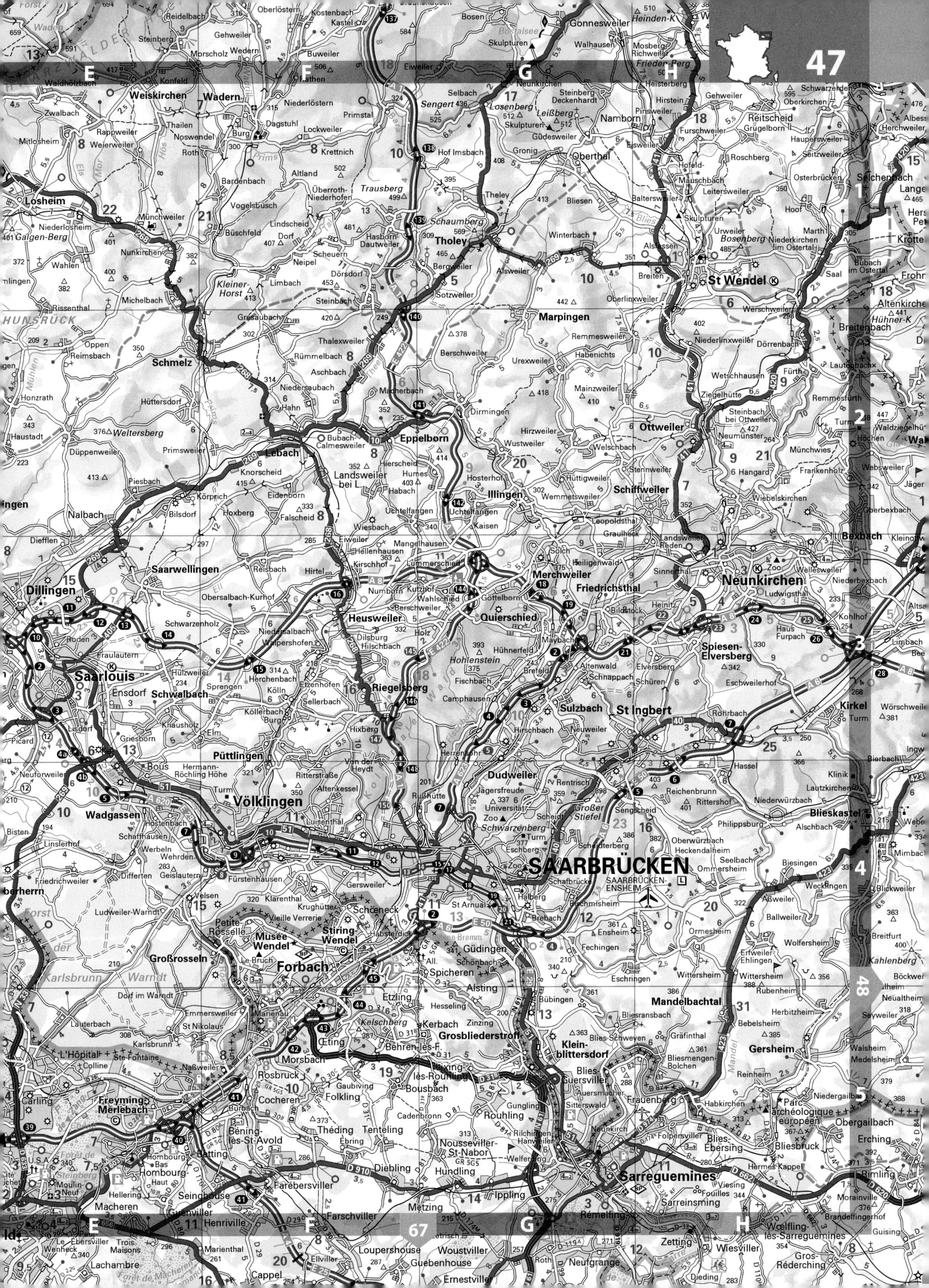
47
48
67
Weiskirchen
Wadern
Losheim
Schmelz
Lebach
Eppelborn
Tholey
St Wendel
Marpingen
Ottweiler
Illingen
Schiffweiler
Merchweiler
Friedrichsthal
Neunkirchen
Spiesen-Elversberg
Bexbach
Kirkel
Quierschied
Heusweiler
Riegelsberg
Saarwellingen
Dillingen
Saarlouis
Schwalbach
Püttlingen
Völklingen
Wadgassen
Sulzbach
St Ingbert
Dudweiler
SAARBRÜCKEN
Blieskastel
Mandelbachtal
Gersheim
Klein-blittersdorf
Forbach
Stiring-Wendel
Musée Wendel
Großrosseln
Freyming-Merlebach
Sarreguemines
Grosbliederstroff
Theley
Nohfelden
Namborn
Nalbach
Ensdorf
Bous
Güdingen
Spicheren
Behren-lès-F.
Farébersviller
Hundling
Rémelfing
Welferding
HUNSRÜCK
Schaumberg
Hohlenstein
Parc archéologique européen

48
0 2 4 6 8 10 km
A
B
C
D
1
2
3
4
5
47
68
St Wendel
Neunkirchen
Homburg
Zweibrücken
Landstuhl
Ramstein-Miesenbach
St Ingbert
Blieskastel
Bexbach
Kirkel
Waldmohr
Schönenberg-Kübelberg
Bruchmühlbach-Miesau
Ottweiler
Schiffweiler
Friedrichsthal
Spiesen-Elversberg
Mandelbachtal
Gersheim
Sarreguemines
Bitche
Contwig
Freisen
Namborn
Konken
Glan-Münchweiler
Steinwenden
Hauptstuhl
Kindsbach
Mittelbrunn
Wallhalben
Thaleischweiler-Fröschen
Höheinöd
Pirmasens
Hornbach
Großsteinhausen
Walschbronn
Volmunster
Rimling
Bliesbruck
Habkirchen
Ormesheim
Kleinsteinhausen
Althornbach
Mörsbach
Einöd
Ixheim
Niedermohr
Nanzdietschweiler
Rehweiler
Ohmbach
Altenkirchen
Breitenbach
Dittweiler
Miesau
Lambsborn
Bechhofen
Wiesbach
Käshofen
Großbundenbach
Winterbach
Battweiler
Maßweiler
Rieschweiler-Mühlbach
Dellfeld
Nünschweiler
Walshausen
Bottenbach
Schweyen
Loutzviller
Ormersviller
Epping
Erching
Obergailbach
Breidenbach
Bousseviller
Lengelsheim
Hanviller
Roppeviller
Haspelschiedt
Schorbach
Hottviller
Bettviller
Kröppen
Trulben
Hilst
Eppenbrunn
Vinningen
Obersimten
Camp militaire de Bitche
Parc archéologique européen
Römermuseum
SAARBRÜCKEN-ENSHEIM
ARBRÜCKEN

49
E
F
G
H
1
2
3
4
5
69
Schneckenhausen
Mehlbach
Otterberg
Katzweiler
Otterbach
Sembach
Mehlingen
Enkenbach-Alsenborn
Wartenberg-Rohrbach
Neuhemsbach
Wattenheim
Carlsberg
Altleiningen
Bobenheim am Berg
Weisenheim am Berg
Kallstadt
Birkenheide
Ungstein
Bad Dürkheim
Ellerstadt
Friedelsheim
Gönnheim
Rödersheim-Gronau
Hochdorf-Assenheim
Niederkirchen bei Deidesheim
Wachenheim
Forst
Deidesheim
Meckenheim
Ruppertsberg
Diemersteiner Wald
Hochspeyer
Fischbach
Frankenstein
Weidenthal
KAISERSLAUTERN
Hohenecken
Groß Humberg
Harter Kopf
Drachenfels
Hohe Ebene
Neidenfels
Lindenberg
Esthal
Frankeneck
Lambrecht
Waldleiningen
Mollen Kopf
NATURPARK
PFÄLZERWALD
Stelzenberg
Trippstadt
Schopp
Schmalenberg
Heltersberg
Geiselberg
Johanniskreuz
Elmstein
Speyerbrunn
Eschkopf
Erlenkopf
Neustadt an der Weinstraße
Hambach
Hambacher Schloß
Kalmit
Maikammer
St Martin
Edenkoben
Ludwigshöhe
Rhodt
Haßloch
Mußbach
Haardt
Speyerdorf
Lachen
Kirrweiler
Venningen
Altdorf
Böbingen
Freimersheim
Groß-fischlingen
Kleinfischlingen
Edesheim
Hainfeld
Weyher in der Pfalz
Roschbach
Burrweiler
Flemlingen
Böchingen
Walsheim
Knöringen
Hochstadt
Essingen
Zeiskam
Bornheim
Dreihof
Dammheim
Ramberg
Krappenfelsen
Dernbach
Eußerthal
Gleisweiler
Orensfelsen
Albersweiler
Frankweiler
Siebeldingen
Godramstein
Leimen
Merzalben
Gräfenstein
Münchweiler an der Rodalb
Weißenberg
Annweiler
Hofstätten
Gräfenhausen
Rinnthal
Wilgartswiesen
Spirkelbach
Annweiler am Trifels
Trifels
Birkweiler
Ranschbach
Ilbesheim
Landau in der Pfalz
Queichheim
Mörlheim
Offenbach an der Queich
Ottersheim
Herxheim bei Landau
Hinterweidenthal
Teufelstisch
Hauenstein
Lug
Wernersberg
Völkersweiler
Schwanheim
Dimbach
Leinsweiler
Eschbach
Madenburg
Waldrohrbach
Waldhambach
Wollmesheim
Mörzheim
Göcklingen
Impflingen
Insheim
Dahn
Erfweiler
Dahner
Darstein
Gossersweiler-Stein
Silz
Münchweiler
Heuchelheim-Klingen
Billigheim-Ingenheim
Rohrbach
Klingenmünster
Steinweiler
Altdahn
Oberschlettenbach
Schindhard
Busenberg
Vorderweidenthal
Birkenhördt
Gleiszellen-Gleishorbach
Pleisweiler-Oberhofen
Niederhorbach
Kapellen-Drusweiler
Barbelroth
Hergersweiler
Winden
Erlenbach bei Kandel
Kandel
Minfeld
Braut und Bräutigam
Felsenland
Erlenbach bei Dahn
Berwartstein
Böllenborn
Bad Bergzabern
Oberhausen
Dierbach
Fladenstein
Bundenthal
Dörrenbach
Oberotterbach
Fischbach bei Dahn
Rumbach
Niederschlettenbach
Nothweiler
Bobenthal
Schönau
Hirschthal
Vollmersweiler
Niederotterbach
Freckenfeld
Schaidt
Steinfeld
Schweigen-Rechtenbach
Kapsweyer
Schweighofen
Wissembourg
Altenstadt
Büchelberg
Chau de Fleckenstein
Col du Pigeonnier
Gimbelhof
Petit Wingen

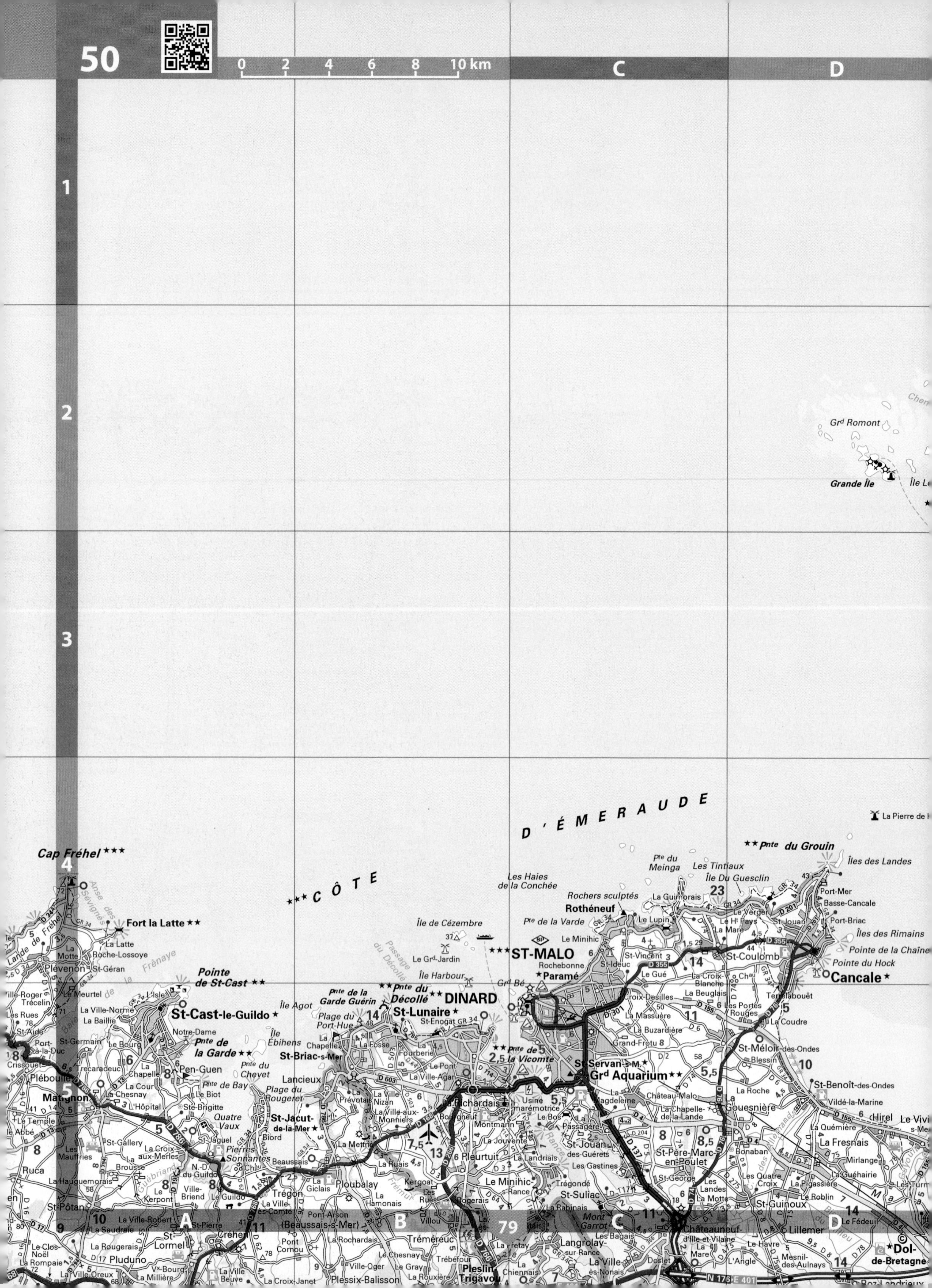
0 2 4 6 8 10 km
C
D
1
2
3
4
5
Grd Romont
Grande Île
CÔTE D'ÉMERAUDE
Cap Fréhel ★★★
Fort la Latte ★★
La Latte
Roche-Lossoye
Plévenon
St-Géran
Pointe de St-Cast ★★
St-Cast-le-Guildo ★
Pte de la Garde ★★
Pte du Chevet
Pen-Guen
Matignon
Pléboulle
Notre-Dame
St-Germain
Le Bourg
La Chapelle
La Cour
Le Chesnay
L'Hôpital
Ste-Brigitte
Quatre Vaux
St-Jaguel
Pierres Sonnantes
N.-D. du Guildo
Le Guildo
Ville-Briend
St-Gallery
La Croix-aux-Merles
Brousse
Ruca
St-Pôtan
La Hauguemorais
Le Kerpont
La Ville-Robert
La Saudraie
St-Pierre
St-Lormel
Créhen
La Rougerais
Pluduno
Le Clos-Noël
La Rompaie
La Ville-Oreux
Vx-Bourg
La Millière
La Ville Beuve
Trécelin
Ville-Roger
Le Meurtel
La Ville-Norme
La Baillie
L'Isle
Les Rues
St-Aide
Port-à-la-Duc
Crissouet
Trécaradeuc
Le Biot
Pte de Bay
Le Temple
Abbé
Mauffries
Île Agot
Île Ebihens
Plage du Rougeret
St-Jacut-de-la-Mer ★
Biord
Lancieux
St-Briac-s-Mer
Plage du Port-Hue
La Chapelle
Pte de la Garde Guérin
★★Pte du Décollé
★★DINARD
St-Lunaire ★
St-Enogat
La Fosse
Fourberie
Le Pont
La Ville-Agan
La Ville Nizan
La Ville-aux-Monniers
Prévotais
La Mettrie
Beaussais
Trégon
La Ville-ès-Comte
Ploubalay
Giclais
La Hamonais
Kergoat
Les Rues
Pont-Arson (Beaussais-s-Mer)
La Rochardais
Pont Cornou
Tréméreuc
Villou
Le Chesnay
Le Gray
Ville-Oger
Plessix-Balisson
La Croix-Janet
La Rouxière
Trébéfour
Pleslin-Trigavou
La Richardais
Bougneuf
Montmarin
La Jouvente
Pleurtuit
La Ruais
Le Minihic-s-Rance
Rogerais
Passage du Décollé
Île de Cézembre
Le Grd Jardin
Île Harbour
★★★ST-MALO
Grd Bé
Rochebonne
★Paramé
Le Minihic
Pte de la Varde
Les Haies de la Conchée
Rochers sculptés
Rothéneuf
★★Pte de la Vicomte
St-Servan-s-M. ★
Grd Aquarium ★★
Usine marémotrice
Le Bos
Passagère
St-Jouan-des-Guérets
La Landriais
Les Gastines
Trégondé
St-Suliac
La Rabinais
Mont Garrot
Les Bagais
Langrolay-sur-Rance
La Ville-ès-Nonais
Chiennais
La Magdeleine
Château-Malo
La Chapelle-de-la-Lande
St-Père-Marc-en-Poulet
St-George
Les Landes
La Motte
Châteauneuf-d'Ille-et-Vilaine
La Mare
Doslet
St-Ideuc
St-Vincent
Le Gué
Croix-Desilles
La Massuère
La Buzardière
Grand-Frotu
La Croix-Blanche
La Beuglais
Les Portes Rouges
La Guimorais
Le Lupin
Pte du Meinga
Les Tintiaux
Île Du Guesclin
★★Pte du Grouin
Îles des Landes
Port-Mer
Basse-Cancale
Le Verger
Le Ht Pays
La Mare
St-Jouan
St-Coulomb
Port-Briac
Îles des Rimains
Pointe de la Chaîne
Pointe du Hock
Cancale ★
Terrelabouët
La Coudre
St-Méloir-des-Ondes
Blessin
St-Benoît-des-Ondes
Vildé-la-Marine
Hirel
La Roche
La Gouesnière
Bonaban
La Quémière
La Fresnais
Mirlange
La Guéhairie
Les Quatre Croix
La Pigassière
Le Roblin
St-Guinoux
Le Fédeuil
Lillemer
Le Havre
L'Angle
Mesnil-des-Aulnays
Dol-de-Bretagne
La Pierre de H
Île Le
Chen
A
B
79
N 176 - E 401

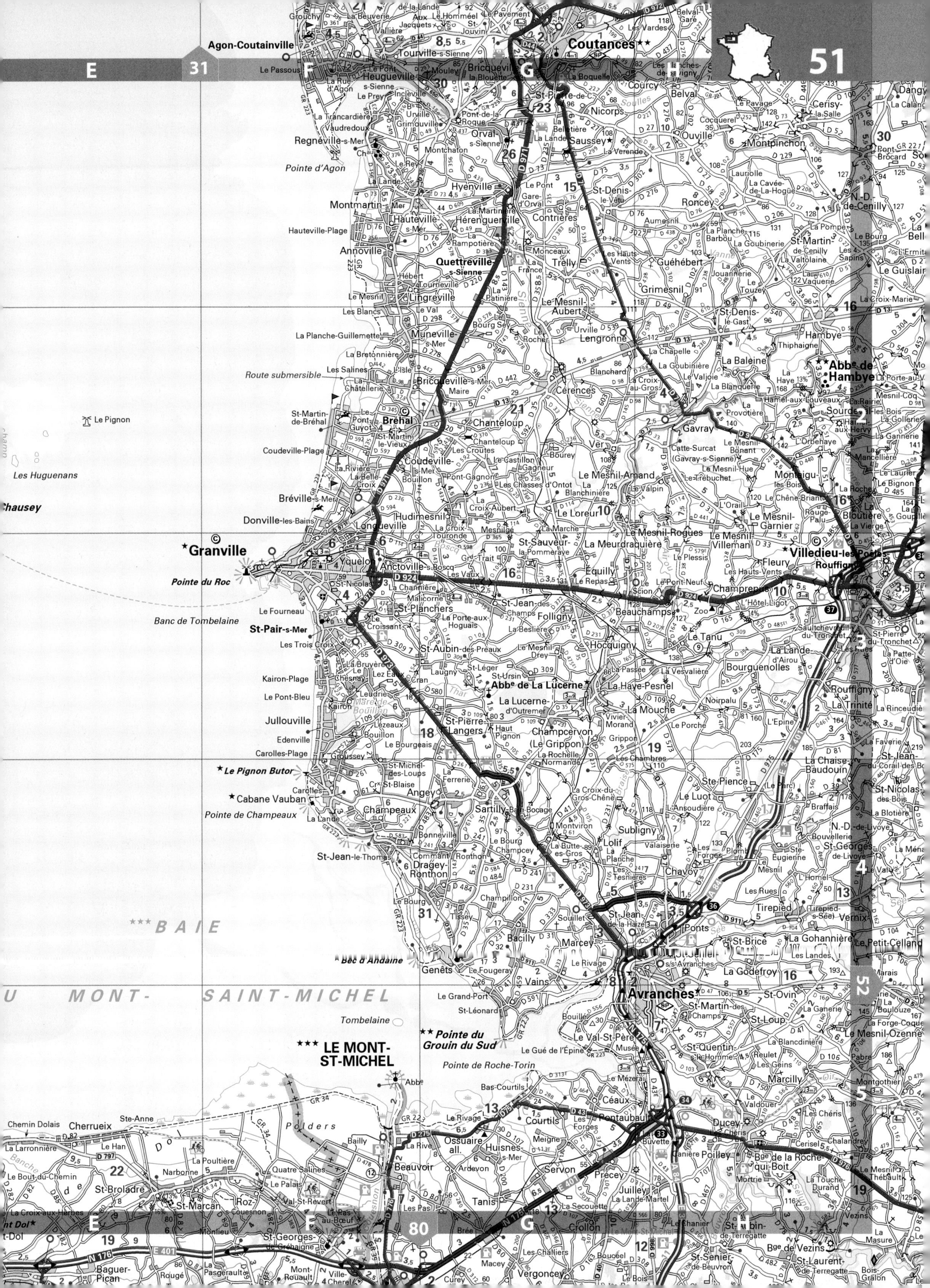
Coutances
Agon-Coutainville
Tourville-s-Sienne
Heugueville-s-Sienne
Bricqueville-la-Blouette
St-Pierre-de-C.
Courcy
Belval
Cerisy-la-Salle
Dangy
Nicorps
Saussey
Ouville
Montpinchon
Regnéville-s-Mer
Pointe d'Agon
Orval-s-Sienne
Montchaton
Hyenville
Montmartin-s-Mer
Hauteville-s-Mer
Hérenguerville
Contrières
St-Denis-le-Vêtu
Roncey
N.-D.-de-Cenilly
Hauteville-Plage
Annoville
Quettreville-s-Sienne
Trelly
Guéhébert
St-Martin-de-Cenilly
Grimesnil
Lingreville
Le Mesnil-Aubert
St-Denis-le-Gast
Muneville-s-Mer
Lengronne
Hambye
Abbe de Hambye
Route submersible
Bricqueville-s-Mer
Cérences
La Baleine
St-Martin-de-Bréhal
Bréhal
Chanteloup
Gavray
Le Pignon
Les Huguenans
Coudeville-Plage
Coudeville-s-Mer
Ver
Le Mesnil-Amand
Montaigu-les-Bois
Chausey
Bréville-s-Mer
Donville-les-Bains
Hudimesnil
Longueville
Le Loreur
Le Mesnil-Rogues
Le Mesnil-Garnier
Granville
Pointe du Roc
Yquelon
Anctoville-s-Boscq
St-Sauveur-la-Pommeraye
La Meurdraquière
Le Mesnil-Villeman
Villedieu-les-Poêles
Rouffigny
Équilly
Champrepus
Banc de Tombelaine
St-Pair-s-Mer
St-Planchers
St-Jean-des-Champs
Folligny
Beauchamps
Le Tanu
Les Trois Croix
St-Aubin-des-Préaux
Hocquigny
La Lande-d'Airou
Bourguenolles
Kairon-Plage
Abbe de La Lucerne
La Haye-Pesnel
Le Pont-Bleu
La Lucerne-d'Outremer
La Mouche
Jullouville
Edenville
St-Pierre-Langers
Champcervon (Le Grippon)
Carolles-Plage
Le Pignon Butor
St-Michel-des-Loups
Ste-Pience
La Chaise-Baudouin
Cabane Vauban
Carolles
Angey
Sartilly
Le Luot
Pointe de Champeaux
Champeaux
Subligny
Braffais
St-Jean-le-Thomas
Dragey-Ronthon
Lolif
Chavoy
St-Georges-de-Livoye
Le Bourg
Champcey
St-Jean-de-la-Haize
Tirepied
Vernix
BAIE
Bec d'Andaine
Genêts
Bacilly
Marcey
Ponts
St-Brice
La Gohannière
Le Petit-Celland
Avranches
La Godefroy
St-Ovin
DU MONT-SAINT-MICHEL
Le Grand-Port
St-Léonard
Tombelaine
Pointe du Grouin du Sud
Le Val-St-Père
St-Martin-des-Champs
St-Loup
Le Mesnil-Ozenne
LE MONT-ST-MICHEL
Pointe de Roche-Torin
St-Quentin-s-le-Homme
Marcilly
Bas-Courtils
Céaux
Chemin Dolais
Cherrueix
Ste-Anne
Polders
Courtils
Pontaubault
Ducey
Les Chéris
Bailly
Ossuaire all.
Huisnes-s-Mer
Poilley
Bge de la Roche-qui-Boit
Beauvoir
Ardevon
Servon
Précey
Juilley
St-Broladre
St-Marcan
Roz-s-Couesnon
Tanis
St-Georges-de-Gréhaigne
Crollon
St-Senier-de-Beuvron
Bge de Vezins
St-Laurent-de-Terregatte
Baguer-Pican
Vergoncey
Villedieu

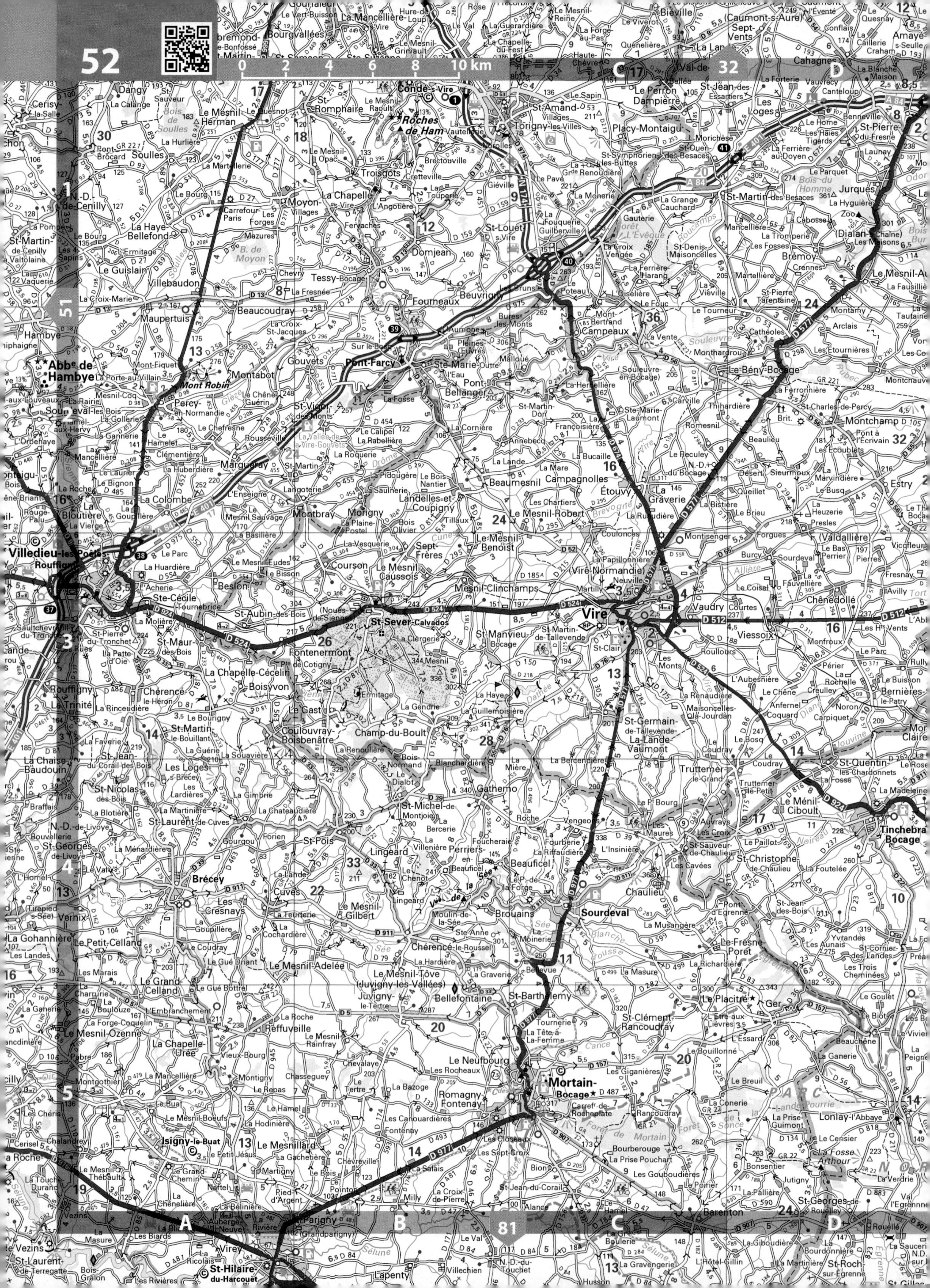

0 2 4 6 8 10 km
Condé-s-Vire
Roches de Ham
St-Amand
Torigny-les Villes
Placy-Montaigu
Dampierre
St-Jean-des-Essartiers
Les Loges
St-Pierre-du-Fresne
Jurques
St-Martin-des-Besaces
Cerisy-la-Salle
Dangy
Le Mesnil-Herman
Soulles
Moyon-Villages
La Chapelle-s-Vire
Troisgots
St-Louet-s-Vire
Tessy-Bocage
Domjean
Villebaudon
Beuvrigny
Fourneaux
Beaucoudray
Maupertuis
Abbe de Hambye
Percy-en-Normandie
Montabot
Mont Robin
Gouvets
Pont-Farcy
Ste-Marie-Outre-l'Eau
Pont-Bellanger
Campeaux
Le Bény-Bocage
Montchamp
Margueray
Montbray
Morigny
Landelles-et-Coupigny
Beaumesnil
Campagnolles
Étouvy
La Graverie
Estry
Villedieu-les-Poêles-Rouffigny
Courson
Le Mesnil-Caussois
Sept-Frères
Le Mesnil-Benoist
Le Mesnil-Robert
(Vire-Normandie)
Mesnil-Clinchamps
Vire
Vaudry
Viessoix
Chênedollé
(Valdallière)
Ste-Cécile
St-Aubin-des-Bois
St-Sever-Calvados
St-Manvieu-Bocage
Fontenermont
La Chapelle-Cécelin
Boisyvon
Le Gast
Coulouvray-Boisbenâtre
Champ-du-Boult
St-Germain-de-Tallevende-La-Lande-Vaumont
Truttemer-le-Grand
Le Ménil-Ciboult
St-Quentin-les-Chardonnets
Tinchebray-Bocage
Gathemo
St-Michel-de-Montjoie
St-Pois
Lingeard
Perriers-en-Beauficel
Beauficel
Vengeons
Brécey
Les Cresnays
Cuves
Le Mesnil-Gilbert
Brouains
Sourdeval
Chaulieu
St-Christophe-de-Chaulieu
St-Sauveur-de-Chaulieu
Chérencé-le-Roussel
Le Mesnil-Adelée
Le Mesnil-Tôve (Juvigny-les-Vallées)
Juvigny-le-Tertre
Bellefontaine
St-Barthélemy
St-Clément-Rancoudray
Le Fresne-Poret
Ger
Le Grand Celland
Le Petit-Celland
Reffuveille
La Chapelle-Urée
Le Neufbourg
Mortain-Bocage
Romagny-Fontenay
Isigny-le-Buat
Le Mesnillard
Lonlay-l'Abbaye
Bion
St-Jean-du-Corail
Barenton
St-Georges-de-Rouelley
St-Hilaire-du-Harcouët
Parigny
Virey
Milly
Lapenty
St-Cyr-du-Bailleul

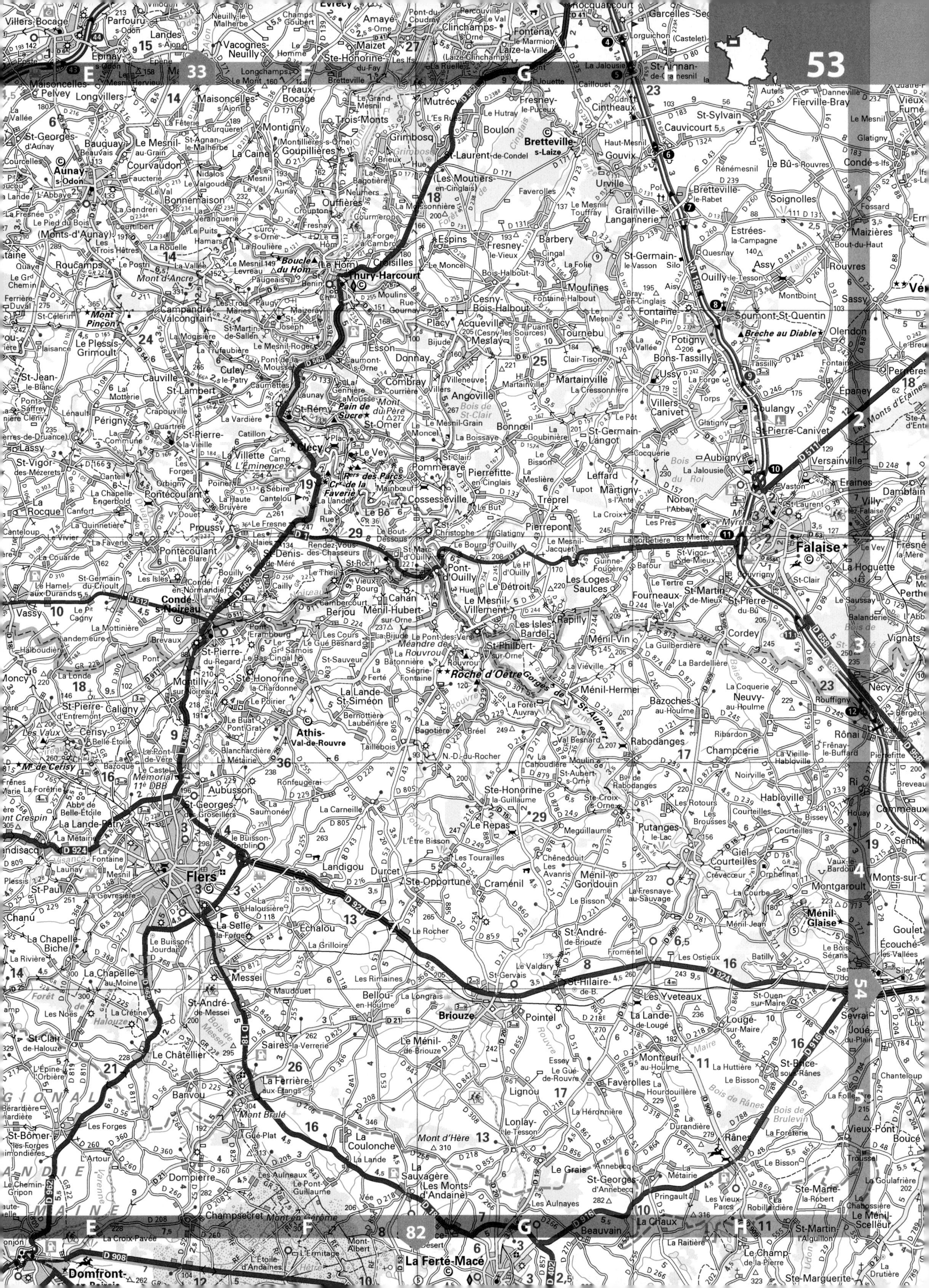
Villers-Bocage
Parfouru-s-Odon
Landes-s-Ajon
Vacognes-Neuilly
Amayé-s-Orne
Maizet
Clinchamps-s-Orne
Fontenay-le-Marmion
Laize-la-Ville
Rocquancourt
Garcelles-Secqueville
St-Aignan-de-Cramesnil
Evrecy
Epinay-s-Odon
St-Honorine-du-Fay
Maisoncelles-Pelvey
Longvillers
Maisoncelles-s-Ajon
Préaux-Bocage
Trois-Monts
Mutrécy
Fresney-le-Puceux
Cintheaux
St-Sylvain
Fierville-Bray
Vieux-Fumé
Cauvicourt
Boulon
Bretteville-s-Laize
Gouvix
Grimbosq
St-Laurent-de-Condel
St-Georges-d'Aunay
Bauquay
Le Mesnil-au-Grain
Montigny
Goupillières
La Caine
Aunay-s-Odon
Courvaudon
Urville
Condé-s-Ifs
Bonnemaison
Ouffières
Les Moutiers-en-Cinglais
Bretteville-le-Rabet
Grainville-Langannerie
Soignolles
Maizières
Estrées-la-Campagne
Roucamps
Espins
Fresney-le-Vieux
Barbery
St-Germain-le-Vasson
Assy
Rouvres
Thury-Harcourt
Croisilles
Le Hom
Mont d'Ancre
Boucle du Hom
Moulines
Ouilly-le-Tesson
Campandré-Valcongrain
Cesny-Bois-Halbout
Fontaine-le-Pin
Soumont-St-Quentin
Olendon
Mont Pinçon
Acqueville
Meslay
Tournebu
Potigny
Brèche au Diable
Le Plessis-Grimoult
Esson
Donnay
Bons-Tassilly
Ussy
Perrières
St-Jean-le-Blanc
Cauville
Culey-le-Patry
Combray
Martainville
Épaney
St-Lambert
St-Rémy
Angoville
Villers-Canivet
Soulangy
Mont Pain de Sucre
St-Omer
Bonnœil
St-Germain-Langot
St-Pierre-Canivet
Périgny
St-Pierre-la-Vieille
Clécy
Le Vey
Pommeraye
Aubigny
Versainville
Lassy
La Villette
St-Vigor-des-Mézerets
Pont-d'Ouilly
Pontécoulant
Pierrefitte-en-Cinglais
Leffard
Martigny-s-l'Ante
Noron-l'Abbaye
Eraines
Damblainville
Cossesseville
Tréprel
Falaise
La Rocque
Proussy
Pierrepont
St-Denis-de-Méré
Condé-en-Normandie
Condé-s-Noireau
Les Loges-Saulces
Fourneaux-le-Val
St-Martin-de-Mieux
St-Pierre-du-Bû
Vassy
Cahan
Berjou
Ménil-Hubert-sur-Orne
Le Mesnil-Villement
Rapilly
Cordey
Les Isles-Bardel
St-Philbert-sur-Orne
Ménil-Vin
St-Pierre-du-Regard
Roche d'Oëtre
Montilly-sur-Noireau
Ste-Honorine-la-Chardonne
La Lande-St-Siméon
Ménil-Hermei
Bazoches-au-Houlme
Neuvy-au-Houlme
Necy
Rônai
Caligny
Cerisy-Belle-Étoile
Athis-Val-de-Rouvre
Bréel
Rabodanges
Champcerie
Mont de Cerisy
N.-D.-du-Rocher
Aubusson
Ste-Honorine-la-Guillaume
Habloville
St-Georges-des-Groseillers
La Lande-Patry
Putanges-le-Lac
Le Repas
Giel-Courteilles
Flers
Landigou
Durcet
Ste-Opportune
Craménil
Ménil-Gondouin
Montgaroult
St-Paul
La Selle-la-Forge
Échalou
Ménil-Glaise
Écouché-les-Vallées
La Chapelle-Biche
St-André-de-Briouze
Messei
St-Hilaire-de-B.
Batilly
La Chapelle-au-Moine
Bellou-en-Houlme
Briouze
Pointel
Les Yveteaux
St-Ouen-sur-Maire
Sevrai
St-André-de-Messei
La Lande-de-Lougé
Lougé-sur-Maire
Saires-la-Verrerie
Le Ménil-de-Briouze
St-Clair-de-Halouze
Le Châtellier
Montreuil-au-Houlme
St-Brice-sous-Rânes
Banvou
La Ferrière-aux-Étangs
Lignou
Faverolles
Mont Brûlé
Lonlay-le-Tesson
Rânes
Vieux-Pont
St-Bômer-les-Forges
La Coulonche
Mont d'Hère
Dompierre
Sauvagère (Les Monts-d'Andaine)
Le Grais
St-Georges-d'Annebecq
Ste-Marie-la-Robert
Champsecret
La Chaux
Beauvain
St-Martin-l'Aiguillon
Le Ménil-Scelleur
La Croix-Pavée
L'Étoile-d'Andaines
La Ferté-Macé
Le Champ-de-la-Pierre
Domfront
Ste-Marguerite
Mont en Gérôme
Bois de Rânes
Forêt de Halouze
Gorges de St-Aubert
Suisse Normande
33
82
54
E
F
G
H
1
2
3
4
5

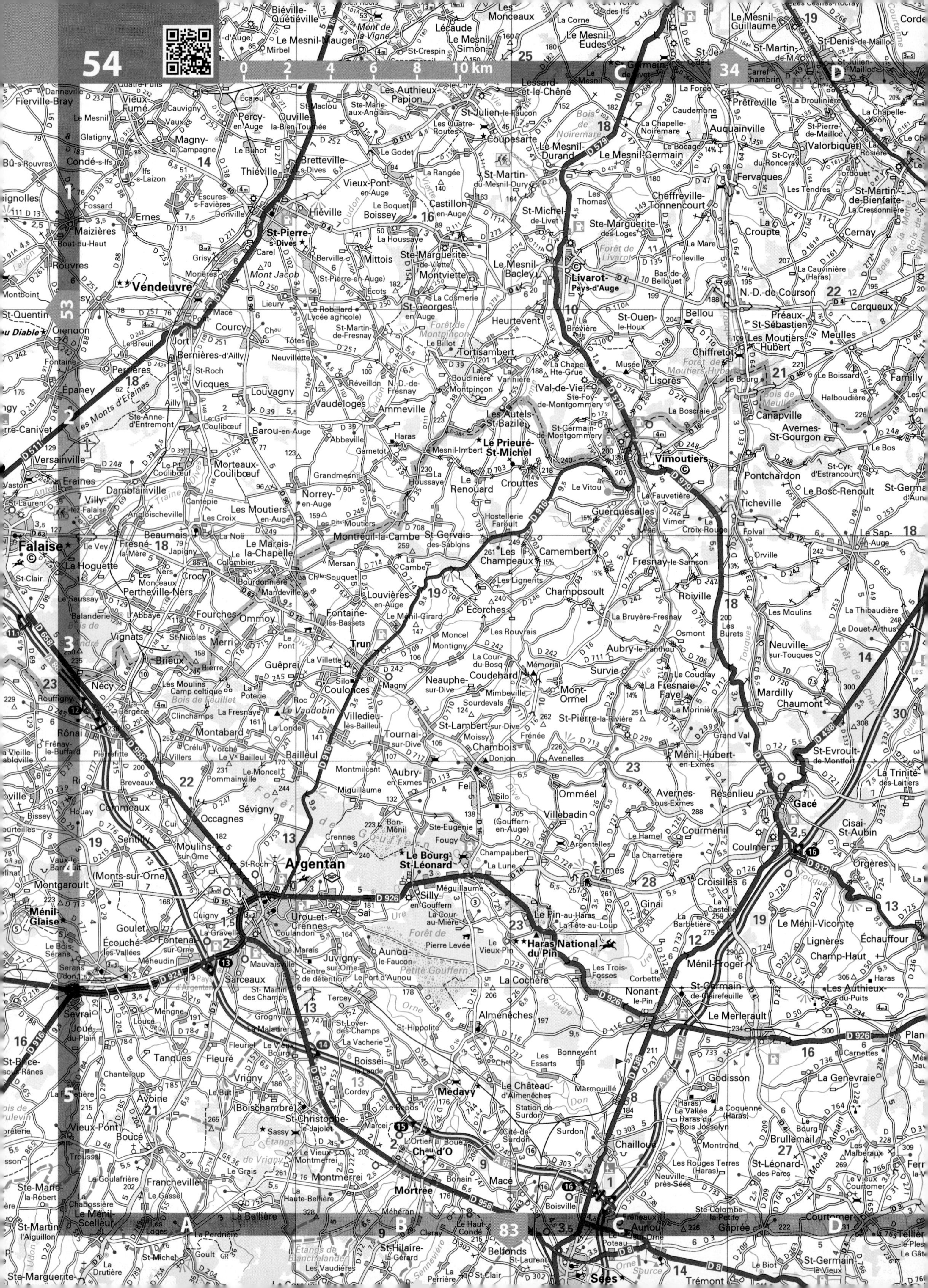

0 2 4 6 8 10 km
53
34
83
A
B
C
D
1
2
3
4
5
Biéville-Quétiéville
Le Mesnil-Mauger
Mont de la Vigne
Lécaude
Le Mesnil-Simon
Les Monceaux
Le Mesnil-Eudes
St-Germain-de-Livet
Le Mesnil-Guillaume
St-Martin-de-M.
St-Denis-de-Mailloc
St-Julien-le-Mailloc
Fierville-Bray
Vieux-Fumé
Percy-en-Auge
Ouville-la-Bien-Tournée
St-Maclou
Ste-Marie-aux-Anglais
Les Authieux-Papion
St-Julien-le-Faucon
Lessard-et-le-Chêne
Coupesarte
Bois de Noiremare
La Chapelle-Noiremare
Auquainville
Prêtreville
St-Pierre-de-Mailloc
Le Mesnil
Glatigny
Magny-la-Campagne
Bretteville-s-Dives
Le Godet
Le Mesnil-Durand
Le Mesnil-Germain
Fervaques
Bû-s-Rouvres
Condé-s-Ifs
Thiéville
St-Martin-du-Mesnil-Oury
St-Cyr-du-Ronceray
(Valorbiquet)
Ifs-s-Laizon
Escures-s-Favières
Vieux-Pont-en-Auge
Castillon-en-Auge
St-Michel-de-Livet
Cheffreville-Tonnencourt
St-Martin-de-Bienfaite-La Cressonnière
Ernes
Maizières
Bout-du-Haut
Rouvres
Hiéville
Boissey
St-Pierre-s-Dives
Mittois
Ste-Marguerite-de-Viette
Ste-Marguerite-des-Loges
La Croupte
Cernay
Forêt de Livarot
Livarot-Pays-d'Auge
Le Mesnil-Bacley
Montviette
Mont Jacob
Vendeuvre
Les Moutiers-en-Auge
(St-Pierre-en-Auge)
St-Georges-en-Auge
N.-D.-de-Courson
Cerqueux
Heurtevent
St-Ouen-le-Houx
Bellou
Préaux-St-Sébastien
Meulles
St-Quentin
Olendon
Jort
Courcy
Bernières-d'Ailly
St-Roch
Vicques
Louvagny
Vaudeloges
Forêt de Montpinçon
Tortisambert
La Brévière
Chiffretot
Les Moutiers-Hubert
Forêt de Moutiers-Hubert
Family
Perrières
Épaney
Ammeville
Montpinçon
(Val-de-Vie)
Ste-Foy-de-Montgommery
Lisores
Canapville
Avernes-St-Gourgon
Les Monts d'Eraines
Barou-en-Auge
Les Autels-St-Bazile
Le Prieuré-St-Michel
St-Germain-de-Montgommery
Vimoutiers
Versainville
Morteaux-Coulibœuf
Abbeville
Le Mesnil-Imbert
Pontchardon
St-Cyr-d'Estrancourt
Eraines
Damblainville
Norrey-en-Auge
Le Renouard
Crouttes
Le Vitou
Le Bosc-Renoult
Ticheville
Villy-lez-Falaise
Les Moutiers-en-Auge
Guerquesalles
Vimer
Falaise
Fresné-la-Mère
Beaumais
Le Marais-la-Chapelle
Montreuil-la-Cambe
St-Gervais-des-Sablons
Les Champeaux
Camembert
Le Sap-en-Auge
La Hoguette
Crocy
Pertheville-Ners
Louvières-en-Auge
Fresnay-le-Samson
Orville
Fourches
Ommoy
Fontaine-les-Bassets
Écorches
Champosoult
Roiville
Vignats
Merri
Trun
Aubry-le-Panthou
Neuville-sur-Touques
Forêt de Chaumont
Nécy
Guêprei
Coulonces
Neauphe-sur-Dive
Coudehard
Mont-Ormel
La Fresnaie-Fayel
Mardilly
Chaumont
Montabard
Le Vaudobin
Villedieu-lès-Bailleul
Tournai-sur-Dive
St-Lambert-sur-Dive
Chambois
St-Pierre-la-Rivière
Rônai
Bailleul
Ménil-Hubert-en-Exmes
St-Evroult-de-Montfort
Aubry-en-Exmes
Fel
Omméel
Avernes-sous-Exmes
Résenlieu
Gacé
La Trinité-des-Laitiers
Sévigny
Occagnes
Villebadin
Cisai-St-Aubin
Commeaux
Sentilly
Forêt de Gouffern
Le Bourg-St-Léonard
Courménil
Coulmer
Moulins-sur-Orne
Argentan
Exmes
Orgères
Montgaroult
Croisilles
Ménil-Glaise
Urou-et-Crennes
Sai
Silly-en-Gouffern
Le Pin-au-Haras
Ginai
Le Ménil-Vicomte
Écouché
Goulet
Fontenai-sur-Orne
Haras National du Pin
Lignères
Échauffour
Aunou-le-Faucon
Juvigny-sur-Orne
Forêt de Petite Gouffern
Ménil-Froger
Champ-Haut
Sarceaux
La Cochère
Nonant-le-Pin
St-Germain-de-Clairefeuille
Les Authieux-du-Puits
Sevrai
Almenêches
Le Merlerault
Joué-du-Plain
Tanques
Fleuré
Boissei-la-Lande
Carnettes
La Genevraie
Vrigny
Médavy
Le Château-d'Almenêches
Godisson
Avoine
Vieux-Pont
St-Christophe-le-Jajolet
Chailloué
Brullemail
Boucé
Chau d'O
St-Léonard-des-Parcs
Francheville
Montmerrei
Mortrée
Macé
Neuville-près-Sées
Ste-Marie-la-Robert
Le Ménil-Scelleur
La Bellière
Aunou-sur-Orne
Gâprée
Courtomer
St-Martin-l'Aiguillon
St-Hilaire-la-Gérard
Belfonds
Sées
Trémont
St-Germain-le-Vieux
Ste-Marguerite

Bernay
Serquigny
Beaumont-le-Roger
Forêt de Beaumont
Broglie
Bois de Broglie
Beaumesnil
Chamblac
St-Quentin-des-Isles
Ferrières-St-Hilaire
Grosley-s-Risle
Barquet
Le Noyer-en-Ouche
La Ferrière-s-Risle
Champignolles
Conches-en-Ouche
Forêt de Conches
Montreuil-l'Argillé
Mélicourt
La Barre-en-Ouche
Bois-Anzeray
La Vieille-Lyre
La Neuve-Lyre
Bois-Normand-près-Lyre
Neaufles-Auvergny
Les Baux-de-Breteuil
Forêt de Breteuil
Breteuil-s-Iton
Rugles
Glos-la-Ferrière
La Ferté-en-Ouche
St-Evroult-N.-D.-du-Bois
L'Aigle
Chéronvilliers
Bourth
Verneuil-s-Avre
Rai
St-Michel-Tubœuf
Crulai
Moulins-la-Marche
Bonsmoulins
Randonnai
Chennebrun
Armentières-s-Avre
St-Maurice-lès-Charencey
Normandel
Moussonvilliers
La Ventrouze
Soligny-la-Trappe
Lamblore
E
F
G
H
35
56
84

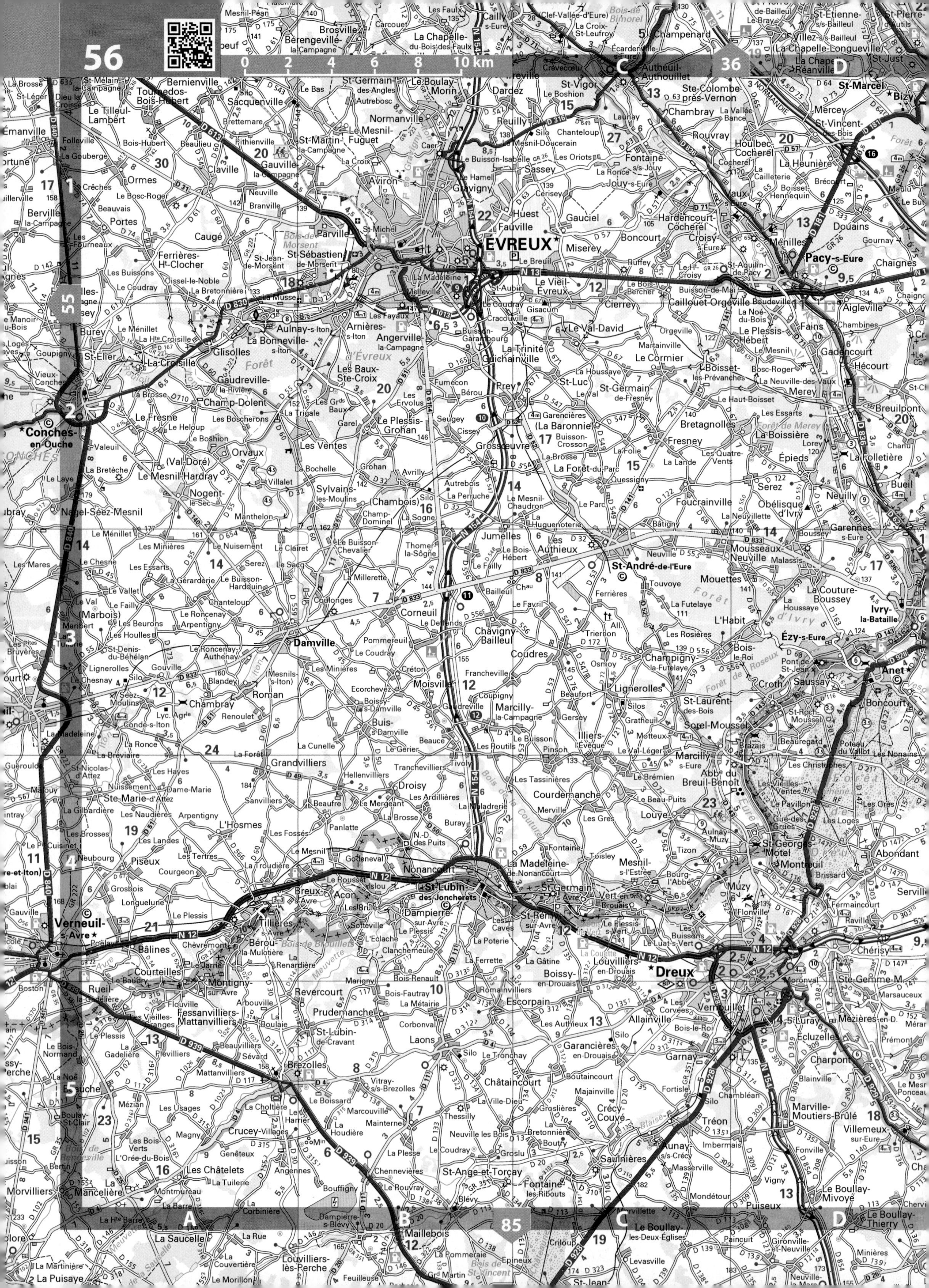

56
0 2 4 6 8 10 km
36
55
85
A
B
C
D
1
2
3
4
5
ÉVREUX
Pacy-s-Eure
Conches-en-Ouche
St-André-de-l'Eure
Damville
Ivry-la-Bataille
Anet
Dreux
Verneuil-s-Avre
Nonancourt
St-Lubin-des-Joncherets
Tillières-s-Avre
Brezolles
Vernouillet
Ézy-s-Eure
Forêt d'Évreux
Forêt d'Ivry
Forêt de Merey
N 13
N 12
N 154
D 833
D 840
D 939
D 928
D 613

37

E F G H

Giverny
La Roche-Guyon
Gommecourt
Limetz-Villez
Bennecourt
Bonnières-s-S.
Rolleboise
Moisson
Freneuse
Méricourt
Mousseaux-s-Seine
Vétheuil
St-Martin-la-Garenne
Follainville-Dennemont
Villers-en-Arthies
Chérence
Maudétour-en-Vexin
Arthies
Aincourt
Drocourt
Sailly
Fontenay-St-Père
Brueil-en-Vexin
Oinville-s-Montcient
Gaillon-s-Montcient
Lainville-en-Vexin
Frémainville
Avernes
Théméricourt
Vigny
Longuesse
Courcelles-s-Viosne
Ableiges
Montgeroult
Boissy-l'Aillerie
Osny
Puiseux-Pontoise
Cergy
Vauréal
Courdimanche
Menucourt
Jouy-le-Moutier
Boisemont
Vaux-s-Seine
Évecquemont
Meulan-en-Yvelines
Les Mureaux
Hardricourt
Tessancourt-s-Aubette
Juziers
Gargenville
Issou
Guitrancourt
Limay
Mantes-la-Jolie
Mantes-la-Ville
Porcheville
Rosny-s-Seine
Buchelay
Magnanville
Guerville
Mézières-s-Seine
Épône
Flins-s-Seine
Aubergenville
Verneuil-s-Seine
Vernouillet
Triel-s-Seine
Chanteloup-les-Vignes
Médan
Villennes-s-Seine
Poissy
Orgeval
Morainvilliers
Bazemont
Les Alluets-le-Roi
Maule
Aulnay-s-Mauldre
Nézel
Ecquevilly
Bouafle
Chapet
Herbeville
Crespières
Mareil-s-Mauldre
Montainville
Andelu
Goussonville
Jumeauville
Arnouville-lès-Mantes
Hargeville
Septeuil
Boinville-en-Mantois
Breuil-Bois-Robert
Rosay
Villette
Flacourt
Boinvilliers
Longnes
Dammartin-en-Serve
Courgent
Flins-Neuve-Église
Montchauvet
Mulcent
Tilly
Bréval
Neauphlette
Gilles
Mondreville
Boissets
Civry-la-Forêt
Orvilliers
Tacoignières
Orgerus
Béhoust
Flexanville
Thoiry
Villiers-le-Mahieu
Marcq
Beynes
Thiverval-Grignon
Davron
Chavenay
Feucherolles
St-Nom-la-Bretèche
Noisy-le-Roi
Villepreux
Rennemoulin
Les Clayes-s/s-Bois
Plaisir
Fontenay-le-Fleury
Bois-d'Arcy
Jouars-Pontchartrain
Neauphle-le-Château
Villiers-St-Frédéric
Neauphle-le-Vieux
St-Germain-de-la-Grange
Saulx-Marchais
Autouillet
Auteuil
Garancières
Boissy-sans-Avoir
Millemont
La Queue-les-Yvelines
Vicq
Richebourg
Bazainville
Houdan
Maulette
Gressey
St-Lubin-de-la-Haye
Berchères-s-Vesgre
Havelu
Goussainville
Champagne
Dannemarie
Gambais
Bourdonné
Condé-s-Vesgre
Galluis
Méré
Mareil-le-Guyon
Le Tremblay-s-Mauldre
Grosrouvre
Montfort-l'Amaury
Bazoches-s-Guyonne
Élancourt
France Miniature
Maurepas
Trappes
Montigny-le-Bretonneux
St-Quentin-en-Yvelines
Coignières
Les Mesnuls
St-Rémy-l'Honoré
Le Mesnil-St-Denis
Lévis-St-Nom
Les Essarts-le-Roi
St-Léger-en-Yvelines
Adainville
Grandchamp
La Hauteville
Le Tartre-Gaudran
Faverolles
Bréchamps
Senantes
Coulombs
Poigny-la-Forêt
Rambouillet
Le Perray-en-Yvelines
Auffargis
Dampierre-en-Yvelines
Senlisse
Abbaye des Vaux de Cernay
Cernay-la-Ville
Vieille-Église-en-Yvelines
Bullion
Limours-en-Hurepoix
Chevreuse
Milon-la-Chapelle
Raizeux
St-Hilarion
Gazeran
Hermeray
La Celle-les-Bordes

58

86

0 2 4 6 8 10 km
57
38
87
Pontoise
Cergy
Cergy-Pontoise
St-Ouen-l'Aumône
Éragny
Conflans-Ste-Honorine
Auvers-sur-Oise
Méry-s-Oise
Villiers-Adam
Montsoult
Bouffémont
Domont
Taverny
Beauchamp
Franconville
Herblay
Montmorency
Sarcelles
Écouen
Villiers-le-Bel
Goussainville
Roissy-en-France
Louvres
Gonesse
Garges-lès-G.
Deuil-la-Barre
Enghien-les-Bains
Épinay-s-Seine
ST-DENIS
Stains
Dugny
Le Bourget
Le Blanc-Mesnil
Aulnay-s/s-Bois
Sevran
Villepinte
Drancy
Livry-Gargan
Bobigny
Pantin
Aubervilliers
La Courneuve
Argenteuil
Sartrouville
Houilles
Colombes
Gennevilliers
Asnières
Clichy
St-Ouen-s-S.
Levallois-Perret
Courbevoie
La Défense
Nanterre
Neuilly-s-S.
Arc de Triomphe
PARIS
Notre-Dame
Tour Eiffel
Sacré-Cœur
Poissy
ST-GERMAIN-EN-LAYE
Maisons-Laffitte
Achères
Chatou
Le Vésinet
Rueil-Malmaison
Suresnes
St-Cloud
Boulogne-Billancourt
Issy-les-M.
Vanves
Malakoff
Montrouge
Vincennes
Montreuil
Bagnolet
Le Raincy
Bondy
Gagny
Nogent-s-M.
Fontenay-s/s-Bois
Charenton-le-Pont
St-Maurice
Champigny-s-M.
St-Maur-des-Fossés
Maisons-Alfort
Alfortville
Créteil
Ivry-s-Seine
Vitry-s-Seine
Villejuif
Cachan
Bagneux
Châtillon
Clamart
Meudon
Sèvres
VERSAILLES
Le Chesnay-Rocquencourt
Marly-le-Roi
Louveciennes
Vaucresson
Vélizy-Villacoublay
St-Cyr-l'École
Montigny-le-Bretonneux
Guyancourt
Buc
Jouy-en-Josas
Châtenay-Malabry
Sceaux
Antony
L'Haÿ-les-Roses
Choisy-le-Roi
Thiais
Orly
Rungis
Massy
Palaiseau
Saclay
Orsay
Gif-s-Y.
Chevreuse
Les Ulis
Longjumeau
Savigny-s-Orge
Athis-Mons
Juvisy-s-Orge
Draveil
Viry-Châtillon
Montgeron
Yerres
Villeneuve-St-Georges
Boissy-St-Léger
Sucy-en-Brie
Épinay-s/s-Sénart
Forêt de Sénart
Ste-Geneviève-des-Bois
Ris-Orangis
EVRY-COURCOURONNES
Limours-en-Hurepoix
Breteuil
Forêt de Montmorency
A B C D
1 2 3 4 5

39
E
F
G
H
Mortefontaine
Plailly
Chèvreville
Bouillancy
Silly-le-Long
Rouvres-en-Multien
Acy-en-Multien
Rosoy-en-Multien
Varinfroy
Crouy-s-Ourcq
Le Plessis-Belleville
Ognes
Brégy
Fosse-Martin
Nogeon
Ève
Lagny-le-Sec
Oissery
Vincy-Manœuvre
Le Plessis-Placy
May-en-Multien
Coulombs-en-Valois
Othis
Moussy-le-Neuf
Dammartin-en-Goële
Rouvres
St-Pathus
Douy-la-Ramée
Puisieux
Longperrier
Marchémoret
Forfry
Gesvres-le-Chapitre
Trocy-en-Multien
Vendrest
Ocquerre
Moussy-le-Vieux
St-Mard
St-Soupplets
Marcilly
Étrépilly
Lizy-s-Ourcq
Villeneuve-s/s-Dammartin
Montgé-en-Goële
Cuisy
Barcy
Le Mesnil-Amelot
Thieux
Juilly
Le Plessis-l'Évêque
Monthyon
Congis-s-Thérouanne
Mary-s-Marne
Cocherel
Vinantes
Le Plessis-aux-Bois
Iverny
Chambry
Varreddes
Isles-les-Meldeuses
Tancrou
Compans
Nantouillet
Penchard
Crégy-lès-M.
Germigny-l'Évêque
Armentières-en-Brie
Jaignes
Mitry-Mory
St-Mesmes
Villeroy
Poincy
Changis-s-Marne
Gressy
Messy
Charny
Chauconin-Neufmontiers
Ussy-s-Marne
Villeparisis
Charmentray
Trilbardou
MEAUX
Trilport
St-Jean-les-Deux-Jumeaux
Sammeron
La Ferté-s-J.
Claye-Souilly
Fresnes-s-Marne
Précy-s-Marne
Mareuil-lès-M.
Montceaux-lès-M.
Fublaines
Sept-Sorts
Annet-s-Marne
Vignely
Nanteuil-lès-M.
St-Fiacre
Villemareuil
Signy-Signets
Jouarre
Courtry
Villevaudé
Jablines
Esbly
Isles-lès-Villenoy
Boutigny
Le Pin
Carnetin
Lesches
Condé-Ste-Libiaire
Quincy-Voisins
Magny-St-Loup
Pierre-Levée
Thorigny-s-Marne
Dampmart
Coupvray
Couilly-Pont-aux-Dames
Vaucourtois
Brou-s-Chantereine
Pomponne
Chessy
Chalifert
Montry
Coulommes
Bouleurs
Sancy
La Haute-Maison
St-Thibault-des-Vignes
Vaires-s-M.
Lagny-s-Marne
Montévrain
Parc Disneyland
St-Germain-s-Morin
Coutevroult
Magny-le-Hongre
La Chapelle-s-Crécy
Maisoncelles-en-Brie
St-Germain-s/s-Doue
Noisiel
Torcy
Gouvernes
Conches-s-Gondoire
Chanteloup-en-Brie
Serris
Bailly-Romainvilliers
Villiers-s-Morin
Crécy-la-Chapelle
Voulangis
Bussy-St-Martin
Guermantes
Bussy-St-Georges
Jossigny
Giremoutiers
Aulnoy
Marne-la-Vallée
Lognes
Collégien
Tigeaux
Guérard
Mouroux
Boissy-le-Châtel
Croissy-Beaubourg
Ferrières-en-Brie
Dammartin-s-Tigeaux
Pommeuse
Villeneuve-St-Denis
Villeneuve-le-Comte
Coulommiers
Emerainville
Roissy-en-Brie
Pontcarré
La Celle-s-Morin
Faremoutiers
Pontault-Combault
Mortcerf
St-Augustin
Chailly-en-Brie
Marolles-en-Brie
Ozoir-la-Ferrière
Hautefeuille
Mauperthuis
Beautheil-Saints
Favières
Neufmoutiers-en-Brie
Crèvecœur-en-Brie
Gretz-Armainvilliers
Tournan-en-Brie
La Houssaye-en-Brie
Amillis
Lésigny
Lumigny
Pézarches
Touquin
Les Chapelles-Bourbon
Férolles-Attilly
Marles-en-Brie
Chevry-Cossigny
Les Boulayes
Le Plessis-Feu-Aussoux
Châtres
Presles-en-Brie
Fontenay-Trésigny
Brie-Comte-Robert
Liverdy-en-Brie
Voinsles
Vaudoy-en-Brie
Grisy-Suisnes
Rozay-en-Brie
Courquetaine
Ozouer-le-Voulgis
Chaumes-en-Brie
Bernay-en-Brie
Jouy-le-Châtel
Coubert
Évry-Grégy-s-Yerres
La Chapelle-Iger
Pécy
Solers
Argentières
Courpalay
Soignolles-en-Brie
Yèbles
Guignes
Beauvoir
88
Limoges-Fourches
Champdeuil
Aubepierre
Gastins
Lissy
60

60
0 2 4 6 8 10 km
St-Gengoulph
Courchamps
Bonnesvalyn
Hautevesnes
Monthiers
Épieds
Bézu-St-Germain
Le Charmel
La Chapelle-Hurlay
Vincelles
Jaulgonne
Barzy-s-M.
Trélou-s-Marne
Chassins
Crouy-s-Ourcq
Gandelu
Veuilly-la-Poterie
Torcy-en-Valois
Belleau
Étrépilly
Chante-Merle
Trugny
Mont-St-Père
Chartèves
Marcilly
Rosay
Verdilly
Bois de Barbillon
Mézy-Moulins
Courtemont-Varennes
Passy-s.-M.
Courcelles
Dormans
Germigny s/s Coulombs
Prémont
Villers-le-Vaste
Marigny-en-Orxois
Champillon
Bois Belleau
La Gonéterie
Bouresches
AUTOROUTE
Château-Thierry
La Briqueterie
Brasles
Gland
Fossoy
Moulins
Paroy
Reuilly-Sauvigny
Soilly
Courthiézy
Chavenay
Coulombs-en-Valois
Les Glandons
Lucy-le-Bocage
La Voie-du-Châtel
Vincelles
Vendrest
Dhuisy
L.G.V. EST
Vaux
Cote 204
Chierry
Crézancy
Launay
Les Coqs
La Bourdonnerie
Rademont
Chambardy
Sablonnière
Le Thiolet
Monneaux
Coupru
Montcourt
Essômes-s-Marne
Étampes-s-M.
Les Évaux
Blesmes
Connigis
Bois de Condé
Chézy
Chaton
Les Poncets
Montreuil-aux-Lions
Crogis
Mont-de-Bonneil
Aulnois
Rouvroy
Nesles-Nouveau
Nesles-la-Montagne
St-Eugène
Monthurel
St-Agnan
La Chapelle-Monthodon
Cocherel
Crépoil
Chamoust
Pisseloup
Bézu-le-Guéry
Domptin
Bonneil
Pétret
Nogentel
Le Bochage
Condé-en-Brie
Celles-lès-Condé
Evril
Vallée en Champagne
Montchevret
Ste-Aulde
Rougé
Beaurepaire
Villiers-St-Denis
L'Abbaye
Azy-s-M.
Courboin
Confrémeaux
Les Glapiers
L'Huis
Torchamps
Caumont
Courcelles
Vaux
Messy
Nanteuil
Crouttes-s-M.
Moucherelle
Charly-s-M.
Les Roches
Montbazin
Grand-Fontaine
Baulne-en-Brie
Avernes
L'Ange-Gardien
Chamigny
Courtaron
Saulchery
Chézy-s-Marne
Montigny-lès-Condé
Pichény
Mølien
Luzancy
La Brussette
Rudenoise
Romeny-s-M.
Le Pont
Les Caquerets
Montharmault
Montmarçon
Romandie
Favières
Tanqueux
Méry-s-M.
Saâcy-s-M.
Citry
Villaré
Porteron
Drachy
Nogent-l'Artaud
Essises
Viffort
Auclaine
Montlevon
Pargny-la-Dhuys
Violaine
Le Limon
Morintru
Reuil-en-Brie
Le Tillet
Chantemanche
Pavant
Les Perdreaux
La Chapelle-s-Chézy
Montfaucon
Les Orgerieux
Villeneron
Montgrimont
Verdon
Les Bondons
Montménard
Chérost
Pertibout
Les Caquetons
La Ville-Chamblon
La Ville-aux-Bois
La Ferté-s/s-Jouarre
Rougeville
Pisseloup
La Férotterie
Courbouvin
Sept-Sorts
Courcelles-s/s-J.
Moras
Montapeine
La Noue Brayer
Basseville
Pontoise
Bois-Milon
Artonges
Bois-Martin
La Gde Forêt
Rozoy-Bellevalle
Fontenelle-en-Brie
Bochage
Jouarre
Vanry
Monthomé
Charnesseuil
Bussières
La Belle Idée
Étang de Vergis
Mont-Cel-Enger
Chef-de-la-Ville
Villemoyenne
Corrobert
La Marlière
Glairet
Biercy
L'Hermitière
Péreuse
St-Cyr
Les Hameaux
Orly-s-Morin
Petit Villiers
Flagny
Replonges
Dhuys et Morin-en-Brie
Romény
Ru-de-Vrou
St-Ouen-s-Morin
Boitron
Le Rousset
Hondevilliers
Silo
La Haute Épine
La Meulière
Bailly
Le Tremblay
L'Échelle-le-Franc
Hautefeuille
Fringale
La Borde
Goins
Les Grands-Montgoins
Les Neuillis
Bois Frémy
Les Fans
Viels-Maisons
L'Épine-aux-Bois
Marchais-en-Brie
Montcoupot
Montmirail
Vauchamps
Mauroy
Bois-Baudry
Champlion
Launoy
La Noue
Voigny
Fontaine-Robert
Verdelot
Torailles
Vendières
La Celle-s/s-Montmirail
Mécringes
Silo Mondant
Fontaine-au-Bron
Les Chaises
Saussoy
Le Vautron
Montflageol
Sablonnières
La Courade
Beaumont
Courbetaux
La Haute-Vaucelle
Doue
La Trétoire
La Boyère
Le Fourcheret
Villeneuve-s-Bellot
Montrobert
Rieux
Le Chêne
Croupet
Mélarchez
Baillard
Montdauphin
Courcemont
Hochecourt
Maclaunay
Boutavent
St-Germain-s/s-Doue
Chantareine
Bellot
Le Bois-Retz
Le Puits
Fontaine-Armée
Bergères-s/s-Montmirail
Biffontaine
Le Fayet
Les Marchés
Mazagran
Le Vinot
Rebais
Grand Marché
Launoy-Brulé
Doucy
Launoy-Renault
Laulinoue
Les Aulnettes
Montenils
Le Moncet
Soigny
Aulnoy
Champ-la-Dame
Montberneux
St-Léger
St-Denis-lès-Rebais
Villers-les-Maillets
Chalendon
Montvinot
Beigneaux
Boissy-le-Châtel
Le Theil
Les Granges
Le Ménillot
Launoy-Beaufort
Champcormolin
Champ Martin
Champ Bardin
Montolivet
Le Gault-Soigny
Les Brosses
St-Lazare
Pinebart
St-Barthélemy
Thiercelieux
Le Moncetz
Villeperdue
Perthuy
Coulommiers
La Bretonnière
Chauffry
Les Limons
Montmogis
Grenet
Marvilliers
Les Rouillis
Charcot
Barlonges
Voigny
Le Jariel
Buternet
Bois-St-Père
Le Bois Roulois
Le Vézier
Leuze
La Rue-le-Comte
Jouy
Le Recoude
La Couture
St-Siméon
La Vanne
La Cornée
Jouy-s-Morin
La Chair-aux-Gens
La Frévillard
Les Thénières
Trefols
Morsains
Chailloy
Les Bordes
St-Rémy-la-Vanne
Montigny
Coupigny
Les Mongets
Meilleray
Belleau
Forêt du Gault
Le Châtelot
Chailly-en-Brie
Limosin
Villars-les-Massons
Montblin
La Chapelle-Moutils
Les Cheigneaux
Villeneuve-la-Lionne
Joiselle
Champguyon
Marolles-en-Brie
La Boullois
Champbonnois
La Ferté-Gaucher
St-Martin-des-Champs
Moutils
Le Bois-Frais
L'Hermite
Milhard
Beautheil
Choisy-en-Brie
Lescherolles
Marchais
La Fosse
Champagnemay
Les Essarts-lès-Sézanne
Féraubry
Les Bordes
Réveillon
Neuvy
La Noue
Fontenelle
Coffery
Chartronges
Voigny
Foussolles
Montbléru
Viviers
Le Village
Maillard
Amillis
Beaufour
Fontaine-Ramée
St-Mars-Vx-Maisons
Le Tronchot
Esternay
Beauvais
Chevru
La Hante
Pierrelez
St-Martin-du-Boschet
Baleine
Artillot
Retourneloup
Bois du Gril d'Arcan
Planche
Bellevue
Faujus
Leudon-en-Brie
Villiers-Templon
Vieux-Maisons
Vignory
Savigny
Nogentel
Tour
Silo
Les Marnières
Dagny
Les Hayottes
Les Hantes
Maisoncelles
Châtillon-sur-Morin
Forêt de la Loge à Gond
Launat
Les Bordes
Le Montcel
La Mardelle
Liéchêne
Volmerot
Fréto
Beton-Bazoches
Fortail
Courtiat
Montglas
Le Chanoy
Chevrière
Souy
Montceaux-lès-Provins
Escardes
Bois de Seu
Bricot-la-Ville
Ouzelle
Carref Prévert
Les Essarts
Le Gd Frétoy
Cerneux
Sancy-lès-Provins
Champfleury
Près du But
Le Corbier
Boisdon
Courtacon
Bannost
Bezalles
Ferreux
Corberon
Augers-en-Brie
Brantilly
Villouette
Champcouelle
St-Bon
Chommé
La Paimbaudière
Forêt
Villegagnon
Les Marêts
Gondelot
Le Haut Charmoy
La Soucière
L'Étoile
Champcenest
Beauregard
Maréchère
Couperdrix
Ecoublay
Les Granges
Bouchy-St-Genest
St-Genest
Les Essarts-le-Vicomte
Jouy-le-Châtel
Rubantar
La Conquillie
Les Minimes
Orvilliers
Coeffrim
Silo
Les Pinons
La Forestière
Pécy
Le Pt Paris
Jouy-l'Abbaye
Baâle
Verse
Villiers-St-Georges
Brasseaux
Cerclières
Quincy
Bois-le-Comte
Les Orbies
Courchamp
Rupéreux
Flaix
Champfay
Nesle-la-Reposte
La Traconne
Le Plessis-Hainault
Chenoise
Cucharmoy
Les Bordes
Villars
Combles
St-Hilliers
Voulton
Gimbrois
St Barthélemy
Chantaloup
Louan-Villegruis-Fontaine
Chau de Montaiguillon
Bois de la Comtesse
Bois de Béthon
Bethon
Courmery
La Croix
Savigny
Boôlot
Beauchery-St-Martin
Palais
Ecury
Chantemerle
A B C D
1 2 3 4 5
40 59 89

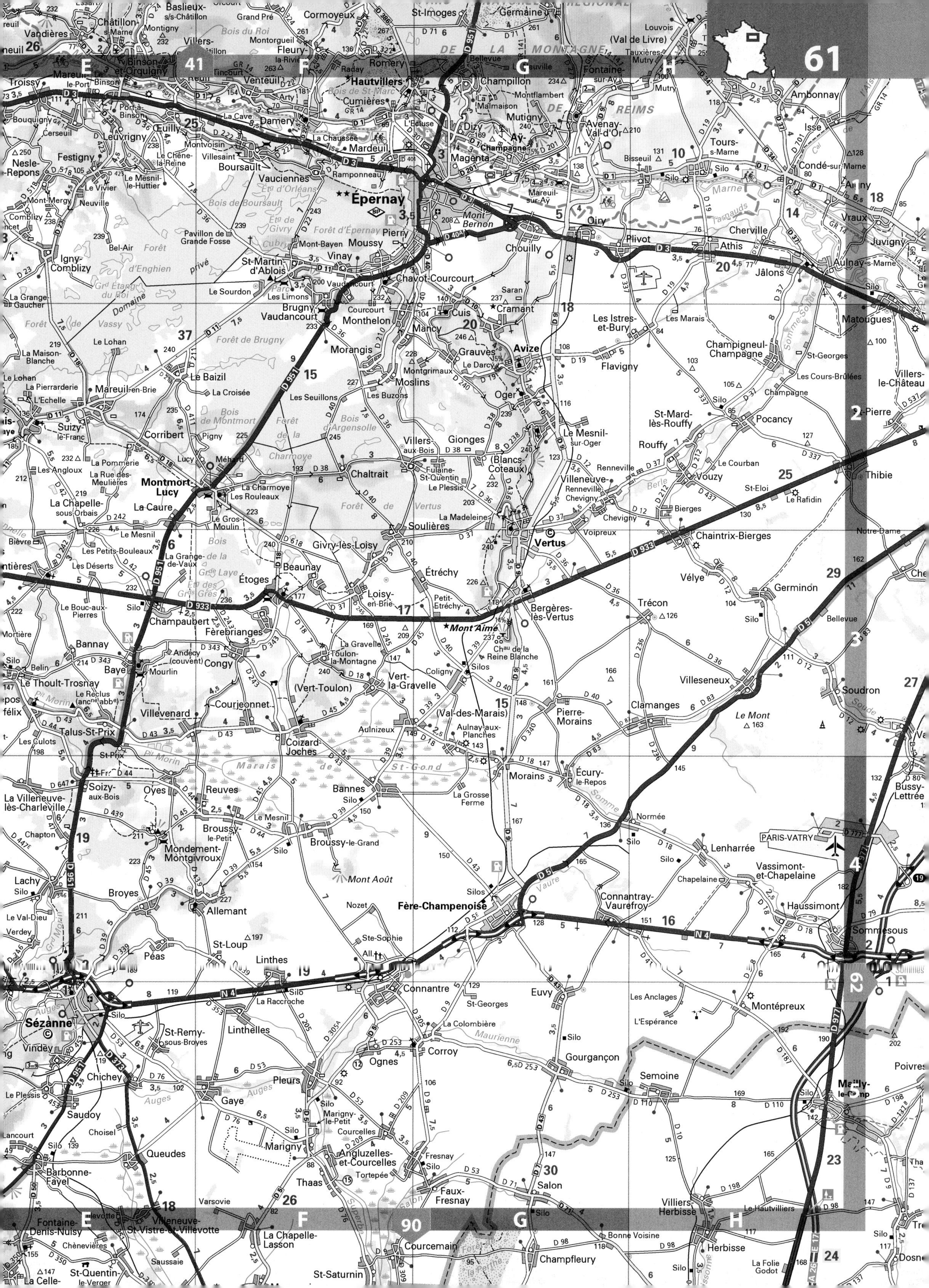
E
F
G
H
41
62
90
1
2
3
4
5
Vandières
Châtillon-s-Marne
Baslieux-s/s-Châtillon
Grand Pré
Cormoyeux
St-Imoges
Germaine
Louvois
(Val de Livre)
Tauxières-Mutry
Montigny
Bois du Roi
Montorgueil
Villers-sous-Châtillon
Fleury-la-Rivière
Romery
Binson-et-Orquigny
Reuil
Venteuil
Hautvillers
Champillon
Fontaine-sur-Ay
Mutry
Ambonnay
Troissy
Mareuil-le-Port
Tincourt
Bois de St-Marc
Montflambert
Cumières
La Malmaison
Mutigny
Port-à-Binson
Arty
DE REIMS
Isse
Bouquigny
La Cave
Damery
Dizy
Avenay-Val-d'Or
Tours-s-Marne
Cerseuil
Leuvrigny
Euilly
L'Écluse
Aÿ
Champagne
La Chaussée
Nesle-Repons
Festigny
Montvoisin
Mardeuil
Magenta
Bisseuil
Condé-sur-Marne
Le Chêne-la-Reine
Villesaint
Boursault
Ramponneau
Aigny
Le Vivier
Le Mesnil-le-Huttier
Vauciennes
Étg d'Orléans
Mareuil-sur-Ay
Marne
Mont-Mergy
Neuville
Bois de Boursault
Épernay
Mont Bernon
Oiry
Plivot
Cherville
Vraux
Comblizy
Étg de Givry
Forêt d'Épernay
Pierry
Athis
Juvigny
Pavillon de Grande Fosse
Mont-Bayen
Moussy
Chouilly
Jâlons
Aulnay-s-Marne
Igny-Comblizy
Bel-Air
Forêt d'Enghien
privé
St-Martin-d'Ablois
Vinay
Chavot-Courcourt
Grd Étang du Roi
Le Sourdon
Vaudancourt
Saran
Matougues
La Grange-le-Gaucher
Parc
Les Limons
Cramant
Brugny-Vaudancourt
Courcourt
Cuis
Les Istres-et-Bury
Les Marais
Domaine
Monthelon
Forêt de Vassy
Mancy
Avize
Champigneul-Champagne
St-Georges
Le Lohan
Forêt de Brugny
Grauves
Le Darcy
Flavigny
La Maison-Blanche
Morangis
Montgrimaux
Les Cours-Brûlées
Villers-le-Château
Le Lohan
Le Baizil
Moslins
Oger
La Pierrarderie
Mareuil-en-Brie
La Croisée
Les Seuillons
Les Buzons
Champagne
L'Échelle
Bois de Montmort
Forêt de la Charmoye
Bois d'Argensolle
Le Mesnil-sur-Oger
St-Mard-lès-Rouffy
Pocancy
St-Pierre
Suizy-le-Franc
Corribert
Pigny
Villers-aux-Bois
Gionges
Rouffy
La Pommerie
Lucy
Méhard
(Blancs-Coteaux)
Renneville
Le Courban
Les Angloux
La Rue-des-Meulières
Chaltrait
Fulaine-St-Quentin
Vouzy
Thibie
Montmort-Lucy
La Charmoye
Les Rouleaux
Le Plessis
Villeneuve-Renneville-Chevigny
St-Eloi
Le Rafidin
La Chapelle-sous-Orbais
La Caure
Forêt de Vertus
Berle
Bierges
Chevigny
Le Gros-Moulin
La Madeleine
Soulières
Voipreux
Notre-Dame
Le Mesnil
Bois
Vertus
Chaintrix-Bierges
Bièvre
Les Petits-Bouleaux
Givry-lès-Loisy
La Grange-de la Laye
Les Déserts
Grde Laye
Étg des Grs Grès
Beaunay
Étréchy
Vélye
Germinon
Étoges
Loisy-en-Brie
Petit-Étréchy
Bergères-lès-Vertus
Trécon
Le Bouc-aux-Pierres
Champaubert
Mont Aimé
Bellevue
Fèrebrianges
Chau de la Reine Blanche
Bannay
Andecy (couvent)
Congy
La Gravelle
Toulon-la-Montagne
Coligny
Silos
Belin
Baye
Mourlin
Villeseneux
Soudron
Le Thoult-Trosnay
Vert-la-Gravelle
(Vert-Toulon)
Le Reclus (ancne abbe)
Courjeonnet
(Val-des-Marais)
Pierre-Morains
Clamanges
Villevenard
Aulnizeux
Aulnay-aux-Planches
Le Mont
Talus-St-Prix
Coizard-Joches
Les Culots
St-Prix
Marais de St-Gond
Morains
Écury-le-Repos
Soizy-aux-Bois
Oyes
Reuves
Bannes
La Grosse Ferme
Bussy-Lettrée
La Villeneuve-lès-Charleville
Le Mesnil
Normée
Somme
Broussy-le-Petit
Broussy-le-Grand
Chapton
Mondement-Montgivroux
PARIS-VATRY
Lenharrée
Vassimont-et-Chapelaine
Mont Août
Chapelaine
Lachy
Broyes
Nozet
Fère-Champenoise
Connantray-Vaurefroy
Haussimont
Vaure
Le Val-Dieu
Allemant
Verdey
Sommesous
Ste-Sophie
St-Loup
Péas
Linthes
Connantre
Euvy
Les Anclages
Montépreux
La Raccroche
St-Georges
Sézanne
L'Espérance
St-Remy-sous-Broyes
Linthelles
La Colombière
Maurienne
Vindey
Corroy
Ognes
Gourgançon
Poivres
Chichey
Pleurs
Semoine
Mailly-le-Camp
Le Plessis
Gaye
Saudoy
Marigny-le-Petit
Courcelles
Choisel
Lancourt
Marigny
Queudes
Anglure-Courcelles
Fresnay
Barbonne-Fayel
Thaas
Tortepée
Faux-Fresnay
Salon
Varsovie
Villiers-Herbisse
Le Hautvilliers
Fontaine-Denis-Nuisy
Villeneuve-St-Vistre-et-Villevotte
La Chapelle-Lasson
Bonne Voisine
Chènevières
Courcemain
Herbisse
Saussaie
Champfleury
St-Quentin-le-Verger
St-Saturnin
La Folie Godot
La Celle-
Dosne
Forêt de la Perthe
Superbe

62
0 2 4 6 8 10 km
C
42
D
Louvercy
Crête Niel
Ancienne Voie Romaine
Haricot de Vadenay
Mont Piémont
Somme-Tourbe
Somme-Bionne
Ambonnay
Isse
Les Grandes-Loges
Vadenay
Cuperly
Bussy-le-Château
Noblette
La Croix-en-Champagne
Les Maigneux
St-Hilaire-au-Temple
Mont Gravonne
Fontenelle
Silo
Camp d'Attila
Mont des Vignes
La Cheppe
St-Remy-sur-Bussy
Le Vieux-Bellay
La Chapelle-Felcourt
Condé-sur-Marne
Dampierre-au-Temple
Auve
St-Mard-s-Auve
Aigny
La Veuve
Centre Routier
AUTOROUTE DE L'EST
Vraux
St-Étienne-au-Temple
Le Neuf-Bellay
L.G.V. EST
Juvigny
Mont de la Savelonnière
Mont de Charme
Ancienne
La Grande Romaine
Lycée agricole
Tilloy-et-Bellay
Poste de Somme-Vesle
Herpont
Aulnay-s-Marne
Le Lac des Grands Prés
Chaussée
Romaine
Recy
Melette
La Maison-Neuve
St-Julien
Courtisols
Somme-Vesle
Vesle
Sommesous
St-Martin-sur-le-Pré
La Folie
L'Épine
St-Memmie
Basilique N.-D. de l'Épine ★★
Poix
St-Georges
Les Cours-Brûlées
St-Gibrien
Fagnières
Villers-le-Château
CHÂLONS-EN-CHAMPAGNE★★
La Malassise
St-Pierre
St-Memmie
Compertrix
Longevas
Moivre
Thibie
Le Rafidin
Mont-Choisy
Coolus
Sarry
Marson
St-Jean-sur-Moivre
Coupéville
Frécul
La Saux
Le Fresne
Bussy-le-
Les Ormes
St-Laurent
Sogny-aux-Moulins
Moncetz-Longevas
Chepy
Notre-Dame
Écury-sur-Coole
St-Germain-la-Ville
Dampierre-sur-Moivre
Francheville
Moivre
La Motte-Hériton
Germinon
Cheniers
Coole
Mairy-s-Marne
Mont Toisé
Nuisement-sur-Coole
Vésigneul-s-Marne
Pogny
Bronne
Vanault-le-Châtel
Bellevue
Breuvery-s-Coole
Mentarah
Les Quatre-Chemins
Mandre
Vaugency
Togny-aux-Bœufs
St-Quentin-sur-Coole
Vouciennes
Omey
La Chaussée-sur-Marne
Soudron
Cernon
Vitry-la-Ville
Aulnay-l'Aître
La Cense-des-Prés
Bassu
Cheppes-la-Prairie
Guenelle
Coulmier
Soude
Coulvagny
Vatry
Coupetz
St-Martin-aux-Champs
Lisse-en-Champagne
Ablancourt
St-Amand-sur-Fion
Bassuet
Vavray-le-Grand
Songy
St-Lumier-en-Champagne
Fontaine
Bussy-Lettrée
Soulanges
Lettrée
Vésigneul
Silos
Pringy
St-Quentin-les-Marais
Changy
Outrepont
Faux-Vésigneul
Le Mont Larron
Gravelines
Mont de Fourche
Merlaut
Ponthion
PARIS-VATRY
Dommartin-Lettrée
Drouilly
Loisy-s-Marne
Vitry-en-Perthois
Maisons-en-Champagne
Courvrot
Haussimont
Notre-Dame
Saulx
Plichancourt
Brusson
Soudé
Ste-Croix
St-Étienne
Canal
Dompremy
Coole
Blacy
Reims-la-Brûlée
Tournay
Favresse
Vitry-le-François
Vauclerc
Sommesous
Marolles
Villotte
Forêt de Vauhalaise
Glannes
Huiron
Écriennes
Frignicourt
Luxémont-et-Villotte
Courdemanges
Mont Moret
Bignicourt-sur-Marne
Goncourt
Poivres
Sompuis
La Galbaudine
Châtelraould-St-Louvent
Matignicourt-Goncourt
Mailly-le-Camp
La Croix
Blaise-s/s-Arzillières
Norrois
St-Louvent
Camp militaire
Puits
La Certine
La Breuille
Cloyes-s-Marne
Moncetz-l'Abbaye
Humbauville
Perthes
Les Rivières-Henruel
Arzillières-Neuville
Tharges
Henruel
Neuville-sous-Arzillières
Larzicourt
Le Meix-Tiercelin
Les Mandres
Isle-sur-Marne
St-Chéron
Orphelinat
Flumet
St-Genest
St-Remy-en-Bouzemont-St-Genest-et-Isson
Les Monts Torlors
Trouans
A
B
91
La Verpillière
C
D
Arrigny
de Mailly
St-Ouen-Domprot
La Malmaison
Bussy-aux-Bois
Isson
Gigny-Bussy
Bois de Bussy
Dosnon
Petit-Paris
St-Étienne
Presqu'île de Larzicourt
24
27
38

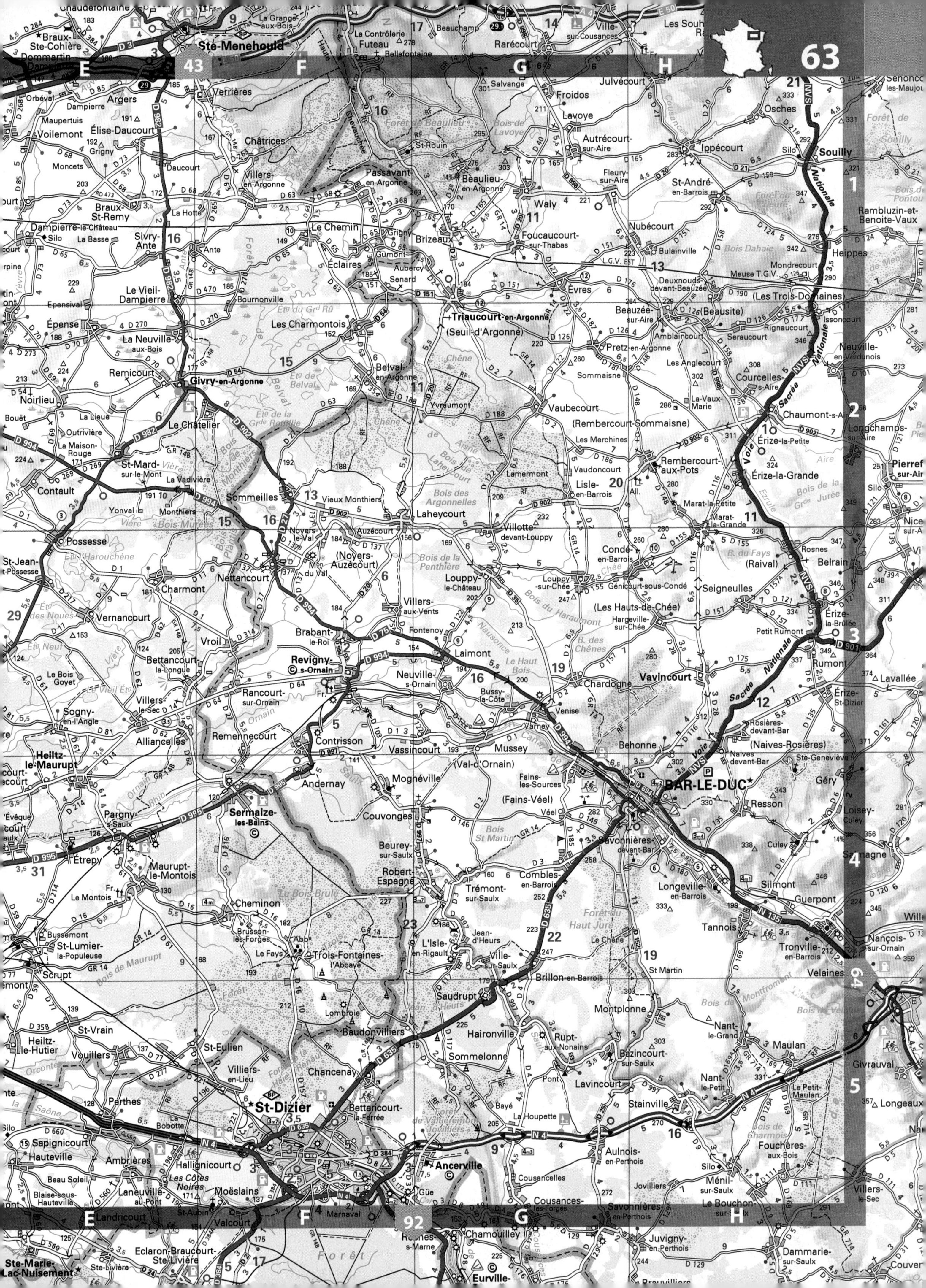

63
Ste-Menehould
Braux-Ste-Cohière
Dommartin-Dampierre
Verrières
Argers
Dampierre
Maupertuis
Élise-Daucourt
Voilemont
Grigny
Moncets
Daucourt
Châtrices
Villers-en-Argonne
Braux-St-Remy
La Hotte
Dampierre-le-Château
Sivry-Ante
Ante
La Basse
Le Vieil-Dampierre
Bournonville
Épense
La Neuville-aux-Bois
Remicourt
Givry-en-Argonne
Noirlieu
Le Châtelier
St-Mard-sur-le-Mont
Contault
La Vadivière
Sommeilles
Possesse
St-Jean-devant-Possesse
Charmont
Nettancourt
Vernancourt
Vroil
Bettancourt-la-Longue
Le Bois Goyet
Villers-le-Sec
Sogny-en-l'Angle
Rancourt-sur-Ornain
Remennecourt
Alliancelles
Heiltz-le-Maurupt
Pargny-s-Saulx
Sermaize-les-Bains
Étrepy
Maurupt-le-Montois
Le Montois
Cheminon
Brusson-les-Forges
Le Fays
Trois-Fontaines-l'Abbaye
Bussemont
St-Lumier-la-Populeuse
Scrupt
St-Vrain
Heiltz-le-Hutier
Vouillers
St-Eulien
Villiers-en-Lieu
Perthes
St-Dizier
La Bobotte
Sapignicourt
Hauteville
Ambrières
Hallignicourt
Beau Soleil
Blaise-sous-Hauteville
Laneuville-au-Pont
Moëslains
Landricourt
Valcourt
St-Aubin
Eclaron-Braucourt-Ste-Livière
Ste-Marie-Lac-Nuisement
Futeau
La Contrôlerie
Beauchamp
Rarécourt
Ville-sur-Cousances
Les Souhesmes-Rampont
Salvange
Froidos
Julvécourt
Lavoye
Autrécourt-sur-Aire
Ippécourt
Osches
Souilly
Forêt de Beaulieu
St-Rouin
Passavant-en-Argonne
Beaulieu-en-Argonne
Fleury-sur-Aire
St-André-en-Barrois
Waly
Nubécourt
Le Chemin
Brizeaux
Foucaucourt-sur-Thabas
Bulainville
Heippes
Rambluzin-et-Benoite-Vaux
Éclaires
Aubercy
Senard
Évres
Deuxnouds-devant-Beauzée
Mondrecourt
Les Trois-Domaines
Triaucourt-en-Argonne
Seuil-d'Argonne
Beauzée-sur-Aire
Beausite
Amblaincourt
Seraucourt
Rignaucourt
Issoncourt
Les Charmontois
Pretz-en-Argonne
Neuville-en-Verdunois
Belval-en-Argonne
Sommaisne
Les Anglecourt
Courcelles-s-Aire
Yvraumont
Vaubecourt
Rembercourt-Sommaisne
La-Vaux-Marie
Chaumont-s-Aire
Longchamps-sur-Aire
Les Merchines
Rembercourt-aux-Pots
Vaudoncourt
Lamermont
Érize-la-Petite
Érize-la-Grande
Pierrefitte-sur-Aire
Lisle-en-Barrois
Marat-la-Petite
Marat-la-Grande
Vieux Monthiers
Laheycourt
Villotte-devant-Louppy
Noyers-le-Val
Auzécourt
Noyers-Auzécourt
Condé-en-Barrois
Raival
Rosnes
Belrain
Nicey-sur-Aire
Louppy-le-Château
Louppy-sur-Chée
Génicourt-sous-Condé
Seigneulles
Les Hauts-de-Chée
Hargeville-sur-Chée
Villers-aux-Vents
Fontenoy
Brabant-le-Roi
Laimont
Petit Rumont
Érize-la-Brûlée
Rumont
Revigny-s-Ornain
Neuville-s-Ornain
Bussy-la-Côte
Chardogne
Vavincourt
Lavallée
Érize-St-Dizier
Contrisson
Vassincourt
Venise
Varney
Mussey
Val-d'Ornain
Behonne
Rosières-devant-Bar
Naives-Rosières
Naives-devant-Bar
Ste-Geneviève
Géry
Andernay
Mognéville
Fains-les-Sources
Fains-Véel
Véel
BAR-LE-DUC
Resson
Loisey-Culey
Couvonges
Savonnières-devant-Bar
Culey
Salmagne
Beurey-sur-Saulx
Robert-Espagne
Combles-en-Barrois
Longeville-en-Barrois
Silmont
Guerpont
Trémont-sur-Saulx
Jean-d'Heurs
L'Isle-en-Rigault
Ville-sur-Saulx
Tannois
Tronville-en-Barrois
Nançois-sur-Ornain
Velaines
St Martin
Brillon-en-Barrois
Saudrupt
Montplonne
Lombroie
Baudonvilliers
Haironville
Rupt-aux-Nonains
Nant-le-Grand
Maulan
Bazincourt-sur-Saulx
Givrauval
Sommelonne
Chancenay
Pont
Lavincourt
Nant-le-Petit
Le Petit-Maulan
Longeaux
Bettancourt-la-Ferrée
Bayé
La Houpette
Stainville
Aulnois-en-Perthois
Foucheres-aux-Bois
Ancerville
Cousancelles
Silo
Ménil-sur-Saulx
Villers-le-Sec
Gûe
Marnaval
Cousances-les-Forges
Savonnières-en-Perthois
Jovilliers
Le Bouchon-sur-Saulx
Chamouilley
Roches-s-Marne
Juvigny-en-Perthois
Dammarie-sur-Saulx
Eurville-Bienville
Couvertpuis
Forêt

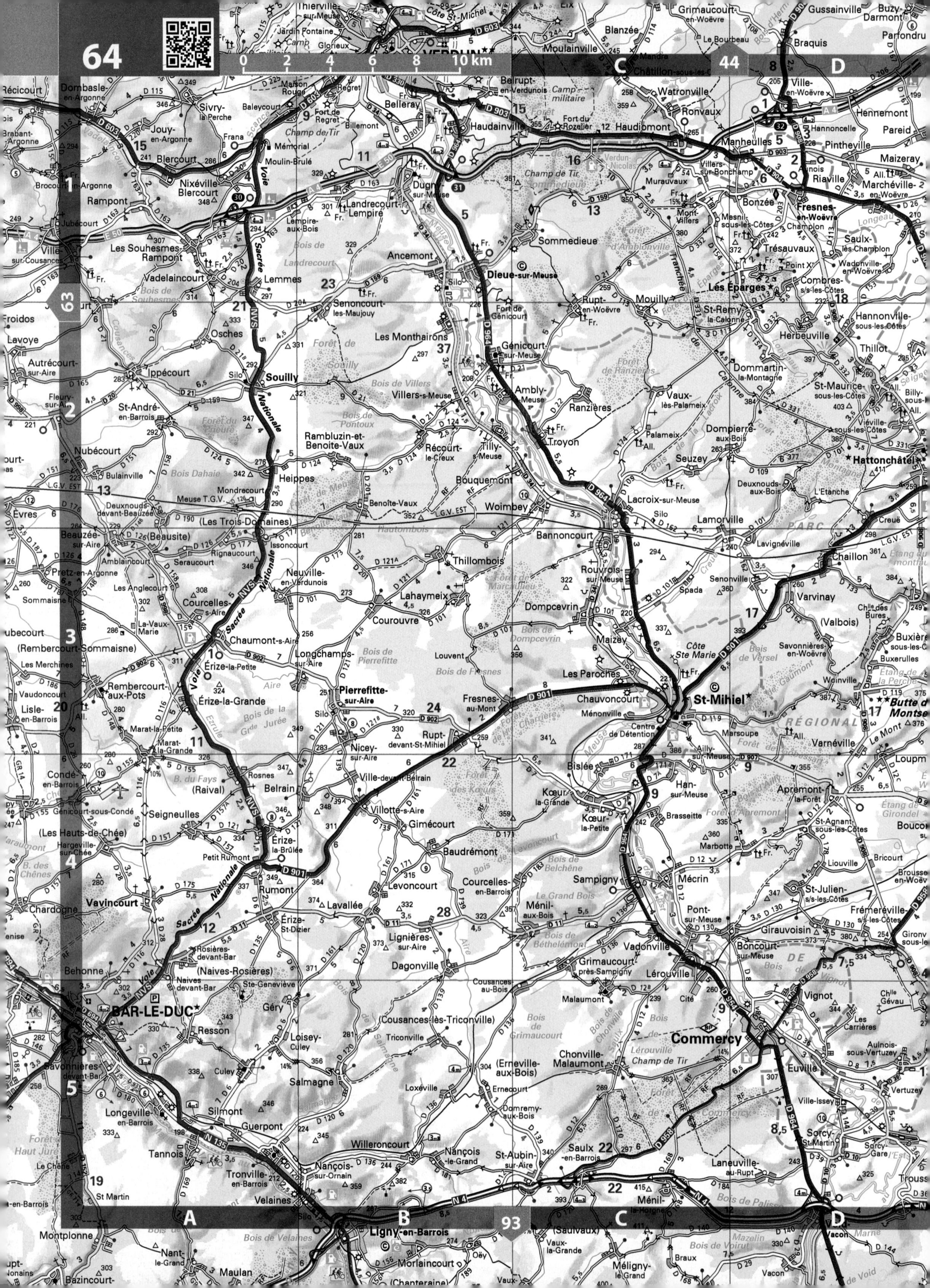
64
0 2 4 6 8 10 km
A
B
C
D
1
2
3
4
5
63
44
93
VERDUN
Thierville-sur-Meuse
Jardin Fontaine
Glorieux
Côte St-Michel
Blanzée
Moulainville
Grimaucourt-en-Woëvre
Le Bourbeau
Gussainville
Buzy-Darmont
Braquis
Parfondru
Châtillon-sous-les-Côtes
Récicourt
Dombasle-en-Argonne
Sivry-la-Perche
Baleycourt
Marson Rouge
Regret
Fort de Regret
Billemont
Belleray
Belrupt-en-Verdunois
Camp militaire
Watronville
Ronvaux
Ville-en-Woëvre
Hennemont
Haudainville
Fort du Rozelier
Haudiomont
Manheulles
Pareid
Jouy-en-Argonne
Frana
Mémorial
Moulin-Brûlé
Champ de Tir
Brabant-en-Argonne
Blercourt
Verdun-St-Nicolas
Pintheville
Maizeray
Villers-sous-Bonchamp
Aulnois
Riaville
Marchéville-en-Woëvre
Brocourt-en-Argonne
Nixéville-Blercourt
Dugny-sur-Meuse
Champ de Tir Sommedieue
Murauvaux
Bonzée
Fresnes-en-Woëvre
Rampont
Landrecourt-Lempire
Lempire-aux-Bois
Mont-Villers
Mesnil-sous-les-Côtes
Champlon
Jubécourt
Ville-sur-Cousances
Les Souhesmes-Rampont
Bois de Landrecourt
Ancemont
Sommedieue
Forêt d'Amblonville
Trésauvaux
Saulx-lès-Champlon
Point X
Wadonville-en-Woëvre
Vadelaincourt
Lemmes
Silo
Dieue-sur-Meuse
Combres-s/s-les-Côtes
Les Éparges
Bois de Souhesmes
Fort de Génicourt
Rupt-en-Woëvre
Mouilly
St-Remy-la-Calonne
Hannonville-sous-les-Côtes
Froidos
Senoncourt-les-Maujouy
Tranchée de Calonne
Lavoye
Osches
Les Monthairons
Forêt de Souilly
Génicourt-sur-Meuse
Herbeuville
Thillot
Autrécourt-sur-Aire
Ippécourt
Souilly
Bois de Villers
Villers-s-Meuse
Ambly-s-Meuse
Forêt de Ranzières
Dommartin-la-Montagne
St-Maurice-sous-les-Côtes
Billy-sous-les-Côtes
Fleury-sur-Aire
St-André-en-Barrois
Forêt du Prieuré
Bois de Pontoux
Ranzières
Vaux-lès-Palameix
Vieville-sous-les-Côtes
Rambluzin-et-Benoite-Vaux
Récourt-le-Creux
Tilly-s-Meuse
Troyon
Palameix
Dompierre-aux-Bois
Nubécourt
Bulainville
Bois Dahaie
Heippes
Seuzey
Hattonchâtel
Mondrecourt
Meuse T.G.V.
Bouquemont
Deuxnouds-aux-Bois
L'Etanche
Deuxnouds-devant-Beauzée
Benoîte-Vaux
Woimbey
Lacroix-sur-Meuse
L.G.V. EST
Évres
(Les Trois-Domaines)
Hautombois
Bannoncourt
Lamorville
Creuë
Beauzée-sur-Aire
(Beausite)
Issoncourt
Lavignéville
Amblaincourt
Rignaucourt
Seraucourt
Thillombois
Chaillon
Pretz-en-Argonne
Neuville-en-Verdunois
Rouvrois-sur-Meuse
Senonville
Les Anglecourt
Forêt de Marcaulieu
Spada
Varvinay
Sommaisne
Courcelles-s-Aire
Lahaymeix
Dompcevrin
(Valbois)
La-Vaux-Marie
Courouvre
Bois de Dompcevrin
Buxières-sous-les-Côtes
Rembercourt-Sommaisne
Chaumont-s-Aire
Longchamps-sur-Aire
Bois de Pierrefitte
Maizey
Côte Ste Marie
Bois de Versel
Savonnières-en-Woëvre
Buxerulles
Les Merchines
Érize-la-Petite
Louvent
Bois de Fresnes
Les Paroches
Woinville
Vaudoncourt
Rembercourt-aux-Pots
Érize-la-Grande
Aire
Pierrefitte-sur-Aire
Fresnes-au-Mont
Chauvoncourt
St-Mihiel
Butte de Montsec
Lisle-en-Barrois
Bois de la Gde Jurée
Rupt-devant-St-Mihiel
Ménonville
Centre de Détention
Marsoupe
RÉGIONAL
Marat-la-Petite
Marat-la-Grande
Nicey-sur-Aire
Forêt de Hte Charrière
Ailly-sur-Meuse
Varnéville
Loupmont
Condé-en-Barrois
B. du Fays
Rosnes
(Raival)
Belrain
Ville-devant-Belrain
Forêt des Kœurs
Bislée
Kœur-la-Grande
Han-sur-Meuse
Apremont-la-Forêt
Seigneulles
Génicourt-sous-Condé
Villotte-s-Aire
Gimécourt
Kœur-la-Petite
Brasseitte
Forêt d'Apremont
St-Agnant-sous-les-Côtes
(Les Hauts-de-Chée)
Hargeville-sur-Chée
Petit Rumont
Érize-la-Brûlée
Baudrémont
Marbotte
Bricourt
Liouville
B. des Chênes
Rumont
Levoncourt
Courcelles-en-Barrois
Bois de Belchêne
Sampigny
Mécrin
Vavincourt
Chardogne
Lavallée
Ménil-aux-Bois
Le Grand Bois
St-Julien-s/s-les-Côtes
Frémeréville-s/s-les-Côtes
Érize-St-Dizier
Lignières-sur-Aire
Pont-sur-Meuse
Girauvoisin
Rosières-devant-Bar
(Naives-Rosières)
Bois de Béthelémont
Vadonville
Boncourt-sur-Meuse
Behonne
Dagonville
Grimaucourt-près-Sampigny
Lérouville
Naives-devant-Bar
Ste-Geneviève
Cousances-au-Bois
Malaumont
Cité
Vignot
BAR-LE-DUC
Géry
(Cousances-lès-Triconville)
Bois de Grimaucourt
Resson
Loisey-Culey
Triconville
Commercy
Lérouville Champ de Tir
Aulnois-sous-Vertuzey
Savonnières-devant-Bar
Culey
Salmagne
(Erneville-aux-Bois)
Chonville-Malaumont
Euville
Longeville-en-Barrois
Silmont
Loxéville
Ernecourt
Forêt de Commercy
Vertuzey
Guerpont
Domremy-aux-Bois
Ville-Issey
Forêt de Haut Juré
Tannois
Willeroncourt
Sorcy-St-Martin
Sorcy-Gare
Nançois-sur-Ornain
Nançois-le-Grand
St-Aubin-sur-Aire
Saulx-en-Barrois
Laneuville-au-Rupt
Le Chêne
Tronville-en-Barrois
St Martin
Velaines
Ménil-la-Horgne
Bois de Palis
Montplonne
Bois de Velaines
Ligny-en-Barrois
(Sauvaux)
Vaux-la-Grande
Mazelin
Vacon
Nant-le-Grand
Morlaincourt
Méligny-le-Grand
Braux
Maulan
Bazincourt
(Chanteraine)
Voie Sacrée Nationale
A 4
E 50
N 4
N 135
D 603
D 903
D 964
D 901
D 958

METZ
NANCY
Pont-à-Mousson
Jarny
Toul
Thiaucourt-Regniéville
Chambley-Bussières
Dieulouard
Liverdun
Pompey
Frouard
Maxéville
Malzéville
St-Max
Laxou
Champigneulles
Montigny-lès-M.
Moulins-lès-M.
Nomeny
Verny
Sillegny
Laquenexy
Jarville-la-Malgrange
Vandœuvre-lès-N.
Laneuveville-devant-N.
Blénod-lès-Pont-à-Mousson
Mars-la-Tour
Vionville
Rezonville
Gravelotte
Gorze
Novéant-s-Moselle
Ars-s-Moselle
Arnaville
Pagny-s-Moselle
Vandières
Villers-s/s-Prény
Norroy-lès-Pont-à-Mousson
Montauville
Maidières
Jezainville
Atton
Loisy
Bezaumont
Ste-Geneviève
Landremont
Millery
Custines
Marbache
Belleville
Saizerais
Rosières-en-Haye
Domèvre-en-Haye
Manonville
Martincourt
Gézoncourt
Griscourt
Villers-en-Haye
Avrainville
Jaillon
Villey-St-Étienne
Francheville
Aingeray
Fontenoy-s-Moselle
Gondreville
Velaine-en-Haye
Sexey-les-Bois
Dommartin-lès-Toul
Chaudeney-sur-Moselle
Villey-le-Sec
Choloy-Ménillot
Foug
Écrouves
Lucey
Bruley
Pagney-derrière-Barine
Lagney
Bouvron
Ménil-la-Tour
Andilly
Sanzey
Royaumeix
Manoncourt-en-Woëvre
Tremblecourt
Minorville
Grosrouvres
Bernécourt
Noviant-aux-Prés
Flirey
Limey-Remenauville
Mamey
Lironville
Fey-en-Haye
Regniéville
Euvezin
Pannes
Essey-et-Maizerais
Seicheprey
Beaumont
Mandres-aux-Quatre-Tours
Rambucourt
Hamonville
Ansauville
Boucq
Trondes
Laneuveville-derrière-Foug
Lay-St-Rémy
Xammes
Beney-en-Woëvre
Jaulny
Rembercourt-sur-Mad
Charey
Dommartin-la-Chaussée
Waville
Onville
Vandelainville
Bayonville-sur-Mad
Villecey-s-Mad
St-Julien-lès-Gorze
Hagéville
Xonville
Puxieux
Sponville
Tronville
Hannonville-Suzémont
Latour-en-Woëvre
Jonville-en-Woëvre
Labeuville
Bruville
Doncourt-lès-Conflans
Vernéville
Amanvillers
Châtel-St-Germain
Scy-Chazelles
Rozérieulles
Ste-Ruffine
Jussy
Vaux
Ancy-Dornot
Jouy-aux-Arches
Corny-s-Moselle
Fey
Coin-lès-Cuvry
Cuvry
Augny
Marly
Pouilly
Chesny
Fleury
Peltre
Orny
Pournoy-la-Chétive
Pournoy-la-Grasse
Coin-s-Seille
Pommérieux
Marieulles
Arry
Lorry-Mardigny
Vittonville
Champey-s-Moselle
Cheminot
Bouxières-s/s-Froidmont
Lesménils
Morville-s-Seille
Port-s-Seille
Clémery
Rouves
Éply
Raucourt
Mailly-s-Seille
Abaucourt
Létricourt
Chenicourt
Ajoncourt
Jeandelaincourt
Sivry
Moivrons
Bratte
Villers-lès-Moivrons
Leyr
Faulx
Malleloy
Montenoy
Bouxières-aux-Chênes
Lay-St-Christophe
Eulmont
Bouxières-aux-Dames
Dommartemont
Agincourt
Essey-lès-N.
Pulnoy
Seichamps
Tomblaine
Saulxures-lès-Nancy
Louvigny
Vigny
Solgne
Secourt
Pagny-lès-Goin
Goin
Liéhon
Chérisey
Pontoy
Mécleuves
Jury
Courcelles-sur-Nied
Mercy
Magny
Frescaty
St-Privat
Queuleu
Borny
Coincy
Marsilly
Ars-Laquenexy
Fontaine de Rupt de Mad
Forêt des Hauts de Gorze
Forêt de Gorze
Forêt de Haye
Forêt de l'Avant-Garde
Forêt de Puvenelle
Butte de Mousson
Mont St-Jean
Mont Toulon
Mont St Michel
Centrale Solaire
Côte de Faye
Étang de Lachaussée
Lorraine T.G.V.
METZ-NANCY-LORRAINE
Moselle
Seille
E
F
G
H
45
94
66

66
0 2 4 6 8 10 km
46
65
95
A
B
C
D
1
2
3
4
5
METZ
NANCY
Château-Salins
Faulquemont
Delme
Nomeny
Courcelles-Chaussy
Laquenexy
Verny
Montigny-lès-M.
Pont-à-Mousson
Pompey
Malzéville
St-Max
Maxéville
Laxou
Essey-lès-N.
Vandœuvre-lès-N.
Jarville-la-Malgrange
Champigneulles
Frouard
Custines
Marly
Pouilly
Chesny
Mécleuves
Sorbey
Rémilly
Han-sur-Nied
Béchy
Solgne
Sillegny
Louvigny
Cheminot
Vigny
Secourt
Sailly-Achâtel
Moncheux
Juville
Liocourt
Puzieux
Donjeux
Oriocourt
Jallaucourt
Fresnes-en-Saulnois
Amelécourt
Gerbécourt
Vaxy
Morville-lès-Vic
Vic-sur-Seille
Salonnes
Moyenvic
Marsal
Chambrey
Grémecey
Pettoncourt
Attilloncourt
Bioncourt
Moncel-sur-Seille
Champenoux
Mazerulles
Amance
Seichamps
Pulnoy
Saulxures-lès-Nancy
Tomblaine
Cerville
Buissoncourt
Réméréville
Courbesseaux
Serres
Hoéville
Athienville
Bathelémont
Bures
Parroy
Bauzemont
Hénaménil
Einville-au-Jard
Varangéville
Haraucourt
Crévic
Sionviller
Bezange-la-Grande
Sornéville
Xanrey
Juvrecourt
Lezey
Juvelize
Dédeling
Puttigny
Obreck
Vannecourt
Burlioncourt
Dalhain
Haboudange
Bréhain
Achain
Riche
Destry
Baronville
Morhange
Suisse
Thonville
Brulange
Landroff
Eincheville
Arraincourt
Holacourt
Vatimont
Herny
Many
Mainvillers
Chémery
Adelange
Boustroff
Vahl-lès-Faulquemont
Créhange
Elvange
Guinglange
Flétrange
Hémilly
Villers-Stoncourt
Chanville
Servigny-lès-Raville
Raville
Fouligny
Bionville-s-Nied
Maizeroy
Pange
Colligny
Ogy
Coincy
Peltre
Jury
Mercy
Frescaty
Cuvry
Fleury
Orny
Pournoy-la-Grasse
Chérisey
Liéhon
Goin
Pagny-lès-Goin
Pommérieux
Coin-sur-Seille
Coin-lès-Cuvry
Sailly-en-Saulnois
Buchy
Luppy
Flocourt
St-Epvre
Baudrecourt
Chenois
Lesse
Lucy
Morville-s-Nied
Thimonville
Tragny
Bacourt
Prévocourt
Xocourt
Tincry
Viviers
Fonteny
Faxe
Oron
Chicourt
Frémery
Hannocourt
Villers-s-Nied
Marthille
Laneuveville-en-Saulnois
Lemoncourt
Aulnois-s-Seille
Craincourt
Alaincourt-la-Côte
Thézey-St-Martin
Abaucourt
Phlin
Mailly-s-Seille
Éply
Raucourt
Morville-s-Seille
Port-s-Seille
Clémery
Rouves
Bénicourt
Létricourt
Chenicourt
Fossieux
Malaucourt-sur-Seille
Ajoncourt
Arraye-et-Han
Jeandelaincourt
Moivrons
Manhoué
Abancourt-sur-Seille
Armaucourt
Villers-lès-Moivrons
Lanfroicourt
Bey-sur-Seille
Leyr
Montenoy
Faulx
Malleloy
Bratte
Belleau
Sivry
Millery
Bouxières-aux-Chênes
Bouxières-aux-Dames
Lay-St-Christophe
Eulmont
Agincourt
Dommartemont
Dommartin-s/s-Amance
Laneuvelotte
Velaine-s/s-Amance
Erbéviller-sur-Amezule
Brin-sur-Seille
Landremont
Ville-au-Val
Autreville-s-Moselle
Bezaumont
Ste-Geneviève
Loisy
Dombasle
Mont Toulon
Mont St-Jean
Forêt de Champenoux
Bois de Faulx
Forêt de Rémilly
Forêt de Dain
Forêt de Bride et de Koecking
D 910
D 955
D 674
D 999
D 603
D 38
A 31
E 21
E 23
E 25
E 50
A 4
Lorraine T.G.V.
METZ-NANCY-LORRAINE
L.G.V. EST

Sarreguemines
Hombourg-Haut
Farébersviller
Diebling
Hundling
Nousseviller-St-Nabor
Ippling
Rémelfing
Farschviller
Metzing
Macheren
Henriville
Loupershouse
Woustviller
Guebenhouse
Ernestviller
Neufgrange
Zetting
Wiesviller
Wœlfling-lès-Sarreguemines
Gros-Réderching
Lachambre
Cappel
Barst
Hoste
Puttelange-aux-Lacs
Hambach
Siltzheim
Wittring
Achen
Bining
Biding
Vahl-Ebersing
Maxstadt
Grundviller
Rémering-lès-Puttelange
Richeling
Willerwald
Etting
Laning
Lixing-lès-St-Avold
Leyviller
Altrippe
St-Jean-Rohrbach
Hilsprich
Herbitzheim
Kalhausen
Schmittviller
Frémestroff
Holving
Sarralbe
Oermingen
Rahling
Hellimer
Freybouse
Diffembach-lès-Hellimer
Bistroff
Grostenquin
Petit-Tenquin
Le Val-de-Guéblange
Keskastel
Dehlingen
Butten
Erstroff
Gréning
Nelling
Kappelkinger
Hazembourg
Vœllerdingen
Lorentzen
Ratzwiller
Bérig-Vintrange
Francaltroff
Réning
Insming
Hinsingen
Schopperten
Kirviller
Domfessel
Diemeringen
Léning
Vittersbourg
Bissert
Sarre-Union
Rimsdorf
Waldhambach
Virming
Vallerange
Neufvillage
Ste Anne
Albestroff
Honskirch
Harskirchen
Mackwiller
Bermering
Givrycourt
Altwiller
Sarrewerden
Thal-Drulingen
Montdidier
Vahl-lès-Bénestroff
Munster
Vibersviller
Rexingen
Adamswiller
Nébing
Torcheville
Burbach
Berg
Struth
Bénestroff
Insviller
Lhor
Wolfskirchen
Bettwiller
Asswiller
Molring
Diedendorf
Gungwiller
Ottwiller
Marimont-lès-Bénestroff
Guinzeling
Drulingen
Eywiller
Weyer
Bourgaltroff
Bassing
Domnom-lès-Dieuze
Mittersheim
Niederstinzel
Eschwiller
Guébling
Lostroff
Postroff
Fénétrange
Siewiller
Cutting
Loudrefing
Baerendorf
Veckersviller
Bidestroff
Hirschland
Schalbach
Vergaville
Rorbach-lès-Dieuze
Romelfing
Kirrberg
Guébestroff
Zommange
Berthelming
Rauwiller
Metting
Dieuze
Angviller-lès-Bisping
Bisping
Hellering-lès-Fénétrange
Bickenholtz
Vescheim
Bettborn
St-Jean-de-Bassel
Oberstinzel
Gœrlingen
Fleisheim
Wintersbourg
Guermange
Tarquimpol
Desseling
Gosselming
Vieux-Lixheim
Hérange
Dolving
Hilbesheim
Lixheim
Parc animalier
Assenoncourt
Sarraltroff
Brouviller
St-Jean-Kourtzerode
Fribourg
Haut-Clocher
Dannelbourg
Réding
Waltembourg
Gelucourt
Rhodes
Langatte
Languimberg
Kerprich-aux-Bois
Sarrebourg
Hommarting
Azoudange
Buhl-Lorraine
Diane-Capelle
Arzviller
Plan incliné
Bourdonnay
Maizières-lès-Vic
Imling
Niderviller
Guntzviller
Bébing
Barchain
Schneckenbusch
Brouderdorff
Haselbourg
Hertzing
Héming
Xouaxange
Hesse
Plaine-de-Walsch
Hommert
Lagarde
Xirxange
Neufmoulins
Gondrexange
Hermelange
Hartzviller
Harreberg
Port-Ste Marie
Bataville
Landange
Nitting
Troisfontaines
Moussey
Réchicourt-le-Château
St-Georges
Lorquin
Voyer
Walscheid
Dabo
Vaucourt
Xousse
Remoncourt
Avricourt
Aspach
Laneuveville-lès-Lorquin
Abreschviller
Igney
Foulcrey
Hattigny
Niderhoff
Vasperviller
Amenoncourt
Gogney
Forêt de Fénétrange
PARC
NATUREL
RÉGIONAL
LORRAINE

0 2 4 6 8 10 km
A
B
C
D
48
67
96
1
2
3
4
5
Bitche
Simserhof
Fort Casso
Rohrbach-lès-Bitche
Camp militaire de Bitche
La Main du Prince
Sturzelbronn
Lemberg
Enchenberg
Goetzenbruck
Mouterhouse
Baerenthal
Philippsbourg
Niederbronn-les-Bains
Reichshoffen
Ch^au de Falkenstein
Ch^au Vieux Windstein
Meisenthal
Soucht
Pierre des 12 Apôtres
Wingen-s-Moder
Lichtenberg
Ingwiller
La Petite-Pierre
Neuwiller-lès-Saverne
Bouxwiller
Phalsbourg
Lutzelbourg
Ch^au du Haut-Barr
Saverne
St Michel
Marmoutier
Wasselonne
Marlenheim
Dabo
Rocher de Dabo
Plan incliné
Rocher du Nutzkopf
Brumath
Hochfelden
Mommenheim
Schwindratzheim
Pfaffenhoffen
Wangenbourg-Engenthal
Sarreguemines
Rahling
Wintersbourg
Mittelbronn

69
E
F
G
H
49
97
1
2
3
4
5
Niederschlettenbach
Oberotterbach
Zuckerberg
Vollmersweiler
Niederotterbach
Freckenfeld
Langenberg
Schaidt
Nothweiler
Bobenthal
Col de Litschhof
Schweigen-Rechtenbach
Steinfeld
Kapsweyer
Windhof
Schweighofen
Maximiliansau
Mühlb
St Germanshof
Weiler
Fleckenstein
Wissembourg
Altenstadt
Büchelberg
Hagenbach
Petit Wingen
Col du Pigeonnier
Mundatwald
Rott
Forêt de Wissembourg
Climbach
Oberhoffen-lès-W.
Steinseltz
Bienwaldziegelhütte
Bienwaldmühle
Neuburg am Rhein
Daxlanden
Grünwinkel
Cleebourg
Riedseltz
Col du Pfaffenschlick
Forchheim
Scheibenhardt
Neulauterburg
Lauterbourg
Berg
Rheinstetten
Schleithal
Scheibenhard
Mörsch
Salmbach
Niederlauterbach
Neuburgweier
Four-à-Chaux
Drachenbronn-Birlenbach
Ingolsheim
Seebach
Frohnackerhof
Geitershof
Bremmelbach
Ouvrage d'artillerie
Siegen
Neewiller-près-Lauterbourg
Au am Rhein
Lobsann
Oberlauterbach
Keffenach
Memmelshoffen
Hunspach
Lampertsloch
Retschwiller
Niederseebach
Aschbach
Wintzenbach
Mothern
Illingen
Durmersheim
Bruchhausen
Preuschdorf
Oberkutzenhausen
Schoenenbourg
Hermerswiller
Soultz-s/s-Forêts
Trimbach
Raidenbourg
Croettwiller
Eberbach-Seltz
Elchesheim-Illingen
Würmersheim
Munchhausen
Merkwiller-Pechelbronn
Kutzenhausen
Hoffen
Stundwiller
Bietigheim
Schaffhouse-près-Seltz
Neumalsch
Dieffenbach-lès-Woerth
Hohwiller
Leiterswiller
Buhl
Steinmauern
Spachbach
Hoelschloch
Kuhlendorf
Oberroedern
Niederroedern
Rittershoffen
Hatten
Surbourg
Reimerswiller
Seltzbach
Plittersdorf
Ötigheim
Casemate Esch
Seltz
Malsch
Biblisheim
Schwabwiller
Betschdorf
Kesseldorf
Rheinau
Muggensturm
Walbourg
Ottersdorf
Forstfeld
Beinheim
Koenigsbruck
Rastatt
Niederweier
Oberweier
Kauffenheim
Wintersdorf
Rauental
Eichel-Berg
Bischweier
Kuppenheim
Leutenheim
Iffezheim
Niederbühl
Winkel
St Arbogast
Roppenheim
Förch
Oberndorf
Bad Rotenfels
Krantzhubel
Soufflenheim
Roeschwoog
Neuhaeusel
Favorite
Baden-Baden
Sandweier
Haueneberstein
Gaggenau
Marxenhouse
Rountzenheim
Auenheim
Fort-Louis
Amalienberg
Haguenau
Camp militaire
Schirrhoffen
Schirrhein
Sessenheim
Stattmatten
Hügelsheim
Eberstein-burg
Selbach
Balg
Oos
Hohenbaden
Gernsbach
Staufenberg
Dengolsheim
Kleinkanada
Kartung
Weinumshof
Kaltenhouse
Oberhoffen-s-Moder
Dalhunden
Söllingen
Baden Airpark
Schiftung
Winden
Sinzheim
BADEN-BADEN
Merkur
Marienthal
Bischwiller
Stollhofen
Leiberstung
Haelfolsheim
Rohrwiller
Drusenheim
Greffern
Rheinmünster
Halberstung
Vormberg
Müllhofen
Lichtental
Obertsrot
Müllenbach
Gries
Gallenbach
Varnhalt
Oberbeuern
Weisenbach
Grauelsbaum
Schwarzach
Weitenung
Yburg
Geroldsau
Weitbruch
Oberbruch
Ottenhofen
Umweg
Malschbach
Herrlisheim
Hildmannsfeld
Steinbach
Neuweier
Wasserfälle
Kurtzenhouse
Ulm
Moos
Vimbuch
Eisental
Steinberg
Lichtenau
Affental
Scherrhof
Rote Lache
Helmlingen
Scherzheim
Balzhofen
Eierkuchenberg
Bermersbach
Weyersheim
Offendorf
Liehenbach
Obertal
Unzhurst
Zell
Hatzenweier
Bühl
Bühlertal
Hœrdt
Gambsheim
Memprechtshofen
Michelbuch
Breithurst
Kappelwindeck
Riegel
Rittersbach
Alt-Windeck
Badener Höhe
Le Ried
Waldmatt
Hof
Ottersweier
Walzfeld
Neusatz
Wiedenfelsen
Herrenwies
Bas-Gambsheim
Freistett
Litzloch
Kilstett
Rheinau
Gamshurst
Hesselbach
Sasbachried
Hub
Gertelbach Wasserfälle
Mehliskopf
Haft
Lauf
Hundseck
Erbersbronn
La Wantzenau
Großweier
Hoher Ochsenkopf
Diersheim
Rheinbischofsheim
Sasbach
Kloster
Glashütte
Reichstett
Achern
Hochkopf
Hausgereut
Obersasbach
Hohbühn
Hohritt
Brandmatt
Wagshurst
Sasbachwalden
Hundsbach
Schiltigheim
Honau
Holzhausen
Hornisgrinde
Linx
Fautenbach
Sandweg
Oberachern
Schloß
Mummelsee
Hœnheim
Fuchs-am-Buckel
Leutesheim
Onsbach
Schönbüch
Langenbach
Zwickgabel
Bischheim
Korker
Kappelrodeck
Mittlerer
Auenheim
Zierolshofen
Altsteigerskopf
Bodersweier
Mösbach
Waldulm
Furschenbach
STRASBOURG
Querbach
Renchen
Ulm
Kaier
Seebach
Wildsee
Weingarten
Oberberg
Ruhestein
Bolzhurst
Legelshurst
Reiersbach
Haslach
Burg
Pfälzerkopf
Ottenhöfen

70
0 2 4 6 8 10 km
C
D
1
2
3
4
5
A
B
C
D
74
75
Légendes
des
Côte
Roches de Portsall
Roches d'Argenton
Pointe de
Cha
Méneham
Plateau d'Amand ar Ross
Karrec-Hir
La Digue
Boutrouilles
St-Egarec
Rudoloc
Lanhir
Neis-Vran
Nodéven
Guissény
Kerbrezant
L'Île Vierge
Le Libenter
Î. Stagadon
Î. Venan
La Grève Blanche
St-Michel
Kelerdut
Île Penenès
Grève du Vougot
Grève de Zorn
Chenal de l'Aber Wrac'h
Î. de la Croix
Î. Vrac'h
Presqu'île de St-Marguerite
Î. Cézon
Î. d'Erch
Dunes
Fort
Île Guenioc
Î. Tariec
B. des Anges
L'Aber-Wrac'h
Lilia
Église
Iliz-Koz
Lanvaon
St-Cava
Perros
Plouguerneau
Kerhornaouen
Kervaro
Brendaouez
Keroudern
Croas-ar-Gall
Corn Carhai
Rosservor
Î. du Bec
Île Trevors
Î. Garo
Île Carne
Tumulus
Dunes de Corn-ar-Gazel
Brouennou
Gouvent
St-Antoine
Paluden
Ste-Anne
Antéren
Kerdélant
St-Frégant
Lanneuenval
Le Grouanec
Lannébeur
Kerouartz
Prat-Paul
Kernilis
Penmarch
Porsguen
Île Verte
Landéda
Croix-Rouge
Prat-ar-Coum
Tréompan
Lampaul-Ploudalmézeau
Trémazan
St-Samson
Portsall
Bar-ar-Lan
Kerlanou
Stréat-Veur
St-Pabu
Aber Benoît
Lannilis
Pellan
Diouris
Kerarédeau
Loc-Brévalaire
Le Folgoët
Lanarvily
Pointe de Landunvez
Chât.
Kersaint
Ploudalmézeau
Tréglonou
Moulin-du-Châtel
Menez-Bras
Tariec
Kérouné
Kergrac'h
St-Gonvel
Penfoul
Landunvez
Île d'Iock
Le Four
Argenton
Presqu'île St-Laurent
St-Roch
Kernevez
Plouguin
Kerantour
Plouvien
St-Jean-Balanant
Landouzan
Le Drennec
Porspoder
Keroustat
Kergastel
Plourin
St-Jaoua
Kérivinoc
Kerdalaes
Locmaria
Les Liniou
Larret
Couloudouarn
Trémobian
Coat-Méal
Pentreff
Coat-Elez
Île Melon
Melon
Kergadiou
Tréouergat
Bourg-Blanc
St-Urfold
Plabennec
Breventec
Le Leuhan
Lanildut
Brélès
Pen-an-Dreff
Guipronvel (Milizac-Guipronvel)
Tollan
Rocher du Crapaud
Kergroadès
Lanrivoaré
Les Trois Curés
Lanorven
Lesquelen
Porscave
Aber Ildut
Brescanvel
Tumulus
Grève de Gouérou
Lampaul-Plouarzel
Erragounan
St-Eloi
Lanvenec
Kéranflech
Milizac
Kergoat
Mendy
Keralias
Porspaul
Keramazé
Kérivot
Gouesnou
Kersaint-Plabennec
Les Plâtresses
Le Faix
Île Ségal
Lokornou-Vian
Kervalguen
Chenal
Trézien
Plouarzel
Kervéatoux
Ruscumunoc
Kerloas
Bohars
Tromeur
Kervao
St-Divy
Pointe de Corsen
Lamber
Loscoat
Guipavas
Porsmoguer
Kerouzien
Cohars
Langongar
Trégorff
Grand-Kervao
Lambézellec
Kergaradec
Grève de
Four
Molène

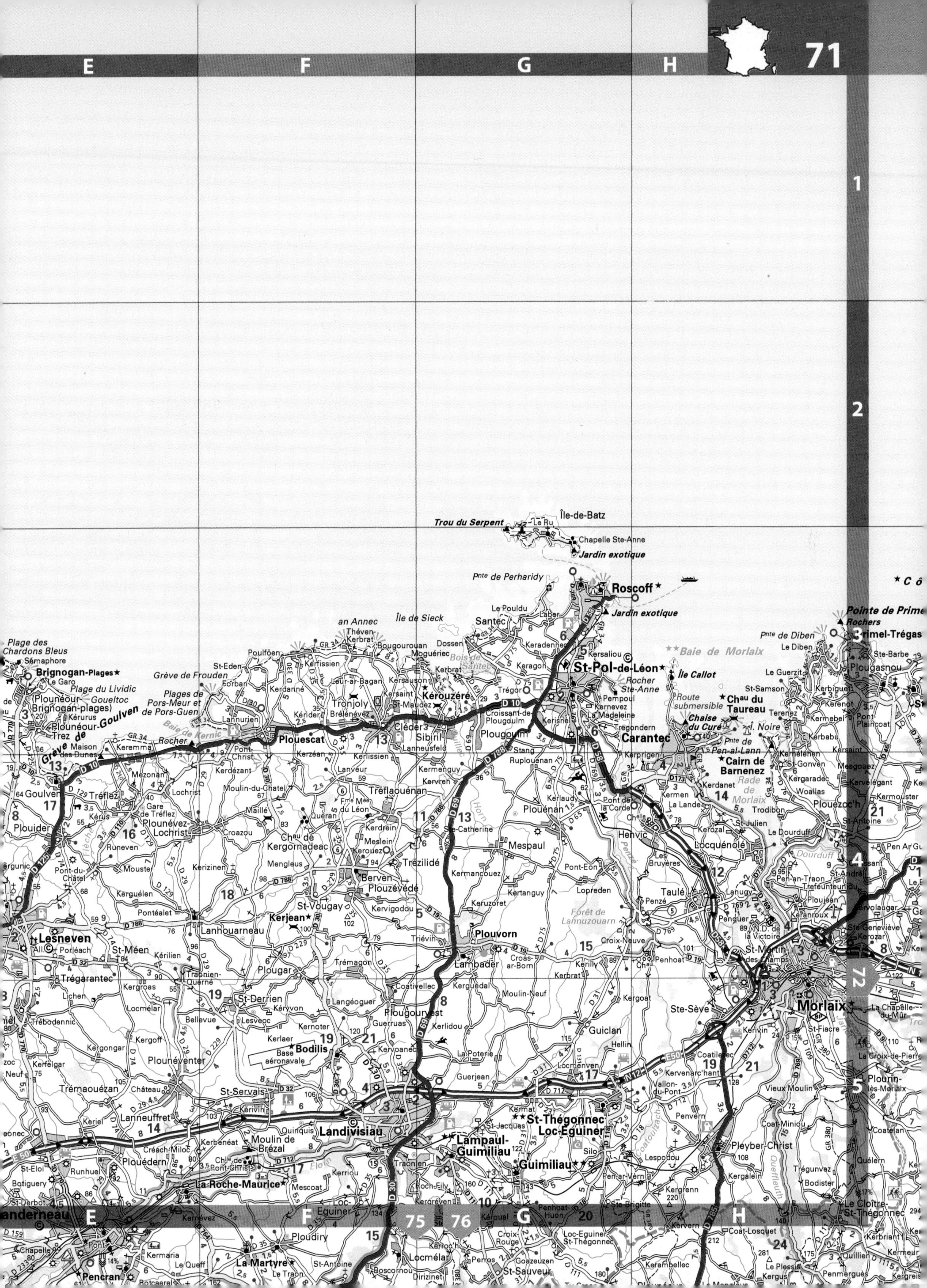

71
E
F
G
H
1
2
3
4
5
Île-de-Batz
Trou du Serpent
Le Ru
Chapelle Ste-Anne
Jardin exotique
Pnte de Perharidy
Roscoff
Jardin exotique
Le Pouldu
Santec
Île de Sieck
an Annec
Théven
Kerbrat
Bougourouan
Moguériec
Dossen
Bois de Santec
Keradennec
Keragon
Kersaliou
St-Pol-de-Léon
Rocher Ste-Anne
Île Callot
Baie de Morlaix
Pnte de Diben
Le Diben
Primel-Trégastel
Pointe de Primel
Rochers
Plougasnou
Ste-Barbe
Le Guerzit
St-Samson
Kerbiguet
Kerenot
Plaincoat
Route submersible
Chau du Taureau
Chaise du Curé
Î. Noire
Pnte de Pen-al-Lann
Cairn de Barnenez
Carantec
Terenez
Kermebel
Kerbabu
Kernéléhen
St-Gonven
Kergaradec
Woallas
Plouezoc'h
Rade de Morlaix
Kerdanet
Tregondern
La Madeleine
Kernevez
Pempoul
Plage des Chardons Bleus
Sémaphore
Brignogan-Plages
Le Garo
Plage du Lividic
Gouéltoc
(Plounéour-Brignogan-plages)
Plounéour-Trez
Kérurus
Grève de Goulven
Maison des Dunes
Keremma
Rocher
Baie de Kernic
Grève de Frouden
Plages de Pors-Meur et de Pors-Guen
Forban
St-Eden
Poulfoën
Lannurien
Plouescat
Kerdanné
Kerfissien
Leur-ar-Bagan
Kersauson
Tronjoly
Brélénévez
Kersaint
St-Maudez
Kérouzéré
Kerbrat
Trégor
Croissant-de-Plougoulm
Kerisnel
Plougoulm
Cléder
Sibiril
Lanneusfeld
Kerzéan
Kerlissien
Lanveur
Kermenguy
Kervren
Tréflaouénan
Ruplouénan
Stang
Goulven
Tréflez
Mezonan
Pont-Christ
Kerdézant
Lochrist
Moulin-du-Chatel
Gare de Tréflez
Plounévez-Lochrist
Croazou
Maillé
Kéris
Plouider
Flèche
Runeven
Mouster
Pont-du-Châtel
Chau de Kergornadeac
Quéran
Fme Mee du Léon
Kerdrein
Meslein
Kerouez
Trézilidé
Ste-Catherine
Horn
Plouénan
Kerlaudy
Pont de la Corde
Henvic
Les Bruyères
Locquénolé
Kerozal
St-Julien
Le Dourduff
Dourduff
St-Antoine
Kermouster
Kervégant
Mesgouez
Kersaint
Mespaul
Pont-Eon
Lopreden
Kermancouez
Kertanguy
Keruzoret
Forêt de Lannuzouarn
Taulé
Penzé
Lanugy
Penguer
N.-D. de la Victoire
Pen-an-Traon
Trefeunteuniou
Ploujean
Kéranroux
St-André
Kerizinen
Mengleus
Berven
Plouzévédé
St-Vougay
Kervigodou
Kerjean
Kerguélen
Pontéalet
Lanhouarneau
Lesneven
Porléach
St-Méen
Kérilien
Trégarantec
Lichen
Trémagon
Plougar
Triévin
Plouvorn
Croas-ar-Born
Lambader
Croix-Neuve
Kerilly
Kerbrat
Chau Penhoat
St-Martin-des-Champs
Morlaix
Kergroas
Traonien-Querné
St-Derrien
Kéryvon
Lesvéoc
Bellevue
Locmélar
Trébodennic
Langéoguer
Coativellec
Plougourvest
Kerguédal
Moulin-Neuf
Kergoat
Ste-Sève
Kerivin
St-Fiacre
La Chapelle-du-Mûr
Kernoter
Kerlaer
Bodilis
Base aéronavale
Guerruas
Kerlidou
Kervoanec
La Poterie
Guiclan
Hellin
Coatilézec
Kervenarc'hant
Vallon-du-Pont
Vieux Moulin
Plourin-lès-Morlaix
La Croix-de-Pierre
Kergongar
Kergoff
Plounéventer
Kerfelgar
Trémaouézan
Château
St-Servais
Guerjean
Locmenven
Landivisiau
Kerivin
Quinquis
Keriel
Lanneuffret
Kerbenéat
Moulin de Brézal
Créach-Miloc
Chlle de Pont-Christ
Plouédern
Kermat
St-Jacques
St-Thégonnec
Loc-Eguiner
Lampaul-Guimiliau
Guimiliau
Silo
Lespodou
Penvern
Coat-Miniou
Coatelan
Pleyber-Christ
Quélern
Trégunvez
Bodister
Queffleuth
Coatoulzach
Runhuel
St-Eloi
Botiguery
St-Derbot
La Roche-Maurice
Mescoat
Kerriou
Traonlen
Élorn
Roch-Fily
Pen-ar-Vern
Kergrenn
Ste-Brigitte
Kergalein
Le Cloître-St-Thégonnec
Landerneau
Kernévez
Loc-Eguiner
Ploudiry
75
76
Kéroual
Penhoat-Huon
Kervern
Coat-Losquet
Kermaria
Le Queff
La Martyre
St-Antoine
Le Traon
Locmélar
Kerroc'h
Croix Rouge
Perros
Goazeuzen
St-Sauveur
Loc-Eguiner-St-Thégonnec
Kerambellec
Le Plessis
Kergus
Kerbriant
Penmergues
Quillien
Kermeur
Pencran
Chapelle
Pont
Boscornou
Dirizinet
Botcaerel
72
Neuf
Rocher

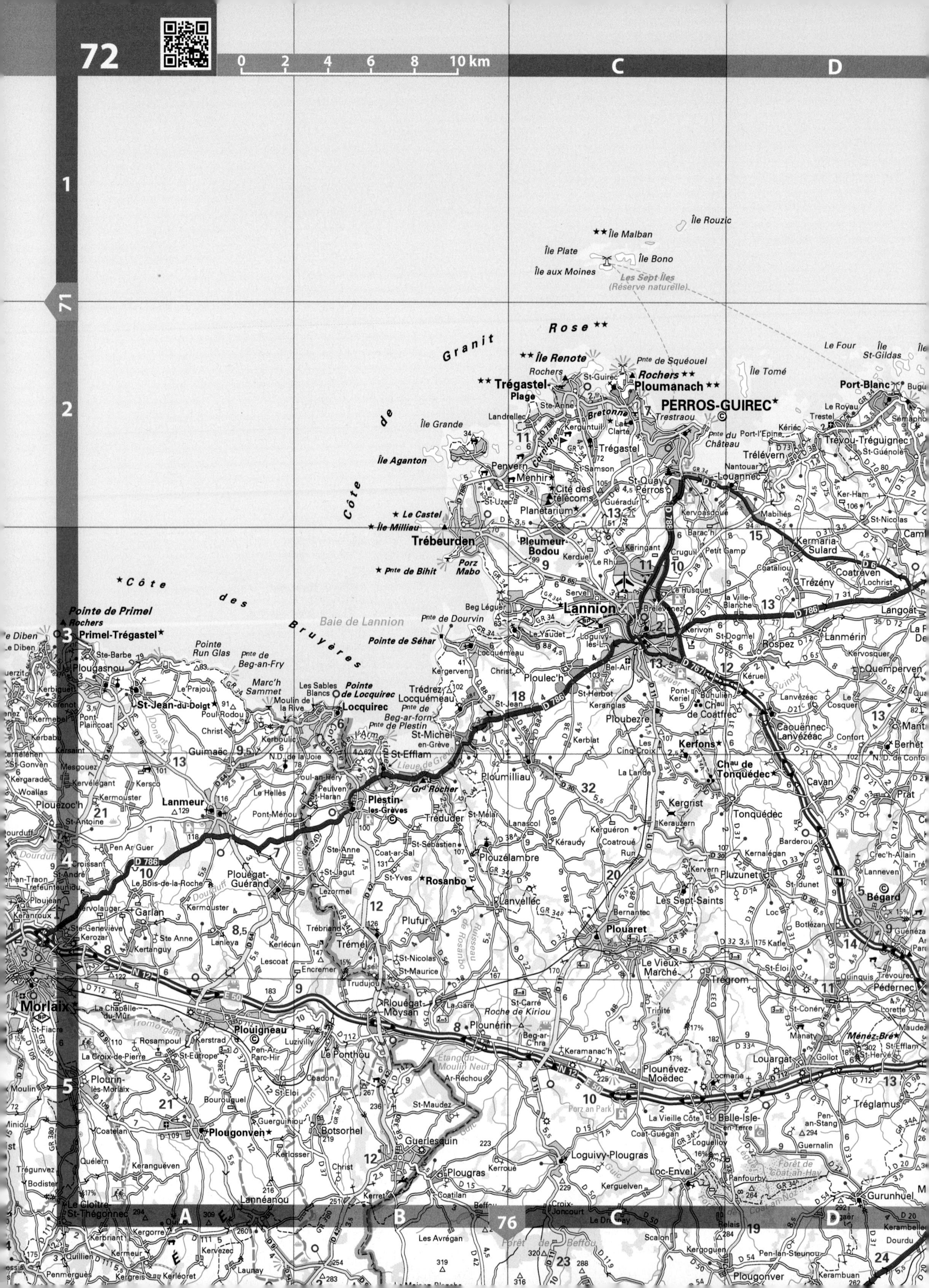
0 2 4 6 8 10 km
A
B
C
D
1
2
3
4
5
71
76
Île Rouzic
Île Malban
Île Plate
Île Bono
Île aux Moines
Les Sept-Îles
(Réserve naturelle)
Côte de Granit Rose
Île Renote
Pnte de Squéouel
Rochers
Ploumanach
Tregastel-Plage
PERROS-GUIREC
Trestraou
Île Tomé
Le Four
Île St-Gildas
Port-Blanc
Trévou-Tréguignec
Trélévern
Louannec
Île Grande
Île Aganton
Le Castel
Île Milliau
Trébeurden
Pleumeur-Bodou
Cité des télécoms
Planétarium
St-Quay-Perros
Trégastel
Lannion
Pnte de Bihit
Porz Mabo
Côte des Bruyères
Baie de Lannion
Pnte de Dourvin
Pointe de Séhar
Pointe de Primel
Primel-Trégastel
Plougasnou
St-Jean-du-Doigt
Pointe Run Glas
Pnte de Beg-an-Fry
Marc'h Sammet
Pointe de Locquirec
Locquirec
Locquémeau
Trédrez-Locquémeau
St-Michel-en-Grève
St-Efflam
Lieue de Grève
Grd Rocher
Plestin-les-Grèves
Ploumilliau
Ploulec'h
Le Yaudet
Loguivy-lès-Lannion
Kermaria-Sulard
Coatréven
Trézény
Langoat
Rospez
Lanmérin
Quemperven
Caouënnec-Lanvézéac
Kerfons
Chau de Coatfrec
Chau de Tonquédec
Ploubezre
Tonquédec
Cavan
Bégard
Guimaëc
Lanmeur
Plouezoc'h
Plouégat-Guérand
Garlan
Rosanbo
Lanvellec
Plouzélambre
Plufur
Tréduder
Plouaret
Le Vieux-Marché
Les Sept-Saints
Pluzunet
Trégrom
Tréméi
Plouégat-Moysan
Plounérin
Roche de Kiriou
Morlaix
Plouigneau
Le Ponthou
Plourin-lès-Morlaix
Plougonven
Botsorhel
Guerlesquin
Plougras
Loguivy-Plougras
Plounévez-Moëdec
Belle-Isle-en-Terre
Louargat
Ménez-Bré
Pédernec
Tréglamus
Loc-Envel
Forêt de Coat-an-Hay
Gurunhuel
Le Cloître-St-Thégonnec
Lannéanou
Plougonver
D 786
N 12
E 50
D 712
D 6
D 11
D 767

E
F
G
H
1
2
3
4
5
Pointe du Château
Le Gouffre
Pors-Hir
Îles d'Er
Créac'h Maout
Sillon de Talbert
Plougrescant
Île Loaven
Pleubian
Kerbors
St-Gonéry
Lanmodez
Île Maudez
Le Paon
Île de Bréhat
Le Bourg
Île Logodec
Phare de la Croix
Île Béniguet
Île à Bois
Port-Clos
Loguivy-de-la-Mer
Pointe de l'Arcouest
Pleumeur-Gautier
Plouguiel
Jardins de Kerdalo
Tréguier
Lézardrieux
Ploubazlanec
Paimpol
Île St-Riom
Roches du Roho
Côte du Goëlo
Île Lemenez
Mez de Goëlo
Abbe de Beauport
Pointe de Bilfot
Pointe de Minard
Pleudaniel
Pouldouran
Troguéry
Hengoat
Plourivo
Plouézec
La Roche-Jagu
Pommerit-Jaudy
Pors Pin
Pointe Berjule
Le Taureau
Bréhec-en-Plouha
Pointe de la Tour
Lanloup
Kerfot
Yvias
Ploëzal
Quemper-Guézennec
Pontrieux
Runan
Plage Bonaparte
Port-Moguer
Pnte de Plouha
Plouëc-du-Trieux
Le Faouët
Lanleff
Plehédel
Kermaria
Plouha
Brélidy
St-Clet
Tréméven
Lannebert
Pludual
Pnte du Bec de Vir
Île Harbour
Tréveneuc
Pnte de St-Quay
Roches de St-Quay
St-Quay-Portrieux
Landebaëron
St-Gilles-les-Bois
Trévérec
Gommenec'h
Lanvollon
Pléguien
St-Laurent
Kermoroc'h
Squiffiec
Pommerit-le-Vicomte
Plourhan
Étables-sur-Mer
Binic-Étables-s-Mer
Trégonneau
Tressignaux
Tréguidel
Lantic
Binic
Pnte de la Rognouze
Plouisy
Pabu
Goudelin
Zoo de Trégomeur
Ste-Marguerite
Guingamp
Le Merzer
Bringolo
St-Jean-Kerdaniel
Pnte de Pordic
Grâces
St-Agathon
Trégomeur
Pordic
Les Rosaires
Rocher des Tablettes
Ploumagoar
Châtelaudren
Plélo
Plouagat
Martin-Plage
Pnte du Roselier
Plérin
Trémuson
Plerneuf
Cesson
77

0 2 4 6 8 10 km
ÎLE D'OUESSANT ★★★
Lampaul
Côte sauvage
Passage du Fromveur
PARC NATUREL RÉGIONAL D'ARMORIQUE
Île-Molène
Île de Béniguet
Le Conquet
Pointe de Corsen
Pointe de St-Mathieu
Plougonvelin
Ploumoguer
Plouarzel
Lampaul-Plouarzel
Porspoder
Lanildut
Brélès
Plourin
Landunvez
Plouzané
Locmaria-Plouzané
Trébabu
Camaret-s-Mer
Pointe de Penhir
Pointe du Toulinguet
Chaussée des Pierres Noires
Chenal du Four
Chenal de la Helle
MER D'IROISE
Pointe du Van
Île-de-Sein
Ar Men
Cap de la
Pointe de Dinan
Cléden-Cap-Sizun
Goulien

70
98

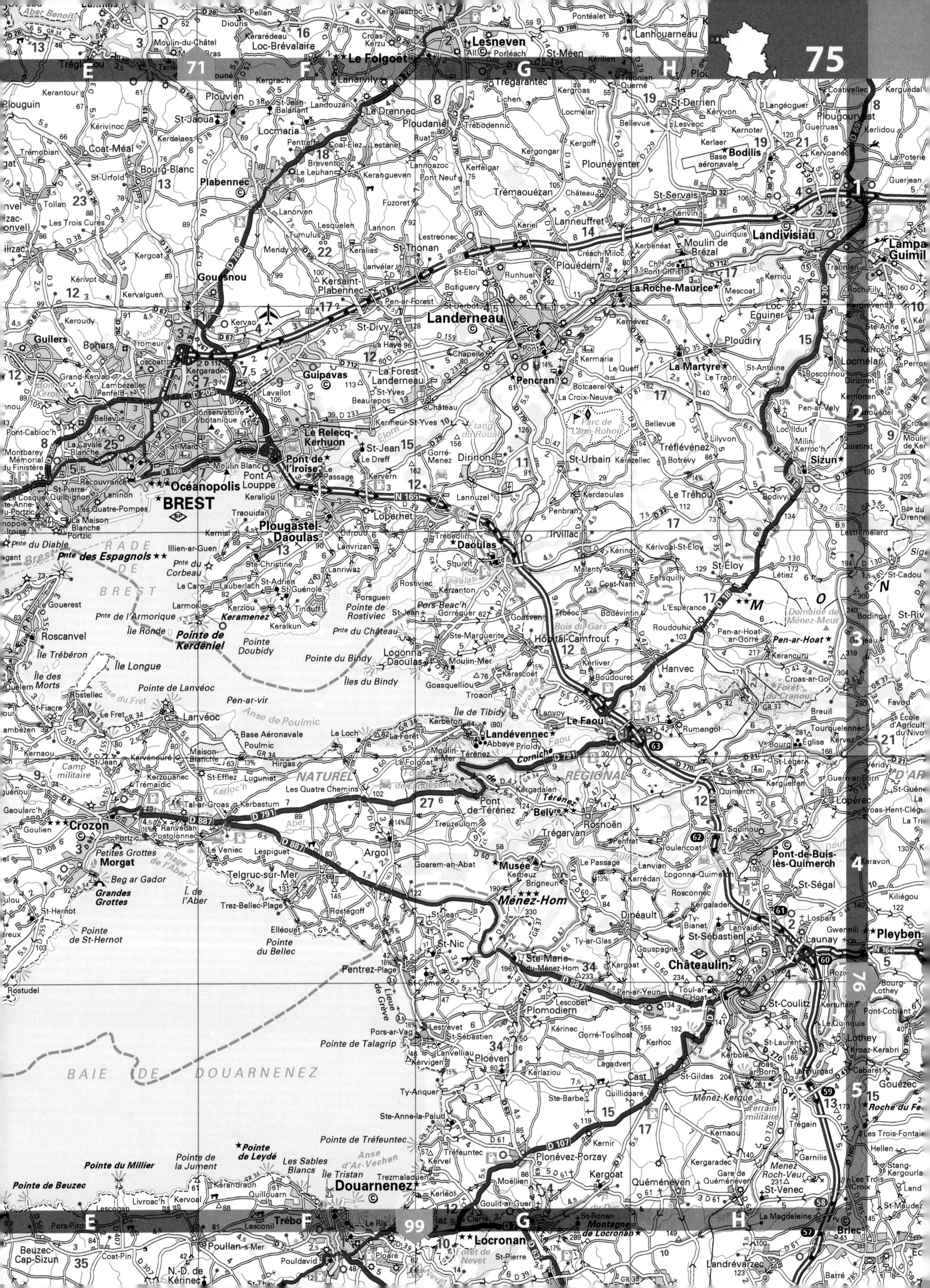
71
E
F
G
H
Lesneven
Le Folgoët
Loc-Brévalaire
Moulin-du-Châtel
Pellan
Diouris
Kerarédeau
Croas-Kerzu
Kergolestroc
Pontéalet
Lanhouarneau
St-Méen
Kérilien
Tréglonou
Lanarvily
Trégarantec
Kergroas
Lichen
Plouguin
Kerantour
Plouvien
St-Jean-Balanant
Landouzan
Le Drennec
Ploudaniel
Trébodennic
Locmélar
St-Derrien
Lesveoc
Kéryvon
Langéoguer
Plougourvest
Coativellec
Kerguédal
Kérivinoc
St-Jaoua
Locmaria
Kerdalaes
Coat-Méal
Trémobian
Bourg-Blanc
St-Urfold
Pentreff
Coat-Elez
Lestanet
Breventoc
Le Leuhan
Kerangueven
Lannoazoc
Pont Neuf
Kerfelgar
Kergongar
Kergoff
Plounéventer
Kerlaer
Bodilis
Base aéronavale
Kernoter
Guerruas
Kerlidou
Kervoanec
La Poterie
Guerjean
Plabennec
Tollan
Les Trois Curés
Fuzoret
Trémaouézan
Château
St-Servais
Kérivin
Landivisiau
Lampaul-Guimiliau
Lanorven
Lesquelen
Lannon
Tumulus
Mendy
Keralias
St-Thonan
Lestreonec
Kériel
Lanneuffret
Quinquis
Moulin de Brézal
Chlle de Pont-Christ
Kergoat
Gouesnou
Kérivot
Kervalguen
Lanvélar
Kersaint-Plabennec
Pen-ar-Forest
St-Eloi
Botiguery
St-Derbot
Runhuel
Créach-Miloc
Plouédern
Kerbenéat
La Roche-Maurice
Mescoat
Traonien
Roch-Filly
Keroudy
Guilers
Bohars
Penfeld
Tromeur
Kervao
St-Divy
Landerneau
Kernévez
Loc-Eguiner
Ploudiry
St-Anne
Loscoat
Kergaradec
La Haye
Chapelle
Pont
Kermaria
Le Queff
La Martyre
Le Traon
St-Antoine
Locmélar
Boscornou
Dirizinet
Grand-Kervao
Lambézellec
Penfeld
Guipavas
La Forest-Landerneau
St-Yves
Beaurepos
Pencran
Botcaerel
La Croix-Neuve
Kernonen
Lavallot
Conservatoire botanique
Château
Parc de Lann-Rohou
Pen-ar-Valy
Bellevue
Kermeur-St-Yves
Étang du Rouall
Bellevue
Loc-Ildut
Le Relecq-Kerhuon
St-Jean
Le Dreff
Elorn
Dirinon
St-Urbain
Kérézellec
Tréflévénez
Lilyvon
Botrévy
Milin-Kerroc'h
Sizun
Quistinit
Pont-Cabioc'h
La Cavale Blanche
Montbarey Mémorial du Finistère
St-Marc
Pont de l'Iroise
Le Passage
Kervern
Gorré-Menez
Moulin Blanc
Pont A Louppe
Océanopolis
BREST
Recouvrance
Laninon
Les Quatre-Pompes
Keraliou
St-Pierre-Quilbignon
Le Cosquer
Ste-Anne-du-Portzic
La Maison Blanche
Portzic
Lannuzel
Kerdaoulas
Le Tréhou
Bodivy
Penbran
Trouidan
Plougastel-Daoulas
Dirrou
Loperhet
Irvillac
Lestrémélard
RADE DE BREST
Pte du Diable
Pte des Espagnols
Kernisi
Illien-ar-Guen
Pte du Corbeau
Lanvrizan
Trébeolin
Daoulas
Kérinot
Kérivoal-St-Éloy
St-Éloy
Létiez
Ste-Christine
Lanriwaz
Squivit
Malanty
Forsquilly
Le Gouerest
Le Caro
Lauberlach
St-Adrien
St-Guénole
Rostiviec
Kerzanton
Coat-Nant
L'Espérance
Domaine de Ménez-Meur
Bodingar
Pte de l'Armorique
Larmor
Kerziou
Tinduff
Porsguen
Pointe de Rostiviec
Pors-Beac'h
Gorréquer
Goasven
Troéoc
Bodévintin
Roudouhir
Pen-ar-Hoat-ar-Gorré
Pen-ar-Hoat
Roscanvel
Île Ronde
Keramenez
Keralkun
St-Jean
Pointe de Kerdéniel
Pte du Château
Ste-Marguerite
Bois du Gars
Hôpital-Camfrout
Île Trébéron
Île Longue
Pointe Doubidy
Pointe du Bindy
Logonna-Daoulas
Moulin-Mer
Kerliver
Hanvec
Kerancuru
Île des Morts
Îles du Bindy
Kerascoët
Boudourec
Croas-ar-Go
Quélern
Pointe de Lanvéoc
Anse du Fret
Rostellec
Goasquelliou
Troaon
Forêt du Cranou
St-Fiacre
Le Fret
Pen-ar-vir
Lanvéoc
Anse de Poulmic
Île de Tibidy
Lanvoy
Le Faou
Rumengol
Breuil
Favod
École d'Agriculture du Nivot
Lambézen
Base Aéronavale Poulmic
Le Loch
La Forêt
Kerbéron
Landévennec
Abbaye
Prioldy
Térénez
Vx Bourg
Église
Tourquelennec
Kervez
Kernaou
Camp militaire
St-Jean
Kervéneuré
Maison-Blanche
Hirgas
Le Folgoat
Moulin-a-Mer
Corniche
St-Léger
Véridy
St-Efflez
Luguniat
Kerzouanec
Trémaidic
Kerloc'h
NATUREL
RÉGIONAL
Guern-ar-Born
Kerguelfen
St-Guénolé
Tal-ar-Groas
Kerbastum
Les Quatre Chemins
Pont de Térénez
Kergadalen
Térénez
Belvé
Rosnoën
Quimerch
Lopérec
Kroas-Hent-Clégu
Goulien
Crozon
Ranvedan
Postolonnec
Treuzeulom
Trégarvan
Penfrat
Toulencoat
Squiriou
La Tri
Portzic
Le Veniec
Lespiguet
Argol
Aber
Goarem-an-Abat
Musée
Le Passage
Lanvian
Logonna-Quimerch
Pont-de-Buis-lès-Quimerch
Kéravon
Petites Grottes
Morgat
Beg ar Gador
Grandes Grottes
Plage de l'Aber
Telgruc-sur-Mer
Kerbeuz
Brigneun
Kerrédan
St-Ségal
Î. de l'Aber
Trez-Bellec-Plage
Ménez-Hom
Rosconnec
Kergaladen
Kiliégou
St-Hernot
Pointe de St-Hernot
Rostegoff
Dinéault
Ty-Bianet
Lanvaidic
Lospars
Gwenili
Pleyben
Elléouet
Pointe du Bellec
St-Jean
St-Nic
St-Sébastien
Ty-ar-Glas
Gouspagne
Port-Launay
Châteaulin
Pentrez-Plage
Ste-Marie-du-Ménez-Hom
Kergoat
Rozivé
Bourg-Lothey
Rostudel
St-Côme
Lieue de Grève
Lescobet
Pen-ar-Yeun
Toul-ar-C'Hoat
St-Coulitz
Kerluhan
Pont-Coblant
Plomodiern
Le Quinquis
Pors-ar-Vag
Lestrevet
St-Sébastien
Kérinec
Gorré-Toulhoat
Kerhoc
St-Laurent
Kroaz-Kerabri
Pointe de Talagrip
Kervigen
Lanvelliau
Ploéven
Kerlaziou
Lagadven
Cast
St-Gildas
Kerbolé
Croas-ar-Bonn
Lannurgad
Lothey
Cabaret
Gouézec
BAIE DE DOUARNENEZ
Ty-Anquer
Ste-Barbe
Quillidoaré
Ménez-Kerque
Terrain militaire
Tregain
Roche du Feu
Ste-Anne-la-Palud
Kernaou
Les Trois-Fontaines
Hellen
Pointe de Tréfeuntec
Tréfeuntec
Kernir
Garnilis
Stang-Kergoulay
Pointe de Leydé
Pointe du Millier
Pointe de la Jument
Les Sables Blancs
Anse d'Ar-Vechen
Île Tristan
Trezmalaouen
Kervel
Plonévez-Porzay
Kergaradec
Gare de Quéménéven
Menez Roch-Veur
Les Trois Croix
Land
Pointe de Beuzec
Kérandraon
Quillouarn
Douarnenez
Kerléol
Moëllien
Kergoat
Quéménéven
St-Venec
St-Maudez
Livroac'h
Kervoal
Lescogan
Goulit-ar-Guer
La Magdeleine
Briec
Tréboul
Le Ris
Kerlaz
La Clarté
St-Ronan
Montagne de Locronan
Pors-Piron
Lesconil
Locronan
Beuzec-Cap-Sizun
Coat-Pin
Poullan-sur-Mer
Pouldavid
Ploaré
Forêt de Nevet
St-Pierre
Landrévarzec
N.-D. de Kérinec
Barré
99
76
1
2
3
4
5
N 12
E 50
N 165
E 60
D 887
D 791
D 107
N 164

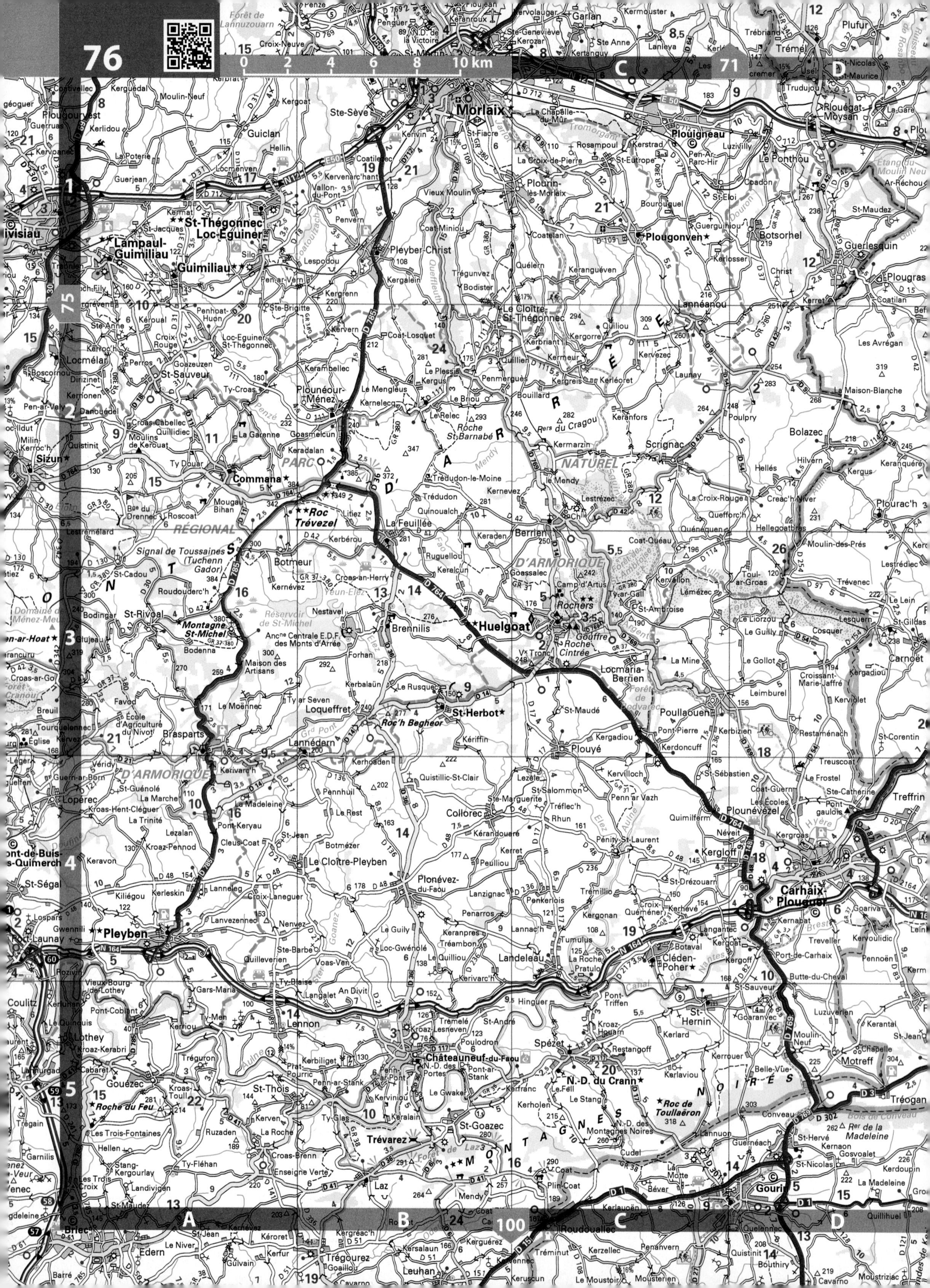

76
0 2 4 6 8 10 km
71
75
100
A
B
C
D
Forêt de Lannuzouarn
Morlaix
Ste-Sève
Plouigneau
Plougonven
Plourin-lès-Morlaix
Guiclan
St-Thégonnec
Loc-Eguiner
Lampaul-Guimiliau
Guimiliau
Pleyber-Christ
Le Cloître-St-Thégonnec
Lannéanau
Botsorhel
Guerlesquin
Plougras
Plouégat-Moysan
Le Ponthou
Plufur
Trémel
St-Martin
Ste-Geneviève
Garlan
Kermouster
Lanleya
Ste Anne
Plourin
Plougourvest
Landivisiau
Sizun
Locmélar
St-Sauveur
Plounéour-Ménez
Commana
Scrignac
Bolazec
Berrien
La Feuillée
Roc Trévezel
Botmeur
Huelgoat
Brennilis
Loqueffret
St-Herbot
Roc'h Begheor
Brasparts
Lannédern
Plouyé
Poullaouen
Locmaria-Berrien
Carnoët
Plourac'h
Tréffrin
Carhaix-Plouguer
Plounévézel
Kergloff
Collorec
Plonévez-du-Faou
Le Cloître-Pleyben
Pleyben
Landeleau
Cléden-Poher
Châteauneuf-du-Faou
Spézet
N.-D. du Crann
Roc de Toullaëron
St-Hernin
Motreff
Tréogan
Gourin
St-Goazec
Trévarez
Laz
Mendy
Gouézec
Lothey
Briec
Edern
Leuhan
Roudouallec
Tregourez
Quillhuel
Lennon
St-Thois
Rochers du Feu
Montagne St-Michel
Signal de Toussaines (Tuchenn Gador)
Réservoir de St-Michel
Ancne Centrale E.D.F. des Monts d'Arrée
Maison des Artisans
Roche Cintrée
Gouffre
Rochers
Camp d'Artus
Roche St-Barnabé
Rers du Cragou
Forêt de Fréau
Forêt de St-Ambroise
Forêt de Poulgaven
Forêt de Laz
Bois de Conveau
Rer de la Madeleine
Canal de Nantes à Brest
Aulne
PARC NATUREL RÉGIONAL D'ARMORIQUE
MONTS D'ARRÉE
MONTAGNES NOIRES
Pont-de-Buis-lès-Quimerch
Lopérec
Quimerch
Port-Launay
Coatlinon
Loc-Eguiner-St-Thégonnec
Domaine de Ménez-Meur
N 12
N 164
E 50
D 785
D 764
D 769
D 36
D 14
D 42
D 48
D 17
D 41
D 1

E
F
G
H
72
73
78
101
1
2
3
4
5
Plouaret
Bernantec
Le Vieux-Marché
Trégrom
Pédernec
Quinquis
Trévoureuc
Guénézan
Armoripark (Parc d'attractions)
St-Laurent
Kermoroc'h
Squiffiec
Tréssignaux
Goudelin
Ménez-Bré
Louargat
Plounévez-Moëdec
Belle-Isle-en-Terre
Loguivy-Plougras
Loc-Envel
Forêt de Coat-an-Hay
Forêt de Coat-an-Noz
Gurunhuel
Moustéru
Tréglamus
Grâces
Guingamp
Plouisy
Pabu
St-Agathon
Ploumagoar
Plouagat
Châtelaudren
Bringolo
St-Jean-Kerdaniel
Coadout
St-Adrien
Bois de Kerauffret
Bois de Coat-Liou
Bourbriac
Avaugour
Bois d'Avaugour
St-Péver
Bois Meur
St-Fiacre
Cohiniac
Plésidy
Plougonver
La Chapelle-Neuve
Pont-Melvez
Bulat-Pestivien
Callac
Calanhel
Lanrodec
Senven-Léhart
St-Connan
St-Gildas
Le Leslay
Magoar
Maël-Pestivien
St-Servais
Duault
Kerien
St-Gilles-Pligeaux
Kerpert
Le Vieux-Bourg
Robien
St-Bihy
Cime de Kerchouan
Peumerit-Quintin
Lanrivain
St-Nicodème
Gorges du Corong
Trémargat
Gorges de Toul-Goulic
Locarn
Canihuel
St-Nicolas-du-Pélem
Kergrist-Moëlou
Corlay
Le Haut-Corlay
Le Bodéo
Maël-Carhaix
Plounévez-Quintin
St-Martin-des-Prés
Ste-Tréphine
St-Igeaux
Plussulien
Rostrenen
Glomel
Paule
Plouguernével
Laniscat
St-Mayeux
St-Gilles-Vieux-Marché
Gouarec
Gorges du Daoulas
St-Gelven
Bon-Repos
(Bon-Repos-s-Blavet)
Lac de Guerlédan
Caurel
(Guerlédan)
Mûr-de-Bretagne
Barrage de Guerlédan
St-Aignan
Perret
Plélauff
Mellionnec
Lescouët-Gouarec
Ste-Brigitte
Silfiac
La Trinité-Langonnet
Plouray
Kergrist
St-Guen
Étang du Blavet
Étang de Kerné Uhel
Étang Beaucours
Étang Pelinec
N 12
E 50
N 164
D 787
D 790
D 767

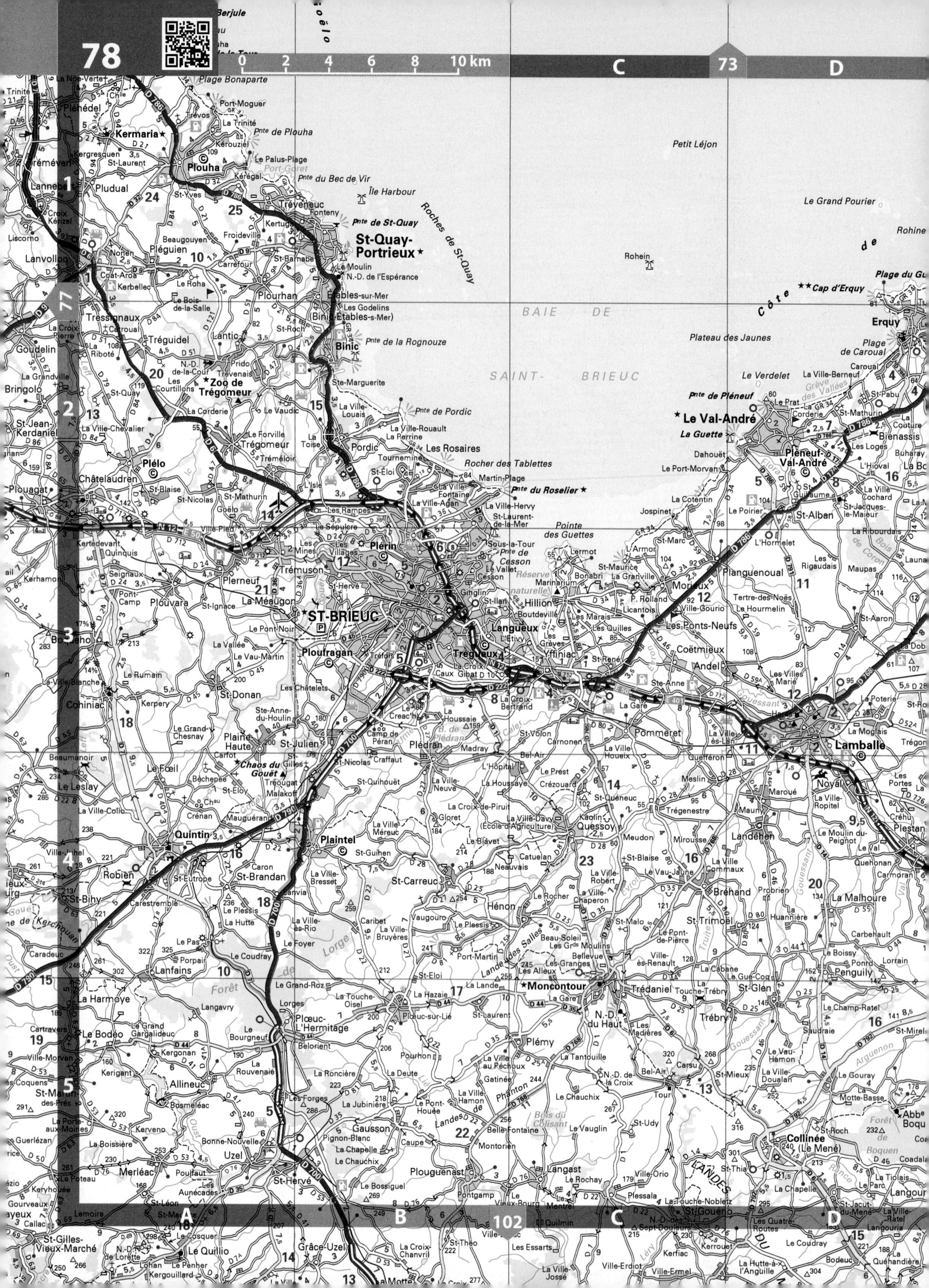
0 2 4 6 8 10 km
C
73
D
A
B
102
77
Plage Bonaparte
Port-Moguer
Kermaria
Pte de Plouha
Plouha
Pludual
Le Palus-Plage
Pte du Bec de Vir
Île Harbour
Tréveneuc
Roches de St-Quay
Pte de St-Quay
St-Quay-Portrieux
Lanvollon
Pléguien
Plourhan
Étables-sur-Mer
Binic
Pte de la Rognouze
Tressignaux
Goudelin
Tréguidel
Lantic
Zoo de Trégomeur
Bringolo
Ste-Marguerite
Pte de Pordic
Trégomeur
Pordic
Les Rosaires
Rocher des Tablettes
Pléio
Châtelaudren
Plouagat
Martin-Plage
Pte du Roselier
Petit Léjon
Rohein
BAIE DE SAINT-BRIEUC
Le Grand Pourier
Côte de Penthièvre
Cap d'Erquy
Erquy
Plateau des Jaunes
Plage de Caroual
Le Verdelet
Pte de Pléneuf
Le Val-André
La Guette
Pléneuf-Val-André
St-Alban
Pointe des Guettes
Plérin
Trémuson
Plerneuf
Plouvara
La Méaugon
ST-BRIEUC
Pte de Cesson
Réserve naturelle
Hillion
Langueux
Yffiniac
Ploufragan
Trégueux
Morieux
Planguenoual
Coëtmieux
Andel
Lamballe
Noyal
St-Donan
Cohiniac
Plaine-Haute
St-Julien
Plédran
Pommeret
Chaos du Gouët
Le Fœil
Le Leslay
Quintin
Plaintel
St-Carreuc
Quessoy
Landéhen
Bréhand
La Malhoure
St-Brandan
Hénon
St-Trimoël
Moncontour
Trédaniel
Penguily
Lanfains
Plœuc-L'Hermitage
Plœuc-sur-Lié
Plémy
Trébry
St-Glen
Le Bodéo
Allineuc
Carsu
Collinée (Le Mené)
Gausson
Plouguenast
Uzel
Merléac
Langast
St-Hervé
Plessala
St-Gouéno
Le Quillio
Grâce-Uzel
St-Gilles-Vieux-Marché
Forêt de Lorge
Forêt de Boquen
Landes du Mené

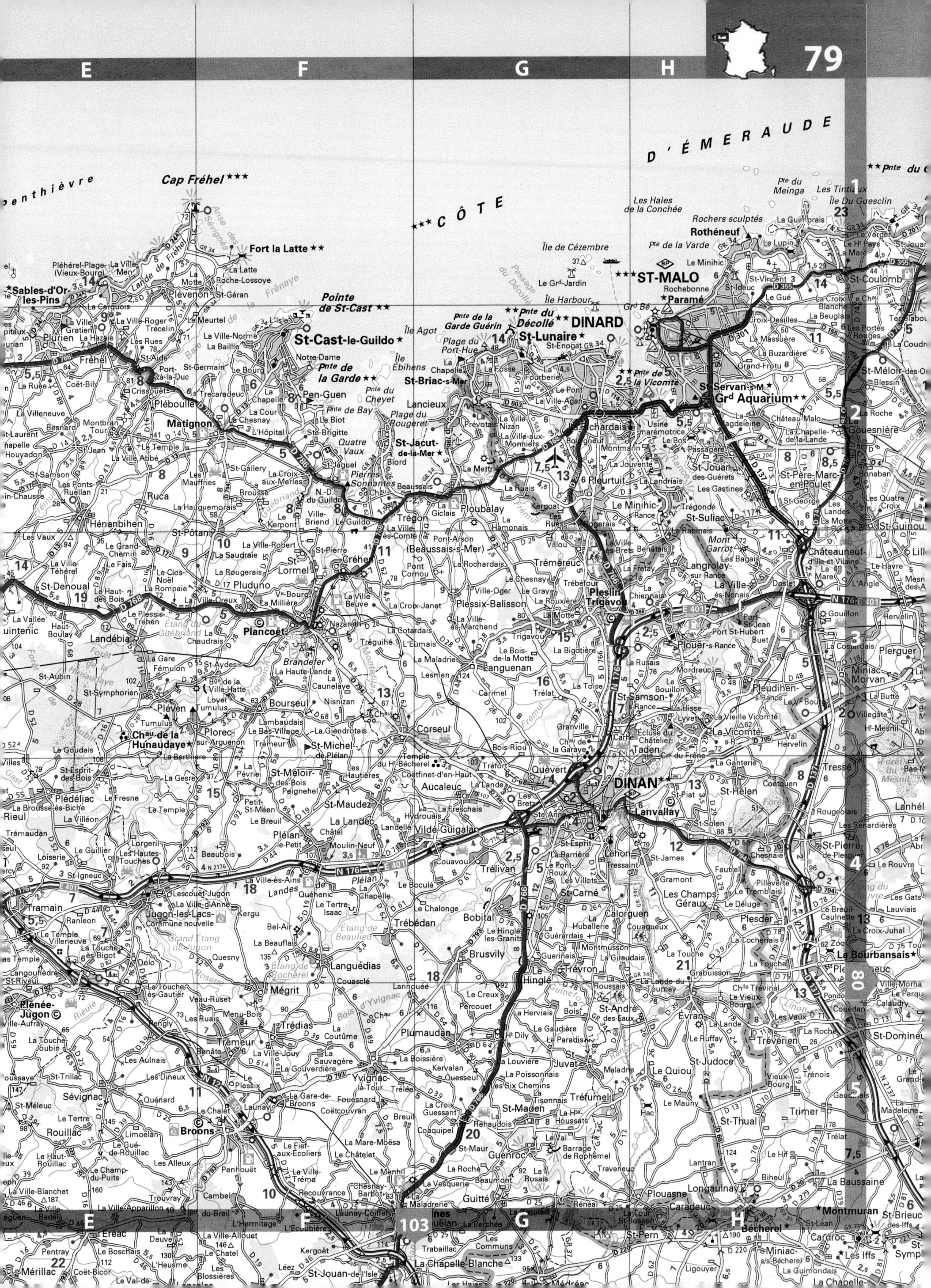
E
F
G
H
CÔTE D'ÉMERAUDE
Cap Fréhel
Fort la Latte
Pointe de St-Cast
St-Cast-le-Guildo
Pnte de la Garde
Sables-d'Or-les-Pins
Fréhel
Plurien
Pléhérel-Plage-(Vieux-Bourg)
Plévenon
Matignon
Pléboulle
St-Jacut-de-la-Mer
Lancieux
St-Briac-s-Mer
St-Lunaire
DINARD
Pnte du Décollé
Île de Cézembre
ST-MALO
Paramé
Rothéneuf
Île Harbour
Île Agot
Île Ébihens
St-Servan-s-M.
Grd Aquarium
Pnte de la Vicomte
La Richardais
Pleurtuit
Ploubalay
Trégon
Créhen
St-Lormel
Pluduno
Plancoët
St-Denoual
Hénanbihen
Ruca
St-Pôtan
Landébia
Pléven
Plorec-sur-Arguenon
Chau de la Hunaudaye
Bourseul
Corseul
Languenan
Pleslin-Trigavou
Tréméreuc
Plessix-Balisson
Plouër-s-Rance
St-Samson-s-Rance
Taden
DINAN
Lanvallay
Quévert
Aucaleuc
Vildé-Guingalan
Plélan-le-Petit
St-Méloir-des-Bois
St-Maudez
La Landec
Trélivan
Jugon-les-Lacs
Plédéliac
Plénée-Jugon
Tramain
Mégrit
Languédias
Trébédan
Brusvily
Le Hinglé
Trévron
Bobital
Calorguen
Les Champs Géraux
Évran
Tréfumel
St-André-des-Eaux
St-Juvat
Le Quiou
St-Judoce
Tréverien
St-Thual
Plumaudan
Trédias
Yvignac-la-Tour
Broons
Sévignac
Rouillac
Guenroc
St-Maden
Guitté
Plouasne
Longaulnay
Bécherel
Miniac-Morvan
Pleudihen-s-Rance
Plerguer
Châteauneuf-d'Ille-et-Vilaine
St-Suliac
Langrolay-sur-Rance
La Ville-ès-Nonais
St-Père-Marc-en-Poulet
St-Jouan-des-Guérets
St-Coulomb
St-Méloir-des-Ondes
La Gouesnière
St-Guinoux
Tressé
St-Hélen
La Vicomte-s-R.
La Bourbansais
Pleugueneuc
St-Domineuc
Trimer
Montmuran
Les Iffs
St-Pern
Mérillac
N 176
E 401
N 12
N 137
D 766
D 768
D 786
80
103

BAIE
DU MONT-SAINT-MICHEL
0 2 4 6 8 10 km
LE MONT-ST-MICHEL
Tombelaine
Pointe du Grouin du Sud
Pointe de Roche-Torin
Bec d'Andaine
Polders
Cherrueix
Le Vivier-s-Mer
Hirel
St-Benoît-des-Ondes
St-Méloir-des-Ondes
La Gouesnière
St-Père-Marc-en-Poulet
Châteauneuf-d'Ille-et-Vilaine
Mont Dol
Dol-de-Bretagne
St-Broladre
St-Marcan
Roz-s-Couesnon
St-Georges-de-Gréhaigne
Beauvoir
Pontorson
Baguer-Pican
Baguer-Morvan
Roz-Landrieux
Menhir de Champ-Dolent
Pleine-Fougères
Sains
La Boussac
Epiniac
Miniac-Morvan
Pleurtuit
Plerguer
Le Tronchet
Forêt du Mesnil
Lanhélin
Bonnemain
Broualan
Trans-la-Forêt
Vieux-Viel
Sougéal
Antrain
La Fontenelle
Cuguen
Lourmais
Trémeheuc
Combourg
La Bourbansais
Pleugueneuc
Meillac
Bazouges-la-Pérouse
Noyal-s/s-Bazouges
Tremblay
Rimou
Marcillé-Raoul
Romazy
St-Léger-des-Prés
Lanrigan
Dingé
St-Domineuc
Québriac
Tinténiac
La Chapelle-aux-Filtzméens
Forêt de Tanouarn
Feins
Sens-de-Bretagne
St-Rémy-du-Plain
Vieux-Vy-s-Couesnon
Chauvigné
St-Marc-le-Blanc
Baillé
Le Tiercent
St-Christophe-de-Valains
St-Ouen-des-Alleux
Montmuran
Les Iffs
St-Brieuc-des-Iffs
Hédé-Bazouges
Guipel
Montreuil-sur-Ille
Aubigné
Andouillé-Neuville
Gahard
Mézières-s-Couesnon
St-Médard-s-Ille
St-Aubin-d'Aubigné
St-Germain-s-Ille
Montreuil-le-Gast
Melesse
Vignoc
Langouet
Gévezé
La Chapelle-Chaussée
St-Gondran
St-Symphorien
Mouazé
Chasné-sur-Illet
Ercé-près-Liffré
Gosné
St-Aubin-du-Cormier
Liffré
St-Sulpice-la-Forêt
La Mézière
Parthenay-de-Bretagne
Romillé
Livré-s-Changeon
Le Roche Portail
St-Brice-en-Coglès
St-Ouen-la-Rouërie
Sacey
Aucey-la-Plaine
Courtils
Huisnes-s-Mer
Ardevon
Vains
Bacilly
Marcey-les-Grèves
Argouges
Montanel
Vergoncey
Villiers-le-Pré
N 176
E 401
N 175
D 155
D 795
D 137
D 175
A B C D
1 2 3 4 5
79
51
104

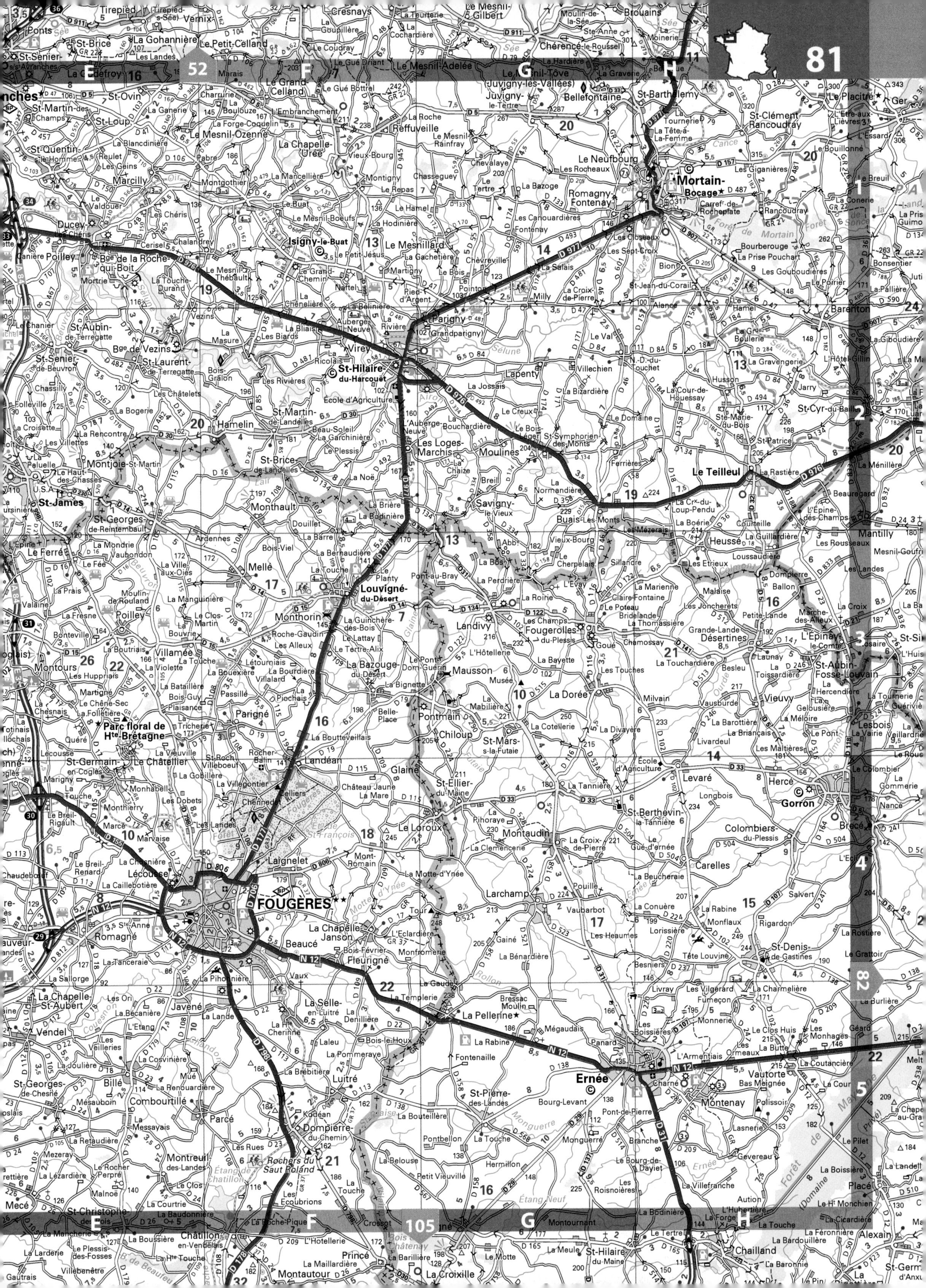

52
E
F
G
H
Mortain-Bocage
Isigny-le-Buat
St-Hilaire-du-Harcouët
Parigny
Ducey-Les Chéris
St-James
Le Teilleul
Louvigné-du-Désert
Landivy
Fougerolles-du-Plessis
Gorron
Fougères
Ernée
St-Georges-de-Reintembault
Le Neufbourg
Juvigny-le-Tertre
Reffuveille
Brécey
Montjoie-St-Martin
Buais-Les-Monts
Savigny-le-Vieux
St-Aubin-Fosse-Louvain
Désertines
Pontmain
Landéan
Laignelet
Romagné
Beaucé
Fleurigné
La Pellerine
Larchamp
Montenay
Chailland
Montaudin
St-Mars-s-la-Futaie
La Dorée
Levaré
Colombiers-du-Plessis
Carelles
St-Denis-de-Gastines
Vautorte
Lécousse
La Chapelle-Janson
Luitré
Dompierre-du-Chemin
Châtillon-en-Vendelais
Princé
La Croixille
St-Pierre-des-Landes
Juvigné
St-Hilaire-du-Maine
Alexain
Placé
Barenton
St-Cyr-du-Bailleul
Mantilly
Lesbois
Brecé
Parc floral de Hte-Bretagne
Rochers du Saut Roland
105
82
N 12
D 976
D 977
D 177
D 798
D 31

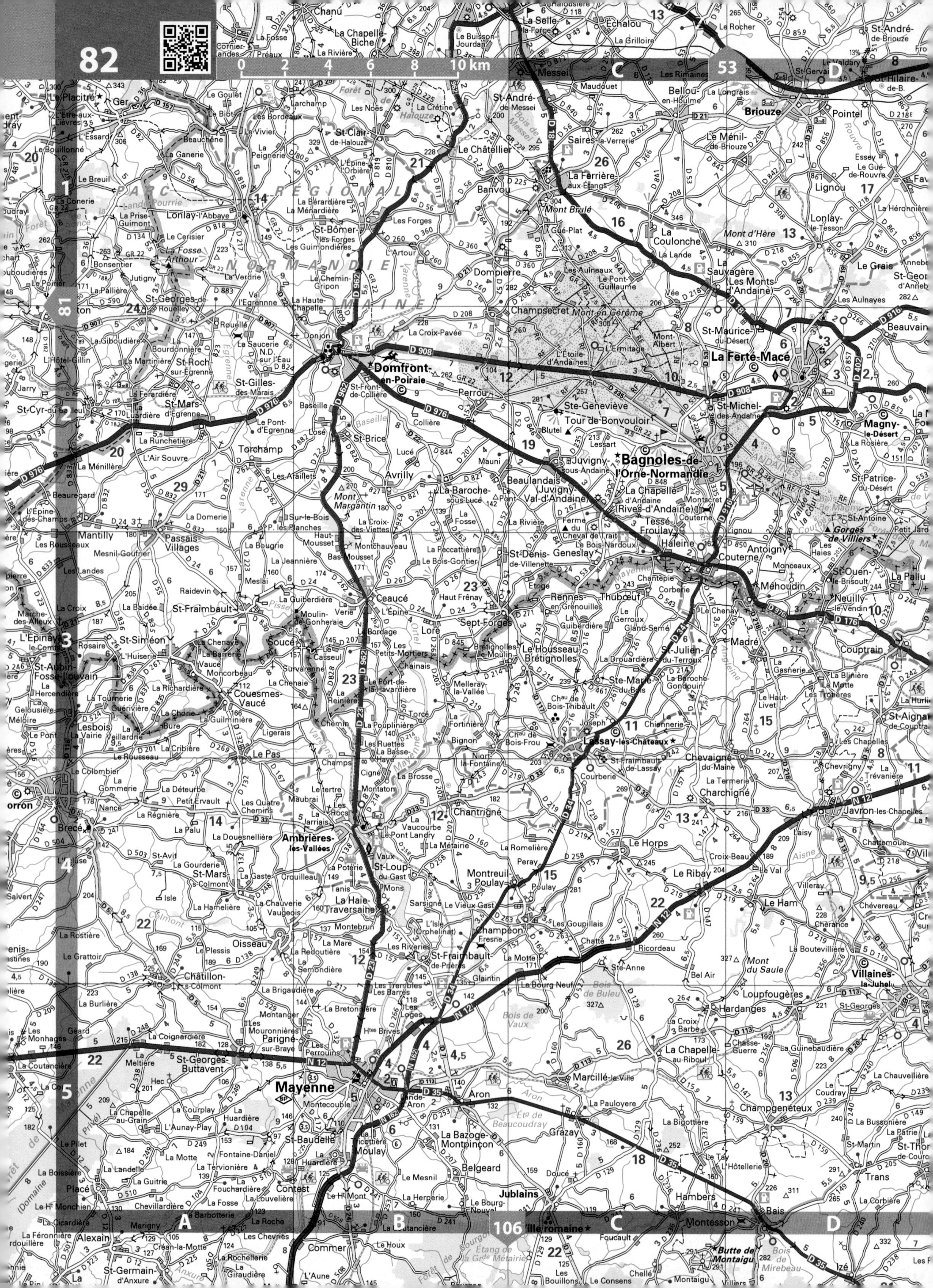

82
0 2 4 6 8 10 km
53
81
106
A
B
C
D
1
2
3
4
5
Chanu
La Chapelle-Biche
La Selle-la-Forge
Echalou
Messei
St-André-de-Briouze
St-Hilaire-de-Briouze
Briouze
Bellou-en-Houlme
St-André-de-Messei
St-Clair-de-Halouze
Forêt de Halouze
Le Châtellier
Saires-la-Verrerie
La Ferrière-aux-Étangs
Le Ménil-de-Briouze
Lignou
Lonlay-le-Tesson
Le Placitre
Ger
Lonlay-l'Abbaye
PARC NATUREL RÉGIONAL NORMANDIE MAINE
St-Bômer-les-Forges
Banvou
Mont Brûlé
La Coulonche
Mont d'Hère
La Sauvagère (Les Monts-d'Andaine)
Dompierre
Champsecret
Mont en Gérome
St-Maurice-du-Désert
La Ferté-Macé
St-Georges-de-Rouelley
La Fosse Arthour
Domfront-en-Poiraie
St-Roch-sur-Égrenne
St-Gilles-des-Marais
St-Mars-d'Égrenne
St-Cyr-du-Bailleul
St-Front-de-Colliere
Perrou
Ste-Geneviève
Tour de Bonvouloir
St-Michel-des-Andaines
Magny-le-Désert
Bagnoles-de-l'Orne-Normandie
Juvigny-sous-Andaine
Torchamp
St-Brice
Avrilly
Beaulandais (Juvigny-Val-d'Andaine)
La Chapelle-d'Andaine (Rives-d'Andaine)
Tessé-Froulay
Mont Margantin
La Baroche-sous-Lucé
St-Patrice-du-Désert
Gorges de Villiers
Mantilly
Passais-Villages
St-Denis-de-Villenette
Geneslay
Haleine
Couterne
Antoigny
Ceaucé
Sept-Forges
Rennes-en-Grenouilles
Thubœuf
Méhoudin
St-Ouen-le-Brisoult
Neuilly-le-Vendin
La Pallu
St-Fraimbault
St-Siméon
Soucé
Lore
Le Housseau-Brétignolles
St-Julien-du-Terroux
Madré
Couptrain
L'Épinay-le-Comte
St-Aubin-Fosse-Louvain
Couesmes-Vaucé
Ste-Marie-du-Bois
Lassay-les-Châteaux
Lesbois
Le Pas
Chevaigné-du-Maine
Charchigné
St-Aignan-de-Couptrain
Gorron
Brecé
Ambrières-les-Vallées
Chantrigné
Javron-les-Chapelles
Le Horps
Le Ribay
Montreuil-Poulay
St-Loup-du-Gast
St-Mars-sur-Colmont
La Haie-Traversaine
Le Ham
Oisseau
Champéon
Châtillon-sur-Colmont
St-Fraimbault-de-Prières
Villaines-la-Juhel
Parigné-sur-Braye
Hardanges
Loupfougères
St-Georges-Buttavent
Mayenne
Aron
Marcillé-la-Ville
La Chapelle-au-Riboul
Champgenéteux
St-Baudelle
Moulay
La Bazoge-Montpinçon
Grazay
Belgeard
Jublains
Contest
Hambers
Trans
Bais
Alexain
Commer
Ville romaine
Foucault
Montesson
Butte de Montaigu
Izé
St-Germain-d'Anxure
N 12
D 908
D 976
D 962
D 35
D 34

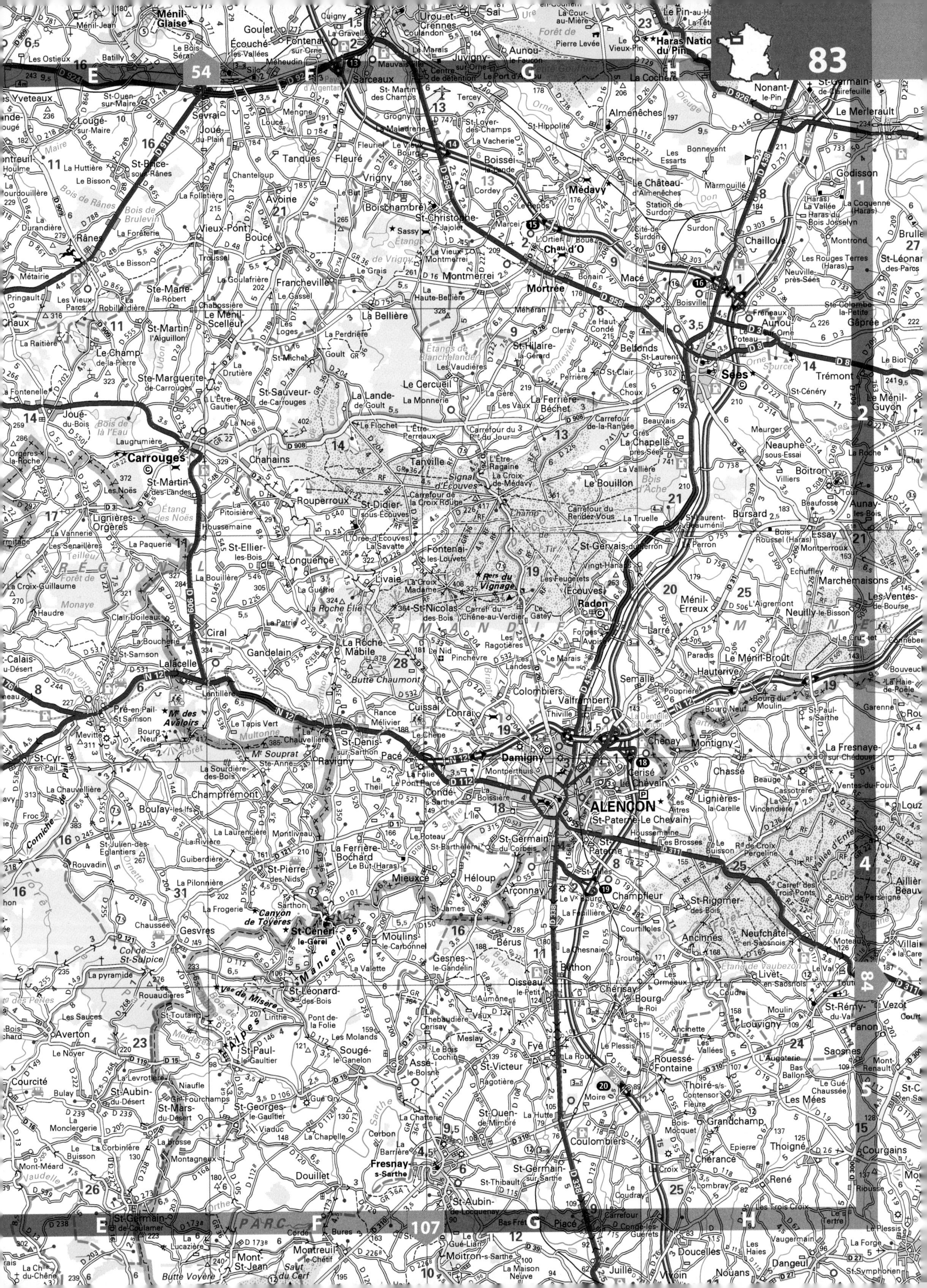

Ménil-Glaise
Écouché-les-Vallées
Urou-et-Crennes
Haras National du Pin
Le Pin-au-Haras
Forêt de Pierre Levée
Aunou-le-Faucon
Sarceaux
Juvigny-sur-Orne
Nonant-le-Pin
St-Germain-de-Clairefeuille
Le Merlerault
Sevrai
Joué-du-Plain
Lougé-sur-Maire
Almenêches
Tanques
Fleuré
Vrigny
Boissei-la-Lande
Médavy
Le Château-d'Almenêches
Godisson
Avoine
Rânes
Bois de Rânes
Vieux-Pont
Boucé
St-Christophe-le-Jajolet
Chau d'O
Mortrée
Macé
Chailloué
Francheville
Montmerrei
Ste-Marie-la-Robert
Le Ménil-Scelleur
St-Martin-l'Aiguillon
La Bellière
St-Hilaire-la-Gérard
Belfonds
Aunou-sur-Orne
Sées
Ste-Marguerite-de-Carrouges
St-Sauveur-de-Carrouges
La Lande-de-Goult
Le Cercueil
La Ferrière-Béchet
Tremont
Le Ménil-Guyon
Joué-du-Bois
Carrouges
St-Martin-des-Landes
Chahains
Tanville
Signal d'Écouves
La Chapelle-près-Sées
Neauphe-sous-Essai
Le Bouillon
Rouperroux
St-Didier-sous-Écouves
Lignières-Orgères
Boitron
Aunay-les-Bois
St-Ellier-les-Bois
Longuenoë
Fontenai-les-Louvets
Forêt d'Écouves
St-Gervais-du-Perron
Essay
Livaie
St-Nicolas-des-Bois
Radon
Méril-Erreux
Marchemaisons
Les Ventes-de-Bourse
Neuilly-le-Bisson
Ciral
Gandelain
La Roche-Mabile
Larré
Le Ménil-Broût
Hauterive
Lalacelle
Pré-en-Pail-St-Samson
Mt des Avaloirs
Butte Chaumont
Semallé
Colombiers
Valframbert
Cuissai
Lonrai
St-Denis-sur-Sarthon
Pacé
Damigny
Cerisé
ALENÇON
Chenay
Montigny
La Fresnaye-sur-Chédouet
St-Cyr-en-Pail
Champfrémont
Boulay-les-Ifs
Condé-sur-Sarthe
Mt Souprat
Lignières-la-Carelle
Chassé
Vincendière
St-Germain-du-Corbéis
St-Paterne-Le Chevain
La Ferrière-Bochard
St-Pierre-des-Nids
Mieuxcé
Héloup
Arçonnay
Champfleur
St-Rigomer-des-Bois
Forêt de Perseigne
Canyon de Toyères
St-Céneri-le-Gérei
Gesvres
Moulins-le-Carbonnel
Bérus
Béthon
Ancinnes
Neufchâtel-en-Saosnois
Col de St-Sulpice
Alpes Mancelles
St-Léonard-des-Bois
Gesnes-le-Gandelin
Oisseau-le-Petit
Chérisay
Bourg-le-Roi
Livet-en-Saosnois
St-Rémy-du-Val
Averton
St-Paul-le-Gaultier
Sougé-le-Ganelon
Assé-le-Boisne
St-Victeur
Fyé
Rouessé-Fontaine
Louvigny
Saosnes
Courcité
St-Aubin-du-Désert
St-Mars-du-Désert
St-Georges-le-Gaultier
Moire
Thoiré-s/s-Contensor
Les Mées
St-Ouen-de-Mimbré
Grandchamp
Coulombiers
Thoigné
Courgains
Fresnay-sur-Sarthe
Douillet
St-Germain-sur-Sarthe
Chérancé
René
St-Aubin-de-Locquenay
St-Germain-de-Coulamer
Piacé
Mont-St-Jean
Montreuil-le-Chétif
Moitron-sur-Sarthe
Doucelles
Dangeul
Juillé
Vivoin
Butte Voyère
RÉGION NORMANDIE
PARC
54
84
107

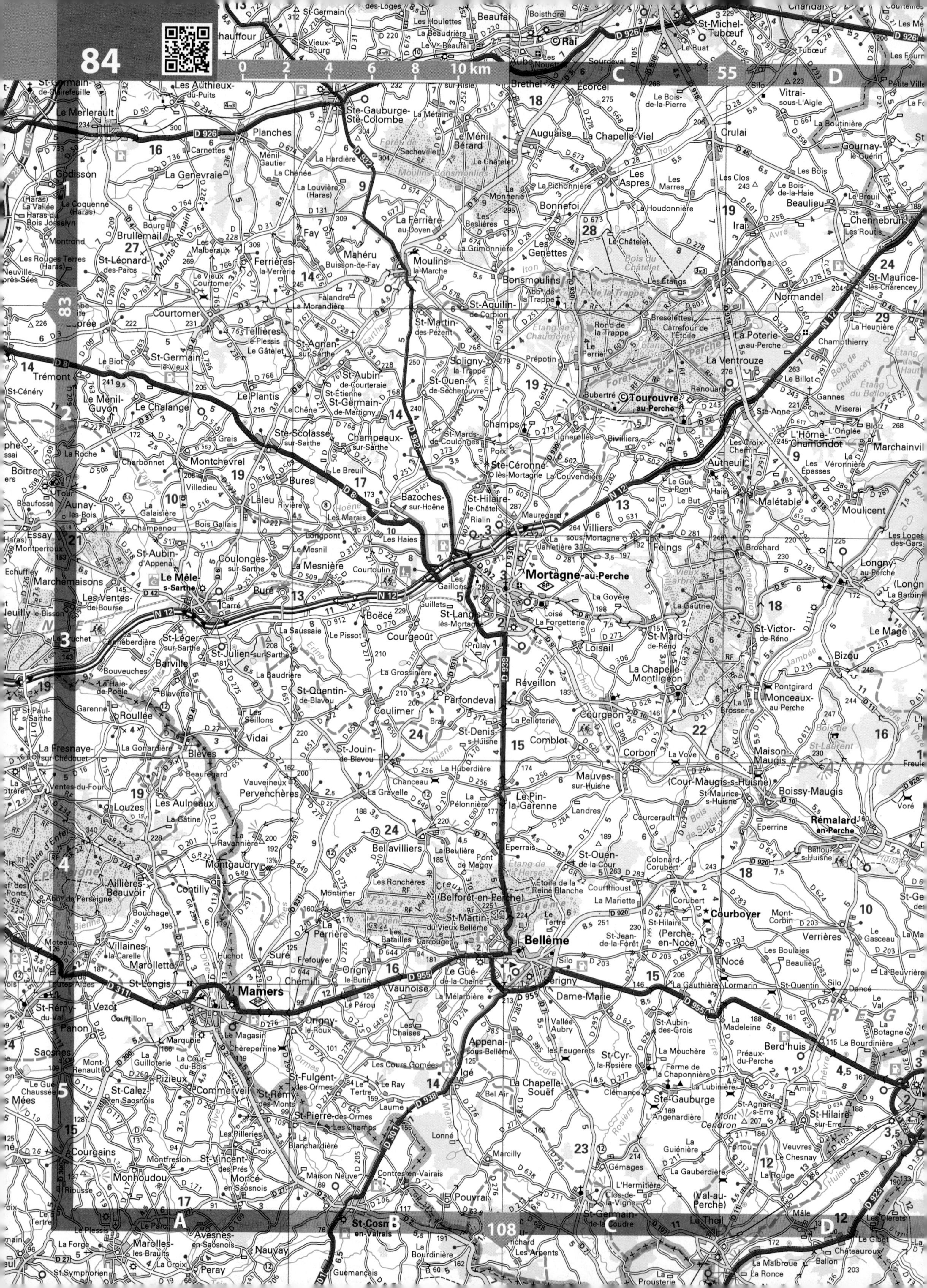
0 2 4 6 8 10 km
C
55
D
83
A
B
108
St-Germain-de-Clarefeuille
Le Merlerault
Les Authieux-du-Puits
Ste-Gauburge-Ste-Colombe
Planches
Godisson
La Genevraie
Le Ménil-Bérard
Auguaise
La Chapelle-Viel
Crulai
St-Michel-Tubœuf
Rai
Aube
Brethel
Écorcei
Vitrai-sous-L'Aigle
Gournay-le-Guérin
Les Aspres
Bonnefoi
Beaulieu
Chennebrun
Irai
Brullemail
St-Léonard-des-Parcs
Ferrières-la-Verrerie
Mahéru
La Ferrière-au-Doyen
Moulins-la-Marche
Bonsmoulins
Les Genettes
Randonnai
St-Maurice-lès-Charencey
Normandel
Courtomer
Tellières-le-Plessis
St-Agnan-sur-Sarthe
St-Martin-des-Pézerit
St-Aquilin-de-Corbion
La Poterie-au-Perche
La Ventrouze
Trémont
St-Germain-le-Vieux
St-Aubin-de-Courteraie
Soligny-la-Trappe
St-Ouen-de-Sécherouvre
Prépotin
Tourouvre-au-Perche
Le Ménil-Guyon
Le Chalange
Le Plantis
Ste-Scolasse-sur-Sarthe
Champeaux-sur-Sarthe
Champs
Autheuil
L'Hôme-Chamondot
Marchainville
Montchevrel
Bures
Bazoches-sur-Hoëne
St-Hilaire-le-Châtel
Ste-Céronne-lès-Mortagne
Malétable
Moulicent
Aunay-les-Bois
Laleu
Villiers-sous-Mortagne
Feings
Essay
St-Aubin-d'Appenai
Coulonges-sur-Sarthe
La Mesnière
Mortagne-au-Perche
Longny-au-Perche
Marchemaisons
Le Mêle-s-Sarthe
Buré
Les Ventes-de-Bourse
Boëcé
Courgeoût
St-Langis-lès-Mortagne
Loisail
St-Mard-de-Réno
St-Victor-de-Réno
Le Mage
St-Léger-sur-Sarthe
St-Julien-sur-Sarthe
Barville
Réveillon
La Chapelle-Montligeon
Bizou
Roullée
St-Quentin-de-Blavou
Coulimer
Parfondeval
Courgeon
Monceaux-au-Perche
La Fresnaye-sur-Chédouet
Blèves
Vidai
St-Jouin-de-Blavou
St-Denis-s-Huisne
Comblot
Corbon
Maison-Maugis
Louzes
Les Aulneaux
Pervenchères
Mauves-sur-Huisne
Le Pin-la-Garenne
Boissy-Maugis
Rémalard-en-Perche
Montgaudry
Bellavilliers
St-Ouen-de-la-Cour
Aillières-Beauvoir
Contilly
(Belforêt-en-Perche)
St-Martin-du-Vieux-Bellême
Courboyer
La Perrière
Bellême
Villaines-la-Carelle
Marollette
Suré
St-Longis
Mamers
Vaunoise
Le Gué-de-la-Chaîne
Serigny
Dame-Marie
Nocé
St-Rémy-du-Val
Vezot
Panon
Saosnes
Appenai-sous-Bellême
St-Cyr-la-Rosière
Berd'huis
Pizieux
Commerveil
St-Rémy-des-Monts
St-Fulgent-des-Ormes
Igé
La Chapelle-Souëf
Ste-Gauburge
St-Hilaire-sur-Erre
St-Calez-en-Saosnois
St-Pierre-des-Ormes
Courgains
St-Vincent-des-Prés
Monhoudou
Moncé-en-Saosnois
Contres-en-Vairais
Pouvrai
St-Germain-de-la-Coudre
(Val-au-Perche)
Le Theil
Marolles-les-Braults
Avesnes-en-Saosnois
Nauvay
St-Cosme-en-Vairais
Peray
PARC
RÉGI

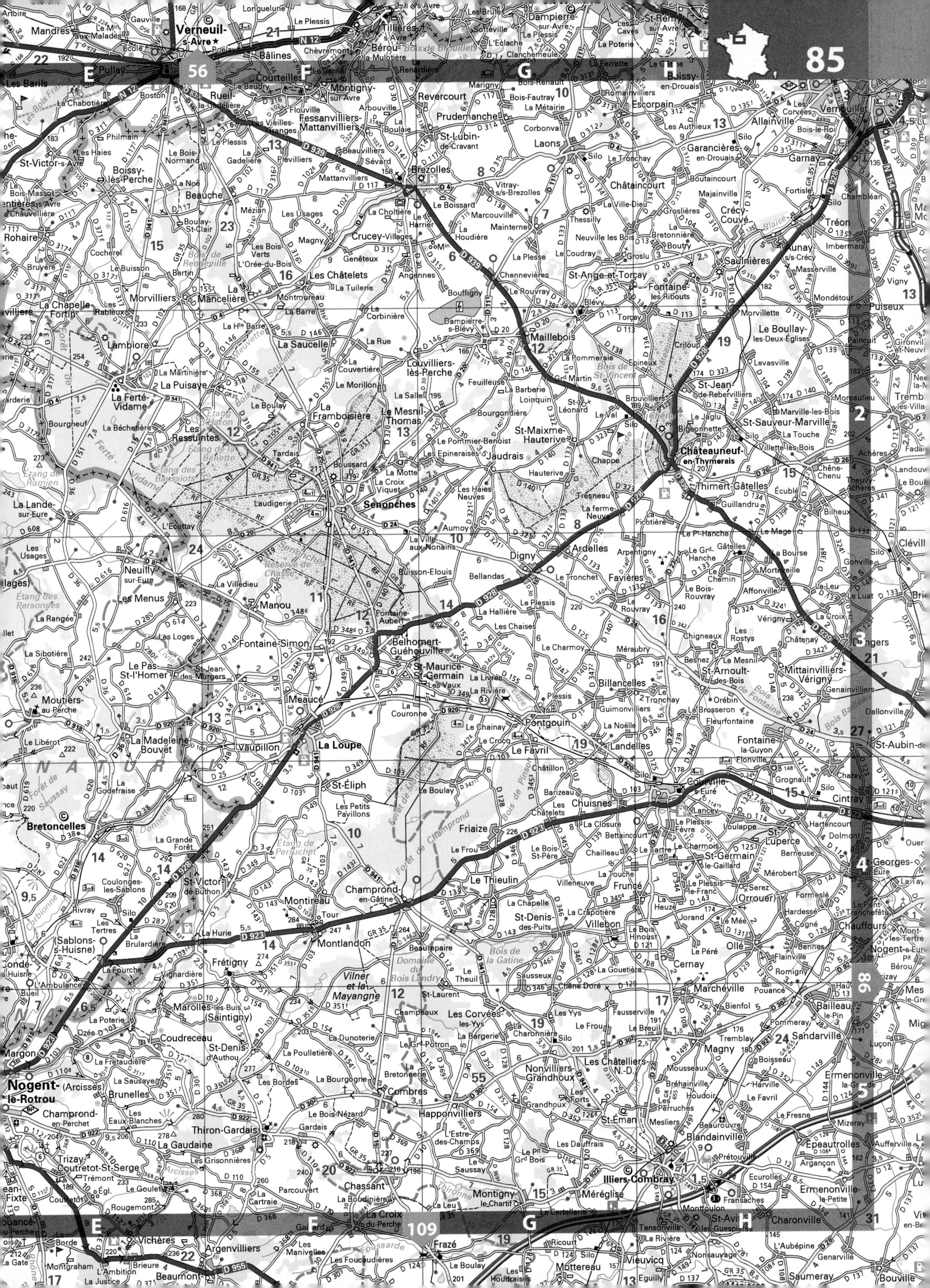
85
56
Verneuil-s-Avre
Tillières-s-Avre
Dampierre-sur-Avre
St-Rémy-sur-Avre
Mandres
Bâlines
Pullay
Courteilles
Rueil-la-Gadelière
Montigny-sur-Avre
Revercourt
Boissy-en-Drouais
Escorpain
Vernouillet
Allainville
Fessanvilliers-Mattanvilliers
Prudemanche
St-Lubin-de-Cravant
Laons
Garancières-en-Drouais
Garnay
St-Victor-s-Avre
Boissy-lès-Perche
Brezolles
Châtaincourt
Beauche
Vitray-s/s-Brezolles
Crécy-Couvé
Tréon
Crucey-Villages
Rohaire
Les Châtelets
St-Ange-et-Torçay
Saulnières
Aunay-s/s-Crécy
Morvilliers
La Mancelière
Fontaine-les-Ribouts
Puiseux
Lambiore
La Saucelle
Louvilliers-lès-Perche
Maillebois
Le Boullay-les-Deux-Églises
La Puisaye
La Ferté-Vidame
La Framboisière
Le Mesnil-Thomas
St-Jean-de-Rebervilliers
Les Ressuintes
St-Maixme-Hauterive
Jaudrais
Châteauneuf-en-Thymerais
St-Sauveur-Marville
Senonches
Thimert-Gâtelles
La Lande-sur-Eure
Digny
Ardelles
Favières
Neuilly-sur-Eure
Les Menus
Manou
Fontaine-Simon
Belhomert-Guéhouville
St-Maurice-St-Germain
Le Pas-St-l'Homer
Billancelles
St-Arnoult-des-Bois
Mittainvilliers-Vérigny
Moutiers-au-Perche
Meaucé
La Loupe
Pontgouin
Landelles
La Madeleine-Bouvet
Vaupillon
Le Favril
Courville-s-Eure
St-Éliph
Chuisnes
Cintray
Bretoncelles
Friaize
St-Luperce
St-Germain-le-Gaillard
St-Victor-de-Buthon
Champrond-en-Gâtine
Le Thieulin
St-Georges-s-Eure
Montireau
Fruncé
Coulonges-les-Sablons
St-Denis-des-Puits
Villebon
Chauffours
Montlandon
Frétigny
Nogent-s-Eure
Ollé
Cernay
Marolles-les-Buis
Marchéville
Les Corvées-les-Yys
Sandarville
Coudreceau
St-Denis-d'Authou
Magny
Nogent-le-Rotrou
Nonvilliers-Grandhoux
Les Châtelliers-N.-D.
Ermenonville-la-Grande
Brunelles
Combres
Champrond-en-Perchet
Thiron-Gardais
Happonvilliers
St-Éman
Blandainville
Épeautrolles
Illiers-Combray
Méréglise
Chassant
Montigny-le-Chartif
Ermenonville-la-Petite
Vichères
Argenvilliers
Fruncé
Charonville
Vieuvicq
Bouville
109
98
D 939
D 928
D 923
D 941
N 12
N 154

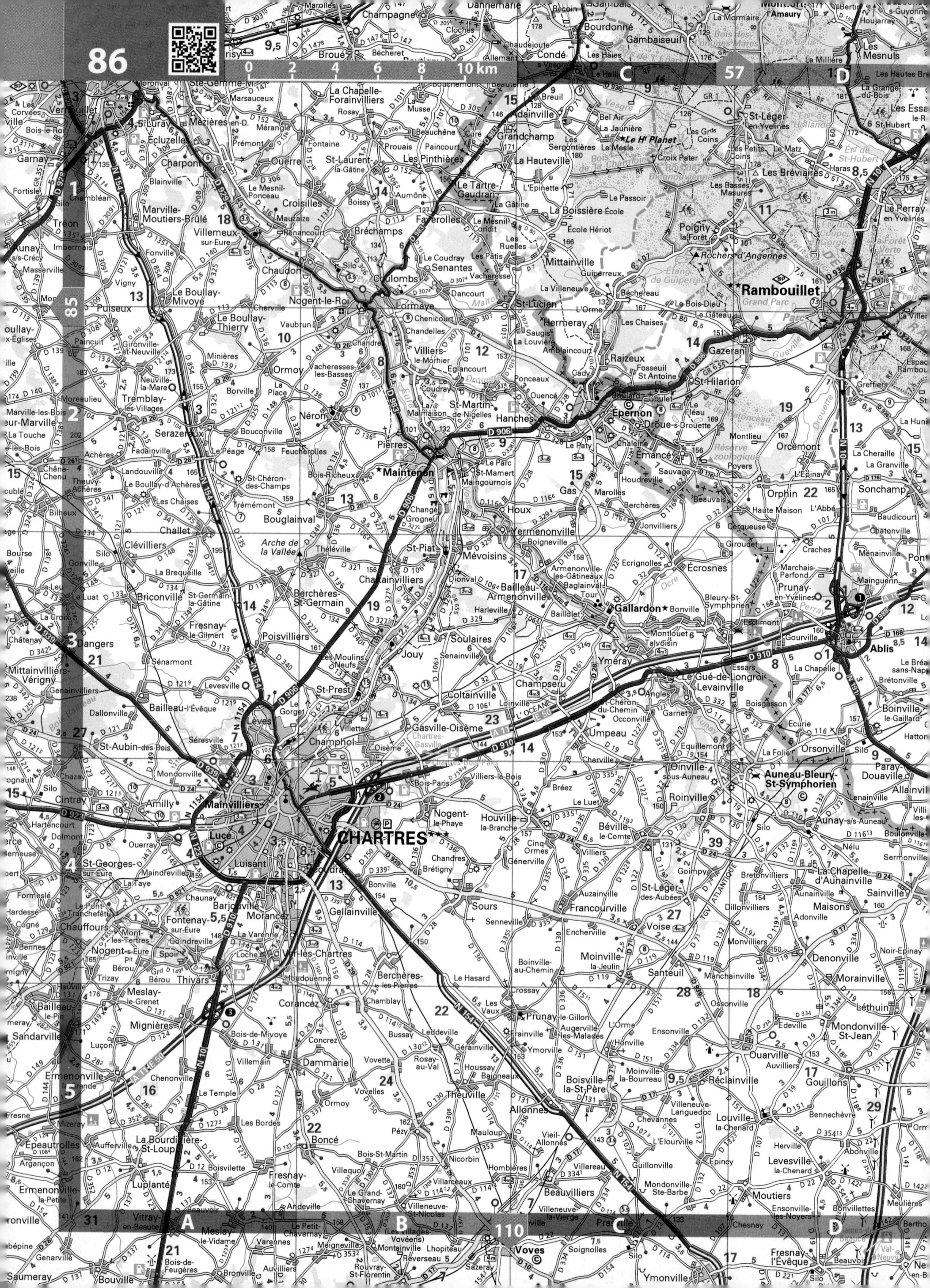
86
0 2 4 6 8 10 km
57
85
110
A
B
C
D
1
2
3
4
5
CHARTRES
Rambouillet
Maintenon
Épernon
Gallardon
Ablis
Auneau-Bleury-St-Symphorien
Voves
Nogent-le-Roi
Mainvilliers
Lucé
Lèves
Luisant
Champhol
Le Coudray
Verneuil
Luray
Écluzelles
Mézières-en-D.
Charpont
Marville-Moutiers-Brûlé
Villemeux-sur-Eure
Chaudon
Coulombs
Lormaye
Le Boullay-Mivoye
Le Boullay-Thierry
Puiseux
Tremblay-les-Villages
Serazereux
Ormoy
Néron
Villiers-le-Morhier
Pierres
Hanches
St-Martin-de-Nigelles
St-Lucien
Hermeray
Raizeux
Gazeran
St-Hilarion
Droue-s-Drouette
Émancé
Orcemont
Orphin
Sonchamp
Prunay-en-Yvelines
Bouglainval
Challet
Clévilliers
Briconville
Fresnay-le-Gilmert
Poisvilliers
Berchères-St-Germain
Chartainvilliers
St-Piat
Mévoisins
Bailleau-Armenonville
Soulaires
Jouy
St-Prest
Coltainville
Gasville-Oisème
Champseru
Ymeray
Le Gué-de-Longroi
Levainville
Umpeau
Oinville-sous-Auneau
Roinville
Aunay-s/s-Auneau
Dangers
Mittainvilliers-Vérigny
Bailleau-l'Évêque
St-Aubin-des-Bois
Amilly
Cintray
St-Georges-sur-Eure
Fontenay-sur-Eure
Barjouville
Morancez
Nogent-le-Phaye
Houville-la-Branche
Béville-le-Comte
Francourville
St-Léger-des-Aubées
Voise
Sours
Gellainville
Ver-lès-Chartres
Thivars
Corancez
Berchères-les-Pierres
Prunay-le-Gillon
Moinville-la-Jeulin
Santeuil
Denonville
Morainville
Mondonville-St-Jean
Ouarville
Réclainville
Gouillons
Mignières
Dammarie
Rosay-au-Val
Theuville
Allonnes
Boisville-la-St-Père
Louville-la-Chenard
Levesville-la-Chenard
Ermenonville-la-Grande
Bonce
Fresnay-le-Comte
Beauvilliers
Moutiers
Sandarville
Luçon
Meslay-le-Grenet
Nogent-s-Eure
Chauffours
Épeautrolles
La Bourdinière-St-Loup
Luplanté
Ermenonville-la-Petite
Vitray-en-Beauce
Meslay-le-Vidame
Bois-de-Feugères
Prasville
Ymonville
Fresnay-l'Évêque
Bouville
Saumeray
Sauvage
Poigny-la-Forêt
Les Bréviaires
Le Perray-en-Yvelines
Bourdonné
Condé-s-Vesgre
Gambaiseuil
Adainville
Grandchamp
La Hauteville
Le Tartre-Gaudran
Faverolles
Senantes
Mittainville
La Boissière-École
St-Léger-en-Yvelines
Les Mesnuls
Champagne
Broué
La Chapelle-Forainvilliers
Croisilles
Bréchamps
St-Laurent-la-Gâtine
Ouerre
Les Pinthières
A 11
A 10
N 10
N 154
D 906
D 910
L'OCÉANE
TGV ATLANTIQUE
Rochers d'Angennes
Le Ht Planet
Arche de la Vallée

Miniature
Trappes
Maurepas
St-Quentin-en-Yvelines
La Verrière
Abbe de Port-Royal-des-Champs
Voisins-le-Bretonneux
Les Loges-en-Josas
Toussus-le-Noble
Bièvres
Malabry
Antony
Verrières-le-Buisson
Fresnes
Rungis
58
E
F
G
H
Le Mesnil-St-Denis
Châteaufort
Vauhallan
Massy
Wissous
AÉROPORT DE PARIS-ORLY
Villeneuve-le-Roi
Athis-Mons
Ablon
Vigneux-s-Seine
Crosne
Lévis-St-Nom
St-Lambert
Milon-la-Chapelle
Villiers-le-Bâcle
Saclay
Palaiseau
Chilly-Mazarin
Paray-Vieille-Poste
Dampierre-en-Yvelines
St-Forget
Chevreuse
St-Rémy-lès-Chevreuse
Gif-s-Y.
Orsay
Champlan
Villebon
Morangis
Juvisy-s-Orge
Montgeron
Senlisse
Choisel
Bures-s-Y.
Les Ulis
Longjumeau
Savigny-s-Orge
Draveil
Cernay
Breteuil
Les Molières
Gometz-le-Châtel
Villejust
Saulx-les-Chartreux
Ballainvilliers
Épinay-s-O.
Viry-Châtillon
Grigny
Cernay-la-Ville
Gometz-la-Ville
St-Jean-de-Beauregard
La Ville-du-Bois
Villemoisson-s-Orge
Morsang-s-Orge
Limours-en-Hurepoix
Nozay
Villiers-s-Orge
Ris-Orangis
Pecqueuse
Janvry
Longpont-s-Orge
Ste-Geneviève-des-Bois
Forges
Briis s/s-Forges
Marcoussis
Montlhéry
St-Michel-s-O.
Fleury-Mérogis
ÉVRY
Bullion
Fontenay-lès-Briis
Linas
Le Plessis-Pâté
Clairefontaine-en-Yvelines
Bonnelles
Camp de Linas-Montlhéry
Leuville-s-Orge
Courcouronnes
Vaugrigneuse
Bruyères-le-Châtel
St-Germain-lès-Arpajon
Brétigny-s-Orge
Bondoufle
Lisses
Rochefort
Angervilliers
Machery (Courson-Monteloup)
St-Maurice-Montcouronne
Ollainville
Arpajon
La Norville
Longvilliers
St-Cyr-s/s-Dourdan
Le Marais
Égly
Guibeville
Leudeville
Vert-le-Grand
Écharcon
Breuillet
Avrainville
Mennecy
St-Chéron
Le Val-St-Germain
Breux-Jouy
St-Yon
Boissy-s-St-Yon
Marolles-en-Hurepoix
Dourdan
Sermaise
St-Sulpice-de-Favières
Cheptainville
St-Vrain
Fontenay-le-Vicomte
Ste-Mesme
Souzy-la-Briche
Mauchamps
Torfou
Roinville
Chamarande
Lardy
Bouray-s-J.
Ballancourt-s-Essonne
St-Martin-de-Bréthencourt
Villeconin
Chauffour-lès-Étrechy
Janville-s-Juine
Itteville
Les Granges-le-Roi
Saudreville
Auvers-St-Georges
Étrechy
Corbreuse
La Forêt-le-Roi
Boissy-le-Sec
Villeneuve-s-Auvers
Baulne
La Ferté-Alais
Chatignonville
Richarville
Brières-les-Scellés
Boissy-le-Cutté
Cerny
Guigneville-s-Essonne
Videlles
Authon-la-Plaine
Boutervilliers
D'Huison-Longueville
Garancières-en-Beauce
Plessis-St-Benoist
Morigny-Champigny
Orveau
Vayres-s-Essonne
Boutigny-sur-Essonne
Moigny-sur-École
St-Escobille
Chalo-St-Mars
St-Hilaire
Étampes
Bouville
Farcheville
Mérobert
Puiselet-le-Marais
Courdimanche-sur-Essonne
Ormoy-la-Rivière
Congerville-Thionville
Chalou-Moulineux
Valpuiseaux
Maisse
Oysonville
Boissy-la-Rivière
La Forêt-Ste-Croix
Oncy-s-École
Saclas
Marolles-en-Beauce
Bois-Herpin
Gironville-sur-Essonne
Guillerval
Mondésir
St-Cyr-la-Rivière
Fontaine-la-Rivière
Roinvilliers
Mespuits
Prunay-s-Essonne
Buno-Bonnevaux
Pussay
Monnerville
Abbéville-la-Rivière
Arrancourt
Gommerville
Rouvres-St-Jean
Champmotteaux
Boigneville
Méréville
Blandy
Brouy
Nanteau-s-Essonne
Angerville
(Le Mérévillois)
Sermaises
Malesherbes
Buthiers
Intréville
Pannecières
Rouvray-St-Denis
Thignonville
111
(Le Malesherbois)
Andonville
Autruy-sur-Juine
Intville-la-Guétard
Audeville
Boulancourt
Barmainville
N 20
N 104
D 191
D 837
88
1
2
3
4
5

0 2 4 6 8 10 km
59
87
112
A
B
C
D
1
2
3
4
5
Brie-Comte-Robert
Combs-la-Ville
Évry
Corbeil-Essonnes
Melun
Fontainebleau
Nemours
Montereau-Fault-Yonne
Moret-s-Loing
Guignes
Fontenay-Trésigny
Tournan-en-Brie
Yerres
Villeneuve-St-Georges
Montgeron
Draveil
Épinay s/s-Sénart
Quincy-s/s-Sénart
Boussy-St-Antoine
Périgny
Mandres-les-Roses
Santeny
Servon
Férolles-Attilly
Chevry-Cossigny
Presles-en-Brie
Liverdy-en-Brie
Grisy-Suisnes
Coubert
Soignolles-en-Brie
Solers
Ozouer-le-Voulgis
Yèbles
Lissy
Limoges-Fourches
Moissy-Cramayel
Lieusaint
Tigery
Étiolles
Soisy-s-Seine
St-Germain-lès-C.
St-Pierre-du-Perray
Saintry-s-S.
Morsang-s-Seine
Mennecy
Savigny-le-Temple
Cesson
Nandy
Seine-Port
Vert-St-Denis
Voisenon
Rubelles
Vaux-le-Vicomte
Blandy-les-Tours
Champeaux
Mormant
Andrezel
Verneuil-l'Étang
Chaumes-en-Brie
Beauvoir
Aubepierre
Ozouer-le-Repos
Quiers
Le Châtelet-en-Brie
Les Écrennes
La Chapelle-Gauthier
Châtillon-la-Borde
Sivry-Courtry
Vaux-le-Pénil
Le Mée-s-Seine
Dammarie-les-Lys
La Rochette
Boissise-le-Roi
St-Fargeau-Ponthierry
Pringy
Chailly-en-Bière
Barbizon
Perthes
Cély
Fleury-en-Bière
Dannemois
Courances
Milly-la-Forêt
Soisy-s-École
St-Sauveur-s-École
Villiers-en-Bière
Chartrettes
Bois-le-Roi
Samois-s-Seine
Héricy
Fontaine-le-Port
Féricy
Pamfou
Machault
Valence-en-Brie
Échouboulains
Samoreau
Avon
Thomery
Champagne-s-Seine
Vulaines-s-Seine
St-Mammès
Veneux-les-Sablons
Varennes-s-Seine
Écuelles
Montigny-s-Loing
Grez-s-Loing
Bourron-Marlotte
Recloses
Ury
La Chapelle-la-Reine
Larchant
Villiers-s/s-Grez
Achères-la-Forêt
Noisy-s-École
Oncy-s-École
Le Vaudoué
Tousson
Boissy-aux-Cailles
Buthiers
Amponville
La Genevraye
Villecerf
Dormelles
Flagy
Villemer
Treuzy-Levelay
Nonville
Montcourt-Fromonville
Ville-St-Jacques
Noisy-Rudignon
Thoury-Férottes
Gorges de Franchard
Gorges d'Apremont
Les Trois Pignons
Massif de la Dame Jouanne
Hauteurs de la Solle
Long Rocher
Forêt de Sénart
Forêt de Fontainebleau
Bois de Valence
Forêt de Villefermoy

89
60
113
E
F
G
H
Provins
Nangis
Nogent-s-Seine
Bray-s-Seine
Pont-s-Yonne
Donnemarie-Dontilly
Beton-Bazoches
La Motte-Tilly
Thorigny-s-Oreuse
Villenauxe-la-Grande
St-Loup-de-Naud
Sergines
Trainel
Montceaux-lès-Provins
Villiers-St-Georges
Léchelle
Sourdun
Chalautre-la-Grande
Jouy-le-Châtel
Vaudoy-en-Brie
Champcenest
Courchamp
Mortery
St-Brice
Longueville
Jutigny
Gouaix
Les Ormes-s-Voulzie
Mousseaux-lès-Bray
Jaulnes
Villeneuve-la-Guyard
Champigny
Chaumont
Courlon-s-Yonne
Serbonnes
Michery
Vinneuf
Pailly
Plessis-St-Jean
Compigny
Fleurigny
Courgenay
D 619
D 231
D 403
D 412
D 411
D 976
D 951
N 4
A 5
E 54

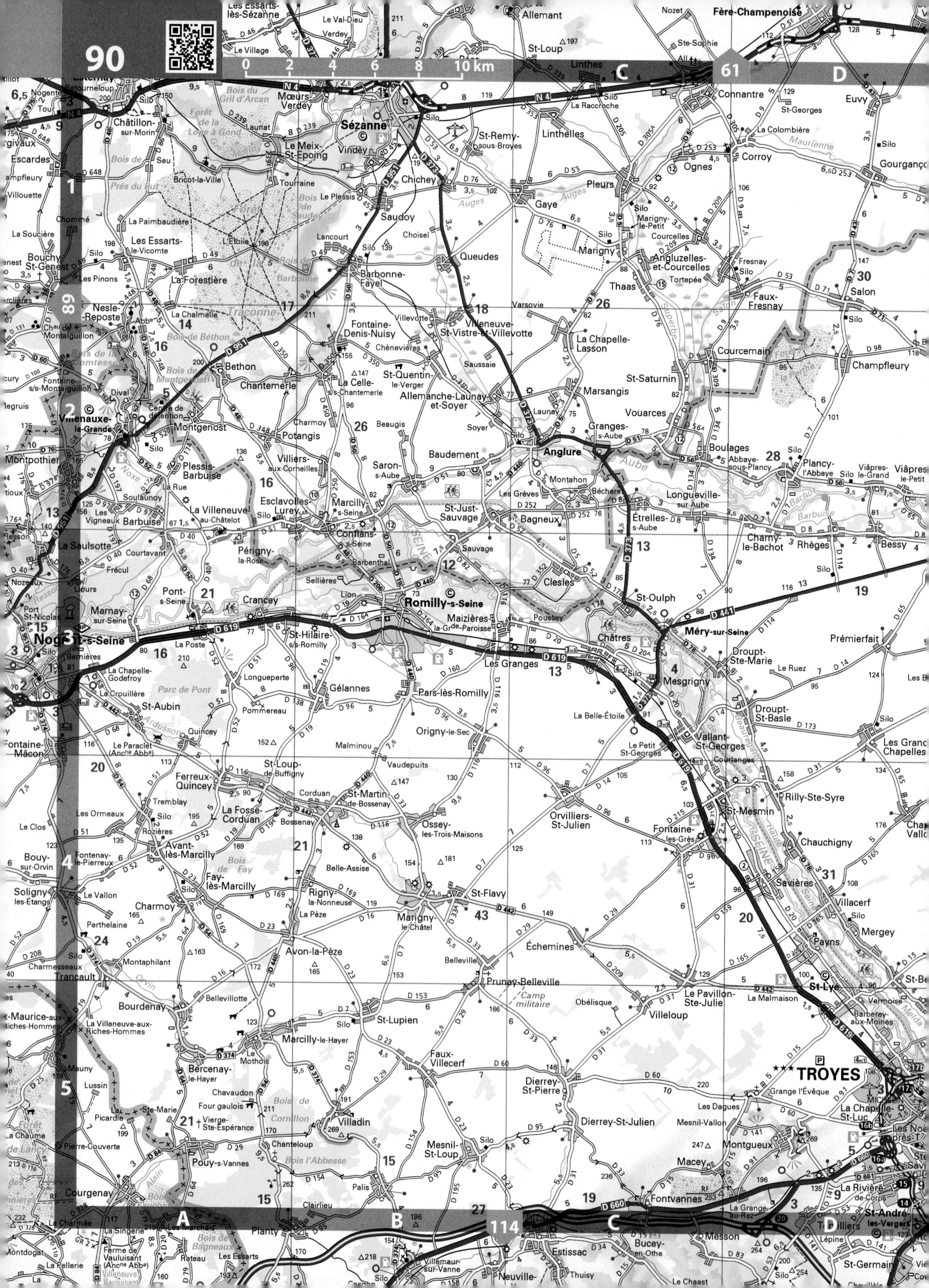
90
0 2 4 6 8 10 km
C
61
D
Les Essarts-lès-Sézanne
Le Val-Dieu
Verdey
Le Village
Allemant
St-Loup
Linthes
Nozet
Fère-Champenoise
Ste-Sophie
Esternay
Retourneloup
Nogentel
Tour
Châtillon-sur-Morin
Bois du Gril d'Arcan
Forêt de la Loge à Gond
Launat
Mœurs-Verdey
Sézanne
Le Meix-St-Epoing
Vindey
St-Remy-sous-Broyes
Linthelles
La Raccroche
Connantre
St-Georges
Euvy
La Colombière
Maurienne
Corroy
Ognes
Gourgançon
Escardes
Bricot-la-Ville
Tourraine
Chichey
Pleurs
Gaye
Prés du But
Villouette
Chommé
La Paimbaudière
Le Plessis
Saudoy
Bois de Saudoy
Marigny-le-Petit
Courcelles
Marigny
Angluzelles-et-Courcelles
Fresnay
Tortepée
La Soucière
Les Essarts-le-Vicomte
L'Étoile
Lancourt
Choisel
Queudes
Bouchy-St-Genest
Les Pinons
La Forestière
Barbonne-Fayel
Thaas
Faux-Fresnay
Salon
Nesle-la-Reposte
Montaiguillon
La Chalmelle
Traconne
Fontaine-Denis-Nuisy
Villevotte
Villeneuve-St-Vistre-et-Villevotte
Varsovie
La Chapelle-Lasson
Chènevières
Saussaie
Courcemain
Champfleury
Forêt de la Perthe
Fontaine-s/s-Montaiguillon
Bois de Béthon
Bethon
Chantemerle
La Celle-s/s-Chantemerle
St-Quentin-le-Verger
Allemanche-Launay-et-Soyer
St-Saturnin
Marsangis
Dival
Centre de détention
Villenauxe-la-Grande
Montgenost
Charmoy
Potangis
Beaugis
Soyer
Launay
Vouarces
Granges-s-Aube
Boulages
Abbaye-sous-Plancy
Plancy-l'Abbaye
Viâpres-le-Grand
Viâpres-le-Petit
Montpothier
Plessis-Barbuise
Villiers-aux-Corneilles
Saron-s-Aube
Baudement
Anglure
Montahon
Béchereau
Longueville-sur-Aube
Aube
La Rue
Soulaunoy
La Villeneuve-au-Châtelot
Esclavolles-Lurey
Marcilly-s-Seine
Les Grèves
Bagneux
St-Just-Sauvage
Étrelles-s-Aube
Barbuise
Les Vigneaux
Conflans-s-Seine
Sauvage
Charny-le-Bachot
Rhèges
Bessy
La Saulsotte
Courtavant
Périgny-la-Rose
Barbenthal
Clesles
Frécul
Nozeaux
Sellières
Liours
Pont-s-Seine
Crancey
Lion
Romilly-s-Seine
St-Oulph
Marnay-sur-Seine
Port St-Nicolas
Nogent-s-Seine
La Poste
St-Hilaire-s/s-Romilly
Maizières-la-Gde-Paroisse
Poussey
Châtres
Méry-sur-Seine
Droupt-Ste-Marie
Prémierfait
Le Ruez
Bernières
La Chapelle-Godefroy
La Crouillère
Parc de Pont
Longueperte
Gélannes
Les Granges
Pars-lès-Romilly
Mesgrigny
St-Aubin
Ardusson
Pommereau
Quincey
La Belle-Étoile
Le Petit St-Georges
Vallant-St-Georges
Courlanges
Droupt-St-Basle
Fontaine-Mâcon
Le Paraclet (Ancne Abbe)
Malminou
Origny-le-Sec
Les Grandes Chapelles
St-Loup-de-Buffigny
Vaudepuits
Ferreux-Quincey
Corduan
St-Martin-de-Bossenay
La Fosse-Corduan
Bossenay
Tremblay
Orvilliers-St-Julien
St-Mesmin
Rilly-Ste-Syre
Les Ormeaux
Le Clos
Rozières
Avant-lès-Marcilly
Ossey-les-Trois-Maisons
Fontaine-les-Grès
Chauchigny
Bouy-sur-Orvin
Fontenay-de-Bossery
Fontenay-le-Pierreux
Bois de Fay
Fay-lès-Marcilly
Belle-Assise
Savières
Villacerf
Soligny-les-Étangs
Le Vallon
Charmoy
Rigny-la-Nonneuse
La Pèze
St-Flavy
Marigny-le-Châtel
Perthelaine
Mergey
Payns
Échemines
Avon-la-Pèze
Charmesseaux
Trancault
Montaphilant
Belleville
Prunay-Belleville
Camp militaire
St-Lyé
Orvin
Bourdenay
Bellevillotte
Obélisque
Le Pavillon-Ste-Julie
La Malmaison
Villeloup
St-Maurice-aux-Riches-Hommes
La Villeneuve-aux-Riches-Hommes
St-Lupien
Marcilly-le-Hayer
Barberey-aux-Moines
Vermoise
Faux-Villecerf
Bercenay-le-Hayer
Le Mothois
Mauny
Lussin
Dierrey-St-Pierre
TROYES
Grange l'Évêque
Chavaudon
Four gaulois
Bois de Cornillon
Ste-Marie
Picardie
Villadin
Dierrey-St-Julien
Les Dagues
Mesnil-Vallon
La Chapelle-St-Luc
Vierge-Ste-Espérance
La Chaume
Pierre-Couverte
Chanteloup
Bois l'Abbesse
Mesnil-St-Loup
Montgueux
Pouy-s-Vannes
Macey
Courgenay
Palis
Clairlieu
Fontvannes
La Rivière-de-Corps
La Grange-au-Rez
La Charmée
La Singerie
Les Marchais
Bois de Bagneaux
Planty
Estissac
Bucey-en-Othe
Messon
St-André-les-Vergers
Montdogat
Ferme de Vauluisant (Ancne Abbe)
Rateau
Les Essarts
Villemaur-sur-Vanne
Lépine
La Pellerie
Neuville-
Thuisy
Le Chaast
St-Germain
A
B
114
C
D
89
1
2
3
4
5
N 4
D 951
D 373
D 619
D 441
D 660
D 442
D 440

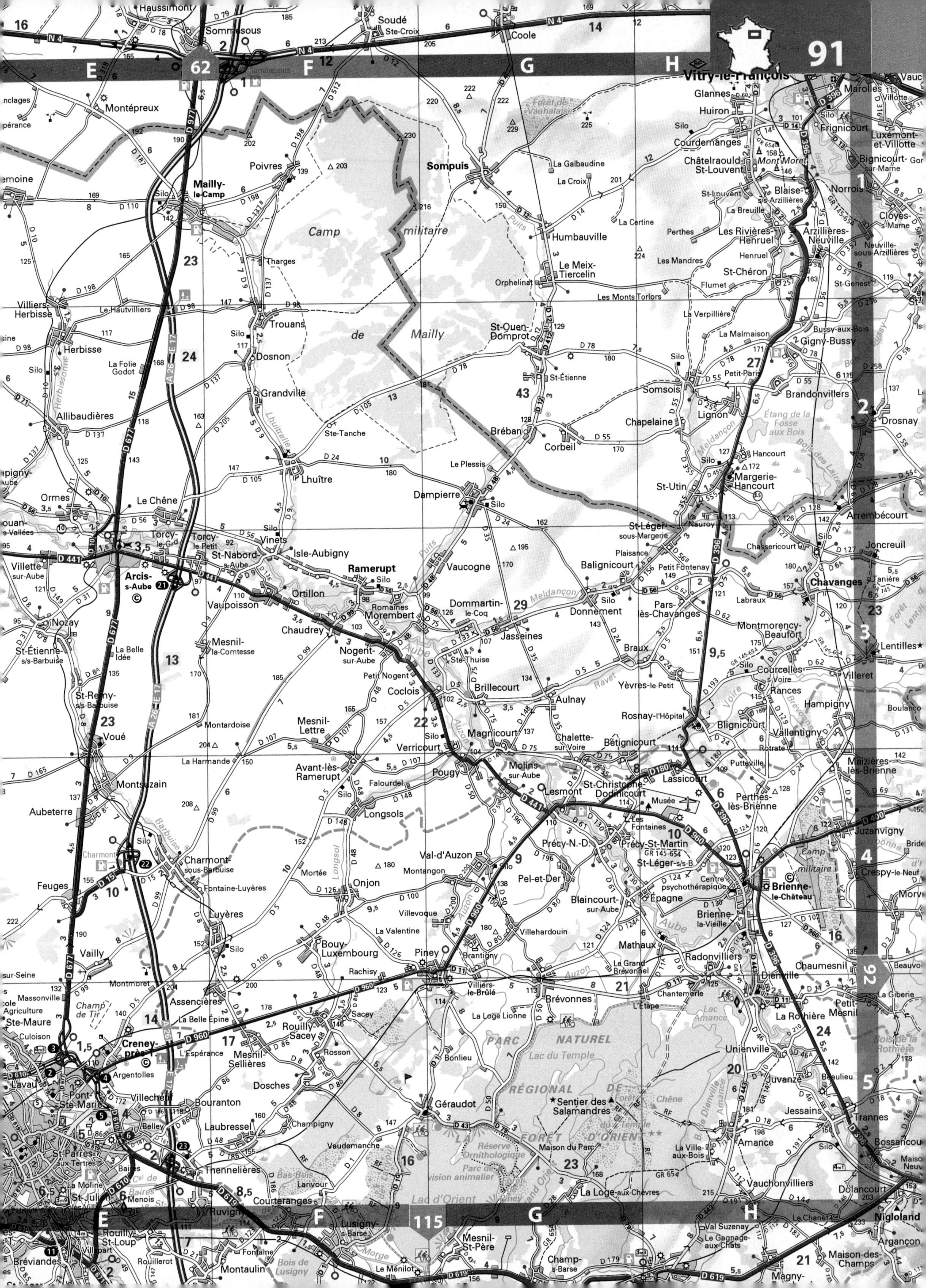

91
62
115
92
E
F
G
H
Vitry-le-François
Haussimont
Sommesous
Soudé
Ste-Croix
Coole
Montépreux
Mailly-le-Camp
Poivres
Sompuis
Camp militaire de Mailly
Glannes
Huiron
Courdemanges
Châtelraould-St-Louvent
Mont Moret
Frignicourt
Luxémont-et-Villotte
Bignicourt-sur-Marne
Marolles
Blaise-s/s-Arzillières
St-Louvent
Norrois
La Galbaudine
La Croix
La Certine
Humbauville
Le Meix-Tiercelin
Orphelinat
Les Monts Torlors
La Breuille
Perthes
Les Rivières-Henruel
Henruel
Arzillières-Neuville
Cloyes-s/s-Marne
Neuville-sous-Arzillières
Les Mandres
St-Chéron
Flumet
St-Genest
La Verpillière
La Malmaison
Bussy-aux-Bois
Gigny-Bussy
St-Ouen-Domprot
St-Étienne
Somsois
Petit-Paris
Brandonvillers
Lignon
Chapelaine
Étang de la Fosse aux Bois
Drosnay
Bréban
Corbeil
Le Plessis
Hancourt
Margerie-Hancourt
St-Utin
Dampierre
Arrembécourt
St-Léger-sous-Margerie
La Nauroy
Chassericourt
Joncreuil
Plaisance
Balignicourt
Petit Fontenay
Chavanges
Tanière
Labraux
Pars-lès-Chavanges
Donnement
Dommartin-le-Coq
Jasseines
Montmorency-Beaufort
Lentilles
Braux
Courcelles-s-Voire
Villeret
Yèvres-le-Petit
Rances
Hampigny
Rosnay-l'Hôpital
Blignicourt
Vallentigny
Bétignicourt
Chalette-sur-Voire
Aulnay
Brillecourt
Ste-Thuise
Magnicourt
Molins-sur-Aube
St-Christophe-Dodinicourt
Lesmont
Lassicourt
Putteville
Rotrate
Maizières-lès-Brienne
Perthes-lès-Brienne
Musée
Les Fontaines
Précy-N.-D.
Précy-St-Martin
St-Léger-s/s-B.
Juzanvigny
Camp militaire
Crespy-le-Neuf
Brienne-le-Château
Centre psychothérapique
Épagne
Brienne-la-Vieille
Pel-et-Der
Blaincourt-sur-Aube
Villehardouin
Mathaux
Radonvilliers
Dienville
Chaumesnil
La Giberie
Petit-Mesnil
La Rothière
Le Grand Brévonnel
Chantemerle
L'Étape
Brévonnes
Lac Amance
Unienville
Juvanzé
Beaulieu
Jessains
Trannes
Bossancourt
Amance
La Ville-aux-Bois
Vauchonvilliers
Dolancourt
Nigloland
Le Chanet
Val Suzenay
Le Gagnage-aux-Chats
Argançon
Maison-des-Champs
Magny
Champ-s-Barse
Mesnil-St-Père
Lac d'Orient
Parc Naturel Régional de la Forêt d'Orient
Lac du Temple
Sentier des Salamandres
Réserve Ornithologique
Parc de vision animalier
Maison du Parc
La Loge-aux-Chèvres
Géraudot
Bonlieu
La Loge Lionne
Villiers-le-Brûlé
Brantigny
Piney
Rachisy
Bouy-Luxembourg
La Valentine
Villevoque
Montangon
Val-d'Auzon
Onjon
Mortée
Longsols
Falourdel
Pougy
Verricourt
Avant-lès-Ramerupt
Mesnil-Lettre
Coclois
Petit Nogent
Nogent-sur-Aube
Chaudrey
Morembert
Romaines
Ortillon
Ramerupt
Vaucogne
Isle-Aubigny
Vinets
Lhuître
Ste-Tanche
Grandville
Dosnon
Trouans
Tharges
Le Hautvilliers
Villiers-Herbisse
Herbisse
La Folie Godot
Allibaudières
Ormes
Le Chêne
Torcy-le-Grd
Torcy-le-Petit
St-Nabord-s-Aube
Arcis-s-Aube
Villette-sur-Aube
Vaupoisson
Nozay
St-Étienne-s/s-Barbuise
La Belle Idée
Mesnil-la-Comtesse
St-Remy-s/s-Barbuise
Voué
Montardoise
La Harmande
Montsuzain
Aubeterre
Charmont-sous-Barbuise
Fontaine-Luyères
Luyères
Feuges
Vailly
Montmoret
Assencières
Champ de Tir
Ste-Maure
Culoison
Creney-près-T.
La Belle Épine
L'Espérance
Argentolles
Mesnil-Sellières
Rouilly-Sacey
Sacey
Rosson
Avant-lès-Marcilly
Dosches
Villechétif
Bouranton
Laubressel
Champigny
Vaudemanche
Thennelières
Bas Bois
Larivour
Courteranges
Ruvigny
Lusigny-s-Barse
Le Ménilot
Montaulin
Fontaine
Rouillerot
Rouilly-St-Loup
Villepart
Bréviandes
St-Julien
Menois
Baires
Pont-Ste-Marie
Lavau
Belley
St-Parres-aux-Tertres
La Moline
Bois de Lusigny
Morge
Aube
Auzon
Meldançon
Voire
Barbuise
Longsol
Lhuitrelle
Herbissonne
Puits
Ravet
Amance
Forêt de Vauhalaise

0 2 4 6 8 10 km
63
91
116
St-Dizier
Thiéblemont-Farémont
Ancerville
Eurville-Bienville
Ste-Marie-du-Lac-Nuisement
Lac du Der-Chantecoq
Réserve Ornithologique
Presqu'île de Larzicourt
Presqu'île de Nemours
Presqu'île de Champaubert
Giffaumont-Champaubert
Montier-en-Der
(La Porte du Der)
Wassy
Joinville
Chavanges
Soulaines-Dhuys
Doulevant-le-Château
Vignory
Bar-sur-Aube
Nigloland
Forêt du Val
Forêt de Soulaines
Vitry-le-François
Vauclerc
Marolles
Frignicourt
Écriennes
Heiltz-le-Hutier
St-Vrain
Vouillers
Orconte
Perthes
Hallignicourt
Moëslains
Valcourt
Eclaron-Braucourt-Ste-Livière
Humbécourt
Allichamps
Louvemont
Attancourt
Brousseval
Vaux-sur-Blaise
Montreuil-s-Blaise
Sommevoire
Thil
Beurville
Cirey-sur-Blaise
Blaise
Ville-sur-Terre
Fresnay
Thors
Saulcy
Colombé-le-Sec
Rouvres-les-Vignes
Arsonval
Dolancourt
Jaucourt
Ailleville
Bossancourt
Trannes
Éclance
Lévigny
Fuligny
Vernonvilliers
La Chaise
Morvilliers
Juzanvigny
Épothémont
Louze
Lentilles
Drosnay
Outines
Arrembécourt
Joncreuil
Droyes
Frampas
Planrupt
Voillecomte
Ceffonds
Laneuville-à-Rémy
Rachecourt-Suzémont
Domblain
Fays
Guindrecourt-aux-Ormes
Nomécourt
Mathons
Charmes-la-Grande
Brachay
Flammerécourt
Ambonville
Cerisières
Mirbel
Marbéville
Curmont
Argentolles
Lamothe-en-Blaisy
Vraincourt
Oudincourt
Chamouilley
Roches-s-Marne
Bayard-sur-Marne
Gourzon
Rachecourt-sur-Marne
Sommermont
Baudonvilliers
Chancenay
Bettancourt-la-Ferrée
Saudrupt
Hironville
Sommelonne
Trois-Fontaines-l'Abbaye
N4
N67
D 384
D 400
D 960
D 635
D 396

93
64
94
117
E
F
G
H
Guerpont
Tannois
Willeroncourt
Nançois-le-Grand
Nançois-sur-Ornain
Tronville-en-Barrois
St-Aubin-sur-Aire
Saulx-en-Barrois
Laneuville-au-Rupt
Ménil-la-Horgne
Velaines
Ligny-en-Barrois
Bois de Velaines
Nant-le-Grand
Maulan
Nant-le-Petit
Givrauval
Oëy
Morlaincourt
(Chanteraine)
Chennevières
Vaux-la-Grande
Vaux-la-Petite
(Saulvaux)
Méligny-le-Grand
Méligny-le-Petit
Braux
Vacon
Void-Vacon
Ourches-sur-Meuse
Naives-en-Blois
St-Germain-sur-Meuse
Ugny-sur-Meuse
Gombervaux
Menaucourt
Boviolles
Longeaux
Le Petit-Maulan
Nantois
Naix-aux-Forges
Marson-s-Barboure
Bovée-sur-Barboure
Broussey-en-Blois
Sauvoy
Rigny-la-Salle
Rigny-St-Martin
Fouchères-aux-Bois
Ménil-sur-Saulx
St-Amand-sur-Ornain
Tréveray
Reffroy
Villeroy-s-Méholle
Vaucouleurs
Chalaines
Villers-le-Sec
Le Bouchon-sur-Saulx
Juvigny-en-Perthois
Hévilliers
St-Joire
Laneuville
La Grangette
Mauvages
Montigny-lès-Vaucouleurs
Dammarie-sur-Saulx
Couvertpuis
Demange-aux-Eaux
Forêt d'Evaux
Demange-Baudignécourt
Baudignécourt
Neuville-lès-Vaucouleurs
Brauvilliers
Morley
Biencourt-sur-Orge
Delouze-Rosières
Rosières-en-Blois
Badonvilliers-Gérauvilliers
Burey-en-Vaux
Sepvigny
Champougny
Épiez-sur-Meuse
Ecurey
St-Thiébaut
Houdelaincourt
Gérauvilliers
Maxey-sur-Vaise
Taillancourt
Ribeaucourt
Montiers-sur-Saulx
La Landre
Abainville
Gondrecourt-le-Château
Montbras
Bonnet
Domrémy-St-Antoine
Le Granit
Amanty
Paroy-s-Saulx
Bure
Burey-la-Côte
Le Val-d'Osne
Le Val Louzet
Touraille-sous-Bois
Horville-en-Ornois
Vouthon-Bas
Vouthon-Haut
Goussaincourt
Osne-le-Val
Effincourt
Saudron
Mandres-en-Barrois
Pansey
Gillaumé
Luméville-en-Ornois
Bertheléville
Les Roises
Greux
La Houpette
Montreuil-s-Thonnance
Échenay
Cirfontaines-en-Ornois
Chassey-Beaupré
Beaupré
Vaudeville-le-Haut
Domrémy-la-Pucelle
Maxey-sur-Meuse
Thonnance-lès-Joinville
Suzannecourt
Aingoulaincourt
Soulaincourt
Harméville
Bressoncourt
N.-D. de Chécourt
Dainville
Seraumont
Basilique du Bois-Chenu
Moncel
La Forge
Sailly
Lezéville
Avranville
Chermisey
Coussey
Poissons
Noncourt-s-le-Rongeant
Thonnance-les-Moulins
Laneuville-au-Bois
Germay
Sionne
Frebécourt
Brouthières
Germisay
Grand
Mosaïque
Midrevaux
Bourlémont
St-Urbain-Maconcourt
Annonville
Bettoncourt-le-Haut
Épizon
Pargny-sous-Mureau
Mont-lès-Neufchâteau
Vaux-s-St-Urbain
Morionvilliers
La Violette
Abbaye
Trampot
Brechainville
Donjeux
Landéville
Augeville
Domremy-Landéville
Chambroncourt
Audeuil
Villouxel
Aillianville
St-Thiébault
Pautaines-Augeville
Saucourt-sur-Rognon
Leurville
Liffol-le-Grand
Fréville
Le Tivoli
Villiers-sur-Marne
Busson
Champaumont
Bazoilles-sur-Meuse
Doulaincourt-Saucourt
Roches-Bettaincourt
Orquevaux
Lafauche
Liffol-le-Petit
Circourt-sur-Mouzon
Froncles
Buxières
Roches-sur-Rognon
Montlebert
Reynel
Vesaignes-s/s-Lafauche
Prez-sous-Lafauche
Humberville
N. D. du Pilier de Saragosse
Montot-sur-Rognon
Vignes-la-Côte
Manois
St-Blin
Le Corroy
Pompierre
Vouécourt
Signéville
La Croisette
Semilly
L'Espérance
Dôme
Harréville-les-Chanteurs
Croix des Allemands
Barrémont
Goncourt
Sartes
Montéclair
Rimaucourt
Chalvraines
Sommerécourt
Abbe de Septfontaines
Andelot-Blancheville
Viéville
Rochefort
Le Champ Briot
La Guinguette
La Fortelle
Illoud
Gonaincourt
Vaudrecourt
La Motte

94
0 2 4 6 8 10 km
93
65
118
A
B
C
D
1
2
3
4
5
NANCY
Laxou
Tomblaine
Essey
Jarville
Vandœuvre-lès-N.
Villers-lès-N.
Heillecourt
Fléville-devant-N.
Ludres
Chavigny
Chaligny
Maron
Neuves-Maisons
Messein
Pont-St-Vincent
Bainville-sur-Madon
Richardménil
Méréville
Flavigny-s-Moselle
Maizières
Viterne
Sexey-aux-Forges
Villey-le-Sec
Gondreville
Fontenoy-s-Moselle
Velaine-en-Haye
Bois de Gondreville
Forêt de Haye
Libdeau
Bruley
Pagney-derrière-Barine
Mont St Michel
La Croix de Metz
TOUL
Dommartin-lès-Toul
Chaudeney-sur-Moselle
Pierre-la-Treiche
Bicqueley
Champ de Tir
Terrain militaire
Gimeys
St-Rémy
Grandmesnil
Choloy-Ménillot
Bois de Grammont
Val de Passey
Domgermain
Charmes-la-Côte
St-Fiacre
Mont-le-Vignoble
Gye
Moutrot
Ourches-sur-Meuse
Massey
St-Germain-sur-Meuse
Ugny-sur-Meuse
Rigny-la-Salle
Rigny-St-Martin
Blénod-lès-Toul
Crézilles
Ochey
Bulligny
Gibeaumeix
Forêt de Meine
Uruffe
Sepvigny
Champougny
Vannes-le-Châtel
Allamps
Bagneux
Allain
Barisey-la-Côte
Colombey-les-Belles
Barisey-au-Plain
Crépey
Thuilley-aux-Groseilles
Marthemont
Xeuilley
Frolois
Germiny
Thélod
Pierreville
Parey-St-Césaire
Houdelmont
Pulligny
Autrey
Ceintrey
Voinémont
Clérey-sur-Brenon
Houdreville
Hammeville
Omelmont
Lemainville
Benney
Pagny-la-Blanche-Côte
Taillancourt
Montbras
Saulxures-lès-Vannes
Bois de Saulxures
Traveron
Burey-la-Côte
Sauvigny
Mont-l'Étroit
Clérey-la-Côte
Goussaincourt
Autreville
Harmonville
Saulxerotte
Selaincourt
Mont d'Anon
Goviller
Dolcourt
Vitrey
Ogneville
Vézelise
Tantonville
Haroué
Quevilloncourt
Vroncourt
Forcelles-St-Gorgon
Chaouilley
Étreval
Laloeuf
Favières
Battigny
Gélaucourt
Punerot
Ruppes
Brixey-aux-Chanoines
Jubainville
Greux
Domrémy-la-Pucelle
Maxey-sur-Meuse
Martigny-lès-Gerbonvaux
Tranqueville-Graux
Graux
Gémonville
Tramont-St-André
Tramont-Émy
Tramont-Lassus
Fécocourt
Vandeléville
Thorey-Lyautey
Sion
Saxon-Sion
Vaudémont
Signal de Vaudémont
Praye
Xirocourt
St-Firmin
Jevoncourt
Housséville
Diarville
Forcelles-s/s-Gugney
Gugney
Pulney
Grimonviller
They-s/s-Vaudémont
Dommarie-Eulmont
Moncel
Moncel-sur-Vair
Coussey
St-Elophe
Autigny-la-Tour
Soulosse-sous-St-Élophe
Harchéchamp
Attignéville
Aouze
Soncourt
Aroffe
Vicherey
Beuvezin
Courcelles
Fraisnes-en-Saintois
Bouzanville
Boulaincourt
Pont-sur-Madon
Xaronval
Battexey
Frebécourt
Barville
Houéville
Ste-Anne
Rollainville
Removille
Pleuvezain
Maconcourt
Aboncourt
Blémerey
Frenelle-la-Grande
Chef-Haut
Rainville
Imbrécourt
Vouxey
Dolaincourt
Dommartin-sur-Vraine
St-Prancher
Repel
Frenelle-la-Petite
Puzieux
Ambacourt
Bettoncourt
Chauffecourt
NEUFCHÂTEAU
Noncourt
Rebeuville
Balléville
St-Paul
Morelmaison
Biécourt
Oëlleville
Totainville
Juvaincourt
Poussay
Mazirot
Courcelles-s/s-Châtenois
Viocourt
Valaincourt
Gironcourt-s-Vraine
Ménil-en-Xaintois
Dombasle-en-Xaintois
Baudricourt
Domvallier
Ramecourt
Mirecourt
Villers
Rouvres-la-Chétive
Certilleux
Châtenois
Houécourt
Rouvres-en-Xaintois
St-Menge
Remicourt
Thiraucourt
Ravenel
Mattaincourt
Vroville
Hymont
Tillleux
Landaville
Circourt-sur-Mouzon
Longchamp-sous-Châtenois
Mannecourt
La Neuveville-sous-Châtenois
Rémois
Darney-aux-Chênes
Gemmelaincourt
Viviers-lès-Offroicourt
Offroicourt
Estrennes
Bazoilles-et-Ménil
Lemmecourt
Ollainville
Aulnois
Beaufremont
Jainvillotte
Pompierre
Sartes
Gendreville
Hagnéville-et-Roncourt
Sandaucourt
Dombrot-sur-Vair
Belmont-sur-Vair
St-Remimont
Parey-sous-Montfort
Domjulien
Girovillers-sous-Montfort
Domèvre-sous-Montfort
Valleroy-aux-Saules
Maroncourt
Hagécourt
Auzainvilliers
Morville
They-sous-Montfort
Rozerotte
Madecourt
Vaudoncourt
Mandres-sur-Vair
Norroy
VITTEL
La Neuveville-sous-Montfort
Remoncourt
Rancourt
Outremécourt
Malaincourt
Médonville
Bulgnéville
Haréville
Valfroicourt
Bainville-aux-Saules
Begnécourt

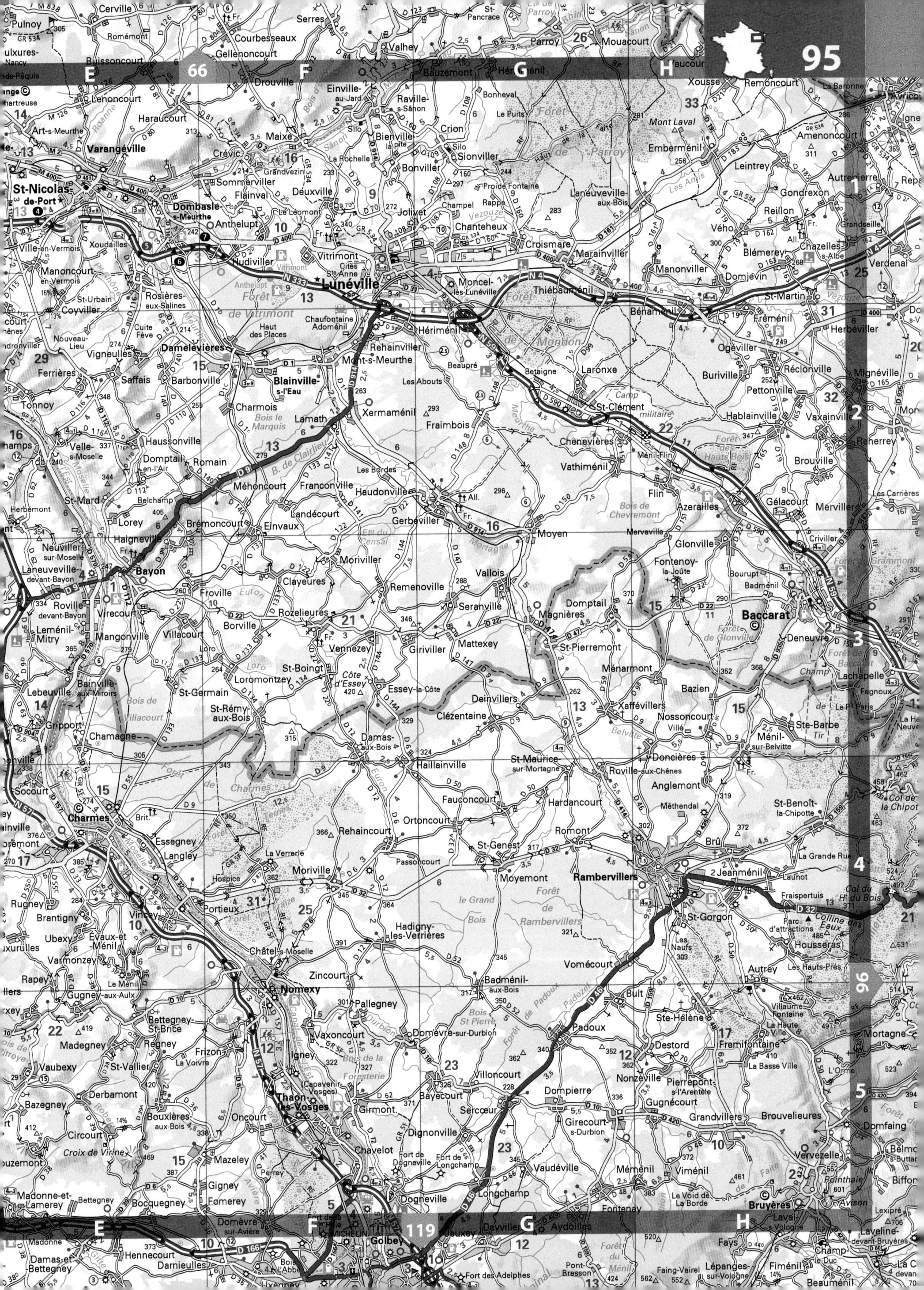

66
E
F
G
H
1
2
3
4
5
96
119
Pulnoy
Cerville
Serres
Valhey
Parroy
Mouacourt
Xousse
Remoncourt
Courbesseaux
Gellenoncourt
Buissoncourt
Drouville
Einville-au-Jard
Raville-s-Sânon
Bauzemont
Hénaménil
Bonneval
Le Puits
Forêt de Parroy
Mont Laval
Lenoncourt
Haraucourt
Art-s-Meurthe
Varangéville
St-Nicolas-de-Port
Dombasle-s-Meurthe
Crévic
Maixe
Bienville-la-Petite
Crion
Sionviller
Bonviller
Emberménil
Amenoncourt
Leintrey
Autrepierre
Gondrexon
Reillon
Sommerviller
Flainval
Deuxville
Jolivet
Champel
Froide Fontaine
Laneuveville-aux-Bois
Anthelupt
Hudiviller
Vitrimont
Lunéville
Chanteheux
Croismare
Marainviller
Manonviller
Domjevin
Vého
Blémerey
Chazelles-s-Albe
Verdenal
Xoudailles
Ville-en-Vermois
Manoncourt-en-Vermois
St-Urbain
Coyviller
Rosières-aux-Salines
Forêt de Vitrimont
Moncel-lès-Lunéville
Thiébauménil
Bénaménil
St-Martin
Fréménil
Herbéviller
Chaufontaine
Adoménil
Hériménil
Forêt de Mondon
Ogéviller
Cuite Fève
Haut des Places
Nouveau-Lieu
Vigneulles
Damelevières
Rehainviller
Mont-s-Meurthe
Beaupré
Laronxe
Buriville
Réclonville
Mignéville
Ferrières
Saffais
Barbonville
Blainville-s-l'Eau
Les Abouts
Betaigne
Pettonville
Tonnoy
Charmois
Bois le Marquis
Lamath
Xermaménil
Fraimbois
St-Clément
Camp militaire
Hablainville
Vaxainville
Velle-s-Moselle
Haussonville
Chenevières
Reherrey
Domptail-en-l'Air
Romain
Méhoncourt
Franconville
Les Bordes
Haudonviller
Vathiménil
Ménil-Flin
Flin
Brouville
St-Mard
Belchamp
Lorey
Brémoncourt
Einvaux
Landécourt
Gerbéviller
Bois de Chevremont
Azerailles
Gélacourt
Merviller
Haigneville
Moyen
Mervaville
Glonville
Criviller
Neuviller-sur-Moselle
Laneuveville-devant-Bayon
Bayon
Moriviller
Clayeures
Vallois
Fontenoy-la-Joûte
Bourupt
Badménil
Roville-devant-Bayon
Virecourt
Froville
Remenoville
Seranville
Magnières
Domptail
Baccarat
Leménil-Mitry
Mangonville
Villacourt
Borville
Rozelieures
Vennezey
Giriviller
Mattexey
St-Pierremont
Forêt de Glonville
Deneuvre
Bainville-aux-Miroirs
Loromontzey
St-Boingt
Côte d'Essey
Essey-la-Côte
Ménarmont
Lachapelle
Lebeuville
Bois de Villacourt
St-Germain
St-Rémy-aux-Bois
Deinvillers
Clézentaine
Xaffévillers
Bazien
Nossoncourt
Gripport
Chamagne
Damas-aux-Bois
Ste-Barbe
Ménil-sur-Belvitte
Haillainville
St-Maurice-sur-Mortagne
Roville-aux-Chênes
Doncières
Anglemont
Socourt
Charmes
Forêt de Charmes
Fauconcourt
Hardancourt
Méthendal
St-Benoît-la-Chipotte
Col de la Chipotte
Essegney
Langley
Rehaincourt
Ortoncourt
St-Genest
Romont
Brû
La Grande Rue
La Verrerie
Moriville
Passoncourt
Moyemont
Rambervillers
Jeanménil
Launot
Hospice
Portieux
le Grand Bois
Forêt de Rambervillers
St-Gorgon
Fraispertuis
Col du Hᵗ du Bois
Rugney
Brantigny
Vincey
Hadigny-les-Verrières
Parc d'attractions
Colline des Eaux
Ubexy
Évaux-et-Ménil
Châtel-s-Moselle
Les Naufs
Housseras
Varmonzey
Zincourt
Vomécourt
Autrey
Les Hauts-Prés
Rapey
Le Ménil
Gugney-aux-Aulx
Nomexy
Badménil-aux-Bois
Bult
Pallegney
Bettegney-St-Brice
Madegney
Regney
Frizon
Vaxoncourt
Domèvre-sur-Durbion
Bois St Pierre
Forêt de Padoux
Padoux
Ste-Hélène
Villaume Fontaine
La Haute Ville
Mortagne
Vaubexy
St-Vallier
La Voivre
Igney
Bois de la Foresterie
Destord
Fremifontaine
La Basse Ville
L'Orme
Derbamont
Capavenir-Vosges
Thaon-les-Vosges
Villoncourt
Nonzeville
Pierrepont-s-l'Arentèle
Bazegney
Bouxières-aux-Bois
Oncourt
Girmont
Bayecourt
Sercœur
Dompierre
Gugnécourt
Circourt
Croix de Virine
Dignonville
Girecourt-s-Durbion
Grandvillers
Brouvelieures
Domfaing
Ouzemont
Mazeley
Chavelot
Fort de Dogneville
Fort de Longchamp
Vaudéville
Méménil
Viménil
Vervezelle
Gigney
Fomerey
Perrey
Longchamp
Fontenay
Le Void de La Borde
Bruyères
Madonne-et-Lamerey
Bettegney
Bocquegney
Domèvre-sur-Avière
Dogneville
Deyvillers
Aydoilles
Laval-s-Vologne
Lexipré
Laveline-devant-Bruyères
Golbey
Jeuxey
Fays
Madonne
Damas-et-Bettegney
Hennecourt
Darnieulles
Fort des Adelphes
Forêt du Ménil
Pont-Bresson
Faing-Vairel
Lépanges-sur-Vologne
Fiménil
Champ-le-Duc
Forêt de Grammont
Forêt des Hauts Bois
Bois de Clairlieu
Moselle
Meurthe
Mortagne
Vezouze
Euron
Durbion
MICHELIN

0 2 4 6 8 10 km
67
95
120
A
B
C
D
1
2
3
4
5
Landange
Nitting
Troisfontaines
Harreberg
Biberkirch
St-Georges
Lorquin
Barville-Bas
Voyer
Walscheid
Dabo
Rocher de Dabo
Avricourt
Ibigny
Fraquelfing
Hattigny
Niderhoff
Métairies-St-Quirin
Abreschviller
Vasperviller
Eigenthal
Hohwalsch
Grd Soldat
Wangenbourg-Engenthal
Igney
Amenoncourt
Foulcrey
Richeval
Les Sallières
Gogney
Repaix
Autrepierre
Gondrexon
Frémonville
Tanconville
Bertrambois
La Forêt
Lafrimbolle
St-Quirin
Col de Brechpunkt
Canceley
Spitzberg
Schneeberg
Windsbourg
Hengst
Nideck
Cirey-s-Vezouze
Les Harcholins
Haute Seille
Grandseille
Chazelles-s-Albe
Blâmont
Barbas
Verdenal
Rheinkopf
Bourguignon
Turquestein-Blancrupt
Saussenrupt
Châtillon
Val-et-Châtillon
Harbouey
Domèvre-s-Vezouze
Halloville
Nonhigny
Petitmont
Norroy
Herbéviller
Parux
La Gagère
Pot de vin
Blancrupt
Gensbourg
Porte de Pierre
Rocher de Mutzig
Réclonville
Mignéville
Ancerviller
Montreux
Bréménil
St-Sauveur
Roc du Taurupt
Raon-sur-Plaine
Raon-lès-Leau
Windeck
Donon
Col du Donon
Lutzelhouse
Wisches
Vaxainville
Montigny
Neuviller-lès-Badonviller
Les Carrières de Badonviller
Angomont
Reherrey
St-Maurice-aux-Forges
Badonviller
Thiaville
Allencombe
Le Halbach
Luvigny
Grandfontaine
Mémorial d'Alsace Moselle
Brouville
Ste-Pôle
Fenneviller
Les Noires-Colas
Bionville
Vexaincourt
La Corbeille
Col de Prayé
Tête Mathis
Wackenbach
Schirmeck
Barembach
Signal de Grendelbruch
Merviller
Les Carrières
Vacqueville
Pexonne
Col de la Chapelotte
Les Collins
Allarmont
Notre-Dame
Haut du Bon-Dieu
Le Haut-Fourneau
Fréconrupt
Maison Neuve
Albet
Rothau
Le Struthof (Mémorial)
Champ du Messin
Pierre-Percée
La Hallière
Tête des Herrins
Tête des Blanches Roches
La Claquette
Criviller
Veney
Neufmaisons
Lac de Pierre-Percée
Bois du Vieux Pré
Celles-s-Plaine
Tête du Coquin
le Noir Brocard
Signal des Hles Chaumes
Tête Pelée
Salm
Les Quelles
Wildersbach
Neuviller-la-Roche
Natzwiller
Deneuvre
Bertrichamps
Pt Reclos
Chlle du Bondieu
Grd Reclos
Pierre Piquée
Moussey
Le Rain-de-la-Vierge
les Htes Relevées
Neuve Grange
La Chatte Pendue
Fouday
Solbach
Waldersbach
Cascade de la Serva
Belmont
Lachapelle
Thiaville-s-Meurthe
Le Clairupt
Col de Dialtrepoix
La Petite Raon
Le Saulcy
Belval
Champenay
Plaine
La Falle
Diespach
Le Trouchy
Blancherupt
Champ du Feu
Fagnoux
La Trouche
Raon-l'Étape
Chavré
Tête de Vénival
Senones
Vieux-Moulin
Col du Hantz
le Houdimont
Le Puid
Saulxures
St-Blaise-la-Roche
Bellefosse
Ste-Barbe
La Haute Neuveville
Malfosse
St-Prayel
St-Maurice
Les Gouttes
Au Renclos
Le Vermont
St-Stail
Colroy-la-Roche
Fonrupt
Col de la Charbonnière
Ranrupt
Stampoumont
Grd Alhan
St-Blaise
La Forain
Ménil-de-Senones
Grandrupt
Tannenberg
Bourg
La Salcée
Steige
Col de Steige
Maisonsgoutte
Pierre d'Appel
Étival-Clairefontaine
Moyenmoutier
Le Petit Himbaumont
Le Paire
La Chapelle
Châtas
Saales
Bourg-Bruche
L'Evreuil
Wagenbach
St-Martin
Bassemberg
Col de la Chipotte
Le Grand Himbaumont
Hurbache
Laitre
Le Rouaux
Ban-de-Sapt
La Grande Fosse
Col de Saales
Le Climont
Le Talin
Le Ménil
St-Remy
La Hollande
La Fontenelle
Launois
Nayemont
Le Hang
Voyemont
Climont
Chau de Bilstein
Lalaye
La Grande Rue
Deyfosse
Biarville
La Voivre
Denipaire
Col du Las
La Bonne Fontaine
Col d'Urbeis
Urbeis
Fouchy
Col du Ht du Bois
Les Basses Pierres
Nompatelize
Le Villé
Camp Celtique de la Bure
St-Jean-d'Ormont
Gemainfaing
Le Fraiteux
La Petite-Fosse
Colroy-la-Grande
Noirceux
Bréhimont
La Vacherie
St-Michel-sur-Meurthe
La Culotte
Les Raids de Robache
Col d'Hermanpaire
Spitzemberg
Lubine
Chapelle de la Jambe-de-Fer
Pierreuse-Goutte
La Salle
Les Feignes
La Bourgonce
La Pêcherie
Marzelay
Robache
Roche du Sapin sec
Le Beulay
Provenchères-et-Colroy
Les 3 Maisons
Lusse
La Hingrie
Housseras
Herbaville
Sauceray
St-Dié-des-Vosges
Nayemont-les-Fosses
Frapelle
La Pariée
Hte Merlusse
Rombach-le-Franc
Les Hauts-Prés
La Grande Basse
Mortagne
Les Tiges
Dijon
Pair-et-Grandrupt
Neuvillers-s-Fave
Herbaupaire
Col de Mon Repos
Col du Ht Jacques
Les Moitresses
La Bolle
Côte St Martin
Gratin
Ste-Marguerite
Fosses
Vanifosse
Combrimont
Tunnel Maurice-Lemaire
Chaume de Lusse
Grand-Rombach
Petit-Rombach
Musloch
Lièpvre
Grandrupt
Foucharupt
Remomeix
Bertrimoutier
Wisembach
Ste-Marie-aux-Mines
Ste-Croix-aux-Mines
Mortagne
Les Rouges-Eaux
Rougiville
Kemberg
Raves
Bonipaire
Le Giron
Roc du Haut de Faîte
L'Orme
Taintrux
Anozel
Rememont
Coinches
Gemaingoutte
Ban-de-Laveline
Col de Ste-Marie
Fertrupt
Petit-Haut
Hochfelsen
Colline des Rouges Eaux
Bois-de-Champ
Xainfaing
Saulcy-s-Meurthe
Fouchifol
Algoutte
Honville
Verpellière
Québrux
Raumont
Échery
Ramelstein
Col du Haut de Ribeauvillé
Petite-Verrerie
Erival
Grébéfosse
Chevry
La Basse Fosse
Les Cours de Saulcy
Claingoutte
Omégoutte
Tête du Violu
St-Pierre-sur-l'Hâte
Adelspach
Domfaing
Le Paire
Entre-deux-Eaux
Vervezelle
Belmont-s-Buttant
Langefosse
Contramoulin
Girompaire
Sarupt
Le Petit Paris
Mandray
Lauterupt
La Croix-aux-Mines
La Petite Lièpvre
Bénifosse
Haute Mandray
Biffontaine
L'Epaxe
Gerhaudel
St-Léonard
Sadey
Col du Pré de Raves
Le Chipal
Aubure
Bilstein
Pointhaie
Vanémont
L'Anoux
Le Souche
Col de Mandray
Le Brézouard
Col de Fréland
Lexipré
Les Poulières
La Côte
Les Gouttes
Les Aulnes
Fraize
Bagenelles
Laveline-devant-Bruyères
La Houssière
Anould
Le Bonhomme
Col de Châmont
Ribeaugoutte
Fréland
Champ-le-Duc
Mont Thiriville
Corcieux
Vienville
Ruxurieux
Ban-sur-Meurthe-Clefcy
Col du Bonhomme
La Chapelle-devant-Bruyères
Beauménil

68
E
F
G
H
Wasselonne
Marlenheim
Nordheim
Fessenheim-le-Bas
Furdenheim
Quatzenheim
Hurtigheim
Ittenheim
Handschuheim
Mittelhausbergen
Oberhausbergen
Niederhausbergen
Pfulgriesheim
Griesheim-s-Souffel
Dingsheim
Mundolsheim
Souffelweyersheim
Hœnheim
Schiltigheim
La Robertsau
STRASBOURG
Kehl
Auenheim
Bodersweier
Querbach
Kork
Odelshofen
Willstätt
Eckartsweier
Hesselhurst
Marlen
Goldscheuer
Kittersburg
Hohnhurst
Offenburg
Schutterwald
Müllen
Altenheim
Neurled
Dundenheim
Höfen
Ichenheim
Meißenheim
Ottenweierhof
Schutterzell
Gutleutkirchen
Ottenheim
Schwanau
Kürzell
Schuttern
Hugsweier
Friesenheim
Allmannsweier
Dinglingen
Nonnenweier
Langenwinkel
Mietersheim
Kippenheimweiler
Wittenweier
Mahlberg
Kippenheim
Kappel-Grafenhausen
Orschweier
Rust
Europa-Park
Altdorf
Ettenheim
Ringsheim
Ettenheimweiler
Niederhausen
Rheinhausen
Herbolzheim
Tutschfelden
Broggingen
Bleichheim
Oberhausen
Maria-im-Sand
Weisweil
Wagenstadt
Nordweil
Kenzingen
Bombach
Hecklingen
Lichteneck
Hochwald
Heimbach
Forchheim
Wyhl
Riegel
Malterdingen
Köndringen
Endingen
Sasbach
Limburg
Bᵍᵉ de Marckolsheim
Marckolsheim
121
Mackenheim
Bootzheim
Hessenheim
Artolsheim
Richtolsheim
Bœsenbiesen
Schwobsheim
Baldenheim
Saasenheim
Schœnau
Sundhouse
Wittisheim
Muttersholtz
Hilsenheim
Bindernheim
Diebolsheim
Bᵍᵉ de Rhinau
Friesenheim
Zelsheim
Neunkirch
Witternheim
Rhinau
Boofzheim
Daubensand
Herbsheim
Obenheim
Gerstheim
Bᵍᵉ de Gerstheim
Osthouse
Erstein
Krafft
Schaeffersheim
Bolsenheim
Uttenheim
Westhouse
Matzenheim
Werde
Sand
Heussern
St-Materne
Huttenheim
Benfeld
Kertzfeld
Stotzheim
Sermersheim
Kogenheim
Rossfeld
Ebersmunster
Ebersheim
Hilsenheim
Sélestat
Châtenois
Kintzheim
Orschwiller
St-Hippolyte
Rodern
Rorschwihr
Bergheim
Guémar
Illhaeusern
Ohnenheim
Elsenheim
Heidolsheim
Schnellenbuhl
Grussenheim
Ribeauvillé
Chᵃᵘ de St-Ulrich
Hᵗ Ribeaupierre
Girsberg
Zellenberg
Ostheim
Beblenheim
Cigogne
Hᵗ Kœnigsbourg
Kœnigsbourg
Montagne des Singes
Volerie des Aigles
Scherwiller
Dieffenthal
Kientzville
Chᵃᵘ d'Ortenbourg
Chᵃᵘ de Ramstein
Dambach-la-Ville
Blienschwiller
Nothalten
Epfig
Ste-Marguerite
Itterswiller
Bernardvillé
Eichhoffen
St-Pierre
Zellwiller
Andlau
Mittelbergheim
Barr
Hᵗ Andlau
Chᵃᵘ de Spesbourg
Le Hohwald
Grande Belle-Vue
Villé
Triembach-au-Val
St-Maurice
Thanvillé
St-Pierre-Bois
St-Sébastien
Neubois
Gertwiller
Bourgheim
Valff
Niedernai
Goxwiller
Heiligenstein
Bernardswiller
St-Nabor
Mᵗ Ste-Odile
Neuntelstein
Ottrott
Obernai
Klingenthal
Bœrsch
St-Léonard
Meistratzheim
Krautergersheim
Limersheim
Nordhouse
Kraft
Bischoffsheim
Innenheim
Hindisheim
Ichtratzheim
Hipsheim
Plobsheim
Eschau
Fegersheim
Lipsheim
Blaesheim
Geispolsheim
Gloeckelsberg
Griesheim-près-Molsheim
Rosheim
Rosenwiller
Mollkirch
Laubenheim
Guirbaden
Dorlisheim
Molsheim
Altorf
Duttlenheim
Duppigheim
Entzheim
Illkirch-Graffenstaden
Ostwald
Lingolsheim
Holtzheim
Kolbsheim
Hangenbieten
Ernolsheim-Bruche
Achenheim
Wolfisheim
Eckbolsheim
Oberschaeffolsheim
Breuschwickersheim
Osthoffen
Scharrachbergheim-Irmstett
Dahlenheim
Soultz-les-Bains
Wolxheim
Ergersheim
Avolsheim
Dachstein
Dangolsheim
Mutzig
Dinsheim
Still
Flexbourg
Bergbieten
Balbronn
Traenheim
Westhoffen
Kirchheim
Odratzheim
Wangen
Cosswiller
Romanswiller
Gresswiller
Heiligenberg
Oberhaslach
STRASBOURG-ENTZHEIM-INTERNATIONAL

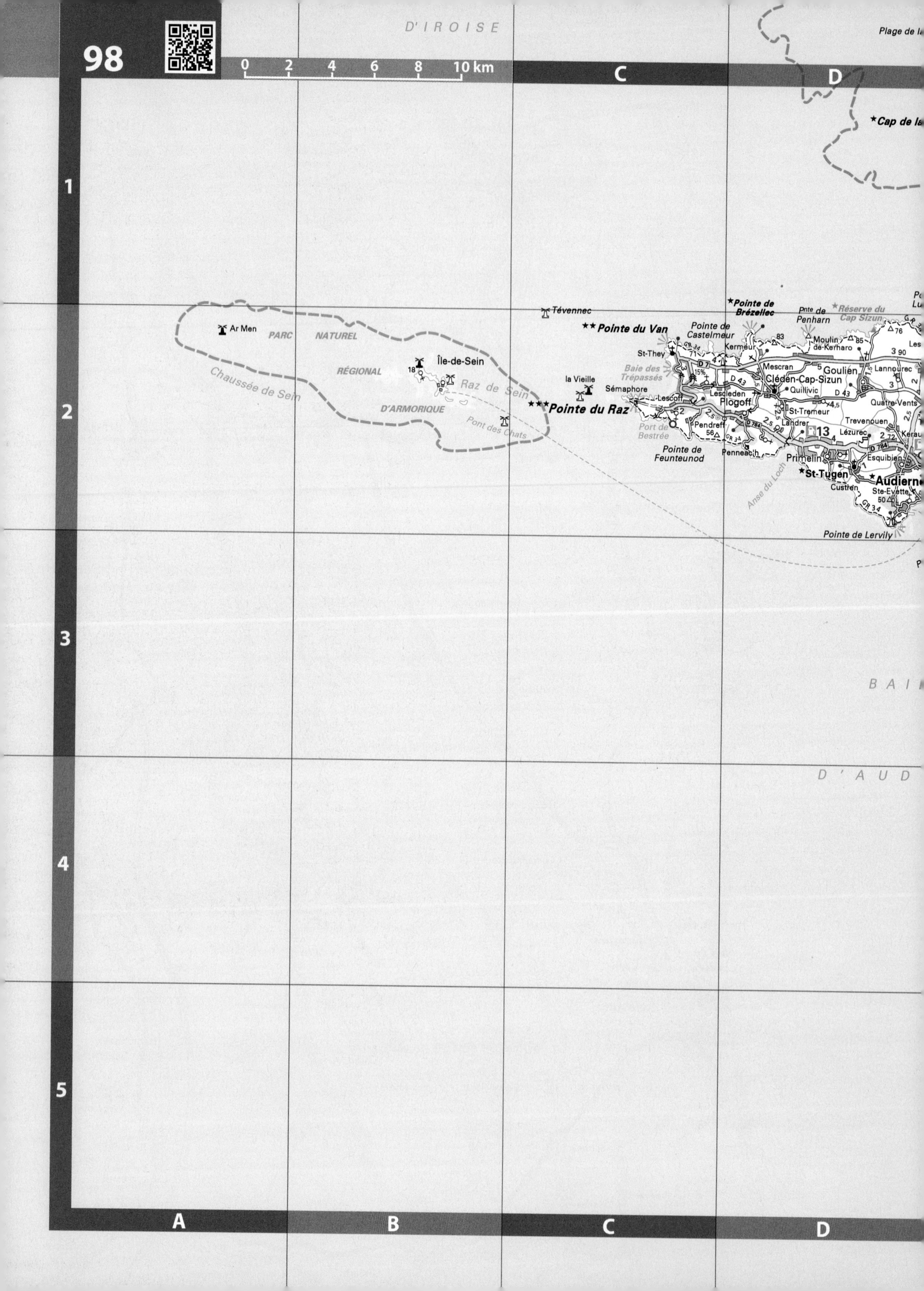
D'IROISE
0 2 4 6 8 10 km
Plage de la
Cap de la
Ar Men
PARC NATUREL RÉGIONAL D'ARMORIQUE
Chaussée de Sein
Île-de-Sein
Raz de Sein
Pont des Chats
Tévennec
Pointe du Van
la Vieille
Sémaphore
Pointe du Raz
Pointe de Brézellec
Pointe de Castelmeur
Pointe de Penharn
Réserve du Cap Sizun
St-They
Kermeur
Baie des Trépassés
Lescoff
Port de Bestrée
Pointe de Feunteunod
Pendreff
Lescleden
Plogoff
Mescran
Cléden-Cap-Sizun
Goulien
Quillivic
Moulin de-Kerharo
Lannourec
St-Tremeur
Landrer
Trevenouen
Lézurec
Quatre-Vents
Penneach
Primelin
St-Tugen
Audierne
Esquibien
Custren
Ste-Evette
Anse du Loch
Pointe de Lervily
BAI
D'AUD
A B C D
1 2 3 4 5

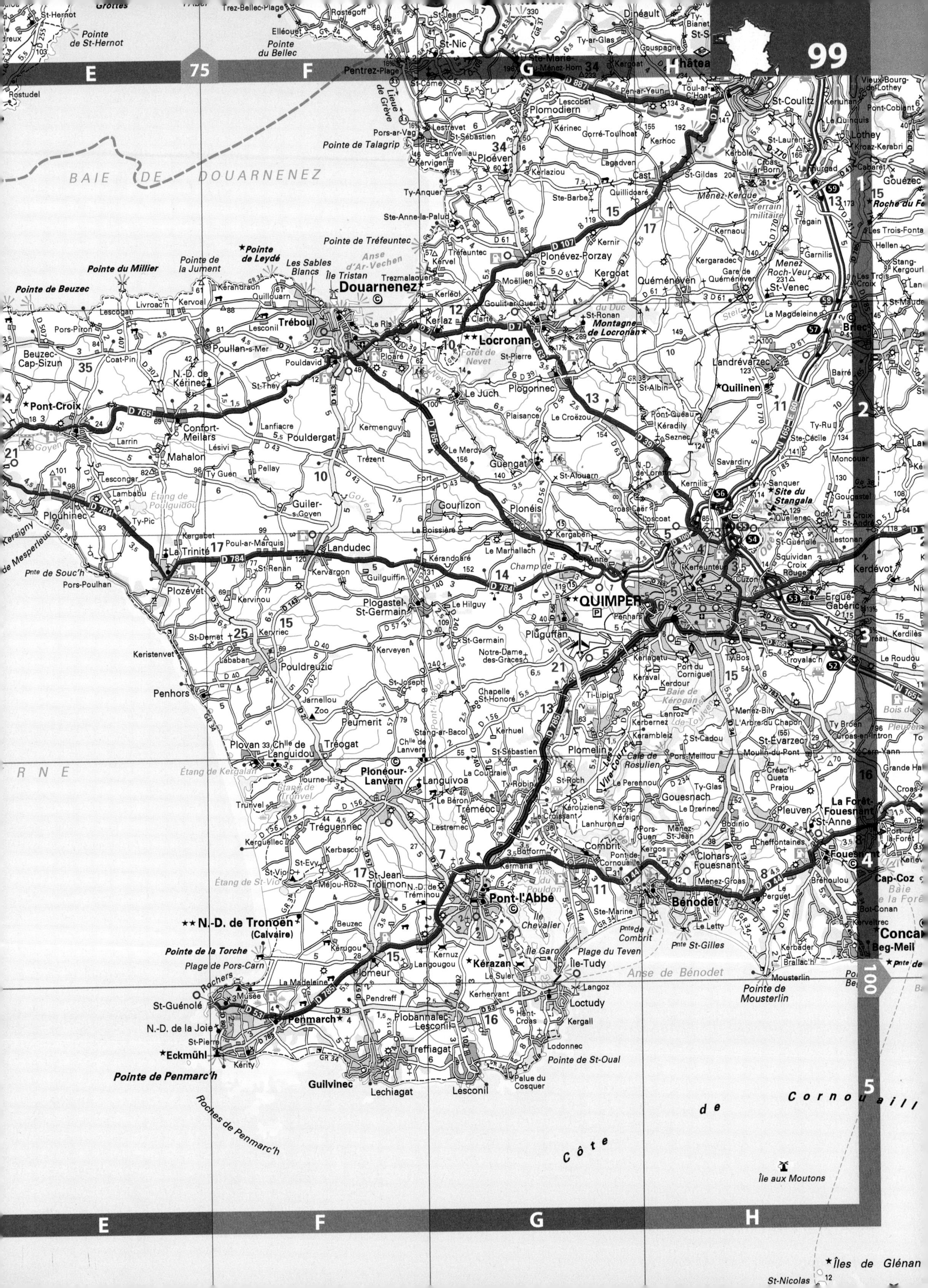

BAIE DE DOUARNENEZ
Douarnenez
Tréboul
Locronan
Montagne de Locronan
Plomodiern
Ploéven
Plonévez-Porzay
Quéménéven
Kergoat
Cast
St-Coulitz
Lothey
Briec
Landrévarzec
Quilinen
Pointe du Millier
Pointe de Beuzec
Pointe de Leydé
Pointe de la Jument
Pointe de Talagrip
Pointe de Tréfeuntec
Pointe du Bellec
Pointe de St-Hernot
Beuzec-Cap-Sizun
Pont-Croix
Poullan-s-Mer
Pouldavid
Ploaré
Le Juch
Plogonnec
Guengat
Pouldergat
Mahalon
Confort-Meilars
Plouhinec
Plozévet
Landudec
Plogastel-St-Germain
Gourlizon
Plonéis
QUIMPER
Pluguffan
Ergué-Gabéric
Site du Stangala
Pouldreuzic
Penhors
Plovan
Tréogat
Peumerit
Ploneour-Lanvern
Tréméoc
Plomelin
Gouesnach
Pleuven
St-Évarzec
La Forêt-Fouesnant
Fouesnant
Clohars-Fouesnant
Bénodet
Pont-l'Abbé
Combrit
Île-Tudy
Loctudy
Kérazan
Plomeur
Penmarch
St-Guénolé
Eckmühl
Pointe de Penmarc'h
Guilvinec
Lechiagat
Lesconil
Plobannalec-Lesconil
Treffiagat
N.-D. de Tronoën (Calvaire)
Pointe de la Torche
Plage de Pors-Carn
Roches de Penmarc'h
Anse de Bénodet
Pointe de Mousterlin
Côte de Cornouaill
Île aux Moutons
Îles de Glénan
Beg-Meil
Cap-Coz
Concar
E
F
G
H
75
100

0 2 4 6 8 10 km
76
99
122
A
B
C
D
1
2
3
4
5
Vieux-Bourg-de-Lothey
Lothey
Gouézec
Roche du Feu
Les Trois-Fontaines
Hellen
Garnilis
Briec
Edern
Langolen
Landudal
Moncouar
Gougastel
Kerdévot
Ergué-Gabéric
Niverrot
Botbodern
Kerdilès
Le Roudou
St-Yvi
Elliant
Grande Halte
Toulgoat
Carn-Yann
La Forêt-Fouesnant
St-Anne
Fouesnant
Cap-Coz
Baie de la Forêt
Bréhoulou
Bot-Conan
Kerveltrec
Concarneau
Beg-Meil
Pte de Cabellou
Pointe de Beg Meil
Le Cabellou
Baie de Pouldohan
Pendruc
Cosquer
Pointe de la Jument
Kerdallé
Rust
Kerlin
Trévignon
Pointe de Trévignon
Cornouaille
Îles de Glénan
Île Verte
Lannéos
Pennanrun
Névez
Kériquel
St-Philibert
Tréhubert
Célan
Kersidan
Kercanic
Raguenès-Plage
Île Raguenès
Kerascoët
Rospico
Kerangall
Port-Manech
Kerdoualen
Kerfany-les-Pins
Trégunc
Nizon
Pont-Aven
Riec-sur-Belon
Lande-Julien
Belon
Moëlan-s-Mer
Clohars-Carnoët
Doëlan
Le Pouldu
Guidel
Guidel-Plages
Quimperlé
Baye
Mellac
Tréméven
Le Trévoux
Bannalec
Rosporden
Melgven
St-Thurien
Querrien
Roches du Diable
Locunolé
Scaër
Guiscriff
Coray
Leuhan
Tourc'h
Laz
Trégourez
Roudouallec
Gourin
Châteauneuf-du-Faou
Spézet
Lennon
St-Thois
Trévarez
St-Goazec
N.-D. du Crann
Roc de Toullaëron
MONTAGNES NOIRES
Plin-Coat
Mendy
Motreff
Tréogan
Langonnet
Lanvénégen
Le Saint
St-Hernin
Cléden-Poher
Landeleau
Kergonan
Plouguer
Canal
Forêt de Laz
Bois d'Amour
Rocher Royal
Forêt de Carnoët
Forêt de Coat-Loc'h
Ste-Véronique
La Trinité
Pont-Louët
Kergoat
Le Moustoir
Croas-Nevez
Stang-Trébalay
Kergonval
Église Blanche
Landédéo
Bossulan
Kérampaou
Kergazuel
St-André
Croissant-Kergos
Kerangosquer
Lanmeur
Kéraël
Locquillec
Croaz-Hent-Loctudy
Laniscar
St-Jean
Lisloch
Gare-de-la-Forêt
Toulfoën
Lothéa
St-Maurice Abbaye
Le Zouave
Porsmoric
Langlazic
Chef-du-Bois
Brigneau
Kergroës
Kerroch
St-Pierre
Placamen
La Grange
St-Thamec
Kerhargé
N 165
E 60
N 164
D 15
D 1
D 769
D 765
D 783

E
F
G
H
77
102
123
Rostrenen
Station climatologique
Plouguernével
Gouarec
Laniscat
Gorges du Daoulas
St-Gelven
St-Mayeux
St-Gilles-Vieux-Marché
Glomel
Paule
Kergrist
Mûr-de-Bretagne
(Guerlédan)
Caurel
Lac de Guerlédan
Barrage de Guerlédan
(Bon-Repos-s-Blavet)
Plélauff
Mellionnec
Lescouët-Gouarec
Perret
St-Aignan
Ste-Brigitte
Forêt de Quénécan
Silfiac
La Trinité-Langonnet
Plouray
Langoëlan
Cléguérec
Neulliac
Abbe de Langonnet
St-Tugdual
Séglien
Ploërdut
Priziac
Le Croisty
Guémené-s-Scorff
Locmalo
Malguénac
Pontivy
St Nicolas
Lignol
Persquen
Guern
Le Sourn
St-Caradec-Trégomel
Kernascléden
Berné
Meslan
Pont-Calleck
Inguiniel
Melrand
Bieuzy
Site de Castennec
St-Nicodème
St-Nicolas-des-Eaux
Ferme archéologique
Bubry
Pluméliau
St-Thuriau
Moustoir-Remungol
Plouay
Quistinic
Poul-Fetan
Guénin
Calan
Lanvaudan
Inzinzac-Lochrist
Languidic
Baud
Camors
Plumelin
La Chapelle-Neuve
Pont-Scorff
Caudan
Hennebont
Lanester
Pluvigner
Brandivy

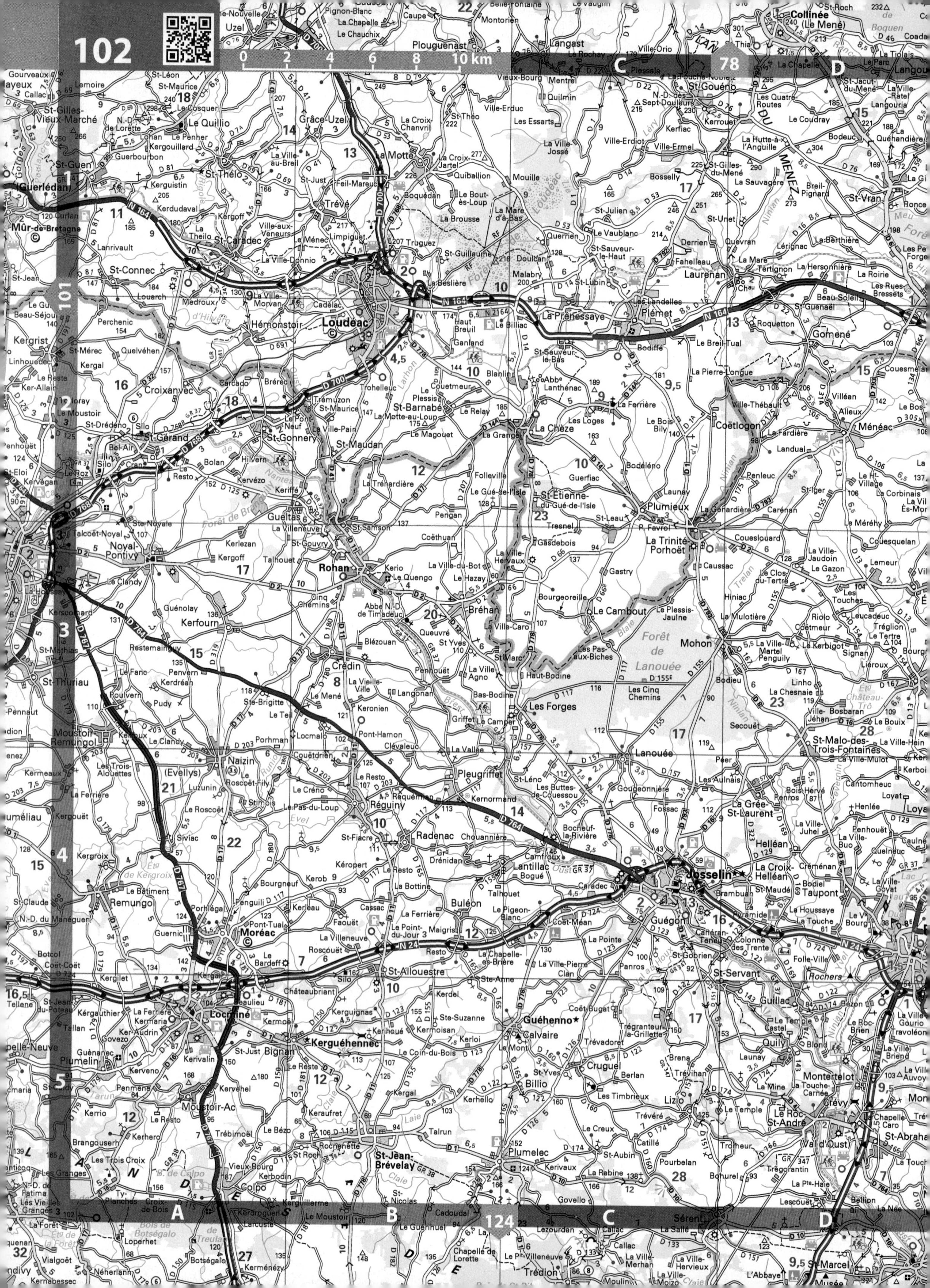
102
0 2 4 6 8 10 km
101
78
124
A
B
C
D
1
2
3
4
5
Uzel
Plouguenast
Collinée (Le Mené)
St-Gilles-Vieux-Marché
Le Quillio
Grâce-Uzel
La Motte
St-Thélo
Mûr-de-Bretagne
(Guerlédan)
St-Caradec
Trévé
Loudéac
St-Connec
Hémonstoir
La Prénessaye
Plémet
Laurenan
St-Gouéno
Gomené
Croixanvec
St-Gérand
St-Gonnery
St-Maudan
St-Barnabé
La Chèze
Coëtlogon
Ménéac
Plumieux
St-Étienne-du-Gué-de-l'Isle
La Trinité-Porhoët
Noyal-Pontivy
Gueltas
Rohan
Kerfourn
Bréhan
Le Cambout
Mohon
Forêt de Lanouée
Crédin
Les Forges
Lanouée
Moustoir-Remungol
Naizin
Pleugriffet
Réguiny
Radenac
Josselin
La Croix-Helléan
Helléan
Remungol
Moréac
Buléon
Guégon
Locminé
St-Allouestre
Guéhenno
St-Servant
Kerguéhennec
Bignan
Moustoir-Ac
Billio
Cruguel
Lizio
St-Jean-Brévelay
Plumelec
Colpo
Sérent
St-Marcel
Trédion
La Grée-St-Laurent
St-Malo-des-Trois-Fontaines
Taupont
Guillac
Montertelot
Le Roc-St-André
(Val d'Oust)
Quily
N 164
N 24
D 700
D 764
D 767
D 768

103
79
E
F
G
H
104
125
126
Rouillac
Brouns
Caulnes
Couëlan
Guitté
Médréac
Bécherel
Montmuran
St-Pern
Plumaugat
Lanrelas
Éréac
Mérillac
La Chapelle-Blanche
St-Jouan-de-l'Isle
Quédillac
Landujan
Irodouër
Romillé
St-M'Hervon
La Chapelle-du-Lou-du-Lac
Trémorel
St-Méen-le-Grand
Le Crouais
Montauban-de-Bretagne
Bédée
Pleumeleuc
Loscouët-sur-Meu
St-Onen-la-Chapelle
Boisgervilly
Montfort-s-Meu
Breteil
Illifaut
Gaël
Muel
St-Maugan
Iffendic
Talensac
Brignac
Bléruais
St-Gonlay
Mauron
St-Léry
Concoret
Comper
St-Malon-sur-Mel
Monterfil
Le Verger
Mordelles
St-Péran
Treffendel
Bréal-s/s-Montfort
Néant-sur-Yvel
Paimpont
Plélan-le-Grand
St-Thurial
Tréhorenteuc
Beignon
Maxent
Baulon
Goven
Trécesson
Campénéac
St-Malo-de-Beignon
Bovel
Lassy
Augan
Loutehel
Campel
La Chapelle-Bouëxic
Guignen
Porcaro
Guer
Maure-de-Bretagne
Mernel
Monteneuf
Les Menhirs de Monteneuf
Réminiac
Comblessac
Les Brulais
Manoir de l'Automobile
Lohéac
Caro
St-Séglin
Lieuron
Tréal
Malestroit
Ruffiac
Carentoir
Quelneuc
Guipry-Messac
N 164
N 12
N 24
D 166
D 766
D 772
Forêt de Paimpont
Forêt de Montfort
Camp de Coëtquidan-St Cyr

0 2 4 6 8 10 km
80
103
126
A
B
C
D
1
2
3
4
5
RENNES
St-Grégoire
Cesson-Sévigné
Chantepie
St-Jacques-de-la-Lande
Vezin-le-Coquet
Le Rheu
Pacé
Montgermont
Betton
Melesse
Thorigné-Fouillard
Acigné
Noyal-s-Vilaine
Châteaubourg
Servon-s-Vilaine
Brécé
Liffré
La Bouëxière
St-Aubin-du-Cormier
St-Aubin-d'Aubigné
Andouillé-Neuville
Gahard
Sens-de-Bretagne
St-Christophe-de-Valains
Feins
Montreuil-sur-Ille
Hédé-Bazouges
Montmuran
St-Brieuc-des-Iffs
Les Iffs
St-Symphorien
Guipel
Aubigné
St-Médard-s-Ille
St-Germain-s-Ille
Langouet
Vignoc
Gévezé
La Mézière
Montreuil-le-Gast
Chevaigné
St-Sulpice-la-Forêt
Mouazé
Chasné-sur-Illet
Ercé-près-Liffré
Gosné
Mézières-s-Couesnon
St-Gilles
Breteil
L'Hermitage
La Chapelle-Thouarault
Cintré
Mordelles
Chavagne
Bréal-s-Montfort
Bruz
Chartres-de-Bretagne
Pont-Péan
Noyal-Châtillon-s-Seiche
Vern-s-Seiche
Nouvoitou
Domloup
Châteaugiron
St-Armel
St-Erblon
Bourgbarré
Orgères
Laillé
Guichen
Goven
Corps-Nuds
Chanteloup
Janzé
Amanlis
Piré-s-Seiche
Ossé
St-Aubin-du-Pavail
Domagné
Louvigné-de-Bais
Moulins
La Roche aux Fées
Retiers
Le Theil-de-Bretagne
Ste-Colombe
Coësmes
Thourie
Crevin
Bourg-des-Comptes
Pléchâtel
Poligné
Pancé
La Bosse-de-Bretagne
Tresbœuf
Le Sel-de-Bretagne
Saulnières
Lalleu
Bain-de-Bretagne
Guipry-Messac
St-Senoux
St-Malo-de-Phily
Lohéac
Guignen
Lassy
Étang de Boulet
Forêt de Rennes
Forêt de Chevré
Écomusée
Université

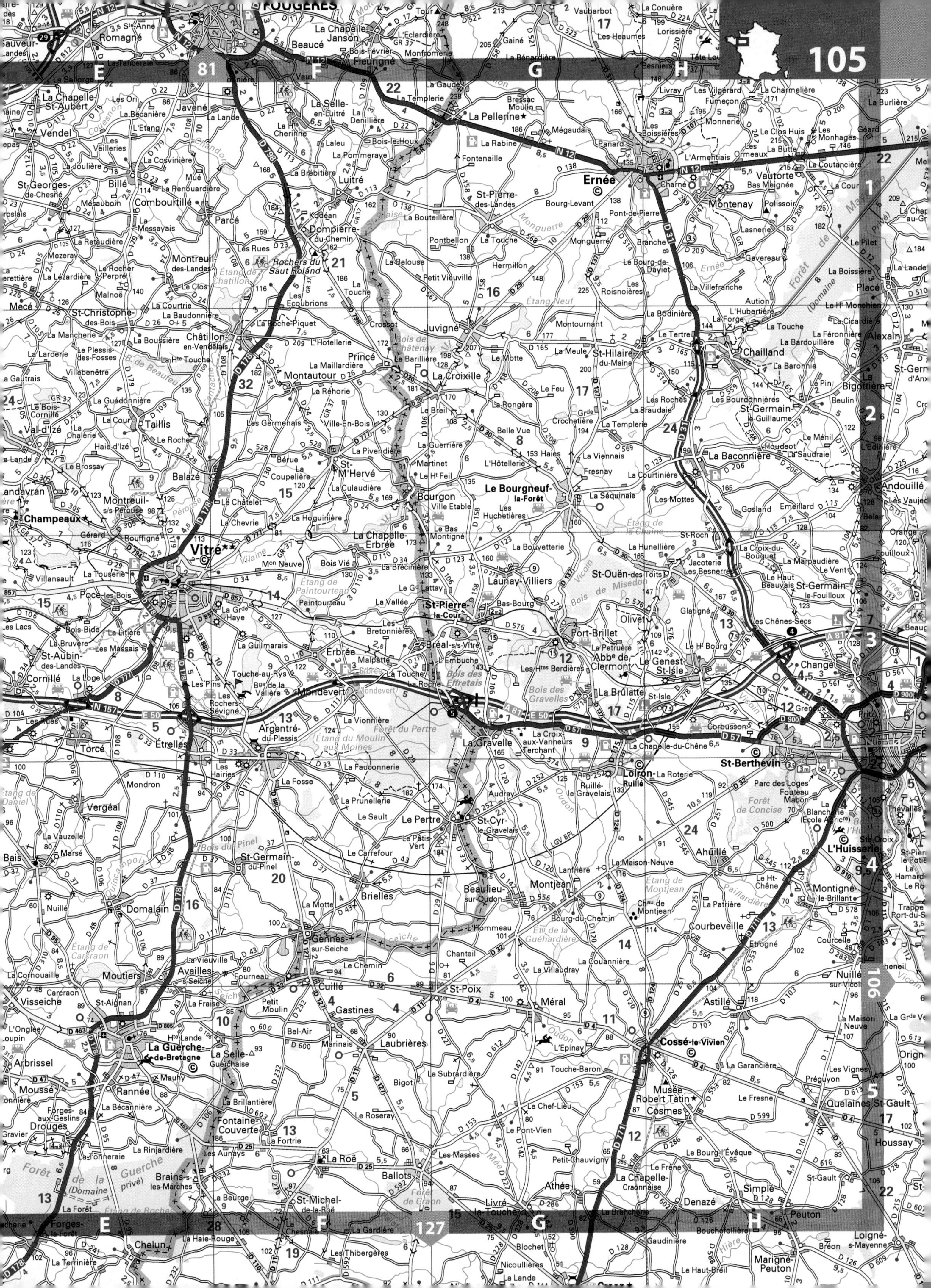
Fougères
Romagné
Beaucé
Fleurigné
La Chapelle-Janson
Javené
La Selle-en-Luitré
La Pellerine
Ernée
Vendel
St-Georges-de-Chesné
Billé
Combourtillé
Parcé
Luitré
Dompierre-du-Chemin
St-Pierre-des-Landes
Montenay
Vautorte
Rochers du Saut Roland
Montreuil-des-Landes
Mecé
St-Christophe-des-Bois
Châtillon-en-Vendelais
Juvigné
St-Hilaire-du-Maine
Chailland
Princé
Montautour
La Croixille
Taillis
Val-d'Izé
St-M'Hervé
Balazé
Le Bourgneuf-la-Forêt
La Baconnière
Andouillé
St-Germain-le-Guillaume
Montreuil-s/s-Pérouse
Champeaux
Bourgon
Vitré
La Chapelle-Erbrée
Launay-Villiers
St-Ouën-des-Toits
St-Germain-le-Fouilloux
Pocé-les-Bois
St-Pierre-la-Cour
Port-Brillet
Olivet
Erbrée
Bréal-s/s-Vitré
Abbé de Clermont
Le Genest-St-Isle
Changé
St-Aubin-des-Landes
Cornillé
Mondevert
La Brûlatte
Torcé
Étrelles
Argentré-du-Plessis
La Gravelle
St-Berthevin
Loiron-Ruillé
Vergéal
Le Pertre
St-Cyr-le-Gravelais
Ahuillé
L'Huisserie
Bais
St-Germain-du-Pinel
Montjean
Montigné-le-Brillant
Domalain
Brielles
Beaulieu-sur-Oudon
Courbeveille
Gennes-sur-Seiche
Moutiers
Availles-s-Seiche
Cuillé
St-Poix
Méral
Visseiche
Gastines
Astillé
La Guerche-de-Bretagne
Laubrières
La Selle-Guerchaise
Cossé-le-Vivien
Arbrissel
Rannée
Mousse
Drouges
Fontaine-Couverte
Cosmes
Quelaines-St-Gault
La Roë
Ballots
Brains-s-les-Marches
Athée
La Chapelle-Craonnaise
Simplé
St-Michel-de-la-Roë
Livré-la-Touche
Denazé
Forges-la-Forêt
Chelun
Loigné-s-Mayenne
Marigné-Peuton
Forêt de la Guerche
Forêt du Pertre
Forêt de Concise
Forêt de Mayenne
E
F
G
H
81
127
106
1
2
3
4
5

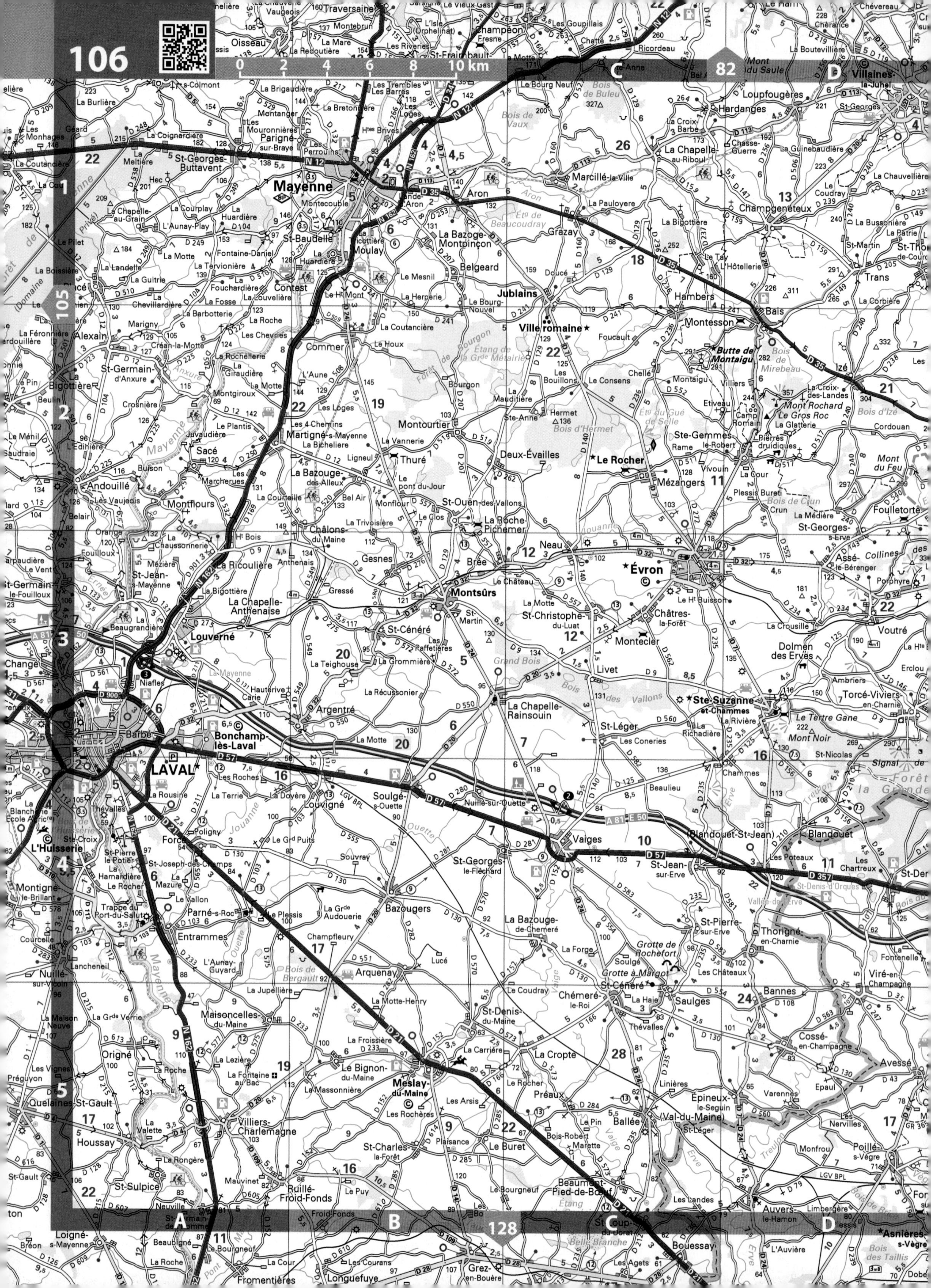
106
0 2 4 6 8 10 km
82
128
105
A
B
C
D
1
2
3
4
5
Mayenne
Laval
Évron
Montsûrs
Meslay-du-Maine
Jublains
Villaines-la-Juhel
Oisseau
Traversaine
Champéon
St-Fraimbault
Parigné-sur-Braye
St-Georges-Buttavent
La Chapelle-au-Riboul
Marcillé-la-Ville
Hardanges
Loupfougères
Champgenéteux
Aron
Moulay
St-Baudelle
La Bazoge-Montpinçon
Belgeard
Grazay
Hambers
Bais
Izé
Trans
Montesson
Butte de Montaigu
Mont Rochard
Le Gros Roc
Ste-Gemmes-le-Robert
Mézangers
Le Rocher
Deux-Évailles
Montourtier
Martigné-s-Mayenne
Thuré
La Bazouge-des-Alleux
St-Ouën-des-Vallons
La Roche-Pichemer
Neau
Châlons-du-Maine
Gesnes
Brée
Commer
Contest
Alexain
St-Germain-d'Anxure
La Bigottière
Andouillé
Sacé
Montflours
St-Jean-s-Mayenne
La Chapelle-Anthenaise
Louverné
Changé
Bonchamp-lès-Laval
Argentré
St-Cénéré
St-Christophe-du-Luat
Châtres-la-Forêt
Montecler
Livet
Ste-Suzanne-et-Chammes
Voutré
Assé-le-Bérenger
Torcé-Viviers-en-Charnie
Dolmen des Erves
La Chapelle-Rainsouin
St-Léger
Blandouet
Blandouet-St-Jean
Vaiges
Soulgé-s-Ouette
Louvigné
Nuillé-sur-Ouette
St-Georges-le-Fléchard
St-Jean-sur-Erve
St-Pierre-sur-Erve
Thorigné-en-Charnie
La Bazouge-de-Chemeré
Bazougers
Arquenay
Chémeré-le-Roi
St-Cénéré
Grotte de Rochefort
Grotte à Margot
Saulges
Bannes
Viré-en-Champagne
Cossé-en-Champagne
Avessé
Épineux-le-Seguin
Ballée
Préaux
La Cropte
St-Denis-du-Maine
Le Bignon-du-Maine
Villiers-Charlemagne
Maisoncelles-du-Maine
Entrammes
Parné-s-Roc
L'Huisserie
Forcé
Montigné-le-Brillant
Nuillé-sur-Vicoin
Origné
Quelaines-St-Gault
Houssay
St-Sulpice
Ruillé-Froid-Fonds
St-Charles-la-Forêt
Le Buret
Beaumont-Pied-de-Bœuf
St-Loup-du-Dorat
Bouessay
Auvers-le-Hamon
Poillé-s-Vègre
Asnières-s-Vègre
Grez-en-Bouère
Longuefuye
Fromentières
Loigné-s-Mayenne
St-Germain-de-l'Hommel
Bois de Buleu
Forêt de Bourgon
Bois d'Hermet
Bois des Vallons
Grand Bois
Bois de Bergault
Forêt de la Grande Charnie
Ville romaine
N 12
N 162
D 35
D 32
D 20
D 21
D 24
D 57
A 81 E 50
LGV BPL

107
83
108
129
E
F
G
H
1
2
3
4
5
LE MANS
St-Céneri-le-Gérei
Canyon de Toyères
Alpes Mancelles
Gesvres
Moulins-le-Carbonnel
Gesnes-le-Gandelin
Oisseau-le-Petit
Chérisay
Bourg-le-Roi
Ancinnes
St-Rémy-du-Val
Toutes-Aides
Vezot
Averton
St-Léonard-des-Bois
St-Paul-le-Gaultier
Sougé-le-Ganelon
Assé-le-Boisne
St-Victeur
Fyé
Rouessé-Fontaine
Louvigny
Saosnes
Courcité
St-Aubin-du-Désert
St-Mars-du-Désert
St-Georges-le-Gaultier
St-Ouen-de-Mimbré
Thoiré-s/s-Contensor
Les Mées
Fresnay-s-Sarthe
Coulombiers
Grandchamp
Chérancé
Thoigné
Courgains
Douillet
St-Germain-sur-Sarthe
René
St-Aubin-de-Locquenay
St-Germain-de-Coulamer
Mont-St-Jean
Montreuil-le-Chétif
Moitron-s-Sarthe
Piacé
Doucelles
Juillé
Vivoin
Nouans
Dangeul
PARC NATUREL RÉGIONAL NORMANDIE-MAINE
St-Martin-de-Connée
St-Pierre-sur-Orthe
Sillé-Plage
St-Christophe-du-Jambet
Beaumont-s-Sarthe
Meurcé
Maresché
Lucé-s/s-Ballon
Vimarcé
Sillé-le-Guillaume
Pezé-le-Robert
Ségrie
Assé-le-Riboul
Mézières-sur-Ponthouin
Congé-sur-Orne
Le Grez
St-Rémy-de-Sillé
Vernie
Teillé
Ballon-St Mars
Crissé
Le Tronchet
St-Marceau
Rouessé-Vassé
Mézières-sous-Lavardin
Neuvillalais
St-Jean-d'Assé
Ste-Sabine-sur-Longève
Montbizot
Souligné-s/s-Ballon
Rouez
Conlie
Ste-Jamme-sur-Sarthe
Courceboeufs
Parennes
La Chapelle-St-Fray
Souillé
La Guierche
Joué-l'Abbé
Tennie
Cures
Domfront-en-Champagne
La Bazoge
Neuvillette-en-Charnie
Sourches
Neuvy-en-Champagne
Lavardin
Neuville-sur-Sarthe
Savigné-l'Évêque
St-Symphorien
Ruillé-en-Champagne
Bernay-en-Champagne
La Milesse
Chemiré-en-Charnie
La Quinte
Aigné
St-Saturnin
Épineu-le-Chevreuil
Amné
Degré
St-Pavace
Sargé-lès-Le Mans
Joué-en-Charnie
Longnes
Chaufour-N.-D.
Trangé
Coulaines
Chassillé
Coulans-s-Gée
Yvré-l'Évêque
Loué
Auvers-s/s-Montfaucon
Fay
Rouillon
Changé
Tassillé
Mareil-en-Champagne
Cranne-en-Champagne
Souligné-Flacé
Pruillé-le-Chétif
Abbe de l'Épau
St-Christophe-en-Champagne
Rochers de Pissegrèle
Brûlon
St-Georges-du-Bois
Vallon-sur-Gée
Allonnes
Musée Automobile
St-Ouen-en-Champagne
St-Pierre-des-Bois
Étival-lès-le-M.
Ruaudin
Chantenay-Villedieu
Maigné
Louplande
Chemiré-le-Gaudin
Voivres-lès-le-M.
Spay
Arnage
Pirmil
Fercé-s-Sarthe
Mulsanne
La Suze
Roëzé-sur-Sarthe
Fillé
Moncé-en-Belin
Teloché
Noyen-s-Sarthe
St-Gervais

0 2 4 6 8 10 km
84
107
130
A
B
C
D
1
2
3
4
5
Bellême
Mamers
St-Longis
Vaunoise
Courboyer
Verrières
Dame-Marie
St-Rémy-du-Val
Saosnes
St-Calez-en-Saosnois
Commerveil
St-Fulgent-des-Ormes
St-Pierre-des-Ormes
Appenai-sous-Bellême
Igé
La Chapelle-Souëf
St-Cyr-la-Rosière
Ste-Gauburge
Berd'huis
St-Hilaire-sur-Erre
Courgains
Monhoudou
St-Vincent-des-Prés
Moncé-en-Saosnois
Contres-en-Vairais
Pouvrai
St-Germain-de-la-Coudre
Le Theil
St-Cosme-en-Vairais
Bellou-le-Trichard
Marolles-les-Braults
Avesnes-en-Saosnois
Nauvay
Peray
Nogent-le-Bernard
Préval
Avezé
Ceton
Rouperroux-le-Coquet
Courcival
St-Aignan
Jauzé
Terrehault
La Chapelle-du-Bois
Souvigné-s-Même
Dehault
Mézières-sur-Ponthouin
St-Georges-du-Rosay
Briosne-lès-Sables
Bonnétable
Courcemont
St-Antoine-de-Rochefort
La Ferté-Bernard
Cherré
St-Aubin-des-Coudrais
Cormes
Prévelles
St-Denis-des-Coudrais
St-Martin-des-Monts
Beaufay
Villaines-la-Gonais
Courgenard
Torcé-en-Vallée
St-Célerin
Boëssé-le-Sec
St-Jean-des-Échelles
Courtangis
Sillé-le-Philippe
La Chapelle-St-Rémy
Tuffé Val de la Chéronne
Lamnay
Montmirail
Savigné-l'Évêque
Sceaux-sur-Huisne
St-Maixent
Lombron
Beillé
Vouvray-s-Huisne
Bouër
Champrond
St-Corneille
Connerré
Duneau
Le Luart
Montfort-le-Gesnois
Lavaré
Vibraye
Fatines
Dollon
Champagné
St-Mars-la-Brière
Thorigné-sur-Dué
Semur-en-Vallon
Nuillé-le-Jalais
St-Michel-de-Chavaignes
Soulitré
Le Breil-s-Mérize
Changé
Ardenay-sur-Mérize
Coudrecieux
Berfay
Valennes
Surfonds
Bouloire
Ste-Marie-des-Bois
Rahay
Ruaudin
Parigné-l'Évêque
Challes
Volnay
St-Mars-de-Locquenay
Maisoncelles
Écorpain
Montaillé
Conflans-sur-Anille
Marolles-lès-St-Calais
Brette-les-Pins
St-Calais
Tresson
Évaillé
Ste-Cérotte
St-Gervais-de-Vic
Forêt de Vibraye
Forêt de Bonnétable
A 11-E 50
D 357
D 323
D 301
D 955
D 938

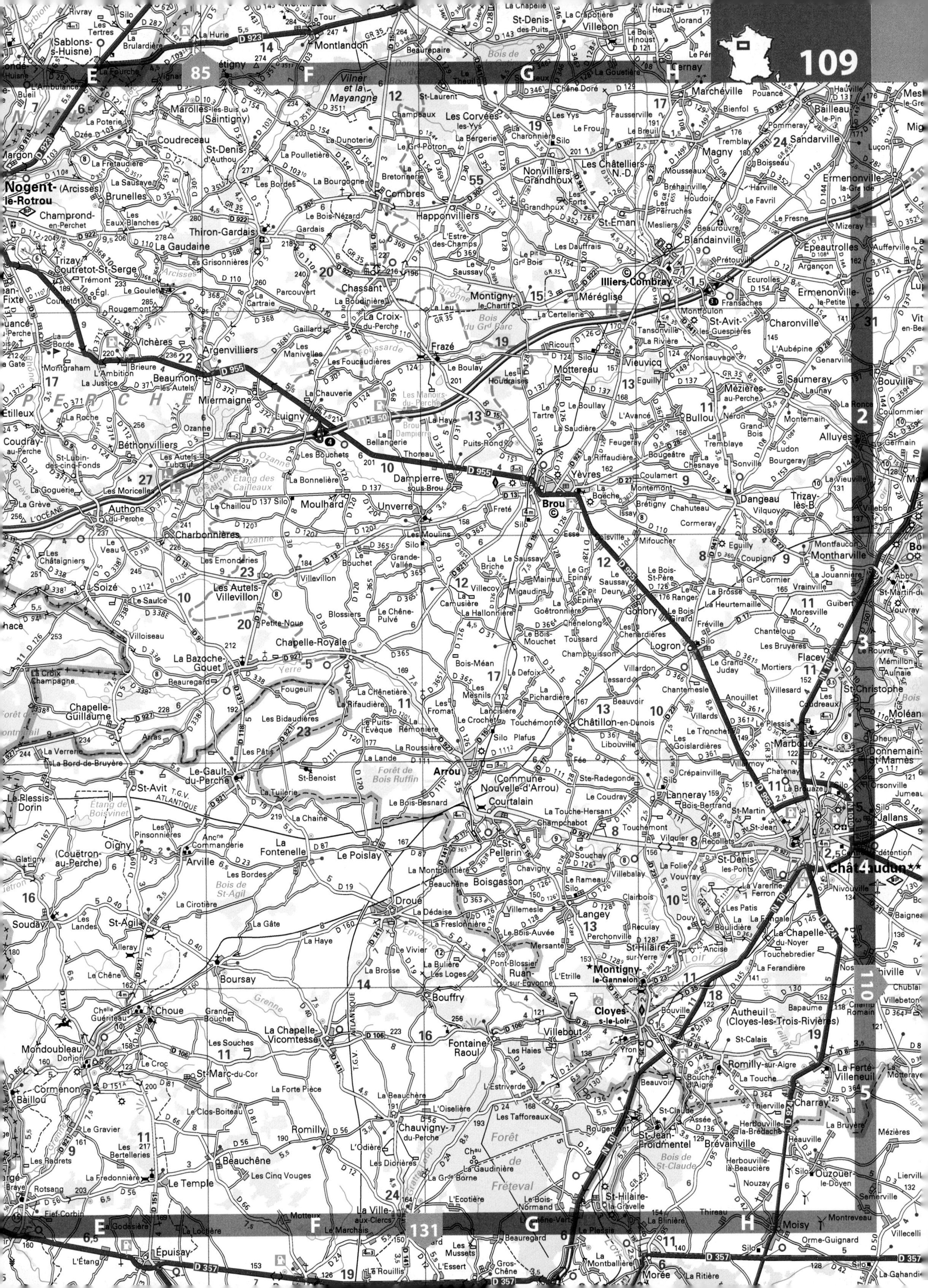
109
85
110
131
E
F
G
H
1
2
3
4
5
Nogent-le-Rotrou
Champrond-en-Perchet
Thiron-Gardais
La Gaudaine
Trizay-Coutretot-St-Serge
Marolles-les-Buis (Saintigny)
Coudreceau
St-Denis-d'Authou
Brunelles
Montlandon
Combres
Happonvilliers
Les Corvées-les-Yys
Nonvilliers-Grandhoux
Les Châtelliers-N.-D.
Marchéville
Magny
Sandarville
Bailleau-le-Pin
Ermenonville-la-Grande
Illiers-Combray
Blandainville
Épeautrolles
Ermenonville-la-Petite
Méréglise
Chassant
La Croix-du-Perche
Frazé
Montigny-le-Chartif
Vichères
Argenvilliers
Beaumont-les-Autels
Miermaigne
Luigny
Charonville
Vieuvicq
Mottereau
Bullou
Mézières-au-Perche
Saumeray
Bouville
Alluyes
PERCHE
Béthonvilliers
Les Autels-Tubœuf
Authon-du-Perche
Charbonnières
Moulhard
Unverre
Dampierre-sous-Brou
Brou
Yèvres
Dangeau
Trizay-lès-B.
Montharville
Soizé
Les Autels-Villevillon
Chapelle-Royale
La Bazoche-Gouet
Chapelle-Guillaume
Gohory
Logron
Flacey
St-Christophe
Moléans
Marboué
Châtillon-en-Dunois
Le-Gault-du-Perche
Arrou
(Commune-Nouvelle-d'Arrou)
Courtalain
St-Pellerin
Lanneray
St-Denis-les-Ponts
Châteaudun
Jallans
Oigny
Arville
La Fontenelle
Le Poislay
Souday
St-Agil
Droué
Boisgasson
Langey
Douy
La Chapelle-du-Noyer
Boursay
Choue
Mondoubleau
Cormenon
Baillou
La Chapelle-Vicomtesse
Fontaine-Raoul
Ruan-sur-Egvonne
Montigny-le-Gannelon
Cloyes-s-le-Loir
Autheuil (Cloyes-les-Trois-Rivières)
St-Marc-du-Cor
Romilly
Chauvigny-du-Perche
St-Jean-Froidmentel
Brévainville
Romilly-sur-Aigre
La Ferté-Villeneuil
Charray
Le Temple
Beauchêne
Forêt de Fréteval
Ouzouer-le-Doyen
Moisy
Épuisay
La Ville-aux-Clercs
Morée
St-Hilaire-la-Gravelle
Forêt de Bois Ruffin
Bois du Grd Parc
A 11 E 50
D 955
D 921
D 357
N 10
L'OCÉANE
T.G.V. ATLANTIQUE

0 2 4 6 8 10 km
86
109
132
A
B
C
D
1
2
3
4
5
Morancez
Gellainville
Sours
Francourville
Voise
Dillonvilliers
Maisons
Adonville
Ver-lès-Chartres
Senneville
Encherville
Moinvilliers
Denonville
Boinvilliers-au-Chemin
Moinville-la-Jeulin
Santeuil
Morainville
Hauville
Meslay-le-Grenet
Corancez
Chamblay
Les Vaux
Crossay
Prunay-le-Gillon
Ossonville
Léthuin
Bailleau-le-Pin
Mignières
Bois-de-Mivoye
Bussay
Leddeville
Frainville
Augerville-les-Malades
L'Orme
Ensonville
Edeville
Mondonville-St-Jean
Sandarville
Luçon
Concrez
Dammarie
Vovette
Rosay-au-Val
Gérainville
Ymorville
Honville
Ouarville
Auvilliers
Villemain
Houssay
Baigneaux
Boisville-la-St-Père
Moinville-la-Bourreau
Réclainville
Gouillons
Ermenonville-la-Grande
Chenonville
Le Temple
Vovelles
Théuville
Allonnes
Villeneuve-Languedoc
Louville-la-Chenard
Bennechèvre
Fresne
Mizeray
Ormoy
Les Bordes
Pézy
Mauloup
Chevannes
L'Elourville
Herville
Abonville
Épeautrolles
Aufferville
La Bourdinière-St-Loup
Boncé
Vieil-Allonnes
Levesville-la-Chenard
Argançon
Bois-St-Martin
Nicorbin
Hombières
Guillonville
Epincy
Boisvilette
Luplanté
Fresnay-le-Comte
Villequoy
Villarceaux
Villereau
Mondonville-Ste-Barbe
Moutiers
Meulières
Ermenonville-la-Petite
Le Grand-Chavernay
Beauvilliers
Villeneuve-St-Nicolas
Villeneuve-la-Vierge
Ensonville-les-Noyers
Bonvillettes
Vitray-en-Beauce
Beauvoir
Andeville
Foinville
Prasville
Chesnay
Meslay-le-Vidame
Le Petit-Chavernay
Varennes
Meigneville
Montainville
(Les Villages Vovéens)
Lhopiteau
Voves
Soignolles
Silo
Ymonville
Fresnay-l'Évêque
Plaines-de-Beauce
Val-Neuvy
Beauvois
Genarville
Bois-de-Feugères
Reverseau
Rouvray-St-Florentin
Sazeray
Saumeray
Launay
Bouville
Bronville
Auvilliers
Genonville
Pithéaux
Marolles
Bisseau
Yerville
Rosay
Cerceau
Mérasville
Villiers
La Ronce
Coulommiers
Dampierre
Le Gault-St-Denis
Villeau
Tilleau
Teillay
St-Germain
Trancrain
Montemain
Alluyes
St-Germain
Augonville
Chambonneau
Plancheville
Bessay
Lutz
Mérouvilliers
Boissay
Menonville
Tortois
L'Herbechère
Espier
Moriers
Montboissier
Perruchet
Aigneville
Villars
Morsans
Fains-la-Folie
Amoinville
Eranville
Mellay
Planchevilliers
Guilleville
La Vieuville
Trizay-lès-B.
Pré-St-Martin
Jonville
Neuvy-en-Dunois
Viabon
Canonvilliers
Marray
Le Puiset
Villebon
Villancien
Vilsix
Melleville
Moulin
La Folie-Herbault
Brainville
Morais
Boinville
Le Boulay
Ligaudry
Villeron
(Éole-en-Beauce)
Villermon
Montfaucon
Montharville
Pulois
Bonneval
Mézières
Touraille
Sancheville
Auffains
Ohé
Grandvilliers
Germignonville
Allaines-Mervilliers
Janville-en-Beauce
La Jouannière
Méroger
Pré-St-Évroult
Allonville
Baigneaux
Les Pites Bordes
St-Léonard
Sevestreville
Mihardouin
Outrouville
Vrainville
Abbé
Migaudry
Gérainville
Dommarville
Bercis
Fontenay-sur-Conie
Guesnier
Gauvilliers
Toulifault
Mervilliers
Boissière
St-Martin-du-Péan
Boissay
Baignolet
Cambray
Soignolles
Le Mesnil
Semonville
Guibert
Vouvray
Massuères
Bullainville
Acclainville
Ménainville
Moresville
Lolon
Edeville
Jumainville
Ménainville
Courbehaye
Villecotin
Tillay-le-Péneux
Brandelon
St-Maur-s-le-Loir
Dancy
Tanon
Bois-Tillay
La Fauconnière
Le Rouvre
Godonville
Rognon
Moronville
Ormoy
Orgères-en-Beauce
Villeprévost
Bazoches-les-Hautes
Pannes
Santilly
Flacey
Mémillon
La Touche
Lierville
Réclainville
Cormainville
Monge
La Maladrerie
Beauvilliers
Eards
Aunaie
Givais
Silos
La Brosse
La Frileuse
Villerand
Champdoux
Les Pites Maisons
St-Christophe
Le Mesnil
Villiers-St-Orien
Villepéreux
Malmusse
Fougeu
Goury
Baigneaux
Les Coudreaux
Bois de Moléans
Le Bois
Pontault
Cornières
Villevé
Loigny-la-Bataille
Moléans
Vucennes
Loubinière
Secouray
Villours
Ecuillon
Lumeau
Dambron
Dheuny
Vallière
Nottonville
La Brulerie
Nonneville
Neuvilliers
Auneux
Donnemain-St-Mamès
Conie-Molitard
Chanardière
Villepion
Terre-Noire
Domainville
Milhouard
Valainville
Varize
Chavenay
Gaubert
Guillonville
Faverolles
Poupry
Orsonville
Jumeaux
Bazoches-en-Dunois
Bourneville
Silos
Egron
Mamerault
Civry
Harville
Elumignon
Contermont
Gommiers
Terminiers
Boissay
Silo
Jallans
Eteauville
Nobleville
Pommay
Boissay
Pertuiset
Pruneville
Guillard
Echelles
Autroche
Mosny
La Vignette
Marville
Silo
Lindron
Le Moirville
Lutz-en-Dunois
Villentière
Thironneau
Muzelles
Rouvray-Ste-Croix
Fréсul
Topineux
L'Isle
Auvilliers
Centre de détention
Châteaudun
Péronville
Ville-Sevreux
Creuzy
Chattonville
Pressainville
Puerthe
Beaugency-le-Cuit
Nivouville
Menainville
La Bourdinière
Roncevaux
Villeneuve-sur-Conie
Moret
Sougy
Chevaux
(Villemaury)
Boirville
Pareau
Lisleboult
Patay
Lencorme
Les Gr.des Bordes
Baigneaux
Morenneville
Dessainville
Machelainville
Chameul
Villouzier
St-Cloud-en-Dunois
La Folie
La Mouise
Trogny
Domecy
Chapelle-Royer
Morgues
Villeloup
Liconcy
La Chapelle-Onzerain
Allonnes
Lignerolles
Villardu
Les Francs
Villampuy
Villevêque
La Pierre Percée
Corfeu
Brilly
La Provenchère
Thiville
Villengeard
Ozoir-le-Breuil
La Borde
Chublainville
Niverville
Juvrainville
Sorency
Roumilly
Coinces
Huêtre
Villebeton
Lézanville
Villamblain
Renneville
Huneau
Champ Romain
L'Orme-Sec
Auvilliers
Tournoisis
St-Péravy-la-Colombe
Richeville
Harbouville
Coulemelle
Chesne
Bricy
Chardonnelle
Porcheronville
Porcheresse
Fréсul
Beaurepaire
La Ferté-Villeneuil
Le Mée
Membrolles
Villiers-le-Hard
Poiseaux
Nids
Saumery
Base Aérienne
Gidy
La Motteraye
Hautes-Huignes
Boisville
Villemars
Villarson
Janvry
Boulay-les-Barres
Cas Rouge
Orléans-Saran
Orléans-Gidy
Charray
Le Mesnil
Villeslin
Prénouvellon
Pressailles
St-Sigismond
Clos-Aubry
Heurdy
Pommiers
Centre pénitentiaire
Basses-Huignes
L'Ormeteau
Favelles
Champs
Gémigny
Les Barres
Montaigu
Mézières
Verdes
Manthierville
Villiers-le-Gast
Cerqueux
Cheminiers
La Riffaudière
Saran
Villiers-le-Temple
Malmusse
Les Laps
La Borde
Séronville
Villemain
Rozières-en-Beauce
Ouzouer-le-Doyen
Lierville
Tripleville
Épieds-en-Beauce
Perreuse
Bucy-St-Liphard
Saintry
Bonneville
Ormes
Prunay
Ourcis
Charsonville
Bois de Bucy
Semerville
La Folletière
(Beauce la Romaine)
Chevenelle
Coulmiers
Bagatelle
Villeneuve
Montreveau
Les Ternes
Menainville
Silo
Villorceau
L'Ermitage
Ingré
Coutes
Le Grand Orme
Villecellier
Abiainville
Boussy
Villaine
Orme-Guignard
Binas
Mauvelles
Villeray
Montapeine
Le Creux
Bois de Montpipeau
Selliers
Champoigny
Monpatour
Silo
Vignes
Cornillon
Ouzouer-le-Marché
La Gahandière
Anchat
Chandry
La Renardière
Huisseau-
St-Jean-
L'AQUITAINE

111
87
133
112
Oysonville
Congerville-Thionville
Angerville
Pussay
Gommerville
Monnerville
Méréville
Mondésir
Guillerval
Saclas
St-Cyr-la-Rivière
Fontaine-la-Rivière
Abbéville-la-Rivière
Arrancourt
Ormoy-la-Rivière
Boissy-la-Rivière
Marolles-en-Beauce
Bois-Herpin
Roinvilliers
Mespuits
Champmotteux
Rouvres-St-Jean
Blandy
Brouy
Sermaises
Pannecières
Thignonville
Intville-la-Guétard
Audeville
Malesherbes
Buno-Bonnevaux
Prunay-s-Essonne
Boigneville
Gironville-sur-Essonne
Valpuiseaux
Nanteau-s-Essonne
Buthiers
Boulancourt
Augerville-la-Rivière
Dimancheville
Orville
Briarres-sur-Essonne
Rouvray-St-Denis
Intréville
Andonville
Autruy-sur-Juine
Boisseaux
Erceville
Barmainville
Charmont-en-Beauce
Morville-en-Beauce
Césarville-Dossainville
Engenville
Ramoulu
Marsainvilliers
Léouville
Guigneville
Outarville
Toury
Janville
Greneville-en-Beauce
Pithiviers
Pithiviers-le-Vieil
Bondaroy
Dadonville
Estouy
Aulnay-la-Rivière
Ondreville-sur-Essonne
La Neuville-sur-Essonne
Grangermont
Échilleuses
Boësses
Yèvre-la-Ville
Givraines
Châtillon-le-Roi
Bazoches-les-Gallerandes
Chaussy
Tivernon
Oison
Lion-en-Beauce
Aschères-le-Marché
Jouy-en-Pithiverais
Crottes-en-Pithiverais
Attray
Escrennes
Laas
Ascoux
Montigny
Boynes
Barville-en-Gâtinais
Gaubertin
Égry
Mareau-aux-Bois
Bouzonville-aux-Bois
Bouilly-en-Gâtinais
Courcelles-le-Roi
Batilly-en-Gâtinais
Beaune-la-Rolande
Trinay
Neuville-aux-Bois
Villereau
Bucy-le-Roi
Chilleurs-aux-Bois
Santeau
Vrigny
Courcy-aux-Loges
Chamerolles
Nancray-sur-Rimarde
St-Michel
Chambon-la-Forêt
Montbarrois
St-Lyé-la-Forêt
Bougy-lez-Neuville
Boiscommun
Nibelle
St-Loup-des-Vignes
Montliard
Fréville-du-Gâtinais
Loury
Ingrannes
Nesploy
Quiers-sur-Bézonde
Bellegarde
Rebréchien
Sully-la-Chapelle
Seichebrières
Chanteau
Traînou
Combreux
Sury-aux-Bois
Marigny-les-Usages
Vennecy
Vitry-aux-Loges
Beauchamps-sur-Huillard
Semoy
Boigny-sur-Bionne
Fay-aux-Loges
Donnery
Châtenoy
St-Jean-de-Braye
ORLÉANS
Fleury-les-Aubrais
FORÊT D'ORLÉANS

0 2 4 6 8 10 km
88
134
A
B
C
D
Gorges de Franchard
Avon
Champagne-s-Seine
Montereau-Fault-Yonne
Moret-s-Loing
(Moret-Loing-et-Orvanne)
Veneux-les-Sablons
Long Rocher
Recloses
Bourron-Marlotte
Tousson
Le Vaudoué
Noisy-s-École
Achères-la-Forêt
Ury
Villiers
Grez-s-Loing
Montigny-s-Loing
La Genevraye
Villecerf
Ville-St-Jacques
Dormelles
Flagy
Thoury-Férottes
Boissy-aux-Cailles
La Chapelle-la-Reine
Massif de la Dame Jouanne
Larchant
Montcourt-Fromonville
Villemer
Treuzy-Levelay
Nemours
Nanteau-s-Lunain
Villemaréchal
Lorrez-le-Bocage-Préaux
Amponville
St-Pierre-lès-N.
Guercheville
Chevrainvilliers
Ormesson
Rochers de Nemours
Garentreville
Châtenoy
Bagneaux-s-Loing
Poligny
Remauville
Chaintreaux
Desmonts
Obsonville
Aufferville
Puiseaux
Ichy
Bougligny
La Madeleine-sur-Loing
Souppes-s-Loing
Gironville
Arville
Bromeilles
Maisoncelles-en-Gâtinais
Égreville
Échilleuses
Chenou
Château-Landon
Bordeaux
Mondreville
Mez-le-Maréchal
Bransles
Le Bignon-Mirabeau
Beaumont-du-Gâtinais
Dordives
Chevannes
Chevry-sous-le-Bignon
Nargis
Auxy
Sceaux-du-Gâtinais
Bordeaux-en-Gâtinais
Courtempierre
Préfontaines
Fontenay-sur-Loing
Ferrières-en-Gâtinais
Griselles
Corbeilles
Treilles-en-Gâtinais
Gondreville
Girolles
Juranville
Mignerette
Mignères
Cepoy
Corquilleroy
Paucourt
Courtemaux
Mézières-en-Gâtinais
Lorcy
Chapelon
Villevoques
Châlette-sur-Loing
La Chapelle-St-Sépulcre
Fréville-du-Gâtinais
Moulon
Pannes
Montargis
Thorailles
Ladon
Villemoutiers
Villemandeur
Amilly
Bellegarde
Ouzouer-sous-Bellegarde
St-Maurice-sur-Fessard
Auvilliers-en-Gâtinais
St-Firmin-des-Vignes
Conflans-sur-Loing
St-Germain-des-Prés
Presnoy
Chevillon-sur-Huillard
Chailly-en-Gâtinais
Lombreuil
Vimory
Mormant-sur-Vernisson
Beauchamps-sur-Huillard
Thimory
Château-Renard
Coudroy
Oussoy-en-Gâtinais
St-Hilaire
Solterre
Montcresson

113
89
135
114
E
F
G
H
1
2
3
4
5
Marolles-sur-Seine
Balloy
Bazoches-lès-Bray
Montigny-le-Guesdier
Villeceaux
Villiers-s-Terre
Baby
Fontaine-Fourches
La Louptière-Thénard
La Tombe
Gravon
Barbey
Misy-s-Yonne
Vinneuf
Courlon-s-Yonne
Serbonnes
Villeneuve-la-Guyard
Compigny
Sergines
Plessis-St-Jean
Pailly
(Perceneige)
Plessis-du-Mée
Villiers-Bonneux
Sognes
St-Maurice-aux-Riches-Hommes
Les Nozées
Grange-le-Bocage
Bois de Trainel
Lussin
Mauny
N.D. de Champrond
Port-Renard
Chaumont
Champigny
Villeblevin
Chaudron
Gerjus
St-Agnan
Villemanoche
Michery
Sixte
Pont-s-Yonne
Cour Notre-Dame
La Chapelle
Bordeau
Chapolin
Hollard
La Chapelle-s-Oreuse
Fleurigny
Thorigny-s-Oreuse
La Borde
Barrault
Servins
Vallières
La Garenne
Courroy
Forêt de Lancy
Pierre-Couverte
Courgenay
La Postolle
St-Martin-s-Oreuse
La Pommeraie
Forêt de Soucy
Forêt de Voisines
Galbaux
Les Hautes Bergeries
Montdogat
Ferme de Vauluisant
La Pellerie
Voisines
Les Basses Bergeries
La Tournerie
Le Hay
Le Ruy
Bel-Air
La Goujauderie
Gisy-les-Nobles
Evry
Cuy
Soucy
Nolon
Jouancy
Heuré
Villeperrot
Miremy
Vaugouret
St-Sérotin
Le Fay
Villenavotte
Courtois-s-Yonne
Le Vau
Puits de Gy
Nailly
St-Denis-lès-Sens
St-Clément
Fontaine-la-Gaillarde
Les Clérimois
Foissy-s-Vanne
Les Caves
Molinons
Villethierry
Fontenelle
Les Buissons
La Cave
Lixy
Plénoches
Brannay
Vallery
Villemaugis
Villeneuve-les-Ormes
La Gde Justice
Maurepas
Le Liard
Chéroy
La Chabouillerie
La Mardelle-aux-Loups
Dollot
St-Georges
Paroy
Bois-le-Roi
Les Chollets
St-Martin-du-Terre
Bois de Bruneau
Les Caves
SENS
Saligny
Le Ht-de-Villiers
La Grenouillère
Chigy
Le Genetroy
Villiers-Louis
Le Bosquet-du-Lys
Villebougis
Fontaines
Les Martinières
St-Valérien
Mont-Renault
Borderu
Les Joigneaux
Paron
Les Masures
Malay-le-Petit
Le Pt Villiers
Pont-sur-Vanne
Les Sièges
Vareilles
Noé
Theil-sur-Vanne
(Les Vallées de la Vanne)
Montacher-Villegardin
Coleuvrat
Fouchères
Champagne
Villeroy
Les Balesmes
Subligny
Les Bruyères
Gron
Maillot
Malay-le-Grand
Le Clos-de-Noé
Vaumort
Les Thorets
Les Vallées
Rosoy
B. de la Gde Vallée
Les Hauberts
Les Fleuris
Heurtebise
Le Marchais-Rallu
Vaudeurs
Les Brissots
Cerisiers
Rougelot
Sortoise
La Belliole
Villeneuve-la-Dondagre
Le Puits de Fer
La Haie-Pèlerine
Vil-Cul
Collemiers
Les Epenards
Étigny
Les Bois-Plantés
Les Régipaux
Sérilly
Val-Péronne
Bazoches-sur-le-Betz
Les Lucas
Les Masures
Les Chêneaux
Courtoin
Les Bobards
Cornant
Chaumes
Véron
Val-St-Etienne
Les Chandeliers
Les Pommerats
Les Chapelles
Puits-Botin
Grange-au-Doyen
Maurepas
Bois de Chavan
Grange-Pourrain
La Roche au Diable
Bourbuisson
Les Étangs de Béon
Les Joigneaux
Domats
Les Cantins
Pont-Pourri
Egriselles-le-Bocage
Brassy
Roussemeau
Les Fours
Passy
Pimançon
Les Rethorets
Le Fays
Vernoy
Les Besnards
Les Brouards
Les Rivaux
Marsangy
Les Lorris
Beaujard
Vaufoin
Clos-Aubry
Les Bordes
Haras
Villechétive
Foucherolles
Bois de Bléry
Domaine de Clairis
Châtre
Les Garangers
Rousson
Pt Vau
Gd Vau
Talouan
Flandres
La Borde-à-la-Gousse
Grange-Bertin
Dilo
Les Vigers
Les Hauts-Bois
La Meunière
B. des Gentés
La Hte Epine
Les Fourneaux
Chapitre
Dixmont
La Gde Vallée
B. de Cantaines
Les Chèvereaux
Savigny-sur-Clairis
Les Arabies
Tourne-Boule
Chaumot
Villeneuve-s-Yonne
Les Thénots
Valprofonde
La Tuilerie
Pennery
Les Normands
Les Dornets
Les Garrières
Bussy-le-Repos
Le Pt-Port
Le Château
Beaudemont
Grd Palteau
La Hâte
Les Brûleries
La Mardelle-au-Coq
St-Phal
Les Ratorets
Piffonds
Les Croix
Pt Palteau
St-Hilaire-les-Andrésis
Quatre Croix
Les Lucas
Les Hattins
Les Tuileries
St-Julien-du-Sault
Armeau
Les Beauquins
F. du Pavillon-Gros
Les Mallets
Courtenay
Ste-Anne
St-Martin-d'Ordon
La Huronnerie
Les Marinières
Vaugüillain
Villevallier
Bailly
Maltournée
Le Bois Ramé
Les Fauchots
La Berjaterie
St-Loup-d'Ordon
Verlin
Ocques
Forêt du Mileu
La Tuilerie
Bussy-en-Othe
Les Fays
Villecien
La Fourchotte
Villepied
Les Gros-Aulnes
La Jacqueminière
Les Moreaux
Ruban
Bois de Cezy
St-Aubin-s-Yonne
Looze
Brion
Les Orties
Les Sauqueux
Les Gauguins
Thèmes
La Pte Celle
Cézy
Côte St-Jacques
Joigny
Laroche-St-Cydroine
Vieux-Migennes
Migennes
Cudot
Les Décys
Les Cornus
La Couline
La Réserve
Précy-s-Vrin
La Celle-St-Cyr
Loivre
Lécheres
Arblay
Montcorbon
Les Chevaliers
Vaugenets
Béon
Champlay
Cité
Villejalot
Les Crouteaux
Les Echarlis
Les Vieux Echarlis
Les Favereaux
Les Girardots
Chamvres
Paroy-s-Tholon
Le Gd Longueron
Épineau-les-Voves
Charmoy
Bonnard
Douchy-Montcorbon
Villefranche-St-Phal
Couvent
Les Trouvés
Le Gd Bralon
Sépeaux-St-Romain
Étg de Sépeaux
La Mothe
Champvallon
(Montholon)
Charmeau
Triguères
Les Pages
Silo
L'Aunay
Les Grands Moreaux
Les Desvignes
Malveau
Chantereine
Dicy
St-Romain-le-Preux
Le Gd Bailly
Richebourg
Tholon
Ravillon
Neuilly
Villemer
Bassou
Les Gds Salmons
Prunoy
Chevillon
Les Tabourea
La Fosse Simon
Les Coudrois
Volgré
Malesherbes
Senan
Chêne-Arnoult
La Fontaine
La Mothe-aux-Aulnaies
Vienne
Malvrain
Les Richards
Les Goudons
La Ferté-Loupière
Chailleuse
Le Gros Mont
Les Tuileries
Champloiseau
Cordeil
Guerchy
Chichery
AUTOROUTE
L.G.V. SUD-EST
SOLEIL
A 5
E 54
A 19
E 511
A 6
E 15
E 60
D 606
D 660
D 943
D 905
D 976
D 412
D 81
D 15
D 3

0 2 4 6 8 10 km
90
113
136
A
B
C
D
1
2
3
4
5
TROYES
St-Lyé
Payns
Mergey
Échemines
Marigny-le-Châtel
Avon-la-Pèze
Prunay-Belleville
Camp militaire
Le Pavillon-Ste-Julie
Villeloup
Obélisque
La Malmaison
Barberey-aux-Moines
Bourdenay
Bellevillotte
St-Lupien
Marcilly-le-Hayer
La Villeneuve-aux-Riches-Hommes
St-Maurice-aux-Riches-Hommes
Faux-Villecerf
Dierrey-St-Pierre
Dierrey-St-Julien
Grange l'Évêque
La Chapelle-St-Luc
Les Dagues
Mesnil-Vallon
Montgueux
Macey
Bercenay-le-Hayer
Lussin
Chavaudon
Four gaulois
Villadin
Mesnil-St-Loup
Vierge-Ste-Espérance
Pouy-s-Vannes
Pierre-Couverte
Chanteloup
Bois l'Abbesse
Palis
Fontvannes
La Rivière-de-Corps
La Grange-au-Rez
St-André-les-Vergers
Torvilliers
Clairlieu
Planty
Estissac
Bucey-en-Othe
Messon
La Charmée
La Singerie
Les Marchais
Bois de Bagneaux
Ferme de Vauluisant
Rateau
Les Essarts
Villemaur-sur-Vanne
Neuville-sur-Vanne
Thuisy
Le Chaast
Prugny
Lépine
St-Germain
Chevillèle
Montdogat
La Pellerie
La Tournerie
Bagneaux
Vulaines
St-Benoist-s-Vanne
Cosdon
Les Bordes
Bourg-de-Partie
Bois de Bucey
Tour
Laines-aux-Bois
St-Pouange
Foissy-s-Vanne
Villeneuve-l'Archevêque
Flacy
Paisy-Cosdon
(Aix-Villemaur-Palis)
Cormononcle
Aix-en-Othe
Vaudeley
Chennegy
Télécommunications Spatiales
Vauchassis
Les Grandes Vallées
Milly
Les Hauts de Flacy
Rigny-le-Ferron
Les Chênettes
Le Jards
La Vove
Villemoiron-en-Othe
La Vente
Site de Montaigu
Souligny
Roncenay
Chigy
Le Genetroy
Maison Rouge
Les Châteliers
Le Bois-de-Rigny
Druisy
Les Cornées
Pitoite
Craney
Surançon
Le Valdreux
Bercenay-en-Othe
Concise
Bouilly
Vaujurennes
Laliat
Alexandre
Le Grand-Vaucouard
Champcharme
Champcharme-Haut
Bois des Fays
St-Jean-de-Bonneval
Villery
Les Sièges
Vareilles
Cérilly
Bérulle
Le Bois-le-Roi
Le Mineroy
Labouillant
St-Mards-en-Othe
Sommeval
La Folie
Les Vallées de Cérilly
Beauchêne
Le Verger
Les Chalois
Les Quicarlets
Berluvier
Les Robins
Nervost
Vaubadon
La Belle Fayte
Les Boulins
La Perrière
Roiselée
Javernant
Coulours
Les Cormiers
Villesabot
Fournaudin
Les Chevreaux
La Mivoie
Maraye-en-Othe
Champsicourt
Le Cheminot
Les Vallées
Augères
L'Ormeau
Les Langots
Beauregard
Bœurs-en-Othe
Le Champion
La Lisière-des-Bois
Nogent-en-Othe
Forêt Chenu
Crésantignes
Machy
Heurtebise
Le Marchais-Rallu
Vaudeurs
Les Loges
Grange-Sèche
Villefroide
La Métairie
La Guinand
Le Haut-Nogent
Eaux-Puiseaux
Fays-la-Chapelle
St-Phal
Chamoy
Les Brissots
La Longueraie
Pont-Evrat
Beauciard
Les Birons
Les Delavoix
Les Hurpeaux
Francœur
La Rue-Chêvre
Les Boudins
La Coudre
La Charbonnière
Vosnon
Puiseaux
Les Bordes
Auxon
Montigny-les-Monts
Les Pommerats
Les Chapelles
Le Fays
Forêt de la Potence
Les Menus-Bois
Bois de Turny
La Tuilerie
La Guette
St-Joseph
Sivrey
Les Chanets
Pont aux
Les Rethorats
Haras
Arces-Dilo
Le Charme
Villechétive
Dilo
Vaudevannes
Chailley
Le Fays
Sormery
Villeneuve-au-Chemin
Le Mesnil-St-Georges
Vert
Roncenay
Courtelon
La Coudre
Les Basses Voies
Le Merisier
Les Fourneaux
Saudurand
La Brosse
Coursan-en-Othe
Les Chaillots
Le Moulin-du-Bois
Chêne-Merlin
Les Teignes
La Loge-Pomblin
Le Ruet
Le Montelard
Vachy
Prunelles
Courchamp
Linant
Cuchot
Boulay
Lasson
Le Marot
Montfey
Champgiron
Les Ventes
Monthiérault
Chamblin
Davrey
Les Bordes-Avreuil
Courbépine
La Ramée
Bellechaume
Champlost
Venizy
Turny
Vigny
Courcelles
Neuvy-Sautour
Racines
Jardelet
Ervy-le-Châtel
Hte Vacherie
La Vacherie
Avreuil
La Rue-du-Laps
Survannes
Vanlay
Paroy-en-Othe
Mercy
Bailly
Vorvigny
Le Vau-du-Puits
Boudemault
Bas-Turny
Haut-Chaing
Chaing
Bas-Chaing
La Vallée
Champton
Le Bois Brûlé
Soumaintrain
Boudin
Courtaoult
Chessy-les-Prés
Le Breuil
Bussy-en-Othe
Bligny-en-Othe
Chatton
Les Pommerats
Les Buissons
Beugnon
Champlandry
Vieux Champs
Le Mesnil
Mézières
Maisons-Rouges
La Gorvelle
Villepied
Mont Avrollot
Grd Champlandry
La Chaussée
Grd Champ
Loge-Borgne
Brienon-s-Armançon
Avrolles
St-Florentin
Montléu
Germigny
Les Croûtes
Bois-Gérard
Bernon
Esnon
Frévaux
Créanton
Les Plants
Butteaux
Bois de la Chapelle
Bois de Lignières
Vieux-Migennes
La Roche-Hydroine
Migennes
Crécy
Bas-Rebourseaux
Les Vignes
Vergigny
Chéu
Jaulges
La Sogne
Les Milleries
Percey
Flogny-la-Chapelle
Marolles-s/s-Lignières
Cité
Ormoy
Les Régniers
Bouilly
Rebourseaux
Cheny
Chichy
Mont-St-Sulpice
Forêt de Pontigny
Lordonnois
La Tuilerie
Camp militaire
Ste-Anne
Villiers-Vineux
Charrey
Lignières
Charmoy
Bonnard
La Malmaison
Charmeau
Silo
Bel-Air
Hauterive
Ste-Procaire
La Rue Feuillée
Les Prés-du-Bois
Carisey
Les Millois
L'Isle
Tronchoy
Grd-Virey
Bassou
Beaumont
La Croix
Les Baudières
Pontigny
Roffey
Cheney
Seignelay
Abbe
Dyé
Bernouil
Dannemoine
Chichery
Chemilly
Héry
Rouvray
Venouse
Ligny-le-Châtel
Méré
Vézinnes
LGV SUD-EST
D 660
N 77
D 905
D 943
D 374
D 619

PARC NATUREL RÉGIONAL DE LA FORÊT D'ORIENT
Lac du Temple
Lac d'Orient
Lac Amance
Réserve Ornithologique
Parc de vision animalier
Sentier des Salamandres
Maison du Parc
Creney-près-T.
Pont-Ste-Marie
St-Parres-aux-Tertres
St-Julien
Rouilly-St-Loup
Bréviandes
St-Léger-s-Troyes
Bucheres
Isle-Aumont
St-Thibault
Clérey
Fresnoy-le-Château
Montiéramey
Montreuil-sur-Barse
Lusigny-s-Barse
Mesnil-St-Père
Géraudot
Piney
Brévonnes
Dienville
Radonvilliers
La Rothière
Unienville
Amance
Vauchonvilliers
Dolancourt
Nigloland
Vendeuvre-sur-Barse
La Villeneuve-au-Chêne
Magny-Fouchard
Maison-des-Champs
Thieffrain
Beurey
Villy-en-Trodes
Marolles-lès-Bailly
Poligny
Chauffour-lès-Bailly
Courtenot
Fralignes
Bourguignons
Bar-s-Seine
Virey-sous-Bar
Jully-sur-Sarce
Rumilly-lès-Vaudes
Fouchères
St-Parres-lès-Vaudes
Chappes
Villemoyenne
Vaudes
Les Bordes-Aumont
Villemereuil
Montceaux-lès-Vaudes
Chaource
Praslin
Villiers-s/s-Praslin
Lantages
Vougrey
Villemorien
Polisot
Polisy
Celles-sur-Ource
Merrey-sur-Arce
Ville-sur-Arce
Chervey
Buxières-sur-Arce
Éguilly-sous-Bois
Bertignolles
Chacenay
Noé-les-Mallets
Landreville
Loches-sur-Ource
Essoyes
Verpillières-sur-Ource
Buxeuil
Neuville-sur-Seine
Gyé-sur-Seine
Courteron
Plaines-St-Lange
Mussy-s-Seine
Gommeville
Charrey-s-Seine
Noiron-s-Seine
Villers-Patras
Pothières
Vix
Mt Lassois
Étrochey
Montliot-et-Courcelles
Les Riceys
Ricey-Bas
Ricey-Haut
Bagneux-la-Fosse
Avirey-Lingey
Balnot-sur-Laignes
Arrelles
Pargues
Lagesse
Cussangy
Maisons-lès-Chaource
Balnot-la-Grange
Chesley
Étourvy
Villiers-le-Bois
Quincerot
Trichey
Channes
Arthonnay
Bragelogne-Beauvoir
Molesme
Villedieu
Vertault
Mélisey
Thorey
Villon
Rugny
Maulnes
Forêt de Maulnes
Forêt d'Aumont
Forêt de Rumilly
Forêt de Cussangy
Les Loges-Margueron
Metz-Robert
Forêt de Chamoise
Grancey-sur-Ource
Bligny
Vitry-le-Croisé
Longpré-le-Sec
Montmartin-le-Haut
Meurville
Spoy
Arrançon
Trannes
Bossancourt
Jessains
Juvanzé
Troyes-Le Plessis
Troyes-Fresnoy
E
F
G
H
91
116
137
1
2
3
4
5

0 2 4 6 8 10 km
92
115
138
A
B
C
D
1
2
3
4
5
Soulaines-Dhuys
St-Victor
Nully
Trémilly
Blumeray
Villiers-aux-Chênes
Doulevant-le-Château
Monthonval
Brachay
Charmes-en-l'Angle
Flammerécourt
Gudmont-Villiers
Lescheres-sur-le-Blaiseron
Rouécourt
Ambonville
Mont Gimont
Cerisières
Provenchères-sur-Marne
Froideau
Mirbel
N.-D. du Val
La Genevroye
Vignory
Petit-Mesnil
La Giberie
Étang de Ramerupt
Bois de Pute-Bête
Étang de Laborde
Bois de la Rothière
Fuligny
Ville-sur-Terre
Thil
Fresnay
Bois de Beauregard
La Gaîté
Beurville
Chânet
Blinfey
Les Grands Ordons
Cirey-sur-Blaise
Bois d'Ambonville
Bouzancourt
Daillancourt
Guindrecourt-sur-Blaise
Blaise
Champcourt
Harricourt
Marbéville
Vernonvilliers
Éclance
Lévigny
Maisons-lès-Soulaines
Thors
Bois de Hantelle
Rizaucourt-Buchey
Trannes
Bossancourt
Maison-Neuve
Bois de Courtgain
Engente
Colombé-la-Fosse
Saulcy
Cornay
Buchey
Curmont
Biernes
Argentolles
Pratz
Le Plachet
L'Étoile
Soncourt-sur-Marne
Vraincourt
Oudincourt
Arsonval
Montier-en-l'Isle
Arrentières
Fme du Cellier
Colombé-le-Sec
Nigloland
Jaucourt
Ailleville
Arganςon
Gagnage
Voigny
Rouvres-les-Vignes
Lamothe-en-Blaisy
Maison-des-Champs
Bar-sur-Aube
Fravaux
Proverville
Ste-Germaine
Spoy
Lignol-le-Château
Mémorial
La Boisserie
Lavilleneuve-aux-Fresnes
Colombey-les-Deux-Églises
Ormoy-lès-Sexfontaines
Lamancine
Annéville-la-Prairie
Sexfontaines
Couvignon
Fontaine
Belroy
La Pipière
Bayel
Meurville
Le Val Perdu
La Belle Idée
Baroville
Bois de Pimeux
Lachapelle-en-Blaisy
Meures
Marault
Bergères
Bois de Barramont
Forêt des Dhuits
Juzennecourt
Blaisy
La Borde
Forges-St-Bernard
La Bretonnière
Bligny
Étang du Patis
Urville
Arconville
Clairvaux Maison Centrale (Anne Abbe)
Montheries
Lavilleneuve-au-Roi
Gillancourt
Laharmand
Côte d'Alun
Sarcicourt
Vitry-le-Croisé
Fraville
Longchamp-sur-Aujon
Rennepont
St-Martin-sur-la-Renne
Jonchery
Outre-Aube
Fontaine St-Bernard
Champignol-lez-Mondeville
Maranville
Bois Gérard
Vaudrémont
Euffigneix
Viaduc
Fontarce
Ville s/s-la-Ferté
Juvancourt
Moulin
Autreville-sur-la-Renne
Buxières-lès-Villiers
Villiers-le-Sec
Noé-les-Mallets
Fays-Haut
Cirfontaines-en-Azois
Aizanville
Braux-le-Châtel
Valdelancourt
CHAUM
St-Usage
Laferté-sur-Aube
Verency
Pont-la-Ville
Dhuy
Orges
Bricon
Montsaon
Les Fosses
Fontette
Le Grand Mallet
Bois de Laferté
Fins
Villars-en-Azois
Le Val-du-Four
Essey-les-Ponts
Châteauvillain-Orges
Semoutiers-Montsaon
Silvarouvres
Marmesse
Châteauvillain Val-Marnay
Blessonville
Ste-Anastasie
Verpillières-sur-Ource
Cunfin
Ste-Anne
Forêt de Beaumont
La Folie
Dinteville
La Forge
Derville
Corgebin
Maison Renaud
Châteauvillain
Richebourg
Lanty-sur-Aube
Animal'Explora
Beaumont
Bois de la Longe
Valfond
Créancey
FORÊT DE CHÂTEAUVILLAIN ET D'ARC
Grancey-sur-Ource
Bois des Forts
Bois de Lanty
Ormoy-sur-Aube
Bon Air
Val-des Dames
Autricourt
Montribourg
Les Essarts
Champigny
Gevrolles
Latrecey-Ormoy-sur-Aube
La Lucine
Coupray
Carref de la Croix-de-Fer
Riel-les-Eaux
Fme du Mont
St-Roch
Cour-l'Évêque
Maison Paulin
Montigny-sur-Aube
Mont Rémin
Forêt du Montot
Veuxhaulles-sur-Aube
Bois de Faye
Bois de Dancevoir
Arc-en-Barrois
La Venduel
Bugnières
La Jarrie
Belan-sur-Ource
Dancevoir
Maison-Fouin
Val-Bruant
Thoires
Bois de la Fontaine
Le Souhy
Boudreville
Longue
Montrot
N.-D. de Montrot
Obtrée
Chaumont-le-Bois
Mosson
Brion-sur-Ource
Bissey-la-Côte
Courban
Aubepierre-sur-Aube
Vannaire
Massingy
PARC NATIONAL
Lignerolles
Giey-sur-Aujon
Vix
Louesme
Montliot-et-Courcelles
Layer-sur-Roche
Crépan
Les Goulles
Etufs
La Chaume
Eriseul
St-Loup
Langres

E
F
G
H
93
118
139
1
2
3
4
5
Donjeux
Domremy-Landéville
Morionvilliers
Chambroncourt
Trampot
Brechainville
Villouxel
Aillianville
Pautaines-Augeville
St-Thiébault
Saucourt-sur-Rognon
Landéville
Augeville
Audeuil
Leurville
Busson
Fréville
Liffol-le-Grand
Le Tivoli
La Bergère
Bois du Charmois
Bois des Haies
Champaumont
Forêt de la Bouloire
Liffol-le-Petit
Bazoilles-sur-Meuse
Circourt-sur-Mouzon
Villers-sur-Marne
Bois de Donjeux
Doulaincourt-Saucourt
Roches-Bettaincourt
Le Marquot
Les Moyemonts
Bois de Châtelmont
Orquevaux
Lafauche
Vesaignes-s/s-Lafauche
Montlebert
Prez-sous-Lafauche
Forêt du Jarney
Le Corroy
Froncles
Buxières
Bois des Grandes Combes
Bois le Chimarmont
Roches-sur-Rognon
Reynel
Forêt de Meley
Manoise
Humberville
St-Blin
Bois Gérard
Les Hauts Bois
Harréville-les-Chanteurs
Pompierre
N. D. du Pilier de Saragosse
N. D. de Pitié
Forêt du Heu
Montot-sur-Rognon
Vignes-la-Côte
Manois
La Croisette
Silo
Semilly
L'Espérance
Dôme
Goncourt
Sartes
Gendreville
Signéville
Croix des Allemands
Heu
Barrémont
Montéclair
Rimaucourt
Chalvraines
Bois de Goncourt
Sommerécourt
Outremécourt
Abbé de Septfontaines
Andelot-Blancheville
Bois des Chaisaux
Sueurre
Bois du Jard
Le Champ Briot
La Guinguette
Le Charmoi
Illoud
Gonaincourt
La Motte
Vaudrecourt
Rochefort-sur-la-Côte
Roôcourt-la-Côte
Blancheville
Morteau
Rognon
Ecot-la-Combe
Les Mailles
La Fortelle
Bois de Bourmont
St-Thiébault
Bourmont-entre-Meuse-et-Mouzon
Soulaucourt-sur-Mouzon
Nijon
Bois de Fréhaut
Chantraines
St-Joseph
Lacrête
Les Grands Bois
Bois de Romain
Clinchamp
Morvau
Bologne
Briaucourt
Cirey-lès-Mareilles
Forêt de la Crête
Chevecheix
Mareilles
Churey
Ozières
Romain-s-Meuse
Bourg-Ste-Marie
Brainville-s-Meuse
Graffigny-Chemin
Vrécourt
Riaucourt
Darmannes
Bourdons-s-Rognon
Consigny
Huilliécourt
Hâcourt
Malaincourt-s-Meuse
Bois de Cirey
Bois de Mareilles
Morlaix
Thol-lès-Millières
Vroncourt-la-Côte
Doncourt-s-Meuse
Levécourt
Chaumont-la-Ville
Treix
Forcey
Condes
Pont
Le Puits-des-Mèzes
Bon-Espoir
Millières
Longchamp
Forêt de Clefmont
Maisoncelles
Champigneulles-en-Bassigny
Bievaincourt
Esnouveaux
Reclancourt
Bois Perron
Forêt d'Ageville
Ageville
Mennouveaux
Audeloncourt
Clefmont
Flambart
Germainvilliers
Breuvannes-en-Bassigny
Bois de l'Artembois
Chamarandes-Choignes
Forge du Haut
Cuves
Buxières-lès-Clefmont
Perrusse
Daillecourt
Damblain
Laville-aux-Bois
Chamarandes
Biesles
Lanques-sur-Rognon
Ninville
Meuvy
Bois de Pennecière
Bassoncourt
Vaudainvilliers
Colombey-lès-Choiseul
Abbé de Morimond
Grignoncourt
Bois de la Vendue
Verbiesles
Luzy-sur-Marne
Silos
Donnemarie
Choiseul
Noyers
Merrey
Sarcey
Mandres-la-Côte
Bois du Vernon Fays
Essey-les-Eaux
Rangecourt
Lenizeul
Fresnoy-en-Bassigny
Ravennefontaines
Poulangy
Boichaulle
La Perrière
L'Abondance
Is-en-Bassigny
Lavilleneuve
Damphal
(Val-de-Meuse)
Bois de Fresnoy
Foulain
Louvières
Traire
Courcelles
Odival
La Scierie
Bois du Mont Roussel
Bois de Montigny
Maulain
Parnot
Crenay
Nogent
Forêt de Marsois
Bois du Defois
Lécourt
Provenchères-sur-Meuse
(Parnoy-en-Bassigny)
Rochevilliers
Le Ht Charmoi
Marnay-sur-Marne
Vesaignes-sur-Marne
Sarrey
Monaco
Meuse
Malroy
Montigny-le-Roi
Poinson-lès-Nogent
Épinant
Tourterelle
Dammartin-s-Meuse
Beaucharmoy
Pouilly-en-Bassigny
La Rosière
Thivet
Mauvaignant
Vitry-lès-Nogent
Le Chêne
Belfays
Val-de-Meuse
Chézoy
Châtelet-sur-Meuse
Villiers-sur-Suize
Leffonds
Bois de Mongessey
Source de la Tuffière
Bois du Rienbeau
Chauffourt
Fort-de-Dampierre
Avrecourt
Damrémont
Dampierre
Frécourt
Récourt
Tronchoy
Rolampont
Faverolles
Bonnecourt
Saulxures
Bois de Marac
Charmoilles
Mont Mercure
Fouilles gallo-romaines
Rançonnières
Vicq
Laneuville
Coiffy-le-Bas
Lannes
Ft de St-Menge
Changey
Neuilly-l'Évêque
Poiseul
Andilly-en-Bassigny
Marac
Chanoy
Charmes
Lavernoy
Celles-en-Bassigny
Les-Granges-Huguet
Beauchemin
Jorquenay
Réservoir de Charmes
Bannes
Bois des Riots
Marcilly-en-Bassigny
Presles
Varennes-s-Amance
Ormancey
Humes-Jorquenay
Champigny-lès-Langres
Plesnoy
Chézeaux
Mardor
St-Martin-lès-Langres
Orbigny-au-Val
Orbigny-au-Mont
Troischamps
St-Ciergues
Mont des Fourches
Vauxbons
Réservoir de la Mouche
Lac de la Liez
Lecey
Celsoy
Bois de Montservigny
Arbigny-sous-Varennes
Champigny-sous-Varennes
Brévoines
Langres

0 2 4 6 8 10 km
94
117
140
A
B
C
D
1
2
3
4
5
Châtenois
Mirecourt
VITTEL
Contrexéville
Darney
Bourbonne-les-Bains
Vouxey
Dolaincourt
Dommartin-sur-Vraine
St-Prancher
Repel
Frenelle-la-Petite
Puzieux
Ambacourt
Bettoncourt
Chauffecourt
Oëlleville
Totainville
Poussay
Mazirot
Baudricourt
Ramecourt
Domvallier
Dombasle-en-Xaintois
Ménil-en-Xaintois
Rouvres-en-Xaintois
Villers
Courcelles-s/s-Châtenois
Viocourt
Gironcourt-s-Vraine
Houécourt
Valaincourt
Villars
Rouvres-la-Chétive
Certilleux
Bréchaincourt
Tilleux
Circourt-sur-Mouzon
Landaville
Longchamp-sous-Châtenois
Mannecourt
La Neuveville-sous-Châtenois
St-Menge
Gemmelaincourt
Viviers-lès-Offroicourt
Remicourt
Thiraucourt
Offroicourt
Mattaincourt
Hymont
Vroville
Velotte-Tatigné
Darney-aux-Chênes
Rémois
Ollainville
Lemmecourt
Beaufremont
Aulnois
Pompierre
Jainvillotte
Hagnéville-et-Roncourt
Sandaucourt
Dombrot-sur-Vair
Belmont-sur-Vair
St-Remimont
Parey-sous-Montfort
Domjulien
Girovillers-sous-Montfort
Estrennes
Bazoilles-et-Ménil
Domèvre-sous-Montfort
Valleroy-aux-Saules
Maroncourt
Hagécourt
Madecourt
Rozerotte
Sartes
Auzainvilliers
Morville
They-sous-Montfort
Gendreville
Roncourt
Vaudoncourt
Mandres-sur-Vair
Norroy
La Neuveville-sous-Montfort
Remoncourt
Rancourt
Heucheloup
Bainville-aux-Saules
Begnécourt
Outremécourt
Médonville
Malaincourt
Bulgnéville
Ste Anne
Outrancourt
Haréville
Valfroicourt
Xiroux
Adompt
Vaudrecourt
Soulaucourt-sur-Mouzon
Aingeville
Saulxures-lès-Bulgnéville
Valleroy-le-Sec
Col du Poirier
Frénois
Légéville-et-Bonfays
Urville
St-Ouen-lès-Parey
Monthureux-le-Sec
Col des Clochettes
Pont-lès-Bonfays
Pierrefitte
Vrécourt
Suriauville
Lignéville
Esley
Sans-Vallois
Les Vallois
Graffigny-Chemin
Thuillières
Dommartin-lès-Vallois
St-Baslemont
Sauville
La Rouillie
Crainvilliers
Dombrot-le-Sec
Chèvre-Roche
Le Réchaux
Senonges
Lerrain
La Vacheresse-et-la-Rouillie
Col du Haut de Salin
Provenchères-lès-Darney
Rocher sculpté
Dombasle-devant-Darney
Jésonville
Chaumont-la-Ville
La Fennecière
Robécourt
Bois du Creuchot
Côte de Hautmont
Viviers-le-Gras
Relanges
Bonvillet
Forêt d'Armont
Rozières-sur-Mouzon
Blevaincourt
Boëne
Martigny-les-Bains
Gignéville
Les Rochottes
La Forge-Kaitel
Viomenil
Rocourt
Villotte
Marey
Lichecourt
Le Bambois
Belmont-lès-Darney
Belrupt
La Bataille
Damblain
Tollaincourt
Romain-aux-Bois
Mont St Etienne
Mont des Fourches
Frain
Serocourt
Nonville
Attigny
Clairfontaine
Le Torchon
La Pile
Vaudainvilliers
Colombey-lès-Choiseul
Abbe de Morimond
Lamarche
Morizécourt
Le Grand Pâquis
Bleurville
La Grange Jacquot
Le Gras
Hennezel
Forêt Domaniale
Le Hatrey
Mont Heuillon
Grignoncourt
Aureil-Maison
Serécourt
Tignécourt
Droiteval
La Hutte
Thiétry
La Grange Bresson
Musée
Surance
Moscou
Fresnoy-en-Bassigny
La Fagotière
Monthureux-sur-Saône
Le Hubert
La Scie
Henricel
Claudon
Clairey
La Frison
Jérusalem
Larivière-Arnoncourt
Bois de Fresnoy
Isches
St-Julien
Leppenoux
La Grange Rouge
La Sybille
Thomas
La Planchotte
Étang des Cerisiers
Mont-lès-Lamarche
Aigremont
Fouchécourt
Mont de Savillon
Le Burveau
La Grande Catherine
Le Grand Bois
Parnot
Côte des Noues
Ainvelle
Le Petit Thon
Les Thons
Le Grand Thon
Godoncourt
Fignévelle
Regnévelle
La Rochère
La Verrerie-de-Selles
Arnoncourt-sur-Apance
Beaucharmoy
Serqueux
Côte d'Ainvelle
Cimre israélite
Martinvelle
Peu-d'Acquet
Ambiévillers
Pont-du-Bois
Pouilly-en-Bassigny
Senaide
Charmont
Lironcourt
Passavant-la-Rochère
La Côte
Selles
(Le Châtelet-sur-Meuse)
Bois du Danonce
Grignoncourt
Bousseraucourt
Fresnes-sur-Apance
Châtillon-sur-Saône
Jonvelle
Ameuvelle
Vougécourt
La Basse-Vaivre
Alaincourt
Fontenois-la-Ville
Moulin-de-la-Craie
Bois des Épinaies
Parc animalier de la Bannie
Villars-St-Marcellin
Enfonvelle
Fouilles gallo-romaines
Montcourt
Corre
Demangevelle
Montdoré
Vauvillers
Betoncourt-St-Pancras
Mailleroncourt-St-Pancras
Laneuvelle
Coiffy-le-Bas
Coiffy-le-Ht
Genrupt
N.-D. de-la-Salette
Forêt de Villars
Les Charmes
Bourbévelle
Ranzevelle
Hurecourt
Les Granges-Huguet
Les Granges-du-Val
Montcharvot
La Dolomie
Villars-le-Pautel
Richecourt
Ormoy
Polaincourt-et-Clairefontaine
Melincourt
Voisey
Melay
le Donnet
Aisey-et-Richecourt
Saponcourt
Chézeaux
Blondefontaine
Anchenoncourt-et-Chazel
Jasney
Soyers
Barges
Magny-lès-Jussey
Clairefontaine
Vaux-la-Douce
Neuvelle-lès-Voisey
Champigny-sous-Varennes
Les Essarts
Vernois-sur-Mance
Raincourt
Betaucourt
Chazel
Grand Bois
Guyonvelle
Cemboing
Cendrecourt
D 166
D 164
D 165
D 429
D 417
D 460
A 31
E 21

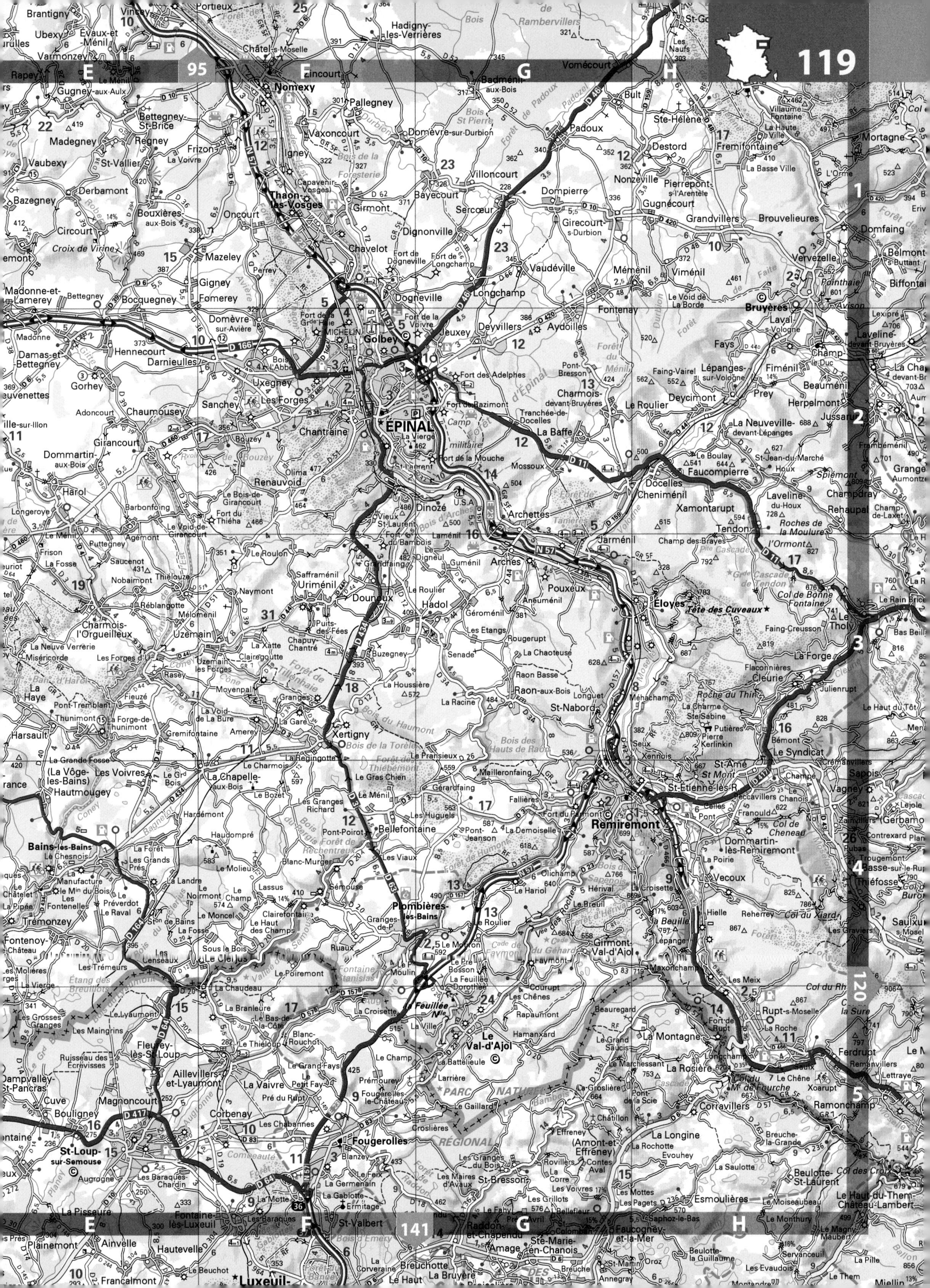
119
95
141
120
E
F
G
H
1
2
3
4
5
Brantigny
Vincey
Portieux
Ubexy
Évaux-et-Ménil
Varmonzey
Rapey
Châtel-s-Moselle
Hadigny-les-Verrières
Rambervillers
Zincourt
Badménil-aux-Bois
Vomécourt
Nomexy
Gugney-aux-Aulx
Pallegney
Bult
Ste-Hélène
Bettegney-St-Brice
Madegney
Régney
Frizon
Vaxoncourt
Domèvre-sur-Durbion
Padoux
Destord
Fremifontaine
Mortagne
Vaubexy
St-Vallier
La Voivre
Igney
Nonzeville
Pierrepont-s-l'Arentèle
Derbamont
Thaon-les-Vosges
Villoncourt
Dompierre
Gugnécourt
Bazegney
Bouxières-aux-Bois
Oncourt
Girmont
Bayecourt
Sercœur
Grandvillers
Brouvelieures
Circourt
Dignonville
Girecourt-s-Durbion
Domfaing
Croix de Virine
Chavelot
Vaudéville
Méménil
Viménil
Vervezelle
Belmont
Mazeley
Longchamp
Bruyères
Biffontaine
Madonne-et-Lamerey
Bettegney
Bocquegney
Gigney
Fomerey
Dogneville
Fontenay
Le Void de la Borde
Domèvre-sur-Avière
Golbey
Jeuxey
Deyvillers
Aydoilles
Laval-s-Vologne
Laveline-devant-Bruyères
Madonne
Damas-et-Bettegney
Hennecourt
Darnieulles
Fays
Champ-le-Duc
Gorhey
Uxegney
Les Forges
Fort des Adelphes
Pont-Bresson
Charmois-devant-Bruyères
Lépanges-sur-Vologne
Fiménil
Beauménil
Adoncourt
Chaumousey
Sanchey
ÉPINAL
Fort du Razimont
Tranchée-de-Docelles
Le Roulier
Deycimont
Prey
Herpelmont
Jussarupt
Girancourt
Chantraine
La Vierge
Camp militaire
La Baffe
La Neuveville-devant-Lépanges
Dommartin-aux-Bois
Bouzey
Fort de la Mouche
St-Laurent
Mossoux
Le Boulay
Faucompierre
St-Jean-du-Marché
Houx
Renauvoid
Olima
Docelles
Cheniménil
Laveline-du-Houx
Champdray
Harol
Barbonfoing
Le Bois-de-Girancourt
Dinozé
Xamontarupt
Rehaupal
Longeroye
Fort du Thiéha
Le Void-de-Girancourt
Vieux St-Laurent
Archettes
Tendon
Le Ménil
Agémont
Laménil
Jarménil
Champ des Brayes
Roches de la Moulure
Frison
Puttegney
Le Roulon
Grandfaing
Le Digneul
Guménil
Arches
l'Ormont
La Fosse
Saucenot
Nobaimont
Thiélouze
Safframénil
Uriménil
Pouxeux
Grande Cascade de Tendon
Col de Bonne Fontaine
Naymont
Dounoux
Le Roulier
Hadol
Anouménil
Éloyes
Tête des Cuveaux
Le Tholy
Réblangotte
Méloménil
Puits-des-Fées
Géroménil
Charmois-l'Orgueilleux
Uzemain
Les Étangs
Faing-Creusson
Bas Beillard
La Neuve Verrerie
La Xatte
Chapuy-Chantré
Rougerupt
Miséricorde
Les Forges d'Uzemain
Clairegoutte
Buzegney
Senade
La Chaoteuse
La Forge
Uzemain-les-Forges
Forêt de Tillenhaie
Flaconnières
Cleurie
La Haye
Rasey
Raon Basse
Fieuzé
Moyenpal
Granges
La Houssière
Raon-aux-Bois
Longuet
Méhachamp
Roche du Thin
Julienrupt
Pont-Tremblant
Thunimont
La Forge-de-Thunimont
La Void-de-la-Bure
La Gare
La Racine
St-Nabord
La Charme
Ste-Sabine
Putières
Le Haut du Tôt
Harsault
Gremifontaine
Amerey
Xertigny
Bois de la Torelle
Bois du Haumont
Bois des Hauts de Raon
Seux
Pierre Kerlinkin
Bémont
Le Syndicat
La Grande Fosse
La Regingotte
Le Charmois
La Pransieux
Xennois
St-Amé
St Mont
Crémanvillers
Sapois
(La Vôge-les-Bains)
Les Voivres
Le Grd Bois
La Chapelle-aux-Bois
Le Gras Chien
Mailleronfaing
St-Étienne-lès-R.
Champé
Vagney
Hautmougey
Le Bozet
Le Ménil
Gérardfaing
Fallières
Peccavillers
Le Chanois
Hardémont
Les Granges Richard
Les Huguels
Fort du Parmont
Remiremont
Celles
Pont
Franould
Col de Cheneau
Zainvillers
Bellefontaine
Pont-Jeanson
La Demoiselle
Dommartin-lès-Remiremont
Contrexard
Haudompré
Pont-Poirot
Forêt de Rechentreux
Bains-les-Bains
Le Chesnois
La Forêt
Les Grands Prés
Le Molieu
Les Viaux
Blanc-Murger
Forêt de Humont
La Poirie
Trougemont
Basse-sur-le-Rupt
Thiéfosse
La Manufacture
Le Min du Bois
La Landre
Le Noirmont
Le Champ
Lassus
Sémouse
Plombières-les-Bains
Olichamp
Hérival
La Croisette
Vecoux
Le Châtelet
La Pipée
Les Fontenelles
Le Préverdot
Le Raval
Trémonzey
St-Ste de Bains
Le Moncel
Clairefontaine
Le Haut des Champs
Granges-de-P.
Le Hariol
Le Breuil
Forêt d'Hérival
La Beuille
Hielle
Reherrey
Col du Xiard
Saulxures-s-Moselotte
Les Graviers
La Fosse
Le Roulier
Vée des Roches
Fontenoy-le-Château
Sous le Bois
Ruaux
Le Moniron
Cade de Faymont
Cade du Géhard
Girmont-Val-d'Ajol
Lépange
Les Trémeurs
Les Censeaux
Le Clerjus
Fontaine Stanislas
Le Pré Bosson
La Feuillée Dorothée
Faymont
Maxonchamp
Les Molières
La Vierge
Étang des Breuillots
Le Poirement
Moulin
Les Chênes
Courupt
Les Meix
Col du Rhamné
La Chaudeau
La Branleure
Le Bas-de-la-Côte
La Croisette
La Feuillée Nlle
Rapaumont
Beauregard
Fort de Rupt
Rupt-s-Moselle
La Roche
Les Grosses Granges
Le Lyaumont
Les Maingrins
Blanc-Rouchot
La Ville
Le Val-d'Ajol
Hamanxard
Le Grand Saucis
La Montagne
Ferdrupt
Remanvillers
Fleurey-lès-St-Loup
Le Thieloup
Le Champ
La Battelieule
Le Marchessant
La Rosière
Longchamp
Col du Mt de Fourche
Le Chêne
Xoarupt
Lettraye
Ruisseau des Écrevisses
Le Grand Fays
Le Petit Fay
Prémourey
Larrière
Ramonchamp
Dampvalley-St-Pancras
Aillevillers-et-Lyaumont
La Vaivre
Fougerolles-le-Château
PARC NATUREL
Bambois
La Groslière
Pont-de-la-Scie
Corravillers
Cuve
Bouligney
Magnoncourt
Corbenay
Pré du Rupt
Le Gaillard
Châtillon
Les Chabannes
Croslières
Effreney
(Amont-et-Effreney)
La Longine
La Rochotte
Evouhey
Breuche-la-Grande
Fontaine
St-Loup-sur-Semouse
Fougerolles
RÉGIONAL
Combeauté
Blanzey
Les Granges du Bois
Rovillers
Corre
Avaux
Cuvé Annal
La Saulotte
Beulotte-St-Laurent
Col des Croix
Augrogne
Les Baraques-Chardin
Le Feix
La Germenain
Les Maires d'Avaux
St-Bresson
Les Voivres
Les Mottes
Les Pagets
Esmoulières
Le Moiseaubeau
Le Haut-du-Them-Château-Lambert
La Pisseure
La Motte
La Gabiotte
Ermitage
Les Grillots
Le Fahy
Bellefleur
Saphoz-le-Bas
Le Monthury
Le Magny
Fontaine-lès-Luxeuil
Les Baraques
St-Valbert
Raddon-et-Chapendu
Ste-Marie-en-Chanois
Faucogney-et-la-Mer
Maubert
Les Prés
Plainemont
Ainvelle
Hautevelle
Bois d'Émery
Amage
La Corvaine
Breuchotte
Beulotte-la-Guillaume
Oroz
Annegray
Servanceuil
Les Evaudois
La Pille
Ballon
Le Beuchot
Francalmont
Luxeuil-
Le Haut
La Bruyère
Le Them
Miellin
D 46
D 420
D 11
D 166
D 460
D 434
D 63
D 3
D 417
D 64
D 57
N 57
N 57
N 57
E 23
N 66

0 2 4 6 8 10 km
96
119
142
A
B
C
D
1
2
3
4
5
St-Dié-des-Vosges
Provenchères-et-Colroy
Lusse
Le Beulay
Frapelle
Neuvillers-s-Faye
Combrimont
Bertrimoutier
Wisembach
Ste-Marie-aux-Mines
Ste-Croix-aux-Mines
Rombach-le-Franc
Lièpvre
Ste-Marguerite
Remomeix
Raves
Coinches
Gemaingoutte
Ban-de-Laveline
Col de Ste-Marie
Col de Mon Repos
Col du Ht Jacques
Mortagne
Les Rouges-Eaux
Colline des Rouges Eaux
Taintrux
Saulcy-s-Meurthe
Entre-deux-Eaux
Mandray
La Croix-aux-Mines
Col du Haut de Ribeauvillé
Aubure
Domfaing
Vervezelle
Belmont-s-Buttant
Biffontaine
St-Léonard
Col de Mandray
Col du Pré de Raves
Le Brézouard
Col des Bagenelles
Col de Fréland
Fréland
Laveline-devant-Bruyères
Les Poulières
La Houssière
Mont Thiriville
Corcieux
Anould
Fraize
Scarupt
Le Bonhomme
Col du Bonhomme
Lapoutroie
Kaysersberg
La Chapelle-devant-Bruyères
Vienville
Ban-sur-Meurthe-Clefcy
Col du Plafond
Plainfaing
Tête des Faux
Val d'Orbey
Col de Bermont
Jussarupt
Herpelmont
Beauménil
Gerbépal
Barbey-Seroux
Granges-Aumontzey
Champ de Roches
Col de Louchbach
Col du Calvaire
Orbey
Labaroche
Champdray
Rehaupal
Vallée de Granges
Signal de Serichamp
Gazon du Faing
Les Trois-Epis
Col du Surceneux
Col de Martimpré
Le Valtin
Col du Wettstein
Le Linge
Col du Linge
Liézey
Gérardmer
Expo Faune-Lorraine
Le Tanet
Xonrupt-Longemer
Roche du Diable
Haut Fourneau
Soultzeren
Hohrodberg
Walbach
Wihr-au-Val
Le Tholy
Col de la Schlucht
Munster
Gunsbach
Stosswihr
Lac de Retournemer
Col du Haut de la Côte
Col des Feignes
Hohneck
Col du Sattel
Mühlbach-s-M
Luttenbach-près-M.
Griesbach-au-Val
Eschbach-au-Val
Soultzbach-les-Bains
Col de Sapois
Col de Grosse Pierre
Petit Hohneck
Breitenbach-Haut-Rhin
Metzeral
Sapois
Rochesson
La Bresse
Rainkopf
Mittlach
Wasserbourg
Col du Firstplan
Osenbach
Vagney
Col de Menufosse
Col de Bramont
Rothenbachkopf
Schnepfenried
Pt Ballon
Col de Boenlesgrab
Col de la Vierge
Col du Brabant
Col du Herrenberg
Col du Platzerwasel
Hilsenfirst
Soultzmatt
Thiéfosse
Wildenstein
Cornimont
Grand Ventron
Col d'Hahnenbrunnen
Linthal
Lautenbach
Saulxures-s-Moselotte
Ventron
Kruth
Le Breitfirst
Murbach
Buhl
Col du Ménil
Col d'Oderen
Le Markstein
Guebwiller
Le Ménil
Grand Drumont
Oderen
Fellering
Parc de Wesserling
Grd Ballon
Soultz-Haut-Rhin
Ramonchamp
Le Thillot
Bussang
Col de Bussang
Urbès
Husseren-Wesserling
St-Amarin
Historial du Hartmannswillerkopf
Fresse-s-Moselle
Storckensohn
Mollau
Malmerspach
Moosch
Willer-s-Thur
Goldbach-Altenbach
Col du Silberloch
Vieil Armand
Wattwiller
St-Maurice-sur-Moselle
Tête des Neufs Bois
Tête du Rouge Gazon
Tête des Perches
Col du Dreimarkstein
Col de Herrenfluh
Château-Lambert
Bitschwiller-lès-T.
Ballon d'Alsace
Thann
Vieux-Thann
Cernay
Uffholtz
Steinbach
Le Rossberg
Oberbruck
Col du Ballon

Schlossberg
Ch^au de Ramstein
Scherwiller
Frankenbourg
Val-de-Villé
Châtenois
Riedwassen
Champ de Tir
Willerhof
Ehnwihr
Rathsamhausen
Hilsenheim
Bindernheim
Bge de Rhinau
Grafen
Rust
Europa-Park
Wittisheim
Muttersholtz
Sundhouse
Sélestat
Ettenheim
Ringsheim
Untertal
Ettenheimweiler
Kahlenberg
Herbolzheim
Tutschfelden
Broggingen
Bleichheim
Montagne des Singes
Volerie des Aigles
Kintzheim
Parc des Cigognes
Baldenheim
Breitenheim
Schwobsheim
Saasenheim
Schœnau
Rheinhausen
Niederhausen
Oberhausen
Maria-im-Sand
Orschwiller
Haut-Kœnigsbourg
St-Hippolyte
Mussig
Bœsenbiesen
Richtolsheim
Chapelle du Chêne
Rodern
Rorschwihr
Reichenberg
Hirtengaerten
Schnellenbuhl
Artolsheim
Weisweil
Wagenstadt
Kirnburg
Kirnhalden
Nordweil
Hessenheim
Heidolsheim
Bootzheim
Kenzingen
Bombach
Lichteneck
Hecklingen
Hochwald
Heimbach
Ht Ribeaupierre
Girsberg
Ch^au de St-Ulrich
Bergheim
Ribeauvillé
Guémar
Illhaeusern
Ohnenheim
Mackenheim
Marckolsheim
Wyhl
Forchheim
Malterdingen
Cigognes
Zellenberg
Ostheim
Elsenheim
Memorial
Bge de Marckolsheim
Riegel
Köndringen
Limburg
Sasbach
Endingen
Beblenheim
Bennwihr
Mittelwihr
Grussenheim
Königschaffhausen
Amoltern
Usenburg
Bahlingen
Teningen
Emmendingen
Sigolsheim
Schoppenwihr
Houssen
Riedwihr
Jebsheim
Leiselheim
Jechtingen
Katharina-Berg
Kiechlinsbergen
Silberbrunnen
Ammerschwihr
Rosenkranz
(Porte-du-Ried)
Holtzwihr
Artzenheim
Sponeck
Burkheim
Bischoffingen
Kaiserstuhl
Schelingen
Vogtsburg
Nimburg
Wasser
Wickerschwihr
Bischwihr
Muntzenheim
Baltzenheim
Oberrotweil
Oberbergen
Eichelspitze
Eichstetten
Vogelsang
Totenkopf
Bötzingen
Bottingen
Unter-reute
Ingersheim
Durrenentzen
Urschenheim
Neuershausen
Holzhausen
Oberreute
Wihr-en-Plaine
Fortschwihr
Kunheim
Niederrotweil
Bickensohl
Oberschaffhausen
Lilienthal
March
Buchheim
Horbourg-Wihr
Achkarren
Hugstetten
Andolsheim
Widensolen
Wasenweiler
Badische Weinstr.
Ihringen
Gottenheim
Hochdorf
Schauinsland
COLMAR
Wettolsheim
Les Erlen
Sundhoffen
Biesheim
Breisach am Rhein
Umkirch
Lehen
Le Kastenwald
Appenwihr
Wolfgantzen
Volgelsheim
Hochstetten
Gündlingen
Merdingen
Waltershofen
Husseren-les-Châteaux
Herrlisheim-près-C.
Logelheim
Neuf-Brisach
Vogelgrun
Wippertskirch
St Nikolaus
Zoo
FREIBURG IM BREISGAU
Betzenhausen
Hattstatt
Ste-Croix-en-Plaine
Weckolsheim
Algolsheim
Rothgern
Rothaus
Niederrimsingen
Opfingen
Haslach
Hettenschlag
Obersaasheim
Tiengen
Oberrimsingen
Munzingen
St Georgen
Niederhergheim
Geiswasser
Ehrentrud
Schallstadt
Wolfenweiler
Leutersberg
Ebringen
Merzhausen
Dessenheim
Heiteren
Grezhausen
Hausen an der Möhlin
Mengen
Scherzingen
Schönberg
Wittnau
Oberhergheim
Isenbourg
Thierhurst
Norsingen
Öhlinsweiler
Pfaffenweiler
Biltzheim
Rouffach
Niederentzen
Rustenhart
Rheinfelderhof
Nambsheim
Feldkirch
Bienen
Dottighofen
Offnadingen
Ehrenkirchen
Sölden
Oberentzen
Hartheim
Schlatt
Thermalbad
Kirchhofen
Bollschweil
Gündolsheim
Schaeferhoff
Balgau
Bad Krozingen
Ober-ambringen
Gütighofen
Munwiller
Fessenheim
Cité
Bremgarten
Tunsel
Kems
Ehrenstetten
Meyenheim
Hirtzfelden
Weinstetten
Oberkrozingen
Schmidhofen
St Gotthardhof
Réguisheim
Merxheim
Roggenhouse
Blodelsheim
Eschbach im Schwarzwald
Gallenweiler
Staufen im Breisgau
Maistollen
St Johannes
Wettelbrunn
Grißheim
Pralatenwald
Etzenbach
Raedersheim
Ungersheim
Munchhouse
Heitersheim
Seefelden
Dottingen
Grunern
Dietzelbach
Wasen
St Trud
Münster
Neuhäuser
Kropbach
Hof
Ballrechten-Dottingen
Betberg
Ziegelplatz
Teufelsgrund
Enggründle-Kopf
Untermünstertal
Mulden
Sulzburg
Feldkirch
Bollwiller
Parc du Petit Prince
Ensisheim
Buggingen
Laufen
St Ilgen
Ecomusée d'Alsace
Pulversheim
Moulin-d'Adolsheim
Champ
Forêt
Rumersheim-le-Haut
Dattingen
Muggardt
Rotenbuck
Rammelsbacher-Eck
Bad Sulzburg
Zienken
Hügelheim
Britzingen
Zunzingen
Neuenfels
Münsterhalden
Ste-Barbe
Ruelisheim
Bantzenheim
Chalampé
Müllheim
Oberweiler
Schweighof
Schoenensteinbach
Battenheim
Niederweiler
Sirnitz
Haldenhof
Köhlgarten
Wittenheim
Baldersheim
Grunhutte
Neuenburg
Badenweiler
Hoch-Wald
Vögisheim
Ringwall
Luisenheim
Lipburg
Hausbaden
Friedrichsheim
Blauen
Kühlenbronn
Ottmarsheim
Sausheim
Auggen
Feldberg
Sehringen
Obernhürschen
Fischenberg
Rhein
Grand Canal d'Alsace
Canal de la Hardt
Canal Vauban
Forêt de la Hardt
Bois de Hollabluble
Leopolds Kanal
Dreisam
Glotter
Mooswald
Möhlin
Tuniberg
Sulzbach
E
F
G
H
97
143
1
2
3
4
5

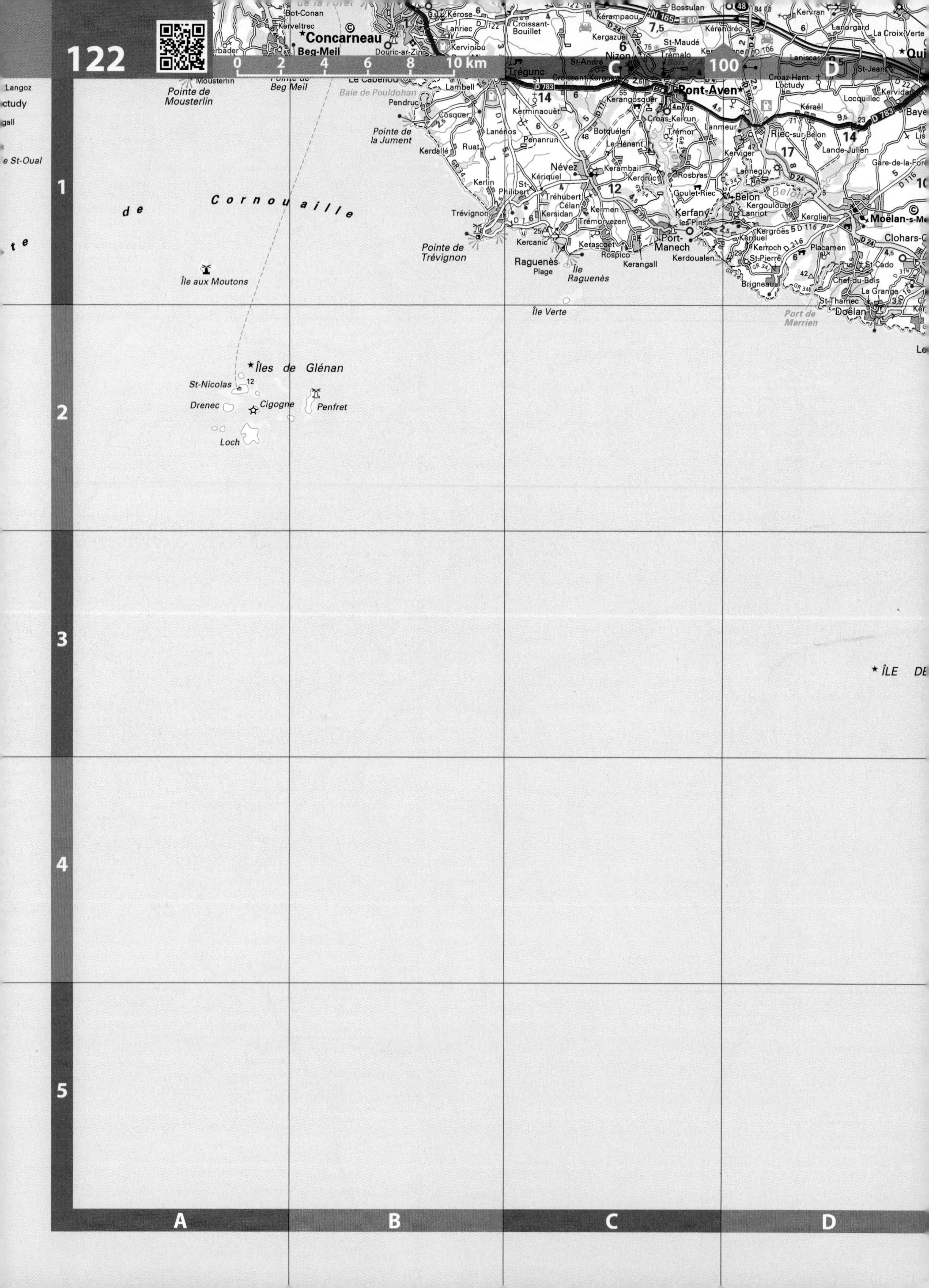
0 2 4 6 8 10 km
Concarneau
Beg-Meil
Pointe de Mousterlin
Pointe de Beg Meil
Baie de Pouldohan
Pointe de la Jument
Trégunc
Pont-Aven
Névez
Riec-sur-Bélon
Moëlan-s-Mer
Pointe de Trévignon
Port-Manech
Raguenès Plage
Île Raguenès
Île Verte
Doëlan
Port de Merrien
de Cornouaille
Île aux Moutons
Îles de Glénan
St-Nicolas
Drenec
Cigogne
Penfret
Loch
100
1
2
3
4
5
A
B
C
D

E
F
G
H
101
144
124
1
2
3
4
5
Arzano
Rédéné
Cléguer
Calan
Lanvaudan
Inzinzac-Lochrist
Pont-Scorff
Caudan
Hennebont
Quéven
Guidel
Gestel
Lanester
LORIENT
Ploemeur
LORIENT-BRETAGNE-SUD
Guidel-Plages
Rocher Royal
Larmor-Plage
Port-Louis
Gâvres
Locmiquélic
Riantec
Kervignac
Nostang
Merlevenez
Ste-Hélène
Plouhinec
Belz
Étel
Erdeven
Landévant
Languidic
Brandérion
Landaul
Locoal-Mendon
Ploemel
Plouharnel
Carnac
Carnac-Plage
La Trinité-sur-Mer
Alignements
Tumulus
St-Pierre-Quiberon
Quiberon
Port-Haliguen
Portivy
Groix
Port-Tudy
Locmaria
Port Mélin
Port Mélite
Port St-Nicolas
Pnte de Biléric
Pen-Men
Trou de l'Enfer
Pnte des Chats
Plage des Grands Sables
Pnte du Talut
Passe de l'Ouest
Passe du Sud
Les Errants
Pnte de Gâvres
Basse des Bretons
Côte des Mégalithes
Roches de Magouéro
Barre d'Etel
Pnte d'Erdeven
Île Theviec
Fort de Penthièvre
Pointe du Percho
Côte Sauvage
PRESQU'ÎLE DE QUIBERON
Beg en Aud
Beg Rohu
Beg er Goalennec
Beg er Lan
Beg er Vil
Port Maria
Pnte du Conguel
Plateau des Birvideaux
La Teignouse
Passage de la Teignouse
Chaussée du Béniguet
Île Glazic
BAIE DE QUIBERON
Pnte de Légenès
Sables Blancs
Étang de Coet Rivas
Étg du Moulin de Rhodes
Anse du Pouldu
Étg de Lannénec
Fort Bloqué
N 165
E 60
N 24
D 768
D 781
D 9
D 194

0 2 4 6 8 10 km
102
123
A
B
C
D
1
2
3
4
5
Remungol
Moréac
Buléon
Guégon
Baud
Locminé
Plumelin
Kerguéhennec
Bignan
St-Allouestre
Guéhenno
Camors
La Chapelle-Neuve
Moustoir-Ac
St-Jean-Brévelay
Plumelec
Colpo
Pluvigner
Brandivy
Grand-Champ
Locmaria-Grd-Champ
Locqueltas
Plaudren
Trédion
Landaul
Plumergat
Brech
Ste-Anne-d'Auray
Meucon
Monterblanc
Elven
Forteresse de Largoët
Auray
Pluneret
Plescop
St-Avé
St-Nolff
Treffléan
Sulniac
La Vraie-Croix
Ploeren
Plougoumelen
Le Bono
Crac'h
Baden
Arradon
VANNES
Séné
Theix-Noyalo
Berric
Lauzach
La Trinité-Surzur
Locmariaquer
Larmor-Baden
Île-aux-Moines
Île-d'Arz
Cairn
Î. Gavrinis
Î. Berder
Le Hézo
Surzur
Ambon
Port-Navalo
Arzon
Tumiac
Sarzeau
St-Armel
Kerlévenan
Le Tour-du-Parc
Damgan
St-Gildas-de-Rhuys
Chau de Suscinio
Presqu'île de Rhuys
Côte des Mégalithes
GOLFE DU MORBIHAN
Pnte de Kerpenhir
Pnte de Penvins
Pnte de St-Jacques
Rade de Penerf
Pénestin
N 24
N 165
N 166
E 60
D 780
D 775

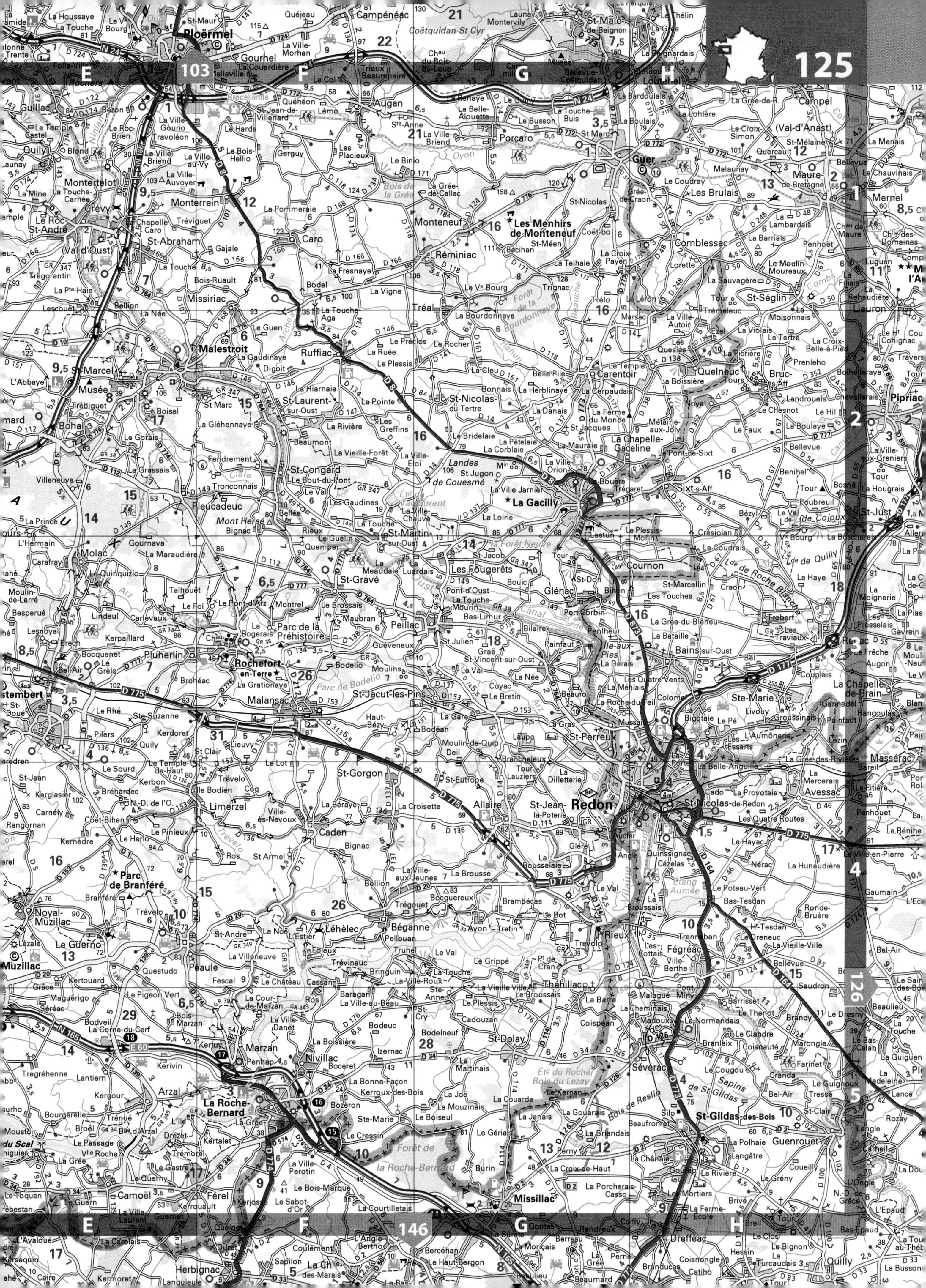
Ploërmel
Guer
Malestroit
Carentoir
La Gacilly
Redon
Rochefort-en-Terre
Questembert
Muzillac
La Roche-Bernard
Missillac
St-Gildas-des-Bois
Pipriac
Les Menhirs de Monteneuf
Parc de Branféré
Parc de la Préhistoire
Landes de Cousemé
Forêt de la Roche-Bernard
Canal de Nantes à Brest
E
F
G
H
103
146
126

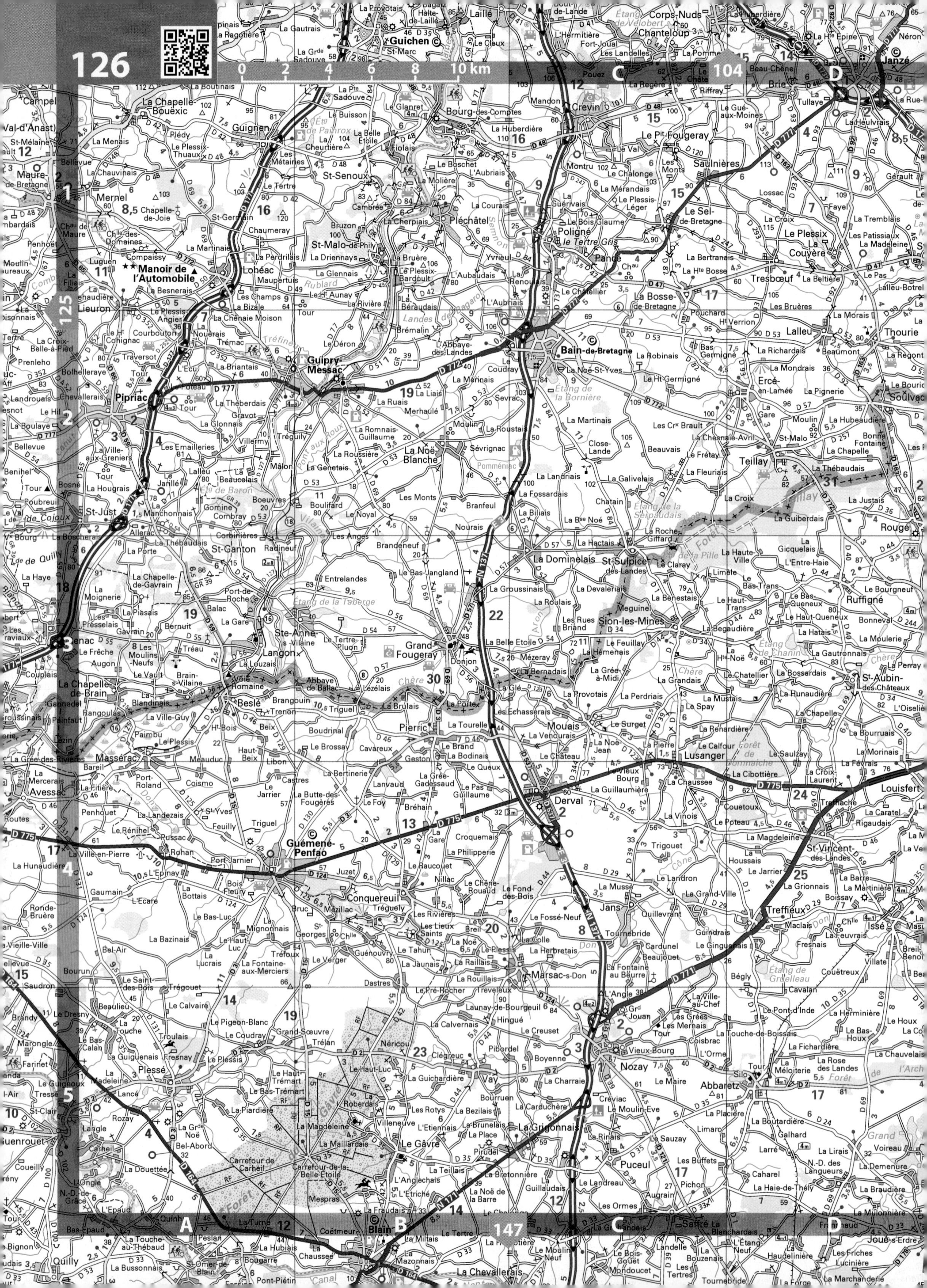
0 2 4 6 8 10 km
104
125
147
A
B
C
D
1
2
3
4
5
Guichen
Laillé
Corps-Nuds
Chanteloup
Janzé
La Chapelle-Bouëxic
Guignen
Bourg-des-Comptes
Crevin
Le Pt Fougeray
Saulnières
Maure-de-Bretagne
Mernel
St-Senoux
Pléchâtel
Poligné
Le Sel-de-Bretagne
Le Plessis
La Couyère
Manoir de l'Automobile
Lohéac
St-Malo-de-Phily
Pancé
Tresbœuf
Lieuron
La Bosse-de-Bretagne
Lalleu
Thourie
Guipry-Messac
Bain-de-Bretagne
Pipriac
Ercé-en-Lamée
Soulvache
La Noë-Blanche
Sévrignac
Teillay
St-Just
Rougé
St-Ganton
La Dominelais
St-Sulpice-des-Landes
Ruffigné
Sion-les-Mines
Renac
Ste-Anne-s-Vilaine
Langon
Grand Fougeray
St-Aubin-des-Châteaux
La Chapelle-de-Brain
Brain-s-Vilaine
Beslé
Pierric
Mouais
Masserac
Avessac
Lusanger
Louisfert
Derval
Guémené-Penfao
St-Vincent-des-Landes
Conquereuil
Jans
Treffieux
Issé
Marsac-s-Don
Nozay
Plessé
Vay
Abbaretz
Le Gâvre
La Grigonnais
Puceul
Forêt du Gâvre
Blain
Saffré
La Chevallerais
Quilly
Joué-s-Erdre
D 775
D 777
D 772
D 771
N 137
N 171
D 164
E 3

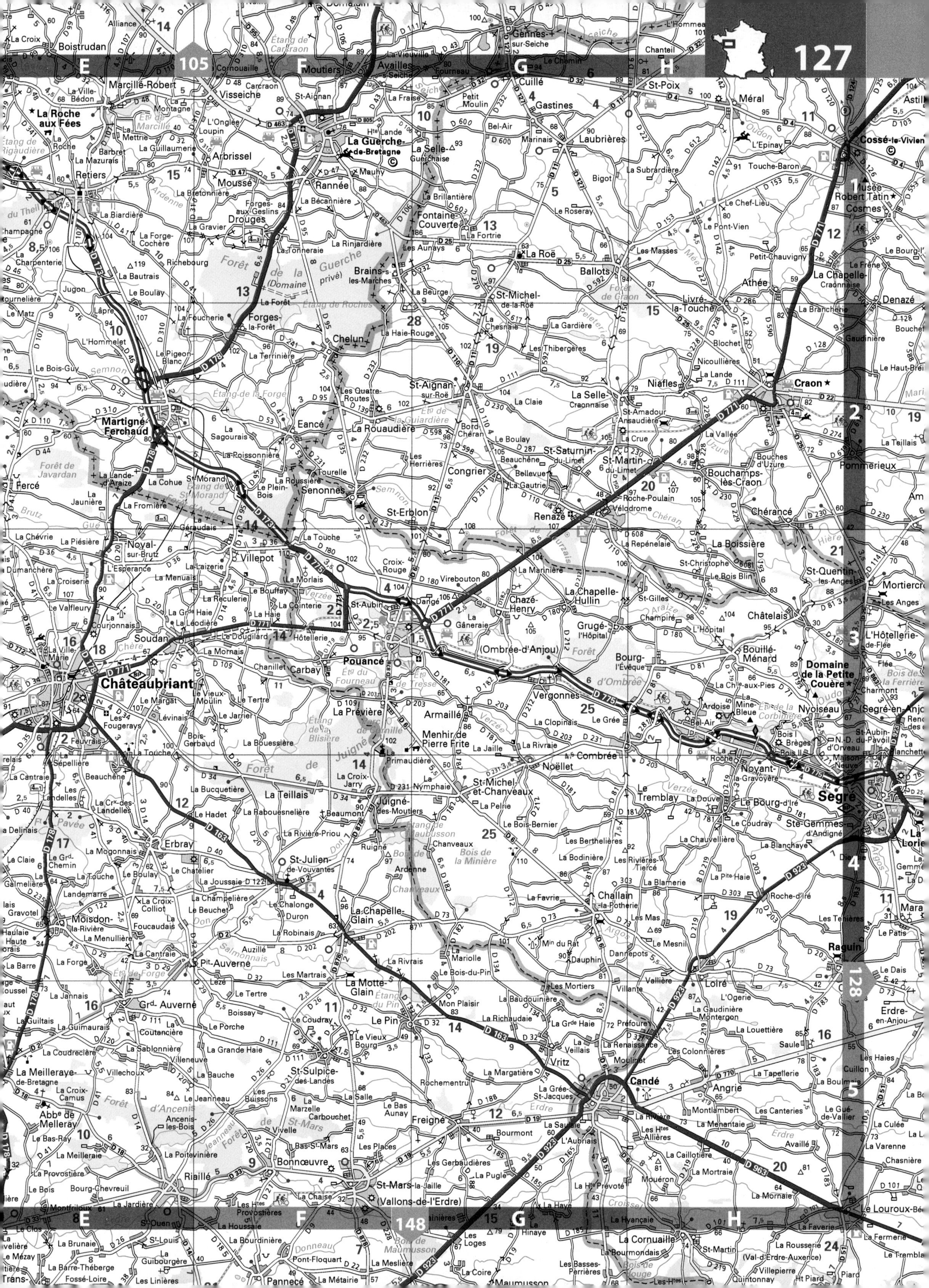
105
128
148
E
F
G
H
Boistrudan
Marcillé-Robert
Visseiche
Moutiers
Availles-s-Seiche
Gennes-sur-Seiche
Cuillé
Gastines
Laubrières
St-Poix
Méral
Cossé-le-Vivien
La Roche aux Fées
Retiers
Arbrissel
La Guerche-de-Bretagne
La Selle-Guerchaise
Rannée
Mousse
Drouges
Forges-aux-Geslins
Fontaine-Couverte
La Roë
Ballots
Athée
Livré-la-Touche
Musée Robert Tatin
Cosmes
La Chapelle-Craonnaise
Denazé
Forêt de la Guerche (Domaine privé)
Brains-s-les-Marches
St-Michel-de-la-Roë
Forêt de Craon
Forges-la-Forêt
Chelun
Martigné-Ferchaud
St-Aignan-sur-Roë
La Selle-Craonnaise
Niafles
Craon
Eancé
La Rouaudière
Congrier
St-Saturnin-du-Limet
St-Martin-du-Limet
Bouchamps-lès-Craon
Pommerieux
Forêt de Javardan
Fercé
Senonnes
St-Erblon
Renazé
Chérancé
Noyal-sur-Brutz
Villepot
La Boissière
St-Quentin-les-Anges
Mortiercrolles
Soudan
Chazé-Henry
La Chapelle-Hullin
Châtelais
L'Hôtellerie-de-Flée
Châteaubriant
Pouancé
Carbay
(Ombrée-d'Anjou)
Grugé-l'Hôpital
Bourg-l'Évêque
Bouillé-Ménard
Domaine de la Petite Couère
Vergonnes
Armaillé
Nyoiseau
(Segré-en-Anjou Bleu)
Menhir de Pierre Frite
Combrée
Noëllet
Noyant-la-Gravoyère
Segré
Forêt de Juigné
La Teillais
Juigné-des-Moutiers
St-Michel-et-Chanveaux
Le Tremblay
Le Bourg-d'Iré
Ste-Gemmes-d'Andigné
Erbray
St-Julien-de-Vouvantes
Bois de la Minière
Challain-la-Potherie
Moisdon-la-Rivière
La Chapelle-Glain
Raguin
Pt-Auverne
La Motte-Glain
Loiré
Grd-Auverne
Le Pin
Vritz
Erdre-en-Anjou
La Meilleraye-de-Bretagne
St-Sulpice-des-Landes
Candé
Angrie
Abbe de Melleray
Forêt d'Ancenis
Freigné
Riaillé
Bonnœuvre
St-Mars-la-Jaille
(Vallons-de-l'Erdre)
Le Louroux-Béconnais
La Cornuaille
St-Ouen
D 771
D 775
D 178
D 163
D 923
D 963

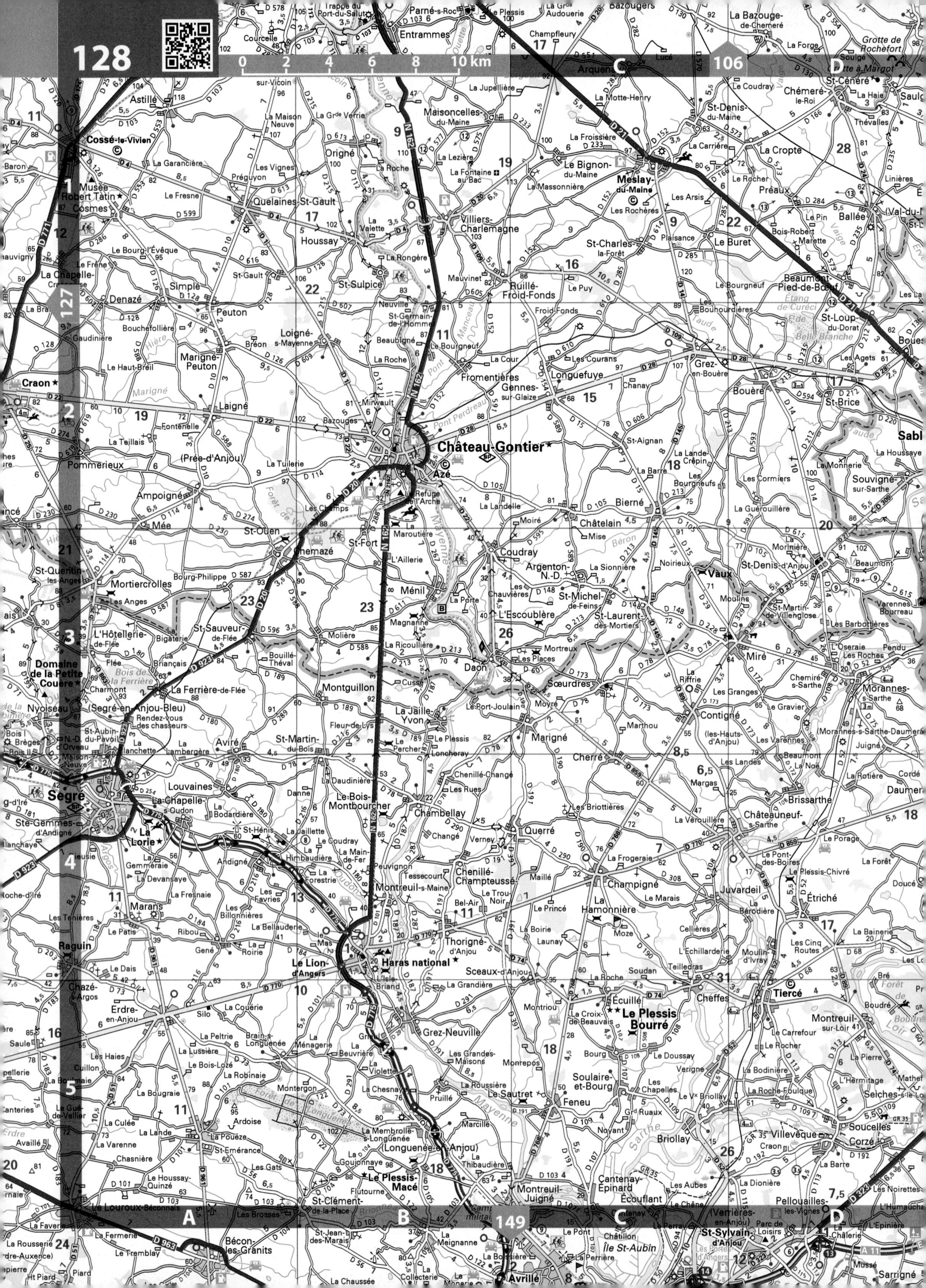
0 2 4 6 8 10 km
106
127
149
A
B
C
D
Cossé-le-Vivien
Musée Robert Tatin
Cosmes
Quelaines-St-Gault
Entrammes
Parné-s-Roc
Maisoncelles-du-Maine
Origné
Meslay-du-Maine
Le Bignon-du-Maine
Arquenay
La Bazouge-de-Chemeré
Chémeré-le-Roi
St-Denis-du-Maine
Préaux
Ballée
Villiers-Charlemagne
Houssay
St-Sulpice
Simplé
Denazé
La Chapelle-Craonnaise
Peuton
Loigné-s-Mayenne
Marigné-Peuton
Craon
Ruillé-Froid-Fonds
St-Charles-la-Forêt
Beaumont-Pied-de-Bœuf
St-Loup-du-Dorat
Fromentières
Longuefuye
Gennes-sur-Glaize
Grez-en-Bouère
Bouère
St-Brice
Laigné
Bazouges
Château-Gontier
Azé
Pommerieux
Ampoigné
Mée
St-Quentin-les-Anges
Chemazé
St-Fort
Coudray
Bierné
Châtelain
Argenton-N.-D.
St-Michel-de-Feins
St-Laurent-des-Mortiers
Vaux
St-Denis-d'Anjou
Mortiercrolles
Ménil
L'Hôtellerie-de-Flée
St-Sauveur-de-Flée
Daon
Miré
Domaine de la Petite Couère
La Ferrière-de-Flée
Montguillon
La Jaille-Yvon
Sœurdres
Contigné
Chemiré-s-Sarthe
Morannes-s-Sarthe
Nyoiseau
(Segré-en-Anjou-Bleu)
Aviré
St-Martin-du-Bois
Marigné
Cherré
Segré
Louvaines
La Chapelle-s-Oudon
Le-Bois-Montbourcher
Chambellay
Querré
Brissarthe
Châteauneuf-s-Sarthe
Ste-Gemmes-d'Andigné
La Lorie
Andigné
Chenillé-Champteussé
Champigné
Juvardeil
Étriché
Marans
Montreuil-s-Maine
Thorigné-d'Anjou
Raguin
Le Lion-d'Angers
Haras national
Sceaux-d'Anjou
Écuillé
Cheffes
Tiercé
Chazé-s-Argos
Erdre-en-Anjou
Le Plessis Bourré
Grez-Neuville
Montreuil-sur-Loir
Soulaire-et-Bourg
Le Sautret
Feneu
Briollay
Seiches-s-le-Loir
La Pouëze
La Membrolle-s-Longuenée
(Longuenée-en-Anjou)
Villevêque
Soucelles
Corzé
Le Plessis-Macé
Montreuil-Juigné
Cantenay-Épinard
Écouflant
Pellouailles-les-Vignes
Le Louroux-Béconnais
St-Clément-de-la-Place
Bécon-les-Granits
La Meignanne
Avrillé
St-Sylvain-d'Anjou
Île St-Aubin

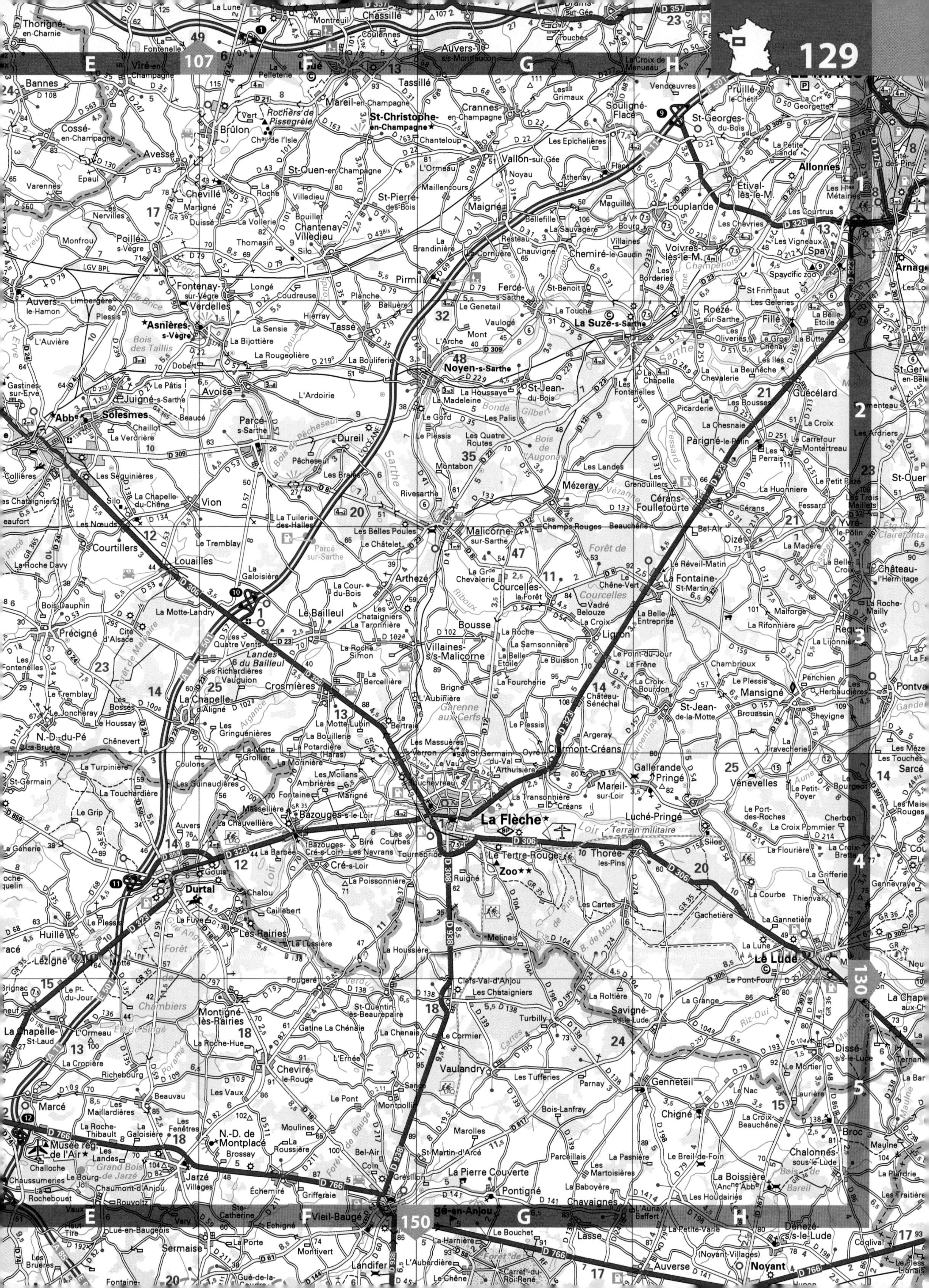

Thorigné-en-Charnie
Chassillé
Auvers-s/s-Montfaucon
Loué
Tassillé
Le Mans
Bannes
Viré-en-Champagne
Brûlon
Rochers de Pissegrèle
Mareil-en-Champagne
St-Christophe-en-Champagne
Crannes-en-Champagne
Souligné-Flacé
St-Georges-du-Bois
Pruillé-le-Chétif
Cossé-en-Champagne
Avessé
St-Ouen-en-Champagne
Vallon-sur-Gée
Allonnes
Chevillé
Maigné
Louplande
Étival-lès-le-M.
Poillé-s-Vègre
Chantenay-Villedieu
Chemiré-le-Gaudin
Voivres-lès-le-M.
Spay
Arnage
Fontenay-sur-Vègre
Pirmil
Fercé-s-Sarthe
Auvers-le-Hamon
Verdelles
Asnières-s-Vègre
Tassé
La Suze-s-Sarthe
Roézé-sur-Sarthe
Fillé
Noyen-s-Sarthe
Juigné-s-Sarthe
Avoise
St-Jean-du-Bois
Guécélard
Solesmes
Parcé-s-Sarthe
Dureil
Parigné-le-Pôlin
Mézeray
Cérans-Foulletourte
Vion
Malicorne-sur-Sarthe
Yvré-le-Pôlin
Courtillers
Louailles
Arthezé
Courcelles-la-Forêt
La Fontaine-St-Martin
Précigné
Le Bailleul
Bousse
Ligron
Villaines-s/s-Malicorne
Crosmières
Mansigné
La Chapelle-d'Aligné
St-Jean-de-la-Motte
N.-D.-du-Pé
Clermont-Créans
Bazouges-s-le-Loir
La Flèche
Mareil-sur-Loir
Luché-Pringé
Vénevelles
Durtal
Thorée-les-Pins
Zoo
Les Rairies
Le Lude
Huillé
Lézigné
Clefs-Val-d'Anjou
Savigné-s/s-le-Lude
Montigné-lès-Rairies
Vaulandry
Cheviré-le-Rouge
Genneteil
Dissé-s/s-le-Lude
Chigné
Marcé
N.-D. de Montplacé
Broc
Musée rég. de l'Air
Jarzé
Chalonnes-sous-le-Lude
La Pierre Couverte
Pontigné
Chavaignes
Vieil-Baugé
Denezé-s/s-le-Lude
Noyant
Auverse
Sermaise
Landifer

130
108
129
151
0 2 4 6 8 10 km
Allonnes
Arnage
Spay
Mulsanne
Changé
Ruaudin
Musée Automobile
Abbaye de l'Épau
Parigné-l'Évêque
Challes
Brette-les-Pins
Surfonds
Ardenay-sur-Mérize
Volnay
St-Mars-de-Locquenay
Bouloire
Maisoncelles
Coudrecieux
Écorpain
Tresson
Évaillé
Ste-Osmane
Teloché
Moncé-en-Belin
St-Gervais-en-Belin
Laigné-en-Belin
Guécélard
St-Mars-d'Outillé
Le Grand-Lucé
Villaines-s/s-Lucé
Montreuil-le-Henri
Cogners
St-Ouen-en-Belin
Écommoy
Marigné-Laillé
Pruillé-l'Éguillé
St-Vincent-du-Lorouër
St-Georges-de-la-Couée
Vancé
Courdemanche
St-Pierre-du-Lorouër
Jupilles
Château-l'Hermitage
Pontvallain
Mayet
Beaumont-Pied-de-Bœuf
Thoiré-sur-Dinan
Verneil-le-Chétif
Sarcé
Lavernat
Flée
Chahaignes
Lhomme
Ruillé-s-Loir
Poncé-s-le-Loir
La Chartre-s-le-Loir
Marçon
Château-du-Loir
(Montval-s-Loir)
Luceau
Aubigné-Racan
Coulongé
Vouvray-s-Loir
Beaumont-sur-Dême
Villedieu-le-Château
Vaas
Montabon
Nogent-sur-Loir
Dissay-s/s-Courcillon
Épeigné-sur-Dême
Chemillé-sur-Dême
La Bruère-sur-Loir
St-Aubin-le-Dépeint
St-Pierre-de-Chevillé
Villebourg
Bueil-en-Touraine
La Chapelle-aux-Choux
St-Germain-d'Arcé
St-Christophe-sur-le-Nais
St-Paterne-Racan
Louestault
Neuvy-le-Roi
Dissé-s/s-le-Lude
Chenu
La Roche-Racan
Villiers-au-Bouin
Brèches
Braye-sur-Maulne
Couesmes
Marcilly
Château-la-Vallière
Neuillé-Pont-Pierre
Sonzay
Souvigné
Lublé
Broc
Chalonnes-sous-le-Lude
Denezé-s/s-le-Lude
Forêt de Bercé
A
B
C
D
1
2
3
4
5
D 338
D 304
D 357
D 323
D 766
D 959
D 305
A 28
E 502

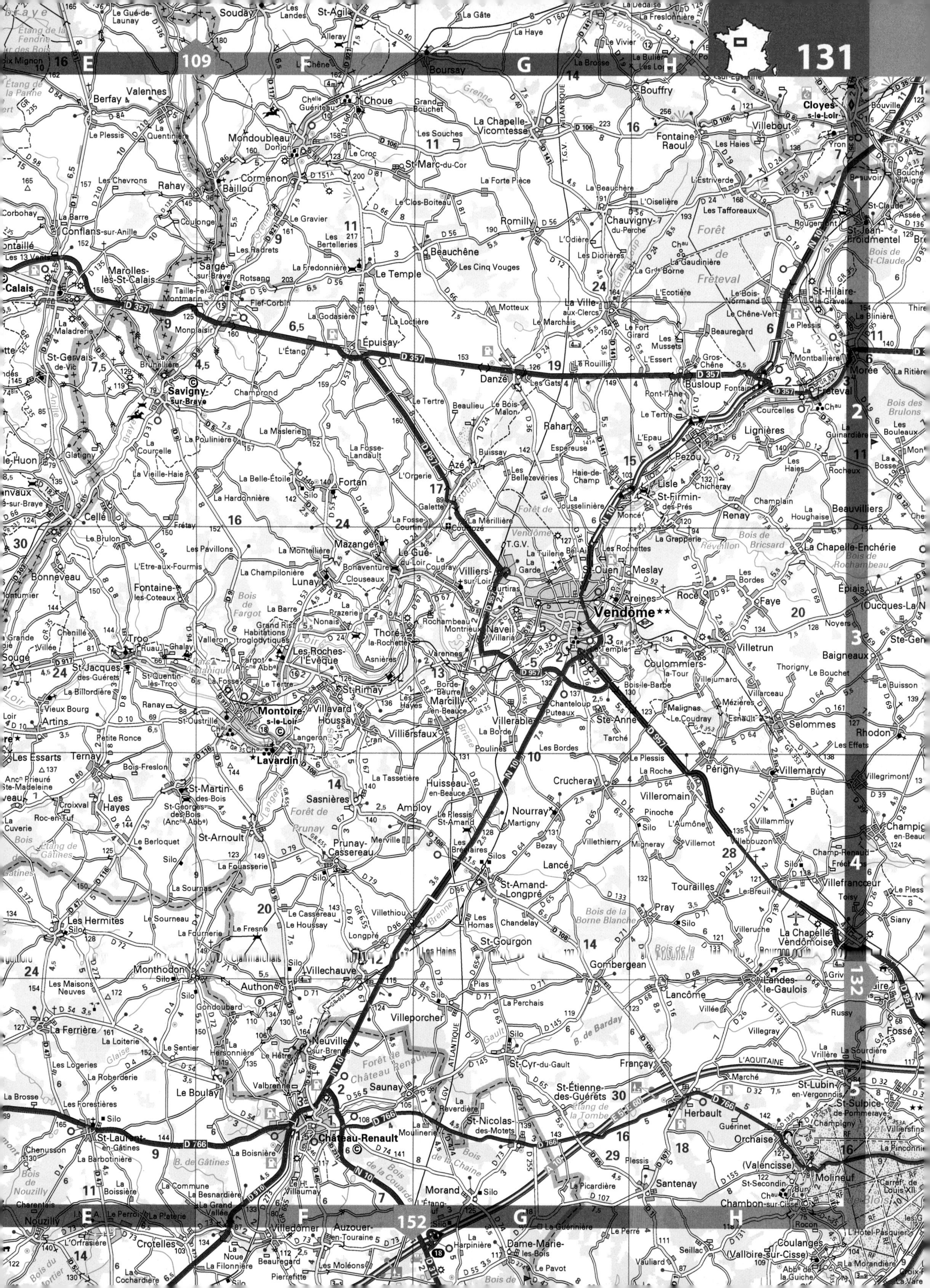
E
F
G
H
109
132
152
Souday
St-Agil
Boursay
Choue
Mondoubleau
Baillou
Cormenon
St-Marc-du-Cor
La Chapelle-Vicomtesse
Fontaine-Raoul
Cloyes-s-le-Loir
Berfay
Valennes
Rahay
Conflans-sur-Anille
Marolles-lès-St-Calais
Sargé-sur-Braye
Le Temple
Beauchêne
Romilly
Chauvigny-du-Perche
Forêt de Fréteval
St-Jean-Froidmentel
La Ville-aux-Clercs
Épuisay
Danzé
Busloup
Fréteval
Morée
Savigny-sur-Braye
St-Gervais-de-Vic
Rahart
Lignières
Pezou
Azé
Lisle
St-Firmin-des-Prés
Fortan
Mazangé
Lunay
Le Gué-du-Loir
Villiers-sur-Loir
Renay
Beauvilliers
Bonneveau
Fontaine-les-Coteaux
Vendôme
St-Ouen
Meslay
Areines
Naveil
Thoré-la-Rochette
Les Roches-l'Évêque
Troo
St-Jacques-des-Guérets
Montoire-s-le-Loir
Lavardin
St-Rimay
Houssay
Marcilly-en-Beauce
Villerable
Ste-Anne
Coulommiers-la-Tour
Villetrun
Selommes
Baigneaux
Épiais
Périgny
Villemardy
Crucheray
Villeromain
Nourray
Huisseau-en-Beauce
Ambloy
Sasnières
St-Martin-des-Bois
St-Arnoult
Prunay-Cassereau
Lancé
St-Amand-Longpré
Tourailles
Pray
La Chapelle-Vendômoise
Les Hermites
St-Gourgon
Gombergean
Monthodon
Authon
Villechauve
Landes-le-Gaulois
Lancôme
La Ferrière
Villeporcher
Neuville-sur-Brenne
Le Boulay
Saunay
St-Cyr-du-Gault
Françay
St-Étienne-des-Guérets
Herbault
St-Lubin-en-Vergonnois
Château-Renault
St-Laurent-en-Gâtines
St-Nicolas-des-Motets
Santenay
Orchaise
Molineuf
Morand
Villedômer
Auzouer-en-Touraine
Crotelles
Nouzilly
Dame-Marie-les-Bois
Coulanges
Chambon-sur-Cisse
D 357
D 957
N 10
D 766
L'AQUITAINE
ATLANTIQUE

132
0 2 4 6 8 10 km
110
131
153
A
B
C
D
1
2
3
4
5
Cloyes-s-le-Loir
Autheuil (Cloyes-les-Trois-Rivières)
Romilly-sur-Aigre
La Ferté-Villeneuil
Charray
Le Mée
Membrolles
Villampuy
Villamblain
Tournoisis
Patay
Coinces
St-Péravy-la-Colombe
St-Sigismond
Gémigny
Épieds-en-Beauce
Coulmiers
Charsonville
Ouzouer-le-Doyen
Moisy
Binas
Ouzouer-le-Marché
Morée
Fréteval
Autainville
Vievy-le-Rayé
St-Laurent-des-Bois
St-Léonard-en-Beauce
Marchenoir
Oucques
Lorges
Cravant
Baccon
Huisseau-sur-Mauves
Meung-sur-Loire
Cléry-St-André
Beaugency
Josnes
Roches
Talcy
Concriers
Séris
Villorceau
Messas
Tavers
Lailly-en-Val
Villeneuve-Frouville
Ste-Gemmes
Boisseau
Maves
Conan
Rhodon
Selommes
Villexanton
La Chapelle-St-Martin-en-Plaine
Mer
Avaray
Lestiou
Courbouzon
St-Laurent-Nouan
Champigny-en-Beauce
Averdon
Mulsans
Suèvres
Muides-sur-Loire
Villerbon
Cour-sur-Loire
Menars
St-Dyé-sur-Loire
Montlivault
Maslives
Chambord
Thoury
La Ferté-St-Cyr
Crouy-sur-Cosson
Bohaire
Marolles
Fossé
Villebarou
St-Denis-sur-Loire
St-Claude-de-Diray
Chaussée-St-Victor
BLOIS
St-Sulpice-de-Pommeray
Vineuil
Huisseau-sur-Cosson
Dhuizon
Neuvy
Montrieux-en-Sologne
Mont-près-Chambord
Vineuil
Chailles
Beauregard
Bracieux
Villesavin
Forêt de Blois
Forêt de Marchenoir
Parc de Chambord
Forêt de Boulogne
Bois de la Ferté
Aigre
Loir
Loire
Cisse
Cosson
Beauce la Romaine
Oucques-La Nouvelle
D 357
D 924
D 917
D 925
D 2152
D 955
D 957
A 10
L'AQUITAINE

133
111
E
F
G
H
Bordes
Chameul
Domecy
Trogny
St-Barthélémy
Les Mardelles
Les Châteliers
Les Chapelles
St-Lyé-la-Forêt
Bougy-lez-Neuville
Les Roncières
Carref. des Sept Routes
Carref. des Cinq Routes
Huit Routes
La Provenchère
Les Francs
Huêtre
Huneau
L'AQUITAINE
Aérotrain
Ambert
Champ Chêne
La Chesnaye
La Motte
Gaillard
Carref. de la Barrière Cassée
La Cour Dieu
Carref. des Neuf Routes
Bricy
Beaurepaire
Janvry
Gidy
Boulay-les-Barres
Cas Rouge
Orléans-Gidy
Cercottes
Rebréchien
Loury
La Roncière
Philiponnet
La Motte-des-Ruets
Ingrannes
La Pte Motte
Sully-la-Chapelle
La Cave
Les Caillettes
Heurdy
Pommiers
Centre pénitentiaire
Chanteau
Le Rosier
Le Grd Charmoy
Traînou
Seichebrières
Montaigu
Camp militaire
Marigny-les-Usages
Chevaupy
Claireau
Étg de la Binoche
Étang de la Vallée
Combreux
La Borde
Saran
Vennecy
Silo
Soligny
Cléchy
Étang de Morches
Ormes
Villeneuve
Semoy
Le Pont de Segry
Charbonnière
Boigny-sur-Bionne
Les Barres
Les Landes
Vitry-aux-Loges
La Motte
La Pte Croix
Le Gué-Girault
Canal d'Orléans
Les Quatre Routes
Coutes
Ingré
Le Grd Orme
Fleury-les-Aubrais
La Providence
Les Tertres
Plissay
Allone
Fay-aux-Loges
Reuilly
La Cogelière
Vaumimbert
St-Jean-de-Braye
Les Bretaux
Les Sablons
Donnery
La Malarberie
Les Six Routes
Selliers
Champoigny
Monpatour
St-Jean-de-la-Ruelle
St-Loup
ORLÉANS
Bionne
Le Petit Bourg-Neuf
Reuilly
Pont-aux-Moines
La Touche
Étang de l'Évêque
Étang du Giblais
Lintry
La Charbonnière
Prenay
La Chapelle-St-Mesmin
Combleux
Chécy
Mardié
Les Grds Billons
L'Étang
St-Jean-le-Blanc
St-Denis-en-Val
St-Pryvé-St-Mesmin
St-Nicolas
La Fontaine
Fourneaux
Melleray
Beaulieu
Le Caillot
Bou
Latingy
La Petite Levée
Les Vernelles
Darvoy
St-Denis-de-l'Hôtel
Chenailles
Bel-Air
Paujuif
Les Brosses
St-Martin-d'Abbat
Étg des Planches
St-Hilaire-St-Mesmin
Olivet
Noras
Parc Floral
Puchesse
Le Carrefour
Le Pont
La Place
Chapotte
Jargeau
La Bourdonnière
Châteauneuf-sur-Loire
Les Places
Mareau-aux-Prés
Folleville
L'Hôte Dieu
Université
La Source
Champvallins
Les Pointes
Recules
Sandillon
Savigny
La Pataudière
Les Vallées
Germigny-des-Prés
St-Aignan-des-Gués
Les Muids
La Motte
Chérelle
Boynes
Le Mesnil
Les Boutrons
La Collandrie
Le Bréau
Les Quatre-Vents
St-Cyr-en-Val
Reyville
Le Gamereau
Les Allots
Rebondy
Férolles
Villiers
Ouvrouer-les-Champs
Sigloy
St-Benoît-s-Loire
Le Port
Mézières-lez-Cléry
Villeneuve
Camp militaire
La Porte
Bois des Buffières
Le Gué-Gaillard
Bergeresse
Vienne-en-Val
Guilly
Les Noue
B. du Télégraphe
Le Télégraphe
Corme
Villiers
Le Bruel
Les Prateaux
La Motte
Tigy
Neuvy-en-Sullias
Molaine
Montmasse
Ste-Scholastique
Les Braudins
Le Bailly
Gautray
Chilly
La Violière
La Caille
La Brosse
Bouteille
Les Prouteaux
Boisgibault
Ardon
La Matholière
La Roseraie
La Renardière
Les Chapelles
Montizambert
Villemoret
Le Boury
Les Tourelles
Marcilly-en-Villette
La Tuilerie d'Alosse
Brosseronde
Mongerlon
Le Mainferme
Les Maisons-Neuves
Buglain
La Rousselière
Farges
Bourillon
Alosse
Le Cercle
Le Cerfbois
La Chaise
Grd Pont
Champ-Fleury
Les Relais
La Houssaye
Le Gué-Robert
Coulon
Jouy-le-Potier
Les Boistards
Le Moulinet
Chérupeaux
Le Luet
Baffou
Les Ormeteaux
L'Écheveau
Anc.ne Tuilerie
Préfontaine
Puiseau
Bellefontaine
La Bohardière
Deroboir
Bourillon
La Buffière
St-Rémi-des-Madères
Grd Étg de la Motte
Domaine du Ciran
Prépinson
Viglain
Chartraine
Louan
Les Touchardières
Montambert
Vannes-s-Cosson
Le Lude
La Croix d'Alvault
Le By
La Ferté-St-Aubin
Les Quatre Routes
Quartier des St-Martin
Petit Chavenay
La Turpinière
Beauregard
Vignelles
La Geronnière
La Grisonnière
Le Masuray
Fraisières
La Frogerie
Les Aulnettes
Beauvais
Ménestreau-en-Villette
Courtaille
La Marnière
Montessault
Étang du Donjon
Le Briou
Villette
La Bretèche
Les Trays
Villemurlin
Villaine
Les Fontaines
Les Aisses
Le Moinard
La Guérinière
Sennely
Les Chêneaux
Ligny-le-Ribault
La Ruth
Beuvronne
La Mardelle
Vx Maisons
Les Muids
La Grillère
Les Milouans
Les Champs
Isdes
La Dauphinerie
La Touche
Villedard
Lousson
Val-d'Arignan
Chaumont-sur-Tharonne
St-Aubin
Beuvron
Brenne
Le Rabot
La Gimonière
134
La Rougellerie
Le Corvier
Vouzon
Misabran
Les Villoing
Cantée
Mousseau
Souvigny-en-Sologne
La Grde Tuile
Montevran
Ste-Marie
Le Gué-Robert
Yvoy-le-Marron
L'Ermitage
Forêt de Chaon
La Farge
Amoy-Trégy
Mont-de-Mars
Les Guillaumes
Mont-Suzey
Ste Clair
Le Chesnay
Mont-Collier
Chaumont-sur-Tharonne
Les Clousioux
Les Hauteraux
La Saunerie
Framel
La Motte
Le Grd Vaullier
Lamotte-Beuvron
Chaon
La Noue
St-Maurice
Pont-Ballon
Les Monteaux
Bouchetault
Beauval
Beuzon
Les Vallées
Villebourgeon
Les Pins
La Chataigneraie
Les Hirtaignes
La Minée
Marchis-Neuf
La Marolle-en-Sologne
Milbert
Bouchetin
Cersay
Étang de l'Aiguillon
La Boulinière
Clémont
Baignas
Montfranc
Brelat
Bois-Baudet
La Blondellerie
Bruchet
Bonbonnière
Le Puy
La Royauté
Les Bouffards
Le Coudray
154
Brinon-s-Sauldre
La Lande
Lauroy
Le Rond-Point
La Grd Soupeau
Clairbois
Vouilly
Les Petits Bouffards
Les Rouches
Les Réaux
Bois Chaumont
La Ferté-Beauharnais
Ste-Marie
Villegondin
Burtin
L'Huys
Nouan-le-Fuzelier
Moléon
Bois-Rabot
Les Alicourts
Les Bordes
Les Nérots
Brenne
Vervillon
La Rousselière
Bois-Renard

0 2 4 6 8 10 km
112
155
133
Montargis
Châlette-sur-Loing
Villemandeur
Amilly
Bellegarde
Ladon
Lorris
Gien
Sully-s-Loire
St-Benoît-s-Loire
Germigny-des-Prés
Briare
Châtillon-sur-Loire
Ouzouer-sur-Loire
Dampierre-en-Burly
Les Pêcheurs
La Bussière
Nogent-s-Vernisson
Argent-sur-Sauldre
Blancafort
Cerdon
Coullons
Autry-le-Châtel
Poilly-lez-Gien
St-Brisson-sur-Loire
Ouzouer-s-Trézée
Varennes-Changy
Montereau
Noyers
Chailly-en-Gâtinais
Auvilliers-en-Gâtinais
Quiers-sur-Bézonde
Nesploy
Combreux
Seichebrières
Sury-aux-Bois
Châtenoy
Vieilles-Maisons-sur-Joudry
Bray-en-Val
Les Bordes
Bonnée
St-Père-s-Loire
St-Aignan-le-Jaillard
Lion-en-Sullias
St-Florent
St-Gondon
Viglain
Villemurlin
Clémont
LOIRE
D 2060
D 2160
D 952
D 940
D 2007
A 77

Louzouer
Thorailles
Courtenay
Les Hattins
St-Martin-d'Ordon
La Selle-en-Hermoy
Chuelles
St-Loup-d'Ordon
Verlin
Villecien
St-Aubin-s-Yonne
Cézy
Joigny
Les Orties
La Jacqueminière
Cudot
Précy-s-Vrin
La Celle-St-Cyr
Loivre
Les Pérolats
La Boulassière
Les Buzets
St-Firmin-des-Bois
Montcorbon
Les Raignaults
Jardins du Grand-Courtoiseau
Douchy-Montcorbon
Villefranche-St-Phal
Les Echarlis
Couvent
Les Vieux Echarlis
Sépeaux-St-Romain
Béon
Chamvres
Paroy-s-Tholon
Champvallon
Château-Renard
Triguères
Les Grands Moreaux
L'Aunay
Dicy
St-Romain-le-Preux
Le Grd Bailly (Montholon)
Richebourg
Volgré
Senan
Les Thénards
Les Barniers
Les Grds Salmons
Les Grds Marteaux
Chêne-Arnoult
Prunoy
Malvrain
Les Richards
La Ferté-Loupière
Villiers-s-Tholon
Laduz
Les Archenaults
Melleroy
Fontenouilles
Frécambault
Charny-Orée-de-Puisaye
Les Renards
Jussy
Champcorgeon
La Vieille Ferté
Silo
Aillant-s-Tholon
La Chapelle-sur-Aveyron
Les Plots
Les Guidus
Chambeugle
Perreux
Les Joubins
Sennedots
Ponessant
St-Maurice-sur-Aveyron
Montigny
Sommecaise
Les Ormes
Chassy
Poilly-sur-Tholon
St-Martin-sur-Ouanne
Fontainejean
La Folie
Bontin
Raloy
St-Maurice-Thizouaille
Les Viviens
Châtillon-Coligny
Marchais-Beton
Donzy
St-Denis-sur-Ouanne
Les Gallichets
St-Aubin-Château-Neuf
St-Maurice-le-Vieil
Chevau
La Rue
Les Cacodeaux
Les Herbes-Blanches
Malicorne
Grandchamp
Les Pts Brossards
Fumerault
Les Placeaux
Égleny
Lindry
Le Charme
Asnières
Les Delétangs
Fourolles
Merry-la-Vallée
Beauvoir
Dammarie-s-Loing
Aillant-s-Milleron
Les Perriaux
Champignelles
La Ronce
Villiers-St-Benoît
Le Buisson-St-Vrin
Le Crot
Bois de Bréau
Châtre
Le Bois Planté
Ste-Reine
La Haie
La Villotte
Les Chenons
Le Tremblay
Le Mineroy
Louesme
Les Lédets
Les Bergers
Dracy
Arthé
Parly
Rogny-les-Sept-Écluses
La Mi-Voie
Champeaux
Les Fourneaux
Les Clouries
Champcevrais
Tannerre-en-Puisaye
Les Fouets
Fours
Toucy
Écluses
Claire Fontaine
Les Béatrix
Les François
Villeneuve-les-Genêts
Le Vernoy
Sauilly
Les Fritons
Diges
Le Grd Chemin
Champ-Dolent
Moulins-s-Ouanne
Le Coudray
Les Creux
Les Carreaux
Les Brechots
Bléneau
Septfonds
Mézilles
Le Jaffot
Thabor
Les Platières
Jardin de La Borde
Breteau
Blandy
Dannery
Fontaines
Lalande
Muguet
St-Privé
Les Arraults
Les Proux
Les Heurtaux
Les Pourrains
Leugny
Le Bois-Fort
Montréal
Chièvre
Roncheres
Les Laurents
Levis
Champoulet
La Filonnière
St-Martin-des-Champs
Les Moreaux
Les Buzeaux
Chastenay
St-Fargeau
Les Dalibeaux
Les Roudons
Fontenoy
La Foucherie
L'Atrée
Les Merles
Les Cueillis
Les Robineaux
Dammarie-en-Puisaye
Les Boulmiers
La Forge
St-Sauveur-en-Puisaye
La Chapelle
Saints-en-Puisaye
Le Deffand
Coulon
Richebourg
Lain
Vassy
Taingy
Batilly-en-Puisaye
Bois de Thou
Moutiers-en-P.
La Batisse
Les Robineaux
Banny
Colangette
La Grange-Arthuis
Bois de Bailly
L'Orme du Pont
La Malrue
Gangrette
Lavau
La Rivière
Breuil Ambert
Marchais
Les Noues
Fougilet
Les Laboureurs
Les Midoux
Chantier médiéval de Guédelon
Les Thomas
Les Rèbles
Le Buisson
Thury
Les Puits
Les Sadiers
Les Landris
Bois de Thury
Les Mérys
Thou
Faverelles
La Frémillerie
La Bussière
Les Perriers
Gémilly
La Motte
Moulery
Les Roches
Guerchy
Ste-Colombe-sur-Loing
Vaupy
La Chaise
Les Grds Cocus
Chappe
Lainsecq
Sougères-en-Puisaye
Druyes-les-Belles-Fontaines
La Villeneuve
Arquian
Les Billiens
Chaillou
Ratilly
Treigny
Gourleaux
Le Vaurimbert
Champmartin
Les Billards
Gardefort
Les Poisses
Les Vallots
St-Amand-en-Puisaye
Le Boissenet
Diancy
Perreuse
Beauvais
La Breuille
Les Guillons
Chauminet
Montagne
La Sauvin
113
136
156
E
F
G
H

0 2 4 6 8 10 km
114
135
157
A
B
C
D
1
2
3
4
5
Bellechaume
Champlost
Turny
Paroy-en-Othe
Mercy
Bailly
Soumaintrain
Courtaoult
Beugnon
Le Mesnil
Avrollot
St-Florentin
Avrolles
Frévaux
Brienon-s-Armançon
Esnon
Villepied
Germigny
Les Croûtes
Butteaux
Chéu
Jaulges
Vergigny
Percey
Flogny-la-Chapelle
St-Aubin-s-Yonne
Côte St-Jacques
Joigny
Cézy
Looze
Brion
Laroche-St-Cydroine
Vieux-Migennes
Migennes
Champlay
Paroy-s-Tholon
Chamvres
Épineau-les-Voves
Charmoy
Cheny
Ormoy
Bonnard
Chichy
Mont-St-Sulpice
Hauterive
Bouilly
Rebourseaux
Forêt de Pontigny
Lordonnois
Villiers-Vineux
Carisey
Bas-Rebourseaux
Crécy
Les Régniers
Bel-Air
Beaumont
Bassou
Neuilly
Sénan
Villemer
Chichery
Seignelay
Héry
Rouvray
Pontigny
Venouse
Abbé
Ligny-le-Châtel
Varennes
Dyé
Méré
Vézannes
Maligny
Guerchy (Valravillon)
Champloiseau
Cordeil
Laduz
Appoigny
Branches
Chemilly-s-Yonne
Forêt St-Germain
Montfort
La Mouillère
Aillant-s-Tholon
Poilly-sur-Tholon
Fleury-la-Vallée
Gurgy
Sougères-s-Sinotte
Montigny-la-Resle
Lignorelles
Villy
Fontenay-près-Chablis
Bois de Maligny
Chassy
Sarrigny
Luchy
Monéteau
Villeneuve-St-Salves
La Chapelle-Vaupelteigne
Bleigny-le-Carreau
Beine
Chablis
Fleys
Béru
Chichée
Charbuy
Perrigny
St-Georges-s-Baulche
Egleny
Lindry
Venoy
Les Soleines
Villefargeau
AUXERRE
Augy
Quenne
Courgis
Chitry
Préhy
Chemilly-s-Serein
Pourrain
Chevannes
Vallan
Vaux
St-Bris-le-Vineux
Champs-s-Yonne
St-Cyr-les-Colons
Lichères-près-Aigremont
Diges
Escamps
Gy-l'Évêque
Jussy
Irancy
Escolives-Ste-Camille
Vincelottes
Coulanges-la-Vineuse
Vincelles
Cravant
Vermenton
Coulangeron
Migé
Val-de-Mercy
Bazarnes
Accolay
Ouanne
Merry-Sec
Mouffy
Charentenay
Ste-Pallaye
Prégilbert
Trucy-sur-Yonne
Fontenailles
Courson-les-Carrières
Fouronnes
Fontenay-s/s-Fouronnes
Sery
Bessy-sur-Cure
Arcy-sur-Cure
Lucy-sur-Cure
Molesmes
Taingy
Mailly-le-Château
Mailly-la-Ville
Grottes d'Arcy
Le Chastenay
Voutenay-s-Cure
Joux-la-Ville
Précy-le-Sec
FORÊT DE FRÉTOY
Festigny
Druyes-les-Belles-Fontaines
Merry-sur-Yonne
Châtel-Censoir
Bois-d'Arcy
Sermizelles
Coulanges-
N.D. d'Orient
Girolles

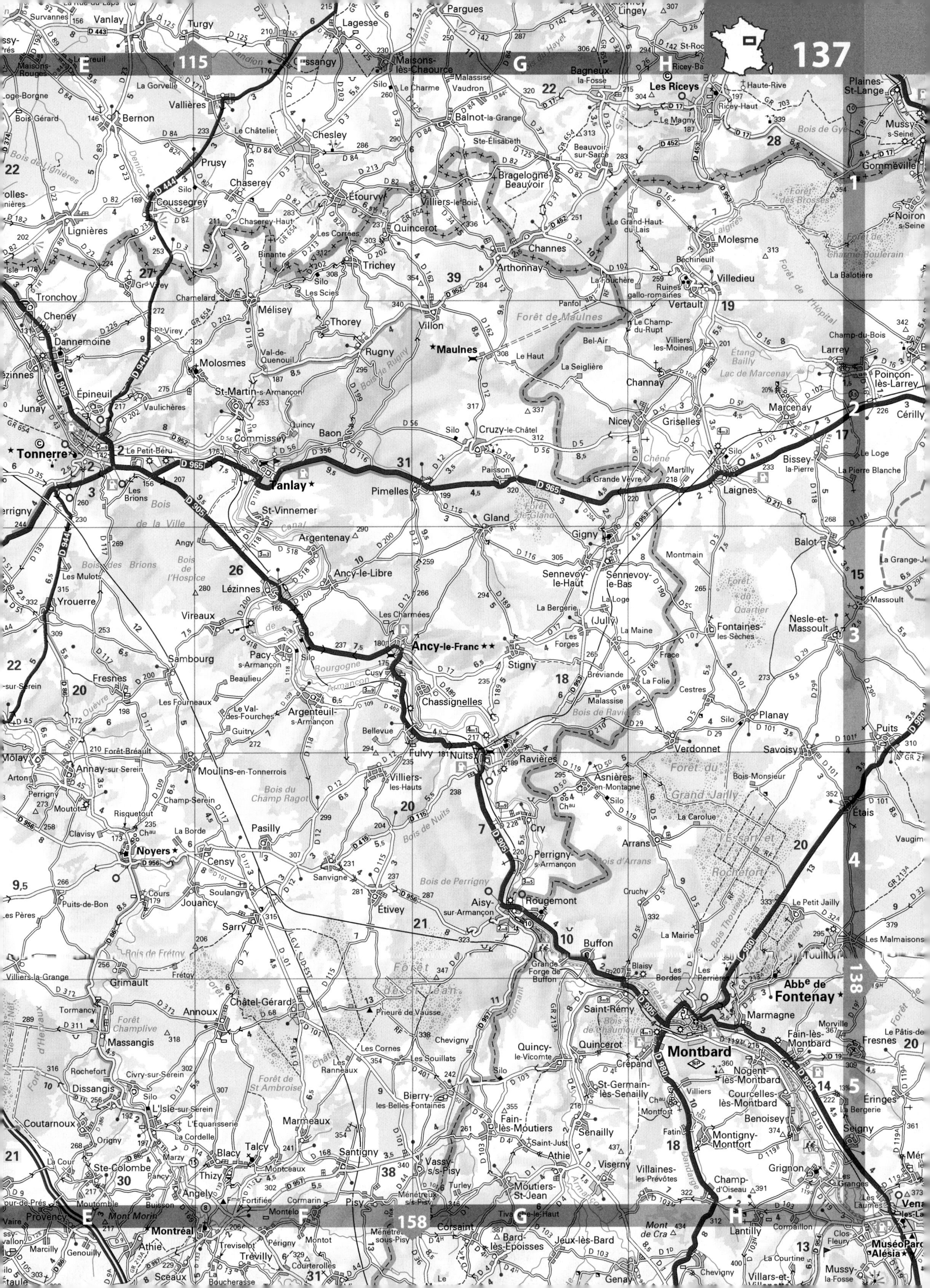
115
138
158
Survannes
Vanlay
Turgy
Lagesse
Pargues
Lingey
Maisons-lès-Chaource
Bagneux-la-Fosse
Ricey-Bas
Les Riceys
Ricey-Haut
Plaines-St-Lange
Mussy-s-Seine
Gomméville
Vallières
Bernon
Chesley
Balnot-la-Grange
Ste-Élisabeth
Beauvoir-sur-Sarce
Bragelogne-Beauvoir
Prusy
Chaserey
Étourvy
Villiers-le-Bois
Coussegrey
Lignières
Quincerot
Channes
Arthonnay
Molesme
Villedieu
Trichey
Tronchoy
Cheney
Dannemoine
Mélisey
Thorey
Villon
Maulnes
Forêt de Maulnes
Vertault
Rugny
Molosmes
Épineuil
Junay
St-Martin-s-Armançon
Commissey
Baon
Cruzy-le-Châtel
Channay
Nicey
Griselles
Marcenay
Larrey
Poinçon-lès-Larrey
Cérilly
Tonnerre
Tanlay
Pimelles
Laignes
Bissey-la-Pierre
St-Vinnemer
Gland
Gigny
Argentenay
Ancy-le-Libre
Lézinnes
Sennevoy-le-Haut
Sennevoy-le-Bas
Yrouerre
Vireaux
Ancy-le-Franc
Stigny
Fontaines-les-Sèches
Nesle-et-Massoult
Sambourg
Pacy-s-Armançon
Fresnes
Argenteuil-s-Armançon
Chassignelles
Planay
Puits
Annay-sur-Serein
Moulins-en-Tonnerrois
Fulvy
Nuits
Ravières
Verdonnet
Savoisy
Villiers-les-Hauts
Asnières-en-Montagne
Étais
Noyers
Pasilly
Cry
Arrans
Perrigny-s-Armançon
Censy
Sarry
Étivey
Aisy-sur-Armançon
Rougemont
Buffon
Toutry
Grimault
Châtel-Gérard
Annoux
Saint-Rémy
Marmagne
Fontenay
Massangis
Quincy-le-Vicomte
Quincerot
Montbard
Fain-lès-Montbard
Fresnes
Dissangis
L'Isle-sur-Serein
Bierry-les-Belles-Fontaines
Fain-lès-Moutiers
Nogent-lès-Montbard
Courcelles-lès-Montbard
Marmeaux
Montigny-Montfort
Seigny
Blacy
Talcy
Santigny
Vassy-s/s-Pisy
Athie
Viserny
Villaines-les-Prévôtes
Grignon
Ste-Colombe
Thizy
Angely
Moutiers-St-Jean
Champ-d'Oiseau
Provency
Montréal
Pisy
Corsaint
Bard-lès-Époisses
Jeux-lès-Bard
Lantilly
Alésia
Trévilly
Genay
Mussy-la-Fosse

0 2 4 6 8 10 km
116
137
159
Grancey-sur-Ource
Valfond
Créancey
Bon Air
Ormoy-sur-Aube
Montribourg
Plaines-St-Lange
Mussy-s-Seine
Gommeville
Champigny
Riel-les-Eaux
Gevrolles
Latrecey-Ormoy-sur-Aube
Coupray
St-Roch
Montigny-sur-Aube
Veuxhaulles-sur-Aube
Mont Rémin
Charrey-s-Seine
Noiron-s-Seine
Belan-sur-Ource
La Jarrie
Thoires
Boudreville
Dancevoir
Longué
Aubepierre-sur-Aube
Villers-Patras
Pothières
Obtrée
Chaumont-le-Bois
Mosson
Brion-sur-Ource
Bissey-la-Côte
Courban
Le Souhy
La Balotière
Vannaire
Massingy
Vix
Mt Lassois
St-Marcel
Étrochey
Louesme
Lignerolles
Larrey
Bouix
Montliot-et-Courcelles
Layer-sur-Roche
Crépan
Champ-du-Bois
Poinçon-lès-Larrey
Ste-Colombe-sur-Seine
Marigny
Prusly-sur-Ource
La Chaume
Les Goulles
Marcenay
Cérilly
Châtillon-s-Seine
La Barotte (École d'Agriculture)
Villotte-sur-Ource
Ste-Marie
Bissey-la-Pierre
Le Loge
La Pierre Blanche
Maisey-le-Duc
Lucey
Faverolles-lès-Lucey
Gurgy-la-Ville
Gurgy-le-Château
Vanvey
Villiers-le-Duc
St Phal
Voulaines-les-Templiers
Leuglay
Buncey
Ampilly-le-Sec
Balot
La Grange-Joly
Chamesson
Forêt de Chamesson
Froidvent
Lugny (Ancne Chartreuse)
Mt de Lucey
Chambain
Recey-sur-Ource
Massoult
Nesle-et-Massoult
Mont de la Forêt
FORÊT DE CHATILLON
Val des Choues (Ancne Abbaye)
La Forge
Menesble
Nod-sur-Seine
Voisin
St-Germain-le-Rocheux
Essarois
Chaugey
Coulmier-le-Sec
Aisey-sur-Seine
Grange Didier
Rochefort
Puiset
Montmoyen
La Forêt
Bure-les-Templiers
Puits
Chemin-d'Aisey
Brémur-et-Vaurois
Busseaut
Beaulieu
Hierce
Châtellenot
Terrefondrée
Semond
Chenecières
Mauvilly
Valfermet
Romprey
Étais
Les Grands Bois
Origny
St-Marc-sur-Seine
La Maison
Bellenod-sur-Seine
Grand-Bois
La Galopine
St-Broing-les-Moines
Le Mont
Vaugimois
Magny-Lambert
Vaux
La Montagne
Meulson
La Cassotte
Beaunotte
Le Pré-du-Sout
Brévon
Moitron
Lochères
Villaines-en-Duesmois
La Borde
Cosne
Plaisance
Aignay-le-Duc
Minot
Le Petit Jailly
Chalvosson
Toutifaut
Meursauge
Quemigny-sur-Seine
Lourosse
Les Malmaisons
La Folie
Source de la Coquille
Charme
Fraignot-et-Vesvrotte
Touillon
Combe-la-Haut
Quemignerot
Duesme
Gronet
Étalante
Thorey
Abbe de Fontenay
Emorots
Fontaines-en-Duesmois
Jours-lès-Baigneux
Ampilly-le-Haut
La Pothière
La Forêt
Larçon
Mont-Armet
Chaume-lès-Baigneux
Ampilly-les-Bordes
Les Grands Champeaux
Cent Fontaines
Échalot
Palus
Salives
Fain-lès-Montbard
Morville
Le Pâtis-de-Nant
Fresnes
Lucenay-le-Duc
Ermitage du Val-de-Seine
Combe Olivotte
Château Gré
Prégelan
St-Georges
Étormay
Cessey
Baigneux-les-Juifs
Orret
La Vincente
Vau-le-Bon
Éringes
La Bergerie
Forêt de Miltot
Laneuf
Vauchenot
Valduc
Bois Guyot
Seigny
Bussy-le-Grand
Rue du Vau
La Villeneuve-les-Convers
Laperrière
Les Granges
Poiseul-la-Grange
CENTRE D'ÉTUDES NUCLÉAIRES
Oigny
Bois Sec
Ménétreux-le-Pitois
Rue de Pissot
Bussy-le-Château
Poiseul-la-Ville-et-Laperrière
Léry
Grignon
Bussy-Rabutin
Grésigny-Ste-Reine
Darcey
Jugny
Grand Vallée
Billy-lès-Chanceaux
L'Abergement
Venarey-les-Laumes
Corpoyer-la-Chapelle
Lamargelle
Moloy
Mt Auxois
Munois
Frôlois
Cormaillon
Clos-Fleury
MuséoParc Alésia
Alise-Ste-Reine
Corpoyer-les-Moines
Courceau
Le Tertre
Frénois
Courtine
Camp de César
Le Vallon
Chanceaux
Mussy-la-Fosse
Les Prés-Hauts
Gissey
Vaubuzin
Pellerey
La Grande

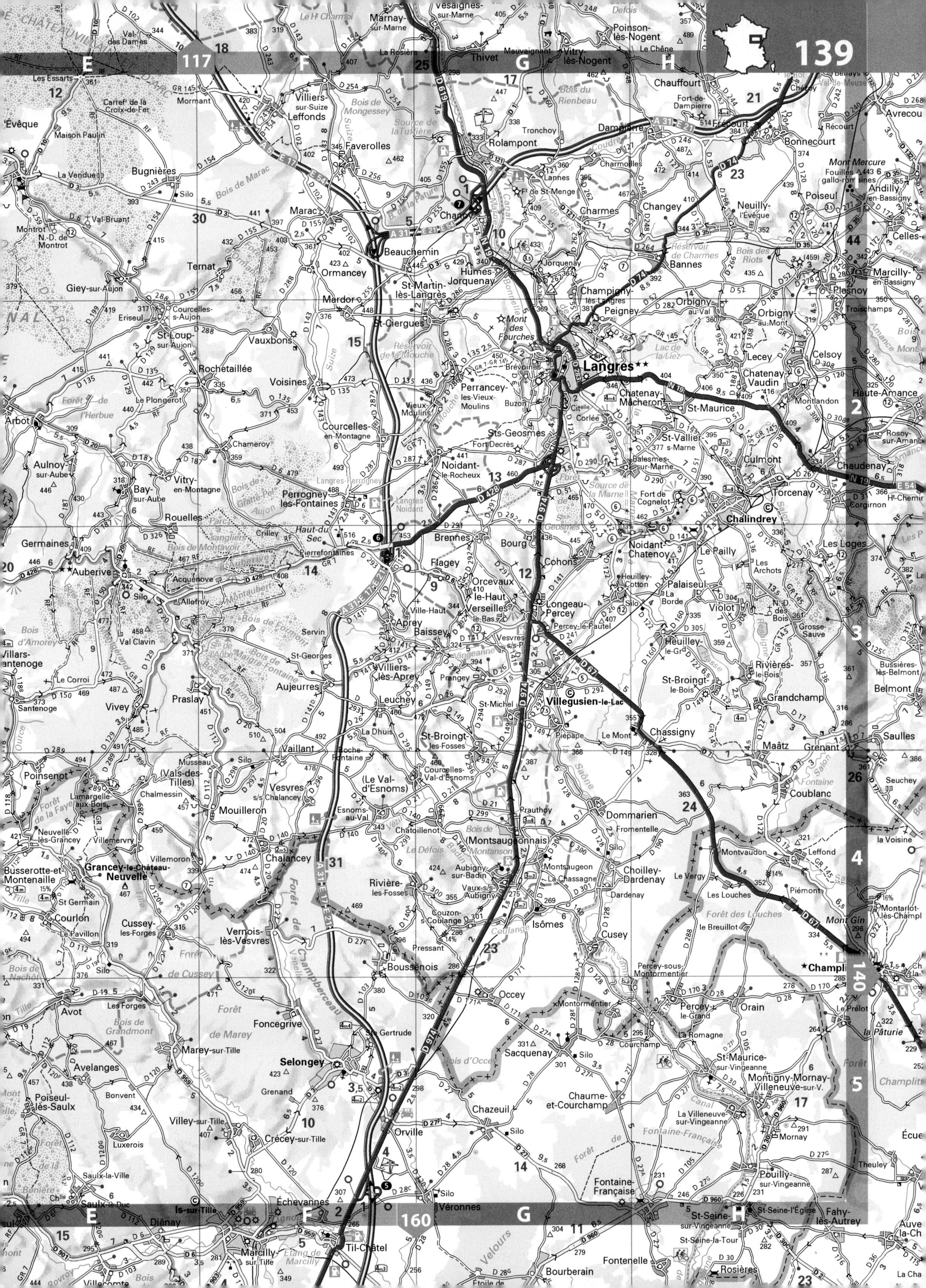

117
160
140
E
F
G
H
Marnay-sur-Marne
Vesaignes-sur-Marne
Poinson-lès-Nogent
Thivet
Mauvaignant
Vitry-lès-Nogent
Le Chêne
La Rosière
Les Essarts
Mormant
Villiers-sur-Suize
Leffonds
Bois de Mongessey
Bois du Rienbeau
Chauffourt
Fort-de-Dampierre
Dampierre
Frécourt
Bonnecourt
Avrecourt
Récourt
Tronchoy
Rolampont
Faverolles
Évêque
Maison Paulin
Carrefour de la Croix-de-Fer
Bugnières
La Vendue
Val-Bruant
Montrot
N.-D. de Montrot
Bois de Marac
Marac
Chanoy
Lannes
Charmoilles
Changey
Neuilly-l'Évêque
Mont Mercure
Fouilles gallo-romaines
Andilly-en-Bassigny
Poiseul
Celles
Charmes
Beauchemin
Ormancey
Humes-Jorquenay
St-Martin-lès-Langres
Jorquenay
Bannes
Réservoir de Charmes
Bois des Riots
Marcilly-en-Bassigny
Plesnoy
Ternat
Giey-sur-Aujon
Mardor
Champigny-lès-Langres
Peigney
Orbigny-au-Val
Orbigny-au-Mont
Troischamps
Eriseul
Courcelles-s-Aujon
St-Loup-sur-Aujon
Vauxbons
St-Ciergues
Mont des Fourches
Lac de la Liez
Lecey
Celsoy
Rochetaillée
Réservoir de la Mouche
Brévoines
Langres
Chatenay-Vaudin
Haute-Amance
Montlandon
Arbot
Le Plongerot
Voisines
Perrancey-les-Vieux-Moulins
Vieux-Moulins
Buzon
Chatenay-Mâcheron
St-Maurice
Forêt de l'Herbue
Courcelles-en-Montagne
Sts-Geosmes
Corlée
St-Vallier-s-Marne
Rosoy-sur-Amance
Chameroy
Fort Decrès
Balesmes-sur-Marne
Culmont
Chaudenay
Aulnoy-sur-Aube
Vitry-en-Montagne
Noidant-le-Rocheux
Langres-Perrogney
Source de la Marne
Fort de Cognelot
Torcenay
Bay-sur-Aube
Perrogney-les-Fontaines
Langres-Noidant
Chalindrey
Hte-Chemin
Corgirnon
Rouelles
Parc à sangliers
Crilley
Haut-du-Sec
Brennes
Bourg
Noidant-Chatenoy
Le Pailly
Les Loges
Germaines
Bois de Montavoir
Pierrefontaines
Flagey
Cohons
Les Archots
Auberive
Acquenove
Orcevaux
le-Haut
Heuilley-Cotton
Palaiseul
Silo
Allofroy
Montaubert
Ville-Haut
Verseilles-le-Bas
Longeau-Percey
La Borde
Violot
N.-D. des Bois
Bois d'Amorey
Val Clavin
Bois de Formont
Servin
Aprey
Baissey
Percey-le-Pautel
Heuilley-le-Grand
Grosse-Sauve
Villars-Santenoge
Vingeanne
Vesvres-s/s-Percey
Rivières-le-Bois
Bussières-lès-Belmont
St-Georges
Villiers-lès-Aprey
Prangey
Villegusien-le-Lac
St-Broingt-le-Bois
Belmont
Le Corroi
Santenoge
Vivey
Praslay
Aujeurres
Leuchey
St-Michel
Grandchamp
Chassigny
La Dhuis
St-Broingt-les-Fosses
Piépape
Le Mont
Vaillant
Roche-Fontaine
Saulles
Maâtz
Grenant
Poinsenot
Musseau
(Vals-des-Tilles)
Courcelles-Val-d'Esnoms
(Le Val-d'Esnoms)
Seuchey
Coublanc
Lamargelle-aux-Bois
Forêt de la Faye
Chalmessin
Vesvres-s/s-Chalancey
Mouilleron
Esnoms-au-Val
Prauthoy
Dommarien
Fromentelle
Neuvelle-lès-Grancey
Villemervry
Chatoillenot
(Montsaugeonnais)
Bois de Montanson
Montvaudon
Leffond
la Voisine
Busserotte-et-Montenaille
Grancey-le-Château-Neuvelle
Villemoron
Chalancey
Le Défois
Aubigny-sur-Badin
Montsaugeon
La Chassagne
Choilley-Dardenay
Le Vergy
Piémont
St Germain
Courlon
Rivière-les-Fosses
Vaux-s/s-Aubigny
Dardenay
Les Louches
Montarlot-lès-Champl
Forêt des Louches
Mont Gin
Le Pavillon
Cussey-les-Forges
Vernois-lès-Vesvres
Couzon-s-Coulange
Coulange
Isômes
Cusey
Le Breuillot
Pressant
Forêt de Champberceau
Boussenois
Champlitte
Bois de Nachot
de Cussey
Percey-sous-Montormentier
Montormentier
Occey
Percey-le-Grand
Orain
Le Prélot
Avot
Les Forges
Forêt de Marey
Foncegrive
Bois de Grandmont
La Romagne
Courchamp
la Pâturie
Marey-sur-Tille
Ste Gertrude
Sacquenay
Bois d'Occey
Avelanges
Selongey
St-Maurice-sur-Vingeanne
Montigny-Mornay-Villeneuve-sur-V.
Poiseul-lès-Saulx
Bonvent
Grenand
Chazeuil
Chaume-et-Courchamp
Villey-sur-Tille
Crécey-sur-Tille
Orville
La Villeneuve-sur-Vingeanne
Mornay
Luxerois
Forêt de Fontaine-Française
Écue
Saulx-la-Ville
Theuley
Pouilly-sur-Vingeanne
Saulx-le-Duc
Échevannes
Véronnes
Fontaine-Française
Is-sur-Tille
Diénay
St-Seine-sur-Vingeanne
St-Seine-l'Église
Fahy-lès-Autrey
Til-Châtel
Marcilly-sur-Tille
Étang de Marcilly
St-Seine-la-Tour
Velours
Bourberain
Fontenelle
Rosières
Villecomte
Étoile de
La Cha

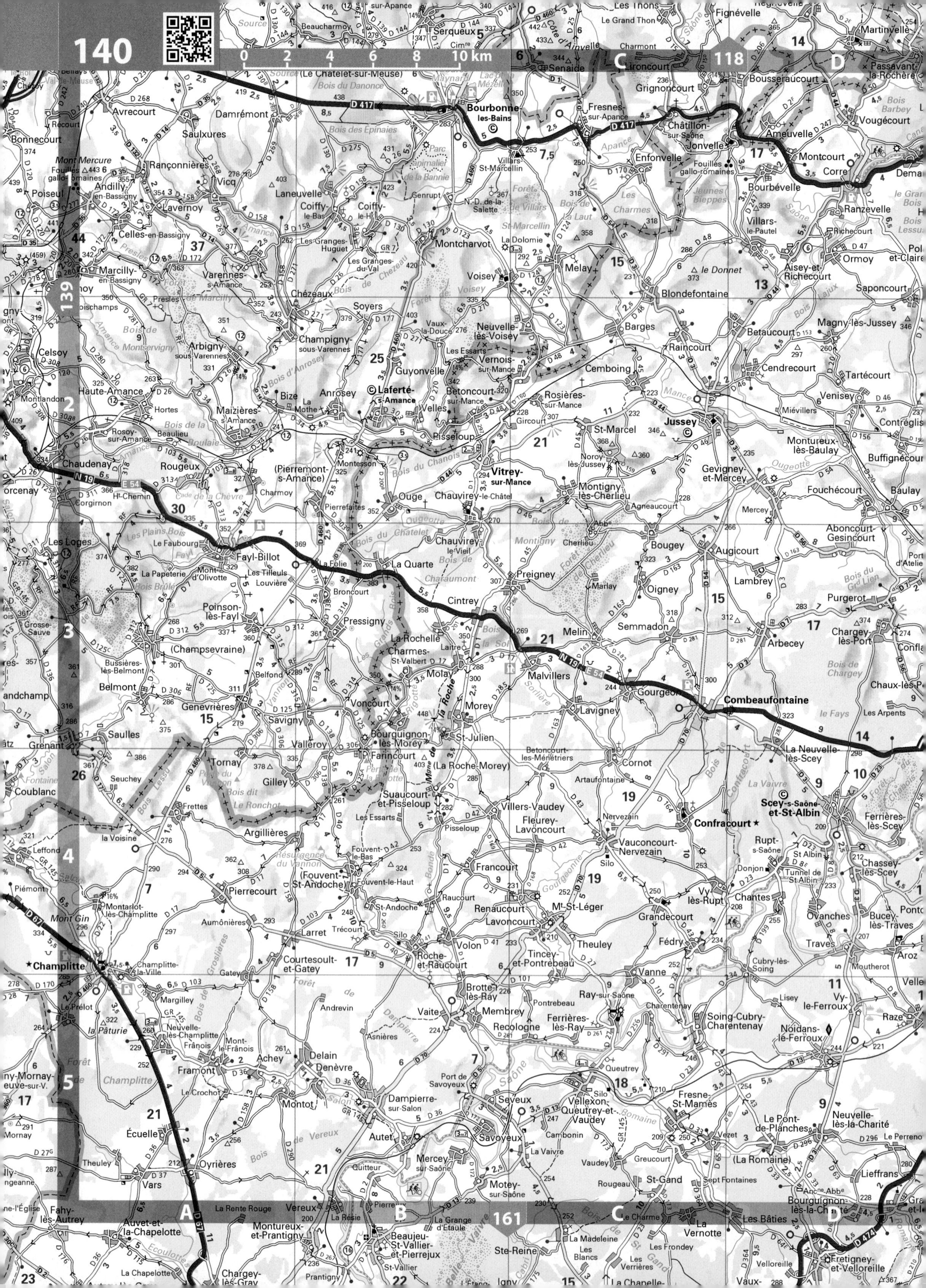
140
0 2 4 6 8 10 km
118
161
139
A
B
C
D
1
2
3
4
5
Bourbonne-les-Bains
Damrémont
Avrecourt
Saulxures
Bonnecourt
Mont Mercure
Rançonnières
Andilly-en-Bassigny
Poiseul
Vicq
Lavernoy
Laneuvelle
Coiffy-le-Bas
Coiffy-le-Ht
Celles-en-Bassigny
Marcilly-en-Bassigny
Varennes-s-Amance
Chézeaux
Les Granges-Huguet
Montcharvot
Voisey
Melay
Villars-St-Marcellin
Fresnes-sur-Apance
Châtillon-sur-Saône
Jonvelle
Enfonvelle
Grignoncourt
Bousseraucourt
Passavant-la-Rochère
Martinvelle
Vougécourt
Ameuvelle
Montcourt
Corre
Bourbévelle
Villars-le-Pautel
Ranzevelle
Aisey-et-Richecourt
Ormoy
Blondefontaine
Barges
Raincourt
Betaucourt
Magny-lès-Jussey
Saponcourt
Cendrecourt
Tartécourt
Venisey
Jussey
Cemboing
Rosières-sur-Mance
St-Marcel
Soyers
Champigny-sous-Varennes
Arbigny-sous-Varennes
Celsoy
Haute-Amance
Hortes
Maizières-s-Amance
Bize
Anrosey
Laferté-s-Amance
Velles
Guyonvelle
Betoncourt-sur-Mance
Neuvelle-lès-Voisey
Vernois-sur-Mance
Pisseloup
Rosoy-sur-Amance
Chaudenay
Rougeux
(Pierremont-s-Amance)
Charmoy
Vitrey-sur-Mance
Ouge
Chauvirey-le-Châtel
Chauvirey-le-Vieil
Montigny-lès-Cherlieu
Gevigney-et-Mercey
Montureux-lès-Baulay
Buffignécourt
Fouchécourt
Baulay
Corgirnon
Fayl-Billot
Les Loges
La Quarte
Preigney
Bougey
Augicourt
Oigney
Lambrey
Purgerot
Aboncourt-Gesincourt
Poinson-lès-Fayl
Pressigny
Broncourt
Cintrey
Semmadon
Melin
Arbecey
Chargey-lès-Port
(Champsevraine)
La Rochelle
Charmes-St-Valbert
Molay
Malvillers
Gourgeon
Combeaufontaine
Bussières-lès-Belmont
Belmont
Genevrières
Savigny
Voncourt
Morey
Lavigney
Saulles
Grenant
Tornay
Gilley
Valleroy
Bourguignon-lès-Morey
Farincourt
St-Julien
(La Roche-Morey)
Cornot
La Neuvelle-lès-Scey
Coublanc
Frettes
Argillières
Suaucourt-et-Pisseloup
Villers-Vaudey
Fleurey-Lavoncourt
Confracourt
Scey-s-Saône-et-St-Albin
Ferrières-lès-Scey
Vauconcourt-Nervezain
Pierrecourt
(Fouvent-St-Andoche)
Francourt
Renaucourt
Lavoncourt
Mt-St-Léger
Vy-lès-Rupt
Chantes
Grandecourt
Chassey-lès-Scey
Ovanches
Bucey-lès-Traves
Traves
Aroz
Champlitte
Champlitte-la-Ville
Courtesoult-et-Gatey
Larret
Roche-et-Raucourt
Volon
Tincey-et-Pontrebeau
Theuley
Fédry
Vanne
Margilley
Neuvelle-lès-Champlitte
Brotte-lès-Ray
Membrey
Vaite
Recologne
Ferrières-lès-Ray
Ray-sur-Saône
Soing-Cubry-Charentenay
Noidans-le-Ferroux
Vy-le-Ferroux
Raze
Framont
Achey
Delain
Denèvre
Dampierre-sur-Salon
Montot
Port de Savoyeux
Seveux
Vellexon-Queutrey-et-Vaudey
Fresne-St-Mamès
Le Pont-de-Planches
Neuvelle-lès-la-Charité
Écuelle
Oyrières
Autet
Savoyeux
Mercey-sur-Saône
Motey-sur-Saône
Vars
St-Gand
(La Romaine)
Lieffrans
Bourguignon-lès-la-Charité
Fahy-lès-Autrey
Auvet-et-la-Chapelotte
Montureux-et-Prantigny
Vereux
Beaujeu-St-Vallier-et-Pierrejux
Ste-Reine
La Vernotte
Les Bâties
Fretigney-et-Velloreille
Chargey-lès-Gray

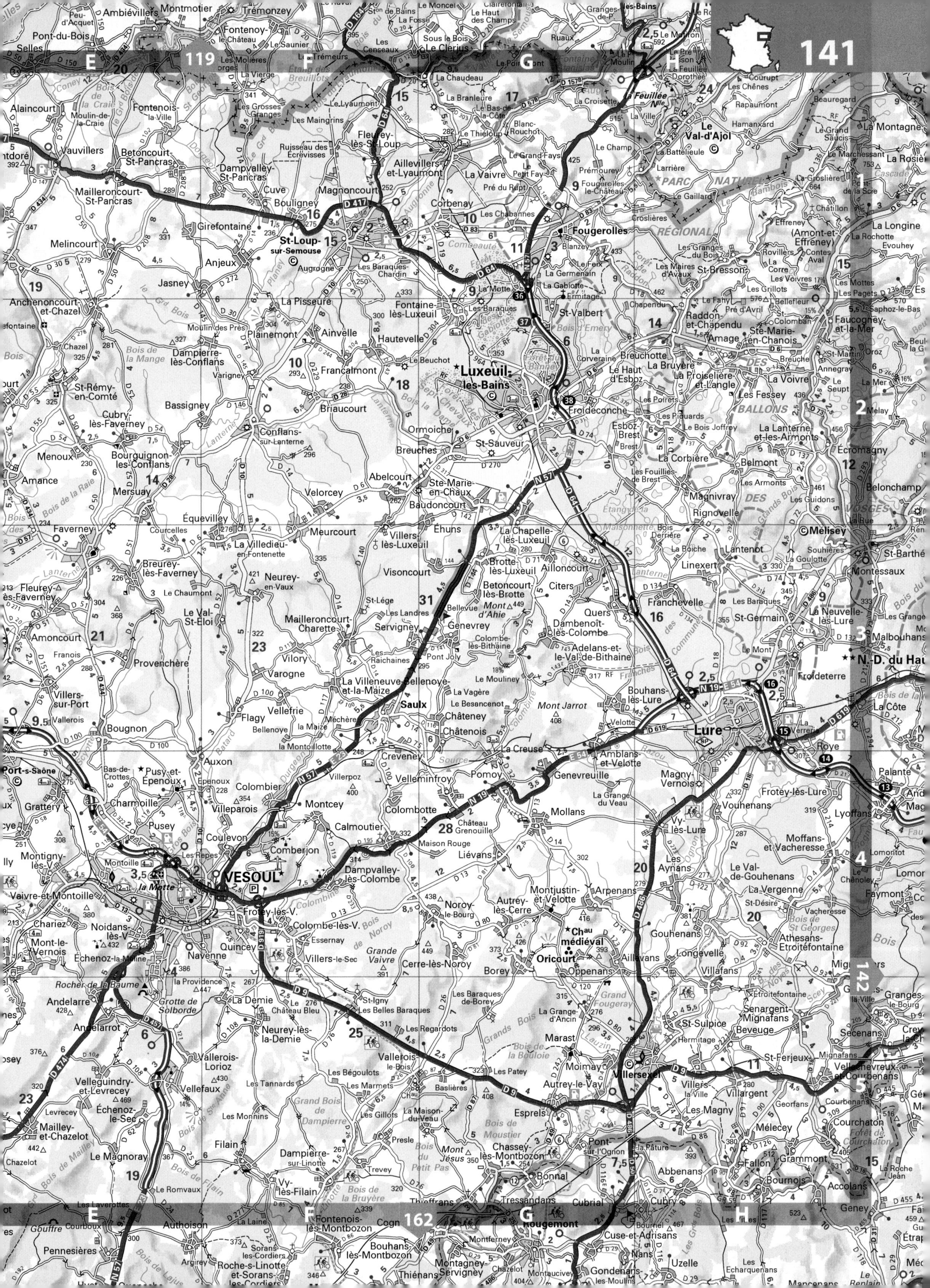
141
119
142
162
E
F
G
H
1
2
3
4
5
Ambiévillers
Montmotier
Trémonzey
Fontenoy-le-Château
Pont-du-Bois
Selles
Alaincourt
Fontenois-la-Ville
Vauvillers
Betoncourt-St-Pancras
Dampvalley-St-Pancras
Mailleroncourt-St-Pancras
Cuve
Bouligney
Magnoncourt
Aillevillers-et-Lyaumont
Fleurey-lès-St-Loup
Corbenay
La Vaivre
Girefontaine
St-Loup-sur-Semouse
Melincourt
Anjeux
Jasney
Anchenoncourt-et-Chazel
La Pisseure
Fontaine-lès-Luxeuil
Plainemont
Ainvelle
Hautevelle
Dampierre-lès-Conflans
Francalmont
Luxeuil-les-Bains
St-Rémy-en-Comté
Cubry-lès-Faverney
Bassigney
Briaucourt
Conflans-sur-Lanterne
Ormoiche
St-Sauveur
Breuches
Menoux
Bourguignon-lès-Conflans
Amance
Mersuay
Abelcourt
Ste-Marie-en-Chaux
Velorcey
Baudoncourt
Équevilley
Faverney
La Villedieu-en-Fontenette
Meurcourt
Villers-lès-Luxeuil
Éhuns
Breurey-lès-Faverney
Neurey-en-Vaux
Visoncourt
Fleurey-lès-Faverney
Le Val-St-Éloi
Mailleroncourt-Charette
Servigney
Genevrey
Amoncourt
Provenchère
Vilory
Varogne
La Villeneuve-Bellenoye-et-la-Maize
Saulx
Châteney
Châtenois
Villers-sur-Port
Flagy
Vellefrie
Bougnon
Auxon
Creveney
Pomoy
Velleminfroy
Colombier
Montcey
Colombotte
Charmoille
Villeparois
Grattery
Pusey
Coulevon
Calmoutier
Comberjon
Montigny-lès-V.
VESOUL
Dampvalley-lès-Colombe
Vaivre-et-Montoille
Frotey-lès-V.
Colombe-lès-V.
Noidans-lès-V.
Chariez
Mont-le-Vernois
Échenoz-la-Méline
Navenne
Quincey
Villers-le-Sec
Cerre-lès-Noroy
Noroy-le-Bourg
Andelarre
Andelarrot
La Demie
Neurey-lès-la-Demie
Vallerois-Lorioz
Vellefaux
Velleguindry-et-Levrecey
Échenoz-le-Sec
Mailley-et-Chazelot
Le Magnoray
Filain
Dampierre-sur-Linotte
Vy-lès-Filain
Authoison
Fontenois-lès-Montbozon
Bouhans-lès-Montbozon
Montagney-Servigney
Thiénans
Rougemont
Cuse-et-Adrisans
Fougerolles
Le Val-d'Ajol
St-Valbert
Raddon-et-Chapendu
Ste-Marie-en-Chanois
Amage
Froideconche
Esboz-Brest
La Corbière
Belmont
Magnivray
Rignovelle
Mélisey
Lantenot
Linexert
Franchevelle
Quers
St-Germain
Dambenoît-lès-Colombe
Adelans-et-le-Val-de-Bithaine
Bouhans-lès-Lure
Lure
Amblans-et-Velotte
Genevreuille
Magny-Vernois
Frotey-lès-Lure
Vouhenans
Mollans
Vy-lès-Lure
Les Aynans
Lièvans
Montjustin-et-Velotte
Arpenans
Autrey-lès-Cerre
Oricourt
Borey
Aillevans
Gouhenans
Longevelle
Villafans
Athesans-Étroitefontaine
Senargent-Mignafans
Beveuge
St-Sulpice
Marast
Moimay
Villersexel
Autrey-le-Vay
Esprels
Villers-la-Ville
Villargent
Les Magny
Mélecey
Chassey-lès-Montbozon
Pont-sur-l'Ognon
Bonnal
Abbenans
Tressandans
Cubrial
Cubry
Fallon
Grammont
Bournois
Accolans
Geney
Courchaton
St-Ferjeux
Vellechevreux-et-Courbenans
Moffans-et-Vacheresse
Le Val-de-Gouhenans
La Vergenne
Lyoffans
Palante
Roye
Froideterre
Malbouhans
N.-D. du Haut
La Neuvelle-lès-Lure
Montessaux
Écromagny
Belonchamp
La Lanterne-et-les-Armonts
La Proiselière-et-Langle
Les Fessey
La Voivre
Faucogney-et-la-Mer
St-Bresson
La Longine
Château médiéval
PARC NATUREL RÉGIONAL DES BALLONS DES VOSGES

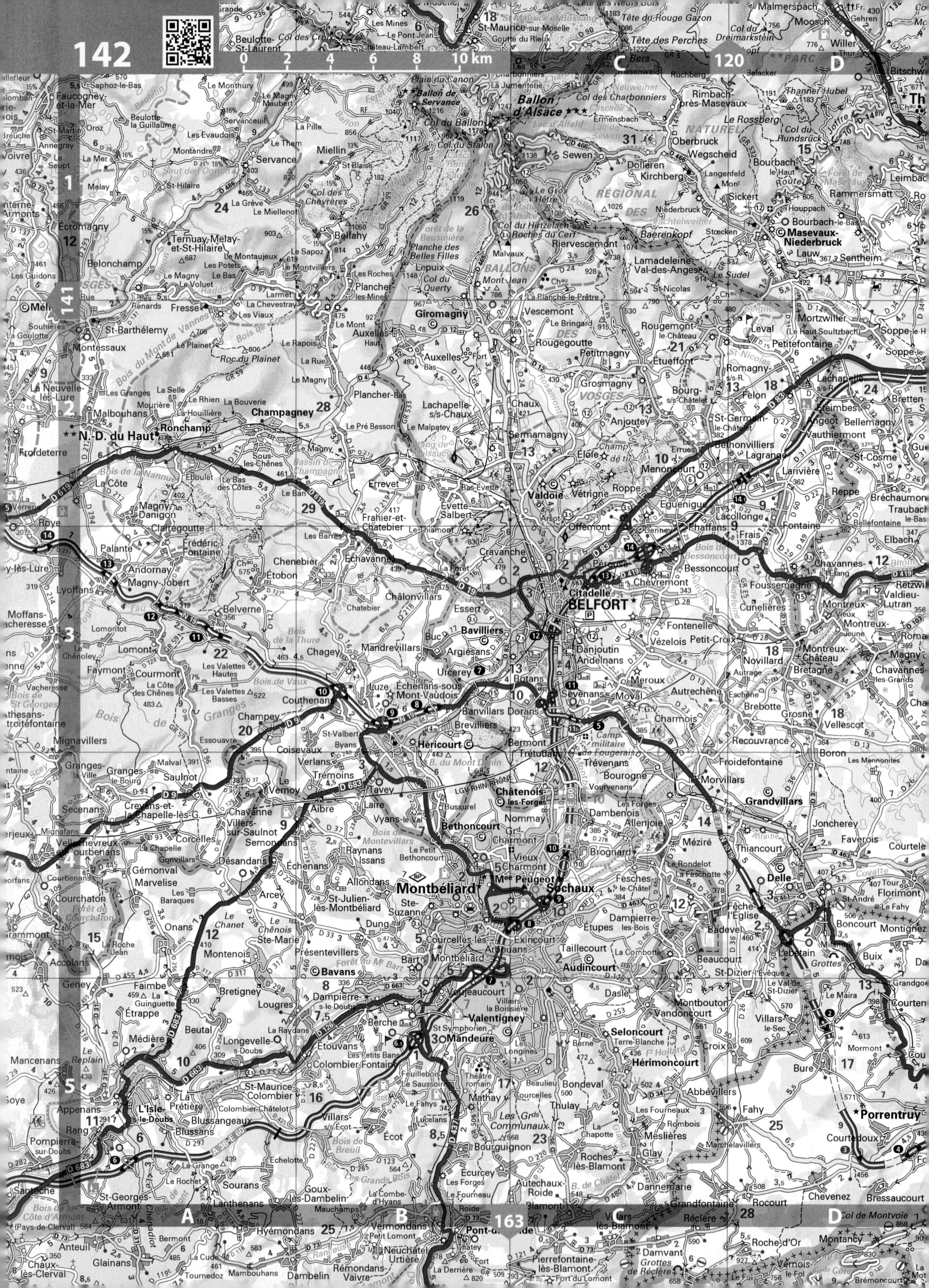
0 2 4 6 8 10 km
120
141
163
A
B
C
D
1
2
3
4
5
Ballon d'Alsace
Col du Ballon
Ballon de Servance
St-Maurice-sur-Moselle
Faucogney-et-la-Mer
Servance
Miellin
Belfahy
Masevaux-Niederbruck
Sewen
Oberbruck
Kirchberg
Giromagny
Lepuix
Plancher-les-Mines
Plancher-Bas
Auxelles-Haut
Auxelles-Bas
Rougemont-le-Château
Rougegoutte
Etueffont
Champagney
Ronchamp
N.-D. du Haut
St-Barthélemy
Lachapelle-s/s-Chaux
Sermamagny
Valdoie
Offemont
Citadelle
BELFORT
Pérouse
Chèvremont
Bessoncourt
Roppe
Fontaine
Essert
Bavilliers
Danjoutin
Andelnans
Cravanche
Frahier-et-Chatebier
Chenebier
Échavanne
Étobon
Châlonvillars
Mandrevillars
Chagey
Héricourt
Couthenans
Champey
Lure
Lyoffans
Andornay
Magny-Jobert
Belverne
Lomont
Faymont
Cournont
Saulnot
Granges-la-Ville
Crevans-et-la-Chapelle-lès-G.
Chavanne
Villers-sur-Saulnot
Semondans
Désandans
Marvelise
Gémonval
Courchaton
Onans
Montenois
Arcey
Aibre
Laire
Tavey
Bethoncourt
Montbéliard
Sochaux
Audincourt
Valentigney
Mandeure
Exincourt
Étupes
Châtenois-les-Forges
Grandvillars
Delle
Beaucourt
Dampierre-les-Bois
Fesches-le-Châtel
Seloncourt
Hérimoncourt
Bondeval
Thulay
Abbévillers
Glay
Meslières
Roches-lès-Blamont
Dannemarie
Blamont
Pont-de-Roide
Vermondans
Bavans
Voujeaucourt
Colombier-Fontaine
St-Maurice-Colombier
L'Isle-sur-le-Doubs
Blussangeaux
Blussans
Sourans
Médière
Longevelle-s-Doubs
Étouvans
Berche
Villars-s-Écot
Écot
Bourguignon
Mathay
Écurcey
Montécheroux
Rocourt
Chevenez
Porrentruy
Courtedoux
Bure
Fahy
Boncourt
Lebetain
Florimont
Thiancourt
Morvillars
Méziré
Brognard
Allenjoie
Dambenois
Nommay
Vieux-Charmont
Foussemagne
Montreux-Château
Bretagne
Novillard
Vellescot
Grosne
Brebotte
Recouvrance
Froidefontaine
Boron
Lachapelle-s/s-Rougemont
Angeot
Bethonvilliers
Menoncourt
Eguenigue
Lacollonge
Phaffans
Frais
Felon
Romagny-s/s-R.
Porrentruy
Col de Montvoie
Vercel-Villedieu
PARC NATUREL RÉGIONAL DES BALLONS DES VOSGES
LGV RHIN-RHÔNE
Camp militaire de Fougerais
Forêt de Chaux
Bois de Granges
Bois de Vaux
Forêt de Courchaton

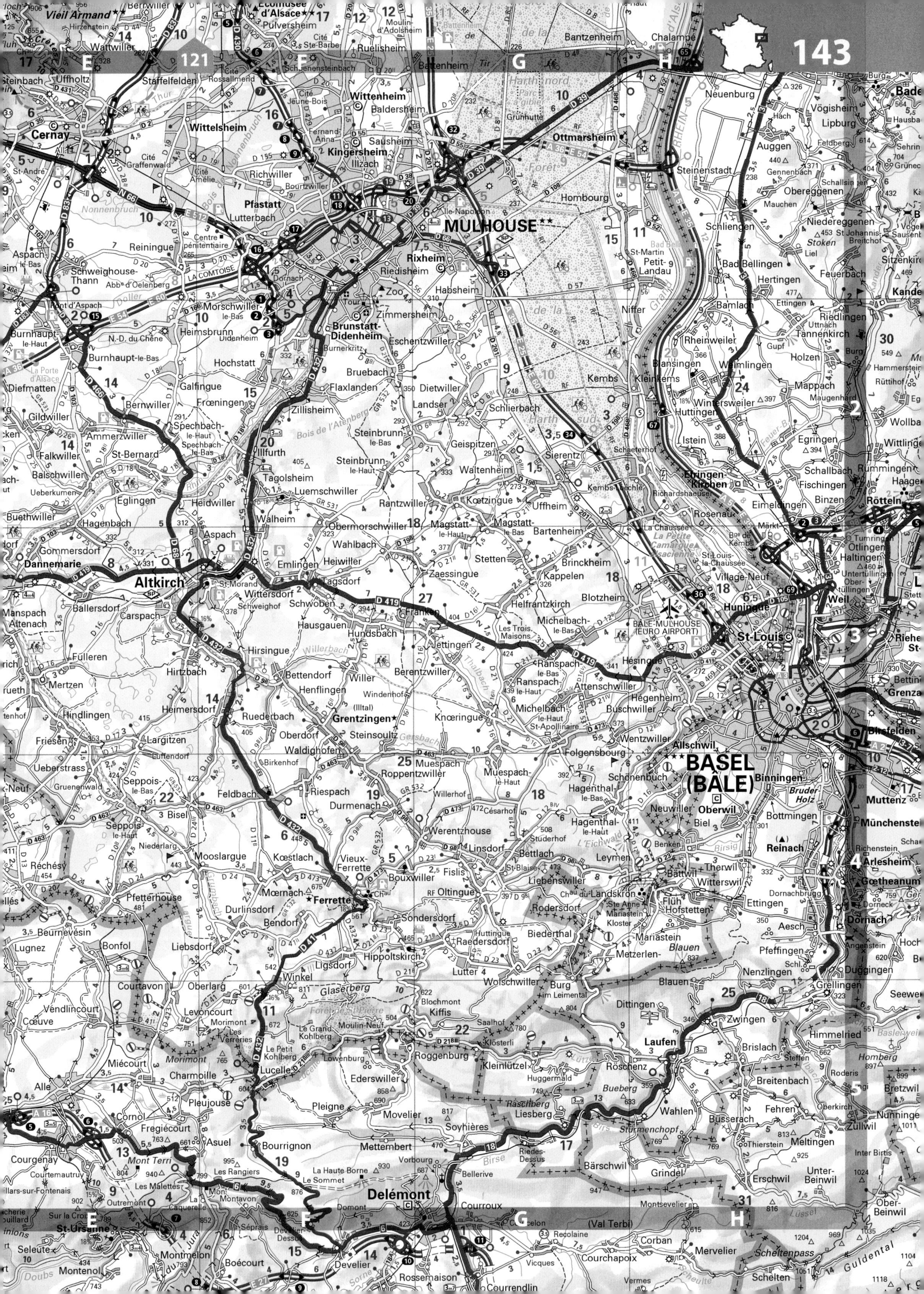
Vieil Armand
Écomusée d'Alsace
Pulversheim
Wattwiller
Staffelfelden
Ruelisheim
Battenheim
Bantzenheim
Chalampé
Neuenburg
Cernay
Wittelsheim
Wittenheim
Baldersheim
Kingersheim
Illzach
Sausheim
Ottmarsheim
Auggen
Steinenstadt
Richwiller
Pfastatt
Lutterbach
Hombourg
MULHOUSE
Rixheim
Riedisheim
Habsheim
Schliengen
Bad Bellingen
Reiningue
Aspach-le-Bas
Schweighouse-Thann
Morschwiller-le-Bas
Heimsbrunn
Zimmersheim
Brunstatt-Didenheim
Eschentzwiller
Niffer
Burnhaupt-le-Haut
Burnhaupt-le-Bas
Hochstatt
Bruebach
Flaxlanden
Dietwiller
Kembs
Galfingue
Frœningen
Zillisheim
Landser
Schlierbach
Bernwiller
Spechbach-le-Haut
Illfurth
Steinbrunn-le-Bas
Geispitzen
Sierentz
Istein
Egringen
Falkwiller
St-Bernard
Tagolsheim
Luemschwiller
Waltenheim
Efringen-Kirchen
Eglingen
Heidwiller
Rantzwiller
Kœtzingue
Uffheim
Walheim
Magstatt-le-Haut
Bartenheim
Rosenau
Hagenbach
Aspach
Wahlbach
Stetten
Brinckheim
Dannemarie
Altkirch
Emlingen
Heiwiller
Zaessingue
Kappelen
Blotzheim
Village-Neuf
Huningue
Weil
Tagsdorf
Wittersdorf
Schwoben
Franken
Helfrantzkirch
Ballersdorf
Carspach
Hausgauen
Hundsbach
Jettingen
Michelbach-le-Bas
BÂLE-MULHOUSE (EURO AIRPORT)
St-Louis
Hirsingue
Ranspach-le-Bas
Hésingue
Fulleren
Hirtzbach
Bettendorf
Willer
Berentzwiller
Attenschwiller
Hegenheim
Mertzen
Henflingen
Heimersdorf
Ruederbach
Grentzingen
Knœringue
Michelbach-le-Haut
Buschwiller
Hindlingen
Oberdorf
Steinsoultz
Largitzen
Waldighofen
Wentzwiller
Allschwil
Friesen
Folgensbourg
Muespach
Roppentzwiller
BASEL (BÂLE)
Schönenbuch
Binningen
Ueberstrass
Seppois-le-Bas
Feldbach
Riespach
Muespach-le-Haut
Hagenthal-le-Bas
Oberwil
Bisel
Durmenach
Neuwiller
Bottmingen
Seppois-le-Haut
Werentzhouse
Hagenthal-le-Haut
Biel
Muttenz
Münchenstein
Mooslargue
Kœstlach
Vieux-Ferrette
Linsdorf
Bettlach
Leymen
Reinach
Réchésy
Fislis
Bouxwiller
Benken
Therwil
Arlesheim
Pfetterhouse
Mœrnach
Ferrette
Oltingue
Liebenswiller
Landskron
Witterswil
Ettingen
Goetheanum
Durlinsdorf
Rodersdorf
Flüh
Hofstetten
Mariastein
Aesch
Dornach
Beurnevésin
Bendorf
Sondersdorf
Raedersdorf
Biederthal
Lugnez
Bonfol
Liebsdorf
Ligsdorf
Hippoltskirch
Metzerlen
Pfeffingen
Blauen
Duggingen
Courtavon
Oberlarg
Winkel
Lutter
Wolschwiller
Burg im Leimental
Nenzlingen
Grellingen
Vendlincourt
Levoncourt
Glaserberg
Blochmont
Kiffis
Dittingen
Zwingen
Cœuve
Laufen
Brislach
Himmelried
Miécourt
Lucelle
Roggenburg
Kleinlützel
Röschenz
Charmoille
Ederswiler
Breitenbach
Alle
Pleujouse
Pleigne
Movelier
Soyhières
Liesberg
Wahlen
Büsserach
Fehren
Zullwil
Cornol
Fregiécourt
Asuel
Bourrignon
Mettembert
Meltingen
Courgenay
Mont Terri
Bärschwil
Grindel
Erschwil
Les Rangiers
Delémont
Courroux
Beinwil
St-Ursanne
Courcelon
Corban
Mervelier
Montmelon
Develier
Courrendlin
Courchapoix
Vicques
Rossemaison
Scheltenpass
Schelten
Seleute
Montenol
Boécourt
Sépraïs

0 2 4 6 8 10 km
123
Erdeven
Barre d'Etel
Kercadio
St-Laurent
Moulin de Narbon
Kerzerho
Alignements de Kerzerho
Dolmen de Crucuno
Crucuno
Mané-Kérioned
Dolmens de Tumulus
Kerhillio
Loperhet
Alignements
Kerhellegan
Crucuny
Ste-Barbe
Dolmens de Rondossec
Kergonan
Alignements
Tumulus de Kercado
Le Ménec
Plouharnel
Kercroc
Kerhellec
Le Pô
Tumulus
St-Michel
Carnac
La Trinité-sur-Mer
Kerbihan
St Colomban
Carnac-Plage
Pnte de Légenès
Sables Blancs
Penthièvre
Île Theviec
Fort de Penthièvre
Kerhostin
Portivy
Beg en Aud
★ Pointe du Percho
St-Pierre-Quiberon
Kergroix
Côte Sauvage
Î. de la Truie
Beg Rohu
Kervihan
Kerniscob
Saint-Julien
★PRESQU'ÎLE DE QUIBERON
Kerné
Port-Haliguen
Beg er Goalennec
Quiberon ★
Beg er Lan
Port Maria
Beg er Vil
Pnte du Conguel
Plateau des Birvideaux
Chaussée de la Teignouse
La Teignouse
Passage de la Teignouse
Crac'h
Fort-Espagnol
Kerdreven
Le Blaire
St-Philibert
Kerouarch
Î. Renaud
Grand Menhir
Table des Marchand
Locmariaquer
Î. Gavrinis
★★ Cairn
Er Lanic
St-Pierre
Pierres Plates
Tumulus
Pnte de Kerpenhir
Port-Navalo
Port du Crouesty
Méaban
BAIE DE QUIBERON
Côte des Mégalithes
Île Glazic
Chaussée du Béniguet
Île Valhuec
Banc de Taillefer
Beg er Vachif
Île d'Houat ★
Passage du Béniguet
Île Cenis
Île-d'Houat
En Thal
Banc de Houat
Chaussée de l'Île aux Chevaux
Île aux Chevaux
Passage des Sœurs
Pnte du Vieux Château
Hœdic
Île de Hœdic ★
Les Poulains
Pointe des Poulains ★★
★★ Fort Sarah Bernhardt
Plage de Deuborch
Pnte du Cardinal
★ Stêr-Vraz et Stêr-Ouen
Pnte du Vieux Château
Pnte de Kerzo
Port Jean
Bortifaouen
Sauzon ★
Grotte de l'Apothicairerie
Pnte de Taillefer
Port Fouquet
Sémaphore
Magorlec
Chubiguer
Borstang
Le Pavillon
Citadelle ★
Bordelanne
Bruté
Le Palais
Borticado
Kerlédan
Pnte de Ramonette
Borthélo
Bordustard
Port Güen
Kervellan
Rade du Palais
Côte Sauvage
Plage de Bordardoué
Ty-Néhué
Kerspern
★★ Port Donnant
Port Yorc'h
Bedex
Parlevant
Bordardoué
Plage des Grands Sables
Grand Phare
Bangor
Îles Baguenères
Kervilahouen
Samzun
★★ Aiguilles de Port Coton
Grd Village
Kervarigeon
Kerdavid
Borménahic
Pointe de Kerdonis
★ Port Goulphar
Domois
Le Grd Cosquet
Borduro
Port-An-Dro
Bordehouat
Pnte du Talus
Port Kérel
Plage d'Herlin
Ty-Seveno
Kerzo
Locmaria
Sémaphore
Île de Bangor
Pnte de St Marc
Borvran
Port-Maria
Port-Blanc
Sémaphore
★★★BELLE-ÎLE
Pnte de Pouldon
Pointe du Skeul
1
2
3
4
5
A
B
C
D

E
F
G
H
124
146
VANNES
Arradon
Séné
Theix-Noyalo
Sulniac
Questembert
Berric
Lauzach
La Trinité-Surzur
Surzur
Le Hézo
St-Armel
Île-aux-Moines
Île-d'Arz
GOLFE DU MORBIHAN
Sarzeau
Presqu'île de Rhuys
Chau de Suscinio
Le Tour-du-Parc
Damgan
Ambon
Muzillac
Billiers
Noyal-Muzillac
Le Guerno
Parc de Branféré
Péaule
Limerzel
Marzan
Arzal
La Roche-Bernard
Camoël
Férel
Pénestin
Herbignac
Assérac
Pnte de St-Jacques
Pnte de Penvins
Anse de Suscinio
Rade de Penerf
Plateau de la Recherche
Île Dumet
Pnte du Bile
Pnte de Merquel
Plage de Sorlock
Plage de Lansèria
Mesquer
St-Molf
Piriac-sur-Mer
Pointe du Castelli
La Turballe
Rade du Croisic
Guérande
Kerbourg
Kerhinet
St-André-des-Eaux
Le Croisic
Batz-sur-Mer
LA BAULE
La Baule-Escoublac
Le Pouliguen
Pornichet
Grotte des Korrigans
Pnte de Penchâteau
Pnte du Croisic
Port aux Rocs
Côte d'Amour
Chenal du Nord
La Banche
Le Four
La Calebasse
Les Petits Cardinaux
Grands Cardinaux
Grd Charpentier
Pnte de Chémoulin
N 165
E 60
D 780
D 774
D 213

0 2 4 6 8 10 km
125
145
164
A
B
C
D
1
2
3
4
5
Missillac
Herbignac
Assérac
Mesquer
St-Molf
Guérande
Le Croisic
La Baule-Escoublac
LA BAULE
Le Pouliguen
Pornichet
St-Lyphard
Kerbourg
Kerhinet
La Grande-Brière
PARC NATUREL RÉGIONAL DE BRIÈRE
Île de Fédrun
St-Joachim
Crossac
Ste-Reine-de-Bretagne
Pont-Château
Drefféac
Ste-Anne-s-Brivet
Besné
Montoir-de-Bretagne
Trignac
St-André-des-Eaux
ST-NAZAIRE
Pont routier
LOIRE
Paimbœuf
Corsept
St-Viaud
Donges
La Chapelle-Launay
Prinquiau
St-Brevin-les-Pins
St-Brevin-l'Océan
St-Père-en-Retz
St-Michel-Chef-Chef
Tharon-Plage
Pointe de St-Gildas
La Plaine-s-Mer
Préfailles
Chauvé
Pornic
Arthon-en-Retz
La Bernerie-en-Retz
Les Moutiers-en-Retz
Côte de Jade
Plage des Sablons
Plage Mombeau
Pointe de la Noëveillard
BAIE DE BOURGNEUF
Pierre Moine
Île du Pilier
Pointe de l'Herbaudière
L'Herbaudière
Pointe de la Gardette
La Blanche (ancne Abbe)
Pointe des Charniers
Plage des Souzeaux
Pointe des Dames
Bois de la Chaise
ÎLE DE NOIRMOUTIER
Pointe de la Coupelasse
Pte de l'Aiguillon
Pte de Chémoulin
Grd Charpentier
Pte de Penchâteau
Pte du Bile
Pte de Merquel
Canal de Haute Perche
Bourgneuf-en-Retz
N 165
N 171
D 213
D 751
E 60

126
165
148
NANTES
Orvault
Sautron
Couëron
St-Herblain
Indre
Rezé
Bouguenais
Vertou
St-Sébastien-s-Loire
Basse-Goulaine
Ste-Luce-s-L.
Carquefou
Thouaré-s-L.
La Chapelle-s-Erdre
Treillières
Sucé-sur-Erdre
Nort-sur-Erdre
Héric
Blain
Le Gâvre
Saffré
Joué-s-Erdre
Petit-Mars
Casson
Grandchamps-des-Fontaines
Vigneux-de-Bretagne
Le Temple-de-Bretagne
Fay-de-Bretagne
Bouvron
Malville
Cordemais
St-Étienne-de-Montluc
Le Pellerin
Rouans
Vue
Cheix-en-Retz
Port-St-Père
Bouaye
St-Léger-les-Vignes
Ste-Pazanne
St-Hilaire-de-Chaléons
St-Mars-de-Coutais
St-Aignan-Grandlieu
Pont-St-Martin
Les Sorinières
Château-Thébaud
La Haie-Fouassière
St-Fiacre-s-Maine
Haute-Goulaine
Le Bignon
La Chevrolière
St-Lumine-de-Coutais
St-Philbert-de-Grand-Lieu
Montbert
Aigrefeuille-s-Maine
Remouillé
Maisdon-s-Sèvre
Monnières
Mauves-s-L.
Le Cellier
Ligné
Les Touches
Trans-s-Erdre
St-Mars-du-Désert
St-Julien-de-Concelles
Nantes-Atlantique
Lac de Grand-Lieu
Réserve naturelle
Forêt du Gâvre
Forêt de la Groulais
Forêt de Touffou
Planète sauvage
LOIRE
Canal de Nantes à Brest
E
F
G
H

0 2 4 6 8 10 km
127
147
166
A
B
C
D
1
2
3
4
5
Bonnœuvre
Riaillé
Joué-s-Erdre
Trans-s-Erdre
Teillé
Mouzeil
Pannecé
Maumusson
Pouillé-les-Coteaux
Mésanger
La Roche-Blanche
Ligné
Couffé
Ancenis
St-Géréon
Oudon
Champtoceaux
Liré
Drain
(Orée d'Anjou)
Bouzillé
Varades
(Loireauxence)
(Vair-sur-Loire)
Anetz
Montrelais
Ingrandes
Le Fresne-sur-Loire
La Bourgonnière
St-Florent-le-Vieil
La Chapelle-St-Florent
Le Marillais
Le Cellier
Mauves-s-L.
La Varenne
(Divatte-s-Loire)
Landemont
St-Laurent-des-Autels
Botz-en-Mauges
Chaudron-en-Mauges
St-Quentin-en-Mauges
Montrevault-sur-Èvre
St-Rémy-en-Mauges
St-Pierre-Montlimart
Le Loroux-Bottereau
La Remaudière
La Boissière-du-Doré
Le Landreau
Goulaine
La Chapelle-Heulin
Vallet
La Regrippière
Le Puiset-Doré
Beaupréau-en-Mauges
Andrezé
Mouzillon
Le Pallet
Monnières
Maisdon-s-Sèvre
Gorges
Clisson
Gétigné
St-Lumine-de-Clisson
Aigrefeuille-s-Maine
Remouillé
St-Hilaire-de-Clisson
Cugand
Boussay
Torfou
St-Crespin-s-Moine
St-Germain-s-Moine
Montfaucon-Montigné
Villedieu-la-Blouère
St-Philbert-en-Mauges
St-Macaire-en-Mauges
(Sèvremoine)
Bégrolles-en-Mauges
St-Léger-s-Cholet
La Séguinière
La Romagne
La Bernardière
Tillières
L'OCÉANE
A 11 - E 60
N 249 - E 62
D 723
D 763
D 752
D 923

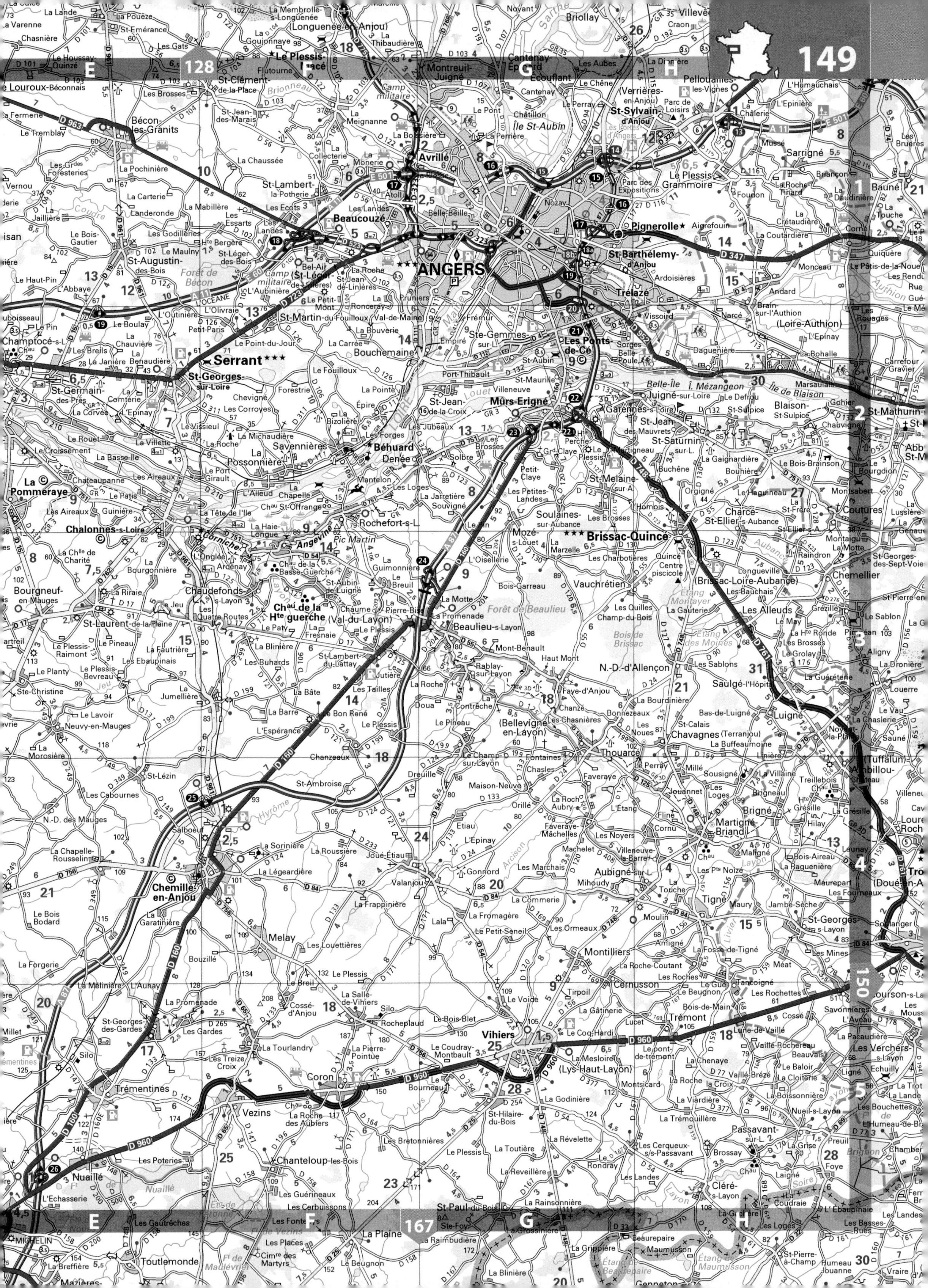
128
E
F
G
H
ANGERS
Avrillé
Beaucouzé
St-Barthélemy-d'Anjou
Trélazé
Les Ponts-de-Cé
Mûrs-Erigné
Ste-Gemmes-sur-L.
Bouchemaine
St-Sylvain-d'Anjou
Pignerolle
St-Lambert-la Potherie
St-Clément-de-la-Place
Bécon-les-Granits
Champtocé-s-L.
Serrant
St-Georges-sur-Loire
St-Germain-des-Prés
La Pommeraye
Chalonnes-s-Loire
Savennières
La Possonnière
Béhuard
Denée
Rochefort-s-L.
Brissac-Quincé
Vauchrétien
Juigné-sur-Loire
St-Jean-des-Mauvrets
St-Saturnin-sur-L.
Blaison
St-Mathurin
Les Alleuds
Beaulieu-s-Layon
St-Lambert-du-Lattay
Chaudefonds-s-Layon
St-Laurent-de-la-Plaine
Bourgneuf-en-Mauges
Thouarcé
Martigné-Briand
Chemillé-en-Anjou
Melay
Vihiers
Coron
Vezins
Trémentines
Nuaillé
Chanteloup-les-Bois
Cernusson
Montilliers
Aubigné-sur-L.
Tigné
Passavant-sur-L.
Cléré-s-Layon
St-Paul-du-Bois
La Plaine
Toutlemonde
Forêt de Beaulieu
Forêt de Bécon
Loire
Layon
Louet
Aubance
Hyrôme
A 11
A 87
E 60
E 501
D 160
D 960
D 748
D 761
D 963
167
150
MICHELIN

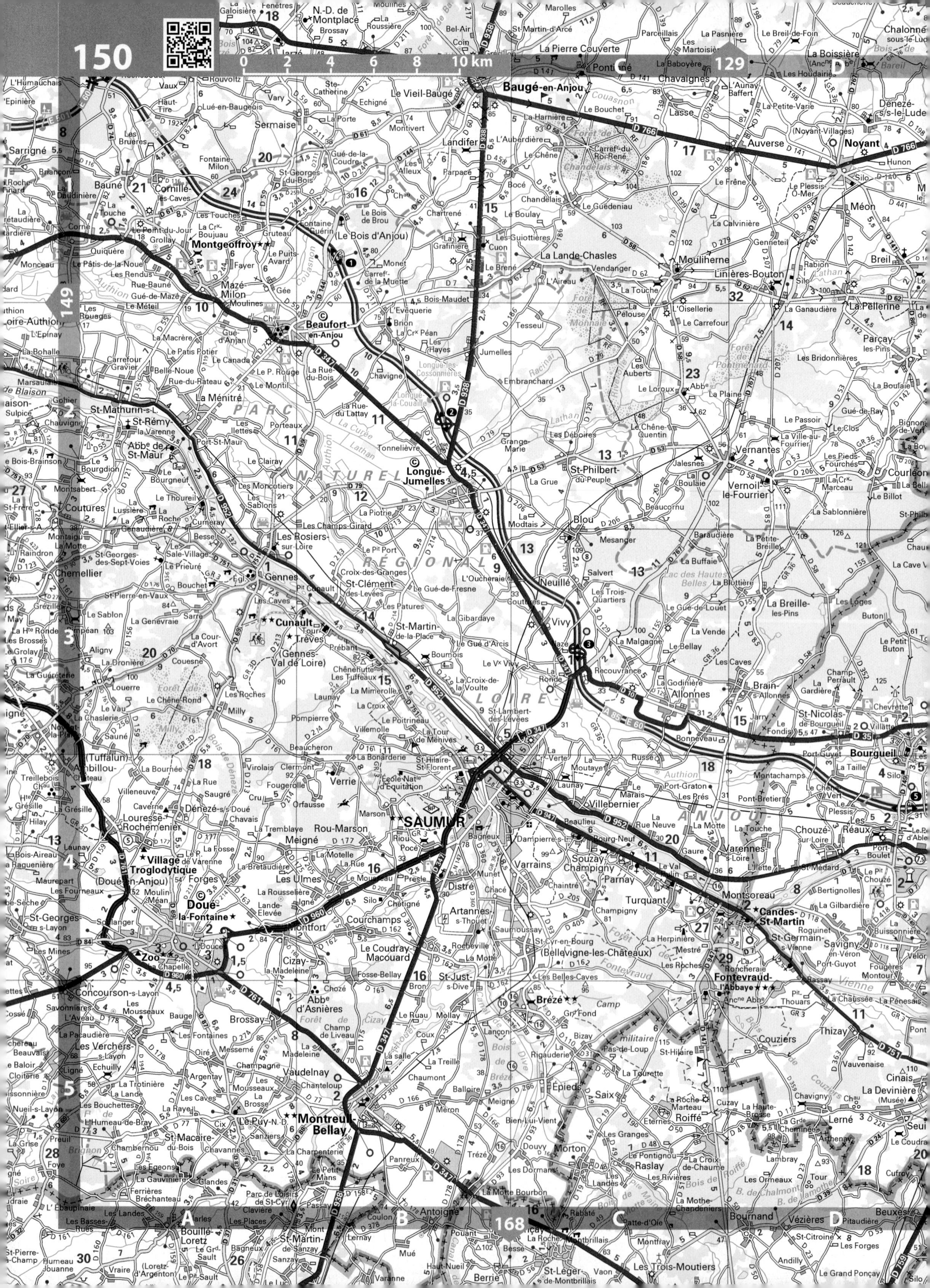
0 2 4 6 8 10 km
129
149
168
A
B
C
D
1
2
3
4
5
Baugé-en-Anjou
Le Vieil-Baugé
Pontigné
Chavaignes
Noyant
Auverse
Mouliherne
Linières-Bouton
Breil
Méon
Sermaise
Bauné
Cornillé-les-Caves
Montgeoffroy
Mazé-Milon
Beaufort-en-Anjou
Fontaine-Guérin
(Le Bois d'Anjou)
Jumelles
Longué-Jumelles
La Ménitré
St-Mathurin-s-L.
St-Rémy-la-Varenne
Abbe de St-Maur
PARC NATUREL RÉGIONAL LOIRE-ANJOU
St-Philbert-du-Peuple
Vernantes
Vernoil-le-Fourrier
Blou
Neuillé
Vivy
Allonnes
Brain-s-Allonnes
St-Nicolas-de-Bourgueil
Bourgueil
Les Rosiers-sur-Loire
Gennes
Cunault
Trèves
(Gennes-Val de Loire)
Chênehutte-Les Tuffeaux
St-Clément-des-Levées
St-Martin-de-la-Place
St-Lambert-des-Levées
SAUMUR
Villebernier
Varennes-s-Loire
Montsoreau
Candes-St-Martin
Souzay-Champigny
Parnay
Turquant
Dampierre-s-L.
Varrains
Chacé
Distré
Artannes-s-Thouet
St-Cyr-en-Bourg
(Bellevigne-les-Châteaux)
Brézé
Fontevraud-l'Abbaye
Couziers
Thizay
Chinon
Doué la-Fontaine
(Doué-en-Anjou)
Village Troglodytique
Zoo
Concourson-s-Layon
Les Verchers-s-Layon
Montreuil-Bellay
Le Coudray-Macouard
Cizay-la-Madeleine
Abbe d'Asnières
Vaudelnay
Le Puy-N.-D.
St-Macaire-du-Bois
Antoigné
Épieds
Saix
Roiffé
Morton
Raslay
Lerné
Seuilly
Cinais
La Devinière (Musée)
Forêt de Fontevraud
Forêt de Chandelais
Forêt de Monnaie
Forêt de Pont-Ménard
Bois de Dénezé
Forêt de Cizay
Bouillé-Loretz
St-Martin-de-Sanzay
Les Trois-Moutiers
Vienne
Thouet
Authion
Lathan
Couasnon
A 85
E 60
D 347
D 952
D 938
D 766
D 960
D 761
D 751
D 147

130
E
F
G
H
Château-la-Vallière
Villiers-au-Bouin
Braye-sur-Maulne
Couesmes
Brèches
Marcilly-sur-Maulne
Neuillé-Pont-Pierre
Sonzay
Souvigné
Lublé
St-Laurent-de-Lin
Channay-s-Lathan
Courcelles-de-Touraine
Semblançay
Rouziers-de-Touraine
St-Antoine-du-Rocher
Cerelles
Charentilly
Chanceaux-sur-Choisille
Mettray
Rillé
Champchevrier
Ambillou
Savigné-sur-Lathan
Hommes
Cléré-les-Pins
Pernay
St-Roch
La Membrolle-sur-Choisille
Gizeux
Continvoir
Avrillé-les-Ponceaux
St-Symphorien-les-Ponceaux
Mazières-de-Touraine
Luynes
St-Étienne-de-Chigny
Fondettes
St-Cyr-sur-Loire
TOURS
St-Pierre-des-Corps
Rochecorbon
St-Genouph
Joué-lès-Tours
St-Avertin
Chambray-lès-Tours
Berthenay
Cinq-Mars-la-Pile
Langeais
Villandry
Savonnières
Ballan-Miré
Les Essards
St-Michel-sur-Loire
La Chapelle-aux-Naux
Lignières-de-Touraine
Vallères
Druye
Benais
St-Patrice
Bréhémont
Ingrandes-de-Touraine
Restigné
Rivarennes
Rigny-Ussé
Ussé
Azay-le-Rideau
Cheillé
Saché
Artannes-sur-Indre
Monts
Montbazon
Veigne
Candé
Forêt de Chinon
St-Benoît-la-Forêt
Huismes
Villaines-les-Rochers
Thilouze
Sorigny
Villeperdue
Chinon
Cravant-les-Côteaux
Avon-les-Roches
Panzoult
Crissay-sur-Manse
St-Épain
Ste-Catherine-de-Fierbois
Ste-Maure-de-Touraine
Noyant-de-Touraine
L'Île-Bouchard
Tavant
Crouzilles
Trogues
Sazilly
Anché
Rivière
Ligré
Le Rivau
Marçay
Brizay
Theneuil
Parçay-sur-Vienne
Pouzay
Louans
Bossée
Champigny-
169
152
LOIRE
TOURAINE
A 85
A 10
E 60
D 751
D 910
D 760
D 952
D 959
D 766

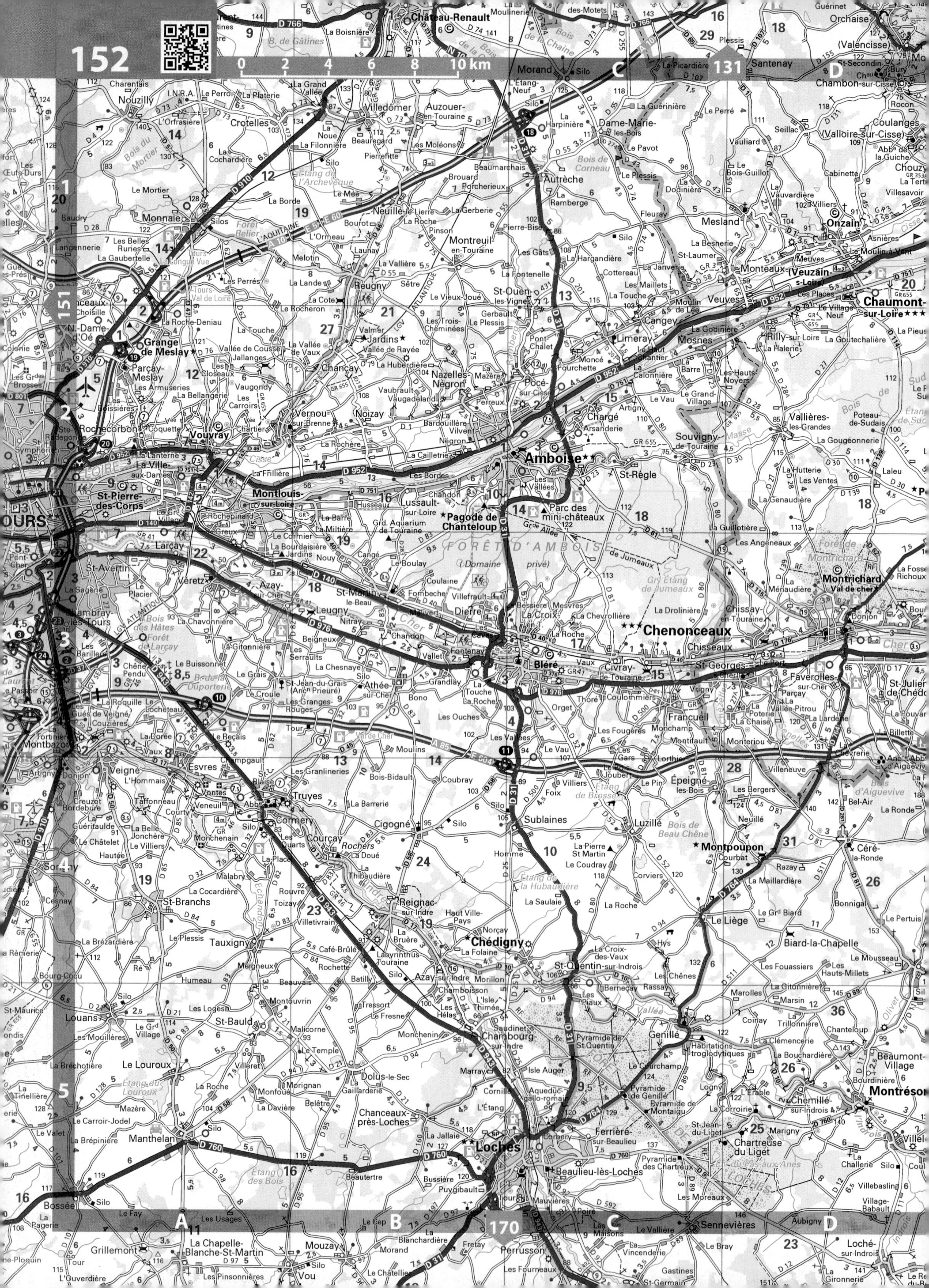

152
0 2 4 6 8 10 km
131
151
170
A
B
C
D
Château-Renault
Orchaise
Santenay
Chambon-sur-Cisse
Nouzilly
Villedômer
Auzouer-en-Touraine
Crotelles
Dame-Marie-les-Bois
Coulanges
Autrèche
Chouzy
Monnaie
Neuillé-le-Lierre
Montreuil-en-Touraine
Mesland
Onzain
Monteaux
Veuzain-sur-Loire
Reugny
St-Ouen-les-Vignes
Cangey
Veuves
Chaumont-sur-Loire
Limeray
Mosnes
Rilly-sur-Loire
Grange de Meslay
Parçay-Meslay
Chançay
Nazelles-Négron
Pocé-sur-Cisse
Vernou-sur-Brenne
Noizay
Chargé
Souvigny-de-Touraine
Vallières-les-Grandes
Rochecorbon
Vouvray
Amboise
St-Règle
Montlouis-sur-Loire
St-Pierre-des-Corps
Tours
Lussault-sur-Loire
Pagode de Chanteloup
Parc des mini-châteaux
Forêt d'Amboise
Larçay
St-Avertin
Véretz
Azay-sur-Cher
St-Martin-le-Beau
Montrichard
Chambray-lès-Tours
Leugny
Dierre
La Croix-en-Touraine
Chenonceaux
Chissay-en-Touraine
Bléré
Civray-de-Touraine
Chisseaux
St-Georges-sur-Cher
Faverolles-sur-Cher
Athée-sur-Cher
Francueil
Montbazon
Veigné
Esvres
Truyes
Cormery
Épeigné-les-Bois
Luzillé
Sublaines
Cigogné
Courçay
Montpoupon
Céré-la-Ronde
St-Branchs
Reignac-sur-Indre
Le Liège
Tauxigny
Chédigny
Azay-sur-Indre
St-Quentin-sur-Indrois
Biard-la-Chapelle
Louans
St-Bauld
Chambourg-sur-Indre
Genillé
Le Louroux
Dolus-le-Sec
Beaumont-Village
Chemillé-sur-Indrois
Montrésor
Manthelan
Chanceaux-près-Loches
Loches
Beaulieu-lès-Loches
Chartreuse du Liget
Bossée
Sennevières
La Chapelle-Blanche-St-Martin
Mouzay
Perrusson
Loché-sur-Indrois
Vou

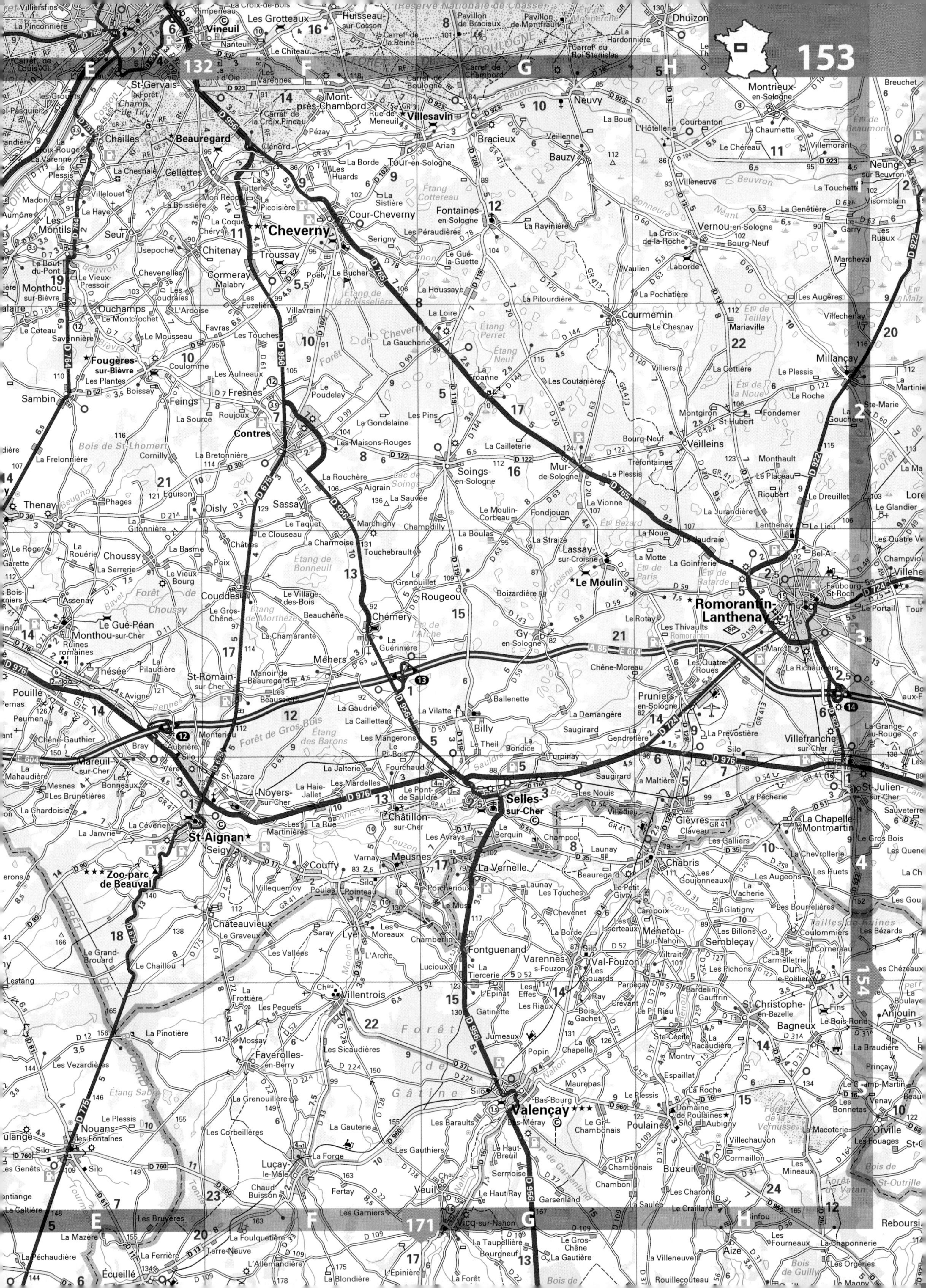
153
132
154
171
E
F
G
H
Vineuil
Les Grotteaux
Huisseau-sur-Cosson
Pavillon de Bracieux
Pavillon de Montfrault
Dhuizon
La Pinconnière
Nanteul
Le Château
Carref. de la Reine
Carref. du Roi Stanislas
La Hardonnière
Carref. de Louis XII
Les Varennes
Carref. de Boulogne
Carref. de Chambord
Forêt de Boulogne
St-Gervais-la-Forêt
Mont-près-Chambord
Carref. de la Croix Pineau
Rue-de-Meneuil
Villesavin
Neuvy
Montrieux-en-Sologne
Breuchet
Chailles
Beauregard
Pézay
Bracieux
Veillenne
Courbanton
La Chaumette
Cellettes
La Borde
Arian
Bauzy
Le Chéreau
Villemorant
La Croix-Rouge
La Varenne
Le Plessis
La Chesnaie
Tour-en-Sologne
Les Huards
Étang Cottereau
Neung-sur-Beuvron
Villelouet
La Hutterie
La Sistière
Fontaines-en-Sologne
Villeneuve
La Touchette
Madon
La Boissière
Mon Repos
Picoisière
Cour-Cheverny
Vernou-en-Sologne
La Genêtière
Vismoblain
Aumône
La Haye
La Coque
Les Montils
Seur
Chéry
Cheverny
Les Péraudières
La Ravinière
Garry
Les Ruaux
Usepoche
Chitenay
Troussay
Serigny
Le Gué-la-Guette
La Croix-de-la-Roche
Bourg-Neuf
Laborde
Marcheval
Le Bout-du-Pont
Le Vieux-Pressoir
Chevenelles
Cormeray
Malabry
Poëly
Le Bucher
Vaulien
Monthou-sur-Bièvre
Les Coudraies
La Houssaye
Étang de la Rousselière
La Pilourdière
La Pochatière
Les Augères
Ouchamps
Le Montcrochet
L'Ardoise
Les Fuzelières
Villavrain
La Loire
Courmemin
Le Chesnay
Mariaville
Villechenay
Le Coteau
Savennière
Le Mousseau
Favras
Les Touches
Étang Perret
Étang Neuf
Étang de Teillay
Fougères-sur-Bièvre
Les Plantes
Coulomme
La Gaucherie
Forêt de Cheverny
Villiers
La Cottière
Millançay
Sambin
Boissay
Les Aulneaux
Fresnes
Le Poudelay
La Froanne
Les Coutanières
Le Plessis
La Roche
Feings
La Source
Roujoux
Contres
La Gondelaine
Les Pins
Montgiron
St-Hubert
Fondemer
Ste-Marie
La Goucherie
Bois de St-Lhomert
Cornilly
La Bretonnière
Les Maisons-Rouges
La Cailleterie
Bourg-Neuf
Veilleins
La Frelonnière
Soings-en-Sologne
Mur-de-Sologne
Tréfontaines
Monthault
La Rouchère
Lac de Soings
Aigrain
Le Plessis
Le Placeau
Eguison
Oisly
Sassay
La Sauvée
Riaubert
Le Dreuillet
Thenay
Phages
Le Moulin-Corbeau
Fondjouan
La Vionne
La Jurandière
Le Glandier
La Gitonnière
Le Taquet
Marchigny
Champdilly
Étang Bezard
Lanthenay
Le Lieu
Le Roger
Le Clouseau
Châtres
La Charmoise
La Boulas
La Straize
La Noue
La Maudraie
Les Quatre Vents
Garette
La Rouérie
Choussy
La Basme
Étang de Bonneuil
Touchebrault
Lassay-sur-Croisne
La Motte
La Goinfrerie
Étang de Bâtarde
Bel-Air
La Serrerie
Poix
Le Vieux-Bourg
Le Grenouillet
Étang de Paris
Champvioux
Villeherviers
Assenay
Forêt de Choussy
Couddes
Le Village-des-Bois
Rougeou
Le Moulin
Faubourg-St-Roch
Le Gros-Chêne
Étang de Morthèze
Beauchêne
Boizardière
Romorantin-Lanthenay
Le Portail
Le Gué-Péan
Chémery
Le Rotay
Monthou-sur-Cher
Ruines romaines
Étang de l'Arche
La Chamarante
La Guérinière
Gy-en-Sologne
Les Thivaults
Romorantin
St-Marc
Thésée
La Pilaudière
Méhers
Chêne-Moreau
Les Quatre-Roues
La Richaudière
St-Romain-sur-Cher
Manoir de Beauregard
Les Beausiers
Pouillé
Avigne
Ballenette
Pruniers-en-Sologne
Peumen
La Gaudrie
La Vilatte
La Demangère
La Grange-au-Rouge
Chêne-Gauthier
Bray
Aubrière
Monterieu
Forêt de Gros-Bois
La Caillette
Étang des Barons
Billy
Saugirard
La Prévostière
Villefranche-sur-Cher
Mareuil-sur-Cher
Véré
Les Mangerons
Le Theil
Bondice
Gendretière
Silo
La Mahaudière
Les Bonneaux
St-Lazare
La Jalterie
Fourchaud
Turpinay
Saugirard
La Maltière
Mesnes
Les Brunetières
Noyers-sur-Cher
La Haie-Jallet
Les Mardelles
Le Pont-de-Sauldre
Selles-sur-Cher
Les Nouis
St-Julien-sur-Cher
La Péchêrie
Sauveterre
La Chardoisie
Les Martinières
Châtillon-sur-Cher
Villedieu
Gièvres
Claveau
La Chapelle-Montmartin
La Céverie
La Rue
Les Avrays
Le Berquin
Champco
Les Galliers
Le Gros Bois
La Janvrie
St-Aignan
Seigy
Varnay
Meusnes
Launay
Chabris
La Chevrollerie
Les Quenes
Zoo-parc de Beauval
Couffy
La Vernelle
Beauregard
Les Goujonneaux
Les Augeons
Les Huets
Villequemoy
Poulas
Pointeau
Porcherioux
Launay
Les Touches
Le Petit Givry
La Vacherie
Les Bourrelières
Le Mus
Campoix
Glatigny
Chevenet
Tailles de Ruines
Les Bézards
Châteauvieux
Le Graveux
Saray
Lye
Les Moreaux
Chamberlin
La Borde
Les Issertaux
Menetou-sur-Nahon
Les Billons
Coulommiers
Sembleçay
Cornerau
Grand-Brouard
Les Vallées
L'Arche
Fontguenand
Varennes-sur-Fouzon
Silo (Val-Fouzon)
Viltrait
La Carmelletrie
Le Chaillou
Lucioux
La Tiercerie
Les Gouards
Les Pichons
Dun-le-Poëlier
Les Chézeaux
Lestang
Forêt de Gâtine
La Frottière
Villentrois
L'Epinat
Les Effes
Parpeçay
Bardelin
Gauffrin
Les Riaux
Ray
Crévant
Le Pt Riau
St-Christophe-en-Bazelle
Fins
Anjouin
Les Peguets
Gatinette
Bois-Gachet
La Pinotière
Bagneux
Le Bois-Rond
Mossay
Jumeaux
Ste-Cécile
La Racaudière
La Braudière
Les Vezardières
Faverolles-en-Berry
Les Sicaudières
Popin
La Chapelle
Montry
Princay
Espaillat
Étang Sabré
Maurepas
Silo
Bas-Bourg
La Roche
Le Plessis
Valençay
Bas-Méray
Domaine de Poulaines
Poulaines
Aubigny
Forêt de la Vernusse
Les Bonnetas
Vénay
Le Champ-Martin
La Grenouillère
Le Plessis
Nouans-les-Fontaines
La Gauterie
Les Baraults
Le Grd Chambonais
Villechauvon
La Macoterie
Orville
Les Fouages
St-Outrille
Les Corbeillères
Le Haut-Breuil
Cormaillon
Les Gauthiers
La Forge
Bois de St-Outrille
Les Genêts
Lucay-le-Mâle
Sermoise
Le Pt Chambonais
Buxeuil
Les Mineaux
Forêt de Vatan
Fertay
Le Haut Ray
Chambon
Chaud-Buisson
Veuil
Garsenland
Les Charons
La Caltière
Les Bruyères
Les Garniers
Vicq-sur-Nahon
La Saulée
Le Craillard
Hinfou
Rebourse
La Mazère
La Foulquetière
La Taupellière
Le Gros-Chêne
Les Fourneaux
La Chaponnerie
La Péchaudière
La Ferrière
Terre-Neuve
Bourgneuf
La Gautière
Aize
L'Allemandière
La Villeneuve
Bois de Guilly
Les Orgeries
Écueillé
La Blondière
L'Epinière
La Forêt
Rouillecouteau
Magny
A 85
E 604
D 956
D 765
D 976
D 922
D 960
D 675
D 764
D 775
D 923

0 2 4 6 8 10 km
133
153
172
A
B
C
D
1
2
3
4
5
Breuchet
Le Grd Soupeau
La Ferté-Beauharnais
Neung-sur-Beuvron
Villemorant
La Touche
Visomblain
La Croûte
Avignon
Favelle
St-Joseph
Garry
Les Ruaux
Marcheval
Verrière
Boisquillon
Le Trésor
Courcelles
Le Carroir
Marcilly-en-Gault
Millançay
La Martinière
La Roche
Ste-Marie
Gouchère
La Foncerie
Bourgnouveau
Les Allioux
Villechaise
La Harpe
La Maison Rouge
Belle-Fontaine
Forêt de Bruadan
Loreux
Pioté
Villeloup
Le Dreuillet
Le Glandier
Bois-Clair
Selles-St-Denis
Les Quatre Vents
La Gravellière
Bois-Méhant
Le Pont
Migerault
Villeherviers
Champvioux
Faubourg-St-Roch
Vouës
Les Roches
Montifaut
Le Portail
Les Tourneux
La Pte Chalanière
Les Anges
Le Luneau
La Bédinière
La Fontaine-Harlot
Étang des Landes
Bourdaloue
Bois-Chavant
Nocfond
Bois-aux-Frères
Les Bretets
Douy
La Guérinière
La Richaudière
Villefranche-sur-Cher
La Grange-au-Rouge
La Boulaye
Bailly
La Brillière
La Bajolerie
Le Many
Les Tréchis
Langon-sur-Cher
Prejeux
Mennetou-sur-Cher
St-Julien-sur-Cher
Sauveterre
St-Loup-sur-Cher
La Chapelle-Montmartin
Le Gros Bois
Les Quenets
La Chevrollerie
Les Huets
La Charonnerie
Châtres-sur-Cher
Maray
Thénioux
Le Gué-Vincent
Les Forges
Les Agards
La Forêt
Charnay
Les Ocreries
Méry-sur-Cher
Les Barres
La Plaudière
Les Bourdains
Rozay
St-Georges-sur-la-Prée
Les Goujons
Les Bourrelières
Tailles de Ruines
Coulommiers
Les Bézards
Cornereau
Les Belliards
La Chartrerie
La Chaume
Les Chézeaux
La Roichère
Grandmont
Étang de Sceps
Roche
La Boulaye
Lourière
Silo
Anjouin
Genouilly
La Coudre
Le Bois-Rond
La Braudière
Les Maisons-Rouges
Les Brioux
Prinçay
Champ-Martin
Venay
Beauregard
Mousselas
La Poterie
Graçay
Orville
Les Fouages
St-Outrille
Villaine
La Macoterie
Bois de St-Outrille
Coulon
Lenay
Reboursin
Villor
Mérou
La Beaupinière
Le Chêne
La Pelote
La Chaponnerie
Les Orgeries
Vornault
Le Coudray
Lucay-le-Libre
Les Creusets
Cermelle
St-Pierre-de-Jards
Bouchetault
Milbert
Bouchetin
Cersay
Pont-Ballon
Beauval
Beuzon
Les Pins
La Châtaigneraie
Les Vallées
Les Hirtaignes
Montfranc
Bois-Baudet
Bonbonnière
Le Puy
Clairbois
Ste-Marie
Villegondin
Burtin
Nouan-le-Fuzelier
Moléon
Vervillon
Le Grand-Leu
Chalès
St-Viâtre
Potin
Étg de la Gde Corbois
Le Pit Bois
L'Arsendrie
Brémaille
La Margotière
Frogère
Étg de Marcilly
Mont-Evray
Mont-Arlet
Mazères
Le Clos-d'Issay
La Bourdinière
L'Ouaillerie
Les Marembers
L'Abbaye
L'Aubrette
Remardaye
Faverolles
Les Chardonnières
Les Chapellières
Camp militaire
La Sébillère
L'Écluse
La Barellerie
Les Ordonnières
Monboulan
Le Chesne
Salbris
Vélodrome
Les Bois-Lions
St-Thaurin
La Ferté-Imbault
Boisbereau
Le Plessis
Les Amozins
Le Pré
La Maison-Rouge
Les Vaux
Le Buisson-Luzas
Lacs Plats
Salbris-La Loge
Salbris-Theillay
La Gravette
La Loge
Rère
Theillay
Lojon
Le Chalumeau
Le Chêne-Vert
La Borne
Orçay
Boucharimbault
Les Brosses
Breuzette
Forêt de Vierzon
Vierzon
St-Hilaire-de-Court
Beuvrière
Deuvre
Le Plessis
Maison-Fort
Bellefiole
La Mornetterie
Le Tronçay
Haut Bourg
Maurepas
Le Bois d'Olivet
Dampierre-en-Graçay
Gy-le-Grd
St-Martin-de-Court
Les Mazères
Imbry
Ste-Catherine
Le Lac Clair
Le Grand Boisfort
Le Galleran
La Provenchère
Massay
Chavannes
Le Port
Le Briou
Chevilly
Guérigny
Nohant-en-Graçay
La Ray
Chéry
La Pommaille
Autry
Madrolle
Sailly
Alnay
Chaillot
Vierzon Forges
Loumet
La Boirie
Champs
Le Tremblay
Le Ferrandeau
Méreau
Lury-sur-Arnon
Chante-Renard
Coulange
Cornançay
Ralant
Cerbois
Les Bruns
Brinay
Foëcy
Beauregard
Fosse
Les Brosses
Grand Villain
Quincy
La Royauté
Vauilly
Les Rouches
Bois-Rabot
Les Sandilles
Malvaux
Les Marchais
La Gravette
Maulieu
La Rebutinière
La Lande
Ortie
Champeau
Les Loges
Rivaulde
Coussin
Les Pites Fontaines
Les Tanières
Les Aubiers
Pont-Egaré
Le Haut Boulay
Chaudénéant
Les Anneaux
Voisine
Nançay
Sanges
Loince
Fontenay
Le Grd Village
Le Loeuf-du-Houx
Rond-Point de l'Étoile
Les Tierceaux
La Picardière
La Croix
Le Briou
Le Piquet
Chevry
Guérigny
Givry
Nouriou
Les Bouffards
Le Coudray
Les Petits Bouffards
Les Alicourts
La Rousselière
Villemignon
Pierrefitte-sur-Sauldre
Falaise
Bourdaloue
La Mousseraie
Le Puits
Souesmes
La Croix-des-Landes
Grandchamp
Station de radioastronomie
Bourdaloue
La Petite Chabotière
Le Vieux-Nançay
Les Breuzioux
La Petite-Grêlerie
Les Monteaux
La Minée
La Boulinière
Brinon-s-Sauldre
La Lande
Les Réaux
L'Huys
Bois-Chaumont
Les Bordes
Le Tertre-Meneau
Bois-Renard
La Chauss
Villeneuve
Bois-Rosé
Le Village
Les Clergeries
Landeroyne
Le Simouët
Randon
La Bascule
Les Bruyères
Le Boulay
La Devinnière
Les Guépins
La Rère
Les Petits Coulons
Jeu
Neuvy-sur-B
Forêt de Vouzeron
Vouzeron
Le Puits
Ambroise-Croizat
La Couturanderie
St-Laurent
La Margauderie
L'Ormoy
La Giraudière
Chaumoux
Mamets
Champmartin
Les Fontaines
La Minauderie
Vignoux-sur-Barangeon
La Prinquette
Brean
Rhin-du-Bois-d'en-Haut
Les Varennes
Allouis
Rhin-du-Bois-d'en-Bas
Chancenay
La Pierre de Lu
Château-Vert
La Touche
Mehun-sur-Yèvre
Barmont
Graire
Somme
La Motte
Servantes
Le Côteau
Les Tureaux
Ville-Perdue
La Motte
La Cour-au-Gilet
Boitier
Preuilly
Marmignolle
Bourges-Marmagne
L'OCCITANE

155
134
156
173
E
F
G
H
Argent-sur-Sauldre
Blancafort
Aubigny-sur-Nère
Concressault
Oizon
Barlieu
Cernoy-en-Berry
Pierrefitte-ès-Bois
Santranges
Beaulieu-s-Loire
Bonny-s-Loire
Belleville-sur-Loire
Sury-près-Léré
Léré
Sury-ès-Bois
Vailly-sur-Sauldre
Dampierre-en-Crot
Villegenon
La Verrerie
Thou
Savigny-en-Sancerre
Assigny
Subligny
Ste-Gemme-en-Sancerrois
Jars
Le Noyer
Ennordres
Presly
La Chapelle-d'Angillon
Ivoy-le-Pré
La Chapelotte
Boucard
Menetou-Râtel
Sury-en-Vaux
Verdigny
Chavignol
Sancerre
St-Satur
Ménétréol-sous-Sancerre
Bué
Crézancy-en-Sancerre
Sens-Beaujeu
Neuilly-en-Sancerre
Henrichemont
Méry-ès-Bois
Achères
Pic de Montaigu
La Borne
Neuvy-Deux-Clochers
Humbligny
Motte d'Humbligny
Vinon
Gardefort
Veaugues
Jalognes
Feux
Morogues
Montigny
Maupas
Menetou-Salon
Parassy
St-Palais
Quantilly
Aubinges
St-Céols
St-Martin-d'Auxigny
Vignoux-sous-les-Aix
Les Aix-d'Angillon
Rians
Azy
Soulangis
St-Georges-sur-Moulon
Pigny
Vasselay
St-Eloy-de-Gy
Fussy
St-Michel-de-Volangis
Ste-Solange
Brécy
Étréchy
Lugny-Champagne
Chaumoux-Marcilly
Sévry
Couy
Asnières
St-Doulchard
St-Germain-du-Puy
Nohant-en-Goût
Villabon
Forêt d'Ivoy
Bois de Beaujeu
Forêt de St-Palais
MICHELIN

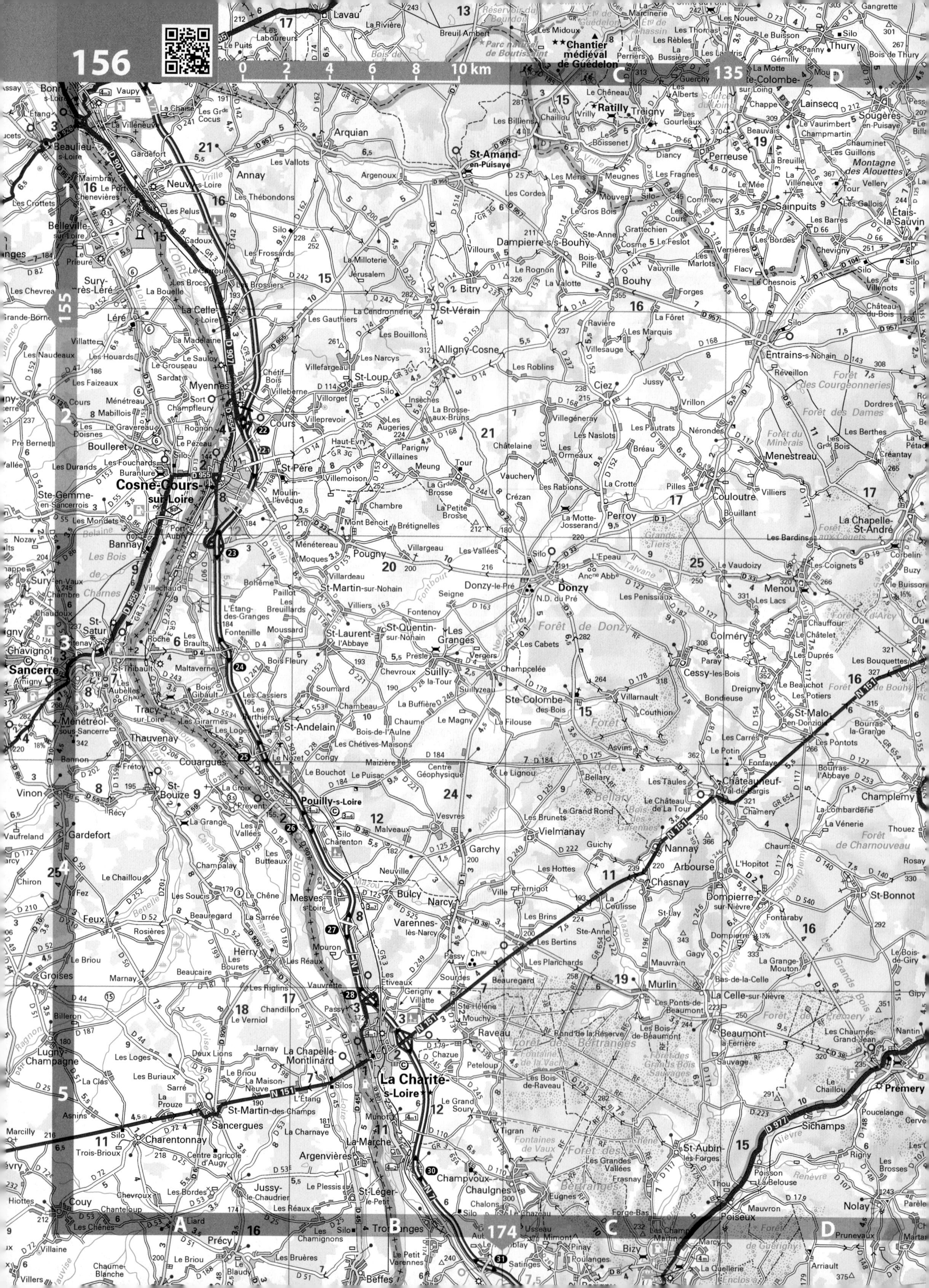

156
0 2 4 6 8 10 km
135
155
174
A
B
C
D
Cosne-Cours-sur-Loire
Sancerre
La Charité-s-Loire
Pouilly-s-Loire
Donzy
St-Amand-en-Puisaye
Chantier médiéval de Guédelon
Ratilly
Treigny
Thury
Lainsecq
Sougères-en-Puisaye
Perreuse
Sainpuits
Étais-la-Sauvin
Bouhy
Dampierre-s/s-Bouhy
Entrains-s-Nohain
Menestreau
Couloutre
La Chapelle-St-André
Menou
Colméry
Cessy-les-Bois
St-Malo-en-Donziois
Châteauneuf-Val-de-Bargis
Champlemy
Nannay
Arbourse
Chasnay
Dompierre-sur-Nièvre
St-Bonnot
Murlin
La Celle-sur-Nièvre
Beaumont-la-Ferrière
Prémery
Sichamps
St-Aubin-les-Forges
Champvoux
Chaulgnes
Raveau
Narcy
Varennes-lès-Narcy
Garchy
Vielmanay
Mesves-s-Loire
Bulcy
Vesvres
Sully-la-Tour
St-Quentin-sur-Nohain
Les Granges
St-Laurent-l'Abbaye
St-Martin-sur-Nohain
Pougny
Donzy-le-Pré
Perroy
Ciez
Alligny-Cosne
St-Loup
St-Vérain
Bitry
Arquian
Annay
Neuvy-s-Loire
Myennes
St-Père
Cours
Bannay
St-Satur
St-Thibault
Ménétréol-sous-Sancerre
Thauvenay
Tracy-sur-Loire
St-Andelain
Couargues
St-Bouize
Gardefort
Herry
Feux
Groises
Lugny-Champagne
St-Martin-des-Champs
Sancergues
Charentonnay
La Chapelle-Montlinard
Argenvières
Jussy-le-Chaudrier
St-Léger-le-Petit
La Marche
Couy
Précy
Beaulieu-s-Loire
Belleville-s-Loire
Sury-près-Léré
Léré
Boulleret
Ste-Gemme-en-Sancerrois
Sury-en-Vaux
Vinon
Forêt de Donzy
Forêt des Bertranges
Forêt des Courgeonneries
Forêt des Dames
Forêt de Charnouveau
Forêt de Bellary
Loire
Nièvre
Nohain
Vrille

E
F
G
H
136
158
175
1
2
3
4
5
Clamecy
Coulanges-sur-Yonne
Vézelay
Avallon
Corbigny
Lormes
Tannay
St-Saulge
Bazoches
St-Père
Pierre-Perthuis
Châtel-Censoir
Druyes-les-Belles-Fontaines
Andryes
Surgy
Pousseaux
Festigny
Crain
Lucy-s-Yonne
Lichères-s-Yonne
Asnières-s/s-Bois
Asquins
Montillot
Blannay
Givry
Sermizelles
Girolles
Pontaubert
Island
Tharoiseau
Fontaines Salées
Menades
Chamoux
Dornecy
Armes
Breugnon
Rix
Beaugy
Brèves
Villiers-s-Yonne
Asnois
Metz-le-Comte
Teigny
Nuars
St-Aubin-des-Chaumes
Domecy-sur-Cure
Fontenay-près-Vézelay
Foissy-lès-Vézelay
Chastellux
St-André-en-Morvan
St-Germain-des-Champs
Amazy
Cuncy-lès-Varzy
Beuvron
St-Germain-des-Bois
Flez-Cuzy
St-Didier
Monceaux-le-Comte
Vignol
Neuffontaines
Empury
St-Martin-du-Puy
Chalaux
Talon
Grenois
Asnan
Challement
Dirol
Ruages
Anthien
Pouques-Lormes
Marcy
Taconnay
Chevannes-Changy
Moraches
Germenay
Marigny-sur-Yonne
Magny-Lormes
Brinon-sur-Beuvron
Héry
Chitry-les-Mines
Chaumot
Champlin
Neuilly
Champallement
Guipy
Pazy
Cervon
Vauclaix
Montenoison
St-Révérien
Vitry-Laché
Moussy
Sardy-lès-Epiry
Epiry
Mouron-sur-Yonne
Marcilly
Montreuillon
La Collancelle
Crux-la-Ville
Lucy-le-Bourg
St-Franchy
Ste-Marie
Bazolles
Achun
Aunay-en-Bazois
Blismes
Montigny-en-Morvan
Forêt de Montreuillon
Mont de la Justice
Butte de Montenoison
Gorges de Narvau
Signal de Montrecon
Roche Percée
Parc d'attractions
Grottes de St Moré
Rochers du Saussois
Mont Lidou
Signal de Beauregard
Lac de Pannecière-Chaumard

0 2 4 6 8 10 km
137
157
176
A
B
C
D
1
2
3
4
5
Avallon
Montréal
Époisses
Semur-en-Auxois
Montbard
Sauvigny-le-Bois
Cussy-les-Forges
Ste-Magnance
Rouvray
Beauvilliers
St-Germain-des-Champs
Chastellux-s-Cure
Quarré-les-Tombes
St-Léger-Vauban
Abbe de la Pierre-qui-Vire
St-Agnan
Dun-les-Places
St-Brisson
Gouloux
Montsauche-les-Settons
Les Settons
Lac des Settons
Ouroux-en-Morvan
Lac de Pannecière-Chaumard
Chaumard
Planchez
Gien-sur-Cure
Ménessaire
Moux-en-Morvan
Alligny-en-Morvan
Saulieu
Liernais
Précy-sous-Thil
Butte de Thil
Vic-sous-Thil
Montlay-en-Auxois
Thoisy-la-Berchère
Molphey
St-Didier
La Roche-en-Brenil
St-Germain-de-Modéon
Bierre-lès-Semur
Montigny-St-Barthélemy
Courcelles-lès-Semur
Pont-et-Massène
Flée
Villars-et-Villenotte
Lantilly
Genay
Millery
Torcy-et-Pouligny
Forléans
Montberthault
Vieux-Château
Toutry
Guillon
Trévilly
Athie
Sceaux
Précy-sous-Thil
Marcheseuil
Manlay
Bard-le-Régulier
Brazey-en-Morvan
Blanot
Villiers-en-Morvan
Chissey-en-Morvan
Cussy-en-Morvan
Lucenay-l'Évêque
Anost
N.D. de l'Aillant
Lavault-de-Frétoy
Corancy
Châtin
Roche des Fées
Rocher de la Pérouse
Forêt de Thoisy
Bois de Montsauche
PARC NATUREL RÉGIONAL DU MORVAN
A 6
E 15 - E 60
D 606
D 906
D 980
D 70
LGV SUD-EST

Bussy-le-Grand
La Villeneuve-les-Convers
Poiseul-la-Ville-et-Laperrière
Les Granges
Oigny
Poiseul-la-Grange
Léry
Ménétreux-le-Pitois
Bussy-Rabutin
Darcey
Bussy-le-Château
Jugny
Grand Vallée
Billy-lès-Chanceaux
Grésigny-Ste-Reine
Venarey-les-Laumes
MuséoParc Alésia
Alise-Ste-Reine
Mt Auxois
Corpoyer-la-Chapelle
Corpoyer-les-Moines
Frôlois
Munois
Silos
Le Vallon
Courceau
Le Tertre
Chanceaux
Lamargelle
Moloy
Frénois
Tarsul
Bois de Bisnont
Camp de César
Les Prés-Hauts
Gissey-sous-Flavigny
Vaubuzin
Pellerey
Bois du Tilloy
La Grande-Montagne
Flavigny-sur-Ozerain
Thenissey
St-Germain-Source-Seine
Sources de la Seine
Poncey-sur-l'Ignon
Bois de Terre Noire
Forêt de Is-sur-Tille
Vernot
Pouillenay
Hauteroche
(Source-Seine)
Blessey
Côte des Trapeux
Ecorsaint
Les Vergerots
Source de l'Ignon
Cheneroilles
Bois des Fontenis
Bois de Malte
Leugny
Boux-sous-Salmaise
Présilly
Tour
Saussy
Chassey
La Roche-Vanneau
Vaux-Saules
Bois du Massif
Brain
Clirey
Jailly-les-Moulins
Les Bordes
Salmaise
Champagny
Francheville
Cinq-Fonts
Curtil-St-Seine
Villeferry
Arnay-s/s-Vitteaux
Parc de l'Auxois
Verrey-sous-Salmaise
Bligny-le-Sec
St-Seine-l'Abbaye
Prairay
Ste-Foy
Ste-Anne
Val-Suzon
Souche
Ste-Colombe-en-Auxois
St Abdon
Dampierre-en-Montagne
Villeberny
Charencey
Villotte-St-Seine
St-Martin-du-Mont
Cestres
Froideville
La Casquette
Sébastopol
Posanges
Villy-en-Auxois
Silo
Bordes-Bricard
Bois de Cestres
Volnay
Cessey
La Bonde
La Rochotte
Mont Tasselot
Fromenteau
Étaules
Marcilly-et-Dracy
Dracy
Massingy-lès-Vitteaux
Chevannay
Turcey
Champrenault
Bordes-Pillot
Forêt de Pasques
Darois
Velogny
Vitteaux
St-Cassien
St-Hélier
Trouhaut
Prenois
Hauteville-lès-Dijon
Pont-Royal
Maison-aux-Moines
Vesvres
La Roche-d'Hys
Barain
Blaisy-Bas
Panges
Granges-de-Vesvres
Verrey-sous-Drée
Bussy-la-Pesle
St-Thibault
Boussey
Saffres
Avosnes
Fontette
Blaisy-Haut
Charmoy
Falaise
Pasques
La Flamme
Plombières-lès-Dijon
Verchisy
Lignières
Marcellois
Godan
Drée
Le Puits XV
Baulme-la-Roche
Lantenay
Beurizot
Beurey
Uncey-le-Franc
St-Mesmin
Corcelotte
Savranges
Ancey
Neuvon
Velars-sur-Ouche
Soussey-sur-Brionne
La Chaleur
Savigny-sous-Mâlain
Mâlain
Fleurey-sur-Ouche
La Verrerie
Fort de la Motte-Giron
Grosbois-en-Montagne
Vieilmoulin
Mesmont
Serrée
Prâlon
La Cude
Grand Champ
St-Anthot
Gissey-le-Vieil
Martrois
Le Chien Blanc
Les Lochères
Gélilgny
Sombernon
République
Pont-de-Pany
N.-D. d'Étang
Corcelles-les-Monts
Éguilly
Réservoir de Grosbois
Aubigny-lès-Sombernon
Remilly-en-Montagne
Mont Afrique
Blancey
Bellenot-sous-Pouilly
Cîvry-en-Montagne
Agey
Ste-Marie-s-Ouche
Le Tremblay
Lantillière
Montoillot
Forêt de Velure
Pont
Flavignerot
Marsannay-la-Côte
Chailly-sur-Armançon
Mont de Pouilly
Pouilly-en-Auxois
Le Palloux
Échannay
Charmoy
Arcey
Montculot
Grenant-lès-Sombernon
Mont de Siège
Carmel
Couchey
Semarey
Barbirey-sur-Ouche
Gissey-sur-Ouche
Urcy
Fixey
Cercey
Dionne
Beaume
Commarin
Vaux
Clémencey
Fixin
Panthier
Les Grenand
Jaugey
Chau de Marigny
Forêt de Daviot
Parc Noisot
Brochon
Sausseau
Réservoir de Cercey
Thoisy-le-Désert
Créancey
Solle
Réservoir de Panthier
Crosson
Auvillard
Gergueil
Chambœuf
Gevrey-Chambertin
Quemigny-Poisot
La Lochère
Escommes
Les Bordes
St-Victor-sur-Ouche
La Serrée
Châtellenot
Mouillon
Vandenesse-en-Auxois
La Bussière-sur-Ouche
Macorge
Arconcey
Bois de Vesvres
Châteauneuf
St-Jean-de-Bœuf
Semezanges
Combe de Lavaux
Avincey
La Pèpe
La Forêt
Morey-St-Denis
Lanneau
Essey
Bouhey
Forêt de Bouhey
La Forge
Ternant
Les Rochons
Curley
Juilly
Rouvres-sous-Meilly
Le Poiset
Détain-Gergueil
Combe Ambin
Chambolle-Musigny
Clomot
Meilly-sur-Rouvres
Réservoir du Tillot
Reulle-Vergy
L'Étang-Vergy
Allerey
Villeneuve
le Roussay
Ste-Sabine
Veuvey-sur-Ouche
Bévy
Rochers du Grognot
Chazilly
Réservoir de Chazilly
Chaudenay-le-Château
Crugey
Abbe de St Vivant
Curtil-Vergy
Clos de Vougeot
Le Fète
Promenois
Coutivert
Cussy-le-Châtel
Les Bordottes
Antheuil
Détain-et-Bruant
Collonges-lès-Bévy
Concœur-et-Corboin
Vosne-Romanée
Pochey
Mussigny
Longecourt-lès-Culêtre
Chaudenay-la-Ville
Colombier
Pont-d'Ouche
Bruant
Messanges
Segrois
Treney
Solonge
Buisson
Bécoup
Chevannes
Villars-Fontaine
Nuits-St-Georges
Mimeure
Thoreille
Lée
Pâquier
Painblanc
Thorey-sur-Ouche
Meuilley
Combe Pertuis
Raccordon
Jouey
Bize
Culètre
Nuas
Aubaine
Chaux
Chle de la Serrée
Blangey-le-Haut
Étang Fouché
Veilly
Auxant
Crepey
La Forge
Bouilland
Arcenant
Marey-lès-Fussey
Chevrey
Arnay-le-Duc
Antigny-le-Château
Sivry
Oucherotte
Forêt de Bligny
Le Creux Moreau
Abbe Ste-Marguerite
Combe à la Vieille
Fussey
Changey
Premeaux-Prissey
Blangey-le-Bas
Fontaine
Chassenay
Foissy
Sasoge
St-Cassien
Chancelay
Bligny-sur-Ouche
Roche Percée
Échevronne
Villers-la-Faye
Comblanchien
St-Prix-lès-Arnay
Charmoy
Mercey
Bessey-la-Cour
Vic-des-Prés
La Forêt
Clavoillon
Magny-lès-Villers
Magnien
Laurenne
Étang Breuil
Neuilly
Antigny-la-Ville
Bois de Rouey
Lusigny-sur-Ouche
Bessey-en-Chaume
Pernand-Vergelesses
Corgoloin
Cussigny
Chaume
Maligny
Thomirey
Écutigny
Savigny-lès-Beaune
Aloxe-Corton
Ladoix-Serrigny
Moux
Bois de Bornotte
Étang de Bornotte
Chevigny
Les Granges
Lacanche
Vx-St-Pierre
Grandmont
La Bâche
Autoroute du Soleil
Bois Noël
Lacy-Chalas

0 2 4 6 8 10 km
C
139
D
A
B
178
159
Saulx-le-Duc
Is-sur-Tille
Échevannes
Crécey-sur-Tille
Orville
Véronnes
Fontaine-Française
Pouilly-sur-Vingeanne
Mornay
Tarsul
Diénay
Marcilly-sur-Tille
Étang de Marcilly
Til-Châtel
St-Seine-sur-Vingeanne
St-Seine-l'Église
St-Seine-la-Tour
Fontenelle
Bourberain
Étoile de La Duchesse
Rosières
Bois de Rovroy
Villecomte
Bois de Champ Fouchard
Lux
Forêt de Velours
La Rente-du-Puits
Licey-sur-Vingeanne
Attricourt
Verfontaine
La Fontaine-à-l'Ane
Vernot
Gemeaux
Dampierre-et-Flée
Flée
Lœuilley
Broye-les-Loups-et-Verfontaine
Beaumont-sur-Vingeanne
Bèze
Logis de Gemeaux
Tour
Saussy
Terrain Militaire
Chaignay
Dame Alix
Chevigny
Rente de l'Ile
Blagny-sur-Vingeanne
Champagne-sur-Vingeanne
Petit Colonge
Grand Colonge
Pichanges
Spoy
Bois du Mt Voitout
Forêt de Mirebeau
Fiélin
Noiron-sur-Bèze
Étang de Noiron
La Mensenne
Épagny
Marsannay-le-Bois
Baraques-de-Marsannay
Flacey
Viévigne
Ste-Foy
Ste-Anne
Savigny-le-Sec
Forêt de Clénay
Dijon-Brognon
Dijon-Spoy
Oisilly
Renève-le-Château
Beire-le-Châtel
Tanay
Renève
Essertenne-et-Cecey
Val-Suzon
Jouvence
Norges-la-Ville
Clénay
Brognon
Vesvrotte
Taniot
Mirebeau-sur-Bèze
Cheuge
Jancigny
Messigny-et-Vantoux
Vantoux-lès-Dijon
Bois de Norges
Ft Brûlé
Norges-le-Bas
Bretigny
St-Julien
Petit Beire
Rente de l'Albane
Fouchanges
Magny-St-Médard
Arceau
Savolles
Bézouotte
Daix
Darois
Bois du Chêne
Asnières-lès-Dijon
Ogny
Bellefond
Charmes
Hauteville-lès-Dijon
Ruffey-lès-Echirey
Orgeux
Arcelot
Cuiserey
Magny
Pont-Bernard
St-Sauveur
Talmay
Ahuy
Varois-et-Chaignot
La Forêt Basse
Arçon
Marandeuil
Belleneuve
Montmançon
Maxilly-sur-Saône
La Flamme
Plombières-lès-Dijon
Fontaine-lès-Dijon
DIJON
L'Étang-Mailly
Arc-sur-Tille
Binges
Trochères
Drambon
La Borde
Talant
Couternon
Lamblin-Haut
Mitreuil
Mazeroy
Étevaux
Les Grds Moulins
Heuilley
Île d'Hyane
Lac Kir
St-Apollinaire
Remilly-sur-Tille
Quetigny
Chevigny-St-Sauveur
Trieu
St-Léger-Triey
Fort de la Motte-Giron
L'Aiguillon-Nord
Pont Bourdin
Cirey-lès-Pontailler
Forêt de St-Léger
Le Grand Étang
Pontailler-sur-Saône
La Cude
Mirande
Bressey-sur-Tille
Vaux-sur-Crône
Tellecey
Vonges
Trouhaude
Sennecey-lès-Dijon
Corcelles-lès-Monts
Chenôve
Longvic
Izier
Cessey-sur-Tille
Chambeire
Neuilly-lès-Dijon
Crimolois
Magny-sur-Tille
Longchamp
Lamarche-sur-Saône
Marsannay-la-Côte
Le Rocher
Fort de Beauregard
Ouges
Labergement-Foigney
Montarlot
Mont Siège
Carmel
Couchey
Perrigny-lès-Dijon
Pt Ouges
Fauverney
Magny-Montarlot
Poncey-lès-Athée
Fixey
Domois
Bretenière
Genlis
Varanges
Beire-le-Fort
Premières
Bois de Premières
Flammerans
Fixin
Parc Noisot
Brochon
Chevigny
Fénay
Epoisses (I.N.R.A.)
Rouvres-en-Plaine
Huchey
Athée
LGV RHIN-RHÔNE
Chambœuf
Gevrey-Chambertin
Saulon-la-Rue
Thorey-en-Plaine
Marliens
Longeault
Collonges-lès-Premières
Mondragon
Villers-les-Pots
Lorrey
Pont de Pierre
La Feuillée
Combe de Lavaux
Grd Étang de Saulon
Barges
Saulon-la-Chapelle
Pluvault
Morey-St-Denis
St-Philibert
Broindon
Longecourt-en-Plaine
Tart-le-Haut
Tart-le-Bas
Pluvet
Soirans
La Chapelle
Auxonne
La Colombière
Chambolle-Musigny
Combe Ambin
Noiron-sous-Gevrey
Canal de Bourgogne
Tréclun
Tart-l'Abbaye
Tillenay
Épernay-sous-Gevrey
Savouges
Potangey
Échigey
Champdôtre
Les Trois-Maisons
La Louvière
Rochers du Grognot
Vougeot
Clos de Vougeot
Gilly-lès-Cîteaux
Corcelles-lès-Cîteaux
Tarsul
Aiserey
Pont
Labergement-lès-Auxonne
Villers-Rotin
Concœur-et-Corboin
Vosne-Romanée
Flagey-Echézeaux
St-Bernard
Izeure
Murgey
La Moronge
Mailly-le-Chau
Forêt de la Grange Neuve
Bessey-lès-Cîteaux
Pont Hémery
Trouhans
Flagey-lès-Auxonne
Mn de la Vignotte
Billey
St-Vivant
Nuits-St-Georges
Villebichot
La Forgeotte
Aubigny-en-Plaine
Brazey-en-Plaine
Montot
Le Gros Charme
Les Maillys
Bois des Bas
Mailly-le-Port
Clos-Simonin
St-Seine-en-Bâche
Boncourt-le-Bois
Agencourt
Étg du Bois
Abbe de Cîteaux
Mailly-la-Ville
Échenon
La Bussière
Sampans
Fouilles
La Borde
St-Usage
Laperrière-sur-Saône
Prémeaux-Prissey
La Chocelle
St-Nicolas-lès-Cîteaux
Magny-lès-Aubigny
St-Jean-de-Losne
St-Symphorien-sur-Saône
St-François
Champvans
Quincey
Charrey-sur-Saône
Esbarres
Losne
Samerey
Comblanchien
Gerland
Bonnencontre
Maison-Dieu
Foucherans
Damparis
Balon
Antilly
Broin
Le Port-de-Charrey
Chaugey
Abergement-la-Ronce
Corgoloin
Cussigny
Serrigny
Moux
Auvillars-sur-Saône
Le Port-de-Bonnencontre
Pagny-la-Ville
Lac de Chour
Borde-Martenne
Belvoye
Argilly
Bagnot
Lechâtelet
Auxon
Aumur

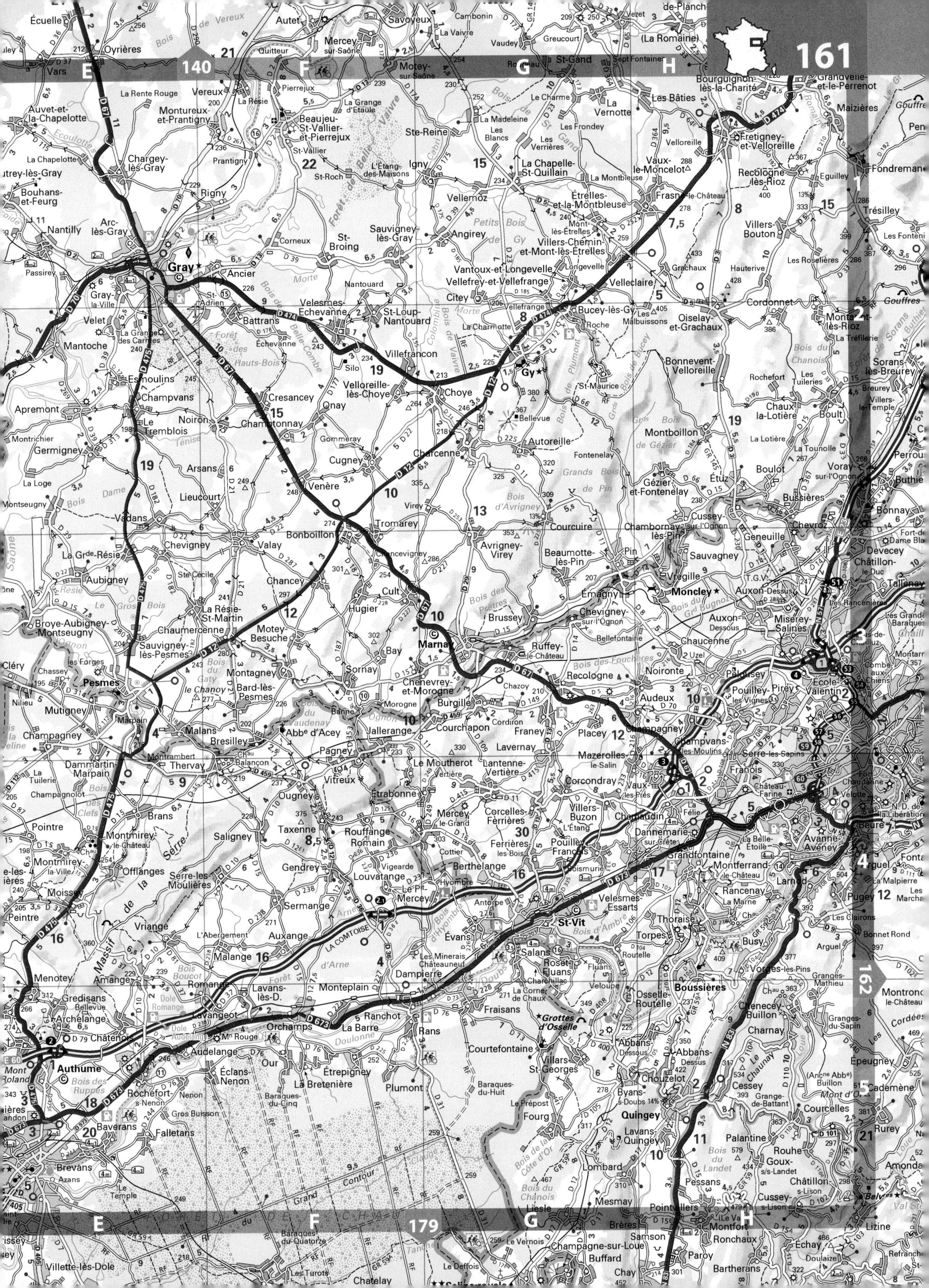

Écuelle
Oyrières
Vars
Autet
Mercey-sur-Saône
Savoyeux
La Vaivre
Vaudey
Greucourt
St-Gand
(La Romaine)
Motey-sur-Saône
Bourguignon-lès-la-Charité
Grandvelle-et-le-Perrenot
Maizières
La Rente Rouge
Vereux
La Résie
Pierrejux
La Grange d'Étaule
Le Charme
La Vernotte
Les Bâties
Auvet-et-la-Chapelotte
Montureux-et-Prantigny
Beaujeu-St-Vallier-et-Pierrejux
La Madeleine
Les Frondey
Velloreille
Fretigney-et-Velloreille
Fondremand
Ste-Reine
Les Blancs
Les Verrières
La Chapelotte
Chargey-lès-Gray
St-Vallier
Prantigny
L'Étang des Maisons
Igny
La Chapelle-St-Quillain
Vaux-le-Moncelot
Recologne-lès-Rioz
Eguilley
St-Roch
Forêt de Belle Vaivre
Rigny
Bouhans-et-Feurg
La Montbleuse
Étrelles-et-la-Montbleuse
Frasne-le-Château
Tresilley
Nantilly
Arc-lès-Gray
Vellemoz
Petits Bois de Gy
Villers-Bouton
Sauvigney-lès-Gray
Angirey
Mont-lès-Étrelles
Villers-Chemin-et-Mont-lès-Étrelles
Corneux
St-Broing
Les Roselières
Passirey
Gray
Ancier
Vantoux-et-Longevelle
Longevelle
Grachaux
Hauterive
Vellefrey-et-Vellefrange
Velleclaire
Nantouard
Gray-la-Ville
St-Adrien
Battrans
Velesmes-Echevanne
St-Loup-Nantouard
Citey
Cordonnet
Montarlot-lès-Rioz
Velet
La Grange des Carmes
Bucey-lès-Gy
Les Malbuissons
Oiselay-et-Grachaux
La Charmotte
Roche
Mantoche
Forêt des Hauts-Bois
Échevanne
Villefrancon
Bois de Plumont
Bonnevent-Velloreille
Sorans-lès-Breurey
Esmoulins
Gy
Silo
Rochefort
Les Tuileries
Breurey
Champvans
Cresancey
Velloreille-lès-Choye
Choye
St-Maurice
Villers-le-Temple
Apremont
Onay
Bellevue
Chaux-la-Lotière
Boult
Noiron
Le Tremblois
Champtonnay
Autoreille
Montboillon
Montrichier
Germigney
Gommeray
Charcenne
La Lotière
La Tounolle
Perrouse
Cugney
Fontenelay
Grands Bois de Pin
Arsans
Voray-sur-l'Ognon
Buthiers
La Loge
Venère
Gézier-et-Fontenelay
Étuz
Boulot
Montseugny
Lieucourt
Bois d'Avrigney
Bussières
Virey
Courcuire
Vadans
Tromarey
Bonboillon
Chambornay-lès-Pin
Cussey-sur-l'Ognon
Chevroz
Bonnay
Chevigney
Valay
Chancevigney
Avrigney-Virey
Pin
Geneuille
Sauvagney
Devecey
La Grde-Résie
Beaumotte-lès-Pin
Châtillon-le-Duc
Aubigney
Ste-Cécile
Chancey
Cult
Vregille
Tallenay
Emagny
Moncley
Auxon-Dessus
La Résie-St-Martin
Hugier
Bois des Pêtres
Brussey
Chevigney-sur-l'Ognon
Les Rancenières
Broye-Aubigney-Montseugny
Chaumercenne
Motey-Besuche
Auxon-Dessous
Miserey-Salines
Les Grandes Baraques
Bay
Marnay
Ruffey-le-Château
Bellefontaine
Sauvigney-lès-Pesmes
Chaucenne
Clery
Chassey
Les Forges
Pesmes
Montagney
Sornay
Bois des Fouchères
Noironte
Palousey
École-Valentin
Nilieu
Bard-lès-Pesmes
Le Chanoy
Chenevrey-et-Morogne
Chazoy
Recologne
Pouilley-les-Vignes
Pirey
Mutigney
Marpain
Morogne
Burgille
Audeux
Champagney
Malans
Bresilley
Abbe d'Acey
Jallerange
Courchapon
Cordiron
Franey
Placey
Champvans-les-Moulins
Montrambert
Dammartin-Marpain
Thervay
Pagney
Le Moutherot
Vertière
Lantenne-Vertière
Mazerolles-le-Salin
Serre-les-Sapins
La Tuilerie
Champagnolot
Vitreux
Étrabonne
Corcondray
Vaux-les-Prés
Franois
Châteaufarine
Chaudanne
Brans
Ougney
Mercey-le-Grand
Corcelles-Ferrières
Villers-Buzon
L'Étang
Chemaudin
La Félie
Pointre
Montmirey-le-Château
Taxenne
Rouffange
Romain
Ferrières-les-Bois
Pouilley-Français
Dannemarie-sur-Crête
La Belle-Étoile
Avanne-Aveney
Beure
Montmirey-la-Ville
Serre-les-Moulières
Saligney
Gendrey
Vigearde
Louvatange
Cottier
Berthelange
Grandfontaine
Montferrand-le-Château
Arguel
Offlanges
Moissey
Le Pt-Mercey
Hyombre
Rancenay
La Malpierre
Peintre
Sermange
Velesmes-Essarts
La Marne
Pugey
Vriange
L'Abergement
Auxange
La Comtoise
Antorpe
Évans
St-Vit
Bois d'Ambre
Thoraise
Torpes
Les Clairons
Bonnet Rond
Massif de la Serre
Malange
Amange
Romange
Bois Boucot
Forêt d'Arne
Les Minerais Châteauneuf
Dampierre
Salans
Roset-Fluans
Routelle
Busy
Vorges-les-Pins
Menotey
Gredisans
Bellevue
Archelange
Lavans-lès-D.
Lavangeot
Monteplain
Fraisans
La Corne de Chaux
Chaux
Grottes d'Osselle
Osselle-Routelle
Boussières
Granges-Mathieu
Montrond-le-Château
Châtenois
Dole Romange
Orchamps
Ranchot
La Barre
Rans
Courtefontaine
Abbans-Dessous
Abbans-Dessus
Chenecey-Buillon
Charnay
Granges-du-Sapin
Les Cordées
Authume
Mont Roland
Bois des Ruppes
Audelange
Our
Éclans-Nenon
Étrepigney
Villars-St-Georges
Chouzelot
Le Chaunay
Épeugney
Rochefort-s-Nenon
Nenon
La Bretenière
Plumont
Baraques-du-Cinq
Baraques-du-Huit
Byans-s-Doubs
Cessey
Grange-de-Battant
Buillon
Mont d'Or
Cademène
Baverans
Gros Buisson
Falletans
Le Prépost
Fourg
Quingey
Courcelles
Rurey
Lavans-Quingey
Palantine
Rouhe
Goux-s/s-Landet
Bois du Landet
Brevans
Azans
Le Temple
Forêt de Chaux
Grand Contour
Bois de la Côte d'Or
Bois du Chanois
Lombard
Pessans
Châtillon-s-Lison
Amondans
Cussey-s-Lison
Belvoye
Liesle
Mesmay
Pointvillers
Montfort
Lizine
Villette-lès-Dole
Baraques du Quatorze
Le Vernois
Brères
Samson
Champagne-sur-Loue
Buffard
Ronchaux
Paroy
Échay
Bartherans
Les Turots
Le Deffois
Chatelay
Chay
E
F
G
H
140
179
162

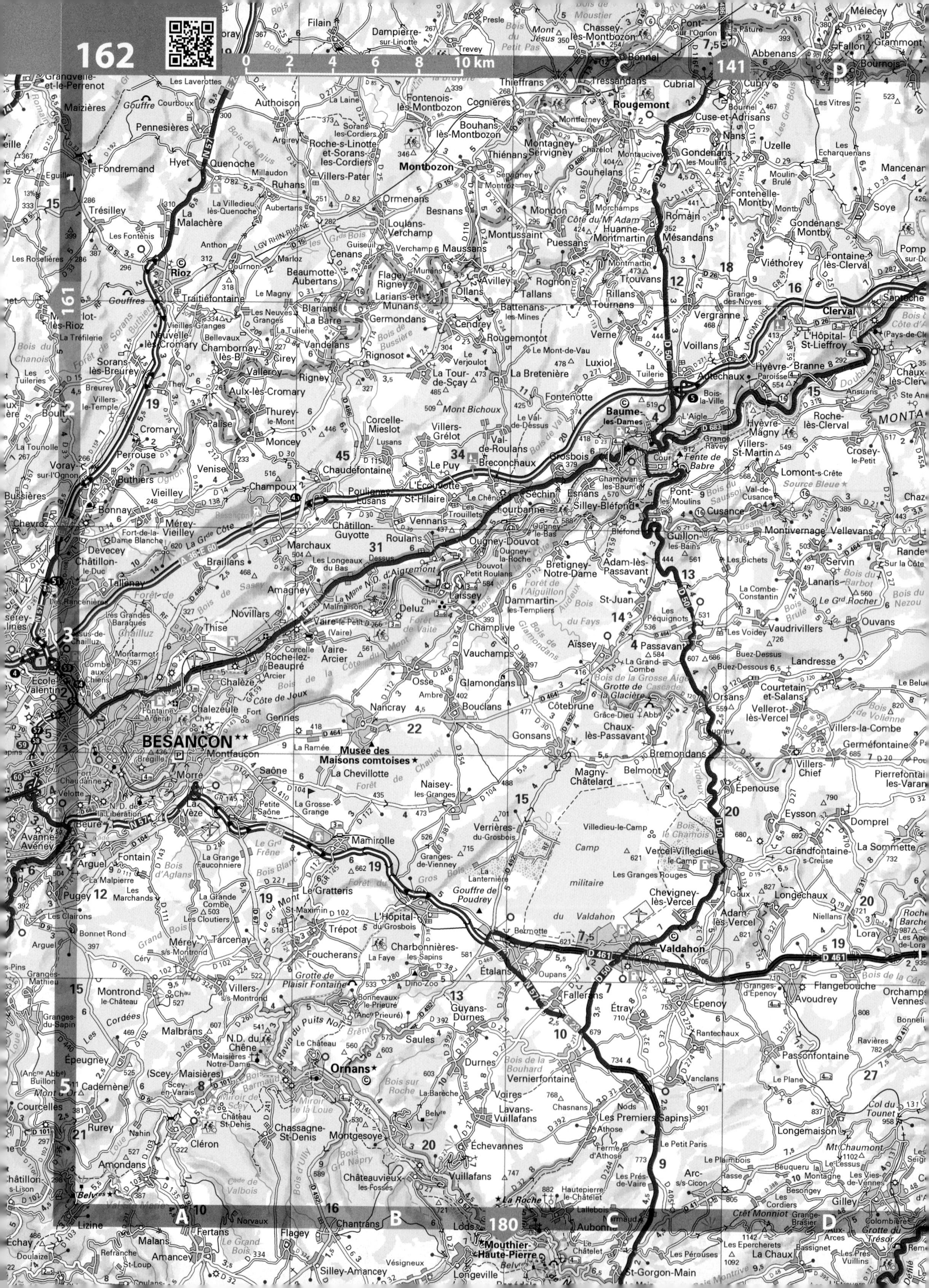
162
0 2 4 6 8 10 km
141
180
161
A
B
C
D
1
2
3
4
5
BESANÇON
Baume-les-Dames
Rougemont
Montbozon
Rioz
Clerval
Valdahon
Ornans
Vercel-Villedieu-le-Camp
Mouthier-Haute-Pierre
Filain
Dampierre-sur-Linotte
Chassey-lès-Montbozon
Pont-sur-l'Ognon
Mélecey
Grandvelle-et-le-Perrenot
Maizières
Authoison
Fontenois-lès-Montbozon
Thieffrans
Tressandans
Cubrial
Cuse-et-Adrisans
Abbenans
Fallon
Grammont
Bournois
Cognières
Pennesières
Fondremand
Hyet
Quenoche
Ruhans
Villers-Pater
Roche-s-Linotte-et-Sorans-les-Cordiers
Bouhans-lès-Montbozon
Thiénans
Montagney-Servigney
Gouhelans
Gondenans-les-Moulins
Nans
Uzelle
Tresilley
La Malachère
Ormenans
Besnans
Mondon
Romain
Fontenelle-Montby
Gondenans-Montby
Soye
Loulans-Verchamp
Cenans
Maussans
Montussaint
Puessans
Huanne-Montmartin
Mésandans
Viéthorey
Fontaine-lès-Clerval
Beaumotte-Aubertans
Flagey-Rigney
Avilley
Rognon
Tallans
Trouvans
Rillans
Tournans
Traitiéfontaine
Blarians
Larians-et-Munans
Ollans
Germondans
Battenans-les-Mines
Vergranne
L'Hôpital-St-Lieffroy
Nouvelle-lès-Cromary
La Barre
Vandelans
Cendrey
Rougemontot
Verne
Voillans
Chambornay-lès-B
Cirey
Rignosot
La Tour-de-Sçay
Luxiol
Sorans-lès-Breurey
Valleroy
Rigney
La Bretenière
Hyèvre-Paroisse
Branne
Autechaux
Aulx-lès-Cromary
Fontenotte
Thurey-le-Mont
Mont Bichoux
Corcelle-Mieslot
Villers-Grélot
Val-de-Roulans
Hyèvre-Magny
Roche-lès-Clerval
Cromary
Palise
Moncey
Perrouse
Venise
Chaudefontaine
Le Puy
Breconchaux
Grosbois
Villers-St-Martin
Crosey-le-Petit
Lomont-s-Crête
Voray-sur-l'Ognon
Buthiers
Vieilley
Champoux
Pouligney-Lusans
L'Écouvotte
St-Hilaire
Séchin
Esnans
Silley-Bléfond
Pont-les-Moulins
Cusance
Bonnay
Mérey-Vieilley
Châtillon-Guyotte
Vennans
Roulans
Ougney-Douvot
Guillon-les-Bains
Montivernage
Vellevans
Devecey
Châtillon-le-Duc
Tallenay
Braillans
Marchaux
Bretigney-Notre-Dame
Adam-lès-Passavant
Servin
Lanans
Amagney
Laissey
Dammartin-les-Templiers
St-Juan
Novillars
Thise
Deluz
Vaire-Arcier
Champlive
Aïssey
Passavant
Vaudrivillers
Ouvans
Roche-lez-Beaupré
Vauchamps
Landresse
Chalèze
Chalezeule
Osse
Glamondans
Bouclans
Côtebrune
Orsans
Courtetain-et-Salans
Vellerot-lès-Vercel
Villers-la-Combe
Gennes
Nancray
Gonsans
Chaux-lès-Passavant
Germéfontaine
Montfaucon
Musée des Maisons comtoises
Bremondans
Villers-Chief
Pierrefontaine-les-Varans
Morre
Saône
La Chevillotte
Naisey-les-Granges
Magny-Châtelard
Belmont
Épenouse
La Vèze
Mamirolle
Verrières-du-Grosbois
Villedieu-le-Camp
Eysson
Domprel
Fontain
Arguel
Pugey
Grandfontaine-s-Creuse
La Sommette
Le Gratteris
Gouffre de Poudrey
Camp militaire
Chevigney-lès-Vercel
Longechaux
Adam-lès-Vercel
Loray
Trépot
L'Hôpital-du-Grosbois
Tarcenay
Mérey-s/s-Montrond
Foucherans
Charbonnières-les-Sapins
Étalans
Flangebouche
Avoudrey
Orchamps-Vennes
Montrond-le-Château
Villers-s/s-Montrond
Grotte de Plaisir Fontaine
Guyans-Durnes
Fallerans
Étray
Épenoy
Malbrans
N.D. du Chêne
Saules
Rantechaux
Épeugney
Maisières-Notre-Dame
Durnes
Vernierfontaine
Passonfontaine
Cademène
Scey-en-Varais
Voires
Vanclans
Courcelles
Rurey
Château St-Denis
Chassagne-St-Denis
Lavans-Vuillafans
Chasnans
Nods
(Les Premiers Sapins)
Col du Tounet
Longemaison
Cléron
Montgesoye
Échevannes
Athose
Le Petit Paris
Amondans
Châteauvieux-les-Fossés
Vuillafans
Les Prés-de-Vaire
Arc-s/s-Cicon
Mt Chaumont
Les Vies-de-Vennes
Gilley
La Roche
Hautepierre-le-Châtelet
Lizine
Norvaux
Chantrans
Lods
Aubonne
Crêt Monniot
Fertans
Flagey
Les Épercherets
La Chaux
Malans
Amancey
Silley-Amancey
Longeville
St-Gorgon-Main
Vésigneux

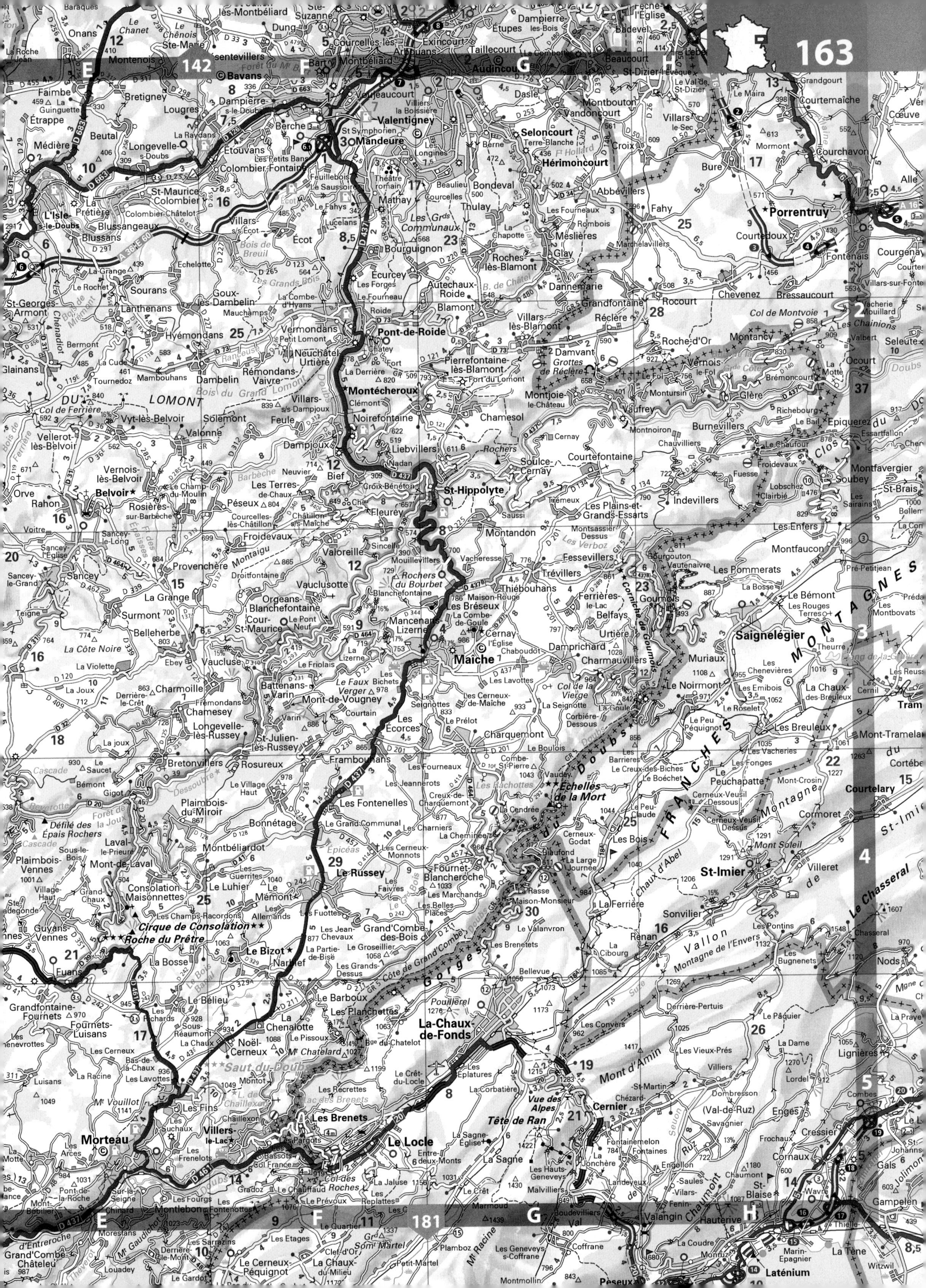
142
181
E
F
G
H
Montbéliard
Audincourt
Valentigney
Mandeure
Seloncourt
Hérimoncourt
Bavans
L'Isle-s-le-Doubs
Porrentruy
Pont-de-Roide
Montécheroux
St-Hippolyte
Belvoir
Maîche
Saignelégier
Le Noirmont
Les Breuleux
Courtelary
St-Imier
Le Russey
Le Bizot
La-Chaux-de-Fonds
Le Locle
Les Brenets
Villers-le-Lac
Morteau
Cernier
Tête de Ran
Vue des Alpes
Peseux
Laténium
Fontenais
Courgenay
Chevenez
Bressaucourt
Grandfontaine
Réclère
Damvant
Montancy
Ocourt
Seleute
Épiquerez
Soubey
St-Brais
Montfaucon
Les Pommerats
Goumois
Charmauvillers
Damprichard
Thiébouhans
Trévillers
Fessevillers
Indevillers
Courtefontaine
Soulce-Cernay
Chamesol
Liebvillers
Dampjoux
Bief
Fleurey
Froidevaux
Provenchère
Vaucluse
Charmoille
Chamesey
Rosureux
Frambouhans
Les Fontenelles
Charquemont
Fournet-Blancheroche
Grand'Combe-des-Bois
La Ferrière
Renan
Sonvilier
Villeret
Chasseral
Lignières
Nods
Dombresson
Savagnier
Valangin
Hauterive
St-Blaise
Cressier
Cornaux
Gampelen
La Sagne
Les Ponts
Noël-Cerneux
Les Fins
Montlebon
Grand'Combe-Châteleu
Fuans
Fournets-Luisans
Plaimbois-Vennes
Consolation-Maisonnettes
Cirque de Consolation
Roche du Prêtre
Défilé des Épais Rochers
Échelles de la Mort
Corniche de Goumois
Saut du Doubs
Gorges du Doubs
Côte de Grand'Combe
Rochers du Bourbet
Grottes de Réclère
Col de Ferrière
Col de la Vierge
Col de Montvoie
Col des Roches
Mont Soleil
Mont d'Amin
Le Chasseral
Pouillerel
Mt Châtelard
LOMONT
FRANCHES MONTAGNES
Vallon de St-Imier
Montagne de l'Envers
Sancey
Sancey-le-Grand
Surmont
Belleherbe
Orgeans-Blanchefontaine
Cour-St-Maurice
Mancenans-Lizerne
Les Bréseux
Cernay-l'Église
Valoreille
Vauclusotte
Mont-de-Vougney
Les Écorces
Vyt-lès-Belvoir
Vellerot-lès-Belvoir
Rahon
Orve
Villars-s-Écot
Écot
Mathay
Bourguignon
Dambelin
Rémondans-Vaivre
Villars-s/s-Dampjoux
Feule
Solemont
Valonne
Blamont
Villars-lès-Blamont
Glay
Dannemarie
Abbévillers
Vandoncourt
Dasle
Beaucourt
Étupes
Exincourt
Sochaux
Colombier-Fontaine
Étouvans
Longevelle-s-Doubs
Médière
Beutal
Étrappe
Onans
Montenois
Sourans
Goux-lès-Dambelin
Hyémondans
Lanthenans
St-Georges-Armont

0 2 4 6 8 10 km
146
A
B
C
D
1
2
3
4
5
ÎLE DE NOIRMOUTIER
Noirmoutier-en-l'Île
L'Herbaudière
La Linière
Le Grand-Viel
Pointe des Charniers
Pointe de la Gardette
Pierre Moine
BOURGNEUF
Plage des Souzeaux
Pointe des Dames
Bois de la Chaise
Le Sableau
Luzay
Pointe de Devin
Bressuire
La Bosse
L'Épine
La Mongendrie
Le Fier
Pointe de la Loire
La Guérinière
Le Bonhomme
La Tresson
La Maison-Rouge
Roches de la Loire
Barbâtre
Les Onchères
La Frandière
La Fosse
Pointe de la Fosse
Pointe N.D. de Monts
La Grande Côte
Pey de la Blet
Fief-Haut
Les Marguerites
N.-D.-de-Monts
Plage du Pont d'Yeu
La Mouraine
La Tonnelle
Plage de la Tonnelle
Pont d'Yeu
Passage du Gois
(Route praticable à basse mer)
Port du Bec
Epoids
La Préoire
La Vendette
Le Fain
Roches de Bouin
Pointe de la Coupelasse
La Coupelasse
Le Bernard
Les Brochets
Bouin
Les Champs
Les Billarderies
Le Petit-Fresne
Le Port
Cossonnière
La Croix Rouge
Bellevue
Beauvoir-sur-Mer
Fromentine
La Barre-de-Monts
Le Grand Pont
Le Poiroț
Écomusée du Daviaud
Kulmino
Grande Croix
Bourrine à Rosalie
Le Pré-aux-Filles
Le Vieux Cerne
Le Plaud
Le Perrier
La Cailletene
Porteau
St-Gervais
La Bonnetière
St-Urbain
La Croix-Verte
Les Bouchauds
Raire
Sallertaine
La Paunière
Challans
Licheret
Pierre Levée
Le Grand Pinier
Le Petit Mariau
La Rivière
Soullans
Les Mattes
Musée Milcendeau-Jean Yole
La Fradinière
Les Chapelles
Orouet
La Bourrine du Bois Jucaud
Le Bois Jucaud
Le Pissot
Plage St-Jean
St-Jean-de-Monts
Plage des Demoiselles
Le Petit-Bec
Le Grand-Bec
Les Mouettes
La Pège
La Conge
La Parée-Préneau
Les Loires
Sion-s-l'Océan
Corniche Vendéenne
St-Hilaire-de-Riez
Le Plessis
St-Gilles-Croix-de-Vie
Croix-de-Vie
Pte de Grosse Terre
Pte de la Garenne
Le Pont-Jaunay
N.-D. des Dunes
La Sauzaie
Brétignolles-s-Mer
Les Moutiers-en-Retz
Pré-Vincent
Lyorne
Le Collet
Les Rivières
Le Pont-du-Fresne
Port-la-Roche
Les Virées
La Guillaudière
Les Marais-Moreau
Abbe de l'Île Chauvet
La Raguenerie
La Gaubretière
Bordevert
le Pt Moulin
La Pierre-Blanche
La Lande
Les Quatre Moulins
ÎLE-D'YEU
Les Chiens Perrins
La Planche à Puare
Pte du But
Cadouère
Port-Joinville
Ker-Châlon
Grd Phare
Fort de Pierre-Levée
Ker-Chauvineau
Le Vx Château
Ker-Bossy
Saint-Sauveur
L'Île-d'Yeu
Marais-Salé
La Croix
Pte du Châtelet
Plage des Sabias
Port-de-la-Meule
Anse des Vieilles
Tour
Pte des Corbeaux
Pte de la Tranche
Côte Sauvage
CÔTE DE LUMIÈRE
Côte des Monts
Forêt des Pays de Monts
D 948
D 38
D 22
D 758
D 753
D 205
D 59
D 82
D 71
D 103
GR 8

165
147
182
166
E
F
G
H
La Carouère
Lourière
Le Bois
Le Bois-Flamberge
La Boutinière
Le Breil
Le Branday
La Guibretière
La Marzelle
St-Lumine-de-Coutais
Ringeardière
Belle-vue
Le Breil
Le Monceau
Tournebride
La Buchetière
La Couillaudais
La Chasse
Tournebride
Montbert
Les Buzinières
Marboeuf
La Garde
Coins
Genestón
Montb
La Jarie
Gonderie
Remouillé
Le Mortier
La Bretonnière
St-Cyr-en-Retz
La Gate
Le Branday
L'Hermitière
La Padiolière
Les Jamonnières
La Compointrie
Grd Champ
La Guilbaudais
La Soherie
Grève
Rimans
Les Guittières
La Brosse-Gaspaillé
Bellecour
Les Brandes
La Bauche
L'Ermitage
La Cour-de-la-Forêt
St-Philbert-de-Grand-Lieu
La Barbatière
La Sorinière
Le P-Lieu
Beauvais
La Foi
Nonnaire
La Guéraudière
Le Breuil
La Loge
Fresnay-en-Retz
St-Même-le-Tenu
Forêt de Machecoul
Les Sauvagères
Le Pt Gast
La Chalénie
Roussais
La Vovettrie
Le Treil
la Salle
Machecoul-St-Même
St-Hubert
Roche-Blanche
La Maillère
Pont-James
La Crespelière
L'Aujardière
St-Colomban
Les Noyers
La Noue-Morin
La Planche
L'Ouvrouinière
La Salle
Les Rivières
Les Chaumes
La Rivière
Haras
Les Étangs
Champagné
La Robertière
Le Patis
Richardière
Senard
Prée
La Marne
Le Breuil
La Limouzinière
Le Ht Roquette
St-Philbert-de-Bouaine
La Getière
L'Egrenière
L'Audonnière
Le Moulin du Patis
Les Brosses
La Grande Métairie
Le Branday
Les Brosses
Le Flachou
La Bobatière
La Michelière
Le Grd-Parais
Le Pré-Clos
La Vallée
La Gerbaudière
La Boule
Le Breuil
Lande-Frère
La Falordière
Le Grd Chêne
Les Brosses
Chaudry
La Grivillère
Le Vignais
Lerrière
Tenu
L'Egonnière
Corcoué-sur-Logne
St-Etienne
La Gerloupière
La Favrie
Vieillevigne
Bel-Air
La Chevrière
L'Hommetière
La Doucetière
La Patelière
Paulx
La Mortière
La Vergnière
La Simaille
St-Jean-de-C.
L'Herberie
La Chaussée
La Grde Blanchetière
Les Cinq Routes
La Martinière
La Coussais
Le Jauffrière
Le Bousson
La Bénate
La Vergne
La Seillère
La Renoulière
La Poinière
L'Ardillé
L'Ogerie
La Revarderie
Malabri
La Grolle
La Gorsonnière
La Franchetière
La Pinière
Varnes
L'Ardoisière
La Brosse
Saint-Étienne-de-Mer-Morte
Le Val-de-Morière
La Jaunasse
Le Moulin-Guérin
La Lande
La Grange
Rocheservière
Chancelé
St-André-Treize-Voies
Petit-St-André
Les Raillères
La Michellerie
La Grivière
La Blanchardière
Les Douteries
La Noue
La Surière
Izereau
(Montréverd)
Le Hallay
La Courolière
La Laumière
Fonteclose
La Gorsonnière
La Rivière
Salvert
Boiseau
La Loge
Les Etoubles
Les Basses Longeais
Le Pont
La Morlière
Le Cormier
Bois-Chevalier
La Motte-Tinguy
La Dorinière
La Rouaudière
Les Arcis
La Boisselière
La Voltière
Gabetrie
Les Landes
Forêt de Touvois
La Giffraire
La Gauchonnière
Le Moulin Bonneau
Pommeragu
Mormaison
L'Herbergement
La Jousselandière
Touvois
Les Dronnières
La Guenisière
La Garrelière
St-Christophe
St-Sulpice-le-Verdon
Le Mollin
Chagnon
La Poirière
La Briscotière
La Cailletière
Freligne
Le Breuil
Legé
Parnière
La Sorderie
Le Many
Le Chêne
Garnache
L'Eraudière
La Chauvière
Falleron
La Rambaudière
La Chauvière
La Duchère
La Siffraire
Les Forges
La Souvetrière
Bel-Enton
Froidfond
La Cornullière
Les Revelières
La Chênelière
La Guichère
La Bésillière
Les Airables
Chabotterie
Croix de Charette
Les Brou
La Flocellière
Petite-Villeneuve
La Chambaudière
Le Retail
La Glossetière
La Cornetière
Guyonnière
La Grde Chevasse
La Brelaizière
Le Fief-Sorin
La Régeasse
Le Breuil-Herbaud
La Lardière
La Boulaye
Les Rallières
La Grande Villeneuve
St-Étienne-du-Bois
La Tuelevrière
Roche-Quairy
La Gaconnière
Roblin
Historial de la Vendée
Lande-Noire
Copechagnière
L'Etaudière
La Coëtière
La Bloire
Montravail
Margottière
La Jaubretière
La Grossetière
Le Rondais
Les Lucs-s-Boulogne
St-Denis-les-Lucs
L'Aurière
La Marchegaizière
St-Christophe-du-Ligneron
La Blanchère
Les Embardières
La Daunière
La Riassière
Grand'Landes
Le Chiron
Beaufou
La Vivantière
St-Denis-la-Chevasse
La Forêt-Quéry
L'Auspierre
La Charnière
Palluau
St-Paul-Mont-Penit
La Roussière
La Mermande
Garanger
Le Guy-Ayraud
La Fissonnière
La Courollière
La Grande Roulière
L'Ardouinière
(Belleviguy)
Saligny
La Plinière
Bel-Air
La Brunière
Malderné
La Lozangère
La Bouillère
Le Petit-Bourg
L'Ymonière
La Chapelle-Palluau
La Maumernière
Belleville-sur-Vie
La Voirie
Beaumanoir
La Rafinière
Les Habites
La Nonnerie
La Bailerie
Les Flachausières
La Jaunière
L'Orcelière
La Jarrie
Commequiers
La Roussière
La Marchandière
Petitière
La Moissandière
Le Poiré-sur-Vie
Le Beignon-Jauffrit
Les Tuileries
La Frelandière
Les Gâts
Villeneuve
Le Verger
Maché
La Baserière
Le Plessis
La Touche
Le Vigneau
Dolbeau
Les Châtaigniers
Apremont
L'Anjorniere
Aizenay
Le Grand Plessis
Le Printemps
Le Recrédit
Boucheau
La Doue
Dompierre-sur-Yon
La Laiter
St-Maixent-sur-Vie
L'Audardière
La Genête
Chambourg
L'Idernière
L'Aumère
La Bergerie
La Vallée
Le Courbe
La Boucherie
La Marronnière
L'Augisière
Gilionnière
La Ribotière
Le Beignon Basset
Le Plessis-Jeanbart
La Benestière
La Dédière
La Boisnière
Les Poudrières
La Genétouze
La Largerie
L'Angevinière
Gauvrière
La Boule
Les Quatre Chemins de la Boule
La Gombretière
Mouilleron-le-Captif
Moulin-Neuf
La Roussière
La Grande Roche
Buron
Les Plessis-aux-Moines
La Cantardière
La Mazurie
Lieu-Dieu
Beaupuy
La Thermelière
La Ferrière
Les Quatre Chemins
St-Révérend
Coëx
Le Précanteau
La Davière
Michelin
Bge de Moulin-Papon
La Guédonnière
La Getière
La Grouinière
La Chapelle-Hermier
N.-D. de Garreau
Le Lutron
Les Tessonnières
Venansault
La Jausinière
La Bretèche
Les Ajoncs
Morinière
L'Aiguillon-sur-Vie
La Faverie
La Réveillère
Martinet
La Rochette
La Nicolière
Hermitans
Noiron
Château-Fromage
La Grève
Bge de la Savarière
Malvergne
Guissière
Monbail
La Boursière
La Guibretière
St-André-d'Ornay
Les Oudairies
Beaumarchais
La Chaize-Giraud
Les Coux
La Vacherie
Beaulieu-s/s-la-Roche
La Richardière
Abbe des Fontenelles
Bourg-s/s-la-Roche-sur-Yon
St-M
La Baudrière
Garengeoire
Le Deffant
Guédanchère
Landeronde
Chalonnière
La Roche-Guillaume
Les Moulières
Pointindoux
La Garatière
L'Angelmière
La Généraudière
La Roche-sur-Yon
Beautour
Les Es
Gouin
La Trivillère
Landevieille
La Forêt
St-Georges-de-Pointindoux
Bourgchollet
La Paterre
La Grolle
La Landette
La Chapelle
La Boulenière
La Sourderie
St-Julien-des-Landes
Le Pin
Belle-Place
Bellevue
Moulin de Badiole
La Grégoirière
La Frémière
La Bassetière
Bardonnière
Proutière
Les Loges
La Generie
La Soulinière
La Sirmière
L'Angouinière
La Minotière
La Mothe-Achard
Les Louvernières
La Foret
La Guinerie
Les Clouzeaux
La Livraie
Fougeré
Badiole
Le Li
olas-de-Brem
La Raffinière
Les Chânières
La Richard
(Achard)
L'Embretière
La Guyonnière
Brancardières
Les Brancardière
La Barre
La Bougrière
La Vergne
Dunes
Brem-s-Mer
La Mulinière
Vairé
La Pilletière
Le Plessy-Landry
Le Guy
Ste-Flaive-des-Loups
Laveaud
La Domangère
La Gachère
Cossonnière
Bourdigal
Le Beignon
La Retardière
La Jarrie
La Barre
Bel-Air
Les Granges
Chausserie
Le Plessis
Moulin-des-Landes
La Chap. Achard
Chau de La Lière
Audouinière
La Coiffaudière
Aubigny
Les Couzeaux
Chevalerie
Nesmy
L'Inaudière
La Merlerie
(Rives de l'Yon)
Salaire
La Bradière
La Bourie
Tinetière
Chaillot
Chaillé-s/s-les-Ormeaux
Le Chaigne
L'Epinay
La Grassière
Bourgneuf
La Burelière
Nieul
Mortevieille
La Coutancinière
Les Fossés
La Millière

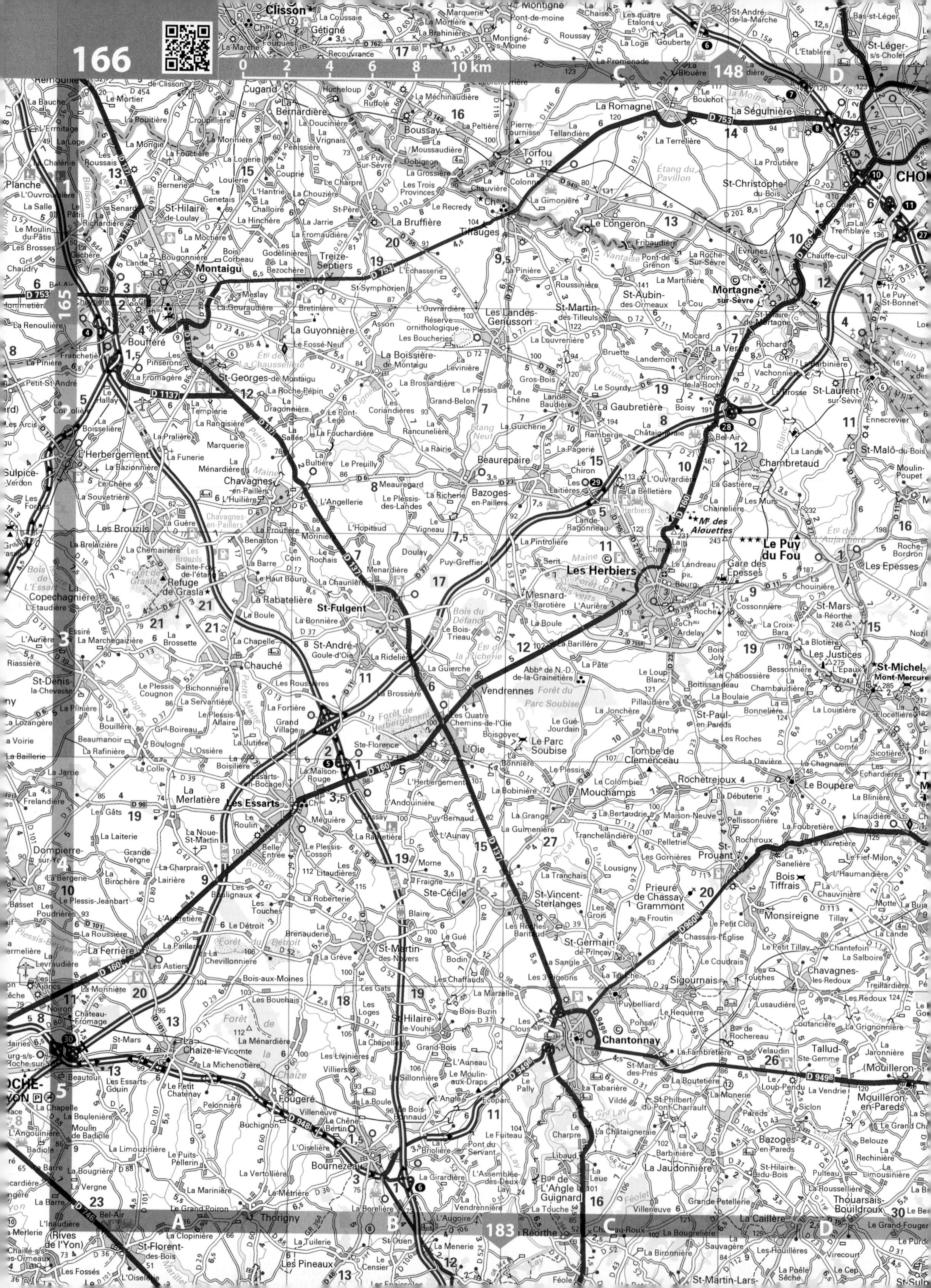

0 2 4 6 8 10 km
148
165
183
A
B
C
D
1
2
3
4
5
Clisson
Gétigné
Montigné
St-André-de-la-Marche
St-Léger-s/s-Cholet
Cugand
La Bernardière
Boussay
Torfou
La Romagne
La Séguinière
Cholet
Montaigu
Boufféré
St-Hilaire-de-Loulay
La Bruffière
Tiffauges
Treize-Septiers
Le Longeron
St-Christophe-du-Bois
Mortagne-sur-Sèvre
St-Aubin-des-Ormeaux
Les Landes-Genusson
St-Martin-des-Tilleuls
La Guyonnière
La Boissière-de-Montaigu
St-Georges-de-Montaigu
La Verrie
Réserve ornithologique
La Gaubretière
Beaurepaire
L'Herbergement
Chavagnes-en-Paillers
Bazoges-en-Paillers
St-Laurent-sur-Sèvre
Chambretaud
St-Malô-du-Bois
Mt des Alouettes
Le Puy du Fou
Les Epesses
Les Herbiers
Les Brouzils
Refuge de Grasla
Copechagnière
La Rabatelière
St-Fulgent
Mesnard-la-Barotière
St-Mars-la-Réorthe
St-André-Goule-d'Oie
Chauché
Vendrennes
St-Michel-Mont-Mercure
St-Denis-la-Chevasse
St-Paul-en-Pareds
L'Oie
Le Parc Soubise
Tombe de Clemenceau
Mouchamps
Rochetrejoux
Le Boupère
Les Essarts
La Merlatière
St-Prouant
Dompierre-sur-Yon
Ste-Cécile
St-Vincent-Sterlanges
Prieuré de Chassay-Grammont
Monsireigne
St-Germain-de-Prinçay
La Ferrière
St-Martin-des-Noyers
Sigournais
Chavagnes-les-Redoux
St-Hilaire-le-Vouhis
Chantonnay
Tallud-Ste-Gemme
Chaize-le-Vicomte
Fougeré
Mouilleron-en-Pareds
La Roche-sur-Yon
Bournezeau
La Jaudonnière
Bazoges-en-Pareds
Thouarsais-Bouildroux
Thorigny
St-Florent-des-Bois
Les Pineaux
Réorthe
La Caillère
D 753
D 137
D 160
D 948
D 949B
D 9498
A 87
A 83
D 1137

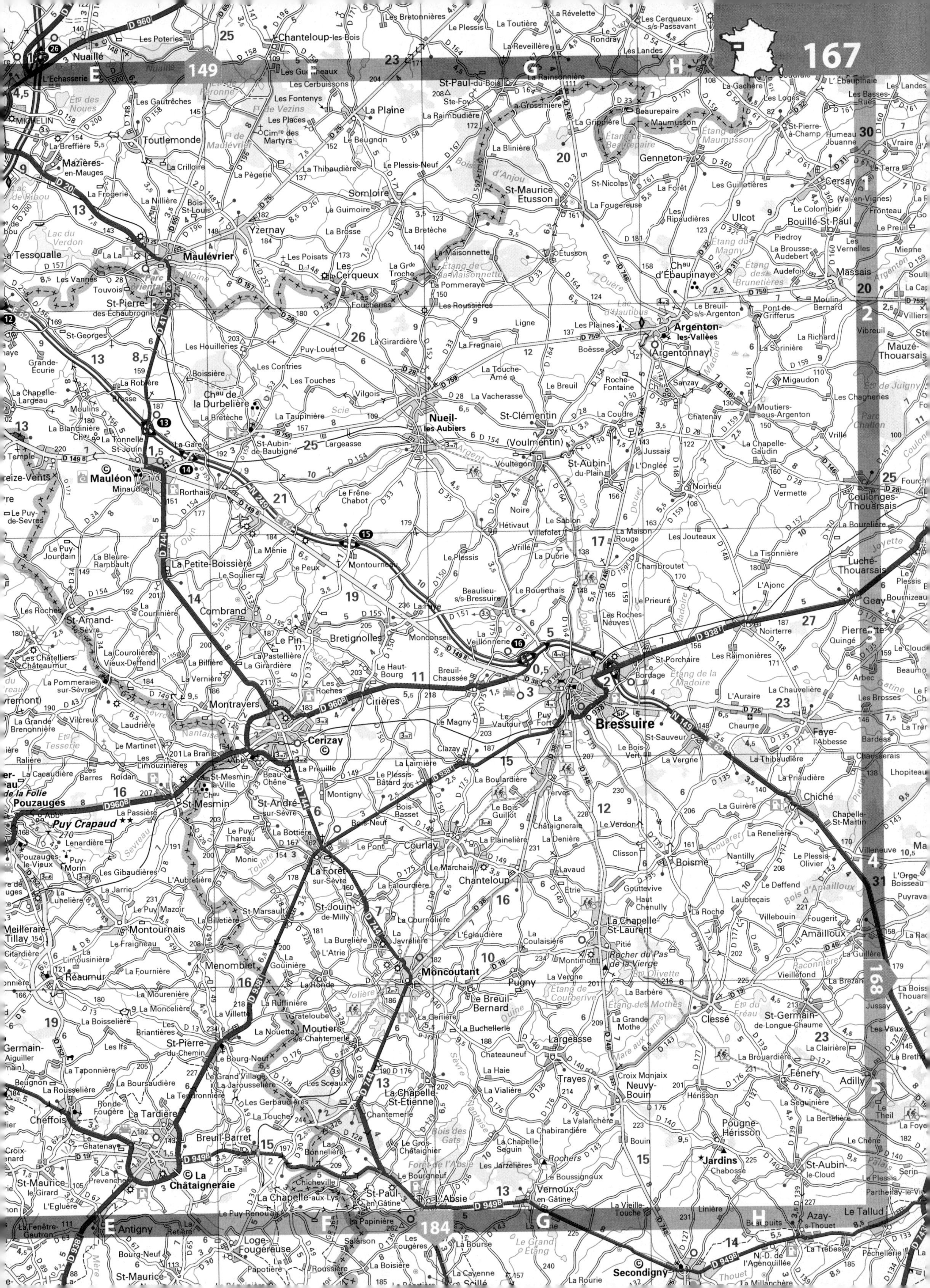

149
168
184
E
F
G
H
Chanteloup-les-Bois
Nuaillé
Toutlemonde
Mazières-en-Mauges
La Plaine
Somloire
Yzernay
Maulévrier
St-Pierre-des-Échaubrognes
Les Cerqueux
St-Paul-du-Bois
St-Maurice-Etusson
Genneton
Cersay
Bouillé-St-Paul
Massais
Ulcot
Argenton-les-Vallées
(Argentonnay)
Moutiers-sous-Argenton
Nueil-les-Aubiers
St-Clémentin
(Voulmentin)
St-Aubin-de-Baubigné
Mauléon
Coulonges-Thouarsais
Luché-Thouarsais
Geay
St-Amand-sur-Sèvre
Combrand
Le Pin
Bretignolles
Cerizay
Cirières
Bressuire
Chiché
Faye-l'Abbesse
St-Mesmin
Pouzauges
Puy Crapaud
St-André-sur-Sèvre
Montigny
Courlay
La Forêt-sur-Sèvre
Chanteloup
La Chapelle-St-Laurent
Boismé
Amailloux
Montournais
Menomblet
Moncoutant
Pugny
Le Breuil-Bernard
Clessé
St-Germain-de-Longue-Chaume
Réaumur
Moutiers-s/s-Chantemerle
St-Pierre-du-Chemin
Largeasse
Trayes
Neuvy-Bouin
La Chapelle-St-Étienne
Fénery
Adilly
La Tardière
Cheffois
Breuil-Barret
La Châtaigneraie
Pougne-Hérisson
Jardins
St-Aubin-le-Cloud
St-Paul-en-Gâtine
L'Absie
Vernoux-en-Gâtine
Azay-s/-Thouet
Le Tallud
Secondigny
Antigny
Loge-Fougereuse

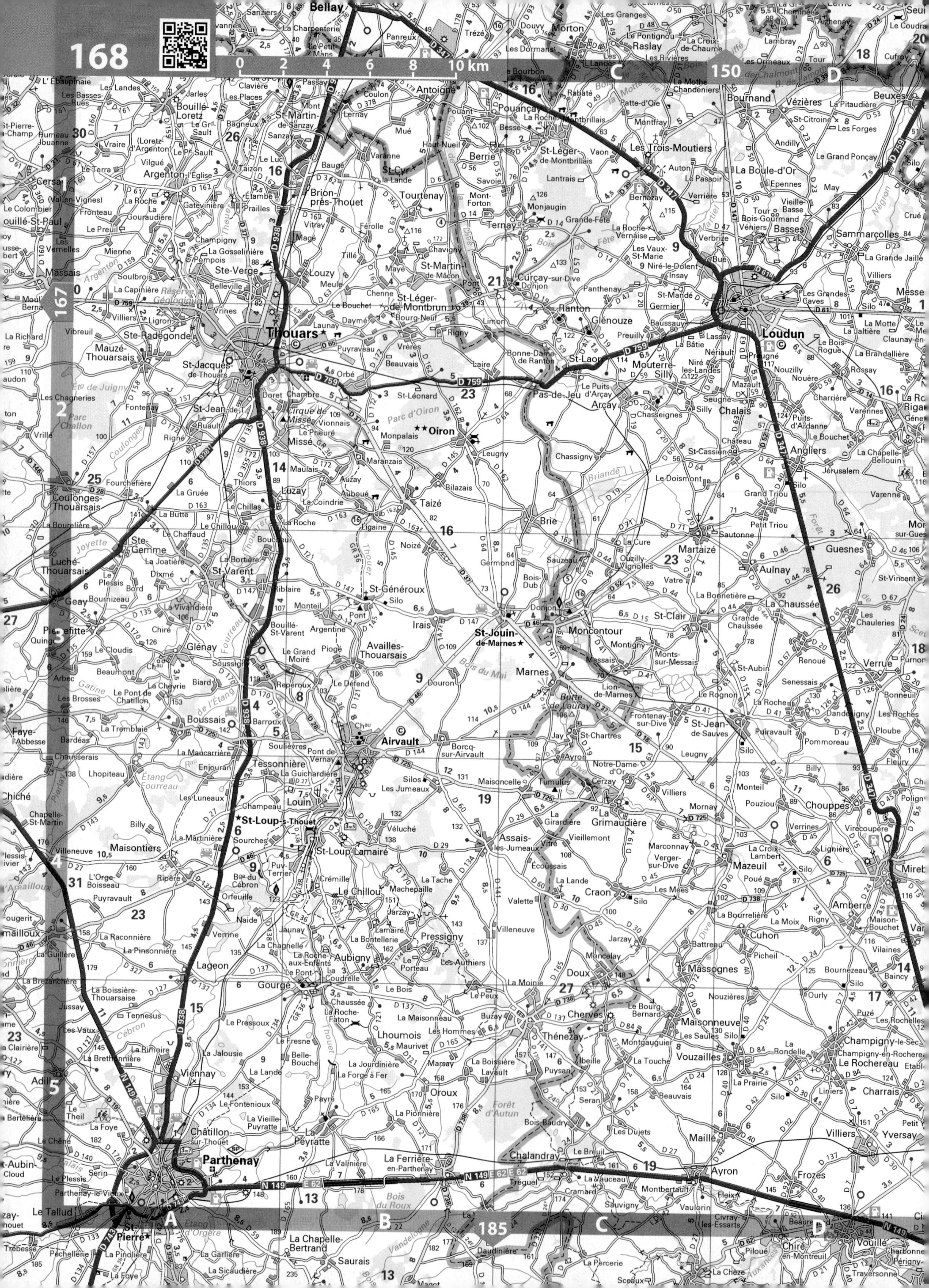
0 2 4 6 8 10 km
150
185
167
A
B
C
D
1
2
3
4
5
Thouars
Loudun
Airvault
Parthenay
Oiron
St-Jouin-de-Marnes
Moncontour
Bellay
Morton
Raslay
Antoigné
Pouançay
St-Léger-de-Montbrillais
Les Trois-Moutiers
Bournand
Vézières
Beuxes
Bouillé-Loretz
Argenton-l'Église
St-Martin-de-Sanzay
Brion-près-Thouet
Tourtenay
Ternay
Curçay-sur-Dive
Sammarçolles
Ste-Verge
Louzy
St-Martin-de-Mâcon
St-Léger-de-Montbrun
Ranton
Glénouze
Ste-Radegonde
Mauzé-Thouarsais
St-Jacques-de-Thouars
St-Jean-de-T.
Pas-de-Jeu
St-Laon
Mouterre-Silly
Arçay
Chalais
Missé
Taizé
Luzay
Brie
Angliers
Coulonges-Thouarsais
Ste-Gemme
St-Varent
Luché-Thouarsais
Martaizé
Aulnay
Guesnes
St-Généroux
St-Clair
La Chaussée
Geay
Pierrefitte
Glénay
Availles-Thouarsais
Irais
Marnes
Verrue
Boussais
Jay
St-Jean-de-Sauves
Tessonnière
Louin
St-Loup-s-Thouet
St-Loup-Lamairé
Assais-les-Jumeaux
La Grimaudière
Chouppes
Maisontiers
Le Chillou
Pressigny
Craon
Mazeuil
Cuhon
Amberre
Aubigny
Gourgé
Lageon
Doux
Massognes
Thénezay
Maisonneuve
Vouzailles
Champigny-le-Sec
Le Rochereau
Viennay
Oroux
Châtillon-sur-Thouet
La Peyratte
La Ferrière-en-Parthenay
Chalandray
Ayron
Maillé
Villiers
Frozes
Vouillé
St-Pierre
La Chapelle-Bertrand
Saurais
Forêt d'Autun
Parc d'Oiron
Cirque de Missé
D 759
D 938
D 347
D 725
D 46
N 149
E 62

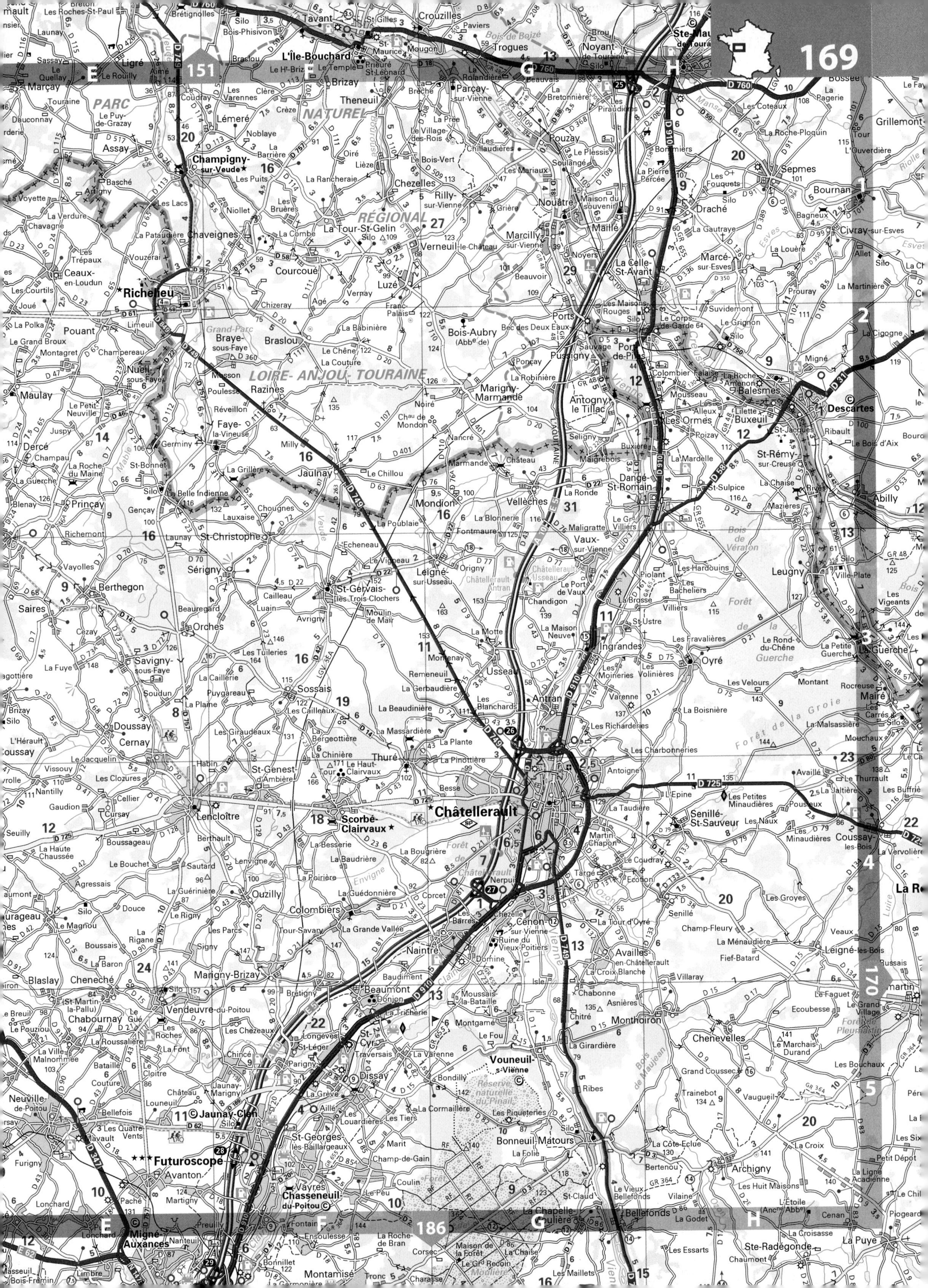
Les Roches-St-Paul
Brétignolles
Silo
Bois-Phisivon
Tavant
St-Gilles
Crouzilles
Paviers
Bois de Bozée
Brou
Noyant-de-Touraine
Ste-Maure-de-Touraine
151
Ligré
Le Quellay
Le Rouilly
Aimé
L'Île-Bouchard
Le Temple
Prieuré St-Léonard
Mougon
St-Maurice
Trogues
La Rolandière
Beauvais
Silo
Marçay
Brizay
Theneuil
Brèche
Parçay-sur-Vienne
La Bretonnière
Les Piraudières
Bossée
La Pagerie
Les Coteaux
Grillemont
PARC
Le Puy-de-Grazay
Les Varennes
Clère
Crèze
NATUREL
Lémeré
Dauconnay
La Prée
Le Village-des-Rois
Pouzay
Le Plessis
Bournais
La Roche-Ploquin
Tour
L'Ouverdière
Assay
Noblaye
La Barrière
Les Chillaudières
Soulangé
Champigny-sur-Veude
Oiré
Liège
Le Bois-Vert
Sepmes
Basché
Artigny
Les Puits
La Rancheraie
Chezelles
Les Mariaux
La Pierre Percée
Les Fouquets
Bournan
La Voyette
Les Lacs
Niollet
Les Bruères
Rilly-sur-Vienne
Grière
Nouâtre
Maison du souvenir
Drache
Silo
Bagneux
La Verdure
Chavagne
RÉGIONAL
La Tour-St-Gelin
Maillé
La Gautraye
Civray-sur-Esves
La Pataudière
Chaveignes
La Combe
Marcilly-sur-Vienne
Verneuil-le-Château
Noyers
La Louère
Allet
Marcé-sur-Esves
Les Trépaux
Vouzeray
Courcoué
La Celle-St-Avant
Ceaux-en-Loudun
Beauvoir
La Martinière
Richelieu
Luzé
Vernay
Prouray
Les Courtils
Joué
Chizeray
Franc-Palais
Les Maisons Rouges
Ports
Suvidemont
Le Grignon
La Polka
Limeuil
Grand-Parc
La Babinière
Bois-Aubry (Abbaye de)
Bec des Deux Eaux
Les Corps-de-Garde
Le Grand Broux
Pouant
Braye-sous-Faye
Braslou
Le Chêne
La Couture
Sauvage
Port-de-Piles
La Cigogne
Montagret
Champereau
Ponçay
Pussigny
Mignè
Nueil-sous-Faye
LOIRE-ANJOU-TOURAINE
La Robinière
Colombier
Falaise
La Roche-Amenon
Balesmes
Maulay
Messon
Poulesse
Razines
Marigny-Marmande
Antogny le Tillac
Mousseau
Descartes
Le Petit Neuville
Réveillon
Noiré
Les Alleux
Lilette
Buxeuil
Ribault
Faye-la-Vineuse
Château de Mondon
Les Ormes
St-Jacques
Juspy
Germiny
Nancré
Poizay
Le Bois d'Aix
Dercé
Champau
Milly
Seligny
Buxière
St-Rémy-sur-Creuse
La Roche du Maine
St-Bonnet
La Grillère
Jaulnay
Le Chillou
Château
Marmande
Maigrebois
La Mardelle
La Guerche
Dangé-St-Romain
La Chaise
Silo
La Belle Indienne
Mondion
La Ronde
St-Sulpice
Rives
Abilly
Blenay
Princay
Gençay
Chougnes
Velleches
Mazières
Lauxaise
La Poublaie
La Blonnerie
Maligratte
Le Grand Villiers
Richemont
Launay
St-Christophe
Fontmaure
Vaux-sur-Vienne
Bois de Vératon
L'Echeneau
Le Vigneau
Origny
Châtellerault-Usseau
Les Hardouins
Vayolles
Sérigny
Leigné-sur-Usseau
Châtellerault-Antran
Piolant
Leugny
Ville-Plate
Berthegon
St-Gervais-les-Trois-Clochers
Le Port de Vaux
Les Bacheliers
Cailleau
Chandigon
La Brosse
Saires
Beauregard
Luain
Avrigny
Moulin de Mair
Villiers
Forêt de la Guerche
Les Vigeants
Orches
St-Ustre
Cezay
La Motte
La Maison Neuve
Les Fravalières
Le Rond-du-Chêne
La Petite Guerche
La Guerche
Savigny-sous-Faye
Les Tuileries
Monteney
Ingrandes
Oyré
La Fuye
La Caillerie
Remeneuil
Usseau
Les Moineries
Les Volinières
Montant
Rocreuse
Puygareau
Sossais
La Gerbaudière
Les Velours
Mairé
Soudun
La Plaine
Les Cailleaux
La Beaudinière
Les Blanchards
Antran
Varenne
La Boisnière
Les Carrés
Silo
Doussay
Les Giraudeaux
La Massardière
Les Richardières
La Malsassière
Cernay
La Bergeottière
La Plante
Forêt de la Groie
Mouchaux
L'Hérault
Coussay
Le Jacquelin
La Chinière
Thuré
La Pinottière
Les Charbonneries
Vissouy
Habin
St-Genest-d'Ambière
Tour
Le Haut-Clairvaux
Antoigne
Availle
Les Clouzes
Le Thurrault
Nantilly
Cellier
Besse
L'Epine
Les Petites Minaudières
La Jaltière
Les Buffriè
Gaudion
Cursay
Châtellerault
La Taudière
Pouslaux
Lencloître
Scorbé-Clairvaux
Senillé-St-Sauveur
Les Naux
Seuilly
Boussageau
Martin-Chapon
Les Minaudières
Coussay-les-Bois
La Vervolière
Berthault
La Besserie
La Bougrière
Forêt de Châtellerault
La Haute Chaussée
Le Coudray
Le Bouchet
Sautard
Lenvigne
La Baudrière
Targé
Ecotion
Envigne
Agressais
La Poirière
Nerpuis
La Guérinière
Ouzilly
La Guédonnière
Corcet
Douce
Colombiers
Les Barres
Chezelle
Senillé
Les Groyes
Silo
Le Rigny
Cenon-sur-Vienne
La Tour d'Oyré
Le Magnou
Les Parcs
Tour-Savary
La Grande Vallée
Ruine du Vieux-Poitiers
Champ-Fleury
Veaux
La Rigane
Signy
Naintré
Availles-en-Châtellerault
La Ménaudière
Leigné-les-Bois
Boussais
Domine
Fief-Batard
Russais
La Baron
Marigny-Brizay
La Croix Blanche
Blaslay
Cheneché
Villaray
Baudiment
Isle
Bretigny
Beaumont
Donjon
Chabonne
Le Faguet
Le Grand-Village
(St-Martin-la-Pallu)
Vendeuvre-du-Poitou
Moussais-la-Bataille
Asnières
Le Breuil
Chabournay
Le Gué
La Tricherie
Chitré
Ecoubesse
Forêt de Pleumartin
Le Pouzioux
Les Roches
Les Chezeaux
St-Cyr
Montgamé
Monthoiron
La Roussalière
Longèves
St-Léger
Le Fou
Chenevelles
Le Marchais-Durand
La Ville Malnommée
La Font
Chincé
Traversais
La Varenne
La Girardière
Bataille
Le Cloître
Parigny
Vouneuil-s-Vienne
Bois de Maujean
Les Bouchaux
Couture
Dissay
Bondilly
Grand Coussec
Château
Jaunay-Marigny
Réserve naturelle du Pinail
Ribes
Neuville-de-Poitou
Louneuil
La Grève
Trainebot
Vaugueil
Bellefois
Jaunay-Clan
Aillé
La Cormaillère
Les Piqueteries
Les Quatre Vents
Silo
Louardières
Les Tiers
Mavault
Futuroscope
St-Georges-lès-Baillargeaux
Marit
Bonneuil-Matours
La Côte-Eclue
La Croix
Petit Dépôt
Furigny
Avanton
Champ-de-Gain
La Folie
Bertenou
Archigny
La Ligne Acadienne
Paché
Martigny
Coulin
Les Huit Maisons
Forêt
Vayres
Chasseneuil-du-Poitou
Le Peu
Le Vieux Bellefonds
Vilaine
L'Etoile
Lonchard
Preuil
St-Claud
Anc. Abbaye
Cenan
Pioqeard
186
Fontaine
Ensoulesse
La Roche-de-Bran
La Chapelle-Gulière
Bellefonds
La Godet
La Croisasse
Migné-Auxances
Nanteuil
Corsec
Maison de la Forêt
La Chaise
Le Gd Recoin
Les Essarts
Ste-Radégonde
La Puye
Limbre
Bonnillet
Montamisé
Charasse
Moulière
Chaumont
Les Maillets
Tronc
Masseuil
Bois-Fremin
La Germonière
Vienne
Creuse
Esves
Manse
Veude
Clain
Ozon
Luire
L'AQUITAINE
LGV SEA
E
F
G
H
1
2
3
4
5
170

170
0 2 4 6 8 10 km
C
152
D
169
187
A
B
C
D
1
2
3
4
5
Loches
Beaulieu-lès-Loches
Chartreuse du Liget
Sennevières
Loché-sur-Indrois
Mouzay
Perrusson
St-Jean-St-Germain
Varennes
Ligueil
Ciran
Esves-le-Moutier
St-Senoch
Verneuil-sur-Indre
St-Hippolyte
Bridoré
Fléré-la-Rivière
St-Cyran-du-Jambot
Cussay
Civray-sur-Esves
Bournan
Descartes
Neuilly-le-Brignon
Le Châtelier
Paulmy
Ferrière-Larçon
Betz-le-Château
Châtillon-sur-Indre
St-Flovier
La Celle-Guenand
Abilly
Le Grand-Pressigny
Le Petit-Pressigny
Charnizay
Obterre
Cléré-du-Bois
Murs
Forêt de Ste Jullite
Forêt du Grd Pressigny
Bois de Verneuil
Forêt de Preuilly
Parc Zoologique
La Guerche
Barrou
Chaumussay
Preuilly-sur-Claise
Azay-le-Ferron
Paulnay
Mézières-en-Brenne
Lésigny
Chambon
Boussay
Bossay-sur-Claise
Martizay
Villiers
St-Michel-en-Brenne
Coussay-les-Bois
La Roche-Posay
Yzeures-sur-Creuse
Parc de Boussay
Tournon-St-Pierre
Tournon-St-Martin
Lingé
Lureuil
Pleumartin
Vicq-sur-Gartempe
Angles-sur-l'Anglin
Preuilly-la-Ville
Douadic
Rosnay
Le Bouchet
Fontgombault
Pouligny-St-Pierre
St-Pierre-de-Maillé
Sauzelles
La Puye
La Bussière
Mérigny
St-Aigny
Le Blanc
Ruffec
Étang de la Mer Rouge
Réserve naturelle
Terrain militaire

153
188
172
E
F
G
H
Nouans-les-Fontaines
Lucay-le-Mâle
La Forge
Veuil
Vicq-sur-Nahon
Sermoise
Chambon
Buxeuil
Garsenland
Écueillé
Villedômain
Préaux
Heugnes
Pellevoisin
Villegouin
Palluau-sur-Indre
St-Genou
Arpheuilles
Buzançais
Jeu-Maloches
Gehée
Langé
Selles-sur-Nahon
Frédille
St-Martin-de-Lamps
St-Pierre-de-Lamps
Sougé
Moulins-sur-Céphons
Levroux
Baudres
Rouvres-les-Bois
Bouges
Bouges-le-Château
Aize
Guilly
St-Florentin
Fontenay
La Chapelle-St-Laurian
Liniez
Bretagne
Brion
St-Lactencin
Villegongis
Vineuil
Chezelles
Francillon
Villedieu-sur-Indre
Chambon
Niherne
Déols
Montierchaume
CHATEAUROUX
St-Maur
Ste-Gemme
La Chapelle-Orthemale
Vendœuvres
Méobecq
Neuillay-les-Bois
Luant
Le Poinçonnet
Étrechet
Forêt de Châteauroux
Arthon
Velles
Mosnay
Migné
La Pérouille
Nuret-le-Ferron
Chasseneuil
St-Gaultier
Jeu-les-Bois
Buxières-d'Aillac
Lys-St-Georges
Bois de Levroux
Bois de Moulins
Bois de Chaume
Bois de Villegongis
Forêt de St-Maur
Forêt de Lancosme
Étang Duris
Mille Étangs
Val de l'Indre
PARC RÉGIONAL
Indre
Creuse

0 2 4 6 8 10 km
171
154
189
Mehun-sur-Yèvre
Nohant-en-Graçay
Lury-sur-Arnon
Chante-Renard
Reboursin
Vatan
St-Florentin
Meunet-sur-Vatan
Giroux
Lucay-le-Libre
St-Pierre-de-Jards
Cerbois
Reuilly
Lazenay
Limeux
Preuilly
Ste-Thorette
La Coudray
Paudy
Diou
Mérolles
L'Erable
Concisain
Les Cocuas
Le Souchet
Plou
Poisieux
Mazières
Migny
Ménétréols-sous-Vatan
Liniez
Bignoux
Beauvoir
Vœu
Ste-Lizaigne
Villeneuve-sur-Cher
Morthomiers
St-Georges-sur-Arnon
Thoiry
Charost
Lizeray
Les Bordes
Villiers-les-Roses
Saugy
Civray
St-Florent-sur-Cher
Chinault
Issoudun
St-Valentin
La Champenoise
St-Aoustrille
St-Ambroix
Tassay
Lunery
Chouday
Ségry
Thizay
Neuvy-Pailloux
Condé
Nouan
Mareuil-sur-Arnon
Primelles
Corquoy
Ste-Fauste
St-Aubin
Brives
Meunet-Planches
La Croix Blanche
Chezal-Benoît
Villecelin
St-Baudel
Montlouis
Vouillon
Diors
Mâron
ATEAUROUX
Étrechet
Bommiers
Ambrault
Pruniers
La Celle-Condé
Sassierges-St-Germain
Ardentes
Lignières
Le Plaix
Ineuil
St-Août
St-Hilaire-en-Lignières
Touchay
Ids-St-Roch
Jardins N.-D. d'Orsan
St-Christophe-en-Boucherie
Rezay
Jeu-les-Bois
Mers-sur-Indre
Verneuil-sur-Igneraie
La Berthenoux
Montipouret
St-Chartier
Lys-St-Georges
Buxières-d'Aillac
Maisonnais
St-Pierre-les-Bois
N 151
D 925
D 918
D 943
D 940
D 960
A 20
A 71

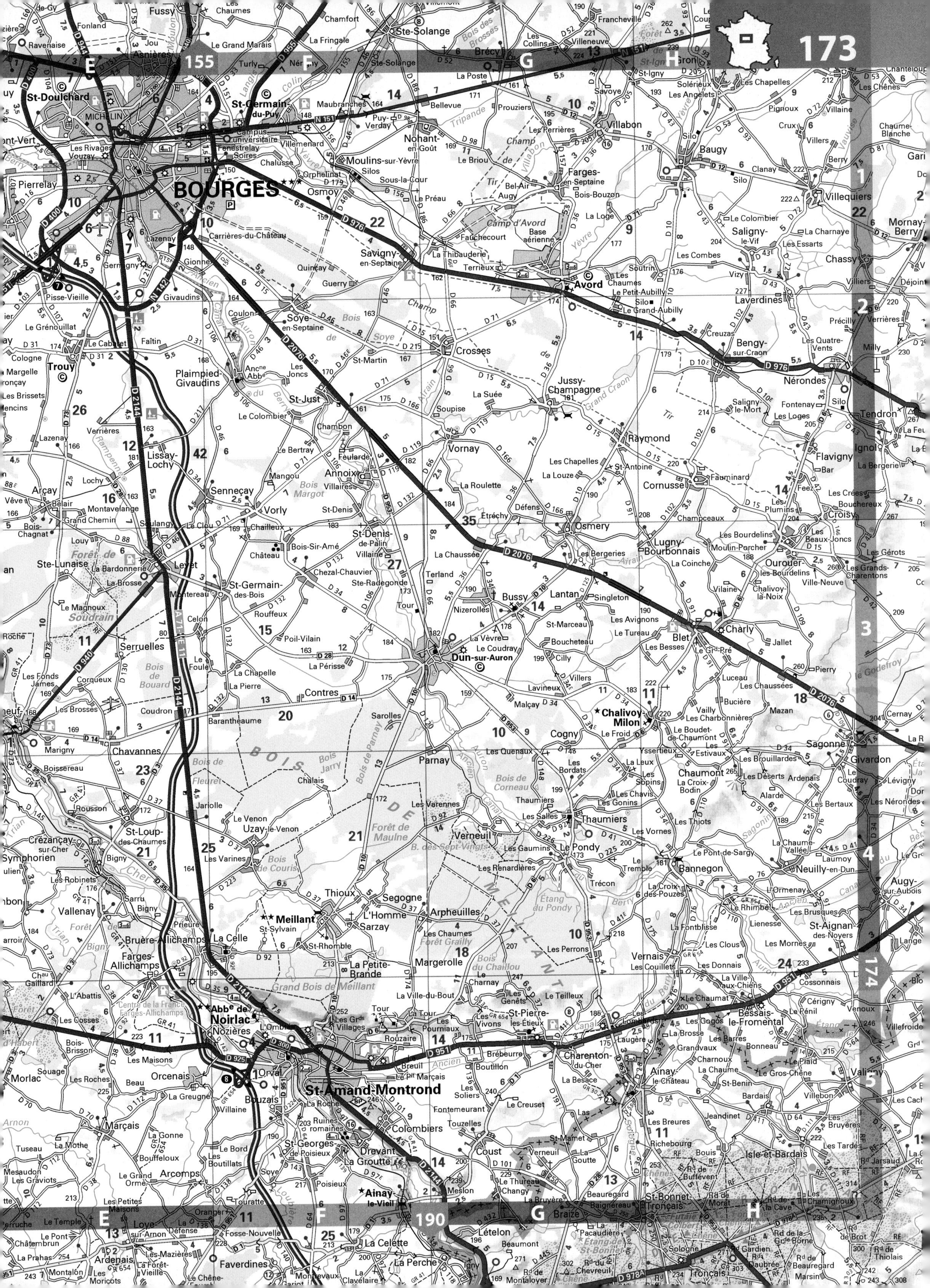
173
155
174
190
E
F
G
H
1
2
3
4
5
BOURGES
St-Doulchard
St-Germain-du-Puy
Fussy
Asnières
Ste-Solange
Brécy
Villabon
Baugy
Villequiers
Moulins-sur-Yèvre
Nohant-en-Goût
Farges-en-Septaine
Avord
Savigny-en-Septaine
Soye-en-Septaine
Crosses
Bengy-sur-Craon
Nérondes
Trouy
Plaimpied-Givaudins
St-Just
Jussy-Champagne
Raymond
Flavigny
Cornusse
Croisy
Lissay-Lochy
Senneçay
Vorly
Annoix
Vornay
Osmery
Lugny-Bourbonnais
Ourouer-les-Bourdelins
Levet
St-Germain-des-Bois
St-Denis-de-Palin
Bussy
Lantan
Blet
Charly
Dun-sur-Auron
Serruelles
Chalivoy-Milon
Sagonne
Givardon
Chavannes
Parnay
Cogny
Chaumont
Uzay-le-Venon
Thaumiers
Le Pondy
Bannegon
Neuilly-en-Dun
Augy-sur-Aubois
St-Loup-des-Chaumes
Meillant
Thioux
Arpheuilles
Vernais
St-Aignan-des-Noyers
Bruère-Allichamps
Farges-Allichamps
La Celle
Margerolle
Bessais-le-Fromental
Noirlac
Nozières
St-Pierre-les-Étieux
Charenton-du-Cher
Ainay-le-Château
Orval
St-Amand-Montrond
Colombiers
Marçais
St-Georges-de-Poisieux
Drevant
La Groutte
Coust
Ainay-le-Vieil
Isle-et-Bardais
St-Bonnet-Tronçais
Braize
Arcomps
Bois de Meillant
Forêt de Maulne
Forêt de Tronçais
D 2076
D 976
D 2144
D 940
D 951
A 71 E 11

174
0 2 4 6 8 10 km
156
173
191
192
A
B
C
D
1
2
3
4
5
Argenvières
Champvoux
St-Aubin-les-Forges
Les Grandes Vallées
Frasnay
Rigny
Poisson
la Belouse
Les Brosses
Nolay
Poiseux
Mauvron
Forge-Bas
Le Chazeau
Usseau
Mimont
Les Aubues
Le Tremblay
Satinges
Poulanges
Bizy
Les Champs
Martin
Marcy
Forêt de Guérigny
Prunevaux
Tronsanges
Silo
Les Chamignons
Le Petit Varennes
Les Bruères
Beffes
Chevigny
Parigny-les-Vaux
Guérigny
La Quellerie
Arriault
Nyon
Champaudon
Balleray
Demeurs
Les Vannes
Sauvage
Ourouër
Vaux-d'Amognes
Cognau
Les Passys
Machigny
St-Martin-d'Heuille
Le Gué d'Heuillon
Baugy
Rigolas
La Forêt
Nanton
Le Greux
Urzy
Feuilles
La Grippe
Meulot
Montigny-aux-Amognes
Noille
Précy
Le Briou
Les Chênes
Le Liard
Villaine
Chaume-Blanche
Villers
Garigny
Blaudy
Doys
Les Chaumes
Les Loges
Forêt
Châteauvert
Germigny-s-Loire
Les Morins
Pougues-les-Eaux
Mt Givre
Priez
Neuilly
Boulorges
Villequiers
Mornay-Berry
St-Hilaire-de-Gondilly
Menetou-Couture
La Charnaye
Les Essarts
Chassy
Marseilles-lès-Aubigny
Les Batis
Jouet-sur-l'Aubois
Le Fournay
Le Poids-de-Fer
La Chaume-du-Poids-de-Fer
Soulangy
Garchizy
Foncelin
Azy
Varennes
Pignelin
La Rocherie
Villeville
Déjointes
Les Brosses
Fontmorigny
Feuillarde
La Chaume
Les Grevées
La Môle
Vernuche
Fourchambault
Véninges
Chevannes
Le Pont-St-Ours
Trangy
St-Jean-aux-Amognes
Précilly
Verrières
Le Chêne-Creux
Beaurenard
Torteron
Cours-les-Barres
Crille
Four-de-Vaux
Varennes-Vauzelles
Coulanges-lès-Nevers
Bois de Venille
Venille
Les Quatre-Vents
Milly
La Vallée
Le Lieu
Patinges
Givry
Les Giroflées
La Folie
Corcelles
L'Aubray
Tazière
Aubeterre
St-Péraville
Bois de Sauvigny
Nérondes
Silo
Tendron
Les Reaux
Bernay
Malnoue
Marzy
NEVERS
Chabrulat
Forges
Bois de Cigogne
Loges
La Feuillouse
Les Brûlés
L'Étang de Pin
Chalivoy
Le Briou
Le Chautay
Boisdes Ribaudières
Chichevet
Les Chaumes-de-St-Agnan
Les Fourmis
Chau
Cuffy
St-Antoine
St-Baudière
Les Brouères
Clos-Ry
Crot-de-Savigny
St-Éloi
Sauvigny-lès-Bois
La Fermeté
Bois de Landre
Flavigny
Ignol
La Bastille
La Bergerie
Bar
Le Bec d'Allier
Le Guétin
Colombier
Challuy
Le Marais
Plagny
Sermoise-sur-Loire
Thiot
Marigny
Pryé
Curty
La Guerche-sur-l'Aubois
Le Gravier
Les Crées
Bouchereaux
Croisy
Bois de Bourrain
La Grenouille
Gimouille
Lycée Agricole
La Turlurette
Imphy
Les Alèdes
Martoux
Montbalin
Chau-Renaud
Fonfrin
Beaux-Joncs
Veuillin
La Grâce
Fertot
La Chaume
Les Tuileries
Bois de Riat
Forêt
Germigny-l'Exempt
Le Fief
Saincaize-Gare
Bois de Faye
Chevenon
Les Gérots
Les Grands-Charentons
Ville-Neuve
Chau-Gaillard
Les Communes
Les Auvergnats
Apremont-sur-Allier
Thé
Aglan
Le Vernay
Les Sardol
Perdriats
Romenet
La Chapelle-Hugon
Le Boisseau de Noix
Boucard
Bois d'Apremont
Parc Floral
Meauce
Saincaize-Meauce
Gain
Les Pommais
Les Noues
Le Brignon
Grd Vernay
Bée
L'Atelier
Les Essarts
Le Port Des-Bois
Long
Les Bordes
La Planche-Chevrier
Sérigny
Les Pitiaux
Loucet
Bois-Vert
Theurau
Jaugenay
Crège
Les Chamons
La Chapelle
St-Ouen-sur-Loire
Pierry
le Godefroy
Vereaux
Grossouvre
Les Coqs
Bois de Neuvy
Nioux
Cussy
Chéron
Magny-Cours
Le Blénay
Bardonnay
Soultrait
Chevret
Béard
Dru
Neuvy-le-Barrois
Cernay
Beauvais
La Rencontre
Mars-s-Allier
La Tour
Moiry
Musée
Mont
St-Parize-le-Châtel
Puits de Maux
Uxeloup
Le Fourneau
Chau de Rosemont
Luthenay-Uxeloup
La Motte-Farchat
Vevre
Sagonne
Givardon
Parc des Grivelles
Étang de Javoulet
La Place
Pée
Villeneuve
Bois de la Boulée
St-Caprais
Châteauneuf
St-Léger
Villars
Taches
Les Loges
Les Boulats
Fleury-sur-Loire
Le Coudray
Lévigny
Donjon
Les Bertaux
Les Nérondes
Jouy
Sancoins
La Forêt
Dhéré
Audes
Mornay-sur-Allier
La Pointe
St-Vif
La Berlasse
Bougy
La Bruyère
Le Rivage
Langeron
Buy
Maison Rouge
Cougny
Les Bruyères-Radon
Les Bruyères-de-Fleury
La Perrière
La Garenne
Les Chaumes
Sautereaux
Le Grd Vèvre
Laumoy
Neuilly-en-Dun
Le Gué-de-Bourg
Vary
Le Guillot
Bois des Cordes
Parenche
Augy-sur-Aubois
La Barre
Mauboux
Alligny
Lorgue
Le Patouillat
Azy-le-Vif
Marcigny
St-Pierre-le-Moûtier
Les Loges-Fraillons
Brusques
St-Aignan-des-Noyers
La Mardelle
Le Sautay
Les Brosses
Les Berthomiers
St-Augustin
Chambon
Précy
Le Bretet
Forêt de Chabet
Étg de Pinet
Les Raguet
Les Lices
Langeron
Les Noriaux
Les Bruyères-de-Bord
Bois de la Brunanse
Leige
Château-s-Allier
Livry
Taloux
La Barre
Chez-Rousse
Le Charme
Paray
Neuville-lès-Decize
La Buffère
La Chevrotière
Le Tremble
Le Veurdre
Riousse
Paraize
Beaumont
Forêt du Perray
Les Giraults
Rond-du-Perray
La Vacheresse
Étg du Perray
Étg de Pissegrait
Bruyères-des-Desrues
Cérigny
Grande-Feuille
Bloux
Le Mellier
Neure
Baume
La Charnée
Courbelon
Mussy
Le Bas-Rio
Vernay
Le Haut-du-May
Venoux
Villefroide
Chez-Bois
Les Carrais
Lucy-Lévis
Montvrin
Neureux
Min Barat
Mésangy
Prégoux
Chaume
Tour
Le Rio
Le Bouché
Chantenay-St-Imbert
Toury-sur-Jour
La Loure
Les Vélins
Grd Veau
Grd-Beaumont
Pit-Beaumont
Lorbat
La Ferté
St-Imbert
Aménag en cours
Les Quatre Vents
Montbernard
La Cinardière
Fublène
Les Royautes
Les Tuileries
Le Bessay
L'Arizolle
Nonay
Valigny
Boulat
Les Cacherats
Lévis
Pouzy-Mésangy
La Renarderie
Alligny
Saulnière
Les Fougeries
La Fondr
Villebon
Les Bruyères
Les Landes
Mézamblin
Chavy
Les Collins
St-Léo
Guichards
Les Plotats
Les Tardes
Jarsaud
La Corne-de-Rollay
Couleuvre
Champroux
St-Léopardin-d'Augy
Aubigny
Tresnay
Chavagne
Arboretum de Balaine
Aurouër
Taché
Bel-Air
Les Bariteaux
Les Jarreaux
Limoise
Le Bois
Les Bordes
Le Reray
Les Roches
Villeneuve-sur-Allier
Chamignoux
La Lande
Buchepot
La Folie
Avreuil
Minard
Morat
Riau
Le Mont
Gâte-Pays
Couzon
La Vigne-Mouton
Rozières
Les Beugnants
La Beaume
L'Épine
Bagneux
de Brot
Rd de Thiolais
Franchesse
Gennetines
Vellat
Avrilly
La Croix-de-Vaux
La Ranche
Forêt
Civrais
Canal latéral à la Loire
Allier
Loire
Aubois
Nièvre
D 976
D 2076
D 951
D 978
D 981
A 77
N 7
GR 654
GR 300
GR 303

St-Franchy
Bazolles
Achun
Montchanson
Ste-Marie
157
E
F
G
H
Aunay-en-Bazois
St-Saulge
Signal de Beauregard
St-Maurice
Mont-et-Marré
Chougny
Dun-sur-Grandry
Châtin
St-Hilaire-en-Morvan
Montapas
St-Péreuse
Dommartin
Tamnay-en-Bazois
Châtillon-en-Bazois
Alluy
Saxi-Bourdon
Bona
St-Firmin
Rouy
Billy-Chevannes
St-Benin-d'Azy
Frasnay-Reugny
Tintury
Biches
Brinay
Limanton
Moulins-Engilbert
Sermages
Forêt de Vincence
Fertrève
Anlezy
Ville-Langy
Montigny-sur-Canne
Onlay
Diennes-Aubigny
Thianges
La Machine
Vandenesse
St-Honoré-les-Bains
Isenay
St-Gratien-Savigny
Montaron
Cercy-la-Tour
Verneuil
Champvert
Decize
St-Léger-des-Vignes
Sémelay
Thaix
Rémilly
Fours
Lanty
Avrée
Savigny-Poil-Fol
Devay
Charrin
St-Hilaire-Fontaine
Montambert
La Nocle-Maulaix
Ternant
Cossaye
Toury-Lurcy
St-Germain-Chassenay
Lamenay-sur-Loire
Gannay-sur-Loire
Cronat
Maltat
Cressy-sur-Somme
Lucenay-lès-Aix
Vitry-sur-Loire
St-Martin-des-Lais
St-Ennemond
La Chapelle-aux-Chasses
Lesme
Bourbon-Lancy
Gennetines
Garnat-sur-Engièvre
LOIRE
D 978
D 981
D 979
D 973
192
193
176

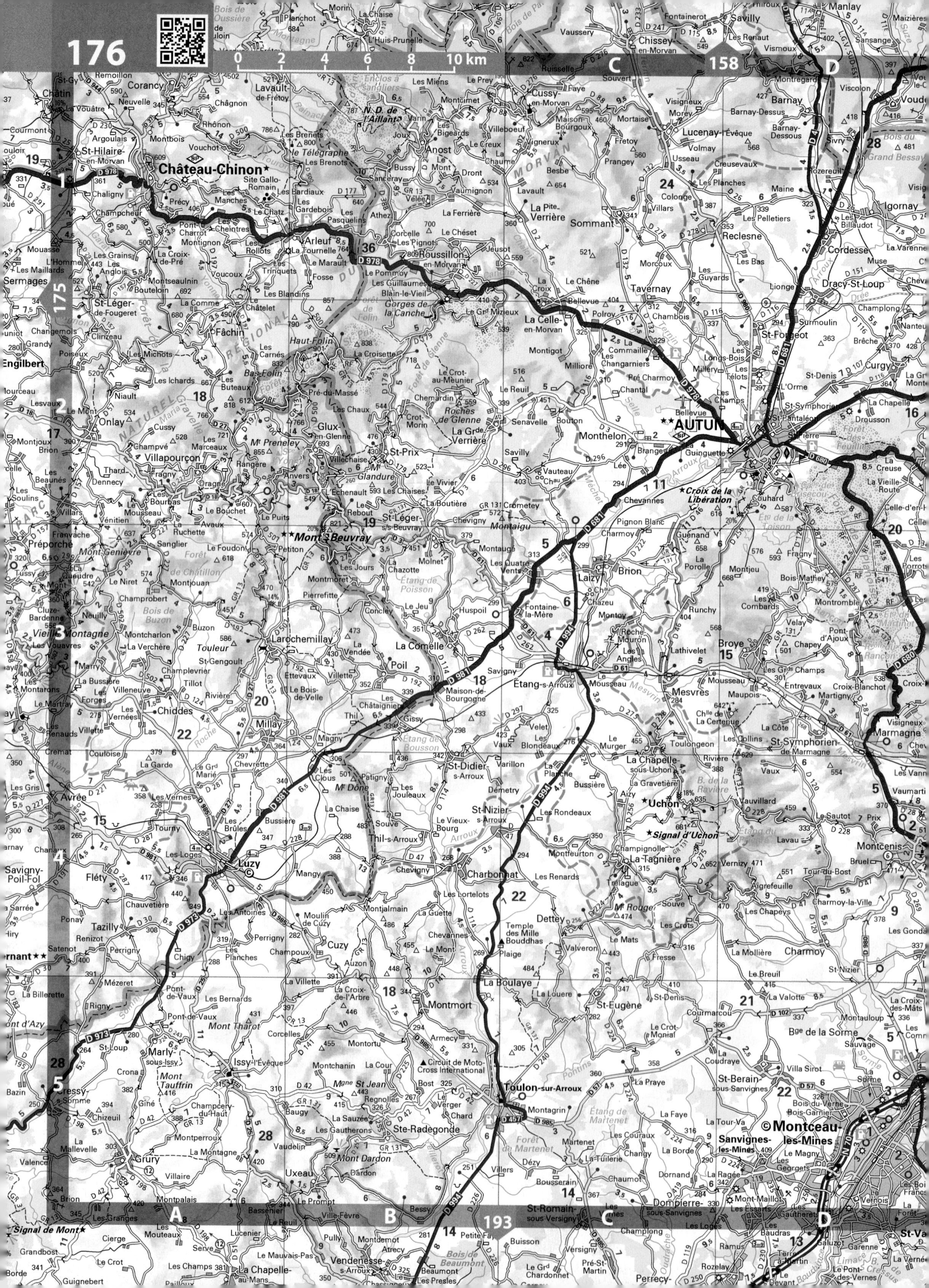
0 2 4 6 8 10 km
C
158
D
175
193
A
B
C
D
Château-Chinon
St-Hilaire-en-Morvan
St-Léger-de-Fougeret
Onlay
Villapourçon
Préporché
Larochemillay
Luzy
Tazilly
Savigny-Poil-Fol
Avrée
Chiddes
Millay
Glux-en-Glenne
St-Prix
Mont Beuvray
Haut-Folin
Arleuf
Roussillon-en-Morvan
Anost
Cussy-en-Morvan
Chissey-en-Morvan
Savilly
Lucenay-l'Évêque
Barnay
Sommant
Tavernay
La Celle-en-Morvan
AUTUN
Monthelon
St-Forgeot
Dracy-St-Loup
Igornay
Cordesse
Curgy
St-Symphorien
St-Pantaléon
Laizy
Brion
Étang-s-Arroux
Mesvres
Broye
St-Symphorien-de-Marmagne
Marmagne
La Chapelle-sous-Uchon
Uchon
Signal d'Uchon
St-Didier-s-Arroux
St-Nizier-s-Arroux
Charbonnat
La Tagnière
Montcenis
Dettey
Temple des Mille Bouddhas
La Boulaye
Cuzy
Montmort
St-Eugène
Toulon-sur-Arroux
Issy-l'Évêque
Marly-sous-Issy
Cressy-s-Somme
Grury
Ste-Radegonde
Uxeau
Montceau-les-Mines
Sanvignes-les-Mines
St-Berain-sous-Sanvignes
Dompierre-sous-Sanvignes
St-Romain-sous-Versigny
Vendenesse-s-Arroux
La Chapelle-au-Mans
Charmoy
MORVAN
PARC NATUREL RÉGIONAL DU MORVAN
Forêt de Folin
Gorges de la Canche
Roches de Glenne
Croix de la Libération
Mont Tauffrin
Mont Tharot
Mont Dardon
Signal de Mont

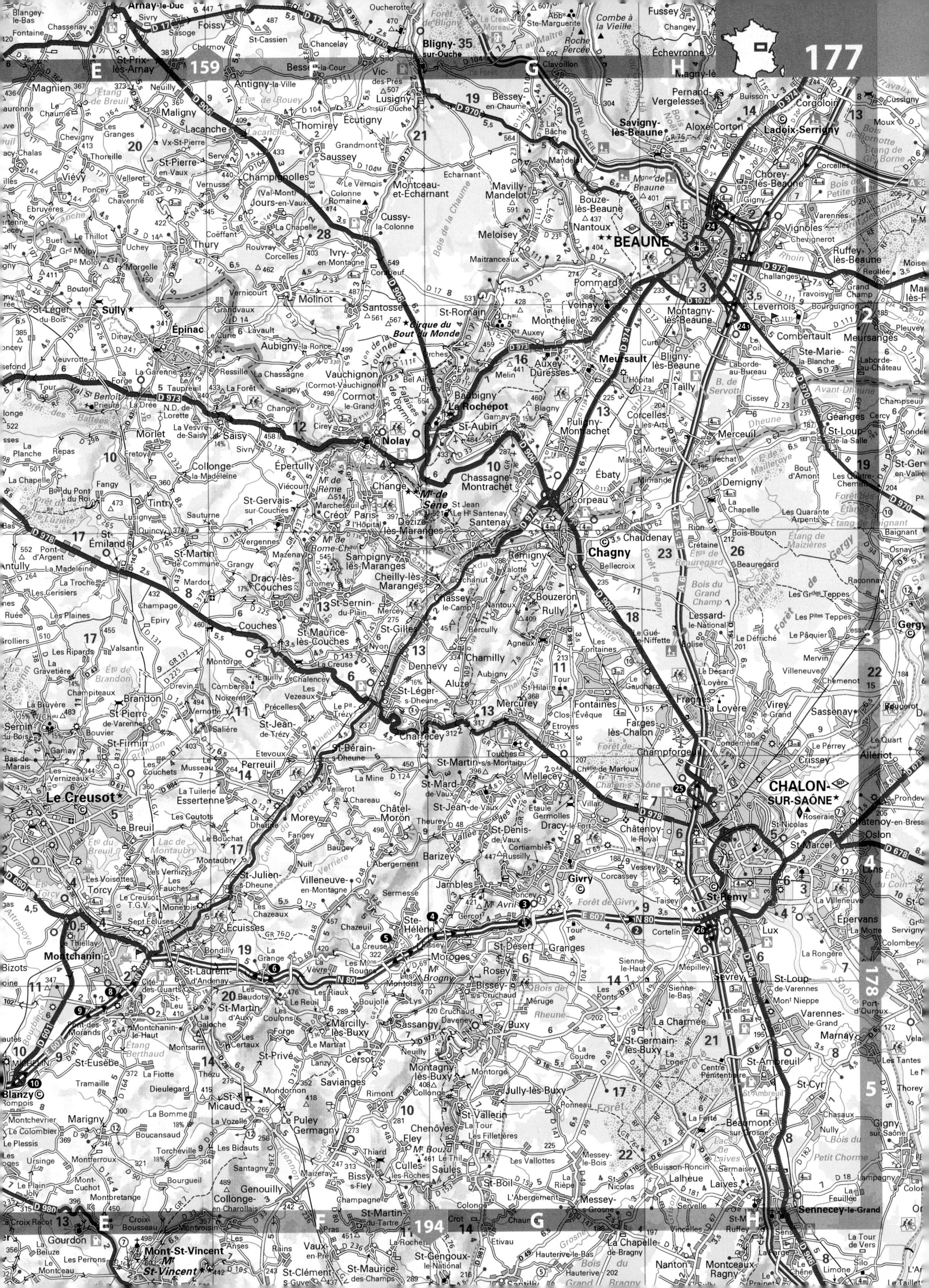
177
159
178
194
E
F
G
H
Arnay-le-Duc
Bligny-sur-Ouche
Fussey
Échevronne
Magny-lès-Villers
Pernand-Vergelesses
Savigny-lès-Beaune
Aloxe-Corton
Ladoix-Serrigny
Corgoloin
Chorey-lès-Beaune
BEAUNE
Bouze-lès-Beaune
Nantoux
Pommard
Volnay
Meursault
Monthelie
Auxey-Duresses
Montagny-lès-Beaune
Levernois
Bligny-lès-Beaune
Tailly
Merceuil
Puligny-Montrachet
Chassagne-Montrachet
St-Aubin
Gamay
La Rochepot
Nolay
St-Romain
Cirque du Bout du Monde
Santenay
Chagny
Corpeau
Chaudenay
Remigny
Bouzeron
Rully
Mercurey
Givry
Fontaines
Farges-lès-Chalon
Champforgeuil
CHALON-SUR-SAÔNE
St-Rémy
St-Marcel
Châtenoy-le-Royal
Lux
Sevrey
St-Loup-de-Varennes
Varennes-le-Grand
St-Cyr
Beaumont-sur-Grosne
Sennecey-le-Grand
Laives
La Chapelle-de-Bragny
Messey-sur-Grosne
Buxy
Montagny-lès-Buxy
Jully-lès-Buxy
St-Vallerin
Saules
Culles-les-Roches
Bissy-sous-Uxelles
Genouilly
St-Gengoux-le-National
St-Martin-du-Tartre
Germagny
St-Micaud
St-Privé
Cersot
Saint-Désert
Moroges
Jambles
Ste-Hélène
St-Léger-sur-Dheune
St-Bérain-sur-Dheune
Dennevy
Couches
Épinac
Sully
Lacanche
Maligny
Thury
Ivry-en-Montagne
Cussy-la-Colonne
Montceau-et-Écharnant
Vauchignon
Cormot-le-Grand
Saisy
Morlet
Épertully
Créot
Paris-l'Hôpital
Dezize-lès-Maranges
Sampigny-lès-Maranges
Cheilly-lès-Maranges
Dracy-lès-Couches
St-Maurice-lès-Couches
St-Gilles
Chamilly
Aluze
Charrecey
Perreuil
Essertenne
Le Creusot
Le Breuil
Torcy
Montchanin
Écuisses
St-Julien-sur-Dheune
St-Laurent-d'Andenay
Blanzy
St-Eusèbe
Marigny
Mont-St-Vincent
Gourdon
Génelard
Mt de Sène
Gergy
Allériot
Crissey
Sassenay
Virey-le-Grand
Épervans
Oslon
Lans
Gigny-sur-Saône
Marnay
St-Ambreuil
Écuelles
Mt de Rème
Mt Avril
Mt Brogny

178
0 2 4 6 8 10 km
160
177
195
A B C D
1 2 3 4 5
St-Jean-de-Losne
St-Symphorien-sur-Saône
Laperrière-sur-Saône
Magny-lès-Aubigny
Esbarres
Charrey-sur-Saône
Nicolas-Cîteaux
Champvans
Foucherans
Samerey
Damparis
Abergement-la-Ronce
Tavaux
Aumur
Corgoloin
Serrigny
Cussigny
Antilly
Argilly
Bagnot
Broin
Auvillars-sur-Saône
Lechâtelet
Pagny-la-Ville
Pagny-le-Château
Franxault
St-Aubin
Labruyère
Glanon
Pouilly-sur-Saône
Chamblanc
Montagny-lès-Seurre
Grosbois-lès-Tichey
Tichey
St-Loup
Gevry
Molay
Champdivers
Villy-le-Moutier
Montmain
Corberon
Ruffey-lès-Beaune
Marigny-lès-Reullée
Corgengoux
Seurre
Labergement-lès-Seurre
Jallanges
Lanthes
Bousselange
Chemin
Peseux
St-Baraing
Chaussin
Meursanges
Chevigny-en-Valière
Palleau
Chivres
Trugny
Pourlans
Annoire
Longwy-sur-le-Doubs
Asnans-Beauvoisin
Mont-lès-Seurre
Écuelles
La Villeneuve
Clux
Longepierre
Petit-Noir
St-Martin-en-Gâtinois
St-Gervais-en-Vallière
Charnay-lès-Chalon
Navilly
Pontoux
Charette-Varennes
Lays-sur-le-Doubs
Fretterans
Neublans-Abergement
Bragny-sur-Saône
Frontenard
Saunières
Sermesse
Pierre-de-Bresse
Allerey-sur-Saône
Les Bordes
Verdun-sur-le-Doubs
Ciel
Verjux
Gergy
Toutenant
Authumes
Mouthier-en-Bresse
St-Bonnet-en-Bresse
La Chapelle-St-Sauveur
St-Maurice-en-Rivière
St-Didier-en-Bresse
Torpes
Bellevesvre
Damerey
Bey
St-Martin-en-Bresse
Serrigny-en-Bresse
Dampierre-en-Bresse
La Chaux
Montjay
Chapelle-Voland
Allériot
Montcoy
Villegaudin
Mervans
Serley
Bouhans
St-Germain-du-Bois
Guerfand
Diconne
Devrouze
Sens-sur-Seille
Frangy-en-Bresse
Cosges
Bletterans
St-Christophe-en-Bresse
Thurey
Lessard-en-Bresse
Simard
Ouroux-sur-Saône
Tronchy
Vérissey
Montcony
Sailenard
St-Germain-du-Plain
Montret
Juif
St-Usuge
Beaurepaire-en-Bresse
Baudrières
St-Vincent-en-Bresse
St-André-en-Bresse
Branges
Vincelles
Montagny-près-Louhans
Ratte
Savigny-en-Revermont
Gigny-sur-Saône
La Frette
Sornay
Louhans-Châteaurenaud
Savigny-sur-Seille
Simandre
Bantanges
Rancy
Sagy
St-Martin-du-Mont
A 36
E 60
A 39
D 973
D 996
D 673
D 970
D 678
D 978
D 470
D 971

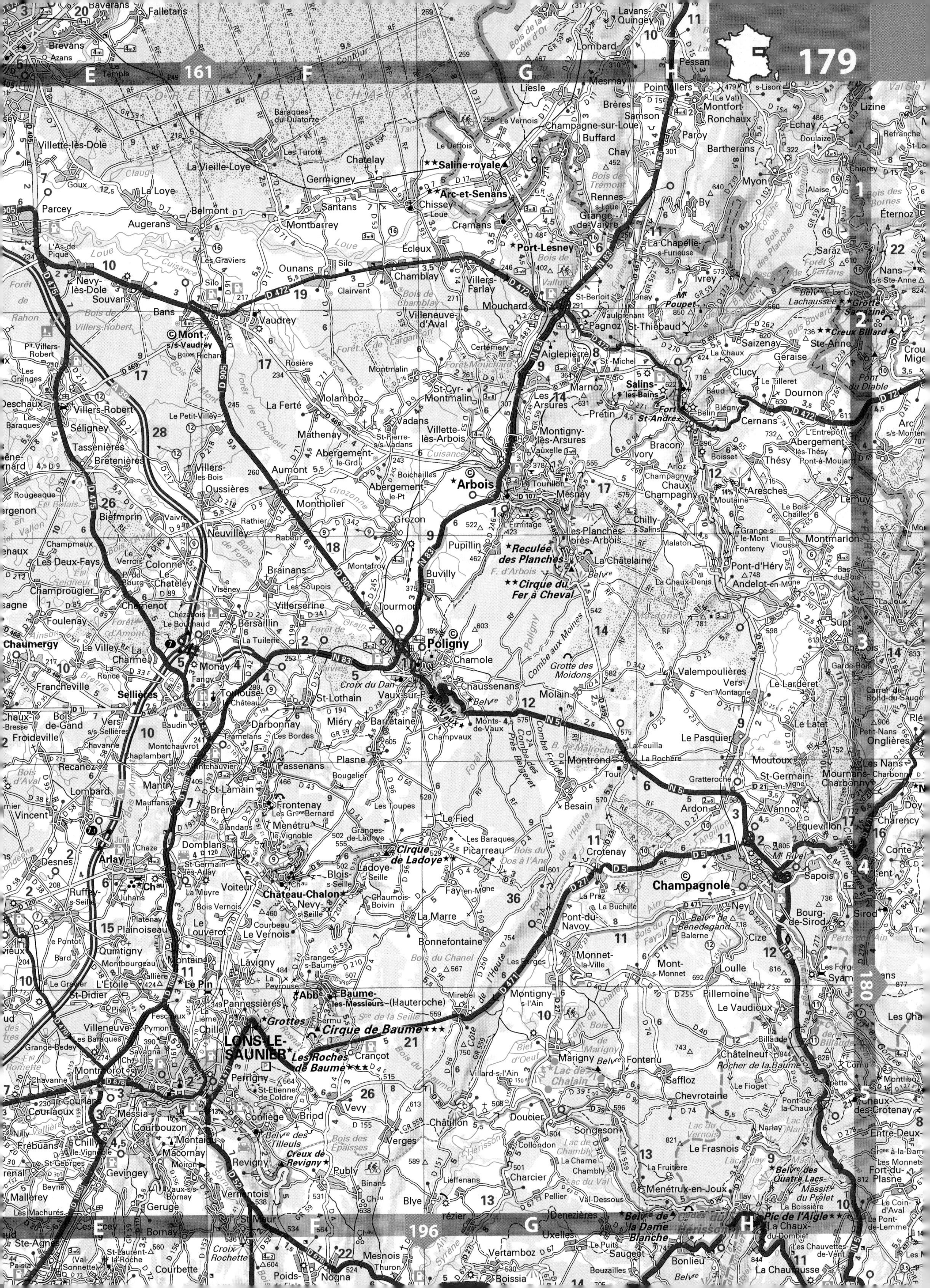

179
161
180
196
E
F
G
H
Baverans
Falletans
Brevans
Azans
Le Temple
Lavans-Quingey
Lombard
Pessans
Liesle
Mesmay
Pointvillers
Montfort
Ronchaux
Lizine
Brères
Samson
Échay
Refranche
Baraques-du-Quatorze
Le Vernois
Champagne-sur-Loue
Buffard
Paroy
Bartherans
Villette-lès-Dole
Les Turots
Le Deffois
Chay
Chatelay
Saline royale
La Vieille-Loye
Germigney
Arc-et-Senans
Rennes-s-Loue
Myon
Goux
La Loye
Parcey
Belmont
Santans
Chissey-s-Loue
Grange-de-Vaivre
By
Éternoz
Augerans
Montbarrey
Cramans
Port-Lesney
La Chapelle-s-Furieuse
Saraz
Nans-s/s-Ste-Anne
L'As-de-Pique
Écleux
Les Graviers
Ounans
Silo
Chamblay
Villers-Farlay
Ivrey
Nevy-lès-Dole
Souvans
Clairvont
Bois de Chamblay
Mouchard
St-Benoît
Lachaussée
Grotte Sarrazine
Forêt de Rahon
Bans
Vaudrey
Villeneuve-d'Aval
Vaulgrenant
Mt Poupet
St-Thiébaud
Creux Billard
Mont-s/s-Vaudrey
Pagnoz
Saizenay
Ste-Anne
Pt-Villers-Robert
Rosière
Certemery
Aiglepierre
St-Michel
Géraise
Les Granges
Forêt Mouchard
Salins-les-Bains
Clucy
Le Tilleret
Dournon
Pont du Diable
Montmalin
Marnoz
Baud
Deschaux
Villers-Robert
La Ferté
Molamboz
St-Cyr-Montmalin
Les Arsures
Prétin
Fort St-André
Belin
Blégny
Cernans
Les Baraques
Séligney
Le Petit-Villey
Vadans
Villette-lès-Arbois
Montigny-lès-Arsures
Mathenay
St-Pierre-s-Vadans
Abergement-le-Grd
Vauxelle
Bracon
Abergement-lès-Thésy
Tassenières
Bretenières
Aumont
Cuisance
Boichailles
Ivory
Arloz
Thésy
Pont-à-Moujard
Villers-les-Bois
Oussières
Abergement-le-Pt
Arbois
Le Tourillon
Mesnay
Chaux-Champagny
Aresches
Rougeaque
Biefmorin
Montholier
Moutaine
Lemuy
Rathier
Grozon
Ermitage
Chilly-s-Salins
Neuvilley
Rabeur
Pupillin
Les Planches-près-Arbois
Reculée des Planches
Grange-s-le-Mont
Fonteny
Malaton
Vriousse
Montmarlon
Champmaux
Le Verrois
Colonne
Le Chateley
F. d'Arbois
La Châtelaine
Pont-d'Héry
Les Deux-Fays
Brainans
Montafroy
Buvilly
Cirque du Fer à Cheval
La Chaux-Denis
Andelot-en-Mgne
Champrougier
Les Soupois
Le Viseney
Chemenot
Villerserine
Tourmont
Chézabois
Le Bouchaud
Bersaillin
Foulenay
Forêt de Moidons
Supt
Chaumergy
Le Villey
La Charme
La Tuilerie
Poligny
Chamole
Chaux-des-Crotenay
Monay
Francheville
Sellières
Fangy
Toulouse-le-Château
Croix du Dan
Vaux-sur-Poligny
Chaussenans
Culée de Vaux
Grotte des Moidons
Valempoulières
Vers-en-Montagne
Le Larderet
Garde-Bois
St-Lothain
Molain
Chaux-Bresse
Bois de-Gand
Vers-s/s-Sellières
Baudin
Darbonnay
Miéry
Barretaine
Monts-de-Vaux
Champvaux
Le Latet
Petit-Nans
Onglières
Froideville
Chavanne
Framelans
Les Bordes
Combe des Prés Berigeret
Le Pasquier
La Feuillia
Montrond
La Rochère
Chaplambert
Montchauvrot
Plasne
Moutoux
St-Germain-en-Mgne
Les Nans
Mournans-Charbonny
Recanoz
Passenans
Lombard
Mantry
St-Lamain
Bougelier
Tour
Gratteroche
Besain
Ardon
Vannoz
Doye
Vincent
Mauffans
Frontenay
Les Toupes
Le Fied
Équevillon
Charency
Bréry
Les Grges Bernard
Ménétru-le-Vignoble
Granges-de-Ladoye
Les Baraques
Crotenay
Blandans
Cirque de Ladoye
Picarreau
Desnes
Arlay
Domblans
St-Germain-lès-Arlay
Ladoye-s-Seille
Bois du Dos à l'Âne
Mt Rivel
Conte
Blois-s-Seille
Sapois
Ruffey-s-Seille
Juhans
Château-Chalon
Fay-en-Mgne
Champagnole
Voiteur
La Muyre
Nevy-s-Seille
Chaumois-Boivin
La Praz
La Buchille
Ney
Bois Vernois
La Marre
Pont-du-Navoy
Belvre de Bénedegand
Balerne
Bourg-de-Sirod
Sirod
Plainoiseau
Le Louverot
Le Vernois
Bonnefontaine
Cize
Quintigny
Granges-s-Baume
Bois du Chanel
Les Forges
Monnet-la-Ville
Mont-s-Monnet
Loulle
Syam
Montbourgeau
Lavigny
Bard
L'Étoile
Le Gravier
Le Pin
La Peyrouse
Abbaye
Baume-les-Messieurs (Hauteroche)
Mirebel
Montigny-s-l'Ain
Pillemoine
Le Vaudioux
St-Didier
Pannessières
Grottes
Villeneuve-s-Pymont
Chille
Cirque de Baume
Les Baraques
Grange-Bedey
Savagna
Lons-le-Saunier
Les Roches de Baume
Crançot
Bief d'Oeuf
Marigny
Fontenu
Châtelneuf
Rocher de la Baume
Montmorot
Perrigny
Lac de Chalain
Villard-s-l'Ain
Saffloz
Le Fiolet
Chevrotaine
Courlans
Courlaoux
Chavanne
St-Étienne-de-Coldre
Vevy
Doucier
Songeson
Pont-de-la-Chaux
Messia
Conliège
Briod
Narlay
Entre-Deux-Monts
Nilly
Courbouzon
Montaigu
Belvre des Tilleuls
Châtillon
Frébuans
Chilly-le-Vignoble
Macornay
Verges
Collondon
Lac du Vernois
Le Frasnois
St-Georges
Gevingey
Moiron
Creux de Revigny
Revigny
Bois des Épaisses
Lac de Chambly
La Charne
Chambly
La Fruitière
Belvre des Quatre Lacs
Massif du Prélet
Fort-du-Plasne
Beyne
Vaux-s/s-Bornay
Publy
Binans
Lieffenans
Charcier
Lac du Val
Ménétrux-en-Joux
La Boissière
Mallerey
Geruge
Vernantois
Blye
Pellier
Val-Dessous
Le Coin-d'Aval
Le Pont-de-Lemme
Les Machurés
Cesancey
Bornay
St-Maur
Denezières
Belvre de la Dame Blanche
Cascades du Hérisson
Pic de l'Aigle
La Chaux-du-Dombief
Ste-Agnès
St-Laurent-la-Roche
Croix Rochette
Mesnois
Uxelles
Vertamboz
Saugeot
Bonlieu
Les Chauvettes-de-Vent
St-Laurent-la-Roche
Courbette
Thuron
Poids-de-Fiole
Nogna
Boissia
Bouzailles
La Chaumusse

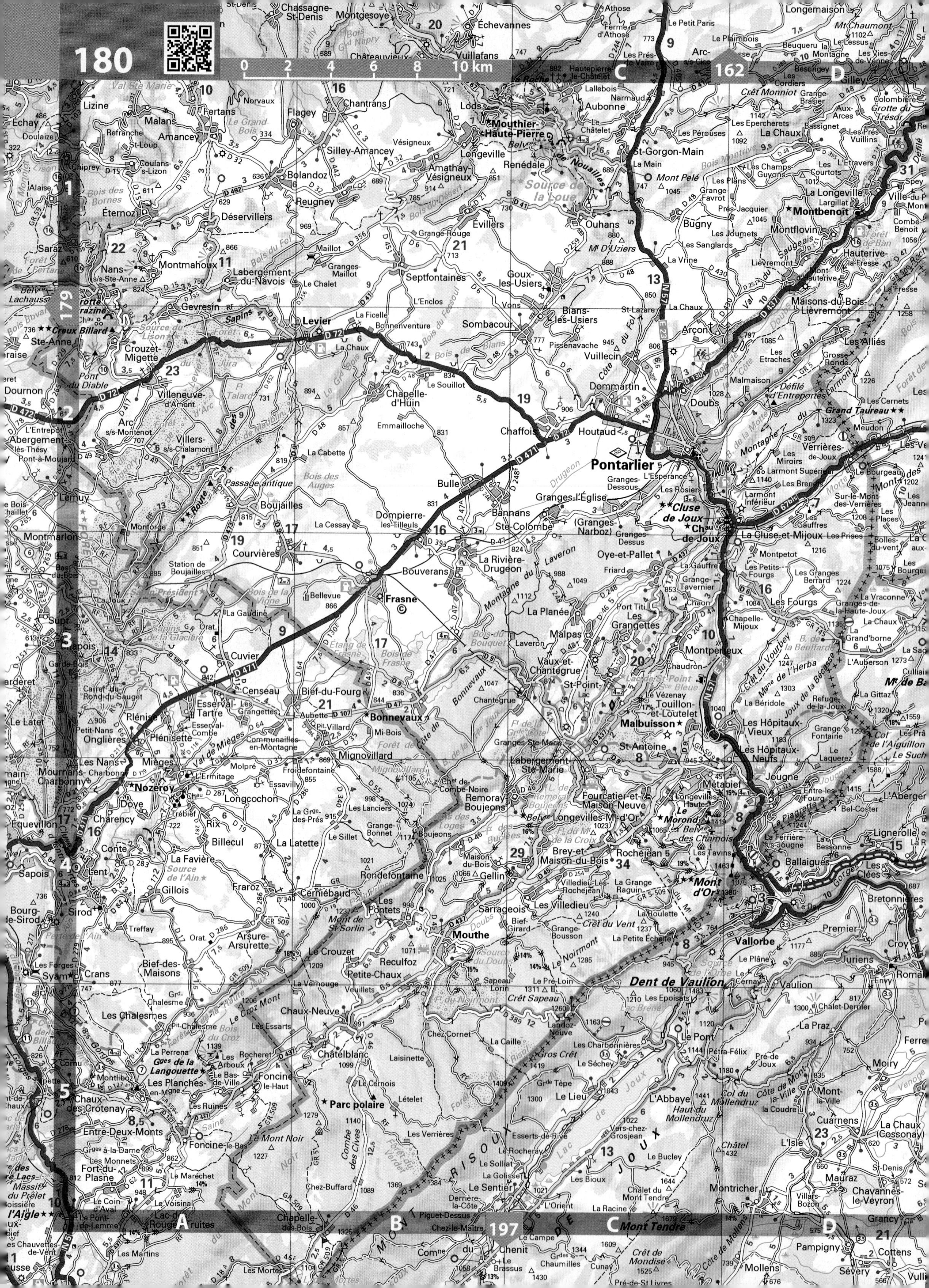

0 2 4 6 8 10 km
179
162
197
A
B
C
D
1
2
3
4
5
Chassagne-St-Denis
Montgesoye
Échevannes
Vuillafans
Athose
Longemaison
Le Petit Paris
Arc-s/s-Cicon
Mt Chaumont
Gilley
Lizine
Echay
Fertans
Malans
Amancey
Flagey
Chantrans
Lods
Mouthier-Haute-Pierre
Aubonne
Lallebois
Narmaud
Le Châtelet
Les Pérouses
La Chaux
Bassignet
Les Éperchérets
Refranche
St-Loup
Silley-Amancey
Vésigneux
Longeville
Belvédère de Nouailles
St-Gorgon-Main
Chiprey
Coulans-s-Lizon
Bolandoz
Amathay-Vésigneux
Renédale
La Main
Mont Pelé
Les Champs-Guyons
Les Courtots
L'Étravers
Spey
Alaise
Reugney
Source de la Loue
Grange-Favrot
Les Plans
La Longeville
Ville-du-Pont
Bois des Bornes
Éternoz
Déservillers
Évillers
Ouhans
Bugny
Prés-Jacquier
Montbenoît
Saraz
Maillot
Grange-Rouge
Mt D'Uziers
Les Joumets
Montflovin
Combe-Benoit
Nans-s/s-Ste-Anne
Montmahoux
Granges-Maillot
Les Sanglards
Hauterive-la-Fresse
Labergement-du-Navois
Le Chalet
Septfontaines
Goux-les-Usiers
La Vrine
Lièvremont
Val du Saugeais
Maisons-du-Bois-Lièvremont
Grotte Sarrazine
Creux Billard
Gevresin
Levier
La Ficelle
Bonnenventure
L'Enclos
Vons
Sombacour
Bians-les-Usiers
St-Lazare
La Chaux
Arçon
Les Alliés
Ste-Anne
Source du Lison
Crouzet-Migette
La Chaux
Pissenavache
Vuillecin
Les Étraches
Grosse-Ronde
Dournon
Pont du Diable
Villeneuve-d'Amont
Le Souillot
Chapelle-d'Huin
Dommartin
Malmaison
Doubs
Défilé d'Entreporte
Grand Taureau
Les Cernets
Meudon
Arc-s/s-Montenot
Emmailloche
Chaffois
Houtaud
L'Entrepôt
Abergement-lès-Thésy
Pont-à-Moujard
Villers-s/s-Chalamont
La Cabette
Pontarlier
L'Espérance
Granges-Dessous
Les Rosiers
Verrières-de-Joux
Les Miroirs
Larmont Supérieur
Larmont Inférieur
Les Bourgeau
Les Brenets
Lemuy
Passage antique
Bois des Auges
Bulle
Drugeon
Granges-l'Église
Boujailles
Dompierre-les-Tilleuls
Bannans
Cluse de Joux
Chau de Joux
Sur-le-Mont-des-Verrières
Les Gauffres
Montmarlon
Montorge
La Cessay
Ste-Colombe
(Granges-Narboz)
Granges-Dessus
La Cluse-et-Mijoux
Les Prises
Courvières
La Rivière-Drugeon
Oye-et-Pallet
Montpetot
Bolles-du-vent
Station de Boujailles
Bouverans
Montagne du Laveron
Friard
La Gauffre
Grange-Tavernier
Les Petits-Fourgs
Les Granges Berrard
Bas-du-Bois
Bellevue
Frasne
Les Fourgs
La Vraconne
Granges-de-la-Haute-Joux
La Joux
La Gaudine
La Planée
Port Titi
Les Grangettes
Chapelle-Mijoux
Supt
Sapois
Sapins de la Glacière
Étang de Frasne
Bois de Frasne
Bois du Bouquet
Malpas
Laveron
Montperreux
B. de la Beuffarde
La Chaux
Grand'borne
L'Auberson
Cuvier
Vaux-et-Chantegrue
Chaudron
Crêt du Vourbey
Mgne de l'Herba
Mt de Baulmes
Garde-Bois
Carref. du Rond-du-Sauget
Censeau
Bief-du-Fourg
St-Point-Lac
Lac de St-Point
Source Bleue
Le Vézenay
La Béridole
Refuge de-la-Joux
La Gittaz
Esserval-Tartre
Les Grangettes
L'Aubette
Bonnevaux
Chantegrue
Touillon-et-Loutelet
Malbuisson
Le Latet
Petit-Nans
Plénise
Esserval-Combe
Pit-Villard
Mi-Bois
Forêt de Côte de Bonnevaux
Les Hôpitaux-Vieux
Grange Fontaine
Col de l'Aiguillon
Onglières
Plénisette
Communailles-en-Montagne
Granges-Ste-Marie
St-Antoine
Les Hôpitaux-Neufs
Le Laquerez
Le Suchet
Les Nans
Mournans-Charbonny
Mièges
Val de Mièges
Mignovillard
Labergement-Ste-Marie
Métabief
Jougne
Entre-les-Fourg
L'Abergement
Nozeroy
L'Ermitage
Molpré
Froidefontaine
Chet de Combe-Noire
Remoray-Boujeons
Fourcatier-et-Maison-Neuve
Les Longevilles-Hautes
Le Morond
Bel-Coster
Doye
Longcochon
Essavilly
Les Lanciers
Longevilles-Mt-d'Or
Belvé des Chamois
La Piagrette
Equevillon
Charency
Trébief
Rix
La Gde-des-Prés
Grange-Bonnet
Boujeons
Lac de Remoray
Ft de la Croix
La Ferrière-s/s-Jougne
Lignerolle
La Bessonne
Billecul
Le Sillet
La Latette
Conte
Maison-du-Bois
Brey-et-Maison-du-Bois
Rochejean
Les Tavins
Ballaigues
Les Clées
Sapois
Lent
La Favière
Source de l'Ain
Gellin
Rondefontaine
Villedieu-Lès-Rochejean
La Grange Raguin
Mont d'Or
Gillois
Fraroz
Cerniébaud
Les Pontets
Sarrageois
Les Villedieu
Bretonnières
Bourg-de-Sirod
Sirod
Treffay
Orat.
Arsure-Arsurette
Mont de St Sorlin
Mouthe
Bief-Girard
Crêt du Vent
La Roulette
Grange-Bousson
La Petite Échelle
Premier
Croy
Le Crouzet
Reculfoz
Source du Doubs
Le Noirmont
Vallorbe
Juriens
Les Forges
Syam
Crans
Bief-des-Maisons
Petite-Chaux
Le Pré-Loin
Dent de Vaulion
Le Plâne
Le Cernay
Vaulion
Romainmôtier
La Vernouge
Veuillets
Sapeau-Lorin
Crêt Sapeau
Les Epoisats
Chalet-Dernier
Les Chalesmes
Grd-Chalesme
Pit-Chalesme
Le Croz Mont
Chaux-Neuve
Ft du Noirmont
Landoz-Neuve
Lac Brenet
Le Pont
La Praz
Ferreyres
Les Essarts
Chez-Cornet
La Caille
Les Charbonnières
Pétra-Félix
Moiry
La Perrena
Gges de la Langouette
Les Arboux
Rocheret
Châtelblanc
Laisinette
Gros Crêt
Le Séchey
Pré de Joux
Côte de Mont-la-Ville
Le Bas-de-Ville
Montliboz
Les Planches-en-Mgne
Foncine-le-Haut
Le Cernois
Grde Tèpe
Le Lieu
L'Abbaye
Col du Mollendruz
Haut du Mollendruz
Mont-la-Ville
La Coudre
Chaux-des-Crotenay
Les Ruines
Parc polaire
Lételet
Cuarnens
La Chaux (Cossonay)
Entre-Deux-Monts
Foncine-le-Bas
Le Mont Noir
Les Verrières
Esserts-de-Rive
Vers-chez-Grosjean
Châtel
L'Isle
Gdes-à-la-Dame
Les Monnets
Combe des Cives
Forêt du Verdet
Le Rocheray
Lac de Joux
St-Denis
Fort-du-Plasne
Le Maréchet
Le Solliat
La Golisse
Le Bucley
Mauraz
Massif du Prélet
Chez-Buffard
Mont Risoux
Le Sentier
Les Bioux
Montricher
Chavannes-le-Veyron
Le Coin-d'Aval
Le Voisinal
Derrière-la-Côte
L'Orient
Chalet du Mont Tendre
La Racine
Villars-Bozon
L'Aigle
Le Pont-de-Lemme
Lac-de-Rouge Truites
Chapelle-des-Bois
Piguet-Dessus
Chez-le-Maître
Mont Tendre
Grancy
Les Chauvettes-de-Vent
Les Martins
Le Campe
Chenit
Bre-et-Ste-Croix
Crêt de Mondisé
Côte de Mollens
Pampigny
Cottens
Les Mortes
Les Brassus
Chaumilles
Cunay
Pré-de-St Livres
Mollens
Sévery

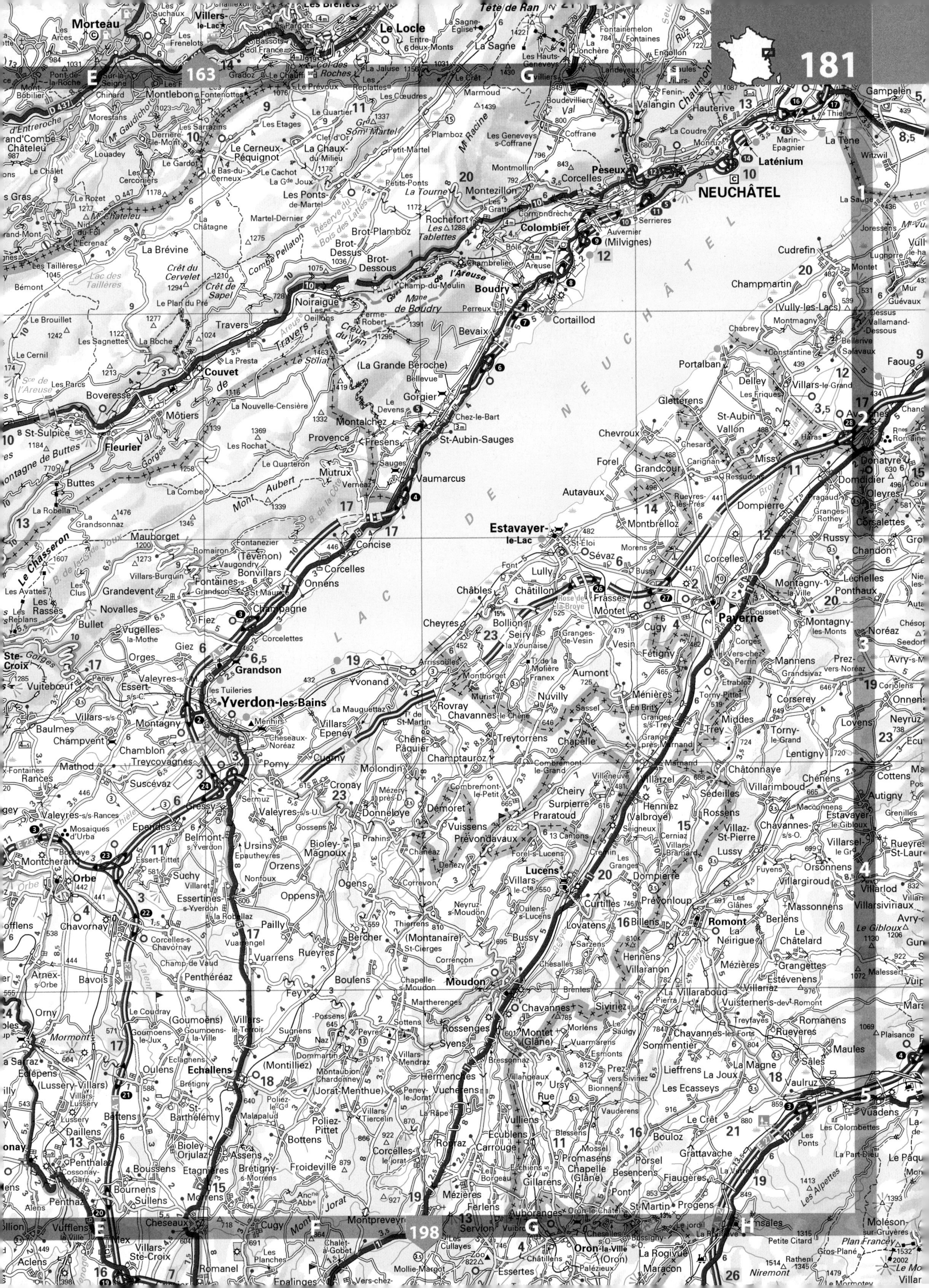
163
198
Morteau
Villers-le-Lac
Les Brenets
Le Locle
Tête de Ran
La Sagne
Les Hauts-Geneveys
Fontainemelon
Montlebon
Le Cerneux-Péquignot
La Chaux-du-Milieu
La Brévine
Les Ponts-de-Martel
Brot-Plamboz
Valangin
Hauterive
Marin-Epagnier
Laténium
La Tène
Peseux
Corcelles
NEUCHÂTEL
Serrières
Auvernier
(Milvignes)
Colombier
Rochefort
Montezillon
Boudry
Cortaillod
Bevaix
Noiraigue
Travers
Couvet
Boveresse
Môtiers
Fleurier
St-Sulpice
Buttes
Creux du Van
(La Grande Béroche)
Gorgier
Chez-le-Bart
St-Aubin-Sauges
Vaumarcus
Concise
Corcelles
Onnens
Bonvillars
Fontaines
Champagne
Grandson
Yverdon-les-Bains
Ste-Croix
Mauborget
Le Chasseron
LAC DE NEUCHÂTEL
Cudrefin
Champmartin
(Vully-les-Lacs)
Portalban
Delley
Gletterens
St-Aubin
Vallon
Chevroux
Forel
Grandcour
Missy
Domdidier
Avenches
Faoug
Estavayer-le-Lac
Sévaz
Lully
Châtillon
Frasses
Montet
Payerne
Corcelles
Cheyres
Bollion
Seiry
Yvonand
Cugy
Fétigny
Ménières
Nuvilly
Aumont
Rovray
Chavannes-le-Chêne
Chêne-Pâquier
Treytorrens
Chapelle
Champtauroz
Cronay
Molondin
Démoret
Donneloye
Prévondavaux
Surpierre
Villeneuve
Henniez
Lucens
Curtilles
Dompierre
Prévonloup
Romont
Moudon
Chavannes
Siviriez
Montet (Glâne)
Rue
Ursy
Vuarrens
Echallens
Orbe
Chavornay
Montcherand
Valeyres-s-Rances
Cossonay-Gare
Penthalaz
Bournens
Sullens
Cheseaux
Mex
Villars-Ste-Croix
Romanel
Epalinges
Oron-la-Ville
(Oron)
Palézieux
Maracon
La Rogivue
Châtel-St-Denis
Moléson-sur-Gruyères
Vuadens
Vaulruz
Sâles
Maules
Romanens
Bouloz
Porsel
Progens
Semsales
Payerne
E
F
G
H
1
2
3
4
5

0 2 4 6 8 10 km
165
A
B
C
D
1
2
3
4
5
La Mothe-Achard
Les Chânières
La Richard
Le Plessy-Landry
Les Louvernières
La Fôret
(Achard)
Le Guy
Ste-Flaive-des-Loups
Les Clouzeaux
L'Embretière
La Livraie
Soulinière
La Sirmière
Brancardières
L'Angouini
Le Fougeré
Les Granges
La Chausserie
La Salaire
La Brardière
Le Plessis-Jousselin
La Chapelle-Achard
Le Moulin-des-Landes
Auzance
Ciboule
Bourdigal
Le Beignon
Ch^au de La Lière
Audouinière
La Coiffaudière
Retardière
Aubigny-Les Couzeaux
Chevalerie
Nesmy
La Merlerie
La Domangère
La Jarrie
La Bourie
Tinetière
Chaillot
Chaillé-s/s-les-Ormeaux
La Burelière
Réserve ornithologique
L'Allerie
Sauveterre
L'Ile-d'Olonne
Bourgneuf
St-Mathurin
La Grassière
La Millière
Le Chaigne
L'Epinay
Le Puy-Gaudin
Le Girouard
Nieul-le-Dolent
Mortevieille
La Coutancinière
La Maugerie
La Vergne
L'Epinette
Champclou
Le Pont-Chartran
La Barbière-Marchande
Vertonne
Thibaudière
La Janière
La Boissière-des-Landes
La Guitardière
Frégneau
La Baudière
Olonne-s-Mer
Pierre Levée
Ste-Foy
Grosbreuil
La Prémaudière
La Vergne
L'Emerière
La Remelière
La Chevalerie
La Glorandière
Le Guy
Courtesolles
La Girvière
L'Aubraie
La Rouliere
L'Etablière
La Rainerie
La Bénatonnière
La Martinière
La Philipière
La Bigeoire
Beauchêne
L'Epinette
Le Bois-Guiton
La Lièvre
Bois-Grolland
La Bergerie
La Guigneraie
Bois-Jaulin
Le Pain
Miotières
Phare des Barges
La Chaume
Pointe de l'Aiguille
Beauséjour
Château-d'Olonne
Le Moulin-des-Landes
Poiroux
St-Avaugourd-des-Landes
St-Vincent-sur-Graon
Le Champ-St-Père
Moutiers-les-Mauxfaits
Fort St-Nicolas
Rudeliere
Zoo
La Mouzinière
Musée automobile de Vendée
Vieux Bourg
LES SABLES-D'OLONNE
La Pironnière
La Corniche
Les Arpents
Saint-Jean-d'Orbestier
Talmont-St-Hilaire
Sorin
B^ge de Finfarine
La Clémantinière
Bois-Renard
La Bouchetière
Bois-Lambert
La Grande-Cheva
Puits d'Enfer
Maison-Neuve
La Dagoterie
Le Poteau
La Guignardière
Avrillé
Anse de Cayola
Le Porteau
Querry-Pigeon
Les Eaux
Les Hautes Mers
L'Ensoivière
Les Côtes
Dolmen de la Frébouchère
Le Plessis
Pont Rouge
Le Givre
La Brunière
Port-Bourgenay
La Guittière
St-Hilaire-la-Forêt
La Vinière
Le Pont-Métayer
Le Bernard
Plage du Veillon
Ilaude
Abb^e de N-D de Lieu-Dieu
Les Airies
Le Breuil
Pointe du Payré
La Grange
Bouillac
Fontaine
La Nozière
Longeville-s-Mer
Cigogne
Jard-sur-Mer
La Raisinière
St-Vincent-s-Jard
La Chaine
La Mongerie
Les Rabouillères
Les Rivières
Moricq
Maison de Clemenceau
Roche de L'Islatte
Le Rocher
Saligotière
Angles
Tour
L'Alouette
Le Port-de-Moricq
Les Conches
La Ville-d'Angles
Milieu
Canal de Ceinture
Canal du Gd Pré
La Terrière
Les Tendes
Les Mottes
Banche
Parc Floral
La Grière
Ste-Anne
Pointe du Grouin du Cou
La Belle-Henri
Pointe du Chiquet
La Tranche sur-Mer
Anse du Maupas
La Grière-Plage
Les Jars
P^te du Rocher
La Faute-s
Côte des
PERTUIS
BRE
P^te du Lizay
Conche des Baleines
Les Baleines
La Rivière
Les Portes-en-Ré
L'Arche de Noé
Le Gillieux
P^te du Fier
St-Clément-des-Baleines
Réserve Naturelle
Fier d'Ars
Loix
P^te du Grouin
Rade de St-Martin
Fosse de Loix
Ars-en-Ré
St-Mar
Citadelle
P^te de Grignon
Le Martray
La Passe
La Couarde-s-Mer
Morinant
P^te de Chanchardon
Le Bois-Plage-en-Ré
La Gollandière
Gros-Jonc
Phare de Chanchardon
Les Grenettes
La Noue
ÎLE DE RÉ
D 949
D 747
D 160
D 32
D 36
D 21
D 80
D 105
D 108
D 19
D 70
D 735
D 201
D 101
D 1046
D 12
A 87
GR 8
GR 364

166
184
200
Bournezeau
La Jaudonnière
Thorigny
La Caillère
St-Florent-des-Bois
La Réorthe
Les Pineaux
Château-Guibert
St-Martin-Lars-en-Ste-Hermine
St-Juire-Champgillon
St-Sulpice-en-Pareds
Cezais
Ste-Pexine
Ste-Hermine
Mareuil-s-Lay-Dissais
Moutiers-s-le-Lay
Bessay
La Chapelle-Thémer
Thiré
St-Martin-des-Fontaines
Marsais-Ste-Radégonde
Bourneau
Rosnay
St-Jean-de-Beugné
St-Étienne-de-Brillouet
St-Valérien
L'Hermenault
St-Aubin-la-Plaine
Pouillé
Péault
Corpe
La Bretonnière
Les Magnils-Reigniers
Ste-Gemme-la-Plaine
Nalliers
Mouzeuil-St-Martin
Longèves
Petosse
Sérigné
Pissotte
La Court-d'Aron
Chasnais
Luçon
Lairoux
Les Quatre Chemins
Le Langon
Auzay
Chaix
Fontaines
Moreilles
St-Denis-du-Payré
Grues
Triaize
INTERRÉGIONAL
MARAIS
Le Poiré-s-Velluire (Velluire-sur-Vendée)
Velluire
Montreuil
Chaillé-les-Marais
Champagné-les-Marais
Puyravault
Vouillé-les-Marais
Ste-Radégonde-des-Noyers
La Taillée
Le Gué-de-Velluire
Vix
St-Michel-en-l'Herm
L'Aiguillon-sur-Mer
L'Île-d'Elle
Pointe d'Arçay
Digue de l'Aiguillon
Anse de l'Aiguillon
Pointe de l'Aiguillon
Charron
Marans
Taugon
La Ronde
Pte St-Clément
Esnandes
Villedoux
Andilly
St-Jean-de-Liversay
Courçon
Marsilly
St-Ouen-d'Aunis
Longèves
Ferrières
Nieul-s-Mer
Nuaillé-d'Aunis
Anglliers
St-Sauveur-d'Aunis
L'Houmeau
Lagord
St-Xandre
Puilboreau
Dompierre-s-Mer
Ste-Soulle
Vérines
Anais
Benon
Rivedoux-Plage
Pte de Sablanceaux
La Pallice
Bourgneuf
St-Médard-d'Aunis
Périgny
Montroy
LA ROCHELLE
Pte du chef de Baie
Pte de Chauveau
Les Minimes
St-Rogatien
Clavette
Vouhé
Virson
St-Christophe
D 137
D 949
D 948
D 938
N 11
N 237
E 3
E 601
A 83

0 2 4 6 8 10 km
167
183
201
A B C D
1 2 3 4 5
La Châtaigneraie
Breuil-Barret
St-Maurice-le-Girard
La Chapelle-aux-Lys
St-Paul-en-Gâtine
Antigny
St-Maurice-des-Noues
Loge-Fougereuse
Scillé
St-Martin-Lars-en-Ste-Hermine
Champgillon
St-Laurent-de-la-Salle
St-Cyr-des-Gâts
St-Sulpice-en-Pareds
Cezais
St-Hilaire-de-Voust
Le Busseau
Beugnon
La Chapelle-Thémer
St-Martin-des-Fontaines
Marsais-Ste-Radégonde
Vouvant
Puy-de-Serre
Marillet
La Chapelle-Thireuil
Bourneau
Mervent
Centre Minier
Faymoreau
Foussais-Payré
Fenioux
L'Hermenault
Sérigné
St-Laurs
Puihardy
Pouillé
Pissotte
St-Michel-le-Cloucq
St-Maixent-de-Beugné
Coulonges-s-l'Autize
Ardin
Xaintray
Longèves
Petosse
L'Orbrie
St-Hilaire-des-Loges
Béceleuf
Fontenay-le-Comte
Xanton-Chassenon
St-Pompain
Surin
Auzay
Le Langon
Chaix
St-Martin-de-Fraigneau
Nieul-s-l'Autize
Oulmes
Faye-sur-Ardin
Le Poiré-s-Velluire (Velluire-sur-Vendée)
Velluire
Montreuil
Doix lès Fontaines
Bouillé-Courdault
Villiers-en-Plaine
Coudray-Salbart
Vouillé-les-Marais
La Taillée
Le Gué-de-Velluire
Vix
MARAIS
Maillezais
Liez
St-Pierre-le-Vieux
Benet
St-Maxire
St-Rémy
Sciecq
L'Île-d'Elle
Maillé
St-Sigismond
Le Mazeau
Coulon
Marans
Taugon
La Ronde
Damvix
Arçais
Le Vanneau-Irleau
Magné
Bessines
St-Jean-de-Liversay
St-Georges-de-Rex
Sansais
St-Cyr-du-Doret
St-Hilaire-la-Palud
Amuré
Frontenay-Rohan-Rohan
St-Symphorien
Courçon
Ferrières
Nuaillé-d'Aunis
Angliers
St-Sauveur-d'Aunis
La Laigne
Cramchaban
Le Bourdet
Prin-Deyrançon
Épannes
Vallans
Granzay-Gript
Benon
Mauzé-s-le-Mignon
La Rochénard
La Foye-Monjault
Beauvoir-s-Niort
Usseau
Prissé
St-Christophe
Virson
Vouhé
Coulon
POITEVIN

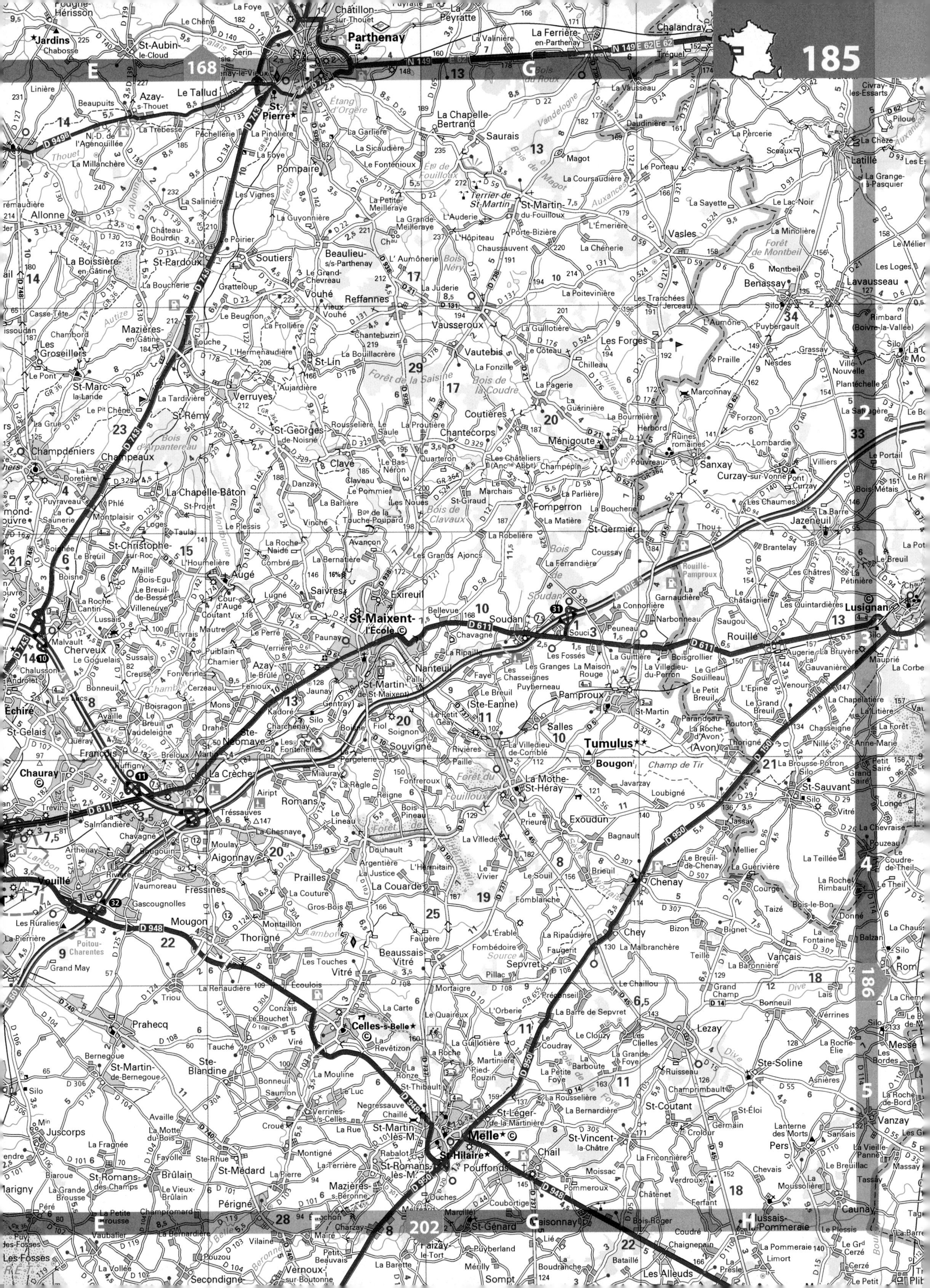
Parthenay
Châtillon-sur-Thouet
La Peyratte
La Ferrière-en-Parthenay
Chalandray
168
E
F
G
H
N 149
E 62
St-Aubin-le-Cloud
Azay-s-Thouet
Le Tallud
St-Pierre
Jardins
Chabosse
La Chapelle-Bertrand
Saurais
Pompaire
Magot
La Coursaudière
Terrier de St-Martin
St-Martin-du-Fouilloux
Vasles
La Sayette
Latillé
Allonne
La Boissière-en-Gâtine
St-Pardoux
Soutiers
Beaulieu-s/s-Parthenay
Vouhé
Reffannes
Benassay
Lavausseau
Forêt de Montbeil
Mazières-en-Gâtine
Les Groseillers
St-Marc-la-Lande
Vausseroux
Vautebis
Les Forges
Chilleau
St-Lin
Forêt de la Saisine
Bois de la Coudre
Verruyes
St-Rémy
St-Georges-de-Noisné
Coutières
Chantecorps
Ménigoute
Sanxay
Curzay-sur-Vonne
Marconnay
Ruines romaines
Champdeniers
Champeaux
Bois d'Arpantereau
Clavé
Fomperron
La Chapelle-Bâton
Jazeneuil
Bois de Clavaux
St-Germier
St-Christophe-sur-Roc
Augé
Saivres
Exireuil
St-Maixent-l'École
Soudan
Lusignan
Rouillé
Cherveux
Échiré
Nanteuil
Pamproux
St-Martin-de-St-Maixent
Azay-le-Brûlé
Ste-Néomaye
Souvigné
Salles
Tumulus
Bougon
Champ de Tir
St-Sauvant
Chauray
La Crèche
François
St-Gelais
Romans
La Mothe-St-Héray
Forêt du Fouilloux
Exoudun
Aigonnay
Vouillé
Prailles
La Couarde
Chenay
Poitou-Charentes
Mougon
Thorigné
Beaussais-Vitré
Sepvret
Chey
Vançais
Lezay
Celles-s-Belle
Prahecq
Ste-Blandine
St-Martin-de-Bernegoue
Ste-Soline
Melle
St-Hilaire
St-Léger-de-la-Martinière
St-Coutant
St-Vincent-la-Châtre
Chail
Pouffonds
Juscorps
Brûlain
St-Médard
St-Romans-des-Champs
St-Romans-lès-Melle
Mazières-s-Béronne
Périgné
Caunay
Messé
Vanzay
Sauzé
202
St-Génard
Les Alleuds
Secondigné
186

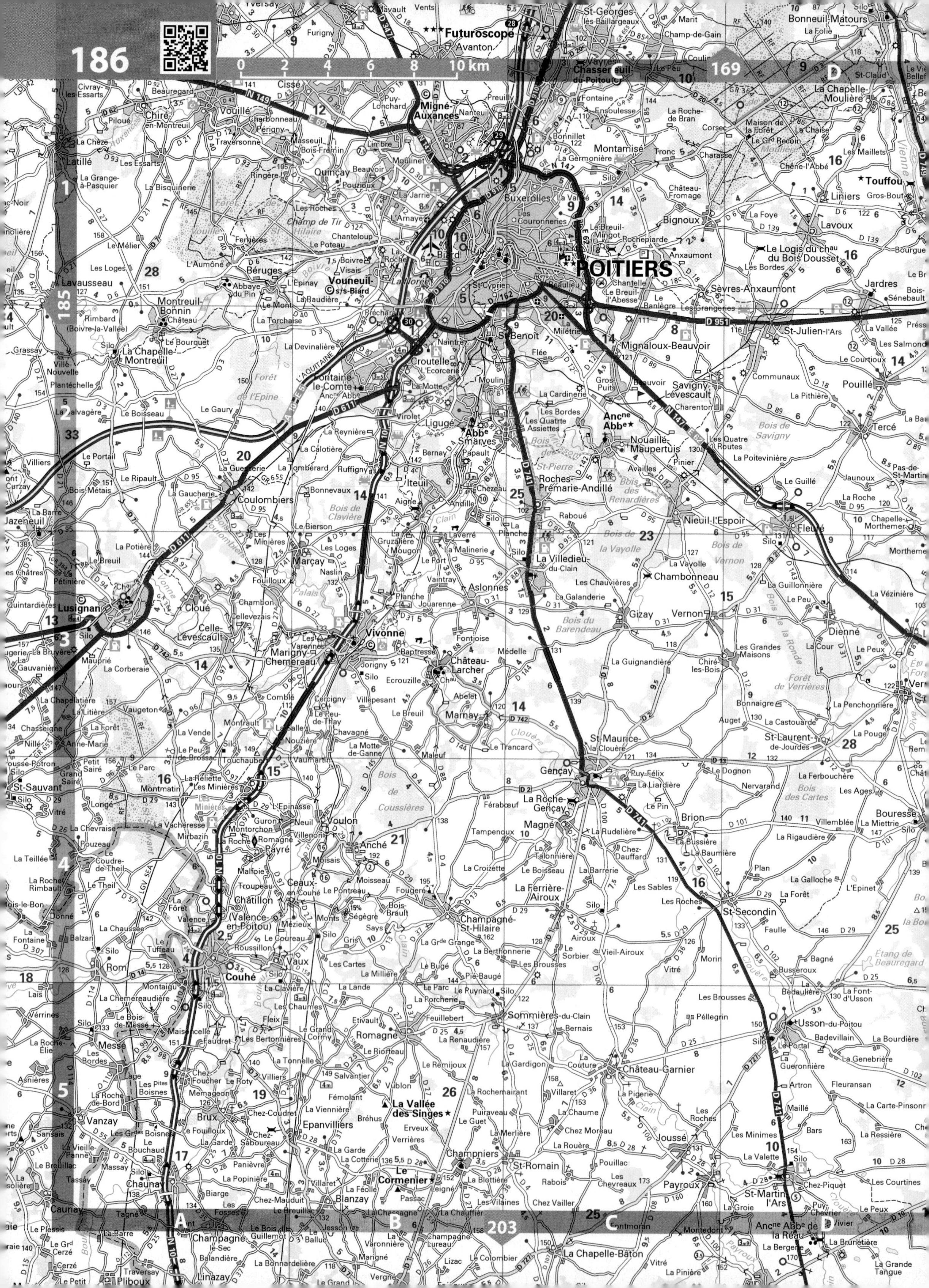
0 2 4 6 8 10 km
169
185
203
A
B
C
D
1
2
3
4
5
Futuroscope
Avanton
Chasseneuil-du-Poitou
St-Georges-lès-Baillargeaux
Bonneuil-Matours
Cissé
Migné-Auxances
Vouillé
Chiré-en-Montreuil
Latillé
La Chapelle-Moulière
Montamisé
Buxerolles
POITIERS
Quinçay
Biard
Béruges
Vouneuil-s/s-Biard
Montreuil-Bonnin
Lavausseau
La Chapelle-Montreuil
St-Benoit
Croutelle
Fontaine-le-Comte
Ligugé
Smarves
Mignaloux-Beauvoir
Savigny-Lévescault
Sèvres-Anxaumont
St-Julien-l'Ars
Jardres
Touffou
Liniers
Lavoux
Le Logis du chau du Bois Dousset
Tercé
Pouillé
Nouaillé-Maupertuis
Roches-Prémarie-Andillé
Iteuil
Coulombiers
Jazeneuil
Lusignan
Celle-Lévescault
Marçay
Vivonne
Marigny-Chemereau
Château-Larcher
Aslonnes
La Villedieu-du-Clain
Nieuil-l'Espoir
Fleuré
Gizay
Vernon
Dienné
Chambonneau
Marnay
St-Maurice-la-Clouère
Gençay
La Roche-Gençay
Magné
St-Laurent-de-Jourdes
Brion
Bouresse
Vaugeton
Anné-Marie
St-Sauvant
Vitré
Voulon
Anché
Châtillon
Valence-en-Poitou
Ceaux-en-Couhé
Champagné-St-Hilaire
La Ferrière-Airoux
St-Secondin
Usson-du-Poitou
Couhé
Rom
Sommières-du-Clain
Château-Garnier
Romagne
Messé
Vanzay
Brux
Chaunay
La Vallée des Singes
Epanvilliers
Champniers
St-Romain
Jousse
Payroux
St-Martin-l'Ars
Le Cormenier
Blanzay
Champagné-le-Sec
Linazay
La Chapelle-Bâton
Anc^ne Abb^e de la Réau
N 149
N 147
N 10
D 951
D 741
D 611
A 10
E 62
L'AQUITAINE
Forêt de Vouillé St-Hilaire
Forêt de l'Epine
Bois de Savigny
Forêt de Verrières
Bois des Cartes
Bois de Coussières
Étang de Beauregard

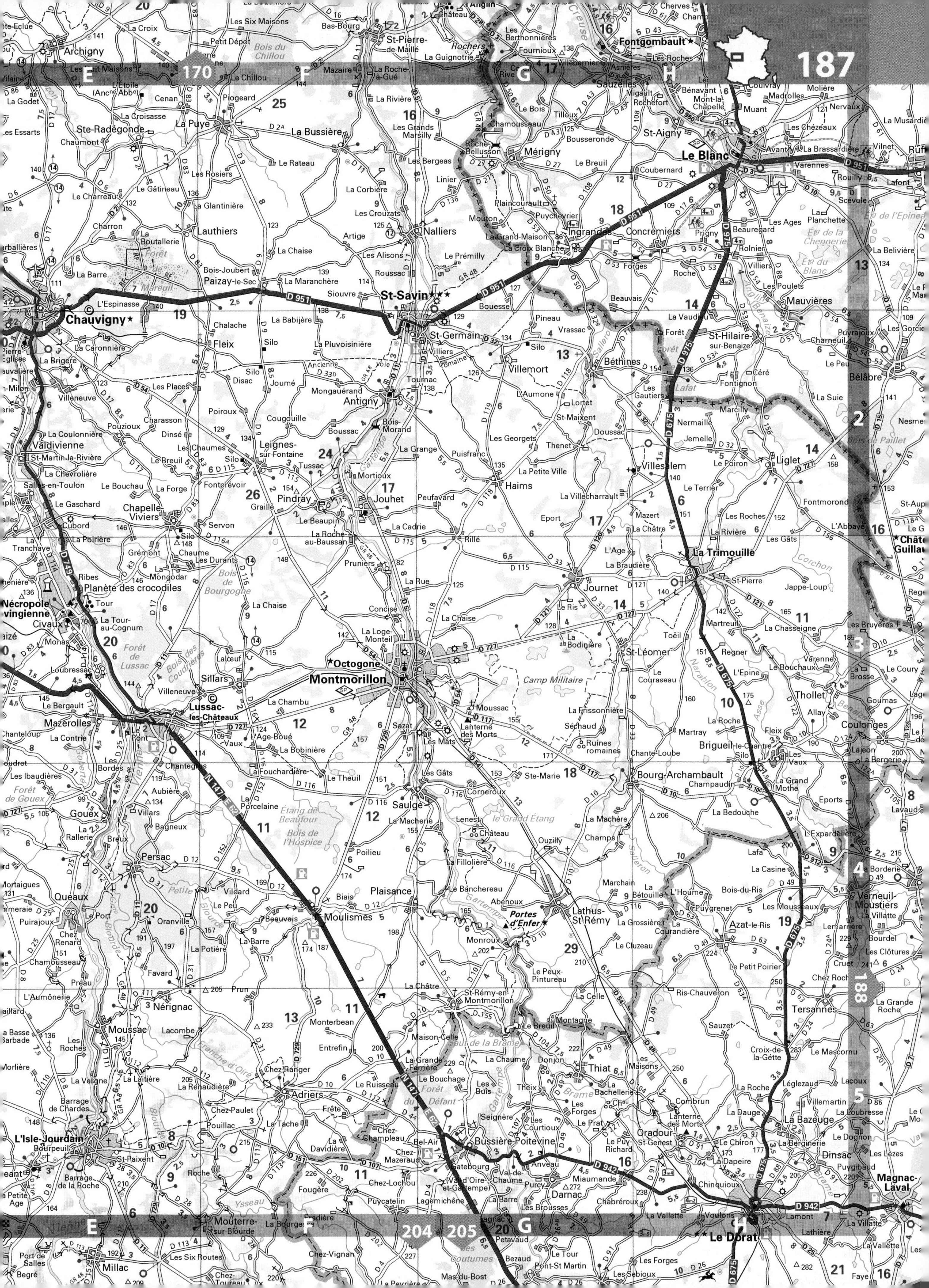
170
187
188
204
205
E
F
G
H
Archigny
Fontgombault
Le Blanc
Ste-Radégonde
La Puye
La Bussière
Mérigny
St-Aigny
Lauthiers
Nalliers
Ingrandes
Concremiers
Chauvigny
St-Savin
St-Germain
Mauvières
St-Hilaire-sur-Benaize
Bélâbre
Fleix
Béthines
Villemort
Antigny
Valdivienne
Leignes-sur-Fontaine
Haims
Villesalem
Liglet
Chapelle-Viviers
Pindray
Jouhet
La Trimouille
Journet
Planète des crocodiles
Nécropole mérovingienne
Civaux
Octogone
Montmorillon
Lussac-les-Châteaux
St-Léomer
Thollet
Mazerolles
Camp Militaire
Moussac
Lanterne des Morts
Coulonges
Brigueil-le-Chantre
Bourg-Archambault
Saulgé
Gouex
Persac
Plaisance
Lathus-St-Rémy
Portes d'Enfer
Verneuil-Moustiers
Azat-le-Ris
Queaux
Moulismes
Nérignac
St-Rémy-en-Montmorillon
Tersannes
Moussac
Adriers
Thiat
Oradour-St-Genest
L'Isle-Jourdain
Bussière-Poitevine
Darnac
Dinsac
Magnac-Laval
Le Dorat
Millac
Mouterre-sur-Blourde
Forêt de Lussac
Forêt du Défant
N 147
E 62
D 951
D 675
D 942
D 727
D 749

0 2 4 6 8 10 km
171
187
206
A
B
C
D
1
2
3
4
5
6
7
St-Gaultier
Ciron
Ruffec
Rivarennes
Thenay
Chasseneuil
Le Pont-Chrétien-Chabenet
St-Marcel
Argenton-sur-Creuse
Romefort
Oulches
BRENNE
Bélâbre
Chalais
Luzeret
La Garde-Giron
Prissac
Chazelet
Vigoux
Celon
Le Menoux
Badecon-le-Pin
Ceaulmont
Gargilesse-Dampierre
Bazaiges
Baraize
Cuzion
Éguzon-Chantôme
Château-Guillaume
Lignac
Dunet
Chénier
Roussines
St-Gilles
Parnac
St-Benoît-du-Sault
Chaillac
Brosse
La Châtre-Langlin
Mouhet
St-Sébastien
Crozant
Rocher de la Fileuse
Thollet
Coulonges
Tilly
Beaulieu
Bonneuil
St-Martin-le-Mault
Lussac-les-Églises
Jouac
Cromac
St-Georges-les-Landes
Les Grds Chézeaux
Azerables
La Chapelle-Baloue
Bazelat
Lafat
Mailhac-s-Benaize
St-Sulpice-les-Feuilles
St-Germain-Beaupré
Sagnat
Colondannes
St-Léger-Bridereix
St-Léger-Magnazeix
Arnac-la-Poste
St-Hilaire-la-Treille
Vareilles
St-Agnant-de-Versillat
Naillat
Dompierre-les-Églises
Magnac-Laval
Dinsac
La Souterraine
St-Maurice-la-Souterraine
St-Sornin-Leulac
Noth
St-Priest-la-Feuille
Tersannes
Verneuil-Moustiers
Fontmorond
Mauvières

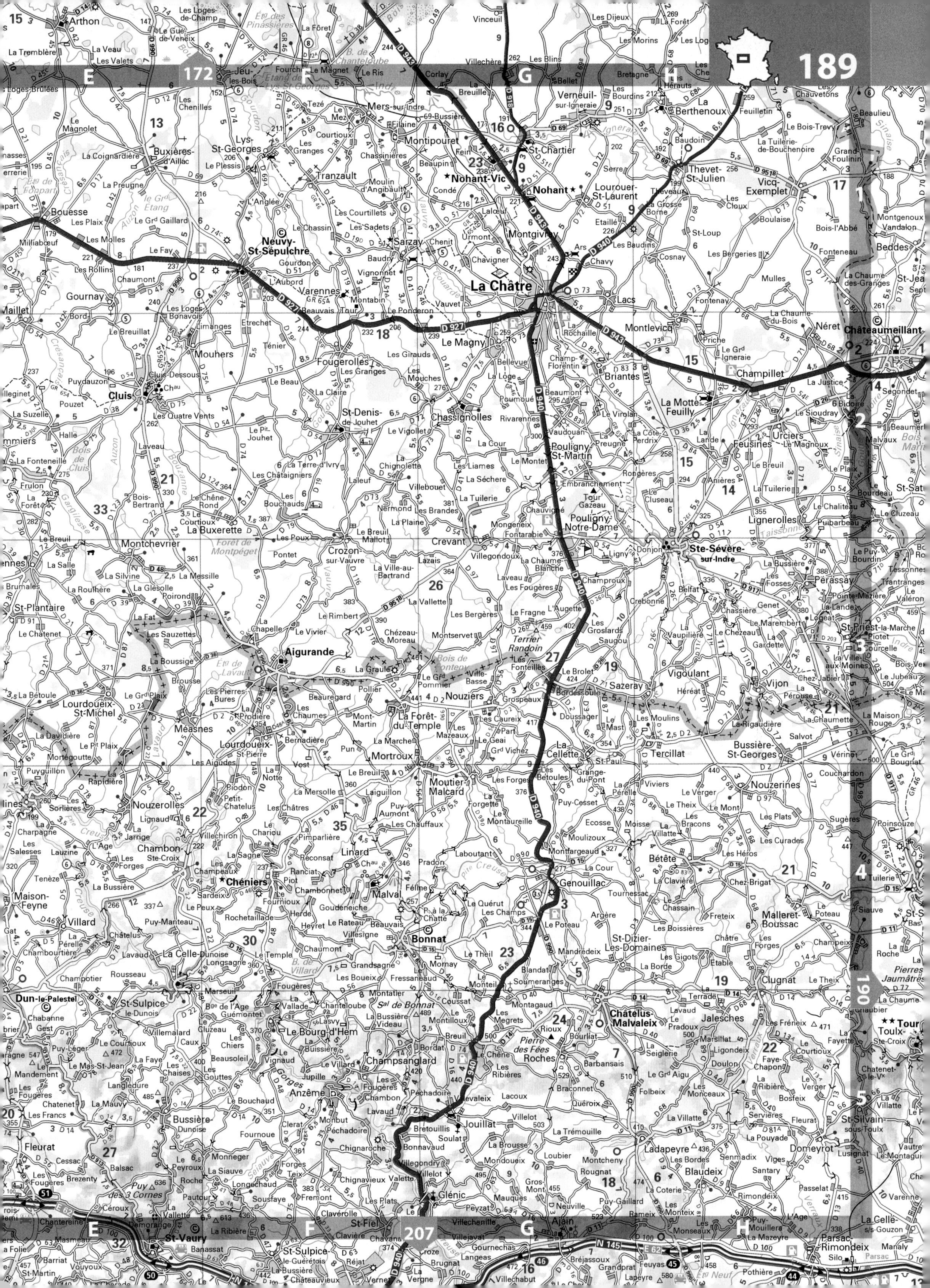
189
172
190
207
E
F
G
H
Arthon
Jeu-les-Bois
Mers-sur-Indre
Verneuil-sur-Igneraie
La Berthenoux
Buxières-d'Aillac
Lys-St-Georges
Montipouret
St-Chartier
Nohant-Vic
Nohant
Thevet-St-Julien
Vicq-Exemplet
Bouesse
Neuvy-St-Sépulchre
Sarzay
Montgivray
Lourouer-St-Laurent
La Châtre
Lacs
Montlevicq
Châteaumeillant
Gournay
Mouhers
Le Magny
Fougerolles
Briantes
Champillet
Cluis
St-Denis-de-Jouhet
Chassignolles
La Motte-Feuilly
Pouligny-St-Martin
Urciers
Feusines
La Buxerette
Pouligny-Notre-Dame
Lignerolles
Montchevrier
Crozon-sur-Vauvre
Crevant
Ste-Sévère-sur-Indre
Pérassay
St-Plantaire
Aigurande
Sazeray
Vigoulant
Vijon
St-Priest-la-Marche
Lourdoueix-St-Michel
Méasnes
Nouziers
La Forêt-du-Temple
La Cellette
Tercillat
Bussière-St-Georges
Mortroux
Moutier-Malcard
Nouzerolles
Nouzerines
Chambon-Ste-Croix
Linard
Genouillac
Bétête
Chéniers
Malval
Bonnat
St-Dizier-Les-Domaines
Malleret-Boussac
Maison-Feyne
Villard
La Celle-Dunoise
Clugnat
Dun-le-Palestel
St-Sulpice-le-Dunois
Le Bourg-d'Hem
Châtelus-Malvaleix
Jalesches
Toulx-Ste-Croix
Champsanglard
Anzême
Jouillat
Ladapeyre
Domeyrot
St-Silvain-sous-Toulx
Bussière-Dunoise
Fleurat
Glénic
Ajain
St-Vaury
St-Sulpice-le-Guérétois
Parsac-Rimondeix
La Celle-s/s-Gouzon
D 943
D 940
D 927
D 990
N 145
E 62
Forêt de Montpégel
Gorges de la Creuse
Pierre des Fées
Puy des 3 Cornes
Pierres Jaumâtres

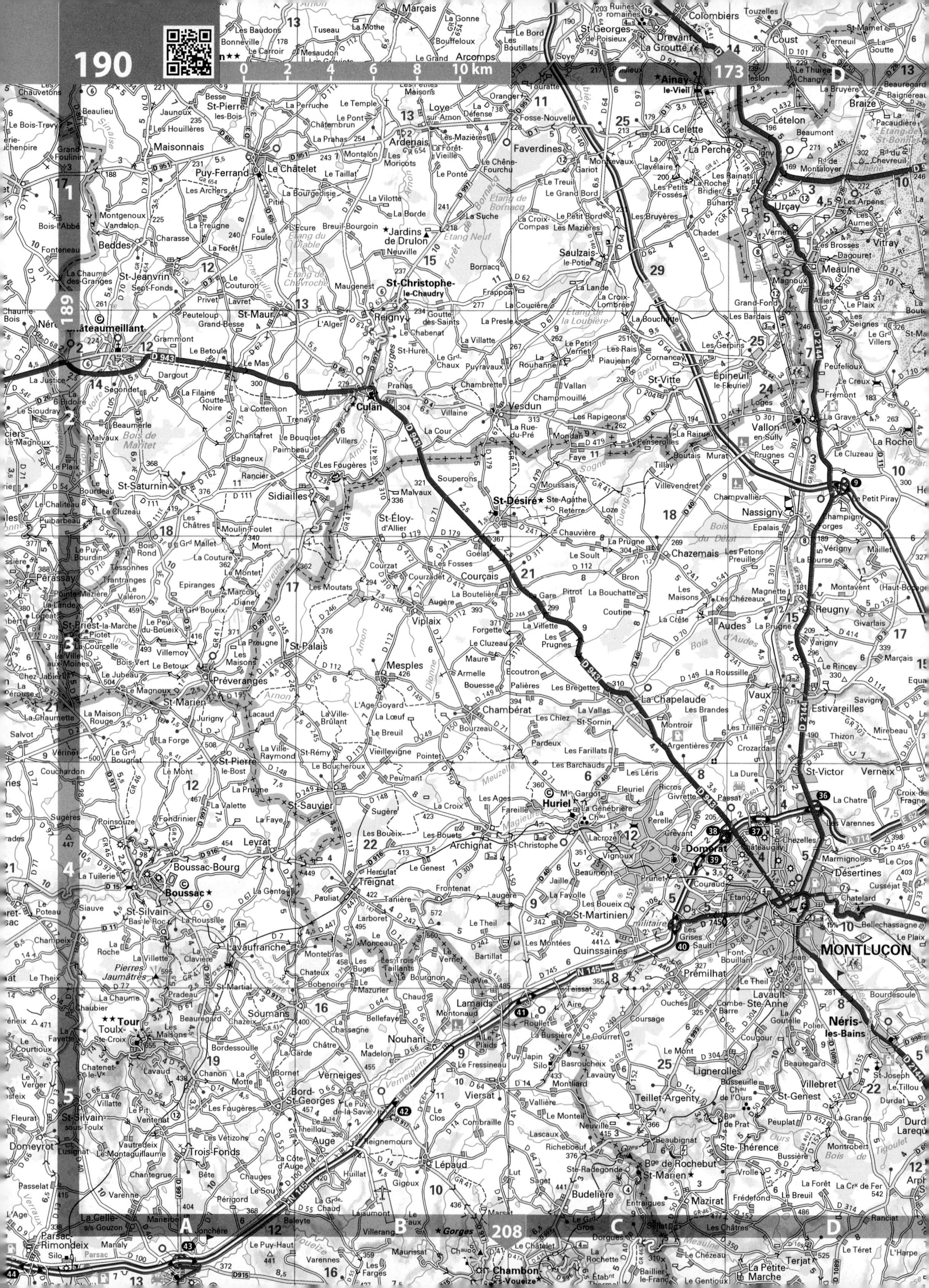

190
0 2 4 6 8 10 km
173
189
208
A
B
C
D
1
2
3
4
5
Ainay-le-Vieil
St-Georges-de-Poisieux
Drevant
La Groutte
Colombiers
Marçais
Arcomps
Bonneville
St-Pierre-les-Bois
Loye-sur-Arnon
Ardenais
Le Châtelet
Puy-Ferrand
Maisonnais
Faverdines
La Celette
La Perche
Lételon
Braize
Urçay
Meaulne
Vitray
Saulzais-le-Potier
Jardins de Drulon
St-Christophe-le-Chaudry
Beddes
St-Jeanvrin
St-Maur
Reigny
Châteaumeillant
Culan
Vesdun
St-Vitte
Épineuil-le-Fleuriel
Vallon-en-Sully
Nassigny
St-Saturnin
Sidiailles
St-Désiré
St-Éloy-d'Allier
Chazemais
Courçais
Viplaix
Mesples
St-Palais
Préveranges
St-Marien
Chambérat
La Chapelaude
Audes
Reugny
Vaux
Estivareilles
St-Victor
Verneix
Huriel
Domérat
Désertines
MONTLUÇON
Treignat
Archignat
St-Martinien
Quinssaines
Prémilhat
Boussac
Boussac-Bourg
St-Silvain-Bas-le-Roc
Lavaufranche
Lamaids
Nouhant
Soumans
Toulx-Ste-Croix
Lavault-Ste-Anne
Néris-les-Bains
Lignerolles
Teillet-Argenty
St-Genest
Villebret
Verneiges
Bord-St-Georges
Viersat
Auge
Lépaud
Trois-Fonds
St-Silvain-sous-Toulx
Budelière
St-Marien
Mazirat
Ste-Thérence
La Celle-s/s-Gouzon
Parsac
Chambon-s-Voueize
Gorges
Étang de Bornacq
Étang du Diable
Forêt de Bornacq
Étang de la Loubière
Bois de Maritet
Pierres Jaumâtres
D 943
D 2144
N 145
E 62
A 71
A 714

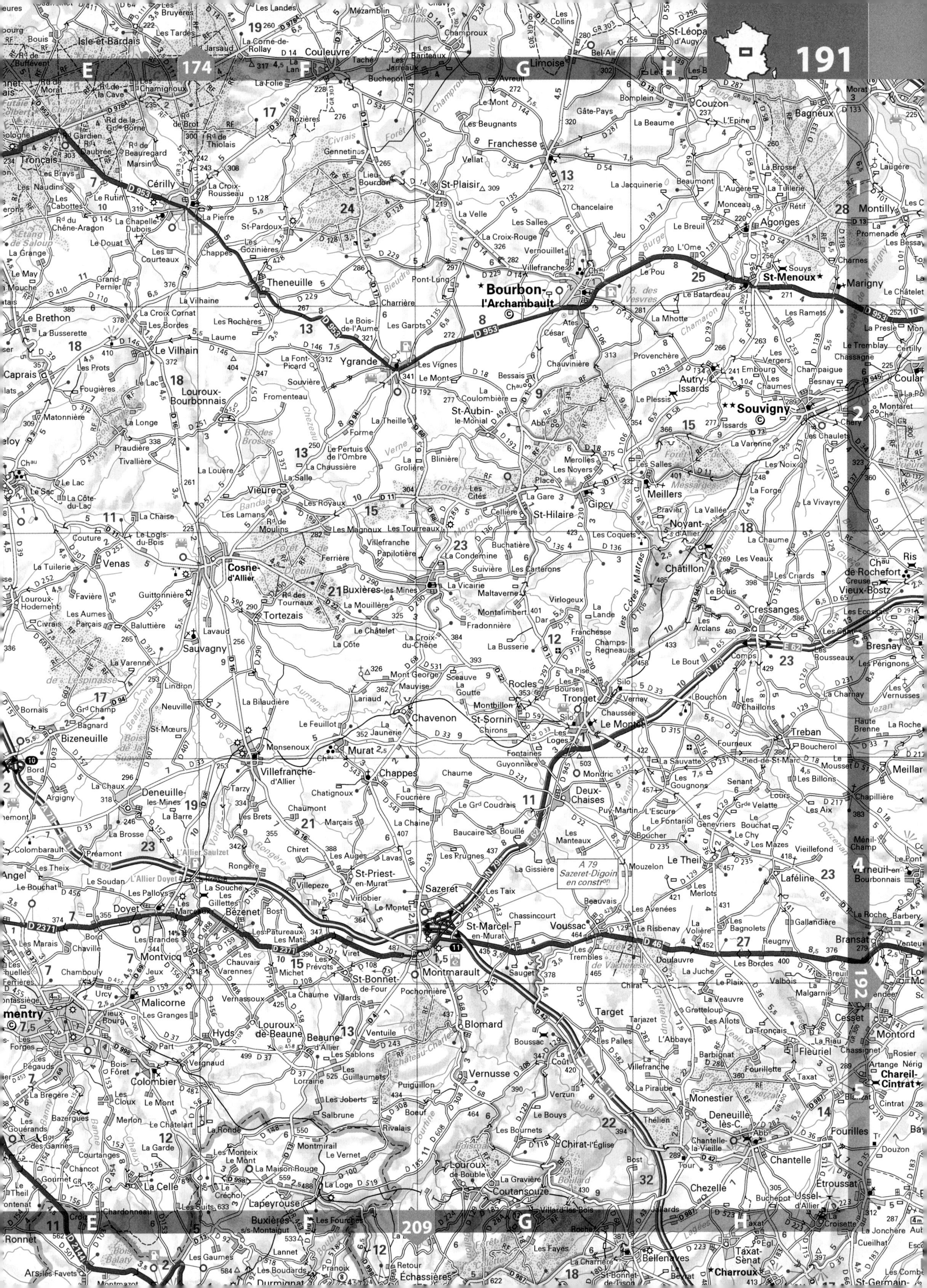

191
174
E
F
G
H
Isle-et-Bardais
Couleuvre
Limoise
St-Léopardin-d'Augy
Couzon
Bagneux
Tronçais
Cérilly
Franchesse
St-Plaisir
Lieu-Bourdon
Agonges
Montilly
St-Menoux
Marigny
Theneuille
Bourbon-l'Archambault
Ygrande
Le Vilhain
Louroux-Bourbonnais
St-Aubin-le-Monial
Autry-Issards
Souvigny
Meillers
Gipcy
St-Hilaire
Noyant-d'Allier
Châtillon
Vieure
Cosne-d'Allier
Buxières-les-Mines
Venas
Tortezais
Cressanges
Bresnay
Sauvagny
Rocles
Tronget
Le Montet
Chavenon
St-Sornin
Bizeneuille
Murat
Chappes
Villefranche-d'Allier
Deneuille-les-Mines
Deux-Chaises
Treban
Meillard
Le Theil
Laféline
Verneuil-en-Bourbonnais
Doyet
Bézenet
St-Priest-en-Murat
Sazeret
St-Marcel-en-Murat
Voussac
Montvicq
Montmarault
St-Bonnet-de-Four
Bransat
Malicorne
Commentry
Hyds
Louroux-de-Beaune
Beaune-d'Allier
Blomard
Target
Cesset
Montord
Fleuriel
Colombier
Vernusse
Chareil-Cintrat
Monestier
Deneuille-lès-C.
Chantelle
Fourilles
Chirat-l'Église
La Celle
Lapeyrouse
Louroux-de-Bouble
Coutansouze
Chezelle
Étroussat
Ussel-d'Allier
Buxières-s/s-Montaigut
Bellenaves
Taxat-Senat
Charroux
Échassières
Durmignat
Ars-les-Favets
Ronnet
A 79 Sazeret-Digoin en constrᵒⁿ
D 953
D 945
E 62
N 79
D 2371
D 46
A 71
E 11
209
192

0 2 4 6 8 10 km
175
191
210
A
B
C
D
1
2
3
4
5
MOULINS
Yzeure
Avermes
Neuvy
Coulandon
Bressolles
Toulon-sur-Allier
Trévol
Montilly
Marigny
Menoux
Souys
Bagneux
Aurouër
Le Riau
La Vigne-Mouton
Gennetines
Chézy
Lusigny
Chevagnes
La Chapelle-aux-Chasses
Paray-le-Frésil
Garnat-sur-Engièvre
St-Martin-des-Lais
Lesme
Beaulon
Pomay
St-Pourçain-Malchère
Montbeugny
Thiel-sur-Acolin
Dompierre-sur-Besbre
Parc le Pal
Chapeau
Thoury
St-Pourçain-sur-Besbre
Beauvoir
Vaumas
Neuilly-le-Réal
Mercy
Chemilly
Besson
Ris
Chau de Rochefort
Vieux-Bostz
Fourchaud
Bresnay
Bessay-sur-Allier
Châtel-de-Neuvre
La Ferté-Hauterive
Monétay-s-Allier
Meillard
Contigny
Verneuil-en-Bourbonnais
St-Loup
St-Gérand-de-Vaux
Gouise
St-Voir
Thionne
Jaligny-sur-Besbre
Chavroches
Treteau
Vieux Chambord
St-Léon
Châtelperron
Sorbier
Montcombroux-les-Mines
Varennes-sur-Tèche
Trézelles
Cindré
Bouçé
Montoldre
Saulcet
St-Pourçain-sur-Sioule
Louchy-Montfand
Varennes-s-Allier
Rongères
Montaigu-le-Blin
Chau de Montaigu-le-Blin
Servilly
Lapalisse
Barrais-Bussolles
Paray-s/s-Briailles
Loriges
Créchy
Langy
St-Gérand-le-Puy
Sanssat
Périgny
Billy
St-Félix
Magnet
Billezois
Seuillet
Chareil-Cintrat
Montord
Cesset
Fleuriel
Bayet
Barberier
Ancne Abbe de St Gilbert
Marcenat
St-Didier-la-Forêt
St-Germain-des-Fossés
Broût-Vernet
Étroussat
Ussel-d'Allier
Droiturier
St-Prix
Treban
Bransat
A 79 Sazeret-Digoin en constron
N 7
N 79
E 62
D 2009
D 973
D 779
D 46
D 907
N 209
Forêt des Prieurés Moladier
Bois de la Ronde
Bois de Chapeau
Bois de Leyde
Bois des Bordes
Ft des Mouzières
Allier
Besbre
Loire
Sioule

193
176
194
211
E
F
G
H
Bourbon-Lancy
Maltat
Grury
Uxeau
Ste-Radegonde
Mont Dardon
Signal de Mont
Vendenesse-s-Arroux
Gueugnon
Curdin
Neuvy-Grandchamp
Chalmoux
Perrecy-les-Forges
Génelard
Palinges
Digoine
Clessy
Oudry
Chassy
Marly-sur-Arroux
St-Vincent-Bragny
Rigny-sur-Arroux
Les Guerreaux
Perrigny-sur-Loire
Gilly-sur-Loire
Pierrefitte-sur-Loire
St-Agnan
La Motte-St-Jean
Digoin
Coulanges
Molinet
Chassenard
Vitry-en-Charollais
Volesvres
St-Léger-lès-Paray
Paray-le-Monial
Hautefond
Charolles
St-Aubin-en-Charollais
Grandvaux
Baron
Champlecy
Lugny-lès-Charolles
Changy-Tourny
Varenne-St-Germain
St-Yan
L'Hôpital-le-Mercier
St-Léger-sur-Vouzance
Monétay-sur-Loire
St-Didier-en-Donjon
Le Pin
Le Donjon
Neuilly-en-Donjon
Luneau
Vindecy
Montceaux-l'Étoile
Anzy-le-Duc
Versaugues
Varenne-l'Arconce
St-Didier-en-Brionnais
Oyé
Sarry
Briant
St-Julien-de-Civry
Prizy
St-Germain-en-Brionnais
Amanzé
Bourg-le-Comte
Baugy
Marcigny
Semur-en-Brionnais
Ste-Foy
St-Christophe-en-Brionnais
St-Laurent-en-Brionnais
Vauban
Céron
Chambilly
St-Martin-du-Lac
Artaix
Urbise
Montaiguët-en-Forez
Lenax
Loddes
Sail-les-Bains
Châteaumorand
Chenay-le-Châtel
Melay
Mailly
St-Julien-de-Jonzy
Ligny-en-Brionnais
St-Bonnet-de-Cray
St-Maurice-lès-Châteauneuf
Châteauneuf
Iguerande
Fleury-la-Montagne
St-Edmond
St-Pierre-la-Noaille
Vivans
St-Martin-d'Estréaux
St-Pierre-Laval
La Pacaudière
Tancon
Maizilly
Loire
Arroux
Forêt de Charolles
Bois de Beaumont

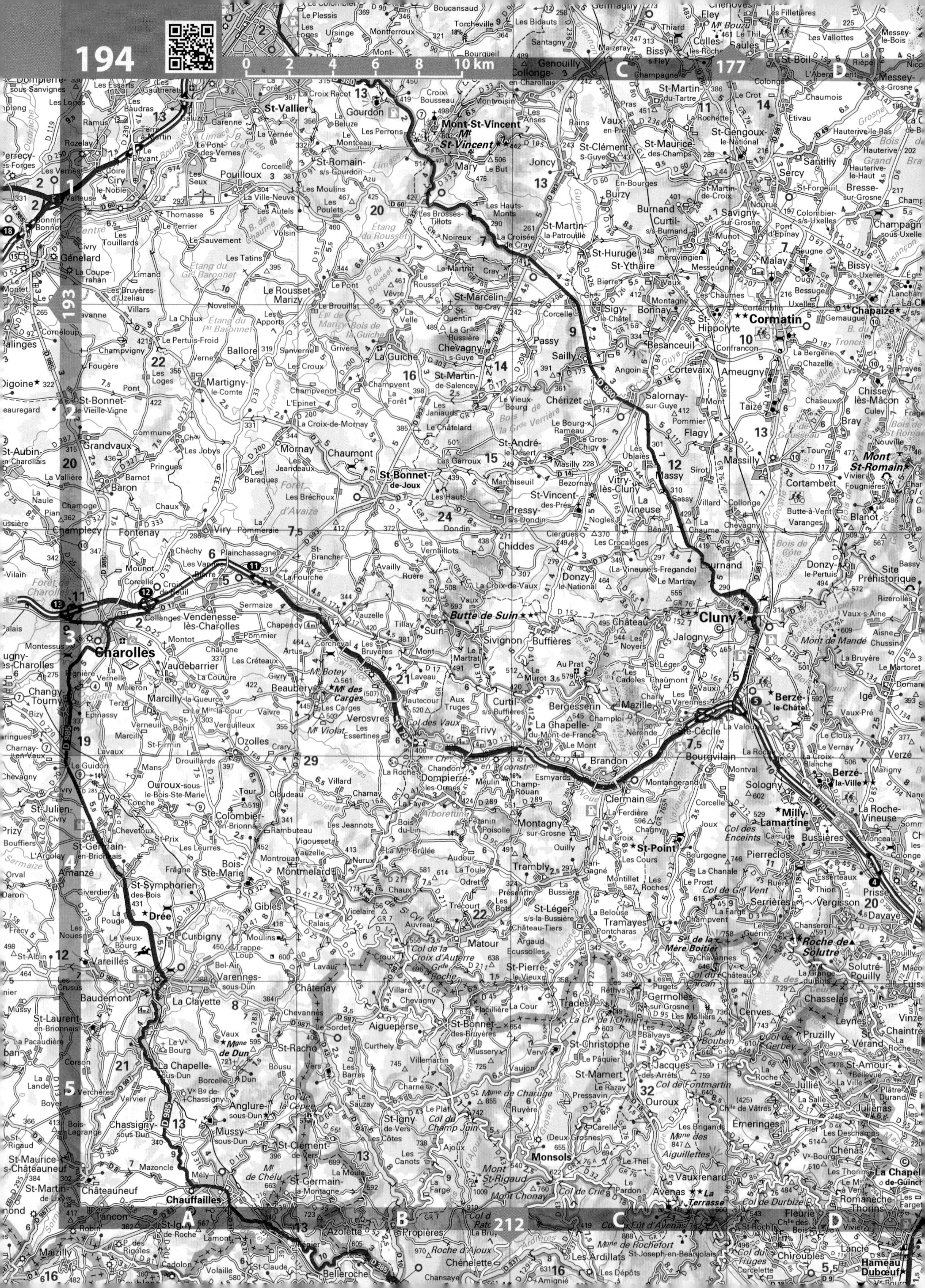

194
0 2 4 6 8 10 km
177
193
212
St-Vallier
Gourdon
Mont-St-Vincent
Génelard
Pouilloux
Joncy
Cormatin
St-Gengoux-le-National
Le Rousset-Marizy
La Guiche
Ballore
Martigny-le-Comte
Chevagny-s-Guye
St-Martin-de-Salencey
Sailly
Chérizet
Salornay-sur-Guye
Taizé
Ameugny
Cortevaix
Grandvaux
Mornay
Chaumont
St-Bonnet-de-Joux
St-André-le-Désert
Massilly
Cortambert
Blanot
Mont St-Romain
Viry
Chiddes
Donzy-le-National
Lournand
Cluny
Butte de Suin
Charolles
Vendenesse-lès-Charolles
Vaudebarrier
Beaubery
Verosvres
Trivy
Curtil-s/s-Buffières
Bergesserin
Mazille
Ste-Cécile
Berzé-le-Châtel
Berzé-la-Ville
Milly-Lamartine
Ozolles
Colombier-en-Brionnais
Dompierre-les-Ormes
Montagny-sur-Grosne
Clermain
St-Point
Bois-Ste-Marie
Montmelard
Trambly
Tramayes
Pierreclos
St-Symphorien-des-Bois
Dree
Gibles
Matour
St-Léger-s/s-la-Bussière
Roche de Solutré
Solutré-Pouilly
Davayé
Prissé
Vergisson
La Clayette
Varennes-sous-Dun
Châtenay
Aigueperse
St-Bonnet-des-Bruyères
Trades
Germolles-sur-Grosne
Cenves
Chasselas
Leynes
Chaintré
Pruzilly
Baudemont
Vareilles
St-Laurent-en-Brionnais
La Chapelle-sous-Dun
St-Racho
St-Christophe
St-Jacques-des-Arrêts
St-Mamert
Ouroux
Juliénas
Jullié
St-Amour-Bellevue
Chassigny-sous-Dun
Anglure-sous-Dun
Mussy-sous-Dun
St-Igny-de-Vers
St-Clément-de-Vers
Monsols
Émeringes
Chénas
Châteauneuf
Chauffailles
St-Germain-la-Montagne
Mont St-Rigaud
Vauxrenard
Avenas
La Terrasse
Fleurie
Azolette
Propières
Belleroche
Les Ardillats
Chénelette
Hameau Dubœuf

178
E
F
G
H
19
Louhans-Châteaurenaud
Sennecey-le-Grand
Tournus
Cuisery
Romenay
Montpont-en-Bresse
St-Trivier-de-Courtes
Pont-de-Vaux
Coligny
St-Amour
Mâcon
Replonges
Montrevel-en-Bresse
Attignat
Bourg-en-Bresse
Brou
Vonnas
Pont-de-Veyle
Bâgé-le-Châtel
Musée de la Bresse
Ferme-Mée de la Forêt
Réserve naturelle
Forêt du Villard
Étang de Pontremble
Dommartin-lès-Cuiseaux
Varennes-St-Sauveur
Marboz
Viriat
St-Cyr-s-M.
Confrançon
Polliat
D 975
D 971
D 1079
D 933
D 906
A 40 E 21 E 62
A 39
A 406
196
213

0 2 4 6 8 10 km
179
195
214
A
B
C
D
1
2
3
4
5
Frébuans
Chilly
Montaigu
Macornay
Revigny
Creux de Revigny
Publy
Verges
Condamine
Trenal
Gevingey
Vernantois
St-Maur
Charézier
Denezières
Uxelles
Vertamboz
St-Martin-du-Mont
Sagy
Bonnaud
Ste-Agnès
Cesancey
Bornay
Courbette
Croix Rochette
Poids-de-Fiole
Nogna
Mesnois
Boissia
Patornay
Pont-de-Poitte
Flacey-en-Bresse
Vercia
Vincelles
Grusse
(La Chailleuse)
Alièze
Orbagna
Rotalier
Clairvaux-les-Lacs
Marnézia
Hautecour
Les Thuns
Necudois
Dompierre-sur-Mont
Largillay-Marsonnay
Méronа
Beaufort
Reithouse
Présilly
Maynal
Augisey
Soucia
Barésia-s-l'Ain
Frontenaud
Le Miroir
Cousance
Augea
Cuisia
Rosay
Plaisia
St-Christophe
Gizia
Cressia
Rothonay
Moutonne
Orgelet
La Tour-du-Meix
Thoiria
Digna
Chevreaux
Beffia
Coyron
Chavéria
Pimorin
Écrille
Meussia
Étival
Dommartin-lès-Cuiseaux
Cuiseaux
Champagnat
Loisia
Graye-et-Charnay
Nancuise
Sarrogna
Maisod
Charchilla
Condal
Joudes
Gigny
Chambéria
Monnetay
Véria
Onoz
Crenans
Savigna
Fétigny
Montagna-le-Reconduit
Balanod
St-Amour
Moirans-en-Montagne
Ravilloles
Andelot-Morval
L'Aubépin
Marigna-s-Valouse
Chatonnay
Légna
Lac de Virement
Domsure
Thoissia
Nanc-lès-St-Amour
Montrevel
La Boissière
Louvenne
Villards-d'Héria
St-Lupicin
Dramelay
Cernon
Chazelles
Coligny
St-Jean-d'Étreux
St-Julien
Arinthod
Lect
Martigna
Lavans-lès-St-C.
Dessia
St-Hymetière
Chisséria
Cézia
Vescles
Montcusel
Salavre
Pirajoux
Bourcia
Broissia
Villechantria
Montagna-le-Templier
Genod
Vaux-lès-St-Claude
Chancia
Verjon
Villemotier
Vosbles
Lavancia-Epercy
Condes
Rogna
Courmangoux
Pouillat
Villeneuve-lès-Charnod
Charnod
Montfleur
Lavans-s-Valouse
Dortan
Germagnat
Cornod
Coisia
Viry
Aromas
Thoirette
Arbent
Oyonnax
St-Étienne-du-Bois
Treffort-Cuisiat
Chavannes-s-Suran
Matafelon-Granges
Samognat
Meillonnas
Corveissiat
Bellignat
Belleydoux
Simandre-s-Suran
Grоissiat
Apremont
Giron
Jasseron
Drom
Izernore
Martignat
Échallon
Plagne
Ramasse
Cize
Bolozon
Charix
Montréal-la-Cluse
St-Germain-de-Joux
Ceyzériat
Villereversure
Hautecourt-Romanèche
Nurieux-Volognat
Nantua
Châtillon-en-Michaille
Revonnas
Peyriat
Le Poizat-Lalleyriat

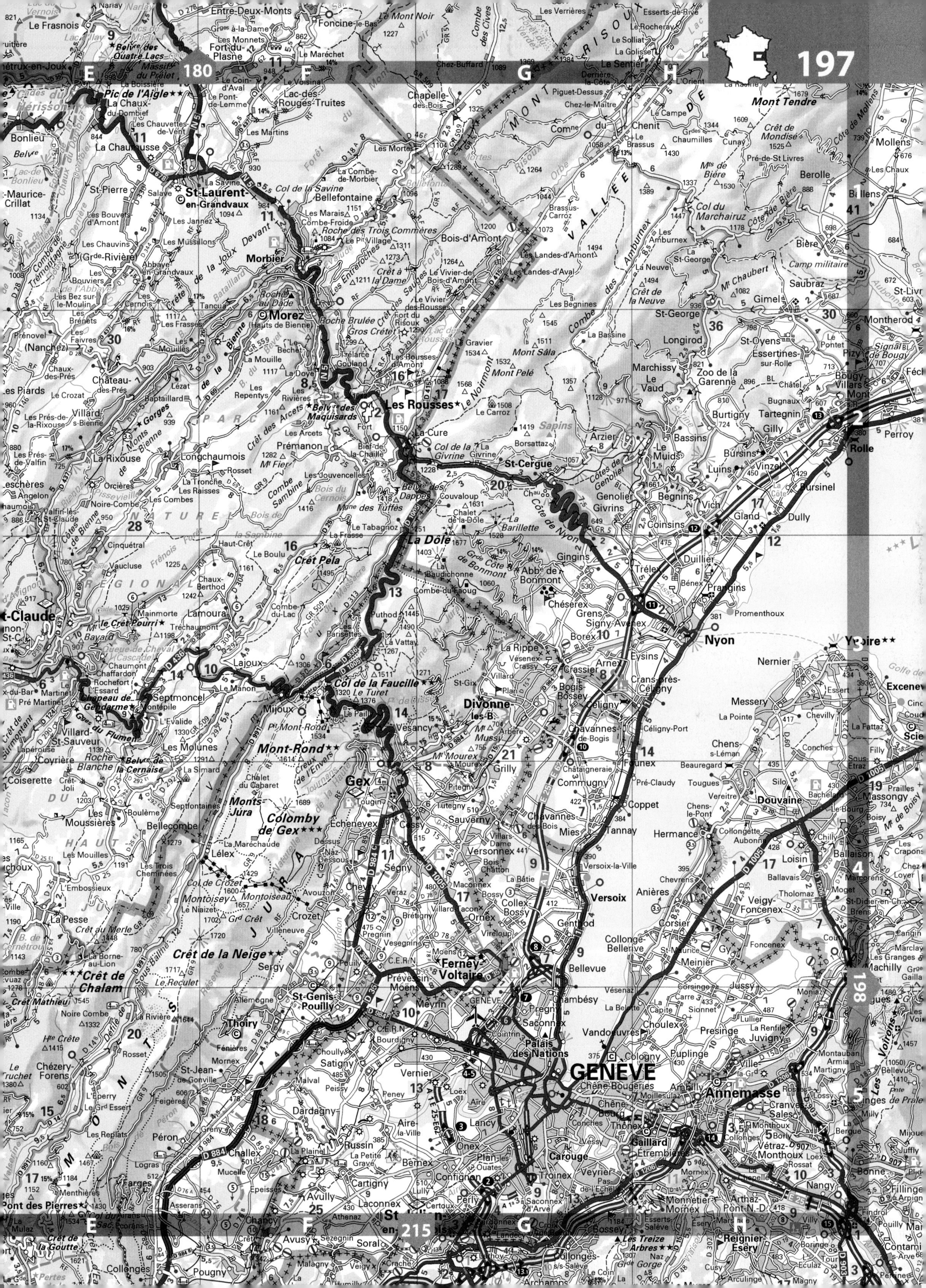
Le Frasnois
Entre-Deux-Monts
Foncine-le-Bas
Le Mont Noir
Les Verrières
Esserts-de-Rive
Belvre des Quatre Lacs
Fort-du-Plasne
Massif du Prélet
180
E
F
G
H
Le Sentier
Pic de l'Aigle
La Chaux-du-Dombief
Lac-des-Rouges-Truites
Chapelle-des-Bois
Mont Tendre
Bonlieu
La Chaumusse
Les Martins
Les Mortes
Le Brassus
Crêt de Mondisé
Mollens
St-Laurent-en-Grandvaux
Col de la Savine
Bellefontaine
Mts de Bière
Berolle
St-Pierre
Ballens
Roche des Trois Commères
Bois-d'Amont
Col du Marchairuz
Bière
Morbier
Camp militaire
Les Landes-d'Amont
Les Landes-d'Aval
Crêt de la Neuve
Saubraz
Morez
Gimel
Roche Brulée
Gros Crétet
St-George
Montherod
Longirod
Prénovel
Les Rousses
Mont Sâla
Mont Pelé
Signal de Bougy
Château-des-Prés
Marchissy
Le Vaud
Zoo de la Garenne
Les Piards
Villard-St-Sauveur
Belvre des Maquisards
Sapins
Bursins
Rolle
Perroy
Prémanon
Col de la Givrine
St-Cergue
La Rixouse
Longchaumois
Luins
Vinzel
Bursinel
Combe Sambine
Mgne des Tuffes
Begnins
Vich
Gland
Dully
La Dôle
Côte de Nyon
Coinsins
Crêt Pela
Gde Côte de Bonmont
Gingins
Duillier
Abbe de Bonmont
Trélex
Prangins
St-Claude
Lamoura
Chéserex
Grens
Promenthoux
Le Crêt Pourri
Signy-Avenex
Nyon
Yvoire
Lajoux
La Rippe
Eysins
Nernier
Col de la Faucille
Septmoncel
Crassier
Crans-près-Céligny
Chapeau de Gendarme
Mijoux
Divonne-les-B.
Messery
Excenevex
Mont-Rond
Chavannes-de-Bogis
Roche Blanche
Belvre de la Cernaise
Les Molunes
Chens-s-Léman
Gex
Grilly
Founex
Commugny
Coppet
Douvaine
Monts Jura
Colomby de Gex
Tannay
Mies
Hermance
Bellecombe
Echenevex
Cessy
Sauverny
Versonnex
Lélex
Ségny
Versoix
Col de Crozet
Anières
Loisin
La Pesse
Crozet
Ornex
Collex-Bossy
Corsier
Veigy-Foncenex
Crêt de la Neige
Ferney-Voltaire
Bellevue
Sergy
Crêt de Chalam
Le Reculet
Machilly
198
St-Genis-Pouilly
Meyrin
Chambésy
Pregny
Thoiry
Palais des Nations
Cologny
Vandoeuvres
Choulex
Presinge
Juvigny
Les Voirons
GENÈVE
Chêne-Bougeries
Annemasse
Vernier
Satigny
Dardagny
Aire-la-Ville
Lancy
Thônex
Gaillard
Péron
Challex
Russin
Onex
Plan-les-Ouates
Carouge
Étrembières
Vétraz-Monthoux
Farges
Confignon
Troinex
Veyrier
Bonne
Fillinge
Pont des Pierres
Avully
Cartigny
Laconnex
Perly
Monnetier-Mornex
Arthaz-Pont-N.-D.
Nangy
Chancy
Avusy
Soral
Bossey
Les Treize Arbres
Reignier-Esery
Crêt de la Goutte
Collonges
Pougny
215
Archamps

0 2 4 6 8 10 km
181
197
216
A
B
C
D
LAUSANNE
LÉMAN
LAC
Cossonay
Morges
Renens
Ouchy
Pully
Lutry
Cully
Vevey
Rolle
Aubonne
St-Prex
Allaman
Perroy
Dully
Ecublens
Préverenges
St-Sulpice
Epalinges
Prilly
Belmont
Savigny
Chexbres
Puidoux
Corseaux
Rivaz
St-Saphorin
Corniche de Lavaux
Grandvaux
(Bourg-en-Lavaux)
Mt Pèlerin
ÉVIAN-LES-BAINS
Amphion-les-Bains
THONON-LES-BAINS
Ripaille
Yvoire
Excenevex
Sciez
Margencel
Allinges
Publier
Meillerie
St-Gingolph
Lugrin
Thollon-les-M.
Pic de Mémise
La Dent d'Oche
Les Cornettes de Bises
Bernex
Abondance
Châtel
Tête du Linga
Avoriaz
Morzine
Les Gets
Col de Joux Plane
St-Jean-d'Aulps
Le Biot
Bellevaux
Habère-Poche
Boëge
Les Voirons
Bonne
St Jeoire
Mieussy
Taninges
Roc d'Enfer
Mont Chéry
Montriond
La Côte-d'Arbroz
Gorges du Pont du Diable
Vacheresse
La Chapelle-d'Abondance
Douvaine
Ballaison
Bons-en-Chablais
Machilly
Fillinges
Viuz-en-Sallaz
Onnion
Mégevette
Marcellaz
Contamine

199
181
217
E
F
G
H
Gruyères
Zweisimmen
Semsales
Châtel-St-Denis
Moléson-sur-Gruyères
Le Moléson
Enney
Estavannens
Grandvillard
Neirivue
Albeuve
Lessoc
Montbovon
Rossinière
Château-d'Oex
Rougemont
Saanen
Gstaad
Saanenmöser
Schönried
St-Stephan
Lenk
Lauenen
Gsteig
Blonay
Les Avants
Rochers de Naye
Territet
Veytaux
Chillon
Villeneuve
Noville
Rennaz
Roche
Chessel
Vouvry
Vionnaz
Aigle
Yvorne
Leysin
Le Sépey
Ormont-Dessous
Ormont-Dessus
Les Diablerets
Col du Pillon
Scex Rouge
LES DIABLERETS
Col des Mosses
Les Mosses
L'Etivaz
Pays d'Enhaut
Gummfluh
Wildhorn
Col du Sanetsch
Anzère
Villars-s-Ollon
Ollon
Gryon
Bex
Monthey
Collombey
St-Maurice
Massongex
Lavey-Village
Troistorrents
Val-d'Illiez
Champéry
Dents du Midi
Grd Muveran
Pont de Nant
Dent de Morcles
Evionnaz
Collonges
Dorénaz
Vernayaz
Fully
Saillon
Leytron
Chamoson
Ardon
Vétroz
Conthey
SION
Riddes
Saxon
Charrat
Martigny
Verbier
Nendaz
Isérables
Salvan
Les Marécottes
Pont du Gueuroz
Mt Fort
Mt Gelé
Bge de la Grde Dixence
Val d'Hérémence
Val de Nendaz
RHÔNE

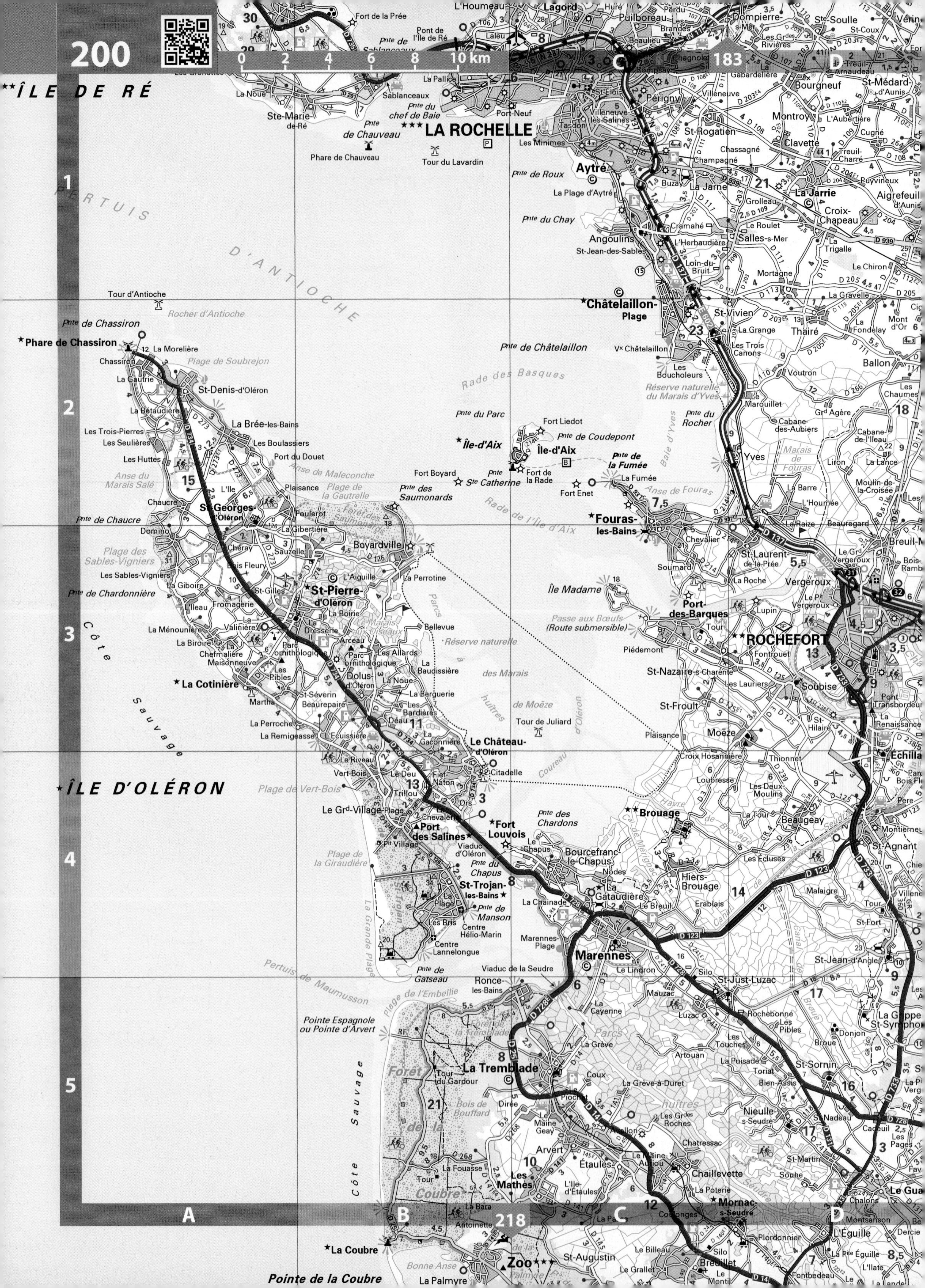
0 2 4 6 8 10 km
183
★★ÎLE DE RÉ
★★★LA ROCHELLE
Pertuis d'Antioche
Tour d'Antioche
Rocher d'Antioche
Pnte de Chassiron
★Phare de Chassiron
St-Denis-d'Oléron
La Brée-les-Bains
Rade des Basques
★Châtelaillon-Plage
Pnte de Châtelaillon
★Île-d'Aix
Fort Boyard
Fort Liedot
Fort Enet
★Fouras-les-Bains
St-Georges-d'Oléron
Boyardville
★St-Pierre-d'Oléron
★La Cotinière
Côte Sauvage
★ÎLE D'OLÉRON
Le Château-d'Oléron
Île Madame
Passe aux Bœufs (Route submersible)
Port-des-Barques
★★ROCHEFORT
Aytré
Angoulins
Yves
Soubise
Moëze
★★Brouage
Bourcefranc-le-Chapus
★Fort Louvois
Port des Salines
St-Trojan-les-Bains
Marennes
Pertuis de Maumusson
Pointe Espagnole ou Pointe d'Arvert
La Tremblade
Forêt de la Coubre
Arvert
Les Mathes
★La Coubre
Pointe de la Coubre
La Palmyre
Zoo★★
★Mornac-s-Seudre
L'Éguille
St-Agnant
Échillais
A
B
C
D
218
1
2
3
4
5

201
184
202
219
E
F
G
H
1
2
3
4
5
Surgères
Tonnay-Boutonne
St-Jean-d'Angély
St-Savinien
SAINTES
Chaniers
Zoodyssée
Dampierre-s-Boutonne
St-Georges-du-Bois
Puyravault
Vouhé
Forges
St-Germain-de-Marencennes
Landrais
Vandré
Muron
Genouillé
Chervettes
Bernay-St-Martin
Courant
Lozay
Loulay
Nuaillé-s-B.
St-Pardoult
Antezant-la-Chapelle
Courcelles
Fenioux
Asnières-la-Giraud
Nantillé
Ste-Même
Aumagne
St-Hilaire-de-Villefranche
Juicq
Taillebourg
Annepont
Port-d'Envaux
Crazannes
La Roche-Courbon
St-Porchaire
Pont-l'Abbé-d'Arnoult
Beurlay
Romegoux
Geay
Bords
Champdolent
Cabariot
St-Hippolyte
Archingeay
Les Nouillers
Torxé
Voissay
Bignay
Mazeray
Grandjean
Écoyeux
Burie
Brizambourg
St-Bris-des-Bois
St-Césaire
Fontcouverte
Vénérand
Le Douhet
St-Vaize
Bussac-Charente
Écurat
St-Georges-des-Coteaux
Corme-Royal
Balanzac
Pessines
Nieul-lès-Stes
Les Essards
Plassay
Réserve Nationale de Chasse
Les Sept Chênes

0 2 4 6 8 10 km
185
201
220
A
B
C
D
1
2
3
4
5
Chizé
Forêt de Chizé
Réserve Nationale de Chasse
Zoodyssée
Dampierre-s-Boutonne
Aulnay
Brioux-sur-Boutonne
Chef-Boutonne
Loulay
St-Jean-d'Angély
Matha
Rouillac
Cherves-Richemont
Chaniers
Villiers-Couture
Néré
Romazières
Saleignes
Ensigne
Villedieu
Forêt d'Aulnay
Loiré-s-Nie
Les Éduts
Sonnac
Neuvicq-le-Château
Beauvais-s-Matha
Bresdon
Haimps
Siecq
Brizambourg
St-Césaire
Burie
Mesnac
St-Sulpice-de-Cognac
Migron
Prignac
Thors
Bagnizeau
Cherbonnières
Villemorin
St-Hilaire
Lusseray
Chérigné
Fontenille-St-Martin-d'Entraigues
Aubigné
Loubillé
Loubigné
Villemain
Chives
Lupsault
Barbezières
Ranville-Breuillaud
Verdille
Anville
Auge-St-Médard
Montigné
Mareuil
Courbillac
Houlette
Ste-Sévère
Sigogne
Vaux-Rouillac
Fleurac
Nercillac
Réparsac
Boutiers-St-Trojan
Louzac-St-André
Chérac
Dompierre
Vénérand
Juicq
Nantillé
Aumagne
Blanzac-lès-M.
Varaize
Fontenet
Courcelles
Vervant
Antezant
St-Pardoult
Nuaillé-s-B.
Blanzay-s-B.
St-Martial
Migré
Vergné
Coivert
St-Séverin-s-Boutonne
Villeneuve-la-Comtesse
Boisserolles
Belleville
Prissé-la-Charrière
Villiers-en-Bois
Secondigné-sur-Belle
Périgné
Vernoux-sur-Boutonne
Séligné
Juillé
Villefollet
Asnières-en-Poitou
Paizay-le-Chapt
Vinax
Contré
Paillé
St-Mandé-s-Brédoire
Salles-lès-Aulnay
St-Georges-de-Longuepierre
Les Églises-d'Argenteuil
Poursay-Garnaud
St-Julien-de-l'Escap
Gibourne
Le Gicq
Seigné
Fontaine-Chalendray
Bazauges
Cressé
Gourvillette
Les Touches-de-Périgny
Massac
St-Ouen-la-Thène
Ballans
Bréville
Macqueville
Brie-s-Matha
Louzignac
Mons
Courcerac
Aujac
Authon-Ébéon
Bercloux
Ste-Même
Asnières-la-Giraud
St-Hilaire-de-Villefranche
Écoyeux
Le Douhet
Villars-les-Bois
Le Seure
St-Bris-des-Bois
Abbé de Fontdouce
La Chapelle-des-Pots
St-Sauvant
Chermignac
D 950
D 939
D 150
D 731
D 740
D 948
A 10

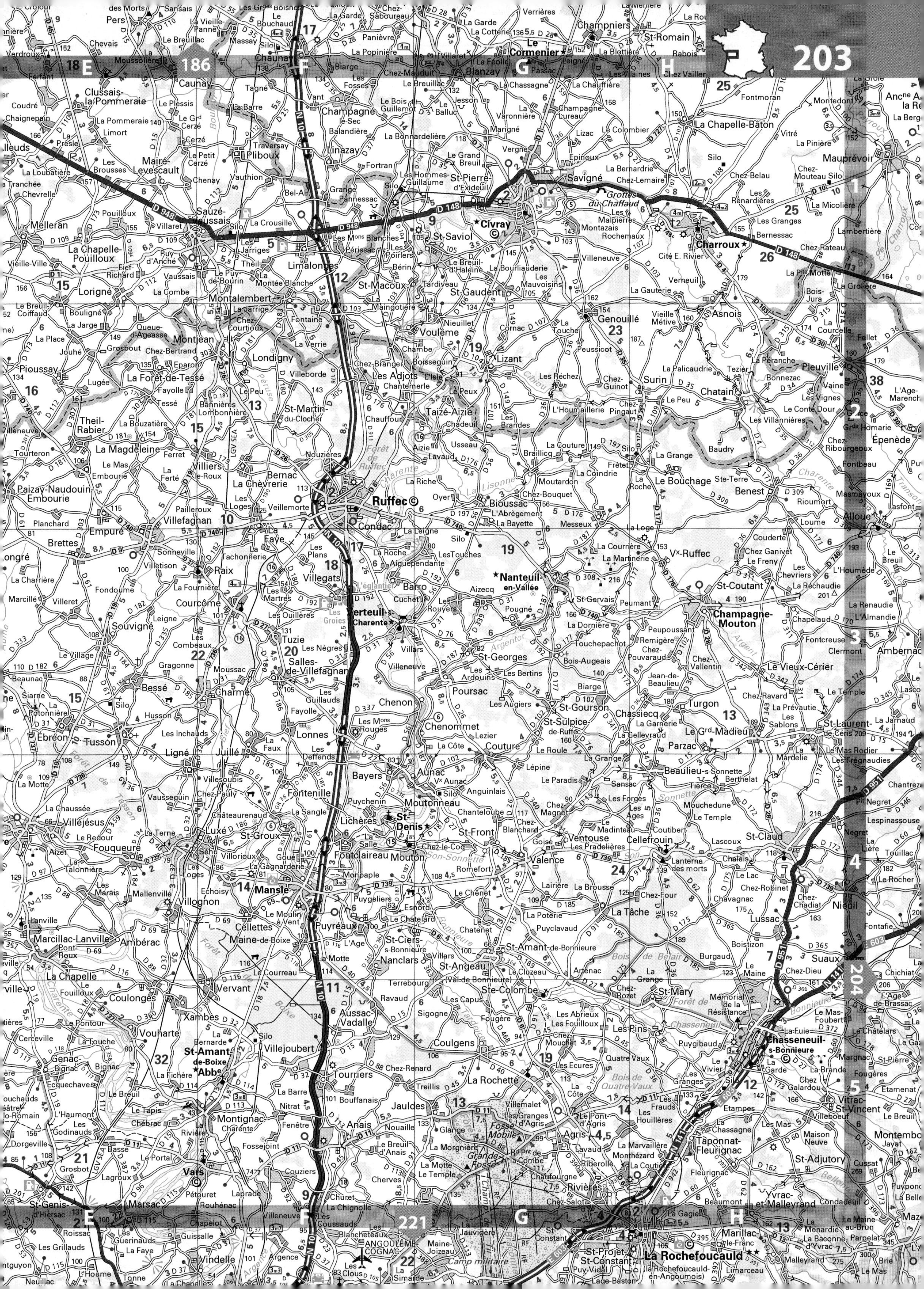

203
186
221
204
E
F
G
H
1
2
3
4
5
Champniers
St-Romain
Le Cormenier
Blanzay
Chaunay
Caunay
Clussais-la-Pommeraie
Champagné-le-Sec
Linazay
Pliboux
Mairé-Levescault
Sauzé-Vaussais
Melleran
La Chapelle-Pouilloux
Limalonges
St-Saviol
Civray
Savigné
Grottes du Chaffaud
Charroux
Mauprévoir
La Chapelle-Bâton
Lorigné
Montalembert
St-Macoux
St-Gaudent
Voulême
Genouillé
Asnois
Montjean
Londigny
Lizant
Surin
Chatain
Pleuville
Pioussay
La Forêt-de-Tessé
Les Adjots
Taizé-Aizie
St-Martin-du-Clocher
Theil-Rabier
La Magdeleine
Villiers-le-Roux
Bernac
La Chèvrerie
Ruffec
Paizay-Naudouin-Embourie
Villefagnan
Condac
Bioussac
Le Bouchage
Benest
Alloue
Empuré
Brettes
Raix
Villegats
Nanteuil-en-Vallée
St-Coutant
Courcôme
Verteuil-s-Charente
Champagne-Mouton
Souvigné
Tuzie
Salles-de-Villefagnan
St-Georges
Le Vieux-Cérier
Bessé
Charmé
Chenon
Poursac
St-Gourson
Chassiecq
Turgon
Ébréon
Tusson
Lonnes
Chenommet
Couture
St-Sulpice-de-Ruffec
Parzac
St-Laurent-de-Céris
Ligné
Juillé
Bayers
Aunac
Beaulieu-s-Sonnette
Fontenille
Moutonneau
Villejésus
Luxé
St-Groux
Lichères
St-Denis
St-Front
Ventouse
Cellefrouin
St-Claud
Fouqueure
Fontclaireau
Mouton
Valence
Nieuil
Mansle
Villognon
La Tâche
Lussac
Cellettes
Puyréaux
Marcillac-Lanville
Ambérac
Maine-de-Boixe
St-Ciers-s-Bonnieure
Nanclars
St-Angeau
St-Amant-de-Bonnieure
Suaux
La Chapelle
Coulonges
Vervant
Aussac-Vadalle
Ste-Colombe
St-Mary
Chasseneuil-s-Bonnieure
Vouharte
Xambes
Villejoubert
Coulgens
Les Pins
Genac
St-Amant-de-Boixe
Tourriers
La Rochette
Montignac-Charente
Jauldes
Agris
Vitrac-St-Vincent
Anais
Taponnat-Fleurignac
Vars
Rivières
St-Genis-d'Hiersac
Marsac
La Rochefoucauld
Marillac-le-Franc
Yvrac-et-Malleyrand
Vindelle
Angoulême-Cognac
St-Projet-St-Constant

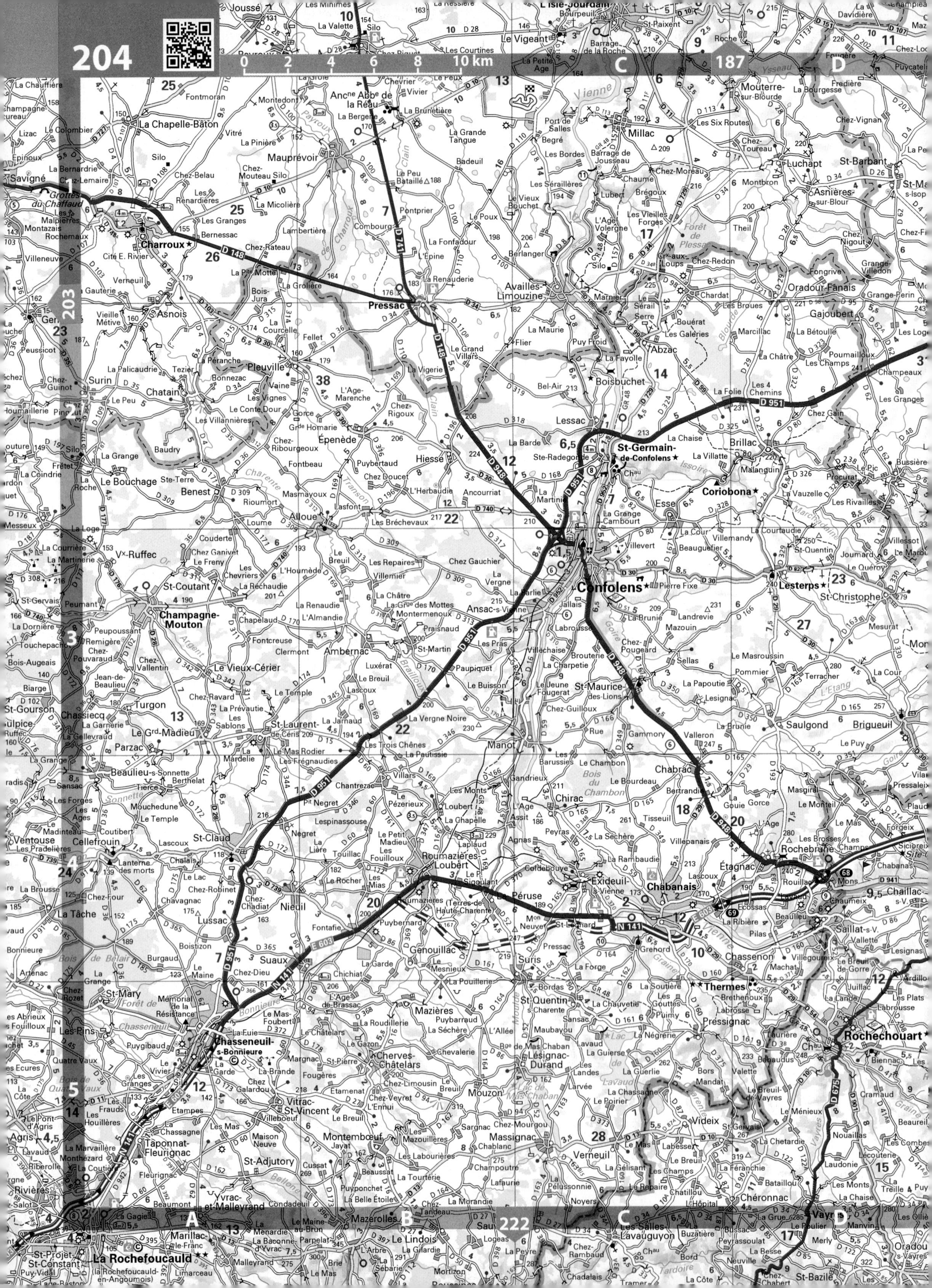

204
0 2 4 6 8 10 km
187
203
222
A
B
C
D
1
2
3
4
5
Charroux
Pressac
Availles-Limouzine
Millac
Mauprévoir
La Chapelle-Bâton
Savigné
Asnois
Pleuville
Surin
Chatain
Épenède
Hiesse
Lessac
St-Germain-de-Confolens
Brillac
Oradour-Fanais
Abzac
Boisbuchet
Esse
Coriobona
Alloue
Benest
Le Bouchage
Champagne-Mouton
St-Coutant
Vx-Ruffec
Confolens
Lesterps
St-Christophe
Ansac-s-Vienne
Ambernac
St-Maurice-des-Lions
Saulgond
Brigueuil
Chabrac
Chirac
Manot
St-Laurent-de-Céris
Turgon
Le Vieux-Cérier
Chassiecq
Parzac
Beaulieu-s-Sonnette
St-Claud
Cellefrouin
Nieuil
Lussac
Roumazières-Loubert
Exideuil-s-Vienne
Chabanais
Étagnac
Rochebrune
Chassenon
Suris
Genouillac
Mazières
St-Quentin-s-Charente
Pressignac
Thermes
Rochechouart
Chasseneuil-s-Bonnieure
Cherves-Châtelars
Lésignac-Durand
Massignac
Montembœuf
Vitrac-St-Vincent
Taponnat-Fleurignac
St-Adjutory
Yvrac-et-Malleyrand
Mazerolles
Le Lindois
Verneuil
Vayres
Chéronnac
Videix
Les Salles-Lavauguyon
La Rochefoucauld
St-Projet-St-Constant
Marillac-le-Franc
Agris
Rivières
Le Grand Villars
Le Vigeant
L'Isle-Jourdain
D 148
D 741
D 948
D 951
N 141
E 603
D 675

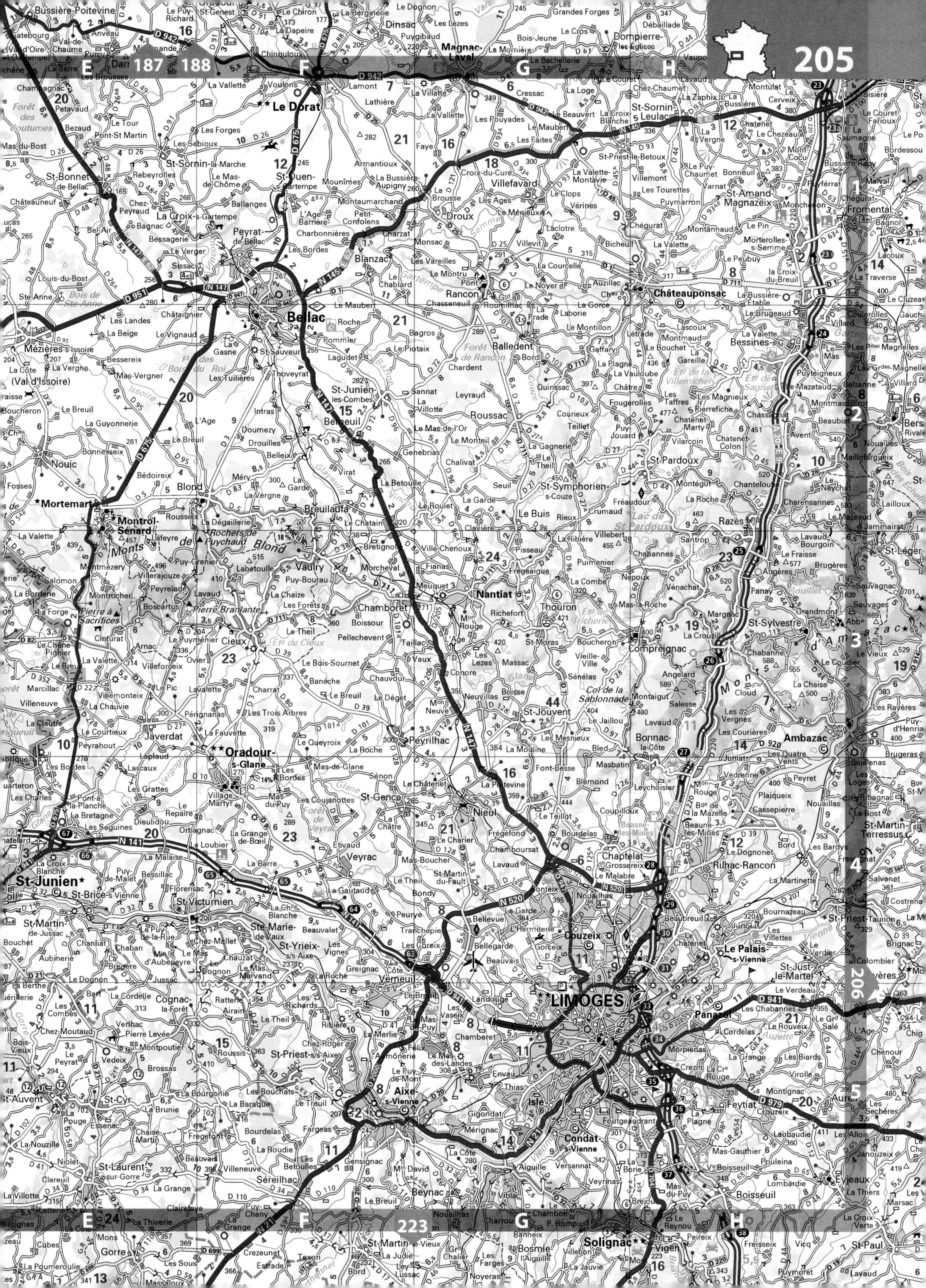

205
187
188
206
223
E
F
G
H
1
2
3
4
5
Bussière-Poitevine
Magnac-Laval
Dinsac
Dompierre-les-Eglises
Le Dorat
St-Sornin-Leulac
St-Sornin-la-Marche
St-Ouen-s-Gartempe
Villefavard
La Croix-s-Gartempe
Peyrat-de-Bellac
Bellac
Blanzac
Rancon
Châteauponsac
Mézières-s-Issoire
Droux
Bessines-s-G.
St-Amand-Magnazeix
Fromental
Balledent
St-Junien-les-Combes
Berneuil
Roussac
St-Symphorien-s-Couze
St-Pardoux
Razès
Lac de St-Pardoux
Mortemart
Montrol-Sénard
Monts de Blond
Blond
Breuilaufa
Vaulry
Chamboret
Nantiat
Thouron
Compreignac
St-Sylvestre
Cieux
Javerdat
Oradour-s-Glane
Peyrilhac
St-Jouvent
Bonnac-la-Côte
Ambazac
Nieul
Chaptelat
Rilhac-Rancon
St-Junien
St-Brice-s-Vienne
St-Victurnien
Ste-Marie-de-Vaux
St-Yrieix-s/s-Aixe
Veyrac
Couzeix
Le Palais-s-Vienne
St-Priest-Taurion
LIMOGES
Panazol
Cognac-la-Forêt
Verneuil
St-Priest-s/s-Aixe
Aixe-s-Vienne
Isle
Condat-s-Vienne
Feytiat
Eyjeaux
St-Laurent-sur-Gorre
Séreilhac
Beynac
Solignac
Le Vigen
Boisseuil
St-Cyr
St-Auvent
Gorre
St-Martin-le-Vieux
St-Paul
N 147
N 145
N 141
N 520
N 21
D 942
D 941
D 979
A 20
E 62
E 9

206
0 2 4 6 8 10 km
188
205
224
A
B
C
D
1
2
3
4
5
La Souterraine
St-Maurice-la-Souterraine
St-Sornin-Leulac
St-Priest-le-Betoux
St-Amand-Magnazeix
Fromental
St-Pierre-de-Fursac
St-Etienne-de-Fursac
Chamborand
Le Grand-Bourg
St-Priest-la-Plaine
St-Priest-la-Feuille
Lizières
Noth
Fleurat
Châteauponsac
Bessines-s-G.
Folles
Laurière
Bersac
St-Sulpice-Laurière
Bénévent-l'Abbaye
Marsac
Arrènes
Mourioux-Vieilleville
Augères
Aulon
Ceyroux
Montaigut-le-Blanc
St-Silvain-Montaigut
Gartempe
Puy de Goth
St-Pardoux
Lac de St-Pardoux
Razès
St-Léger-la-M.
Jabreilles-les-Bordes
St-Goussaud
Janaillat
St-Dizier-Leyrenne
Bosmoreau-les-Mines
Pierre Branlante
La Jonchère-St-Maurice
St-Sylvestre
Compreignac
Châtelus-le-Marcheix
Ambazac
Les Billanges
St-Pierre-Chérignat
St-Martin-Ste-Catherine
Masbaraud-Mérignat
Montboucher
St-Laurent-les-Eglises
Pont du Dognon
Bonnac-la-Côte
St-Martin-Terressus
Le Châtenet-en-Dognon
Sauviat-sur-Vige
St-Amand-Jartoudeix
Roches de Mazuras
Rilhac-Rancon
St-Priest-Taurion
Moissannes
St-Priest-Palus
Couzeix
Le Palais-s-Vienne
St-Just-le-Martel
Royères
St-Léonard-de-Noblat
St-Moreil
Mont Larron
Limoges
Panazol
Pont-de-Noblat
Champnetery
Cheissoux
St-Julien-le-Petit
Feytiat
Aureil
Eybouleuf
Prieuré de l'Artige
Bujaleuf
St-Denis-des-Murs
Condat-s-Vienne
Eyjeaux
Boisseuil
Geneytouse
Augne
St-Amand-le-Petit
Masléon
Solignac
Le Vigen
St-Paul
Roziers-St-Georges
Eymoutiers
Vienne
Taurion
Maulde

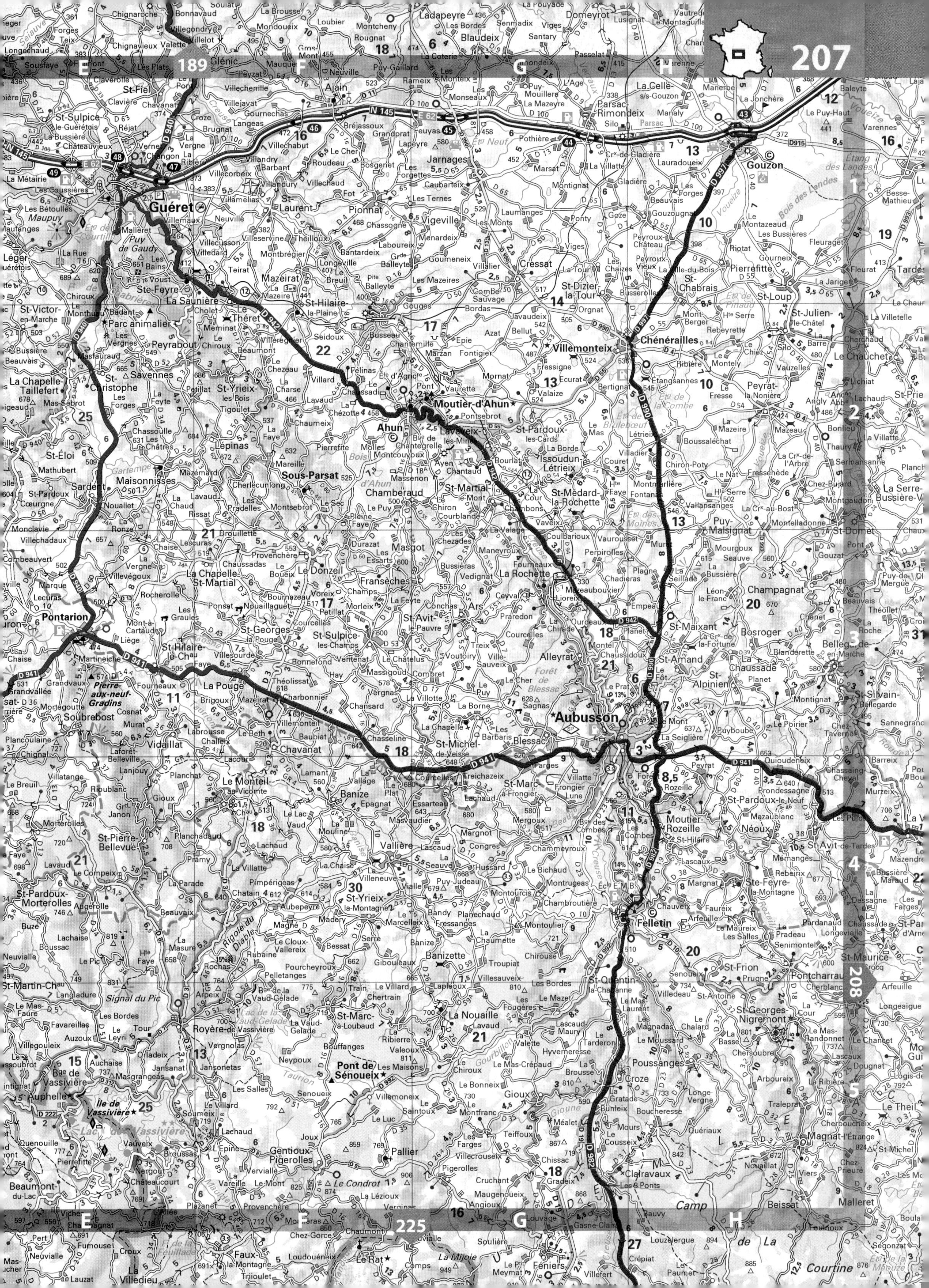

207
189
E
F
G
H
Guéret
Ste-Feyre
La Saunière
St-Fiel
Ajain
Jarnages
Parsac-Rimondeix
Gouzon
Cressat
St-Dizier-la-Tour
Chénérailles
Villemonteix
Peyrat-la-Nonière
St-Christophe
Savennes
Peyrabout
St-Yrieix-les-Bois
Moutier-d'Ahun
Ahun
Lépinas
Sous-Parsat
Maisonnisses
Sardent
Pontarion
St-Hilaire-le-Château
La Chapelle-St-Martial
Le Donzeil
St-Avit-le-Pauvre
St-Sulpice-les-Champs
La Rochette
St-Maixant
St-Médard-la-Rochette
Issoudun-Létrieix
St-Amand
St-Alpinien
Champagnat
Bellegarde-en-Marche
St-Silvain-Bellegarde
Aubusson
Blessac
St-Michel-de-Veisse
Chavanat
Vidaillat
Soubrebost
La Pouge
Banize
Vallière
St-Yrieix-la-Montagne
Moutier-Rozeille
Néoux
Ste-Feyre-la-Montagne
Felletin
St-Frion
St-Quentin-la-Chabanne
St-Georges-Nigremont
Poussanges
Croze
Gioux
La Nouaille
St-Marc-à-Loubaud
Pont de Sénoueix
Royère-de-Vassivière
St-Pierre-Bellevue
St-Pardoux-Morterolles
Signal du Pic
Île de Vassivière
Lac de Vassivière
Gentioux-Pigerolles
Pallier
Clairavaux
Magnat-l'Étrange
Beaumont-du-Lac
Faux-la-Montagne
Féniers
Camp de La Courtine
N 145
E 62
D 941
D 942
D 990
D 997
D 982
D 940
208
225

0 2 4 6 8 10 km
190
207
226
A
B
C
D
1
2
3
4
5
Gouzon
Chambon-s-Voueize
Evaux-les-Bains
Chambonchard
Lussat
Tardes
Pierrefitte
St-Chabrais
St-Loup
St-Julien-la-Genête
Château-s-Cher
Chénérailles
Sannat
St-Pardoux
Reterre
Fontanières
Peyrat-la-Nonière
St-Priest
Arfeuille-Châtain
Mainsat
La Serre-Bussière-Vieille
Rougnat
Auzances
Puy-Malsignat
St-Domet
Bussière-Nouvelle
Champagnat
St-Maixant
Bosroger
Bellegarde-en-Marche
St-Amand
St-Alpinien
Lupersat
St-Silvain-Bellegarde
Tour
Brousse
Le Compas
Les Mars
Dontreix
Charensat
Aubusson
Mautes
Chard
Lioux-les-Monges
Moutier-Rozeille
Néoux
St-Pardoux-le-Neuf
St-Avit-de-Tardes
La Villetelle
St-Bard
La Villeneuve
Mérinchal
Ste-Feyre-la-Montagne
Felletin
St-Oradoux-près-Crocq
La Mazière-aux-Bons-Hommes
St-Avit
Crocq
St-Maurice-près-Crocq
Basville
St-Frion
Pontcharraud
La Celle
Condat-en-Combraille
St-Georges-Nigremont
Montel-Guillaume
Poussanges
St-Quentin
Clairavaux
Magnat-l'Etrange
Giat
Voingt
St-Agnant-près-Crocq
Puy-St-Gulmier
St-Étienne-des-Champs
Landogne
Tralaigues
Villosanges
Montel-de-Gelat
Vergheas
St-Maurice-près-Pionsat
Charron
Roche-d'Agoux
St-Hilaire
St-Fargeol
Marcillat-en-Combraille
St-Marcel-en-Marcillat
Terjat
La Petite-Marche
Sauvagnat
Verneugheol
Herment
Prondines
Flayat
Malleret
Beissat
D 941
D 990
D 997
D 982
D 988
D 996
D 915
D 993
D 4
Camp de La Courtine

209
191
227
210
E
F
G
H
Montaigut
St-Éloy-les-Mines
Durmignat
Échassières
Moureuille
Nades
Lalizolle
Veauce
Sussat
Bellenaves
Valignat
Naves
Charroux
Taxat-Sénat
Jenzat
St-Germain-de-Salles
Vicq
St-Bonnet-de-Rochefort
Bègues
Gannat
Ebreuil
Chouvigny
Gorges de Chouvigny
Servant
Youx
Menat
Neuf-Église
Pouzol
St-Gal-sur-Sioule
St-Quintin-s-Sioule
Marcillat
Teilhet
St-Rémy-de-Blot
Gorges de la Sioule
Lisseuil
Ste-Christine
Champs
St-Pardoux
Gouttières
St-Julien-la-Geneste
Ayat-s-Sioule
St-Hilaire-la-Cr.
Jozerand
Châteauneuf-les-Bains
St-Gervais-d'Auvergne
Blot-l'Église
Montcel
Aigueperse
Artonne
St-Agoulin
Vensat
Montpensier
St-Angel
Charbonnières-les-Vieilles
Gour de Tazenat
Combronde
St-Myon
Aubiat
Sardon
Méandre de Queuille
Viaduc des Fades
Queuille
Manzat
Puy de Chalard
Teilhède
Gimeaux
Davayat
Cellule
Beauregard-Vendon
St-Georges-de-Mons
Loubeyrat
Prompsat
St-Bonnet-près-Riom
Pessat-Villeneuve
Varennes-sur-M.
Les Ancizes-Comps
Charbonnières-les-Varennes
Châtel-Guyon
Mozac
Enval
Clerlande
Ennezat
Miremont
St-Jacques-d'Ambur
Montfermy
Chapdes-Beaufort
Pulvérières
Volvic
Ch. de Tournoël
RIOM
Ménétrol
Marsat
Châteaugay
St-Ours
Pontgibaud
Bromont-Lamothe
La Goutelle
Puy de Lemptégy
Vulcania
Puy de Côme
Puy de Pariou
Orcines
Puy de Dôme
Malauzat
Cébazat
Gerzat
Blanzat
Nohanent
Sayat
Durtol
Chamalières
Royat
Montferrand
Plau de Chanturgue
Lussat
Malintrat
Pont-du-Château
Aulnat
CLERMONT-FERRAND
Beaumont
Aubière
Cournon-d'Auvergne
Lempdes
Ceyssat
Mazaye
Gelles
Cisternes-la-Forêt
Olby
Laschamps
Pérignat
PARC NATUREL RÉGIONAL DES VOLCANS D'AUVERGNE
A 71
A 89
A 719
D 2009
D 941
D 2144

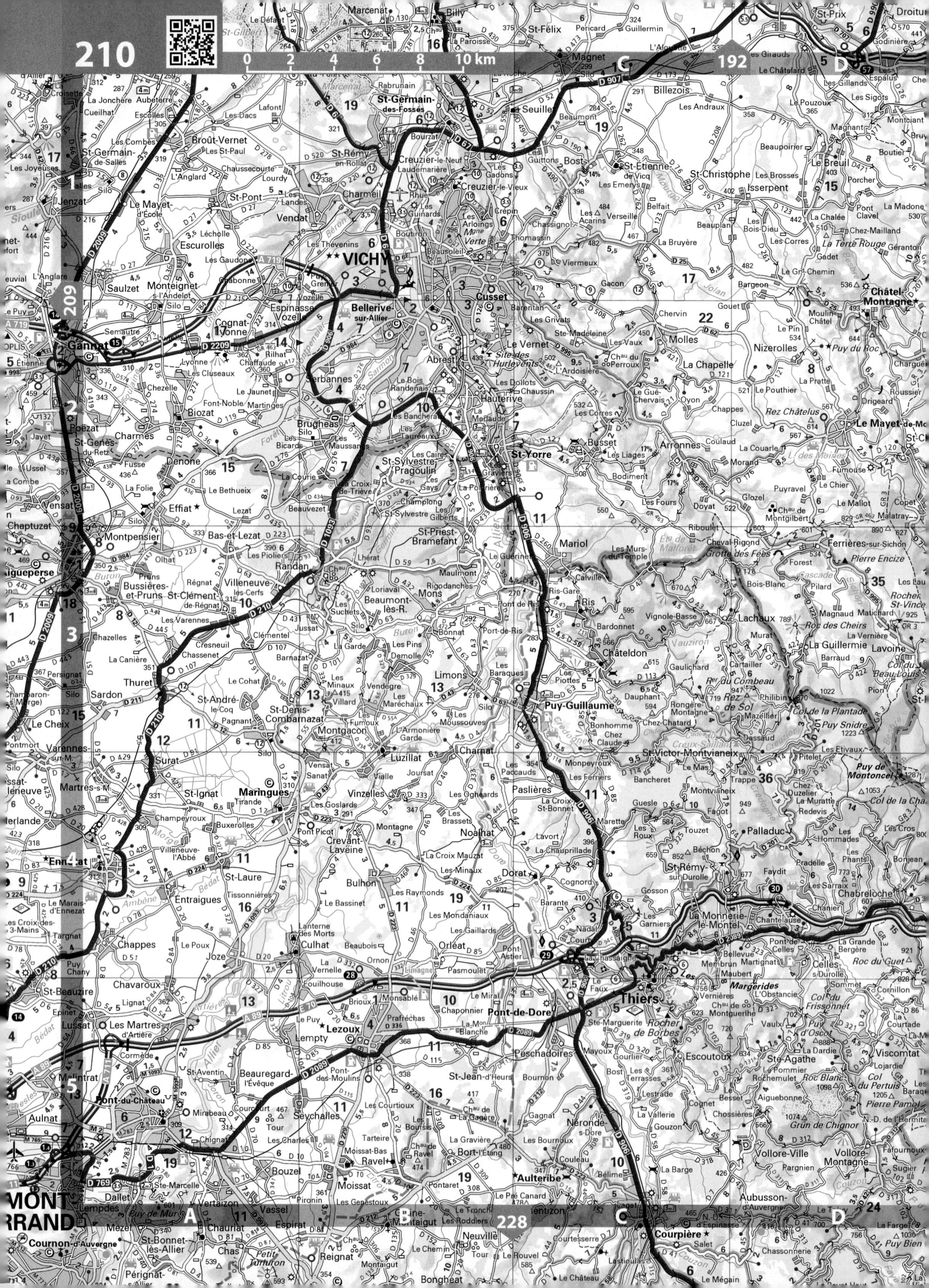

0 2 4 6 8 10 km
192
209
228
VICHY
Cusset
Bellerive-sur-Allier
Gannat
St-Germain-des-Fossés
Creuzier-le-Vieux
Creuzier-le-Neuf
Charmeil
Vendat
St-Rémy-en-Rollat
Abrest
Hauterive
St-Yorre
Busset
Mariol
Randan
Maringues
Lezoux
Thiers
Pont-de-Dore
Puy-Guillaume
Châteldon
Ris
Lachaux
Escurolles
Aigueperse
Effiat
Montpensier
Ennezat
Pont-du-Château
Courpière
Billy
Magnet
Seuillet
St-Étienne-de-Vicq
Molles
Arronnes
Châtel-Montagne
Le Mayet-de-Montagne
Ferrières-sur-Sichon
St-Victor-Montvianeix
Palladuc
St-Rémy-sur-Durolle
Celles-sur-Durolle
Vollore-Ville
Vollore-Montagne
Peschadoires
Dorat
Culhat
Lempdes
Cournon-d'Auvergne
Chauriat
Vertaizon
Dallet
Ravel
Bort-l'Étang
Seychalles
Beauregard-l'Évêque
Vinzelles
Luzillat
Limons
Mons
St-Priest-Bramefant
St-Sylvestre-Pragoulin
Serbannes
Brugheas
Biozat
Jenzat
Saulzet
Monteignet-s-l'Andelot
Cognat-Lyonne
Espinasse-Vozelle
Bas-et-Lezat
Villeneuve-les-Cerfs
St-Clément-de-Régnat
Thuret
Sardon
St-Denis-Combarnazat
Surat
St-Ignat
Entraigues
Chappes
Joze
Les Martres-d'Artière
Malintrat
Aulnat
Pont-Astier
Crevant-Laveine
Orléat
Bulhon
Noalhat
Paslières
Charnat
Beaumont-lès-R.
Site des Hurlevents
Grotte des Fées
Pierre Encize
Puy de Montoncel
Rocher de Borbes
Col du Frissonnet
Viscomtat
Ste-Agathe
Aubusson-d'Auvergne
Gouttières
D 2009
D 2209
D 906
D 1093
D 2089
D 210
A 719
A 89
A 71

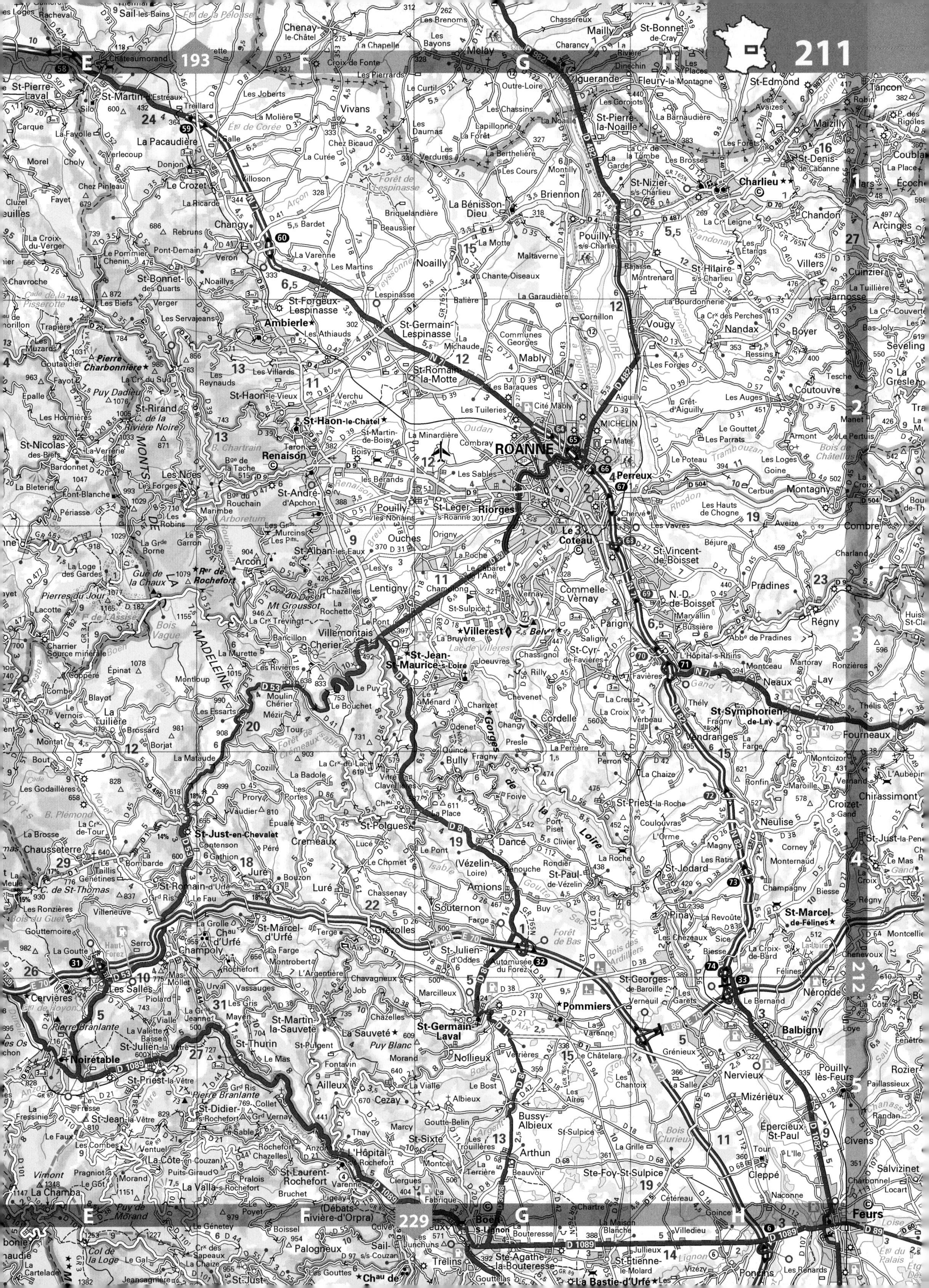
211
193
229
212
E
F
G
H
ROANNE
Riorges
Le Coteau
Perreux
Charlieu
Ambierle
St-Haon-le-Châtel
Renaison
Villerest
St-Just-en-Chevalet
Noirétable
St-Germain-Laval
Pommiers
Balbigny
Feurs
St-Symphorien-de-Lay
St-Marcel-de-Félines
Pierre Charbonnière
Iguerande
Marcigny
St-Martin-d'Estreaux
La Pacaudière
Le Crozet
Changy
St-Forgeux-Lespinasse
St-Germain-Lespinasse
St-Romain-la-Motte
Noailly
La Bénisson-Dieu
Briennon
Pouilly-s/s-Charlieu
Mably
Commelle-Vernay
St-Vincent-de-Boisset
Parigny
L'Hôpital-s-Rhins
Neaux
Lay
Régny
Pradines
Cordelle
Neulise
St-Jodard
St-Paul-de-Vézelin
Dancé
Amions
St-Polgues
Cremeaux
Champoly
St-Marcel-d'Urfé
Chau d'Urfé
Cervières
Les Salles
St-Julien-la-Vêtre
St-Didier-s-Rochefort
St-Laurent-Rochefort
L'Hôpital-s-Rochefort
Bussy-Albieux
Arthun
Ste-Foy-St-Sulpice
Nervieux
Mizérieux
Épercieux-St-Paul
Cleppé
Civens
Pouilly-lès-Feurs
Boën
St-Étienne-le-Molard
La Bastie-d'Urfé
Trelins
Ste-Agathe-la-Bouteresse
Poncins
MONTS DE LA MADELEINE
Gorges de la Loire
Lac de Villerest
Forêt de Lespinasse
Forêt de Bas
Bois des Ardilliers
Arboretum
Mt Groussot
Puy Dadieu
Puy de Morand
Puy Blanc
Belvre
Automusée du Forez
MICHELIN
LOIRE
Canal de Roanne à Digoin

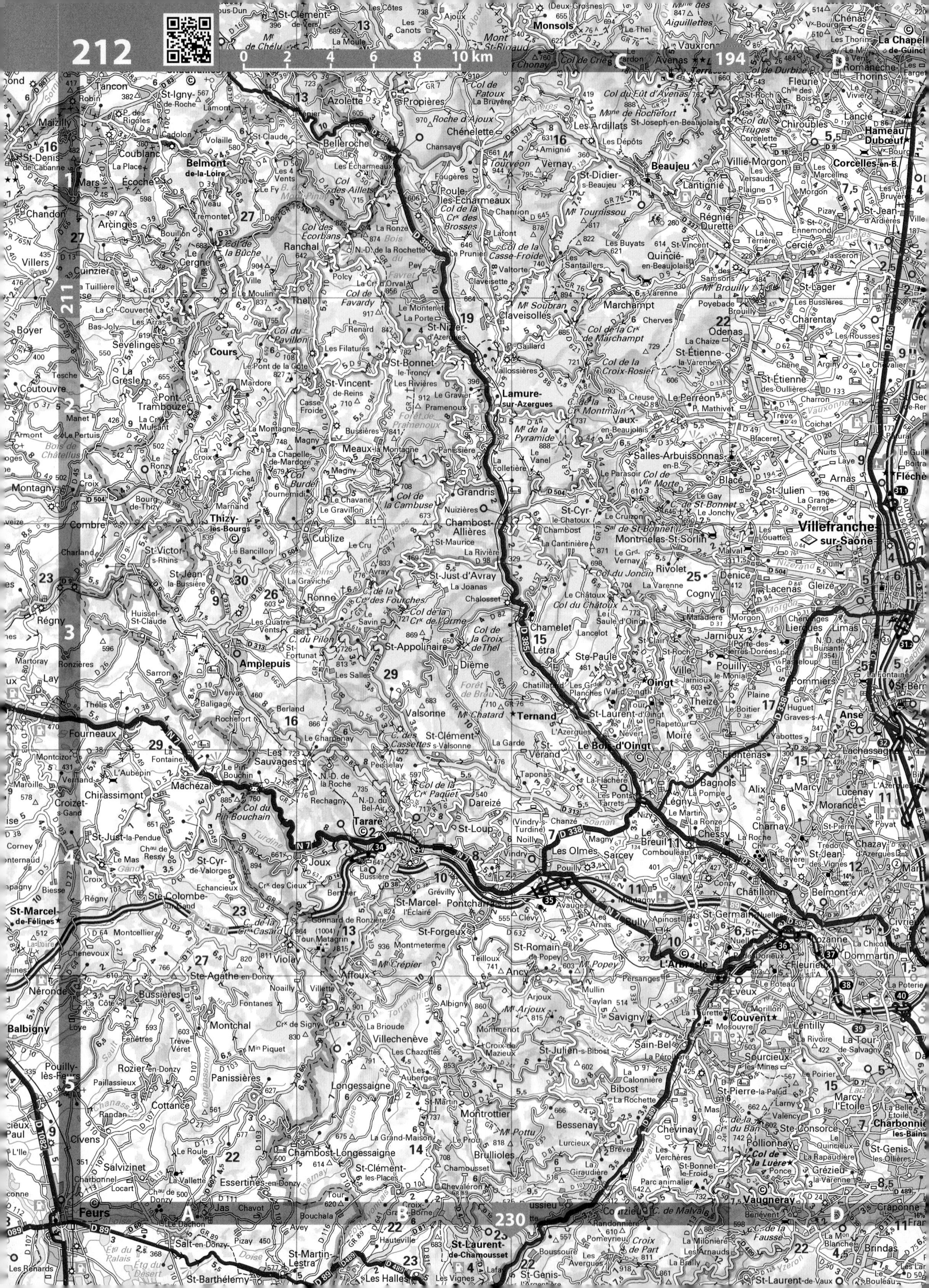

0 2 4 6 8 10 km
194
211
230
A
B
C
D
1
2
3
4
5
Monsols
Belmont-de-la-Loire
Beaujeu
Chénelette
Les Ardillats
Vernay
Lantignié
Régnié-Durette
Villié-Morgon
Chiroubles
Fleurie
Corcelles-en-B.
Quincié-en-Beaujolais
Cercié
St-Lager
Ranchal
Claveisolles
Marchampt
Odenas
Charentay
St-Nizier-d'Azergues
Cours
Lamure-sur-Azergues
Thizy-les-Bourgs
Grandris
Chambost-Allières
Villefranche-sur-Saône
Amplepuis
Gleizé
Limas
Anse
Tarare
Le Bois-d'Oingt
Oingt
Ternand
Chamelet
Létra
L'Arbresle
St-Marcel-de-Félines
Violay
Balbigny
Panissières
Feurs
St-Laurent-de-Chamousset
Vaugneray
Charbonnières-les-Bains
Couvent
Sain-Bel
Savigny
Fleurieux
Dommartin
Lozanne
Chessy
Belmont-d'A.
Chazay-d'Azergues
Lucenay
Morancé
Marcy
Alix
Bagnols
Légny
Régny
Lay
Fourneaux
Machézal
Chirassimont
Joux
St-Forgeux
Montrottier
Bessenay
Brullioles
Longessaigne
Villechenève
Montchal
Cottance
Rozier-en-Donzy
Pouilly-lès-Feurs
Civens
Salvizinet
Essertines-en-Donzy
St-Barthélemy-Lestra
St-Martin-Lestra
Les Halles
Brindas
Craponne
Grézieu-la-Varenne
Pollionnay
Ste-Consorce
Marcy-l'Etoile
Lentilly
Sourcieux-les-Mines
Éveux
Col de la Luère
Col du Pilon
Col des Écorbans
Col de Favardy
Col de la Cambuse
Col des Fourches
Col du Pin Bouchain
Mt Tourvéon
Mt St-Rigaud
Mt Brouilly
Col de Durbize
Mt Popey
Mt Arjoux
Mt Crépier
Col de Malval
A 89
N 7
D 385
D 306
D 338
D 504
D 313

195
231
214
Montcet
St-Denis-lès-Bourg
Chaveyriat
Montracol
Péronnas
Bey
Garnerans
St-Julien-s-Veyle
Chanoz-Châtenay
Sulignat
Condeissiat
Neuville-les-Dames
L'Abergement-Clémenciat
St-André-s-Vieux-Jonc
Servas
Lent
Certines
Mogneneins
Dompierre-s-C.
Peyzieux-s-Saône
Valeins
Baneins
Châtillon-s-Chalaronne
Romans
St-André-le-Bouchoux
St-Paul-de-Varax
Genouilleux
Guéreins
Chaneins
St-Georges-sur-Renon
St-Germain-sur-Renon
Relevant
La Chapelle-du-Châtelard
Sandrans
Marlieux
St-Nizier-le-Désert
Dompierre-sur-Veyle
Montceaux
Francheleins
St-Trivier-s-Moignans
Abbe de N.-D.-des-Dombes
Le Plantay
Châtenay
Chaleins
Villeneuve
Bouligneux
Ste-Olive
Villars-les-Dombes
Chalamont
Savigneux
Ambérieux-en-Dombes
Lapeyrouse
Versailleux
Misérieux
Rancé
Birieux
Joyeux
Crans
Trévoux
Toussieux
St-Jean-de-Thurigneux
Monthieux
St-Marcel-en-Dombes
Le Montellier
Rignieux-le-Franc
Villieu-Loyes-Mollon
Reyrieux
Civrieux
St-André-de-Corcy
Pérouges
Meximieux
Parcieux
Quincieux
Massieux
Genay
Mionnay
Ste-Croix
Bourg-St-Christophe
Montanay
Tramoyes
Pizay
Béligneux
Neuville-s-Saône
Fleurieu-s-S.
Montluel
Dagneux
Balan
Sathonay
Miribel
Neyron
Nièvroz
Rillieux-la-Pape
Caluire-et-Cuire
Vaulx-en-Velin
Jonage
Villeurbanne
Meyzieu
Décines-Charpieu
Pusignan
Chavanoz
Pont-de-Chéruy
LYON
Bron
Chassieu
Genas
Charvieu-Chavagneux
Tignieu-Jameyzieu
Crémieu
St-Priest
Colombier-Saugnieu
Villemoirieu
Oullins
Ste-Foy-lès-Lyon
Anthon
Loyettes
Parc archéologique de Larina
Camp de la Valbonne
Ile de Miribel-Jonage
Parc des Oiseaux
EUREXPO
LYON-ST-EXUPÉRY

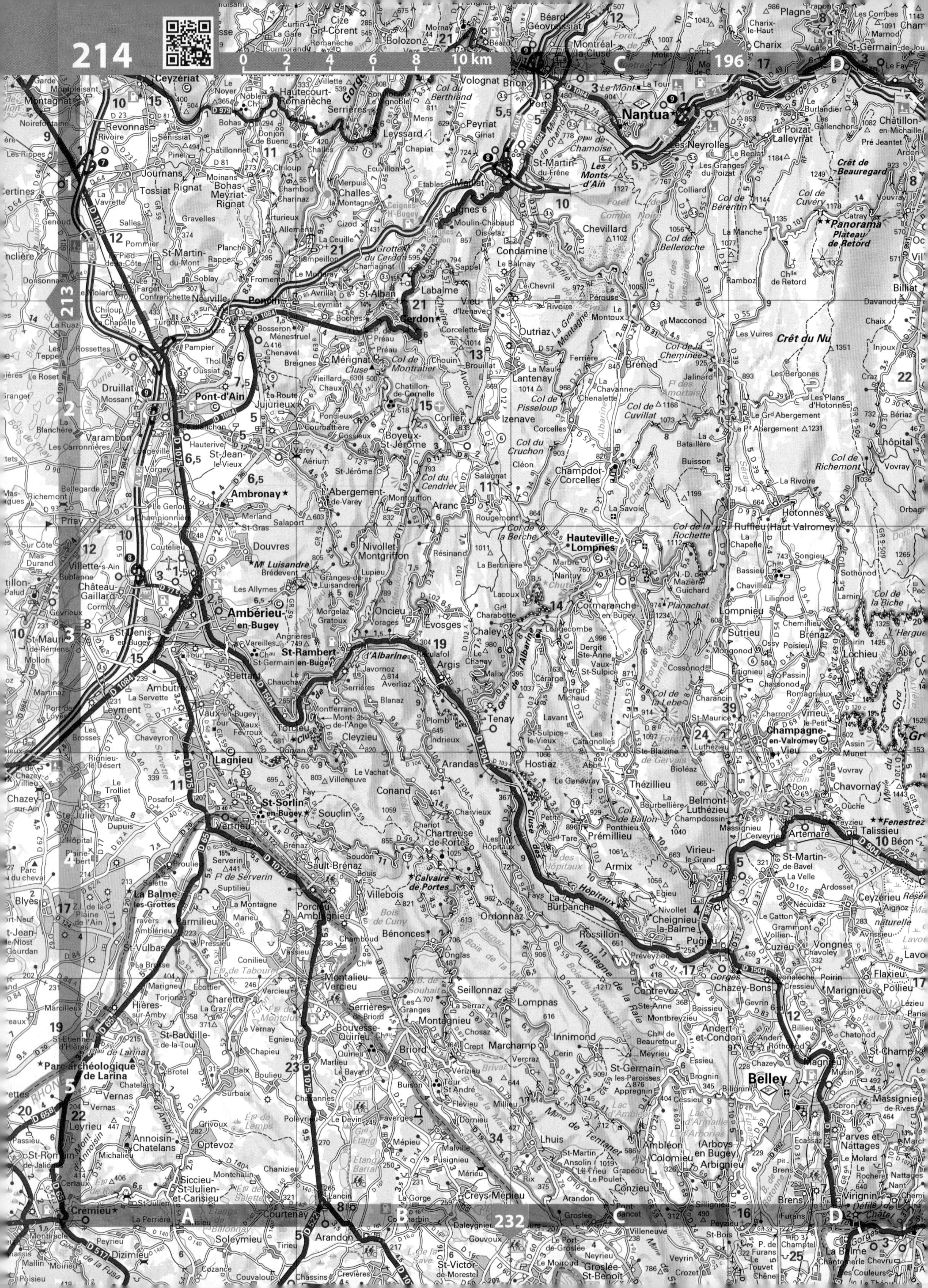
0 2 4 6 8 10 km
196
213
232
Nantua
Ceyzériat
Pont-d'Ain
Ambronay
Ambérieu-en-Bugey
St-Rambert-en-Bugey
Lagnieu
St-Sorlin-en-Bugey
Hauteville-Lompnes
Champagne-en-Valromey
Belley
Crémieu
Cerdon
Poncin
Jujurieux
Tenay
Argis
Chaley
Hostiaz
Lompnas
Innimond
Briord
Montalieu-Vercieu
Porcieu-Amblagnieu
La Balme-les-Grottes
Courtenay
Arandon
Creys-Mépieu
Virieu-le-Grand
Artemare
Plateau de Retord
Crêt du Nu
Les Monts d'Ain
Col de Richemont
Montagne de la Raie
Calvaire de Portes
Chartreuse de Portes
Cluse des Hôpitaux
Parc archéologique de Larina
Mt Luisandre
Revonnas
Journans
Tossiat
Druillat
Varambon
Priay
Douvres
Château-Gaillard
St-Denis-en-Bugey
Leyment
Vaux-en-Bugey
Villebois
Bénonces
Ordonnaz
Seillonnaz
Marchamp
Conand
Arandas
Evosges
Oncieu
Nivollet-Montgriffon
Aranc
Corlier
Izenave
Lantenay
Condamine
Chevillard
Brénod
Champdor-Corcelles
Hotonnes
Ruffieu (Haut Valromey)
Lompnieu
Sutrieu
Brénaz
Lochieu
Thézillieu
Prémillieu
Armix
Rossillon
Pugieu
Chazey-Bons
Marignieu
Andert-et-Condon
St-Germain-les-Paroisses
Conzieu
Ambléon
Colomieu
Arbignieu
Brens
Virignin
Parves et Nattages
Massignieu-de-Rives
Vongnes
Cuzieu
Ceyzérieu
Talissieu
Béon
Châtillon-en-Michaille
Le Poizat-Lalleyriat
Les Neyrolles
St-Martin-du-Frêne
Maillat
Montréal-la-Cluse
Charix
Plagne
St-Germain-de-Joux
Lhôpital
Hières-sur-Amby
Optevoz
Annoisin-Chatelans
Siccieu-St-Julien-et-Carisieu
Vernas
Leyrieu
Soleymieu
Bouvesse-Quirieu
Montagnieu
Serrières-de-Briord
Chazey-sur-Ain
Ste-Julie
Villette-s-Ain
Blyes
St-Vulbas
Charette
Parmilieu

197
E
F
G
H
233
216
ANNECY
Annecy-le-Vieux
St-Julien-en-Genevois
Carouge
Bellegarde-s-Valserine
Fort l'Écluse
Seyssel
Rumilly
Albens
AIX-LES-BAINS
Grésy-s-Aix
Alby-s-Chéran
Seynod
Cruseilles
Frangy
Reignier Esery
La Roche-s-Foron
Thorens-Glières
Faverges
Duingt
Sevrier
Menthon-St-Bernard
Talloires-Montmin
Doussard
Lac d'Annecy
Col de Leschaux
Crêt de Châtillon
Semnoz
Tête du Parmelan
Col de la Forclaz
La Tournette
Pont du Diable
Abbe de Hautecombe
Lac du Bourget
Montrottier
Gges du Fier
Le Salève
Les Treize Arbres
Parc des Dronières
Défilé de l'Écluse
Bge de Génissiat
Col du Mt Sion
Crêt de la Goutte
Pertes de la Valserine
Le Sappey
Plan de Salève
Col d'Evires
Col des Glières
Usses
Fier
Rhône

0 2 4 6 8 10 km
198
215
234
A
B
C
D
1
2
3
4
5
Les Gets
Taninges
Samoëns
Sixt-Fer-à-Cheval
Bonneville
Cluses
La Roche-s-Foron
St Jeoire
Mieussy
Marignier
Scionzier
Mont-Saxonnex
Chaîne du Bargy
Le Reposoir
Col de la Colombière
Magland
Flaine
Désert de Platé
Sallanches
Passy
Plateau d'Assy
Le Grand-Bornand
St-Jean-de-Sixt
La Clusaz
Thônes
Col des Aravis
Chaîne des Aravis
Combloux
Cordon
Le Fayet
St-Gervais-les-Bains
Les Houches
Servoz
MEGÈVE
Praz-s-Arly
Flumet
Mt d'Arbois
Mont Joly
Les Contamines-Montjoie
N.-D.-de-Bellecombe
Crest-Voland
Les Saisies
Hauteluce
Beaufort
Col du Bonhomme
Col du Joly
Aigle Croche
Ugine
Faverges
Albertville
Conflans
Col de Tamié
La Tournette
Manigod
Col de la Croix-Fry
Col des Glières
Thorens-Glières
Col de Niard
Boudin
Bge de Roselend
Cormet de Roselend
Col du Pré
Signal de Bisanne
Aiguille du Grand Fond
Col de la Forclaz
Col de Joux Plane
Roc de Charmieux
Entremont
Pic de Jallouvre
Pointe Percée
Col des Annes
Mt Charvin
Col de l'Arpettaz
La Giettaz
Col des Saisies
Marthod
Queige
Villard-sur-Doron
Vallée des Glaciers
Les Chapieux

217
199
235
Martigny
Verbier
Champex
Orsières
Col de la Forclaz
Bge d'Emosson
Vallorcine
Col de Balme
Argentière
CHAMONIX-MONT-BLANC
Aiguille du Midi
Tunnel du Mt Blanc
MONT BLANC
Traforo del M. Bianco
Grandes Jorasses
Aigle Verte
Mt Dolent
Grd Col Ferret
Col du Grd St-Bernard
Grd St-Bernard
Tunnel
Route couverte
Bourg-St-Pierre
Liddes
VALLÉE D'ENTREMONT
Val Ferret
Courmayeur
Pré-St-Didier
Morgex
la Salle
la Thuile
Col du Pt St-Bernard
Lancebranlette
AOSTA / AOSTE
St-Oyen
Étroubles
Gran S. Bernardo
Bge de Mauvoisin
Mt Fort
Grde Dixence
Le Châble
Sembrancher
Saxon
Fully
Mt Vélan
Grd Combin
Mt Gelé
Valpelline
Ollomont
Aymavilles
Villeneuve
Arvier
Avise
Rhêmes-St-Georges
Mt Paramont
Sarre
Gressan
Charvensod

0 2 4 6 8 10 km
A
B
C
D
1
2
3
4
5
200
236
La Coubre
Pointe de la Coubre
Bonne Anse
La Palmyre
Zoo
Arvert
Étaules
Chatressac
Mornac-s-Seudre
St-Augustin
Breuillet
St-Sulpice-de-Royan
L'Éguille
Médis
La Grande Côte
Phare de Terre-Nègre
St-Palais-s-Mer
Vaux-s-Mer
Nauzan
Pontaillac
ROYAN
Conche de Gde
Pnte de Vallières
St-Georges-de-Didonne
Pointe de Grave
Pnte de Suzac
Plage de Suzac
Plage de l'Arnèche
Plage des Vergnes
Plage des Nonnes
Meschers-s-Gironde
Talmont-s-Gironde
Cordouan
Musée
Port Bloc
Port du Verdon
Port Médoc
Le Logit
Le Verdon-sur-Mer
Pnte de la Chambrette
Le Royannais
Grands-Maisons
ZONE PORTUAIRE
Les Huttes
Soulac-sur-Mer
Le Jeune Soulac
Neyran
Les Coustaux
L'Amélie-sur-Mer
Lillan
Banc des Olives
Pointe de la Négade
Lède de la Négade
Talais
Les Mattes
Pointe aux Oiseaux
Port-de-St Vivien
Grayan
Grayan-et-l'Hôpital
Les Eyres
Le Gurp
Daugagnan
St-Vivien-de-Médoc
La Fosse
Richard
La Brasserie
La Hourcade
Port-de-Richard
Lède du Gurp
Le Piqueau
Dépée
Euronat
Étang de la Barreyre
L'Hôpital
Jau-Dignac-et-Loirac
Dignac
Le Centre
Goulée
Le Mayne
Gaudin
Noaillac
Lède de la Canillouse
Vensac
Loirac
Montalivet-les-Bains
Les Arrestieux
Le Gua
Mayan
Larnac
Mouva
Courbian
Sémian
La Hontane
Centre Hélio-Marin
Meugas
Périgueys
Queyrac
Moulinevre
Vendays-Montalivet
Laujac
Meillan
Lescapon
Bial
Cap-du-Prat
Forêt de Vendays
Sarnac
Les Ourmes
Trembleaux
Hourcan
Pey-du-Haut
Coudessant
Cayrehours
Gaillan-en-Médoc
Roudillac
Bourgueyraud
Marais de Lespaut
Blanc
Berganton
Lesparre-Médoc
La Bresquette
Escot
Forêt du Junca
St-Isidore
Bouries
Conneau
Plassan
Le Pin-Sec
Naujac-sur-Mer
Lizan
La Prise
Magagnan
St-Gaux
Lagune
D 1215
D 730
D 25
D 14
D 102
D 101
D 202
D 3

SAINTES
201
E
F
G
H
Chaniers
Courcoury
Les Gonds
Pessines
Corme-Royal
Balanzac
Luchat
Pisany
Thézac
Rétaud
Meursac
Thénac
Chermignac
Préguillac
Berneuil
La Jard
Colombiers
Montils
Brives-s-Charente
Rouffiac
St-Sever-de-Saintonge
Dompierre-s-C.
Chérac
St-Laurent-de-C.
Javrezac
Salignac-s-Charente
Rioux
Montpellier-de-Médillan
Corme-Écluse
Tesson
St-Simon-de-Pellouaille
Villars-en-Pons
St-Léger
Pons
Pérignac
Coulonges
Ars
Gimeux
Thaims
Grézac
Cozes
St-André-de-Lidon
Cravans
Jazennes
Gémozac
Tanzac
Bougneau
Échebrune
Lonzac
St-Martial-s-Né
Arces
Épargnes
Virollet
Givrezac
Mazerolles
Belluire
Usson
Avy
Biron
Jarnac-Champagne
Barzan
Chenac-St-Seurin-d'Uzet
St-Germain-du-S.
Champagnolles
St-Quantin-de-Rançanne
Fléac-s-S.
Marignac
Chadenac
Ste-Lheurine
Neuillac
St-Palais-de-Phiolin
St-Grégoire-d'Ardennes
Mortagne-s-Gironde
Boutenac-Touvent
Brie-s/s-Mortagne
Bois
St-Genis-de-Saintonge
Mosnac
St-Georges-Antignac
Clam
Neulles
Floirac
Plassac
Clion
Lussac
St-Martial-de-Vitaterne
St-Romain-s-G.
St-Fort-s-G.
Lorignac
St-Dizant-du-Gua
Beaulon
St-Ciers-du-Taillon
Ste-Ramée
Consac
St-Dizant-du-Bois
St-Sigismond-de-Clermont
St-Germain-de-Lusignan
Jonzac
Meux
Champagnac
St-Hilaire-du-Bois
Nieul-le-Virouil
Semillac
St-Martial
Mirambeau
Semoussac
St-Thomas-de-Conac
St-Sorlin-de-Conac
St-Georges-des-Agoûts
St-Simon-de-Bordes
Ozillac
Fontaines-d'Ozillac
Allas-Bocage
Agudelle
Villexavier
220
St-Bonnet-s-Gironde
Soubran
Salignac-de-M.
Rouffignac
Tugéras-St-Maurice
St-Christoly-Médoc
Couquèques
St-Yzans-de-Médoc
Pleine-Selve
Courpignac
Boisredon
Chamouillac
Chartuzac
Expiremont
Ordonnac
St-Seurin-de-Cadourne
St-Palais
Coux
St-Ciers-sur-Gironde
St-Caprais-de-Blaye
Montendre
St-Corbian
St-Estèphe
237
Vertheuil
St-Aubin-de-Blaye
Marcillac
Braud-et-St-Louis
LE BLAYAIS
GIRONDE
L'AQUITAINE
A 10
N 150
D 137
D 730
D 732

0 2 4 6 8 10 km
202
219
238
A
B
C
D
Cognac
Jarnac
Châteaubernard
Segonzac
Bouteville
Archiac
Barbezieux-St-Hilaire
Jonzac
Pons
Montendre
Chevanceaux
Baignes-Ste-Radegonde
Brossac
Chalais
Reignac
Salles-de-Barbezieux
Lignières-Sonneville
St-Palais-du-Né
Champagnac
Mosnac
Clion
St-Sever-de-Saintonge
Pérignac
Gensac-la-Pallue
Bourg-Charente
Châteauneuf-s-Charente

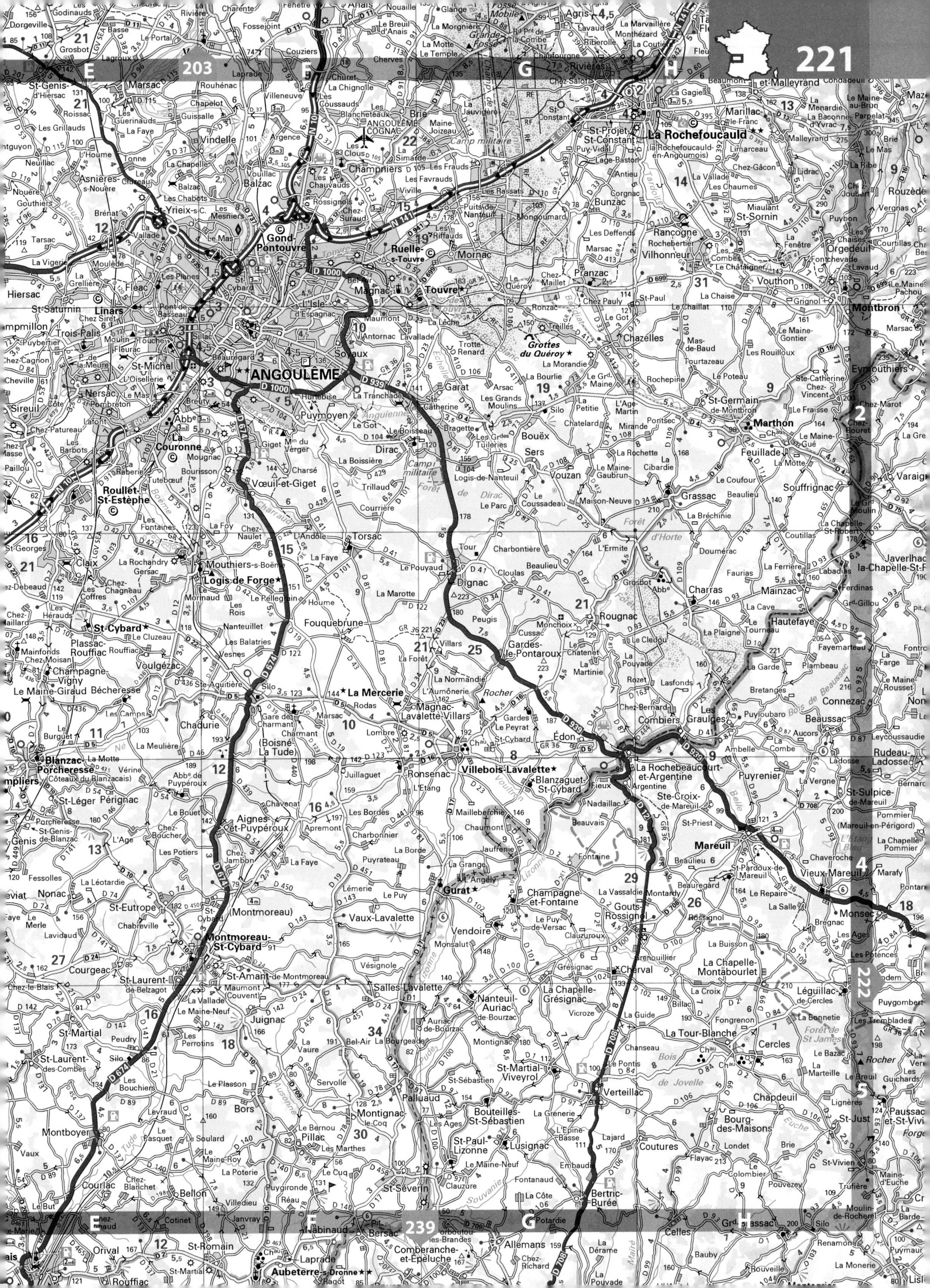

203
239
222
ANGOULÊME
La Rochefoucauld
Gond-Pontouvre
Ruelle-s-Touvre
Touvre
Magnac-s-T.
Soyaux
L'Isle-d'Espagnac
St-Yrieix-s-C.
Fléac
Linars
La Couronne
Roullet-St-Estèphe
Mouthiers-s-Boëme
Logis de Forge
St-Cybard
Blanzac-Porcheresse
Montmoreau-St-Cybard
Aubeterre-s-Dronne
Villebois-Lavalette
Magnac-Lavalette-Villars
La Mercerie
Dignac
Marthon
Montbron
Grottes du Quéroy
Champniers
Brie
Mornac
Pranzac
Rancogne
Vilhonneur
St-Projet-St-Constant
Marillac-le-Franc
Rivières
Agris
Chazelles
Grassac
Souffrignac
Charras
Rougnac
Gardes-le-Pontaroux
Édon
La Rochebeaucourt-et-Argentine
Mareuil
Vieux-Mareuil
Gurat
Vendoire
Nanteuil-Auriac-de-Bourzac
Verteillac
La Tour-Blanche
Cercles
Bertric-Burée
St-Séverin
Montignac-le-Coq
Salles-Lavalette
Chalais
Puymoyen
Dirac
Torsac
Vœuil-et-Giget
Fouquebrune
Aignes-et-Puypéroux
Chadurie
Pérignac
Nonac
Juignac
Montboyer
Courlac
Bellon
Pillac
Palluaud
Lusignac
Cherval
Gouts-Rossignol
Champagne-et-Fontaine
Bouëx
Sers
Vouzan
Garat
Ste-Catherine
Nersac
Sireuil
St-Michel
Hiersac
St-Saturnin
Trois-Palis
Asnières-s-Nouère
Balzac
Vindelle
Marsac
Camp militaire
Forêt de Dirac
Forêt d'Horte

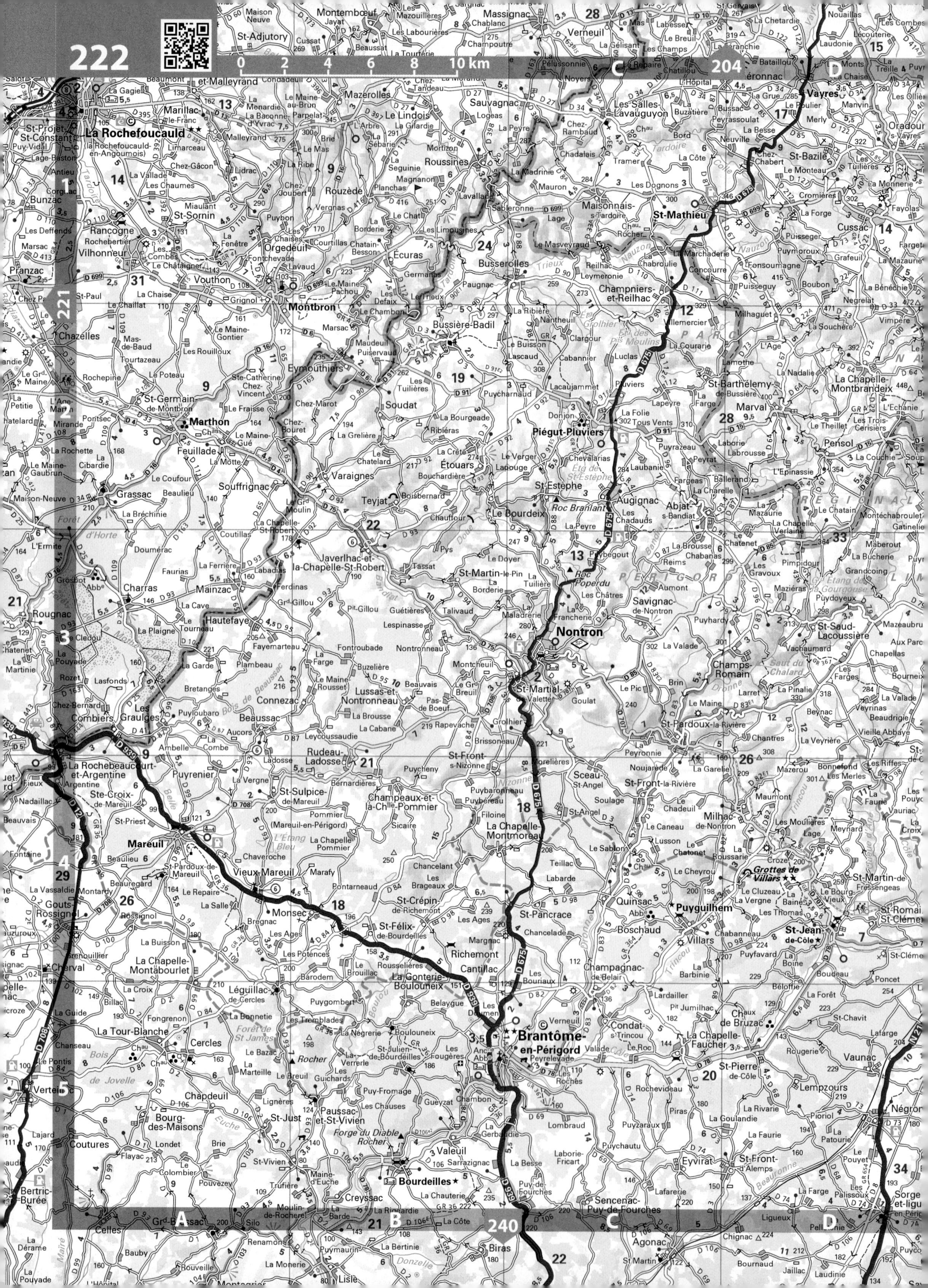
0 2 4 6 8 10 km
204
221
240
La Rochefoucauld
(la Rochefoucauld-en-Angoumois)
St-Projet-St-Constant
Marillac-le-Franc
Rancogne
Vilhonneur
Pranzac
Bunzac
Montbron
Orgedeuil
Écuras
Rouzède
Roussines
Massignac
Verneuil
Sauvagnac
Les Salles-Lavauguyon
St-Mathieu
Vayres
Oradour
Busserolles
Bussière-Badil
Champniers-et-Reilhac
Maisonnais-s-Tardoire
Eymouthiers
Chazelles
Marthon
St-Germain-de-Montbron
Feuillade
Souffrignac
Grassac
Varaignes
Teyjat
Étouars
Piégut-Pluviers
St-Estèphe
Roc Branlant
Augignac
Abjat-s-Bandiat
Le Bourdeix
St-Barthélemy-de-Bussière
Marval
La Chapelle-Montbrandeix
Pensol
St-Saud-Lacoussière
Javerlhac-et-la-Chapelle-St-Robert
St-Martin-le-Pin
Nontron
St-Martial-Valette
Savignac-de-Nontron
Champs-Romain
St-Pardoux-la-Rivière
Charras
Mainzac
Hautefaye
Rougnac
Lussas-et-Nontronneau
Connezac
Beaussac
Les Graulges
La Rochebeaucourt-et-Argentine
Rudeau-Ladosse
St-Front-s-Nizonne
Sceau-St-Angel
St-Front-la-Rivière
Milhac-de-Nontron
Puyrenier
Ste-Croix-de-Mareuil
St-Sulpice-de-Mareuil
Champeaux-et-la-Chapelle-Pommier
La Chapelle-Montmoreau
Mareuil
Vieux-Mareuil
Grottes de Villars
Puyguilhem
Villars
St-Jean-de-Côle
Gouts-Rossignol
Monsec
St-Crépin-de-Richemont
St-Félix-de-Bourdeilles
Richemont
Cantillac
St-Pancrace
Quinsac
Champagnac-de-Belair
Cherval
La Chapelle-Montabourlet
Léguillac-de-Cercles
La Gonterie-Boulouneix
Brantôme-en-Périgord
Condat-s-Trincou
La Chapelle-Faucher
Chaux de Bruzac
La Tour-Blanche
Cercles
Vaunac
St-Pierre-de-Côle
Verteillac
Chapdeuil
Bourg-des-Maisons
Paussac-et-St-Vivien
Valeuil
Bourdeilles
Forge du Diable Rocher
Lempzours
Négrondes
Eyvirat
St-Front-d'Alemps
Sorges-et-Ligueux-en-Périgord
Coutures
Bertric-Burée
Creyssac
Sencenac-Puy-de-Fourches
Agonac
Celles
Biras
Lisle
PARC NATUREL RÉGIONAL PÉRIGORD-LIMOUSIN
Forêt d'Horte
Bois de Jovelle
Forêt de St James
Tardoire
Dronne
Côle
Nizonne

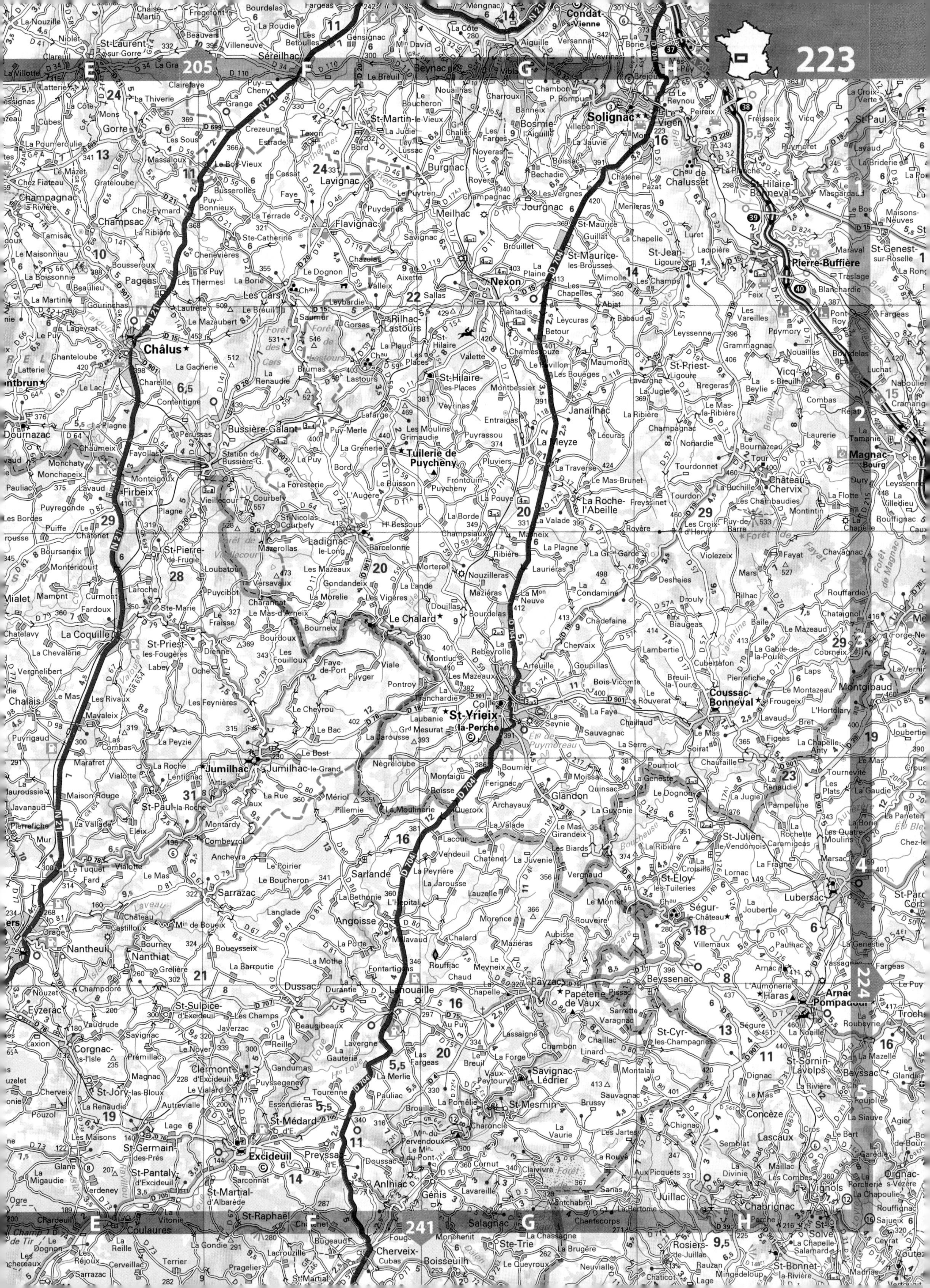
205
224
241
E
F
G
H
Séreilhac
Beynac
Solignac
Le Vigen
Chau de Chalusset
St-Hilaire-Bonneval
Pierre-Buffière
St-Genest-sur-Roselle
Condat-s-Vienne
St-Laurent-sur-Gorre
Gorre
Champagnac-la-Rivière
Champsac
Pageas
Flavignac
Lavignac
Burgnac
Meilhac
Jourgnac
Nexon
St-Maurice-les-Brousses
St-Jean-Ligoure
Les Cars
Rilhac-Lastours
Lastours
Châlus
St-Hilaire-les-Places
St-Priest-Ligoure
Vicq-s-Breuilh
Magnac-Bourg
Janailhac
La Meyze
Bussière-Galant
Tuilerie de Puycheny
Dournazac
Firbeix
La Roche-l'Abeille
Château Chervix
Ladignac-le-Long
St-Nicolas-Courbefy
St-Pierre-de-Frugie
Le Chalard
La Coquille
St-Priest-les-Fougères
St-Yrieix-la-Perche
Coussac-Bonneval
Montgibaud
Jumilhac
Jumilhac-le-Grand
St-Paul-la-Roche
Glandon
St-Julien-le-Vendômois
Sarlande
Sarrazac
Angoisse
Ségur-le-Château
Lubersac
Nantheuil
Nanthiat
Lanouaille
Payzac
Papeterie de Vaux
Beyssenac
Arnac-Pompadour
Haras
Corgnac-s-l'Isle
St-Sulpice-d'Excideuil
Clermont-d'Excideuil
Savignac-Lédrier
St-Cyr-les-Champagnes
St-Sornin-Lavolps
St-Jory-las-Bloux
St-Médard-d'E.
St-Mesmin
Concèze
St-Germain-des-Prés
Excideuil
Anlhiac
Génis
Juillac
Vignols
St-Pantaly-d'Excideuil
St-Martial-d'Albarède
Coulaures
St-Raphaël
Salagnac
Chabrignac
Cherveix-Cubas
Boisseuilh
Ste-Trie
St-Solve
Rosiers-de-Juillac
St-Bonnet-la-Rivière
Forêt de Fayat
Forêt de Vieillecour
Forêt des Cars
Forêt de Lastours
N 21
D 704
D 901
A 20

224
0 2 4 6 8 10 km
206
223
242
A
B
C
D
Solignac
Le Vigen
Chau de Chalusset
St-Hilaire-Bonneval
Pierre-Buffière
St-Paul
St-Bonnet-Briance
St-Genest-sur-Roselle
Linards
Roziers-St-Georges
Masléon
Neuvic-Entier
Châteauneuf-la-Forêt
Eymoutiers
Ste-Anne-St-Priest
St-Jean-Ligoure
St-Maurice-les-Brousses
Glanges
St-Méard
Sussac
Domps
St-Priest-Ligoure
Vicq-s-Breuilh
Magnac-Bourg
St-Germain-les-Belles
St-Vitte-s-Briance
La Croisille-s-Briance
Mt Gargan
Surdoux
St-Gilles-les-Forêts
Château Chervix
La Roche-l'Abeille
La Porcherie
Chamberet
Meuzac
Masseret
Lamongerie
Meilhards
Soudaine-Lavinadière
Coussac-Bonneval
Montgibaud
Benayes
Salon-la-Tour
Rilhac-Treignac
Affieux
Peyrissac
St-Julien-le-Vendômois
Lubersac
St-Eloy-les-Tuileries
Ségur-le-Château
Montfumat
St-Ybard
Condat-s-Ganaveix
Eyburie
Le Lonzac
Uzerche
Espartignac
Chamboulive
Pierrefitte
Beyssenac
Arnac-Pompadour
Troche
St-Jal
Puy des Fourches
St-Cyr-les-Champagnes
St-Sornin-Lavolps
Vigeois
Seilhac
Beyssac
Lagraulière
Concèze
Lascaux
Perpezac-le-Noir
St-Clément
Juillac
Orgnac-s-Vézère
Vignols
Chanteix
Naves
St-Solve
Estivaux
St-Bonnet-l'Enfantier
Sadroc
Voutezac
Rosiers-de-Juillac
St-Bonnet-la-Rivière
Forêt de Fayat
Forêt de Magnac
A 20
E 9
D 979
D 1120
D 920
D 940
A 89

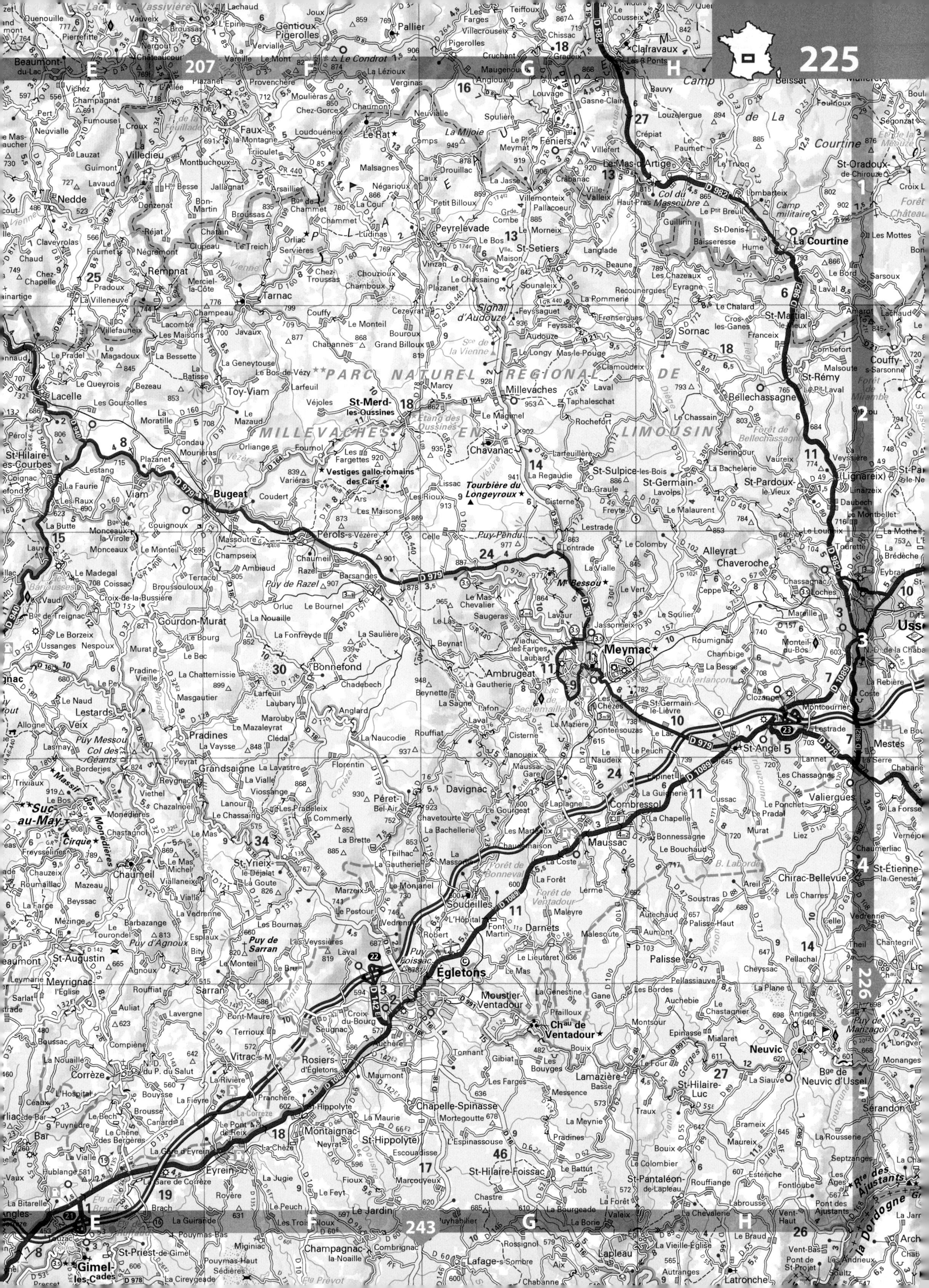
207
E
F
G
H
PARC NATUREL RÉGIONAL DE MILLEVACHES EN LIMOUSIN
Plateau de Millevaches
Camp de La Courtine
Camp militaire
Beaumont-du-Lac
Nedde
Rempnat
Tarnac
Faux-la-Montagne
Gentioux-Pigerolles
Le Rat
Peyrelevade
St-Setiers
Féniers
Clairavaux
Le-Mas-d'Artige
Col du Massoubre
La Courtine
Sornac
St-Martial-le-Vieux
St-Rémy
Bellechassagne
Signal d'Audouze
Millevaches
St-Merd-les-Oussines
Étang des Oussines
Chavanac
Toy-Viam
Lacelle
St-Hilaire-les-Courbes
Viam
Bugeat
Pérols-s-Vézère
Vestiges gallo-romains des Cars
Tourbière du Longeyroux
Mt Bessou
St-Sulpice-les-Bois
St-Germain-Lavolps
St-Pardoux-le-Vieux
Alleyrat
Chaveroche
Lignareix
Ussel
Meymac
Ambrugeat
Lac de Séchemailles
St-Angel
Mestes
Valiergues
Gourdon-Murat
Bonnefond
Pradines
Grandsaigne
Davignac
Péret-Bel-Air
Combressol
Maussac
Massif des Monédières
Suc-au-May
Cirque
Chaumeil
St-Yrieix-le-Déjalat
Soudeilles
Darnets
Forêt de Ventadour
Forêt de Bonneval
Chirac-Bellevue
St-Étienne-la-Geneste
Puy de Sarran
Sarran
St-Augustin
Meyrignac-l'Église
Corrèze
Égletons
Moustier-Ventadour
Chau de Ventadour
Rosiers-d'Égletons
Vitrac-s-Montane
Lamazière-Basse
Neuvic
Puy de Manzagol
Bge de Neuvic d'Ussel
Gorges
St-Hilaire-Luc
Sérandon
Chapelle-Spinasse
Montaignac-St-Hippolyte
St-Hilaire-Foissac
St-Pantaléon-de-Lapleau
Eyrein
Rte des Ajustants
la Dordogne
226
Lapleau
Champagnac-la-Noaille
Lafage-s-Sombre
St-Priest-de-Gimel
Gimel-les-Cascades
243
Laronche
Pont de St-Projet
Soursac

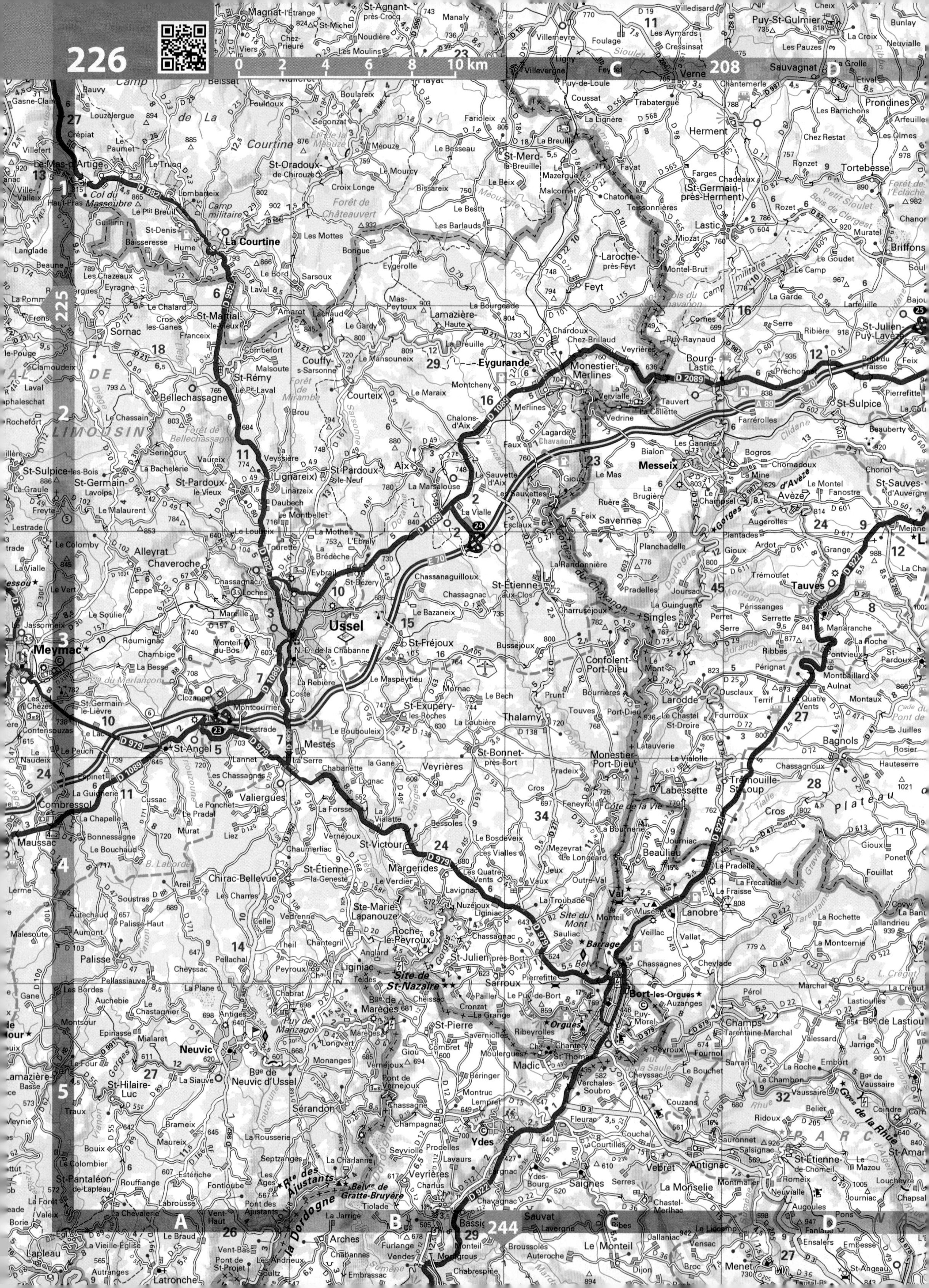

0 2 4 6 8 10 km

208
225
244

A B C D

1 2 3 4 5

Magnat-l'Etrange
St-Agnant-près-Crocq
St-Michel
Manaly
Chez-Prieuré
Noudière
Viers
Les Moulins
Villedisard
Villemeyre
Foulage
Les Aymards
Cressinsat
Puy-St-Gulmier
La Croix
Bunlay
Les Pauzes
Neuvialle
Beissat
Villevergne
Feydet
Verne
Sauvagnat
La Grolle
Etival
Bauvy
Gasne-Clair
Boulareix
Foulnoux
Puy-de-Loule
Coussat
Chantemerle
Trabatergue
Prondines
Louzelergue
Crépiat
Camp de La Courtine
Segonzat
Farioleix
La Lignère
Herment
Les Barrichons
Arfeuilles
Villefert
Le Paumet
Méouze
Le Besseau
La Breuille
Chez Restat
Les Olmes
Le-Mas-d'Artige
Le Truoq
St-Oradoux-de-Chirouze
Le Mourcy
St-Merd-la-Breuille
Fayat
Farges
Chadeaux
(St-Germain-près-Herment)
Ronzet
Tortebesse
Ville-Valleix
Haut-Pras
Col du Massoubre
Lombarteix
Camp militaire
Croix Longe
Bissareix
Le Beix
Le Mazergue
Malcornet
Chatonnier
Teissonnières
Petit Sioulet
Forêt de l'Eclache
Guillirin
Le Pᵗ Breuil
Forêt de Châteauvert
Le Besth
Les Barlauds
Rozet
Lastic
Muratel
Chanor
St-Denis
Baisseresse
Hume
La Courtine
Les Mottes
Bongue
Miozat
Montel-Brut
Laroche-près-Feyt
Bois de Clergeat
Briffons
Langlade
Beaune
Les Chazeaux
Eyragne
Le Bord
Sarsoux
Eygerolle
Le Goudet
Le Camp
Camp militaire
Laval
Feyt
Bois du Chavanon
Mas-Peytoux
La Garde
Larfeuille
La Pomme
Le Chalard
Cros-les-Ganes
St-Martial-le-Vieux
Amarot
Lachaud
Lamazière-Haute
La Bourgeade
Cornes
Serre
Ribière
St-Julien-Puy-Lavèze
Frons
Sornac
Franceix
Le Gardy
Chardoux
Chez-Brillaud
Veyrières
Puy-Raynaud
Combefort
Le Mansouneix
La Dreuille
Bourg-Lastic
Préchonnet
Feix
Le Pouge
Clamoudeix
Malsoute
Couffy-s-Sarsonne
Eygurande
Monestier-Merlines
Pierrefitte
Laval
Bellechassagne
St-Rémy
Le Pᵗ-Laval
Forêt de Mirambe
Courteix
Le Maraix
Montcheny
La Vervialle
Tauvert
La Cellette
St-Sulpice
aphaleschat
Merlines
Vedrine
Farrérolles
Rochefort
Le Chassain
Forêt de Bellechassagne
Brou
Chalons-d'Aix
Lagarde
Chavanon
Beauberty
LIMOUSIN
Seringour
Vaureix
Faux
Les Gannes
Bialon
Bogros
Chomadoux
Choriol
St-Sulpice-les-Bois
La Bachelerie
La Veyssière
Aix
La Sauvette-d'Aix
Le Mas
Messeix
La Mine
d'Avèze
Le Montel
Fanostre
St-Sauves-d'Auvergne
St-Germain-Lavolps
St-Pardoux-le-Vieux
(Lignareix)
Linarzeix
St-Pardoux-le-Neuf
La Marsalouse
Les Sauvettes
Gioux
La Brugière
Le Champsel
Avèze
La Graule
Freyte
Le Malaurent
Daubech
Le Montbellet
La Vialle
Ruère
Savennes
Augerolles
Lestrade
Le Louleix
La Mothe
L'Ebraly
Esclaux
Feix
Gorges du Chavanon
Gorges
Plantades
Le Colomby
Alleyrat
Tourette
La Brédèche
Planchadelle
Gioux
Ardot
Grange
Mejane
trade
La Vialle
Chaveroche
Eybrail
St-Dézery
Chassanaguilloux
La Randonnière
Tremoulet
Tauves
essou
Le Vert
Ceppe
Chassagnac
Loches
Chassagnac
St-Étienne-aux-Clos
Pradelles
Joursac
La Cha
Le Soulier
Mareille
Le Bazaneix
Charrusejoux
La Guinguette
Mortagne
Périssanges
Le Jassonneix
Ussel
Singles
Perret
Serrette
Manaranche
Meymac
Roumignac
Monteil-du-Bos
N.-D. de la Chabanne
St-Fréjoux
Bussejoux
Serre
Burande
La Roche
Chambige
Ribbes
Pontvieux
St-Pardoux
La Besse
Confolent-Port-Dieu
Le Mont
Pérignat
Montbaillard
Bⁱⁿ du Merlançon
La Rebière
Le Maspeytieu
Aulnat
Montaux
St-Germain-le-Lièvre
Clozange
Coste
Mornac
Le Bech
Prunt
Bourrières
Larodde
Ousclaux
Terrif
Les Quatre Vents
Pont de
Les Chèzes
Montcourrier
St-Exupéry-les-Roches
Thalamy
Touves
Port-Dieu
Le Chastel
St-Droire
Fourroux
Contensouzas
Lestrade
Le Boubouleix
La Loubière
Juilles
Bagnols
Le Lac
Mestes
St-Angel
Lannet
La Serre
St-Bonnet-près-Bort
Monestier-Port-Dieu
Latauverie
La Vialolle
Rosier
Le Peuch
Le Naudeix
Chabanette
La Gane
Veyrières
Pradeix
Trémouille-St-Loup
Hauteserre
Chassagnoux
Epinet
Les Chassagnes
Labessette
La Guignerie
Valiergues
Lognac
Cros
Côte de la Vie
Cros
Plateau
Combressol
Le Ponchet
La Forsse
Feneyrol
Le Pradal
Cussac
La Vialatte
Bessoles
La Bournerie
La Chapelle
Bonnessagne
Murat
Liez
Vernejoux
St-Victour
Le Bosdeveix
Mezeyrat
Journiac
Gioux
Maussac
Le Bouchaud
B. Laborde
Chaumerliac
Les Vialles
Le Longeard
Beaulieu
La Pradelle
Ponet
St-Étienne-la-Geneste
Margerides
Les Quatre-Vents
Jeux
La Frecaudie
Fouillat
Lerme
Areil
Chirac-Bellevue
Le Verdier
Vaux
Outre-Val
Le Fraisse
Les Charres
Lavignac
La Troubade
Val
Musée
Lanobre
Covy
Soustras
Autechaud
Palisse-Haut
Vedrenne
Ste-Marie-Lapanouze
Nuzéjoux
Liginiac
Le Monteil
Site du Mont
La Rochette
La Banu
Jallandrieu
Aumont
Celle
Veillac
Vallat
Malesoute
Theil
Chantegril
Roche-le-Peyroux
Chassagnac
Sauliac
Barrage
La Montcernie
Palisse
Pellachal
Cheyssac
Anglard
St-Julien-près-Bort
Belvt
Chassagnes
Cheylade
Pellassiauve
Peyroux
Liginiac
Site de St-Nazaire
Sarroux
Pierrefitte
L. Crégut
Les Bordes
Auchebie
La Plane
Chabrat
Bᵍᵉ de Marèges
Cheissac
Pailler
Le Puy-de-Bort
Bort-les-Orgues
Pérol
Marchal
La Crégut
Le Chastagnier
Antiges
Puy de Manzagol
Cronzat
La Grange
Auzanges
Lastioulles
Montsour
Epinasse
Mialaret
Marèges
St-Pierre
Saverniolles
Ribeyrolles
Orgues
Puy-Morel
Champs-sur-Tarentaine-Marchal
Bᵍᵉ de Lastioulles
Neuvic
Longvert
Chau
Chantery
Peyroux
Valessard
La Jarrige
Le Four
Mialaret
Monanges
Giou
Combret
Moulergues
St-Thomas
Fournol
Embort
Lamazière-Basse
St-Hilaire-Luc
La Siauve
Bᵍᵉ de Neuvic d'Ussel
Vernejoux
Madic
Saut de la Saule
Le Bouchet
Sarran
La Roche
Bᵍᵉ de Vaussaire
Pont de Vernejoux
Béringer
Verchales-Soubro
Cheyssac
Le Chambon
Vaussaire
Gᵍᵉˢ de la Rhue
Traux
Sérandon
Chassagne
Montruc
Lempret
Couzans
Rhue
Belier
Coindre
Meynie
Brameix
Champagnac
Ydes
Fleurac
Couchal
Ridoux
Maureix
La Rousserie
Septzanges
La Charlanne
Seyviolle
Lavaurs
Courtilles
Saulonnet
Salsignac
PARC
St-Amand
Boulx
La Colombier
Prodelles
Veyrières
Vebret
Antignac
St-Étienne-de-Chomeil
Le Mazou
St-Pantaléon-de-Lapleau
Estériche
Rouffiange
Fontloube
Les Ages
Rᵗᵉ des Ajustants
Belvᵉʳᵉ de Gratte-Bruyère
Charlus
Lenriac
Ydes-Bourg
Saignes
Serres
La Monselie
Montmallier
Romeix
Neuvialle
Loucheyre
La Forêt
Valeix
Labrousse
Pont des Ajustants
Tiolade
Chavagnac
Chastel-Merlhac
Augoules
Jourac
Chapsal
Borie
La Chevalerie
Vent-Haut
la Dordogne
La Jarrige
Bassignac
Sauvat
Lavergne
Gibes
Pons
Le Braud
La Vieille-Eglise
Arches
Furlange
Vendes
Mongrous
Broussoles
Auteroche
Le Monteil
Jallaniac
Vensac
Le Liocamp
Fanlade
Ensalers
Embesse
Lapleau
Vent-Bas
Pont de St-Projet
Les Andrieux
Chabannes
Soultz
Embrassac
Chabrespine
Dijon
Broc
Menet
St-Angeau
Autranges
Latronche
La Gane

227
209
245
228
CLERMONT-FERRAND
Chamalières
Royat
Beaumont
Aubière
Orcines
Puy de Dôme
Ceyssat
Cournon-d'Auvergne
Pérignat-lès-Sarliève
Romagnat
Plateau de Gergovie
Orcival
Rochefort-Montagne
La Bourboule
le Mont-Dore
Puy de Sancy
Super-Besse
Besse-et-St-Anastaise
St-Nectaire
Murol
Lac Chambon
Lac Pavin
Aydat
Lac d'Aydat
Montlosier
Puy de la Vache
Puy de Lassolas
La Banne d'Ordanche
Laqueuille
Roche Tuilière
Roche Sanadoire
Col de Guéry
Veyre-Monton
Les Martres-de-Veyre
Montpeyroux
Issoire
St-Floret
Champeix
Coudes
St-Saturnin
St-Amant-Tallende
Tallende
Le Crest
La Roche-Blanche
Chanonat
La Batisse
Puy de Mazeyres
Puy de Bessolles
Courgoul
Gorges de Courgoul
La Roche Nité
Valbeleix
Compains
Puy de Montchal
Vassivière
Picherande
Égliseneuve-d'Entraigues
Espinchal
La Godivelle
Condat
Montgreleix
Le Luguet
CÉZALLIER
Anzat-le-Luguet
Ardes
Mazoires
Blesle
Rentières
Colamine-s/s-Vodable
Vodable
Puy d'Ysson
Solignat
Chastreix
Chanterelle
Marcenat
Gorges
Parc Naturel Régional des Volcans d'Auvergne
Monts Dore
Monts Dôme

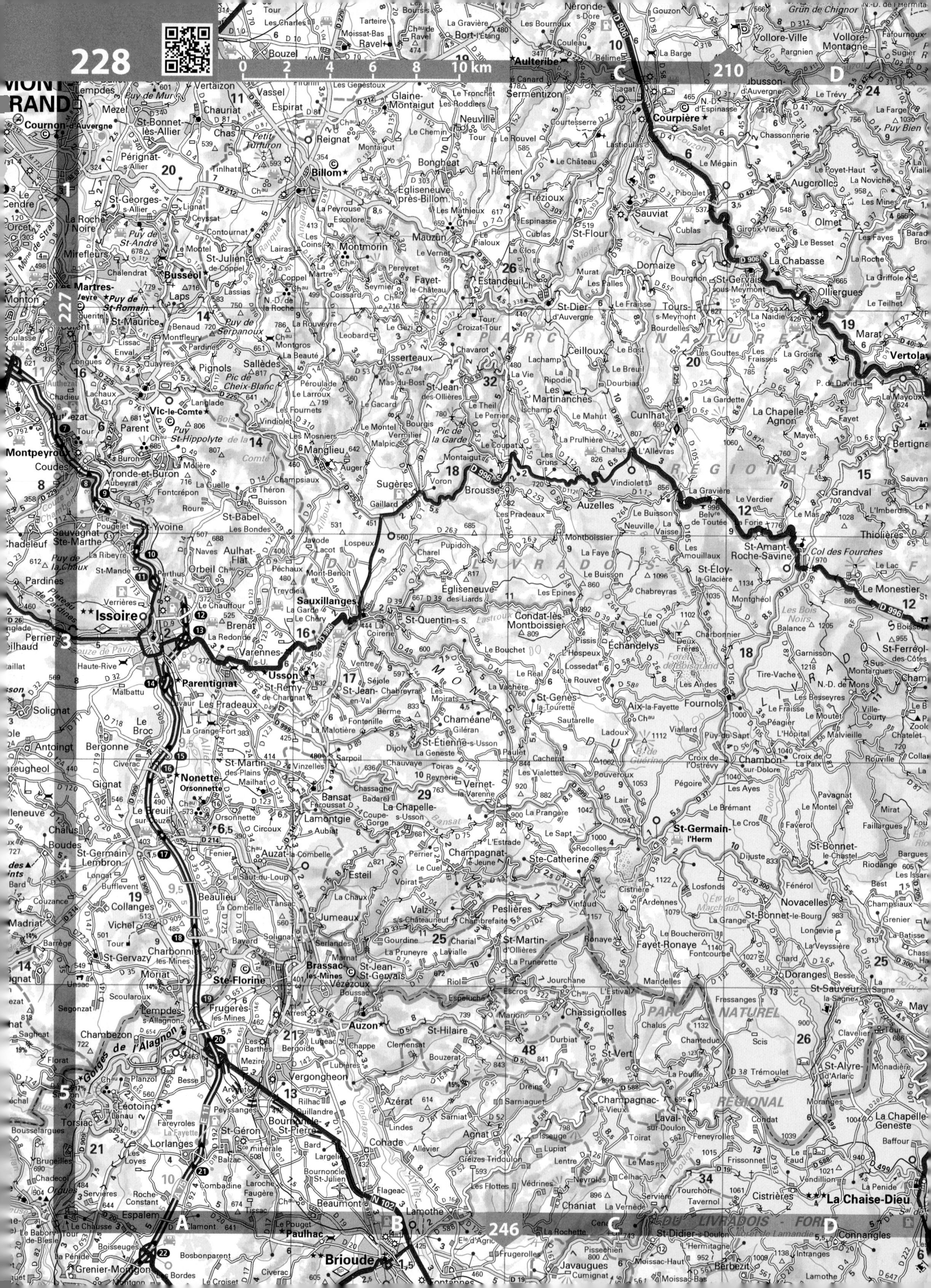
0 2 4 6 8 10 km
210
227
246
A
B
C
D
Cournon-d'Auvergne
Billom
Courpière
Vollore-Ville
Vollore-Montagne
Aulteribe
Sermentizon
Reignat
Bongheat
Vassel
Espirat
Chauriat
St-Bonnet-lès-Allier
Pérignat-s-Allier
St-Georges-s-Allier
La Roche-Noire
Mirefleurs
Busséol
Montmorin
Mauzun
Trézioux
Sauviat
Augerolles
Olmet
St-Flour
Domaize
La Chabasse
St-Gervais-sous-Meymont
Olliergues
Marat
Vertolaye
St-Dier-d'Auvergne
Estandeuil
Fayet-le-Château
Les Martres-de-Veyre
Puy de St-Romain
St-Maurice
Vic-le-Comte
Pignols
Sallèdes
Isserteaux
St-Jean-des-Ollières
Ceilloux
Tours-s-Meymont
Cunlhat
La Chapelle-Agnon
Bertignat
Manglieu
Sugères
Brousse
Auzelles
Grandval
St-Amant-Roche-Savine
Col des Fourches
Le Monestier
Montpeyroux
Coudes
Yronde-et-Buron
St-Babel
St-Yvoine
Sauvagnat-Ste-Marthe
Aulhat-Flat
Orbeil
Sauxillanges
Égliseneuve-des-Liards
Issoire
Perrier
Brenat
Varennes-s-U.
Usson
Parentignat
St-Quentin-s-S.
Condat-lès-Montboissier
Échandelys
St-Éloy-la-Glacière
St-Ferréol-des-Côtes
Chameane
Fournols
Aix-la-Fayette
St-Genès-la-Tourette
St-Étienne-s-Usson
Solignat
Le Broc
Bergonne
Antoingt
Nonette-Orsonnette
Gignat
Chambon-sur-Dolore
St-Germain-l'Herm
Champagnat-le-Jeune
Ste-Catherine
Auzat-la-Combelle
Boudes
St-Germain-Lembron
Collanges
Novacelles
St-Bonnet-le-Chastel
Jumeaux
Peslières
Valz-s/s-Châteauneuf
St-Martin-d'Ollières
Fayet-Ronaye
St-Bonnet-le-Bourg
Brassac-les-Mines
Ste-Florine
St-Jean-St-Gervais
Vézézoux
Doranges
St-Sauveur-la-Sagne
Chassignolles
Auzon
St-Hilaire
Lempdes-s-Allagnon
Frugerès-les-Mines
Gorges de l'Alagnon
PARC NATUREL RÉGIONAL
LIVRADOIS-FOREZ
MONTS DU LIVRADOIS
St-Vert
Champagnac-le-Vieux
Laval-sur-Doulon
St-Alyre-d'Arlanc
La Chapelle-Geneste
Léotoing
Vergongheon
Azérat
Bournoncle-St-Pierre
Lorlanges
St-Géron
Cohade
Agnat
Lamothe
Beaumont
Paulhac
Brioude
La Chaise-Dieu
Connangles
St-Didier-s-Doulon
Cistrières
Malvières
Chaniat

229
211
247
230
E
F
G
H
Feurs
Boën-s-Lignon
St-Germain-Laval
Montbrison
Ambert
Moulin
St-Anthème
Chalmazel-Jeansagnière
St-Georges-en-Couzan
Chau de Couzan
La Bastie-d'Urfé
Champdieu
Pierre sur Haute
Col du Béal
Col des Supeyres
Col de la Croix de l'Homme Mort
Col des Pradeaux
Rocher de la Volpie
Cirque de Valcivières
Valcivières
St-Romain-le-Puy
Sury-le-Comtal
St-Just-St-Rambert
St-Jean-Soleymieux
Soleymieux
Montarcher
St-Bonnet-le-Château
St-Marcellin-en-Forez
Chambles
Plateau de la Danse
Usson-en-Forez
Apinac
Craponne-sur-Arzon
Arlanc
Viverols
Saillant
Estivareilles
St-Hilaire-Cusson-la-Valmitte
Rozier-Côtes-d'Aurec
Aurec-sur-Loire
Monistrol-sur-Loire
Chau de Rochebaron
Bas-en-Basset
Chalencon
La Chapelle-en-Lafaye
Chazelles-s-Lavieu
Lézigneux
Écotay-l'Olme
Essertines-en-Châtelneuf
Sauvain
Chalain-d'Uzore
St-Paul-d'Uzore
Marcilly-le-Châtel
Marcoux
Montverdun
Trelins
Ste-Agathe-la-Bouteresse
Savigneux
Précieux
St-Thomas-la-Garde
Boisset-St-Priest
Marols
Luriecq
Aboën
St-Nizier-de-Fornas
Merle-Leignec
Périgneux
Unias
Cuzieu
Rivas
Veauchette
Andrézieux-Bouthéon
St-Cyprien
Bonson
LOIRE
MONTS DU FOREZ
Lac de Grangent
Puy de Chavé
Puy Gros
Puy Griffot
Puy de Loir
Suc de Medeyrolles
Col de Chemintrand
Col des Dansadoux
Rocher de Pierre Dure
Grandrif
Baffie
St-Just
Chaumont-le-Bourg
Beurières
Medeyrolles
Sauvessanges
St-Victor-sur-Arlanc
Malvières
Bonneval
Julianges
St-Julien-d'Ance
St-Pal-de-Chalencon
Boisset
Valprivas
Malvalette
La Chapelle-d'Aurec
La Séauve-sur-Semène

0 2 4 6 8 10 km
212
229
248
A
B
C
D
1
2
3
4
5
Feurs
Chambost-Longessaigne
St-Clément-
Brullioles
Bessenay
Chevinay
Pollionnay
Col de la Luère
Ste-Consorce
Grézieu-la-Varenne
Vaugneray
Brussieu
Courzieu
C. de Malval
Craponne
Salt-en-Donzy
St-Martin-Lestra
St-Laurent-de-Chamousset
Croix de Part
Brindas
St-Barthélemy-Lestra
Haute-Rivoire
Les Halles
St-Genis-l'Argentière
C. des Brosses
Montromant
Yzeron
St-Laurent-de-Vaux
Messimy
Chaponost
Valeille
Souzy
Ste-Foy-l'Argentière
Virigneux
Aveize
Duerne
Thurins
Soucieu-en-Jarrest
St-Laurent-la-Conche
St-Cyr-les-Vignes
Meys
St-Martin-en-Haut
Rochefort
Orliénas
Bellegarde-en-Forez
Maringes
Viricelles
Grézieu-le-Marché
La Chapelle-sur-Coise
Signal de St-André
Rontalon
Taluyers
St-André-le-Puy
Montrond-les-Bains
Pomeys
St-Symphorien-sur-Coise
Chaussan
St-Laurent-d'Agny
Mornant
Chazelles-s-Lyon
Coise
Larajasse
St-André-la-Côte
St-Sorlin
Unias
Cuzieu
St-Denis-s-Coise
Riverie
St-Médard-en-Forez
Ste-Catherine
St-Didier-s-Riverie
St-Andéol-le-Château
Rivas
St-Galmier
Chevrières
Châtelus
St-Maurice-s-Dargoire
St-Jean-de-Touslas
Chambœuf
Grammond
Marcenod
Fontagneux
St-Romain-en-Jarez
St-Martin-la-Plaine
St-Joseph
Dargoire
Tartaras
Échalas
Veauchette
Aveizieux
La Gimond
Veauche
St-Bonnet-les-Oules
Fontanès
St-Christo-en-Jarez
Col de la Gachet
Chagnon
Châteauneuf
Trèves
Andrézieux-Bouthéon
Pierre la Bauche
Valfleury
Cellieu
Genilac
Rive-de-Gier
St-Cyprien
St-Héand
Mt Morin
Crêt St-Georges
Lorette
La Grand-Croix
Longes
Bonson
St-Just-St-Rambert
La Fouillouse
Sorbiers
Pays du Gier
Farnay
L'Étrat
La Tour-en-Jarez
St-Chamond
La Talaudière
St-Priest-en-Jarez
St-Paul-en-Jarez
Ste-Croix-en-Jarez
Pavezin
Chambles
Lac de Grangent
Villars
St-Jean-Bonnefonds
La Terrasse-s-Dorlay
Crêt de Montivert
Crêt de Baronnette
Chuyer
Plateau de la Danse
Roche-la-Molière
St-Genest-Lerpt
ST-ÉTIENNE
St-Just-en-Doizieux
Doizieux
Pélussin
La Ricamarie
La Valla-en-Gier
Crêt de l'Œillon
Unieux
Le Chambon-Feugerolles
Gouffre d'Enfer
Mont Pilat
Bessey
St-Maurice-en-Gourgois
Firminy
Planfoy
PARC NATUREL RÉGIONAL DU PILAT
Crêt de la Perdrix
Véranne
Roisey
Maclas
Tarentaise
Le Bessat
St-Ferréol-d'Auroure
St-Romain-les-Atheux
St-Appolinard
Pont-Salomon
St-Just-Malmont
St-Genest-Malifaux
Col du Grand Bois ou de la République
Graix
Colombier
St-Julien-Molin-Molette
St-Jacques-d'Atticieux
La Chapelle-d'Aurec
Thélis-la-Combe
Brossainc
Vinzieux
Jonzieux
Crêt de Chaussitre
Col du Banchet
Col du Fayet
Savas
St-Didier-en-Velay
Marlhes
St-Régis-du-Coin
Bourg-Argental
St-Marcel-lès-Annonay
Boulieu-lès-A.
St-Victor-Malescours
Riotord
Burdignes
Peaugres

213
LYON
Villeurbanne
Décines-Charpieu
Bron
Chassieu
Genas
Pusignan
Janneyrias
Pont-de-Chéruy
Charvieu-Chavagneux
LYON-SAINT-EXUPÉRY
Colombier-Saugnieu
Tignieu-Jameyzieu
Crémieu
Villemoirieu
Ste-Foy-lès-Lyon
La Mulatière
Oullins
St-Fons
St-Priest
Vénissieux
Pierre-Bénite
St-Genis-Laval
Irigny
Feyzin
Corbas
Mions
Toussieu
St-Bonnet-de-Mure
St-Laurent-de-Mure
Satolas-et-Bonce
Chamagnieu
Grenay
St-Pierre-de-Chandieu
Heyrieux
Frontonas
La Verpillière
St-Quentin-Fallavier
Villefontaine
L'Isle-d'Abeau
Vaulx-Milieu
Bourgoin-Jallieu
Vourles
Charly
Vernaison
Millery
Solaize
Sérézin-du-Rhône
Grigny
St-Symphorien-d'Ozon
Simandres
Communay
Chaponnay
Marennes
Valencin
Ternay
Givors
Chasse-sur-Rhône
Villette-de-Vienne
Luzinay
St-Just-Chaleyssin
Diémoz
Bonnefamille
Oytier-St-Oblas
St-Georges-d'Espéranche
Charantonnay
Septème
Serpaize
Seyssuel
Loire-sur-Rhône
St-Romain-en-Gal
Ste-Colombe
St-Cyr-sur-le-Rhône
VIENNE
Pont-Évêque
Estrablin
Moidieu-Détourbe
Beauvoir-de-Marc
Royas
St-Jean-de-Bournay
Meyrieu-les-Étangs
Artas
Ste-Anne-sur-Gervonde
Châtonnay
Ampuis
Tupin-et-Semons
Jardin
Reventin-Vaugris
Chonas-l'Amballan
Les Roches-de-Condrieu
St-Sorlin-de-Vienne
Eyzin-Pinet
Savas-Mépin
Villeneuve-de-Marc
Meyssiez
Lieudieu
Les Côtes-d'Arey
Chalon
Cour-et-Buis
St-Julien-de-l'Herms
Semons
Arzay
St-Prim
St-Clair-du-Rhône
Cheyssieu
Vernioz
Monsteroux-Milieu
Montseveroux
Auberives-sur-Varèze
Clonas-sur-Varèze
Assieu
La Chapelle-de-Surieu
Primarette
Pommier-de-Beaurepaire
Ornacieux
Balbins
La Côte-St-André
St-Maurice-l'Exil
St-Romain-de-Surieu
Moissieu-sur-Dolon
Revel-Tourdan
Pisieu
Faramans
Penol
Sardieu
Le Péage-de-Roussillon
Roussillon
Bellegarde-Poussieu
Pajay
Ville-sous-Anjou
Sonnay
Pact
Anjou
Agnin
Salaise-sur-Sanne
Beaurepaire
St-Barthélemy
Marcilloles
St-Siméon-de-Bressieux
Lapeyrouse-Mornay
Jarcieu
Bougé-Chambalud
Sablons
Chanas
Épinouze
Beaufort
Thodure
Viriville
Châtenay
Marcollin
Lentiol
Manthes
Lens-Lestang
Moras-en-Valloire
St-Sorlin-en-Valloire
Marnans
Serrières
Peyraud
St-Rambert-d'Albon
Anneyron
Le Grand-Serre
Roybon
Hauterives
232
249
E
F
G
H

214
231
250

0 2 4 6 8 10 km
A
B
C
D
1
2
3
4
5
Crémieu
Dizimieu
Soleymieu
Courtenay
Arandon
Trept
Passins
Morestel
St-Victor-de-Morestel
Brangues
Le Bouchage
Salagnon
St-Hilaire-de-Brens
Sermérieu
Vézeronce-Curtin
St-Chef
St-Savin
L'Isle-d'Abeau
Bourgoin-Jallieu
Vignieu
Vasselin
Montcarra
Dolomieu
Corbelin
Les Avenières
Veyrins-Thuellin
Walibi
Aoste
St-Genix-sur-Guiers
Champagneux
Izieu
Brégnier-Cordon
Murs-et-Gélignieux
Yenne
La Tour-du-Pin
La Bâtie-Montgascon
Chimilin
Romagnieu
Le Pont-de-Beauvoisin
Les Abrets en Dauphiné
Fitilieu
St-André-le-Gaz
Nivolas-Vermelle
Cessieu
Ruy
Rochetoirin
St-Jean-de-Soudain
St-Clair-de-la-Tour
St-Didier-de-la-Tour
Ste-Blandine
Montagnieu
Le Passage
Charancieu
Pressins
St-Victor-de-Cessieu
Succieu
Châteauvillain
Torchefelon
Virieu
Chélieu
Valencogne
Doissin
Biol
Belmont
Montrevel
Panissage
Paladru
Charavines
Bilieu
Chabons
Burcin
Blandin
Eclose
Badinières
Flachères
St-Didier-de-Bizonnes
Bizonnes
Eydoche
Champier
Nantoin
Commelle
Mottier
Longechenal
Bévenais
Apprieu
Oyeu
Chirens
St-Geoire-en-Valdaine
Massieu
Merlas
Miribel-les-Échelles
La Côte-St-André
Gillonnay
St-Hilaire-de-la-Côte
La Frette
Le Grand-Lemps
Colombe
Voiron
La Murette
St-Blaise-du-Buis
Réaumont
St-Cassien
Rives
Brézins
Sillans
St-Étienne-de-St-Geoirs
St-Geoirs
Beaucroissant
Renage
Moirans
Voreppe
Izeaux
St-Paul-d'Izeaux
Tullins
Vourey
St-Jean-de-Moirans
Coublevie
St-Julien-de-Raz
La Buisse
Pommiers-la-Placette
St-Laurent-du-Pont
St-Joseph-de-Rivière
Bressieux
St-Pierre-de-Bressieux
Châtenay
Viriville
Marnans
Roybon
St-Quentin-sur-Isère
Veurey-Voroize
Montaud
Quaix-en-Chartreuse
Proveysieux
St-Égrève
Fontanil-Cornillon
Mont-St-Martin
Plaine du Liers
Plaine de Bièvre
Lac de Paladru

215
E
F
G
H
Grésy-s-Aix
Arith
Lescheraines
Pont du Diable
AIX-LES-BAINS
Le Bourget-du-Lac
Tresserve
Mouxy
Pugny-Chatenod
Trévignin
St-Offenge
Le Montcel
Montagne de Bange
Roche de Prépoulain
Col de la Cluse
La Tour de l'Angle
St-François-de-Sales
Le Noyer
PARC NATUREL RÉGIONAL DU MASSIF DES BAUGES
Mont Revard
Dent du Chat
Molard Noir
Mont du Chat
Le Châtelard
La Compôte
Doucy-en-Bauges
L'Arcalod
Dent de Pleuven
Mt de la Coche
Col du Haut du Four
Col de Tamié
Plancherine
Jarsy
École
Aillon-le-Vieux
Grd Colombier
Dent de Rossanaz
Vallon de Bellevaux
N.-D. de Bellevaux
Le Pécloz
Mt Armenaz
Roche Torse
Montailleur
Aillon-le-Jeune
Le Couvent
Ste-Reine
Dent d'Arclusaz
Grésy-sur-Isère
Fréterive
Miolans
St-Pierre-d'Albigny
Cruet
Montmélian
Arbin
Francin
CHAMBÉRY
La Motte-Servolex
Bassens
St-Alban-Leysse
St-Jean-d'Arvey
Thoiry
Les Déserts
Crx du Nivolet
Mt Peney
Mt de la Buffa
Mt Pelat
Col du Frêne
Col de la Sciaz
Pte de la Galoppaz
Puygros
Curienne
Barby
La Ravoire
Challes-les-Eaux
Mt St-Michel
Col de Marocaz
La Thuile
Chignin
Barberaz
Jacob-Bellecombette
Cognin
Vimines
St-Baldoph
Montagnole
Apremont
Myans
Les Marches
St-Cassin
Aiguebelette-le-Lac
Lac d'Aiguebelette
Montagne de l'Épine
Col du Crucifix
St-Sulpice
St-Thibaud-de-Couz
Col du Granier
Mt Granier
Chapareillan
Entremont-le-Vx
Col de la Cluse
St-Christophe
Grottes des Échelles
Gges du Guiers Vif
St-Pierre-d'Entremont
Cirque de St-Même
Pontcharra
Barraux
Laissaud
Détrier
Arvillard
La Rochette (Valgelon-La Rochette)
Chamousset
Châteauneuf
Bourgneuf
Chamoux-sur-Gelon
Aiton
Le Grand Filon
Montendry
St-Georges-d'Hurtières
Allevard
Le Moutaret
La Chapelle-du-Bard
St-Maximin
Grd Collet
Les Grds Moulins
Pic du Rognaix
St-Rémy-de-Maurienne
Le Touvet
Goncelin
St-Pierre-d'Allevard
Pinsot
Pic du Frêne
BELLEDONNE
Pics de Berlanche
Col du Merlet
Crêt du Poulet
Crêt Luisard
La Ferrière
Monastère de la Grde Chartreuse
Grd Som
Col du Cucheron
La Scia
St-Pierre-de-Chartreuse
Chamechaude
Dent de Crolles
Crolles
Bernin
St-Hilaire
Lumbin
Tencin
Theys
Hurtières
Le Champ
Les Adrets
Roche Noire
Col de Merdaret
Puy Gris
Pic du Glr de Gleyzin
Cime de la Sambuis
Col de la Croix
Bec d'Arguille
St-Colomban-des-Villards
St-Alban-des-Villards
St-Étienne-de-Cuines
La Toussuire
Col du Glandon
Villarembert
Le Corbier
Combe d'Olle
Col de la Croix de Fer
Massif
Le Rocher Blanc
Dent du Pra
Col des Sept Laux
Ste-Agnès
St-Nazaire-les-Eymes
Villard-Bonnot
Brignoud
Froges
Le Sappey-en-Chartreuse
St-Ismier
Biviers
251
234

0 2 4 6 8 10 km
216
233
252
Albertville
Conflans
Fort du Mont
Venthon
La Roche Pourrie
Mt Mirantin
Arêches
Boudin
Bge de Roselend
Défilé d'Entreroches
Cormet de Roselend
Pont St-Antoine
Crêt Bettex
La Terrasse
Aigle du Grd Fond
Pte de Presset
Col du Grd Fond
Le Roignais
Vallée des Chapieux
Les Chapieux
Col de Bresson
Pierre Menta
Mt Coin
Col du Coin
Bourg-St-Maurice
Champ de Tir
La Thuile
Le Grd Mont
Col de la Louze
Pte de Riondet
Cormet d'Arêches
Lacs de la Tempête
Pte du Comborsier
La Tournette
Crêt du Rey
Le Grd Cretet
Roche à Thomas
Les Chapelles
Montgirod
Landry
Col de la Bathie
Pte de la Grde Journée
Tours-en-Savoie
Grignon
Gilly-sur-Isère
Mercury
Col de Tamié
Plateau des Teppes
Plancherine
Verrens-Arvey
Tournon
Cléry
Frontenex
St-Vital
Monthion
N.-D.-des-Millières
Esserts-Blay
La Bathie
St-Paul-s-Isère
Ste-Hélène-s-Isère
Cevins
Sécheron
Rognaix
Feissons-sur-Isère
Grd Arc
Bonvillard
Bonvillaret
Col de Basmont
Aiton
Randens
Aiguebelle
Montgilbert
Mt Bellachat
Défilé du Pas de Briançon
Le Quermoz
Aime-la-Plagne
Mâcot-la-Plagne
Peisey-Nancroix
Les Coches
Montchavin
Prariond
Mt St-Jacques
Plagne-Bellecôte
Belle-Plagne
La Plagne
Aime 2000
Plagne 1800
Roche de Mio
Col de la Grde Forcle
La Grande Rochette
Mt Jovet
Grde Côte
Roc du Bécoin
Étroit du Siaix
St-Marcel
N.-D.-du-Pré
Hautecour
Montsapey
Le Grand Filon
St-Georges-d'Hurtières
Argentine
Pic du Rignolet
Col du Grand Cucheron
St-Alban-d'Hurtières
Pte de Combe Bronsin
La Léchère
Aigueblanche
St-Oyen
Bonneval
Moûtiers
Salins-Fontaine
Croix de Feissons
Feissons-sur-Salins
Montagny
Bozel
Champagny-en-Vanoise
Forêt Noire
Becca Motta
Pte de la Velière
Grd Pic de la Lauzière
Chaîne de la Lauzière
Celliers
Valmorel
Avanchers-Valmorel
C. de la Coche
Fontaine-le-Puits
Crève Tête
Pte du Grd Niélard
Pte du Mottet
Col de la Madeleine
Le Gros Villan
Épierre
St-Léger
St-Pierre-de-Belleville
Brides-les-Bains
Les Allues
La Tania
Courchevel 1550
Courchevel 1850
St-Bon-Tarentaise
Planay
Pte de Ballendaz
Grd Bec
Dent de Villard
Moriond
Aigle du Bochor
Pralognan-la-Vanoise
Mt Bochor
La Chollière
Grd Marchet
Pte du Pt Marchet
Mt Blanc
Col de la Lune
St-Jean-de-Belleville
Le Cheval Noir
Le Grd Mas
La Chapelle
St-François-Longchamp
Pte de la Grde Combe
Croix Jean-Claude
Méribel
Croix des Verdons
Mt Bel-Air
Somt de la Saulire
Rer de la Loze
Les Trois Vallées
Plan des Queux
Pas de Cherferie
St-Martin-de-Belleville
Méribel-Mottaret
Tougnète
Mt de la Challe
Roc des Trois Marches
Mt du Vallon
Roc Merlet
Col du Fruit
Aigle du Fruit
Col de Chanrouge
Roc de la Pêche
Cirque de Génépy
Dôme de Chasseforêt
Roc du Blanchon
PARC DE LA VANOISE
Les Chavannes-en-Maurienne
Montgellafrey
Pte du Mt du Fuz
Montaimont
Le Mollard des Bœufs
Rocher du Cougne
Col de Valbuche
Aigle de la Grde Moenda
Le Grd Coin
Pte de la Fenêtre
Geffriand
Col de Chaussy
St-Martin-sur-la-Chambre
La Chambre
St-Avre
St-Étienne-de-Cuines
Ste-Marie-de-Cuines
Col du Châtelard
Pte du Vallon
MASSIF DE LA VANOISE
Les Menuires
Mt de la Chambre
Pte de la Masse
Val-Thorens
Mt de Péclet
Mt du Borgne
Aigle de Péclet
Aigle de Polset
Cime de Caron
Col de la Pierre Blanche
Mt Bréguin
Pte du Bouchet
Pte Rénod
Col d'Aussois
Pte de l'Observatoire
Fond d'Aussois
Pte de l'Échelle
Col de Chavière
Aigle Doran
Rateau d'Aussois
Plan d'Amont
Plan d'Aval
Aussois
Montvernier
Pontamafrey-Montpascal
Le Châtel
Hermillon
Grd Perron des Encombres
Col des Encombres
Pt Col des Encombres
Grd Châtelard
St-Jean-de-Maurienne
Col de Cochemin
St-Pancrace
Jarrier
Villargondran
La Toussuire
Le Grd Truc
Col du Chaput
Villarembert
Fontcouverte-la-Toussuire
Le Corbier
Pte de l'Ouillon
Pte de Corbier
St-Sorlin-d'Arves
Albiez-le-Jeune
Albiez-Montrond
Crêt de la Chal
Casse Massion
Mt Charvin
Montricher-Albanne
St-Martin-la-Porte
St-Julien-Mont-Denis
Croix des Têtes
Beaune
St-Martin-d'Arc
Ft du Télégraphe
Orelle
Prémont
Le Bourget
Avrieux
Villarodin

235
217
253
E
F
G
H
1
2
3
4
5
Col du Pt St-Bernard
Lancebranlette
Colonne de Joux
Mont Valaisan
Testa del Rutor
Valgrisenche
Becca di Tos
Punta di Tzaboc
Rhêmes-St-Georges
Becca del Merlo
Introd
Rosario
Vieyes
Cogne
Punta del Trajo
Punta Pousset
la Grivola
Valsavarenche
PARCO
NAZIONALE
GRAN PARADISO
Gran Paradiso
Piccolo Paradiso
Ciarforon
Rhêmes-Notre-Dame
Gde Rousse
Colle del Nivolet
Colle Rosset
Gran Vaudala
Becca Tsambeina
M. Tout Blanc
Rosière 1850
Montvalezan
Villaroger
Ste-Foy-Tarentaise
Bec Rouge
La Motte
Becca du Lac
Col du Mont
Pte d'Archeboc
Aigle Rouge
Le Monal
La Martin
Barrage de Tignes
Aigle de la Grde Sassière
Réserve de la Grande Sassière
Col de Rhême-Golette
Tignes
Lac du Chevril
Val-d'Isère
Col de l'Iseran
Col de la Galise
Ceresole Reale
Levanna Centrale
Levanna Orientale
Tête du Solaise
Rer de Bellevarde
VANOISE
Grde Motte
Pte de la Grde Casse
Col de la Vanoise
Pte des Lessières
Belvre de la Maurienne
Col des Fours
L'Ecot
Bonneval-sur-Arc
Evettes
Roc du Mulinet
Groscavallo
L'Albaron
Uia di Ciamarella
Bessans
St-Antoine
Vallée d'Avérole
Bessanese
Balme
Grand Roc Noir
NATIONAL DE LA VANOISE
Lanslebourg-Mont-Cenis
Lanslevillard
Val Cenis
Termignon
Sollières-Sardières
Col du Mont Cenis
Lac du Mont Cenis
Pte de Charbonnel
Croix Rousse
Rocciamelone
Usseglio
Moncenisio
Novalesa
MASSIF DU MT CENIS
Bramans
St-Pierre d'Extravache
D 1006
D 902

236
0 2 4 6 8 10 km
218
254
A
B
C
D
1
2
3
4
5
Côte d'Argent
Hourtin-Plage
Les Genêts
Contaut
C.F.M.
Piqueyrot
Hourtin
Hourtin-Port
Lachanau
Lupian
Ste-Hélène-de-Hourtin
Garthieu
Ste-Hélène-de-l'etang
Lac d'Hourtin-Carcans
Pointe-Blanche
Le Crohot-de France
La Gracieuse
Phares d'Hourtin
Le Crohot-des-Cavales
Bombannes
Carcans-Plage
Maubuisson
Le Pouch
Carcans
Cap de-Ville
Mayne-Pauvre
Le Montaut
Réserve naturelle
Étang de Cousseau
L'Alexandre
Lacanau-Océan
Le Huga
l'Ardilouse
Le Moutchic
Carreyre
Talaris
Landes du Bourg
Narsot
Le Port
Lacanau
Lac de Lacanau
Le Tedey
Le Lion
La Grde Escourre
Les Nerps
Longarisse
Le Bernos
Lede du Grd Bernos
Étang de Batejin
Landes de Lacousteyre
Landes du Gartiou-Croutat
Étang de Batourtot
Dunes du Hughey
Le Gressier
Le Porge-Océan
Étang de L'ede Basse
Maisonneuve
Lescarran
Gleyse Vielle
Vignas
Le Porge
Dunes de Partilllot
La Jenny
Laruau
Lauros
Le Pas-du-Bouc
Forêt du Porge
Dune du Grd Crohot
Grand Crohot Océan
Lège-Cap Ferret
Le Cousteau de
Lesparre-Médoc
Escot
Bouries
Conneau
Plassan
Gausseron
Liard
St-Gaux
Lagune
La Bresquette
St-Isidore
Le Pin-Sec
Lizan
Naujac-sur-Mer
La Prise
Magagnan
Louley
Le Pit Mont
Marais dit Palu
Lande de Vignolles
Cartignac
Le Port
Bas-Bré
Lagunan
Haut-Bré
Silo
Pey-de-Camin
Caillava
Berle de
PARC NATUREL
RÉGIONAL
DU MÉDOC
Mourlan
Craste Lambert
Berdillan
Pipeyrous
Couyras
Villeneuve
Couyrasseau
Troussas
Berron
Raouset
Devinas
Brach
Lande de Lude
Grand Ludée
Petit Ludée
Landes de Méogas
Méogas
Constantenins
Lande de Villeneuve
Taussac
Le Devès
Mejos
Au Chalet
Planque-Peyre
Ste-Hélène
Aux Andraux
Tronquats
Bedillon
Mistre
Le Grand Courgas
Le Petit Courgas
Saumos
Landes d'Eyron
Grand Bos
Petit Bos
Serigas
Le Temple
Le Crastieu
Sautuges
Bois de Boutas
Lande des Courtious Brûlés
Terrain militaire
Silo
Les Dorat
Maisonnieu
Mautans
Blagon

219
E
F
G
H
238
255
Ordonnac
St-Germain-d'Esteuil
St-Seurin-de-Cadourne
St-Estèphe
Vertheuil
Cissac-Médoc
Lafite-Rothschild
Mouton-Rothschild
Pauillac
St-Sauveur
Île de Patiras
Île Bouchaud
St-Julien-Beychevelle
St-Laurent-Médoc
Lanessan
Cussac-Fort-Médoc
Fort-Médoc
Citadelle
Blaye
St-Ciers-sur-Gironde
LE BLAYAIS
Braud-et-St-Louis
St-Aubin-de-Blaye
Étauliers
Anglade
St-Androny
Eyrans
Cartelègue
St-Seurin-de-Cursac
St-Genès-de-Blaye
St-Martin-Lacaussade
St-Paul
Mazion
Campugnan
Cars
Reignac
Marcillac
Donnezac
Générac
Saugon
St-Savin
St-Christoly-de-Blaye
St-Vivien-de-Blaye
St-Mariens
Cavignac
Civrac-de-Blaye
St-Yzan-de-Soudiac
Bussac-Forêt
Corignac
Listrac-Médoc
Moulis-en-Médoc
Lamarque
Arcins
Soussans
Margaux
Cantenac
Castelnau-de-Médoc
Avensan
Labarde
Arsac
Macau
Ambès
Plassac
Villeneuve
Île Verte
Île du Nord
Bec d'Ambès
Bourg
Samonac
Comps
Lansac
Tauriac
Pugnac
Teuillac
Mombrier
St-Trojan
Berson
Cézac
Cubnezais
Marsas
Gauriaguet
Prignac-et-Marcamps
St-Gervais
Virsac
St-André-de-Cubzac
Cubzac-les-Ponts
St-Romain-la-Virvée
Asques
St-Germain-de-la-Rivière
Ludon-Médoc
Le Pian-Médoc
Parempuyre
Blanquefort
Le Taillan-Médoc
St-Aubin-de-Médoc
St-Médard-en-Jalles
Eysines
Le Haillan
Le Bouscat
Bruges
BORDEAUX
Caudéran
Mérignac
BORDEAUX-MÉRIGNAC
Martignas-sur-Jalle
Salaunes
St-Jean-d'Illac
Talence
Lormont
Cenon
Floirac
Bassens
Carbon-Blanc
Ambarès-et-Lagrave
St-Loubès
Ste-Eulalie
St-Sulpice-et-Cameyrac
Yvrac
Montussan
Beychac-et-Caillau
Planète Bordeaux
Artigues-près-B.
Pompignac
Tresses
Sallebœuf
Fargues-St-Hilaire
Carignan-de-Bordeaux
Bouliac
Camarsac
GARONNE
Dordogne
A 10
N 89
A 630
D 1215
D 937
D 137
D 1
D 2

0 2 4 6 8 10 km
220
237
256
A
B
C
D
Coux
Moulons
Peugeay
Le Pin
Chardes
Chatenet
Sousmoulins
Bors
Chevanceaux
Jussas
Colombe
La Brie
Chez-Guitton
Guizengeard
St-Vallier
Bardenac
Le Maine-Robine
Chez-Thomas
Boresse-et-Martron
Chez-Roux
Chez-Pelet
Yviers
Le Pérat
Chez-Tureau
Chez-Lavaud
Sauvignac
Mélac
Rioux-Martin
Cressac
Chez-Mousset
Jourdain
La Genétouze
Les Landes
Boscamnant
Pilet
Les Herveux
Champagne
Malleville
St-Aigulin
La Sauzette
Le Fouilloux
Le Gd Pineau
Le Gibeau
Jeancolin
Philippeau
St-Martin-de-Coux
Le Maine-Dufour
Mesmain
St-Michel-de-Rivière
Frisson
La Barde
Capet
Pépin
Les Michons
Sarrazin
La Vergne
Motard
Sureau
St-Pierre-du-Palais
Cabane
Courgeau
Le Pt Pineau
Millet
Cottières
Le Gat
Lampiat
Montguyon
Vassiac
Les Maines
Pierre-Folle
Neuvicq
Renard
Martron
St-Martin-d'Ary
St-Palais-de-Négrignac
Maquenaux
Montlieu-la-Garde
Orignolles
Pouillac
La Lix
Chez-Perrias
La Forêt
Chepniers
Challaux
Vrignon
Les Rois
Collardeau
Chierzac
Gadebourg
Grignon
Gd Village
Clérac
Fradon
Pacraud
Souillac
Bedenac
Simonneau
Massicot
Chabot
Corcin
Valin
Gilbert
Cercoux
Bassolais
St-Nazaire
Mirambeau
La Clotte
Moinet
Guimard
La Perrière
Chollet
Mauzet
Chamadelle
Les Églisottes-et-Chalaures
Lanière
Maudet
Bignac
Benauge
La Croix-d'Alexandre
Le Pin
Les Roudiers
Serpe
Rolland
Les Peintures
La Cabane
Le Fieu
Troquereau-des-Landes
Larret
La Grave
Les Gds Roix
Porchères
Les Abbés
Camps-
St-Seurin-s-l'Isle
Laborde
Lamothe
St-Sauveur-de-Puynormand
Cressonnet
La Margagne
Cornemps
Petit-Palais-et-Cornemps
Puynormand
Les Huguets
Chouteau
Lapourcaud
Tayac
La Plagne
Francs
Monbadon
Durand
St-Cibard
Le Pin
Les Salles-de-
Joanin
St-Philippe-d'Aiguille
Pitray
Gardegan-et-Tourtirac
Rouve
Belvès-de-Castillon
Capitourlan
Les Illarets
Ste-Colombe
St-Magne-de-C.
Castillon-la-Bataille
Cancadoual
Piquesègue
Villemartin
Les Moulets-et-Villemartin
Flaujagues
Civrac-s-Dordogne
Mouliets
Ste-Terre
Cafol
Lavagnac
Ste-Florence
Merlande
Cabara
Branne
St-Jean-de-Blaignac
Grézillac
Lugaignac
Tizac-de-Curton
Baron
St-Quentin-de-Baron
Cursan
Croignon
Loupes
Bonnetan
Camarsac
Carignan-de-Bordeaux
Bouliac
Fargues-St-Hilaire
Melac
Tresses
Salleboeuf
Pompignac
Artigues-près-B.
Le Poteau d'Yvrac
Planète Bordeaux
Teynac
Beychac-et-Caillau
Beychac
La Barade
Relais de Canteloup
Montussan
Yvrac
Carbon-Blanc
Les Places
Terrefort
Le Truch
Sablot
Cameyrac
St-Sulpice-et-Cameyrac
Ste-Eulalie
St-Loubès
Portes
Izon
Graney
Le Tasta
Lamotte
Uchamp
Vayres
Libourne
Port du Noyer
Perpignan
St-Pardon
St-Michel-de-Fronsac
Fronsac
Condat
Arveyres
Port de Génissac
Gourdon
St-Germain-du-Puch
Cadarsac
Le Gd-Puch
Génissac
Beaupied
Nérigean
Crain
Jonqueyres
Moulon
Montleau
Vignonet
St-Sulpice-de-Faleyrens
Luchey
Menhir de Pierrefitte
Les Bigaroux
St-Laurent-des-Combes
St-Étienne-de-Lisse
St-Pey-d'Armens
St-Hippolyte
St-Christophe-des-Bardes
St-Émilion
Ausone
Gontey
St-Martin
Parsac
Puisseguin
Montagne
St-Georges
Musset
Faure
Le Cros
Catusseau
Figeac
Pomerol
Maillet
Néac
Bertin
Arriailh
Les Longues Règes
Lussac
Chevrol
Bertineau
Marchesseau
Les Billaux
Lalande-de-Pomerol
Nouet
Bossuet
Musset
Goujon
Colas-Nouet
Fort-Muret
Les Artigues-de-Lussac
Terrien
Le Cros
Malydure
Les Jays
Grézard
Martin-Masson
Michel-de-Vert
Tripoteau
Sorillon
Vacher
Les Chapelles
Goizet
Pinaud
Le Caillevat
Picampeau
Gratien
Les Vents
St-Denis-de-Pile
Frappe
Savignac-de-l'Isle
Bourricaud
La Chapelle
Lagrave
Bonzac
Le Matha
Auvergnats
Brantirat
La Rue
Abzac
Couperie
St-Médard-de-Guizières
Catherineau
Rochereau
Audebeau
Lauvirat
Coutras
Les Mougeaux
Sablon
Lagorce
Drouillard
Guitres
Le Canton
Sablons
Montfavier
St-Martin-de-Laye
Candeau
Rétiveau
Bayas
Lainier
Montigaud
La Guirande
Le Maine-Pommier
Glémin
Monfourat
Le Gué-de-Sénac
Le Gautreau
La Ferme aux Oiseaux
Le Gd Jard
Sepeau
Maransin
Canton-des-Nauves
Landournerie
La Garrigue
St-Ciers-d'Abzac
St-Martin-du-Bois
Mérigot
Tizac-de-Lapouyade
Lapouyade
Peuchaud
Jarnac
Perrossimon
Laruscade
La Girauderie
Étg Jean de Vaux
Pas de Canon
Les Mottets
Levrault
La Pte Glaive
Lutard
Veyrines
Les 3 Pierres
Duret
Guiard
Plassottes
Pierrebrune
La Péguille
Belout
La Gare
St-Yzan-de-Soudiac
Blanchet
St-Savin
L'Aiguille
Guiet
St-Mariens
Civrac-de-Blaye
Cavignac
Baudet
Landreau
Cézac
Cubnezais
La Croix-de-Merlet
Les Bichons
Marsas
Marcenais
Gueynard
Vinet
La Grosse-Pierre
Bafave
Fayet
Bernon
Laroque
Monsieur Dubois
Mont Sidi Brahim
St-Genès-de-Fronsac
Beaucourt
Gauriaguet
Andreau
La Bernarde
Peujard
Bois-de-Lion
Virsac
Aubie-et-Espessas
Puyfaure
Salignac
Périssac
Mouillac
Grimard
Caillon
La Mongie
Brandet
Fourat
Vérac
Les Gaussens
Galgon
David
Maleret
Les Maurins
Braguè
Rouzat
Biquet
Reden
Tarnès
La Lande-de-Fronsac
Cadillac-en-Fronsadais
Villegouge
Girard
Saillans
Lugon-et-l'Île-du-Carnay
Meyney
Vincent
St-Aignan
La Rivière
Port de Tressac
St-Germain-de-la-Rivière
Gabaron
Asques
Le Pouyau
St-Romain-la-Virvée
Cubzac-les-Ponts
Meillac
L'Estalot
Calonge
St-André-de-Cubzac
Plagne
St-Antoine
Le Bouilh
St-Gervais
Port-Neuf
Prignac-et-Marcamps
Le Gd Chemin
St-Laurent-d'Arce
Magrigne
Tauriac
Marcamps
Maine-Bernard
Peugeais
Pugnac
Lafosse
Le Fassier
Gravier
Les Coureaux
Chapeau
St-Urbain
La Gaucherie
St-Christoly-de-Blaye
Vivien-de-Blaye
La Gache
Cottraud
Coudurat
Saugon
Le Jard-de-Bourdillas
Brochet
Le Pas-de-Bussac
Le Gd Touzin
Lugéras
La Brochette
Terrain militaire
Centre pénitencier
Bussac-Forêt
Le Pont
Le Pas-de-Bret
Le Cap-d'Avias
Verdot
Brignac
La Tuillerie
Reignac
Les Gourdines
Les Viauds
La Nauve
Corignac
Donnezac
La Touille
Arsonneau
St-Pierre
Menanteau
Reguignon
Marcillac
Les Drouillards-des-Bois
Gablezac
Les Rodiers
Fraineau
Réaud
Vilain-Nom
Mouret
Dordogne
Ambarès-et-Lagrave
Cavernes
La Chapelle
St-Vincent-de-Paul
St-Denis
Garlop
Tayac
Le Jarculet
Bedenac
Coudrelle
Saye
Livenne
Lary
Palais
Mozenne
Dronne
Isle
Barbanne
Gestas
Laurence

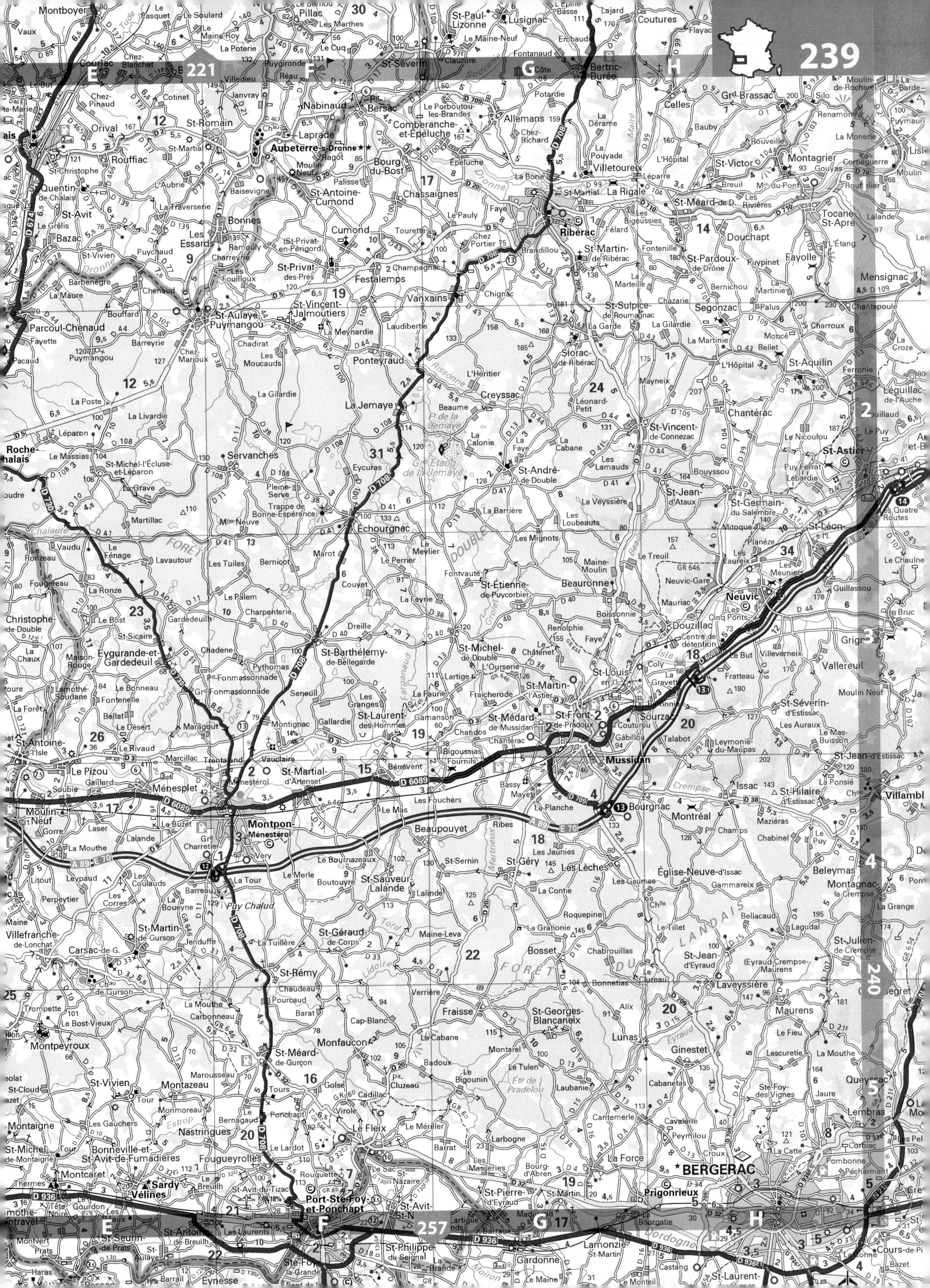

239
221
257
240
Montboyer
Pillac
St-Paul-Lizonne
Lusignac
Coutures
Courlac
St-Séverin
Bertric-Burée
Nabinaud
Bersac
Allemans
Celles
Grd-Brassac
St-Romain
Comberanche-et-Épeluche
Orival
Laprade
Aubeterre-s-Dronne
Rouffiac
Bourg-du-Bost
Villetoureix
St-Victor
Montagrier
St-Quentin-de-Chalais
St-Antoine-Cumond
Chassaignes
La Rigale
St-Méard-de-D.
Tocane-St-Apre
St-Avit
Bonnes
Ribérac
Bazac
Les Essards
Cumond
St-Martin-de-Ribérac
Douchapt
St-Privat-des-Prés
Festalemps
St-Pardoux-de-Drône
Fayolle
Vanxains
Mensignac
St-Sulpice-de-Roumagnac
Segonzac
St-Aulaye-Puymangou
St-Vincent-Jalmoutiers
Parcoul-Chenaud
Ponteyraud
Siorac-de-Ribérac
St-Aquilin
L'Héritier
Creyssac
La Jemaye
Chantérac
Léguillac-de-l'Auche
St-Vincent-de-Connezac
Roche-Chalais
Servanches
St-Michel-l'Écluse-et-Léparon
St-André-de-Double
St-Astier
St-Jean-d'Ataux
St-Germain-du-Salembre
Échourgnac
St-Léon-s-l'I.
DOUBLE
FORÊT DE LA DOUBLE
St-Étienne-de-Puycorbier
Beauronne
Neuvic
Douzillac
Eygurande-et-Gardedeuil
St-Barthélemy-de-Bellegarde
St-Michel-de-Double
St-Louis-en-l'Isle
Grignols
Vallereuil
St-Martin-l'Astier
St-Laurent-des-Hommes
St-Médard-de-Mussidan
St-Front-de-Pradoux
Sourzac
St-Séverin-d'Estissac
St-Antoine-de-l'Isle
Le Pizou
Ménesplet
St-Martial-d'Artenset
Mussidan
St-Jean-d'Estissac
Issac
St-Hilaire-d'Estissac
Villamblard
Moulin-Neuf
Montpon-Ménestérol
Beaupouyet
Bourgnac
Montréal
St-Géry
Les Lèches
St-Sauveur-Lalande
Église-Neuve-d'Issac
Beleymas
Montagnac-la-Crempse
St-Martin-de-Gurson
Villefranche-de-Lonchat
Carsac-de-G.
St-Géraud-de-Corps
Bosset
St-Jean-d'Eyraud
St-Julien-de-Crempse
St-Rémy
Laveyssière
FORÊT DU LANDAIS
Montpeyroux
Fraisse
St-Georges-Blancaneix
Maurens
Monfaucon
Lunas
Ginestet
St-Méard-de-Gurçon
St-Vivien
Montazeau
Queyssac
Lembras
Le Fleix
Nastringues
Fougueyrolles
La Force
BERGERAC
St-Michel-de-Montaigne
Bonneville-et-St-Avit-de-Fumadières
Montcaret
Sardy
Vélines
Port-Ste-Foy-et-Ponchapt
St-Pierre-d'Eyraud
Prigonrieux
St-Antoine-de-Breuilh
Lamonzie-St-Martin
St-Seurin-de-Prats
Ste-Foy-la-Grande
St-Philippe-du-Seignal
Gardonne
Cours-de-Pile

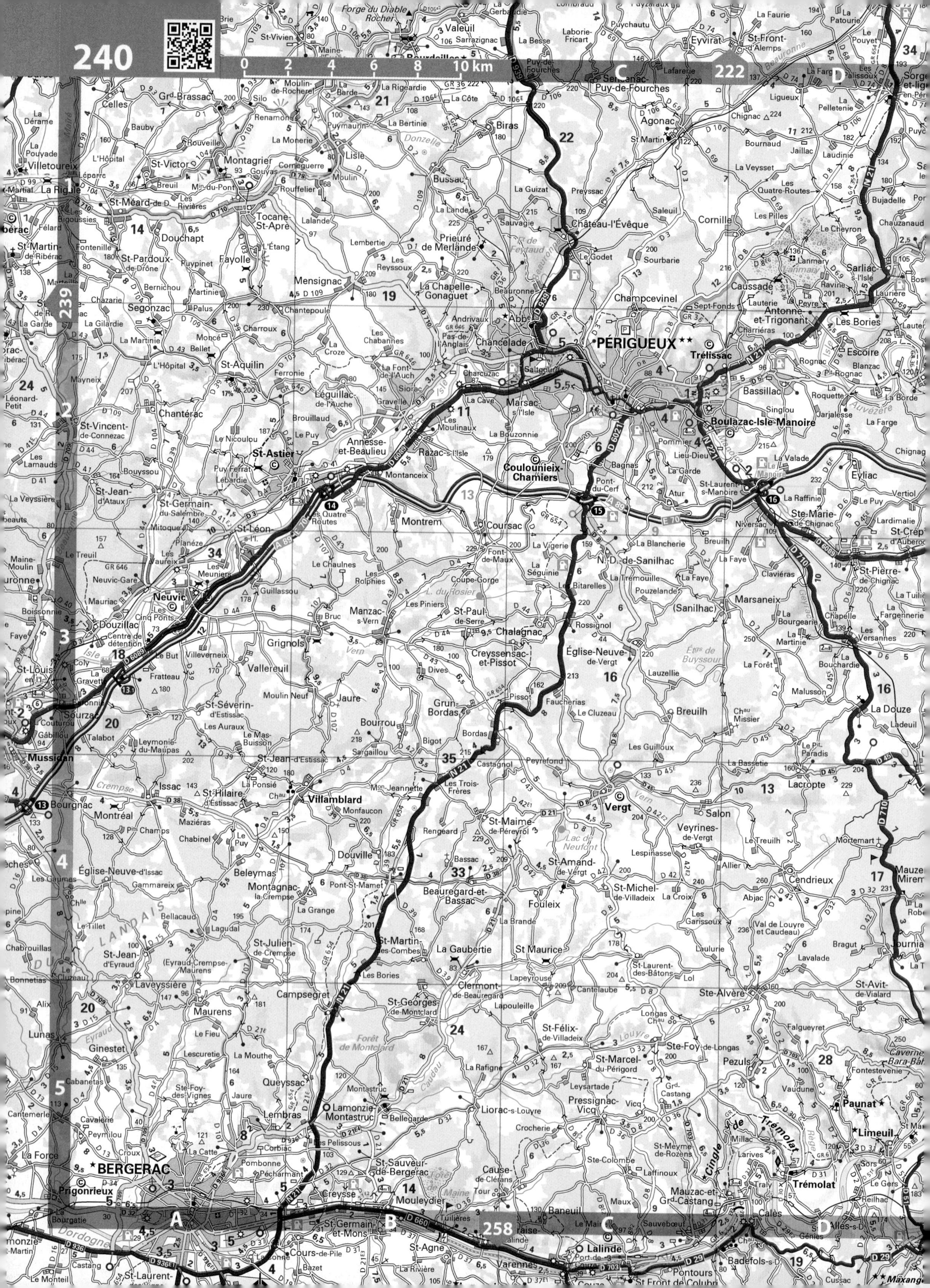
0 2 4 6 8 10 km
222
239
258
PÉRIGUEUX
Trélissac
Boulazac-Isle-Manoire
Coulounieix-Chamiers
Chancelade
Marsac-s-l'Isle
Razac-s-l'Isle
Annesse-et-Beaulieu
St-Astier
Neuvic
Douzillac
Mussidan
Sourzac
Villamblard
Vergt
BERGERAC
Prigonrieux
Lalinde
Trémolat
Limeuil
Paunat
Mouleydier
Creysse
St-Sauveur-de-Bergerac
Lamonzie-Montastruc
Campsegret
St-Martin-des-Combes
Château-l'Évêque
Agonac
Champcevinel
Antonne-et-Trigonant
Sarliac-s-l'Isle
Bassillac
Atur
St-Laurent-s-Manoire
Ste-Marie-de-Chignac
St-Pierre-de-Chignac
Marsaneix
N.-D.-de-Sanilhac
Église-Neuve-de-Vergt
Cendrieux
Ste-Alvère
St-Amand-de-Vergt
Fouleix
St-Michel-de-Villadeix
St-Félix-de-Villadeix
Ste-Foy-de-Longas
St-Marcel-du-Périgord
Pressignac-Vicq
Liorac-s-Louyre
Mauzac-et-Grd-Castang
Cales
Manzac-s-Vern
Grignols
St-Paul-de-Serre
Chalagnac
Creyssensac-et-Pissot
Beauregard-et-Bassac
Douville
St-Hilaire-d'Estissac
Issac
St-Jean-d'Estissac
Montréal
Beleymas
St-Jean-d'Eyraud
St-Julien-de-Crempse
Laveyssière
Maurens
Ginestet
Lunas
Bourgnac
St-Séverin-d'Estissac
St-Léon-s-l'Isle
St-Germain-du-Salembre
St-Jean-d'Ataux
St-Vincent-de-Connezac
Chantérac
Léguillac-de-l'Auche
St-Aquilin
Segonzac
Mensignac
La Chapelle-Gonaguet
Tocane-St-Apre
Montagrier
Lisle
Celles
Grd-Brassac
Douchapt
St-Pardoux-de-Drône
St-Méard-de-D.
Villetoureix
Bussac
Biras
Valeuil
Bourdeilles
Sencenac-Puy-de-Fourches
Eyvirat
St-Front-d'Alemps
Cornille
Escoire
La Douze
Lacropte
Veyrines-de-Vergt
Salon
Clermont-de-Beauregard
St-Georges-de-Montclard
Queyssac
Lembras
St-Germain-et-Mons
Cours-de-Pile
St-Agne
Varennes
Baneuil
Badefols-s-D.
Alles-s-D.
Dordogne
Isle
Vern
Crempse
Forêt de Montclard
Cingle de Trémolat
A89
E70
N21
D6089
D710
D939

223
E
F
G
H
Excideuil
St-Germain-des-Prés
St-Pantaly-d'Excideuil
Preyssac-d'E.
Anlhiac
Génis
Salagnac
Ste-Trie
Juillac
Chabrignac
St-Raphaël
Coulaures
Cherveix-Cubas
Boisseuilh
Rosiers-de-Juillac
St-Bonnet-la-Rivière
Mayac
Tourtoirac
Segonzac
St-Cyr-la-Roche
Objat
Hautefort
Ste-Eulalie-d'Ans
St-Pantaly-d'Ans
Teillots
St-Robert
Ayen
Vars-s-Roseix
St-Cyprien
Chourgnac
Temple-Laguyon
Coubjours
Louignac
St-Aulaire
Cubjac
La Boissière-d'Ans
Nailhac
Badefols-d'Ans
Perpezac-le-Blanc
Puy d'Yssandon
Granges-d'Ans
Brouchaud
Gabillou
Ste-Orse
La Chapelle-St-Jean
Yssandon
Brignac-la-Plaine
Montagnac-d'Auberoche
Bauzens
Châtres
Villac
Varetz
Castel Novel
St-Rabier
Peyrignac
Limeyrat
Ajat
Beauregard-de-Terrasson
Cublac
Mansac
Azerat
Rastignac
La Bachellerie
Terrasson-Lavilledieu
St-Pantaléon-de-Larche
St-Antoine-d'Auberoche
Fossemagne
Thenon
Le Lardin-St-Lazare
Les Farges
Pazayac
Larche
Condat-s-Vézère
Auriac-du-Périgord
Coly
Chavagnac
St-Cernin-de-Larche
Fanlac
Montignac
Aubas
St-Amand-de-Coly
La Dornac
Rouffignac-St-Cernin-de-Reilhac
Plazac
Lascaux
Le Thot
Losse
Thonac
Valojoulx
La Chapelle-Aubareil
Jayac
Nadaillac
St-Félix-de-Reilhac-et-Mortemart
St-Léon-s-Vézère
Sergeac
Fleurac
Archignac
Paulin
St-Geniès
Grte de Rouffignac
Peyzac-le-Moustier
La Roque St-Christophe
Tursac
Site de la Madeleine
Salignac-Eyvigues
Savignac-de-Miremont
Marcillac-St-Quentin
Manaurie
Tamniès
St-Crépin-et-Carlucet
Borrèze
Grand Roc
Les Eyzies-de-Tayac-Sireuil
Les Combarelles
Font-de-Gaume
Chau de Commarque
Marquay
Jardins d'Eyrignac
Proissans
Le Bugue
Campagne
Cabanes du Breuil
Puymartin
Moulin de la Tour
Orliaguet
Sarlat-la-Canéda
Ste-Nathalène
Prats-de-Carlux
Simeyrols
Carlux
Peyrillac-et-Millac
Meyrals
St-André-d'Allas
Vitrac
Audrix
St-Cyprien
Castels
Redon-l'Espi
Rouffillac
Calviac-en-Périgord
Cazoulès
Beynac-et-Cazenac
Carsac-Aillac
Ste-Mondane
St-Julien-de-Lampon
Fénelon
Le Buisson-de-Cadouin
Montfort
Cingle de Montfort
Dordogne
Vézère
259
242
A 89
E 70
D 6089
D 704
D 47
D 703

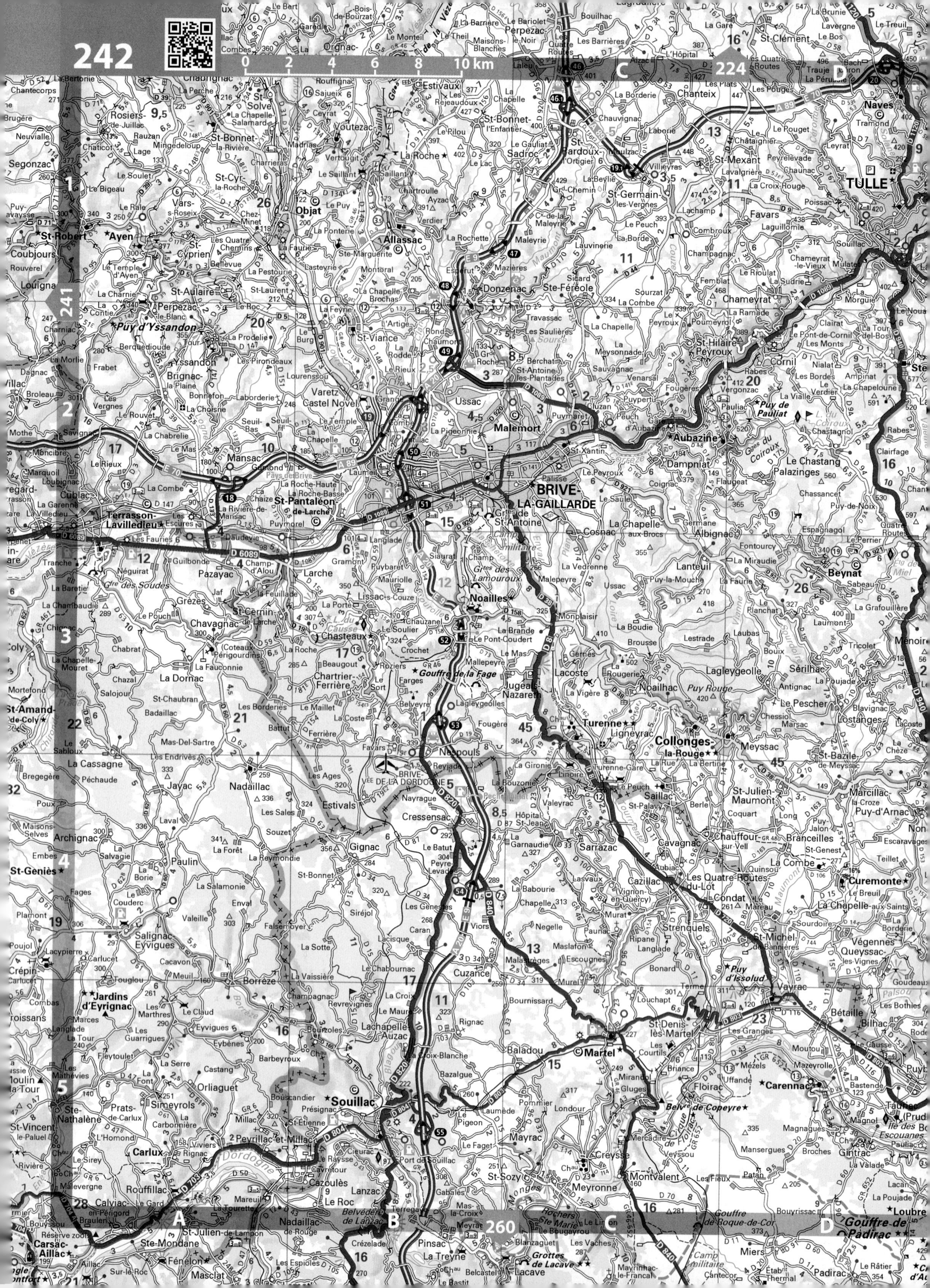

0 2 4 6 8 10 km

224
241
260

A B C D
1 2 3 4 5

Chabrignac
Orgnac
Perpezac-le-Noir
Lagraulière
St-Clément
La Brunie
Lavergne
Le Treuil
Chantecorps
La Perche
St-Solve
Estivaux
Chanteix
Les Quatre Routes
Rosiers-de-Juillac
La Chapelle-Salamard
Voutezac
Rejeadoux
St-Bonnet-l'Enfantier
Chauvignac
Laborie
Naves
Tramond
Brugère
Neuvialle
Chaticot
Rauzan
St-Bonnet-la-Rivière
Mingedeloup
Vertougit
La Roche
Le Gauliat
Sadroc
St-Pardoux-l'Ortigier
Moulzac
Villeyras
St-Mexant
Le Pouyet
Peyrelevade
Chaunac
Leyrat
Segonzac
Le Soulet
St-Cyr-la-Roche
Le Saillant
Saillant
Chartroulle
La Beylie
Gd-Chemin
St-Germain-les-Vergnes
Lavalgrière
La Croix-Rouge
TULLE
Puy-avaysse
Vars-s-Roseix
Objat
Le Puy
Ayzac
Verdier
Cx-de-la-Maleyrie
Lachamp
Favars
Laguillomie
Poissac
St-Robert
Ayen
Coubjours
Rouverel
Chez-Minet
Les Quatre-Chemins
St-Cyprien
Bellevue
La Faurie
Allassac
Ste-Marguerite
La Rochette
Maleyrie
Le Peuch
Combroux
Souillac
Louignac
Le Temple-d'Ayen
La Pestourie
Lasteyrie
Montoral
Esparrut
Mazières
Lauvinerie
La Borde
Champagnac
Chameyrat-le-Vieux
Mulatet
La Charnie
La Contie
St-Aulaire
Perpezac-le-Blanc
Le Roc
St-Laurent
La Chapelle-Brochas
Donzenac
Ste-Féréole
Sicard
Sourzat
La Combe
Fémblat
Chameyrat
Le Rioulat
La Sudrie
La Morguie
Charniac
Puy d'Yssandon
Berquedioude
Tour
Yssandon
La Prodelie
La Feyrie
L'Artige
St-Viance
Le Burg
Rond
Chaumont
Travassac
Les Saulières
La Chapelle
Le Peyroux
Poumeyrol
La Ramade
Clairat
Le Pont-de-Cornil
Les Monts
La Tour-del-Bos
La Morlie
Frabet
Les Pirondeaux
Lourensou
La Rodde
Le Rieux
Roche
Berchat
St-Antoine-les-Plantades
Meysonnade
Sauvagnac
Venarsal
St-Hilaire-Peyroux
Cornil
Nialat
Ampinat
Dagnac
Brignac-la-Plaine
Bonnefon
Laborderie
Varetz
Castel Novel
La Grande
Ussac
Malemort
Puymaret
Cluzan
Puypertu
Fougères
Vergonzac
Pauliac
Rabes
Puy de Pauliat
Les Bordes
Le Verdier
La Vialle
La Chapeloune
Villac
Broleau
Les Vergnes
Le Rouvet
La Choisne
Seuil-Bas
Seuil-Haut
Le Temple
La Chapelle
La Pigeonnie
Peuch d'Aubazine
Aubazine
L. du Coiroux
Chastagnol
Mothe
Savignac
La Chabrelie
Mansac
Gumond
Pays de Brive
Laumeil
St-Xantin
Gorges du Coiroux
Dampniat
Le Chastang
Palazinges
Clairfage
Moncibre
Marquoil
Loubignac
Le Rieux
La Combe
Le Peyroux
Flaugeat
Chassancet
Puy-de-Noix
Cublac
La Garenne
La Villedieu
Terrasson-Lavilledieu
La Roche-Haute
La Roche-Basse
St-Pantaléon-de-Larche
La Chaize
La Rivière-de-Mansac
Les Escures
Puymorel
BRIVE-LA-GAILLARDE
Palisse
Le Saule
Coignac
Gres de St-Antoine
Cosnac
La Chapelle-aux-Brocs
Germane
Albignac
Espagnagol
Le Perrier
Quatre Routes
Tranche
Les Fauries
Daudevie
Néguirat
Guilbonde
Pazayac
Champ d'Alou
Larche
Gramont
Langlade
Siaurat
Camp Militaire
La Vedrenne
Lanteuil
La Miraudie
Fontourcy
Beynat
Sabeau
Etg de Miel
Gfre des Soudes
La Baretie
La Chambaudie
Grèzes
Jaf
La Feuillade
Puybaret
Mauriolle
Lissac-s-Couze
Champ
Gres des Lamouroux
Noailles
Malepeyre
Ussac
Puy-la-Mouche
La Faurie
Le Planchat
La Grafouillère
Chignac
Le Pouch
St-Cernin-de-Larche
Chavagnac
La Porte
L. du Causse
Chauzanel
Le Soulier
La Brande
Monplaisir
La Boudie
Laumont
Coly
Chabrat
(Coteaux Périgourdins)
Chasteaux
Crochet
Le Pont-Coudert
Brousse
Lestrade
Laubas
Bouix
Tricolet
Menoire
La Chapelle-Mouret
La Faucounie
La Roche
Beaugout
Roziers
Le Mas
Gernes
La Rougerie
Lagleygeolle
Sérilhac
La Poujade
Mallepeyre
Gouffre de la Fage
Farges
Chartrier-Ferrière
Le Sort
Jugeals-Nazareth
Lacoste
La Vigère
Noailhac
Puy Rouge
Antignac
Chazal
La Dornac
Salojour
Mortefond
St-Chaubran
Les Borderies
Le Maillet
Belveyre
Laglevgeolles
Le Pescher
Blavignac
St-Amand-de-Coly
Badaillac
La Coste
Fougère
Turenne
Ligneyrac
Collonges-la-Rouge
Meyssac
Chessiol
Marsac
Lostanges
Lacoste
Battut
Ferrière
Favars
Nespouls
La Gironie
Linoire
Turenne-Gare
La Rue
La Bertine
St-Bazile-de-Meyssac
La Chèze
Le Sabloux
Mas-Del-Sartre
Les Endrives
La Cassagne
Jayac
Nadaillac
Les Ages
Brive-Vée de la Dordogne
Reyjade
La Bouzonie
Le Peuch
Saillac
St-Julien-Maumont
Marcillac-la-Croze
Puy-d'Arnac
Bregegère
Péchaude
Estivals
Nayrague
Valeyrac
St-Palavy
Berle
Coquart
Long
Puy-Jalon
Poux
Les Sales
Cressensac
Hôpital St-Jean
Maisons-Selves
Souzet
Laval
La Garnaudie
Sarrazac
Cavagnac
Chauffour-sur-Vell
Branceilles
Escaravages
Archignac
La Salvagie
La Forêt
La Reymondie
Gignac
Le Batut
Peyre-Levade
St-Genest
Teillet
Embes
St-Geniès
Paulin
St-Bonnet
Lasvaux
Cazillac
Les Quatre-Routes-du-Lot
Quinsou
La Combe
Curemonte
La Borie
La Salamonie
Lachapelle
Vignon-en-Quercy
Condat
Le Mareau
Le Breuil
La Chapelle-aux-Saints
Fages
Le Couderc
Enval
Siréjol
Les Genestes
La Babourie
Chapelle
Plamont
Valeille
Falsembyer
Caran
Viors
Negelle
Murat
Paunac
Strenquels
Sourdoire
La Borderie
Poujol
Salignac-Eyvigues
Lacisque
Maslafon
Escougnes
Langlade
St-Michel-de-Bannières
Végennes
Queyssac-les-Vignes
Lacypierre
Carlucet
Cacavon
La Sotte
Malassèges
Bonard
Puy d'Issolud
Crépin-Carlucet
Touglou
Meuil
Borrèze
Le Chabournac
La Vaissière
Cuzance
Murel
Terme
Vayrac
Goudeaux
Jardins d'Eyrignac
Combas
Les Marthres
Le Claud
Champagnac
Revrevignes
La Croix
Le Maur
Rignac
Bournissard
Louchapt
Bétaille
Les Bothies
Marces
Croissans
Langlade
Les Guarrigues
Eyvigues
Eybènes
Lachapelle-Auzac
Baladou
St-Denis-lès-Martel
Les Granges
Bilhac
La Tour
Fleytoulet
Barbeyroux
La Croix-Blanche
Martel
Les Courtils
Moutou
Mazeyrolle
Le Causse
Puybrun
Moulin la Tour
Les Mathévies
La Serre
Castang
Orliaguet
Bazalgue
Mirandol
Gluges
Briance
Floirac
Mézels
Uffande
Carennac
La Bastende
Ste-Nathalène
Prats-de-Carlux
Simeyrols
Le Bouscandier
Souillac
Présignac
Laumède
Pommier
Londour
Belvre de Copeyre
Tauriac
Magnol
Île des Escouanes
St-Vincent-le-Paluel
L'Homond
La Carbonnière
Millac
St-Etienne
Le Pigeon
Mayrac
Magnagues
Gintrac
Peyrillac-et-Millac
Le Faget
Mercadière
Cirque de Floirac
Veyssou
Mansergues
Broches
Le Sirey
Rivière
Malevergne
Carlux
Viviers
Rignac
Dordogne
Cieurac
Le Raysse
Cavretour
Port de Souillac
St-Sozy
Creysse
Montvalent
Les Fieux
La Valade
Rouffillac
Cazoulès
Lanzac
Gabalès
Meyronne
Lacan
Loubre
Calviac-en-Périgord
Le Gard
Mareuil
La Tourette
Le Roc
Belvédère de Lanzac
Terregaye
Mas-la-Salle
Rochers Ste Marie
Le Bougayrou
Le Lin
Gouffre de Roque-de-Cor
Bouyrissac
Gouffre de Padirac
Braulen
Bouyssou
Réserve zool.
St-Julien-de-Lampon
Nadaillac-de-Rouge
Meyrat
Blanzaguet
Les Vaches
Carsac-Aillac
Ste-Mondane
Crézelade
Pinsac
La Treyne
Grottes de Lacave
Camp militaire
Miers
Padirac
Le Ratier
Aillac
Fénelon
Sur-le-Roc
Masclat
Les Espioles
Belcastel
Lacave
Le Bastit
Mayrinhac-le-Francal
Etablt Thermal
Montfort

225
E
F
G
H
Eyrein
St-Hilaire-Foissac
Lapleau
Latronche
Soursac
Gimel-les-Cades
St-Priest-de-Gimel
Champagnac-la-Noaille
Lafage-s-Sombre
Marcillac-la-Croisille
Clergoux
Meyrignac
St-Martial-de-Gimel
Chanac-les-Mines
St-Bonnet-Avalouze
Bge de la Valette
St-Pardoux-la-Croisille
St-Merd-de-Lapleau
Laval-s-Luzège
Bge de l'Aigle
Chalvignac
Spontour-s-Dordogne
Dordogne
Pandrignes
Espagnac
Ladignac-s-Rondelles
St-Paul
Gumond
Gros-Chastang
Bassignac-le-Haut
Auriac
Puy St-Mary
Brageac
Marc-la-Tour
La Roche-Canillac
Champagnac-la-Prune
St-Sylvain
Darazac
Puy du Bassin
Rilhac-Xaintrie
Chaussenac
St-Martin-la-Méanne
St-Bazile-de-la-Roche
Bge du Chastang
St-Privat
Pleaux
Forgès
St-Bonnet-Elvert
Albussac
St-Chamant
Servières-le-Château
St-Martial-Entraygues
St-Julien-aux-Bois
Neuville
Argentat
Bge d'Argentat
Monceaux-s-Dordogne
St-Cirgues-la-Loutre
St-Martin-Cantalès
Hautefage
St-Geniez-ô-Merle
Tours de Merle
St-Hilaire-Taurieux
Chenailler-Mascheix
Sexcles
Goulles
Cros-de-Montvert
Arnac
St-Illide
La Chapelle-St-Géraud
St-Julien-le-Pèlerin
Rouffiac
St-Santin-Cantalès
St-Victor
Brivezac
Bassignac-le-Bas
Reygade
Mercœur
Camps-St-Mathurin-Léobazel
Montvert
Laroquebrou
Nieudan
Altillac
Laval-de-Cère
Siran
St-Gérons
St-Etienne-Cantalès
Bge de St-Etienne-Cantalès
St-Paul-des-Landes
Biars-s-Cère
Gagnac-s-Cère
Glanes
Teyssieu
Lacapelle-Viescamp
Bretenoux
Castelnau
Cornac
Glénat
La Ségalassière
St-Michel-Loubéjou
Belmont-Bretenoux
Frayssinhes
Sousceyrac-en-Cayla
St-Saury
Le Rouget-Pers
St-Céré
Montal
St-Laurent-les-Tours
Latouille-Lentillac
N.-D. de Verdale
Roumégoux
St-Mamet-la-Salvetat
Grotte de Presque
Gorges de la Cère
Gorges de la Dordogne
Gges de la Maronne
Gges de la Bertrande
D 1120
D 120
D 980
D 940
D 673
244
261

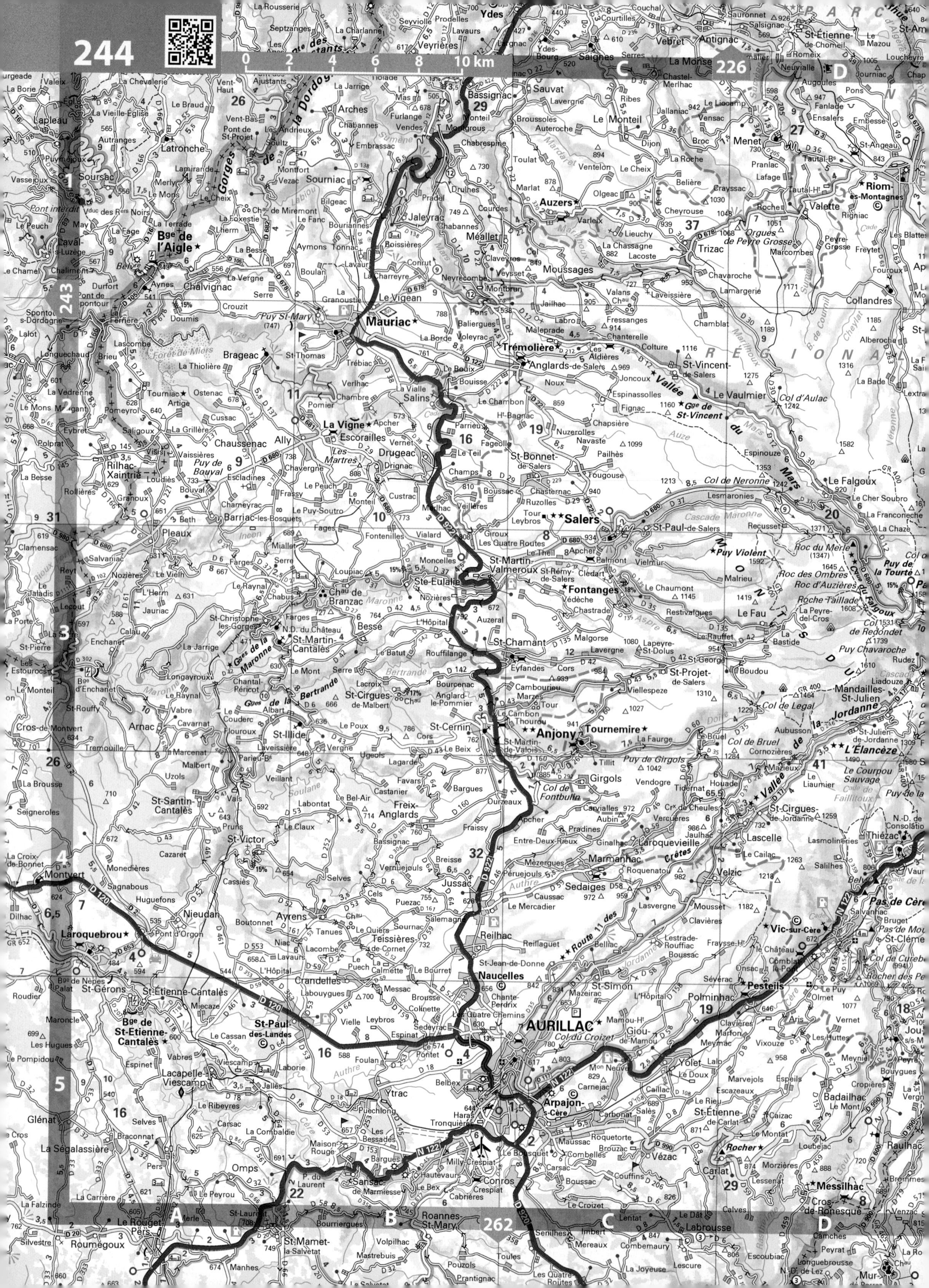

244
0 2 4 6 8 10 km
226
262
243
A
B
C
D
1
2
3
4
5
Ydes
Saignes
Bassignac
Sauvat
Le Monteil
Vebret
Antignac
La Monselie
Riom-ès-Montagnes
Trizac
Menet
Auzers
Moussages
Méallet
Sourniac
Jaleyrac
Le Vigean
Mauriac
Anglards-de-Salers
Trémolière
St-Vincent-de-Salers
Le Vaulmier
Col d'Aulac
Salins
La Vigne
Drugeac
Ally
Chaussenac
Rilhac-Xaintrie
Pleaux
Barriac-les-Bosquets
St-Bonnet-de-Salers
Salers
St-Paul-de-Salers
Fontanges
St-Martin-Valmeroux
Ste-Eulalie
Le Falgoux
Puy Violent
Puy de la Tourte
Le Fau
St-Chamant
St-Martin-Cantalès
St-Cirgues-de-Malbert
St-Cernin
Anjony
Tournemire
Mandailles-St-Julien
L'Élancèze
Girgols
Arnac
St-Illide
St-Santin-Cantalès
St-Victor
Freix-Anglards
Laroquevieille
Marmanhac
Jussac
Thiézac
Vic-sur-Cère
Pas de Cère
Reilhac
Naucelles
Laroquebrou
Montvert
Nieudan
Ayrens
St-Paul-des-Landes
St-Étienne-Cantalès
Lacapelle-Viescamp
Ytrac
AURILLAC
Arpajon-sur-Cère
Yolet
Polminhac
Pesteils
St-Simon
Vézac
Carlat
Messilhac
La Ségalassière
Omps
Sansac-de-Marmiesse
Roannes-St-Mary
St-Mamet-la-Salvetat
Le Rouget-Pers
Labrousse
Raulhac
Gorges de la Dordogne
Gorges de la Maronne
Gorges de la Bertrande
Vallée du Mars
Vallée de la Jordanne
Route des Crêtes
Orgues de Peyre Grosse
Puy Chavaroche
Col de Legal
Col de Bruel
Col de Neronne
Roc des Ombres
Roc d'Auzières
Puy de Bouval
Puy St-Mary
Forêt de Miers
B^ge de l'Aigle
B^ge de St-Étienne-Cantalès
PARC NATUREL RÉGIONAL DES MONTS DU CANTAL

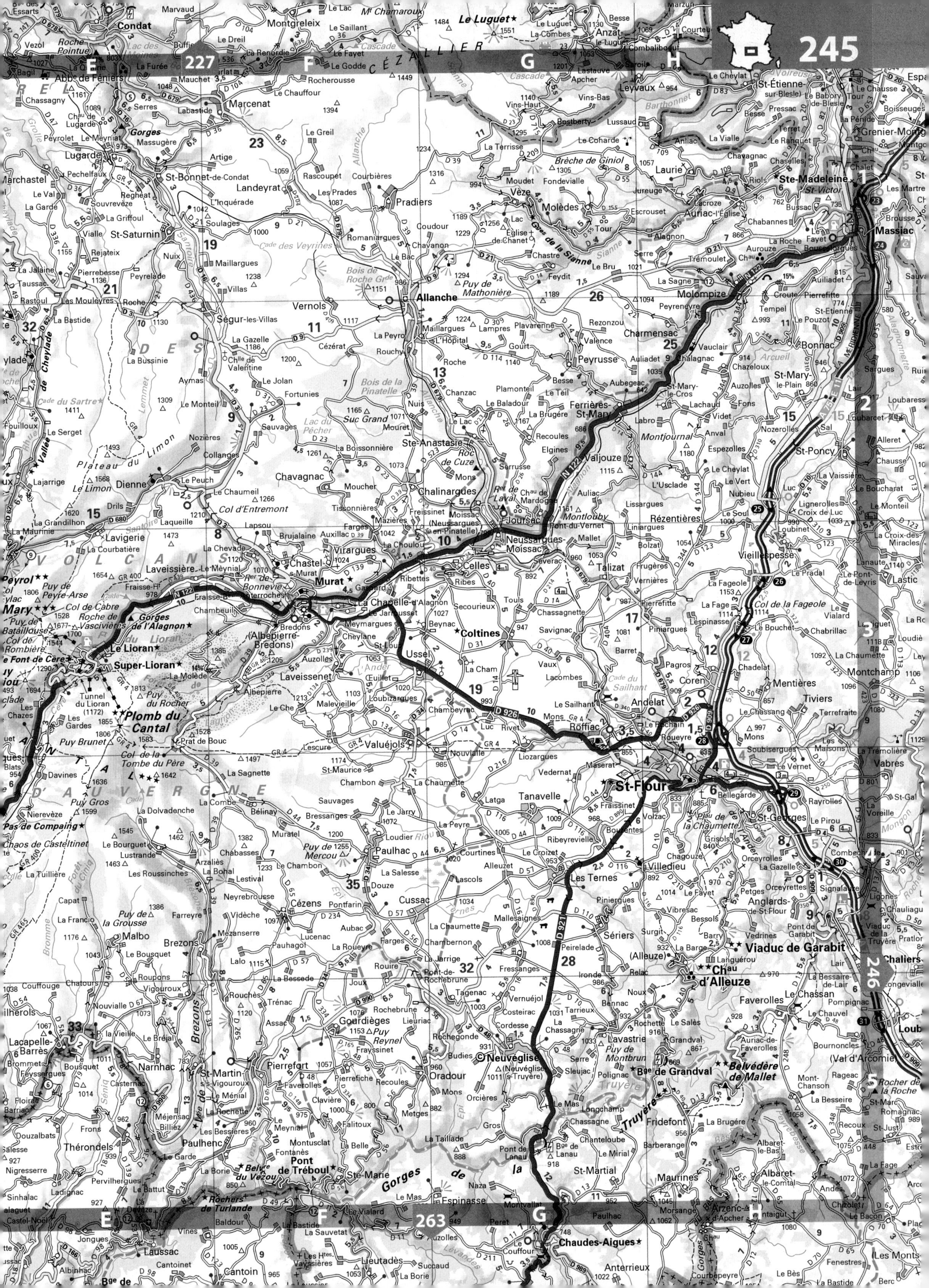
227
246
263
E
F
G
H
CÉZALLIER
Condat
Marcenat
Montgreleix
Le Luguet
Anzat-le-Luguet
Lugarde
St-Bonnet-de-Condat
Landeyrat
Pradiers
Allanche
Ségur-les-Villas
Vernols
St-Saturnin
Molèdes
Vèze
Laurie
Ste-Madeleine
Massiac
Molompize
Charmensac
Ferrières-St-Mary
Peyrusse
Valjouze
Dienne
Col d'Entremont
Lavigerie
Laveissière
Murat
Chastel-s-Murat
Virargues
Neussargues-Moissac
Joursac
Celles
Talizat
Coltines
Ussel
Le Lioran
Super-Lioran
Plomb du Cantal
Puy Griou
Puy Mary
Col de Cabre
Gorges de l'Alagnon
Roffiac
Andelat
Coren
St-Flour
Tanavelle
Paulhac
Cézens
Cussac
Les Ternes
Villedieu
Viaduc de Garabit
Chau d'Alleuze
Neuvéglise
Pierrefort
Oradour
Pont de Tréboul
Gorges de la Truyère
Chaudes-Aigues
Brezons
St-Martin-s-Vigouroux
Narnhac
Paulhenc
Malbo
Lacapelle-Barrès
Anglards-de-St-Flour
Ruynes-en-Margeride
St-Georges
Bonnac
St-Poncy
Lastic
Vabres
Loubaresse
Faverolles
Fridefont
Albaret-le-Comtal
Belvédère de Mallet
Bge de Grandval
Plateau du Limon
VOLCANS
DES
D'AUVERGNE
Puy de Peyre-Arse
Puy Brunet
Col de la Tombe du Père
Puy Gros
Pas de Compaing
Chaos de Casteltinet
Puy de la Grousse
Puy de Mercou
Puy de Mathonière
Bois de la Pinatelle
Suc Grand
Col de la Fageole
Brèche de Giniol
Gges de la Sianne
N 122
D 926
D 921
D 909
A 75
E 11
LA MÉRIDIENNE

0 2 4 6 8 10 km
228
245
264
29
Brioude
Paulhac
Lamothe
Fontannes
Vieille-Brioude
Lavaudieu
Massiac
Lespinasse
Lubilhac
St-Just-près-Brioude
Domeyrat
Paulhaguet
Salzuit
Chassagnes
Couteuges
Mazerat-Aurouze
St-Ilpize
Villeneuve-d'Allier
Mercœur
La Chapelle-Laurent
Blassac
Plateau d'Ally
Lavoûte-Chilhac
Chilhac
Cerzat
St-Georges-d'Aurac
Chavaniac-Lafayette
Ste-Eugénie-de-Villeneuve
St-Cirgues
Aubazat
Mazeyrat-d'Allier
Langeac
Allier
St-Arcons-d'Allier
Chanteuges
Lastic
Rageade
Soulages
Chastel
Védrines-St-Loup
Cronce
Ferrussac
Pinols
Tailhac
Pébrac
Desges
Chazelles
St-Julien-des-Chazes
Prades
Gorges
Charraix
Cubelles
Forêt de la Margeride
MONTAGNE
Mont Mouchet
Ruynes-en-Margeride
Clavières
Garabit
Chaliers
Auvers
Venteuges
Saugues
Monistrol-d'Allier
Loubaresse
Julianges
Paulhac-en-Margeride
Montgrand
Montchauvet
Grèzes
Esplantas-Vazeilles
St-Privat-du-Fau
St-Léger-du-Malzieu
Blavignac
Albaret-Ste-Marie
Le Malzieu-Ville
Le Malzieu-Forain
Chanaleilles
Thoras
Croisances
St-Préjet-d'Allier
Chambon-le-Château
La Chaise-Dieu
DU LIVRADOIS - FOREZ
Sembadel
Connangles
Vals-le-Chastel
Montclard
St-Préjet-Armandon
Collat
Josat
La Chapelle-Bertin
Ste-Marguerite
Varennes-St-Honorat
Vissac-Auteyrac
Siaugues-Ste-Marie
St-Privat-d'Allier
Fix-St-Geneys

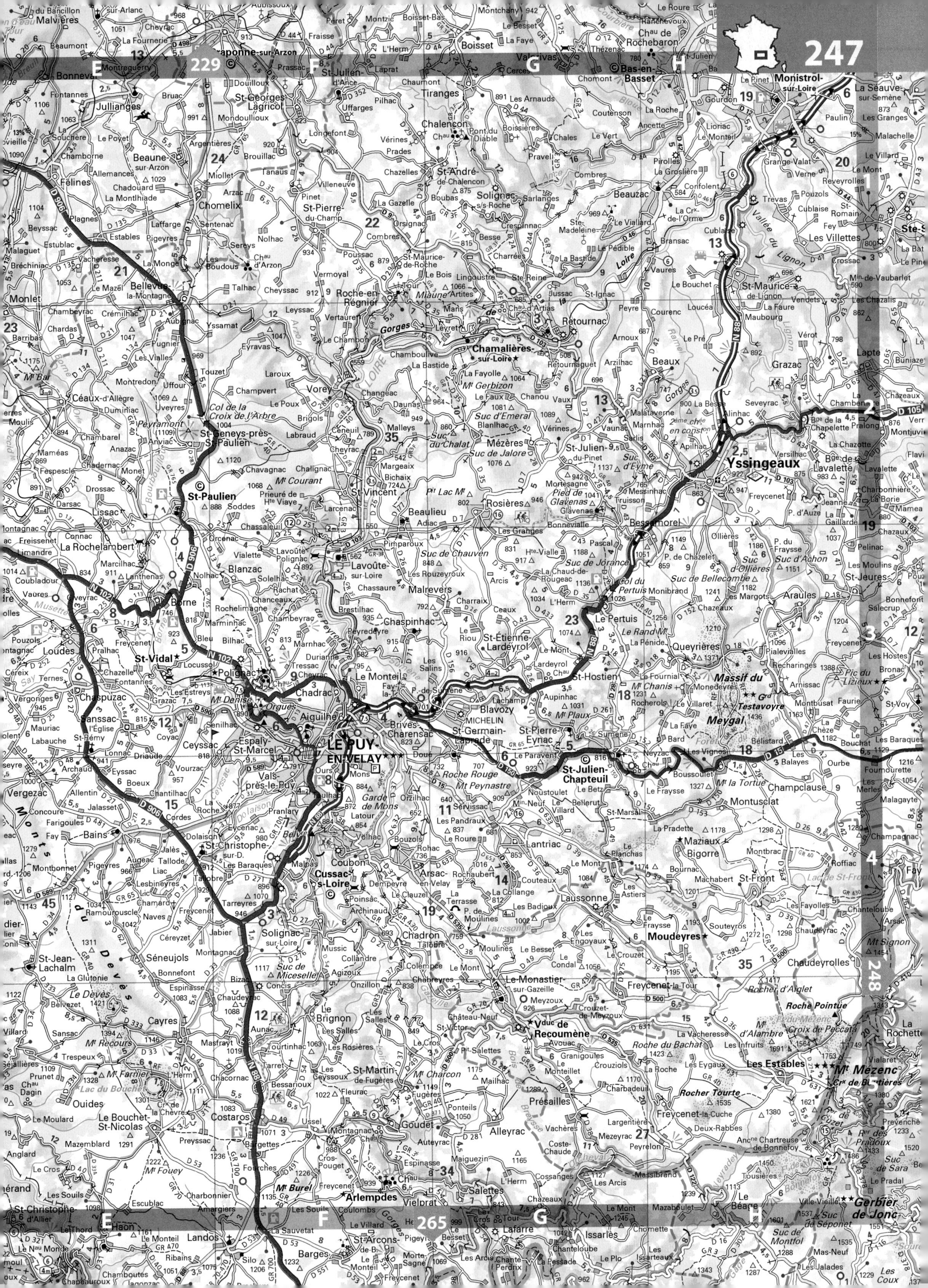
247
229
265
248
E
F
G
H
Monistrol-sur-Loire
Bas-en-Basset
Craponne-sur-Arzon
St-Julien-d'Ance
St-Georges-Lagricol
Tiranges
Chalencon
Boisset
Valprivas
Julianges
Beaune-sur-Arzon
Félines
Chomelix
St-Pierre-du-Champ
St-André-de-Chalencon
Solignac-s/s-Roche
Beauzac
Bellevue-la-Montagne
Roche-en-Régnier
Retournac
Chamalières-sur-Loire
St-Maurice-de-Lignon
Vorey
Céaux-d'Allègre
St-Geneys-près-St-Paulien
St-Paulien
Mt Gerbizon
Suc d'Emeral
Suc de Jalore
Mézères
St-Julien-du-Pinet
Yssingeaux
Beaux
Lapte
Lavoûte-sur-Loire
Lavoûte-Polignac
Beaulieu
Rosières
Bessamorel
Suc de Chauven
Malrevers
Chaspinhac
St-Étienne-Lardeyrol
Le Pertuis
Queyrières
Araules
St-Jeures
Massif du Meygal
Testavoyre
Polignac
St-Vidal
Loudes
Borne
Blanzac
Chadrac
Aiguilhe
LE PUY-EN-VELAY
Brives-Charensac
Espaly-St-Marcel
St-Germain-Laprade
St-Pierre-Eynac
St-Julien-Chapteuil
Vals-près-le-Puy
Ceyssac
Sanssac-l'Église
Chaspuzac
Vergezac
Bains
St-Christophe-sur-D.
Coubon
Cussac-s-Loire
Lantriac
Laussonne
Montusclat
Champclause
Moudeyres
St-Front
Solignac-sur-Loire
Le Monastier-sur-Gazeille
Freycenet-la-Tour
Chaudeyrolles
Vduc de Recoumène
Les Estables
Mt Mezenc
Présailles
Freycenet-la-Cuche
Goudet
Alleyrac
Costaros
Cayres
Le Bouchet-St-Nicolas
St-Jean-Lachalm
Arlempdes
Salettes
Issarlès
Landos
St-Christophe-d'Allier
Gerbier de Jonc
Roche Pointue
Rocher Tourte
Mt Signon
Ste-Sigolène
N 88
N 102
D 906
D 103
D 105
Loire

0 2 4 6 8 10 km
230
247
266
A
B
C
D
Annonay
Bourg-Argental
St-Marcel-lès-Annonay
Boulieu-lès-A.
Jonzieux
Marlhes
St-Régis-du-Coin
St-Sauveur-en-Rue
Burdignes
St-Victor-Malescours
St-Romain-Lachalm
Ste-Sigolène
St-Pal-de-Mons
Riotord
Dunières
Raucoules
Montfaucon-en-Velay
St-Julien-Molhesabate
Montregard
St-Bonnet-le-Froid
Col des Baraques
Vanosc
Villevocance
Monestier
Vocance
St-Julien-Vocance
St-Alban-d'Ay
Quintenas
St-Romain-d'Ay
St-Symphorien-de-Mahun
Satillieu
Col du Rouvey
Lalouvesc
Suc de Mirabel
Mgne de Chaix
Mgne du Besset
Col du Marchand
Col du Faux
St-Pierre-sur-Doux
St-André-en-Vivarais
Tence
Chenereilles
Le Mas-de-Tence
St-Jeures
Vaudevant
Col de Juvenet
Col de Fontay
St-Victor
St-Félicien
La Chapelle-s/s-Rochepaule
Rochepaule
Lafarre
Pailharès
Devesset
Mars
Le Chambon-sur-Lignon
Mazet-St-Voy
Pic du Lizieux
Col du Buisson
Village miniature
Chau de Rochebloine
Arlebosc
Boucieu-le-Roi
Nozières
Empurany
Labatie-d'Andaure
St-Agrève
Désaignes
Lamastre
Le Crestet
Col de St-Genest
Gilhoc-sur-Ormèze
Col du Mazel
St-Barthélemy-Grozon
Col des Fans
Fay-sur-Lignon
Les Vastres
Chambonnet-Haut
St-Julien-Boutières
La Citadelle
St-Basile
Col de Montreynaud
Serre de la Roue
St-Clément
Lachapelle-s/s-Chanéac
Mt Signon
Chau de Rochebonne
St-Jean-Roure
St-Prix (Belsentes)
St-Apollinaire-de-Rias
Boffres
Chanéac
St-Martin-de-Valamas
St-Cierge-s/s-le-Cheylard
Rocher de Brion
Le Cheylard
Jaunac
Châteauneuf-de-Vernoux
Mt Mézenc
Crx de Boutières
Col de l'Ardéchoise
Borée
Arcens
Mariac
Accons
St-Michel-d'Aurance
Col de Ceyssouan
St-Jean-Chambre
Vernoux-en-Vivarais
Chau de la Tourrette
Silhac
Chalencon
Col de Comberon
St-Barthélemy-le-Meil
Beauvène
St-Christol
Serre en Don
St-Martial
Suc de Sara
PARC NATUREL
Dornas
Gluiras
St-Maurice-en-Chalencon
St-Julien-le-Roux
Corniche
Gerbier de Jonc
Col de Joux
St-Andéol-de-Fourchades
St-Genest-Lachamp
St-Michel-de-Chabrillanoux
St-Fortunat-s-Eyrieux
St-Sauveur-de-Montagut
Dunières-s-Eyrieux
St-Pierreville
Albon-d'Ardèche
Le Chambon
Source de la Loire
Rocher des Baux

231
E
F
G
H
Sablons
Épinouze
Manthes
Lens-Lestang
Marcollin
Lentiol
St-Rambert-d'Albon
St-Sorlin-en-Valloire
Moras-en-Valloire
Le Grand-Serre
Peyraud
Anneyron
Hauterives
Palais Idéal
St-Clair-sur-Galaure
Montfalcon
Roybon
Champagne
St-Désirat
Tour
Albon
Mantaille
Châteauneuf-de-Galaure
Tersanne
St-Étienne-de-Valoux
Andance
Andancette
St-Martin-des-Rosiers
St-Martin-d'Août
St-Christophe-et-le-Laris
Montrigaud
Thorrenc
Talencieux
Beausemblant
Mureils
Fay-le-Clos
Laveyron
La Motte-de-Galaure
St-Avit
Montchenu
Miribel
St-Bonnet-de-Valclérieux
St-Vallier
St-Uze
Sarras
Claveyson
Bathernay
St-Laurent-d'Onay
St-Antoine-l'Abbaye
Ratières
Crépol
Ozon
St-Barthélemy-de-Vals
Le Chalon
Montmiral
Ponsas
Charmes-sur-l'Herbasse
Margès
St-Michel-sur-Savasse
Eclassan
Arras-sur-Rhône
Arthémonay
Montagne
Sécheras
Serves-sur-Rhône
Bren
St-Donat-sur-l'Herbasse
Geyssans
St-Bonnet-de-Chavagne
Érôme
Gervans
Marsaz
Parnans
Chantemerle-les-Blés
Chavannes
Peyrins
Triors
Lemps
Larnage
Châtillon-St-Jean
St-Lattier
Crozes-Hermitage
St-Jean-de-Muzols
Tain-l'Hermitage
Mercurol-Veaunes
St-Bardoux
Clérieux
Mours-St-Eusèbe
Génissieux
Eymeux
Tournon-s-R.
Chanos-Curson
Romans-sur-Isère
St-Paul-lès-Romans
St-Nazaire-en-Royans
Granges-les-Beaumont
Bourg-de-Péage
Mauves
St-Barthélemy-le-Plain
Jaillans
Beaumont-Monteux
Châteauneuf-sur-Isère
Chatuzange-le-Goubet
Glun
La Roche-de-Glun
Pont-de-l'Isère
Beauregard-Baret
Châteaubourg
Panorama
St-Romain-de-Lerps
St-Marcel-lès-Valence
Alixan
Marches
Rochefort-Samson
Barbières
Cornas
Bourg-lès-V.
Champis
St-Péray
Montélier
Charpey
St-Vincent-la-Commanderie
Chau de Crussol
Guilherand-Granges
VALENCE
Peyrus
Col de Tourniol
Léoncel
Malissard
Chabeuil
Châteaudouble
Col de la Bataille
Toulaud
Soyons
Montvendre
Combovin
Grotte de Soyons
St-Georges-les-Bains
Portes-lès-Valence
Barcelonne
Col de Bacchus
Charmes-s-Rhône
Beaumont-lès-Valence
Montéléger
Beauvallon
Étoile-sur-Rhône
Chau de Pierre-Gourde
La Baume-Cornillane
Plan-de-Baix
Gorges d'Omblèze
Beauchastel
267
250

0 2 4 6 8 10 km
249
232
268
A
B
C
D
1
2
3
4
5
Tullins
Voreppe
St-Égrève
Sassenage
Fontaine
Seyssinet-Pariset
Seyssins
St-Nizier-du-Moucherotte
Le Moucherotte
Roybon
Chasselay
Vinay
Poliénas
St-Marcellin
St-Antoine-l'Abbaye
St-Sauveur
Beauvoir-en-R.
St-Romans
Pont-en-Royans
St-Jean-en-Royans
Choranche
Gorges de la Bourne
Villard-de-Lans
Lans-en-Vercors
Autrans
Autrans-Méaudre-en-Vercors
Corrençon-en-Vercors
La Cote 2000
La Grde Moucherolle
Vif
Le Gua
Grds Goulets
Combe Laval
La Chapelle-en-Vercors
St-Agnan-en-Vercors
Vassieux-en-Vercors
Col de Rousset
Le Grd Veymont
Col de l'Allimas
Mt Aiguille
Gresse-en-Vercors
Monestier-de-Clermont
Col du Fau
St-Michel-les-Portes
St-Martin-de-Clelles
Clelles
Pont de Brion
Avignonet
Sinard
Treffort
Col de la Bataille
Gorges d'Omblèze
Réserve Naturelle des Hauts Plateaux du Vercors
Montagne de Lans

251
233
269
252
Crolles
Bernin
Le Sapey en-Chartreuse
St-Ismier
St-Nazaire-les-Eymes
Villard-Bonnot
Brignoud
Ste-Agnès
Les Adrets
Laval
Prapoutel-les-Sept-Laux
Fond-de-France
Bec d'Arguille
Col de la Croix
Col du Glandon
Villarembert
Le Corbier
Fontcouverte-la-Toussuire
St-Sorlin-d'Arves
Col de la Croix de Fer
L'Étendard
St-Jean-d'Arves
Montbonnot-St-Martin
Meylan
Domène
Murianette
Revel
Gières
Eybens
Uriage-les-Bains
Chamrousse
Herbeys
Vaulnaveys-le-Haut
Brié-et-Angonnes
Jarrie
Montchaboud
Vaulnaveys-le-Bas
Vizille
Laffrey
Séchilienne
St-Barthélemy-de-Séchilienne
St-Pierre-de-Mésage
Le Sapey
L'Alpe-du-Grand-Serre
Lac de Laffrey
Cholonge
Villard-St-Christophe
Lavaldens
St-Théoffrey
La Motte-d'Aveillans
Pierre-Châtel
La Valette
St-Honoré
Nantes-en-Ratier
Oris-en-Rattier
Susville
La Mure
Sousville
Siévoz
Valbonnais
Entraigues
Prunières
Ponsonnas
Cognet
St-Pierre-de-Méaroz
St-Laurent-en-Beaumont
St-Michel-en-Beaumont
La Salle-en-Beaumont
Ste-Luce
St-Jean-d'Hérans
St-Sébastien
Col Accarias
Cordéac
Mens
Bge du Sautet
Les Côtes-de-Corps
Corps
Pellafol
Beaufin
Ambel
St-Firmin
Col de la Croix Rougy
N.-D. de la Salette
La Salette-Fallavaux
Mt Gargas
Le Périer
Chantelouve
Col d'Ornon
Le Bourg-d'Oisans
Le Taillefer
Ornon
Villard-Reymond
Villard-Notre-Dame
Allemont
Vaujany
Oz
Col de Poutran
Alpe-d'Huez
Huez
La Garde
Auris
Le Freney-d'Oisans
Mizoën
Besse-en-Oisans
Clavans-en-Haut-Oisans
Bge du Chambon
Mont-de-Lans
Les Deux-Alpes
Vénosc
Pic de l'Étendard
Pic du Lac Blanc
Grand Pic de Belledonne
Croix de Chamrousse
Livet
Rochetaillée
Gorges de la Romanche
Col de Malaval
Combe de Malaval
La Grave
Rampe des Commères
Belvédère des Cimes
Pied Moutet
Roche de la Muzelle
St-Christophe-en-Oisans
Massif des Écrins
Parc National
Valjouffrey
Col de Turbat
Pic d'Olan
Les Rouies
Villar-Loubière
La Chapelle-en-Valgaudemar
St-Maurice-en-Valgodemar
Pic de Turbat
Valsenestre
Col du Sabot
Champ de Tir
Cime des Torches
Galibier-Grandes-Rousses
Chaîne de Belledonne
Massif des Grandes Rousses

0 2 4 6 8 10 km
234
251
270
A
B
C
D
1
2
3
4
5
St-Julien-Mont-Denis
Villargondran
Cime de Caron
Pte du Bouchet
Aigle Doran
Aussois
Avrieux
Villarembert
Fontcouverte-La-Toussuire
Albiez-le-Jeune
Albiez-Montrond
Montricher-Albanne
St-Jean-d'Arves
St-Sorlin-d'Arves
Col d'Arves
Col du Mollard
Col du Télégraphe
St-Martin-d'Arc
St-Michel-de-Maurienne
Orelle
Forêt d'Orelle
St-André
Fourneaux
Modane
La Norma
Freney
Valmeinier
Valmeinier 1800
Valfréjus
Valloire
Crey du Quart
Col d'Arrondaz
Punta Bagna
Tunnel du Fréjus
Col du Fréjus
Roche Noire
Col du Cheval Blanc
Mt Thabor
Roche Bernaude
Bardonècchia
Aiglles d'Arves
Galibier-Grandes-Rousses
Le Goléon
Pic des Trois Évêchés
Col du Galibier
Pic Blanc du Galibier
Grand Galibier
Col du Lautaret
La Grave
Combe de Malaval
Villar-d'Arène
Le Râteau
La Meije
Vallée de la Guisane
Le Monêtier-les-Bains
Névache
Col de Granon
La Salle-les-Alpes
Villeneuve-la-Salle
Chantemerle
Serre-Chevalier
St-Chaffrey
Montgenèvre
BRIANÇON
Croix de Toulouse
Vallée de la Clarée
Plampinet
Val-des-Prés
Puy-St-Pierre
Puy-St-André
Villar-St-Pancrace
Pic des Agneaux
Barre des Écrins
Pré de Mme Carle
Mt Pelvoux
Ailefroide
Pelvoux
Vallouise
Puy-St-Vincent
Les Vigneaux
L'Argentière-la-Bessée
Belvre du Pelvoux
Prelles
St-Martin-de-Queyrières
La Bérarde
Plan du Carrelet
ÉCRINS
DES ÉCRINS
PARC
La Chapelle-en-Valgaudémar
Cime du Vallon
Sirac
Col du Lautaret
Pic de Bonvoisin
Combe de Narreyroux

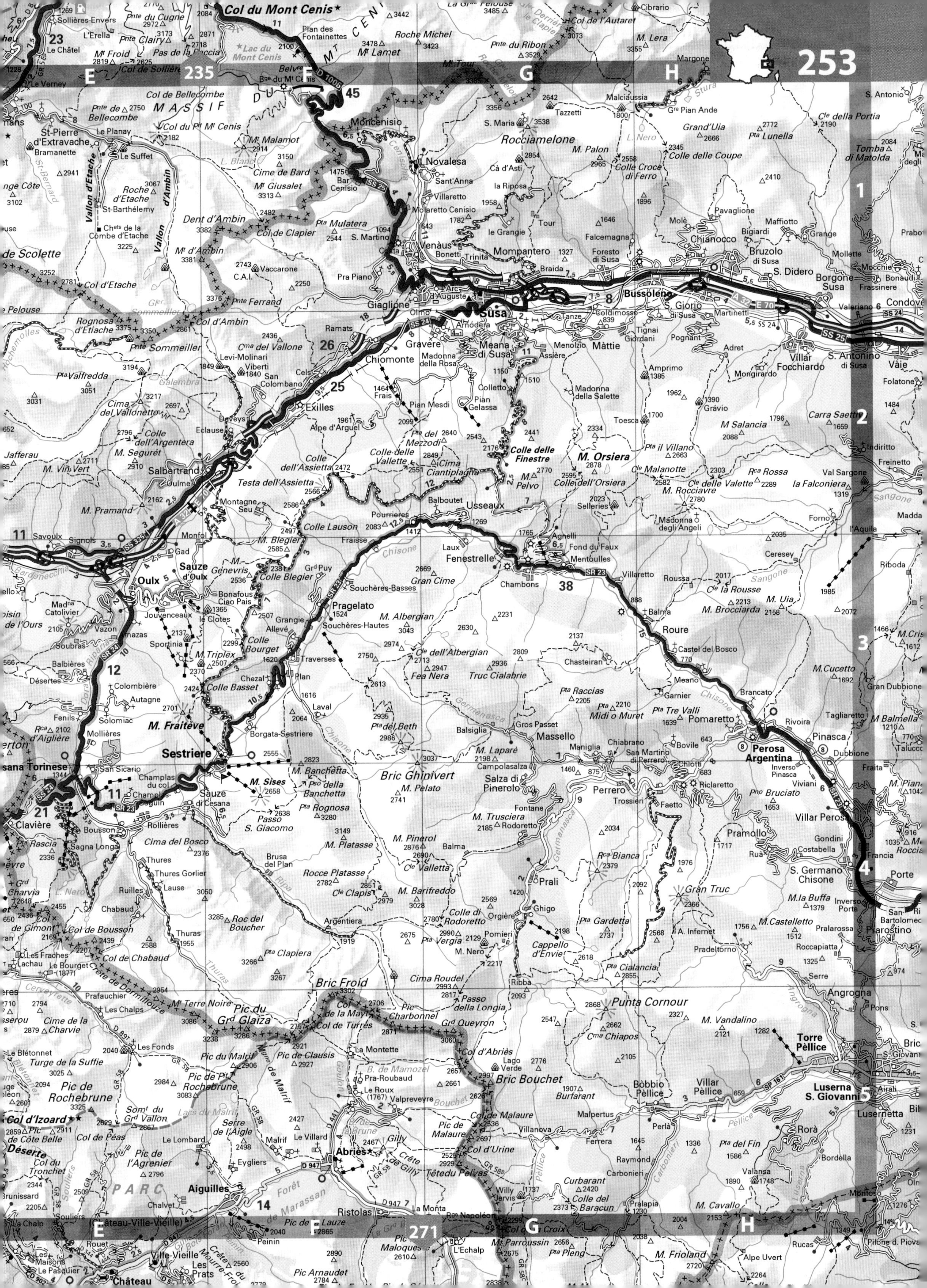
235
271
E
F
G
H
1
2
3
4
5
Col du Mont Cenis
Lac du Mont Cenis
MASSIF DU Mt CENIS
Plan des Fontainettes
Roche Michel
Mt Lamet
Pte du Ribon
Col de l'Autaret
Cibrario
M. Lera
Margone
Sollières-Envers
Pte du Cugne
L'Erella
Pte Clairy
Le Châtel
Mt Froid
Pas de la Beccia
Col de Sollières
Le Verney
Col de Bellecombe
Pte de Bellecombe
St-Pierre d'Extravache
Le Planay
Bramanette
Le Suffet
Col du Pt Mt Cenis
Mt Malamot
Moncenisio
Novalesa
Sant'Anna
Villaretto
Molaretto Cenisio
Cime de Bard
Mt Giusalet
Bar Cenisio
Roche d'Etache
St-Barthélemy
Vallon d'Etache
Vallon d'Ambin
Dent d'Ambin
Col de Clapier
Pta Mulatera
S. Martino
Chets de la Combe d'Etache
Mt d'Ambin
Vaccarone
C.A.I.
Pra Piano
Venaus
Bonetti
Trinità
Mompantero
Foresto di Susa
Braida
Col d'Etache
de Scolette
Pte Ferrand
Gler Sommeiller
Col d'Ambin
Rognosa d'Etiache
Pte Sommeiller
Gaglione
Arc d'Auguste
Susa
Olmo
Ramats
Gravere
Arnodera
Chiomonte
Madonna della Rosa
Meana di Susa
Assière
Menolzio
Màttie
Tanze
Coldimosso
S. Giorio di Susa
Tignai
Giordani
Pognant
Martinetti
Bussoleno
Chianocco
Bruzolo di Susa
S. Didero
Borgone Susa
Condove
Valeriano
Bonaudi
Mocchie
Frassinere
Mollette
Grange
Prabot
Falcemagna
Tour
le Grangie
Molè
Pavaglione
Bigiardi
Maffiotto
Cà d'Asti
la Riposa
M. Palon
Colle Croce di Ferro
Colle delle Coupe
Grand'Uia
Pta Lunella
Cle della Portia
Tomba di Matolda
S. Antonio
L. Nero
Gre Pian Ande
Malciaussia
Tazzetti
S. Maria
Rocciamelone
Stura
Col Sommeiller
Cma del Vallone
Levi-Molinari
Viberti
San Colombano
Cels
Exilles
Pta Valfredda
Galambra
Cima del Vallonetto
Colle dell'Argentera
M. Segurét
Jafferau
M. Vin Vert
Deveys
Eclause
Salbertrand
Oulme
Alpe d'Arguel
Frais
Pian Mesdi
Pta del Mezzodì
Colle delle Vallette
Cima Ciantiplagna
Colle dell'Assietta
Testa dell'Assietta
Colletto
Pian Gelassa
Colle delle Finestre
M. Orsiera
M. Pelvo
Colle dell'Orsiera
Cle Malanotte
Pta il Villano
Cle delle Valette
Rca Rossa
M. Rocciavre
Madonna della Salette
Amprimo
Toesca
Grávio
Adret
Villar Focchiardo
Mongirardo
S. Antonino di Susa
Vàie
Folatone
M Salancia
Carra Saettiva
Indiritto
Freinetto
Val Sargone
la Falconiera
Sangone
Forno
Madda
l'Aquila
Selleries
Madonna degli Angeli
M. Pramand
Montagne Seu
Balboutet
Usseaux
Pourrieres
Colle Lauson
Fraisse
Savoulx
Signols
Monfol
Gad
Bardonecchia
M. Blegier
Colle Blegier
M. Genevris
Sauze d'Oulx
Oulx
Grd Puy
Souchères-Basses
Gran Cime
Laux
Fenestrelle
Chambons
Agnelli
Fond du Faux
Mentoulles
Villaretto
Roussa
Cle la Rousse
M. Brocciarda
M. Uia
Ceresey
Riboda
Madna Catolivier
Vazon
Amazas
Jouvenceaux
Bonafous
Ciao Pais
le Clotes
Sportinia
M. Triplex
Colle Bourget
Pragelato
Grangie
Allevè
M. Albergian
Souchères-Hautes
Traverses
Cle dell'Albergian
Fea Nera
Truc Cialabrie
Chasteiran
Roure
Balma
Castel del Bosco
Soubras
Balbières
Désertes
Colombière
Autagne
Solomiac
Fenils
Rca d'Aiglière
Mollières
Colle Basset
M. Fraitève
Chezal
Plan
Laval
Pta del Beth
Balsiglia
Germanasca
Gros Passet
Massello
Pta Raccias
Midi o Muret
Pta Tre Valli
Garnier
Meano
Brancato
Pomaretto
Perosa Argentina
Rivoira
Pinasca
Dubbione
Bovile
M.Cucetto
Gran Dubbione
Tagliaretto
M Balmella
Sestriere
Borgata-Sestriere
M. Banchetta
Pso della Banchetta
M. Sises
Bric Ghinivert
M. Pelato
M. Laparè
Campolasalza
Salza di Pinerolo
Maniglia
Chiabrano
San Martino di Perrero
Perrero
Chiotti
Riclaretto
Trossieri
Faetto
Inverso Pinasca
Viviani
Pno Bruciato
Fraita
Villar Perosa
Cesana Torinese
San Sicario
Champlas du col
Champlas-Seguin
Sauze di Cesana
Rollières
Bousson
Clavière
Sagna Longa
Pta Rognosa
Passo S. Giacomo
M. Platasse
Cima del Bosco
Thures
Thures Gorlier
Lause
Brusa del Plan
M. Pinerol
Cle Valletta
Rocce Platasse
Cle Clapis
M. Barifreddo
M. Trusciera
Rodoretto
Fontane
Rca Bianca
Prali
Gran Truc
Pramollo
Ruà
Gondini
Costabella
S. Germano Chisone
Porte
M.la Buffa
Inverso Porte
San Bartolomeo
Prarostino
Pta Rascia
Grd Charvia
Chabaud
Ruilles
Roc del Boucher
Argentiera
Colle di Rodoretto
Orgière
Ghigo
Pta Gardetta
A. Infernet
M.Castelletto
Pralarossa
Pradeltorno
Roccapiatta
Col de Gimont
Col de Bousson
Thuras
Pta Vergia
Pomieri
M. Nero
Cappello d'Envie
Pta Cialancia
Les Fraches
Lachau
Le Bourget
Col de Chabaud
Pta Clapiera
Cima Roudel
Passo della Longia
Ribba
Serre
Angrogna
Pons
Crête de Dormillouse
Cerveyrette
Prafauchier
Les Chalps
Cime de la Charvie
Mt Terre Noire
Pic du Grd Glaiza
Bric Froid
Col de la Mayt
Col de Turres
Pic Charbonnel
Grd Queyron
Punta Cornour
Cma Chiapos
M. Vandalino
Torre Pèllice
Le Blétonnet
Turge de la Suffie
Les Fonds
Pic du Malrif
Pic de Clausis
La Montette
B. de Mamozel
Pra-Roubaud
Col d'Abriès
Lago Verde
Bric Bouchet
Burfarant
Bòbbio Pèllice
Villar Pèllice
Luserna S. Giovanni
Pic de Rochebrune
Pic de Pt Rochebrune
Mgne de Malrif
Le Roux
Valpreveyre
Col de Malaure
Villanova
Malpertus
Perlà
Lusernetta
Rorà
Col d'Izoard
Somt du Grd Vallon
Lacs du Malrif
Pic de Côte Belle
Col de Péas
Déserte
Col du Tronchet
Pic de l'Agrenier
Le Lombard
Serre de l'Aigle
Malrif
Le Villard
Abriès
Gilly
Crête de Gilly
Pic de Malaure
Col d'Urine
Têtedu Pelvas
Ferrera
Raymond
Carbonieri
Pta del Fin
Bordella
Valansa
PARC
Aiguilles
Chalvet
Eygliers
Forêt de Marassan
Ristolas
La Monta
Willy Jervis
Curbarant
Colle del Baracun
Pralapia
M. Cavallo
Montoso
Brunissard
Souliers
La Chalp
Château-Ville-Vieille
Rouet
Ville-Vieille
Les Maisons
Le Pasquier
Château
Les Prats
Crête du Mourre-Froid
Peinin
Pic de Lauze
Rge Napoléon
Col Croix
Mt Parroussin
Pta Pleng
Pic Maloques
L'Echalp
Pic Arnaudet
M. Frioland
Alpe Uvert
Rucas
Pilone d. Piova

0 2 4 6 8 10 km
236
C
D
1
2
3
4
5
A
B
272
Grand Crohot Océan
Lège-Cap Ferret
Le Cousteau de la Machine
Réserve naturelle
Arès
La Pignada
Jane-de-Boy
Claouey
Les Jacquets
Andernos-les-Bains
Le Truc Vert
Le Petit Piquey
Le Grand Piquey
Piraillan
Le Canon
L'Herbe
Villa-Algérienne
La Vigne
Belisaire
Cap Ferret
BASSIN
D'ARCACHON
Île aux Oiseaux
Parcs à huîtres
Le Mauret
Taussat
Cassy
Le Renet
Le Nan
Lanton
Certes
Audenge
La Courbe
Pnte de Branne
Réservoirs à Poissons
Bas-Vallon
Les Trucailles
Vigneau
Tagon
Biganos
ARCACHON
Pnte de l'Aiguillon
La Hume
Port de Larros
Gujan-Mestras
Parc ornithologique du Teich
Le Teich
Ruat
Facture
Lamothe
Les Abatilles
Le Moulleau
Pyla-sur-Mer
Les Bordes
Meyran
La Teste-de-Buch
Pilat-Plage
Les Miguelots
Balanos
Mios
Le Voisin
Banc du Toulinguet
Réserve naturelle du Banc d'Arguin
Dune du Pilat
Le Truc de la Truque
Forêt Nezer
Petit Caudos
Moura
Peyot
Arnauton
Lillet
Hobre
Le Courneau
Zoo
Montmorency
Forêt usagère de la Teste
Gailloueys
Dunes de Ginestras
Le Petit Nice
Pointe d'Arcachon
Champ de Tir
Cazaux
Gassian
Castandet
Peylon
Larrieu
Peylahon
Arnautille
Salles
Caudos
Le Caplanne
La Salie-Nord
La Salie-Sud
Forêt de la Teste
Curepipe
Dunes des Places
Étang de Cazaux et de Sanguinet
Langeot
Bernon
Louse
Forêt de Lagnereau
Le Petit Lagnereau
Le Mayne
Béguey
Lanot
Bilos
Les Hautes Rives
Sanguinet
Lombard
Le Bougès
Méoule
Courneilley
Once
Le Clerc
Sillac
Forêt de Salles
Lugos
Forêt de Lugos
Port-Maguide
Biscarrosse-Plage
Petite Male
Ispes
En Mayotte
Navarrosse
Goubern
La Broutasse
Lette des Hourtails
Forêt usagère de Biscarrosse
Silo
Gare de Lugos
En Belliard
Bosque
Millas
En Bergoin
Pit Étang de Biscarrosse
Trappe
En Hill
Biscarrosse
Narp
Hourtiquets
Forêt de Biscarrosse
En Bonnet
Étang de Biscarrosse et de Parentis
CENTRE D'ESSAIS DES LANDES
Lahitte
Les Mouliès
Le Bôo
Naoutoy
Parentis-en-Born
Le Lac
Bourrugue
Mothes
CENTRE D'ESSAIS
Les Dorat
Maisonnieu
Mautans
Blagon
Les Chalets
Les Nargues
Josseaume
La Huillarde
La Gde Heyre
PARC NATUREL RÉGIONAL
Lubec
Hougueyra
La Possession
La Pointe
Les Argentières
Quartier-Bas
Lacanau-de-Mios
Les Douils
Caze
Lauros
Le Pas-du-Bouc
des Courtious Brûlés
Terrain mili
Bidaou
La Crabette
La Porte des Landes
Paris
Camo
D 106
D 650
D 1250
A 660
N 250
D 216
D 652
D 46
D 218
D 110
D 348

255
BORDEAUX
Martignas-sur-Jalle
Les Pins
Caudéran
Mérignac
Cenon
Artigues-près-B.
Le Poteau d'Yvrac
Lormont
Bastide
Eloirac
Mélac
Tresses
Fargues-St-Hilaire
Planteyre
237
E
F
G
H
St-Jean-d'Illac
Boulac
Beutre
Arlac
Brion
Coutillas
Talence
Zoo
Pessac
Université
L'Alouette
Bègles
Arcins
Bouliac
Carignan-de-Bordeaux
Camarsac
Bonnetan
Croignon
Loupes
Cursan
Lignan-de-B.
Le Pout
Magonty
St-Bris
Thouars
Le Pont-de-la-Maye
Seleyre
Latresne
Citon
Chabrot
Mons
Lorient
Le Casse
Barrault
Le Blayais
Gradignan
Sarcignan
Moutille
Piron
Menusey
Sadirac
Bois de Laperge
Berganton
Gazinet
Canéjan
Prieuré de Cayac
Chambéry
Courréjean
Villenave-d'Ornon
Port-Neuf
Ferme exotique
Cénac
Camblanes-et-Meynac
Créon
Toctoucau
Bordeaux-Cestas
Eau Bourde
Le Courneau
Canteloup
Olivier
Carbonnieux
Trigan
Cadaujac
Quinsac
Baragne
Meynac
Madirac
St-Caprais-de-Bordeaux
Baudin
Pierroton
La House
Réjouit
Bel-Air
Pirèques
Choisy
Le Bouscaut
Île de la lande
Esconac
Jonchet
St-Genès-de-Lombaud
Cestas
Bellevue
Léognan
La Louvière
Smith H. Lafitte
H. Bailly
La Morelle
Larrivet-H. Brion
Cambes
Baurech
Le Capon
Haux
Castillonville
Chevalier
Mignoy
Malartic-la-Gravière
TECHNOPOLIS
Le Breyra
St-Médard-d'Eyrans
Eyrans
Isle-St-Georges
Ayguemorte-les-Graves
Tabanac
Larroudey
Les Faures
Monerie
Capian
Jauge
CENTRE D'ESSAIS
Léognan
Bonnois
La Solitude
Martillac
Larchey
Rouquey
Le Tourne
Langoiran
St-Ourens
Silo
Eau Blanche
La Prade
Beautiran
Mongenan
Portets
Darouбin
Chey
Lestiac-s-Garonne
H. Langoiran
Villenave-de-Rions
Caillavet
Marcheprime
Les Quatre-Routes
Le Puch
La Brède
Moras
Castres-Gironde
Civrac
Paillet
Cardan
Bellebiste
Les Gargails
Peyon
Le Marheuil
Ninon
Fougères
Eyquem-le-Reys
Le Cournau
Arbanats
Saucats
Lacanau
St-Selve
Virelade
Rions
Laroque
Garrot
CENTRE D'ÉTUDES NUCLÉAIRES
Tournebride
Le Son
Laguloup
Jeansotte
Belon
Peyron
Garingal
Sarransot
AUTOROUTE DES DEUX-MERS
Terres des Graves
Barbouse
Podensac
Béguey
LANDES
Baudes
D 108
Mémorial
St-Morillon
Gaillardas
Grenade
Carjuzan
Puy-de-Cornac
Brouquet
Cérons
Mougnet
Le Barp
La Voile
Gassies
Gat Mort
St-Michel-de-Rieufret
Barrouil
Expert
Le Marat
La Tuilerie
Cabanac-et-Villagrains
Le Puch
Gargalle
Barsac
Illats
Chantier
Jaugut
Champ Neuf
GASCOGNE
Castor
Le Désert
Le Basque
Hallet
La Sableyre
Baillet-Haureuils
Lavignolle
Le Roy
Landiras
Artigues
Marguit
Douence
Villagrains
Les Jeannots
Troupins
Mareuil
Pujols-sur-Ciron
Bruillet
Teycheney
Les Arrougeys
Menon
Barbey
Bastor-Lamontagne
Les Guillaumes
Guillemin
Brot
Pinguet
Menaut
Suduiraut
Arrancot
St-Magne
Braut
Guillos
Maron
Bommes
Yquem
Lauray
L'Hospitalet
Hazéra
Le Luc
Peysot
Lhoste
Batsères
Paulin
Mouyet
Île de Viticulture
La Tour Blanche
Rieussec
Le Pajot
Fargues
Cès
Roumégous
Pussac
Pillon
Tursan
Les Parages
Budos
Sauternes
St-Magne
Guirdeyre
Bernadet
St-Palais
Garot
La Coste
Le Frayot
Jordis
Louchats
Jeantic
Léogeats
Brouquet
Graoux
Béliet
Cavernes
Haudoua
Domaine départemental
Laulan
Cameillac
Nautet
Belin-Béliet
La Bertine
Rouquet
Janic
Blaye
Manhot
Senses
Hillan
Les Arroudeys
Hostens
Le Bun
Sarton
Origne
Balizac
Lesbordes
Peyrebernède
La Saubotte
Castigues
Mons
Joué
Samion
Cap-du-Bos
Moulley
Triscos
Pinot
La Fourmère
Noaillan
Quartier
Canet
Curton
Orligne
Biton
256
L'Ambéliet
Retis
La Ferrière
Mahon
Pirec
Targos
Le Puch
Gardit
Le Pudaou
Estiou
Villandraut
Boutox
Le Meynieu
La Renardeyre
Le Tuzan
Hure
La Burthe
Bouhiton
Capdet
Moureou
Uzeste
Peyrin
Lays
Lartigaut
Privaillet
Capsus
St-Léger-de-Balson
Bois de Magrin
St-Symphorien
Labardin
Biganon
Mano
Tariss
Saugnacq-et-Muret
Silo
Jouanhaut
Au Ros
La Trave
Grave
Villemegea
Lacal
Mirador
Capuron
Brunet
Lassus
Préchac
Lesquire
Arrode
Belhade
Lagleyre
La Nave
La Bastide
Peyredieu
Cazeneuve
Castelnau
Marmen
Hourtoy
Argelouse
273
La Trouche
L'Abeilley
Luas
Bourideys
Merrein
Peygros
Moustey
Montauzey
Botte
Insos
Berdoy
Les Ombres
Capdarrieux
Souis
GARONNE

0 2 4 6 8 10 km
238
255
274
A
B
C
D
Castillon-la-Bataille
Créon
Cadillac
Langon
St-Macaire
La Réole
Bazas
Villandraut
Uzeste
Roquetaillade
Cazeneuve
Ste-Croix-du-Mont
Castelviel
Sauveterre-de-Guyenne
Targon
Rions
Podensac
Barsac
Sauternes
Branne
Rauzan
Labarthe
Blasimon
Monségur
Fargues
Preignac
Verdelais
Malle
Auros
Noaillan
Préchac
Grignols
Cocumont
Meilhan
GARONNE
AUTOROUTE DES DEUX-MERS
A 62
E 72
N 524
D 10
D 670
D 672
D 655
D 936

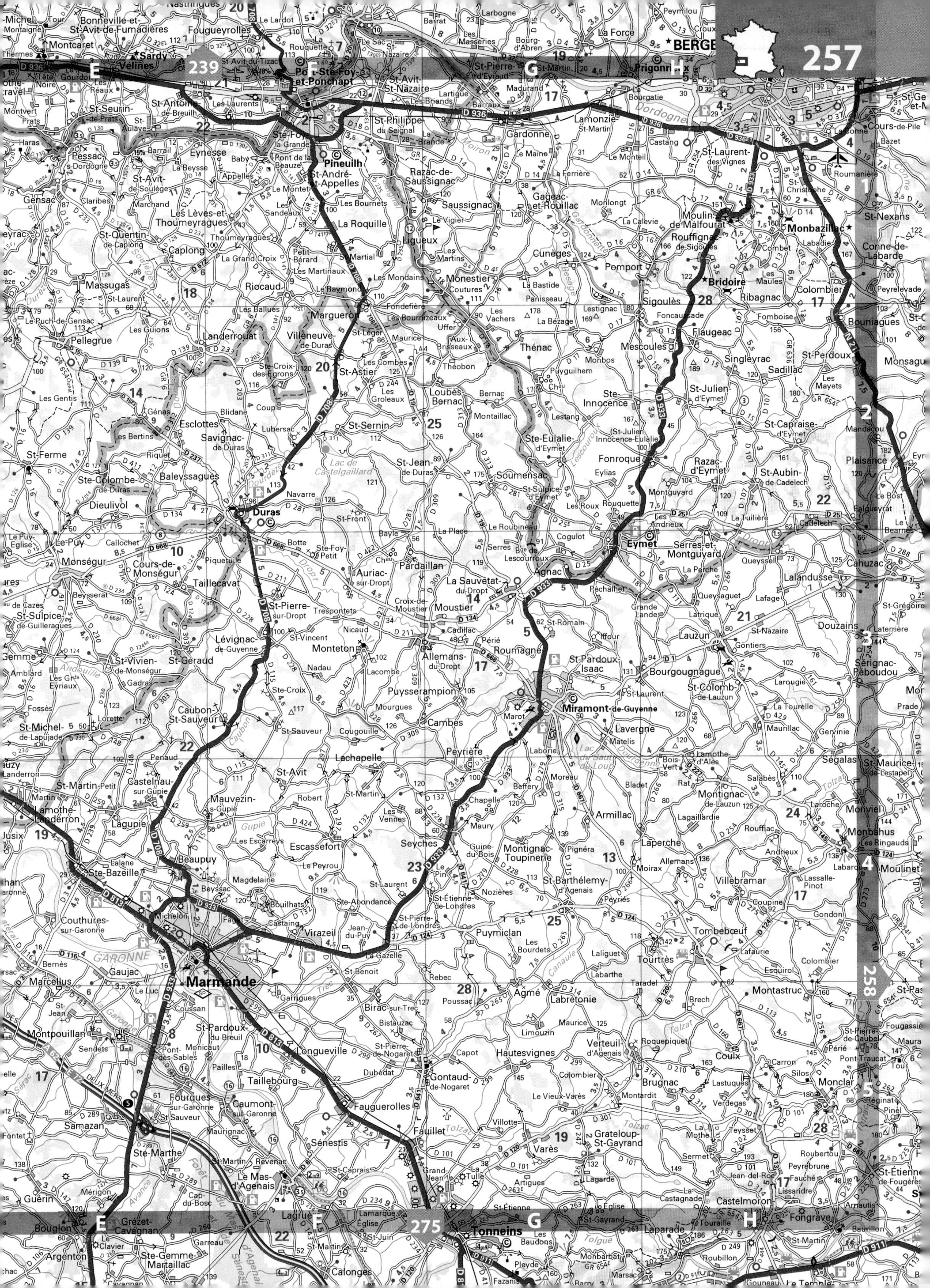
257
239
275
258
Bonneville-et-St-Avit-de-Fumadières
Fougueyrolles
Montcaret
Sardy
Vélines
Port-Ste-Foy-et-Ponchapt
St-Avit-St-Nazaire
St-Pierre-d'Eyraud
Prigonrieux
Bergerac
La Force
Lamonzie-St-Martin
Gardonne
St-Laurent-des-Vignes
St-Antoine-de-Breuilh
St-Seurin-de-Prats
Ste-Foy-la-Grande
Pineuilh
St-André-et-Appelles
St-Philippe-du-Seignal
Razac-de-Saussignac
Saussignac
Gageac-et-Rouillac
Moulin de Malfourat
Monbazillac
Rouffignac-de-Sigoulès
Pessac-sur-Dordogne
Eynesse
St-Avit-de-Soulège
Gensac
Les Lèves-et-Thoumeyragues
St-Quentin-de-Caplong
Caplong
La Roquille
Ligueux
Cunèges
Pomport
Bridoire
Ribagnac
Colombier
Conne-de-Labarde
St-Nexans
Massugas
Riocaud
Monestier
Sigoulès
Margueron
Landerrouat
Pellegrue
Villeneuve-de-Duras
Thénac
Mescoules
Flaugeac
Singleyrac
Sadillac
St-Perdoux
Bouniagues
St-Astier
Loubès-Bernac
Ste-Innocence
St-Julien-d'Eymet
Esclottes
Savignac-de-Duras
St-Sernin
Ste-Eulalie-d'Eymet
St-Capraise-d'Eymet
St-Ferme
Baleyssagues
St-Jean-de-Duras
Soumensac
Fonroque
Razac-d'Eymet
St-Aubin-de-Cadelech
Plaisance
Ste-Colombe-de-Duras
Dieulivol
Duras
Eymet
Serres-et-Montguyard
Monségur
Cours-de-Monségur
Taillecavat
Auriac-sur-Dropt
Pardaillan
La Sauvetat-du-Dropt
Agnac
Lalandusse
Cahuzac
St-Sulpice-de-Guilleragues
St-Pierre-sur-Dropt
Moustier
Lévignac-de-Guyenne
St-Géraud
Monteton
Allemans-du-Dropt
Roumagne
St-Pardoux-Isaac
Lauzun
Douzains
St-Vivien-de-Monségur
Bourgougnague
Sérignac-Péboudou
Puysserampion
Miramont-de-Guyenne
St-Colomb-de-Lauzun
Caubon-St-Sauveur
St-Michel-de-Lapujade
Cambes
Lavergne
Ségalas
Peyrière
Lachapelle
St-Avit
Castelnau-sur-Gupie
St-Martin-Petit
Lamothe-Landerron
Mauvezin-s-Gupie
Lagupie
Armillac
Montignac-de-Lauzun
Monviel
Escassefort
Seyches
Montignac-Toupinerie
Laperche
Monbahus
Moulinet
Ste-Bazeille
Beaupuy
St-Barthélemy-d'Agenais
Villebramar
Couthures-sur-Garonne
Virazeil
Puymiclan
Tombebœuf
Tourtrès
Gaujac
Marcellus
Marmande
Agmé
Labretonie
Montastruc
Montpouillan
St-Pardoux-du-Breuil
Longueville
Birac-sur-Trec
Hautesvignes
Verteuil-d'Agenais
Coulx
Taillebourg
Gontaud-de-Nogaret
Brugnac
Monclar
Fourques-sur-Garonne
Caumont-sur-Garonne
Fauguerolles
Samazan
Sénestis
Fauillet
Varès
Grateloup-St-Gayrand
Ste-Marthe
Le Mas-d'Agenais
Castelmoron
Fongrave
Guérin
Bouglon
Grézet-Cavagnan
Tonneins
Argenton
Ste-Gemme-Martaillac
Calonges

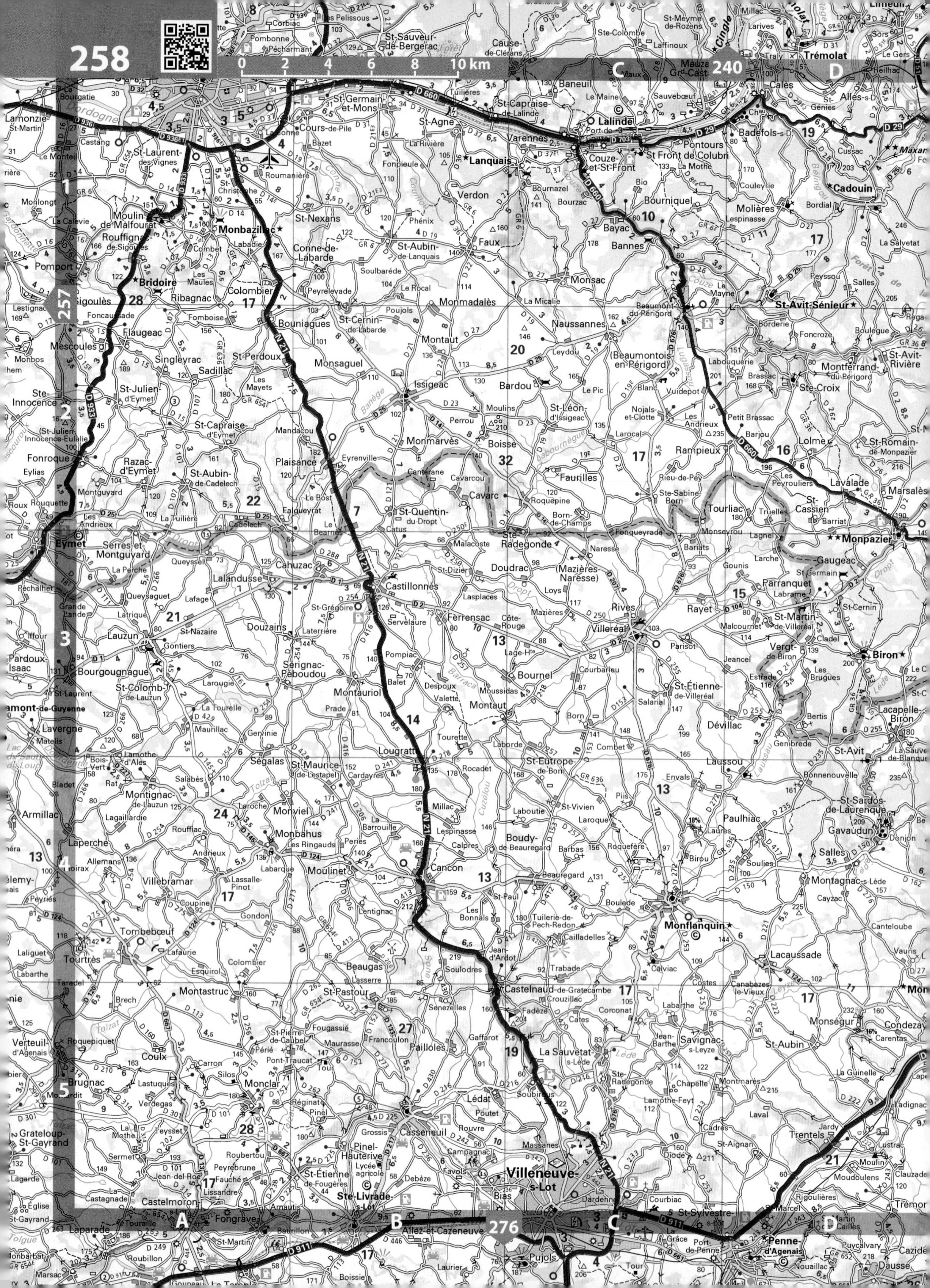

258
0 2 4 6 8 10 km
240
257
276
C
D
A
B
1
2
3
4
5
Corbiac
Les Pelissous
St-Sauveur-de-Bergerac
Pombonne
Pécharmant
Cause-de-Clérans
Ste-Colombe
St-Meyme-de-Rozens
Laffinoux
Cingle
Millac
Larives
Trémolat
Le Gers
Mauzac
Gd-Cast.
Maux
Baneuil
Tuilières
Lamonzie-St-Martin
Dordogne
La Bourgatie
St-Germain-et-Mons
Cours-de-Pile
St-Capraise-de-Lalinde
Le Maine
Lalinde
Sauvebœuf
Port-de-Couze
Pontours
St Front de Colubri
Calès
Alles-s-D.
St-Génies
Badefols-s-D.
Castang
Le Monteil
St-Laurent-des-Vignes
Lembras
Bazet
St-Agne
La Rivière
Varennes
Couze-et-St-Front
La Mothe
Cussac
Maxange
Roumanière
St-Christophe
Fonpieule
Lanquais
Bournazel
Bourzac
Bio
Couleyrie
Cadouin
Monlongt
La Calevie
Moulin de Malfourat
Monbazillac
Rouffignac-de-Sigoulès
Combet
Labadie
Verdon
Phénix
St-Nexans
Bourniquel
Molières
Bordial
Lespinasse
Pomport
Bridoire
Les Maules
Ribagnac
Colombier
Conne-de-Labarde
St-Aubin-de-Lanquais
Soulbarède
Faux
Bayac
Bannes
La Salvetat
Sigoulès
Lestignac
Foncaurisade
Fomboise
Peyrelevade
Le Rocal
Monmadalès
Monsac
La Micalie
Beaumont-du-Périgord
Le Mayne
St-Avit-Sénieur
Salles
Peyssou
Flaugeac
Mescoules
Monbos
Bouniagues
St-Cernin-de-Labarde
Poujols
Montaut
Naussannes
Foncroze
Boulègue
Borderie
Singleyrac
Sadillac
St-Perdoux
Monsaguel
Leydou
(Beaumontois-en-Périgord)
Labouquerie
Montferrand-du-Périgord
St-Avit-Rivière
Ste-Innocence
St-Julien-d'Eymet
Les Mayets
Issigeac
Bardou
Le Pic
Blanc
Vuidepot
Brassac
Ste-Croix
(St-Julien-Innocence-Eulalie)
St-Capraise-d'Eymet
Mandacou
Moulins
Perrou
St-Léon-d'Issigeac
Nojals-et-Clotte
Les Andrieux
Petit Brassac
Fonroque
Eylias
Razac-d'Eymet
St-Aubin-de-Cadelech
Plaisance
Eyrenville
Monmarvès
Boisse
Larocal
Rampieux
Barjou
Lolme
St-Romain-de-Monpazier
Faurilles
Rieu-de-Pey
Les Peyrouliers
Lavalade
Marsalès
Montguyard
Rouquette
Canterane
Cavarcou
Cavarc
Roquépine
Ste-Sabine-Born
Tourliac
Truelles
St-Cassien
Barriat
Les Andrieux
La Tuilière
Cadelech
Falgueyrat
Le Bost
St-Quentin-du-Dropt
Born-de-Champs
Eymet
Serres-et-Montguyard
Le Bearnès
Catus
Malacoste
Ste-Radegonde
Fonqueyrade
Monseyrou
Lagnel
Monpazier
Dropt
Queyssel
La Perche
Cahuzac
St-Dizier
Doudrac
Naresse
(Mazières-Naresse)
Bariats
Larche
Gaugeac
Pechalhet
Lalandusse
Castillonnès
Loys
Gounis
St Germain
Parranquet
Labrame
Grande Lande
Queysaguet
Lafage
Lasplaces
Rives
Rayet
St-Cernin
Latrique
St-Grégoire
Servelaure
Ferrensac
Côte-Rouge
Mazières
Villeréal
Malcournet
St-Martin-de-Villeréal
Lauzun
St-Nazaire
Douzains
Laterrière
Lage-Hte
Parisot
Cladel
Vergt-de-Biron
Biron
Gontiers
Pompiac
Jeancel
Bourgougnague
Sérignac-Péboudou
Balet
Bournel
Courbarieu
St-Étienne-de-Villeréal
Les Brugues
St-Laurent
St-Colomb-de-Lauzun
Larougie
Montauriol
Despoux
Valette
Moussidas
Estrade
Montaut
Salarial
Lavergne
La Tourelle
Prade
Born
Dévillac
Bertis
Lacapelle-Biron
Matelis
Maurillac
Gervinie
14
Tourette
Combet
Genibrède
Lac du Saut du Loup
Lamothe-d'Ales
Ségalas
Lougratte
Laborde
St-Eutrope-de-Born
Laussou
St-Avit
Bois-Vert
St-Maurice-de-Lestapel
Cardayres
Rocadet
Envals
Bonnenouvelle
Rat
Montignac-de-Lauzun
Salabès
Bladet
Monviel
Millac
Laboutie
St-Vivien
Piis
Paulhiac
St-Sardos-de-Laurenque
Armillac
Lagaillardie
Laroche
La Barrouille
Lespinasse
Boudy-de-Beauregard
Laroque
Gavaudun
Donjon
Laperche
Roufflac
Monbahus
Les Ringauds
Peries
Calpres
Barbas
Roquefère
Laures
Allemans
Andrieux
Labarque
Moulinet
Cancon
Beauregard
Birou
Soulies
Salles
Villebramar
Lassalle-Pinot
Coupine
Lentignac
St-Paul
Les Bonnals
Boulède
Montagnac-s-Lède
Cayzac
Peyriès
Gondon
Tuilerie-de-Pech-Redon
Monflanquin
Canteloube
Tombebœuf
Lafaurie
Cailladelles
Jean-d'Ardot
Calviac
Lacaussade
Vauris
Laliguet
Tourtrès
Esquirol
Colombier
Beaugas
Soulodres
Trabade
Costes
Labarthe
Lasserre
Canabazes-le-Vieux
Taradel
Brech
Montastruc
St-Pastour
Castelnaud-de-Gratecambe
Crouzillac
Labarthe
Monségur
Condezaygues
Senezelles
Fadèze
Corconat
Verteuil-d'Agenais
Roquepiquet
Fougassié
St-Pierre-de-Caubel
Francoulon
Pailloles
Gaffarot
Cates
Jean-Barthe
Savignac-s-Leyze
St-Aubin
Carentas
Maurasse
Périé
Pont-Traucat
Tour
La Sauvetat-s-Lède
Coulx
Carron
Lède
Brugnac
Lastuques
Silos
Ste-Radegonde
Chapelle
Montmarès
La Guinelle
Verdegas
Monclar
Réginat
Pinel
Soubirous
Lamothe-Feyt
Lédat
Poutet
Grateloup-St-Gayrand
La Mothe
Teysset
Grossis
Casseneuil
Rouvre
Laval
Jardy
Ladignac
Sermet
Roubertou
Pinel-Hauterive
Campagnac
Massanes
Cadres
St-Aignan
Trentels
Lustrac
Lagarde
Jean-del-Roc
Peyrebrune
St-Étienne-de-Fougères
Lycée agricole
Debèze
Favols
Villeneuve-s-Lot
Diodé
Moulin
Clauzade
Moudoulens
Fauché
Lissandre
La Castagnade
Ste-Livrade-s-Lot
Bias
La Dardenne
Courbiac
Rigoulières
Trémons
Églises
St-Gayrand
Castelmoron-
Arnautis
St-Sylvestre-s-Lot
St-Marcel
Martin
Caillès
Laparade
Tourailles
Fongrave
Batrillon
Allez-et-Cazeneuve
La Grâce
Port-de-Penne
Penne-d'Agenais
Puycalvary
Cazideroque
Tolgue
St-Martin
Pujols
Nouaillac
Dausse
Monbarbat
Roubillon
Marsac
Laurier
Tour
Boissié
Le Temple

241
E
F
G
H
Sarlat-la-Canéda
St-Vincent-le-Paluel
St-Cyprien
Meyrals
Castels
Redon-l'Espi
St-André-d'Allas
Beynac-et-Cazenac
Cazenac
St-Vincent-de-Cosse
Bézenac
Allas-les-Mines
Berbiguières
Marnac
Siorac-en-Périgord
Urval
Le Buisson-de-Cadouin
Coux-et-Bigaroque-Mouzens
Fayrac
Marqueyssac
La Roque-Gageac
Les Milandes
Castelnaud-la-Chapelle
Cénac-et-St-Julien
Domme
Vézac
Vitrac
Montfort
Cingle de Montfort
Carsac-Aillac
Calviac-en-Périgord
St-Julien-de-Lampon
Ste-Mondane
Fénelon
Veyrignac
Groléjac
Nadaillac-de-Rouge
Lamothe-Fénelon
Masclat
Cladech
St-Germain-de-Belvès
Monplaisant
Belvès
Sagelat
St-Pardoux-et-Vielvic
Carves
Veyrines-de-Domme
St-Cybranet
Milhac
St-Cirq-Madelon
Rouffilhac
Anglars-Nozac
Grottes de Cougnac
Gourdon
N.-D. des Neiges
Payrignac
Nabirat
St-Martial-de-Nabirat
St-Aubin-de-Nabirat
Léobard
Grives
St-Laurent-la-Vallée
Daglan
St-Pompont
Larzac
Ste-Foy-de-Belvès
Doissat
Salles-de-Belvès
Orliac
Prats-du-Périgord
Campagnac-lès-Quercy
Bouzic
Florimont-Gaumier
Salviac
Mazeyrolles
Besse
Marminiac
Cazals
Dégagnac
Lavercantière
Concorès
St-Chamarand
St-Clair
St-Cernin-de-l'Herm
Villefranche-du-Périgord
Montcléra
Les Arques
Gindou
Peyrilles
Blanquefort-s-Briolance
Sauveterre-la-Lémance
Loubejac
St-Caprais
Frayssinet-le-Gélat
Goujounac
Pomarède
Thédirac
Uzech
Gigouzac
Mechmont
St-Front-s-Lémance
Montgesty
Lherm
St-Denis-Catus
Catus
Bonaguil
Montcabrier
Cassagnes
Pontcirq
St-Médard
Nuzéjouls
Boissières
Les Junies
Plage aux Ptérosaures
Calamane
St-Martin-le-Redon
Duravel
Puy-l'Évêque
Prayssac
Castelfranc
Crayssac
Espère
Mercuès
Fumel
Soturac
Touzac
Vire-sur-Lot
Pescadoires
Lagardelle
Anglars-Juillac
Labastide-du-Vert
Parnac
Caillac
Pradines
Montayral
Grézels
Bélaye
Albas
Luzech
St-Vincent-Rive-d'Olt
Douelle
CAHORS
Pont Valentré
Lacapelle-Cabanac
Mauroux
Floressas
Sérignac
Cambayrac
Trespoux-Rassiels
St-Georges
Thézac
Bourlens
Le Boulvé
Sauzet
Tournon-d'Agenais
Masquières
St-Matré
Villesèque
277
260

0 2 4 6 8 10 km
242
259
278
Peyrillac-et-Millac
Dordogne
Cieurac
Le Raysse
Port de Souillac
Mayrac
Le Faget
Creysse
St-Sozy
Meyronne
Montvalent
Mansergues
Broches
Gintrac
La Valade
Patan
Carsac-Aillac
Cingle de Montfort
Calviac-en-Périgord
La Tourette
Belvédère de Lanzac
Nadaillac-de-Rouge
Terregaye
Mas-la-Croix
Meyraguet
Rochers Ste Marie
Le Limon
Le Bougayrou
Gouffre de Roque-de-Cor
Gouffre de Padirac
St-Julien-de-Lampon
Ste-Mondane
Fénelon
Masclat
Crézelade
Pinsac
La Treyne
Grottes de Lacave
Lacave
Blanzaguet
Les Vaches
Camp militaire
Mayrinhac-le-Francal
Miers
Padirac
Le Râtier
Veyrignac
Sur-le-Roc
Lamothe-Fénelon
Les Espioles
Le Bastit
Belcastel
Le Terral
Cantecor
Thermal
Salques
Gaules
Alvignac
La Rhue
Grolejac
Le Port
Ponchet
Manobre
Lamothe Haute
Loupiac
Le Treil
Cantaloube
Cougnaguet
Les Alix
Forêt des Singes
Reveillon
Varagne
Thégra
Mordesson
Rignac
La Brunie
La Mouline
Milhac
Croix-de-Pech
Fajoles
Ventéjouls
Payrac
La Dame
Boucot
Les Granges
Calès
Paloque
Les Vitarelles
L'Hospitalet
Blanat
Prangères
Le Caillé
Pigeonnier
Lavergne
St-Cirq-Madelon
La Vayssière
Auniac
Rouffilhac
Anglars-Nozac
Laval
La Séguinie
Camy
Rocamadour
Le Saul
Gramat
Lauzou
Ségala
Bio
Gouffre de Cabouy
Bonnecoste
Les Granges-de-Bonnecoste
Bois de la Pannonie
La Pannonie
Tumulus
La Gorce
Cabanè
La Boissière
Nadaillac
Cournazac
Les Prades
Reilhaguet
Couzou
Poudurac
Les Aspes
Pech-Farrat
Queyroux
Cougnac
Grottes de Cougnac
Prouilhac
Le Bos
La Vayssière
Gouny
Les Mazuts
Graules
Parc de Vision
Cuzoul
Longayries
St-Chignes
Pechpialat
Nabirat
Payrignac
La Vaysse
Gourdon
Les Vitarelles
St-Projet
Le Couderc
Auzac
Bigues
Terrisse
Camp militaire
Issendolus
La Borie
St-Aubin-de-Nabirat
N.-D. des Neiges
Bréou
Le Vigan
Peyrebrune
Ginouillac
Bèdes
Léobard
Aurimont
La Fontade
St-Romain
La Molière
Crose
La Comte
Carlucet
Le Bastit
Péchaud
PARC NATUREL RÉGIONAL DES CAUSSES DU QUERCY
Donnadieu
Teulayrou
Flaujac Gare
Pont-Carral
Boulegan
L'Abbaye-Nouvelle
Églises
Costeraste
Pech-Rigal
Souillaguet
St-Cirq-Souillaguet
Soucirac
La Vayssière
La Poujade
Hermet
Sol-del-Pech
Gabaudet
Poudens
St-Clair
La Feydedie
Séniergues
Les Vitarelles
Beaussac
Dagues
Reilhac
Scelles
Albecassagne
Pierre-Levée
Pech-Alard
Roquedure
Vayssière
Lunegarde
Le Cornouiller
Ladignac
Lantis
Mas-Teulat
Linards
Bessous
St-Chamarand
Estampe
Montfaucon
Château de Clermont
Pont-de-Rhodes
Vaillac
Combescure
Fontanes-du-Causse
Tartabelle
St-Avit
Beauregard
Dégagnac
Concorès
Goulème
Pech-Roussy
Cassagnoles
Larcher
Jardin des Causses du Lot
Bourbou
Rampoux
Fos
Frayssinet
Beaumat
Cœur de Causse
Goudou
Bramarie
La Borie
La Croix-Blanche
Labastide-Murat
Quissac
Lavercantière
St-Germain-du-Bel-Air
Soyris
Tour
Serres
Gizot
Le Mas
Espédaillac
Salapes
Les Garrigues
Crouzaval
Les Cabraries
Bourdarie
Meylargues
Soulomès
Caniac-du-Causse
Clavel
Mont-Salvy
Peyrilles
Nougayrol
Château
Vayrières
Pechaulejac
Le Piatgier
Murat
Surges
Les Places
Degagnazes
Auliac
Bonnet
Loubières
Lamothe-Cassel
Fontenges
Bonneau
Montamel
St-Sauveur-la-Vallée
Sénaillac-Lauzès
Coursac
Mas de Chaupet
Maussac
Thédirac
Ussel
St-Cernin
Artix
Ginouillac
Cascavel
Uzech
Gigouzac
Le Bouzat
(Les Pechs du Vers)
Montgesty
Salvezou
La Garnonne
Mechmont
La Brassalie
Fage
St-Martin-de-Vers
Bouzan
Gizard
Siffray
Mas-de-Rieu
Engrange
St-Pierre
Lacapelette
Domenac
Blars
St-Sulpice
Crabillié
Catus
St-Denis-Catus
Pelacoy
Lauzès
Sabadel-Lauzès
Lentillac-du-Causse
Cazals
Marcilhac-sur-Célé
Pontcirq
Vert
Mas-de-Camp
Nadillac
Mas-de-Salgues
Orniac
Abbaye
St-Médard
Lac Vert
Mèges
Brouelles
Francoulès
Oppidum de Mursens
Le Bosc
Mas-de-Peyrou
Nuzéjouls
Boissières
Les Carrières
Montcout
Maxou
Gironde
Moulin de Guillot
Cuzals (Musée)
Montagnac
Plage aux Ptérosaures
Rostassac
Calamane
Mas-de-Gendrou
St-Pierre-Lafeuille
La Croix Vieille
Le Viarnes
Courbous
Espinières
Liauzu
Monteils
Mas-de-Lab
Labastide-du-Vert
Miran
Crayssac
Espère
Mas-Delleu
Château de Roussillon
Valroufié
St-Michel
Cours
Merlan
Grotte du Pech-Merle
Fontaine de la Pescalerie
Sauliac-sur-Célé
Les Pezes
Bouydou
La Devèze
Tréganton
Château du Diable
Cabrerets
Gontaut-Biron
Mas-de-Bessac
Imperial
Parnac
Caix
Mercuès
Lapoujade
Mas-de-Laroque
St-Henri
Constans
Lagarde
Mas-de-Proupo
Bouziès-Bas
Défilé des Anglais
Memerlin
Mas-d'Arnal
Nougayrac
Luzech
Donjon
Largueil
Caillac
Pradines
Cessac
Bellefont
La Rauze
Miralasse
Laroque-des-Arcs
Bassaler
Vers
Béars
St-Géry
Bouziès
Les Masseries
Condat
Corbuché
Tour-de-Faure
Mas-de-Cariteau
La Larnagol
Calvignac
St-Vincent-Rive-d'Olt
Flaynac
Labéraudie
Douelle
St-Étienne
Mels
Lamagdelaine
Le Cuzoul
N.-D. de Vêles
Savanac
Pasturat
Belvédère
Le Port
St-Martin-Labouval
Toulzanie
N.-D. de l'Île
CAHORS
Pont Valentré
Bégoux
Mont St-Cyr
Cavaniès
Galessie
Arcambal
Parrayne
St-Cirq-Lapopie
Cornus
Cénevières
La Bouyssé
Alary
Cournou
Les Roques
Les Junies
Flottes
Les Ramonets
Le Causse
Les Mazuts
La Peyre
Berganty
Crégols
Réserve Naturelle
St-Cirice
Les Vitarelles
Peyrefite
Guillayne
St-Clair
Rojouls
Cambayrac
Rassiels
Merle
Lacapelle
Tour
St-Julien
Tréboulou
Mas de Bassoul
Pech-Blanc
Mas-de-Rastouillet
Lannac
Le Bournaguet
Trespoux-Rassiels
La Rosière
Vayrol
Esclauzels
Le Mazet
Trégoux
Les Grèzes
Trébaix
Le Colombier
La Coronnelle
Pissepercels
Font-d'Erbies
Benech
Nationale
Les Sept Ponts
Les Fournets
Concots
Lugagnac
Couderc
Villesèque
Les Salles
St-Rémy
Flaujac-Poujols
Quercy
Tigne
Le Truffe
Limogne
Le Cluzel
Labastide
Le Payrat
Hauteserre
Lescalié
Laburgade
Cremps
Mas-de-Vergne
A
B
C
D
1
2
3
4
5
A 20
E 9
D 820
D 801
D 802
D 807
D 840
D 653
D 911
D 677
D 673
D 704
D 811

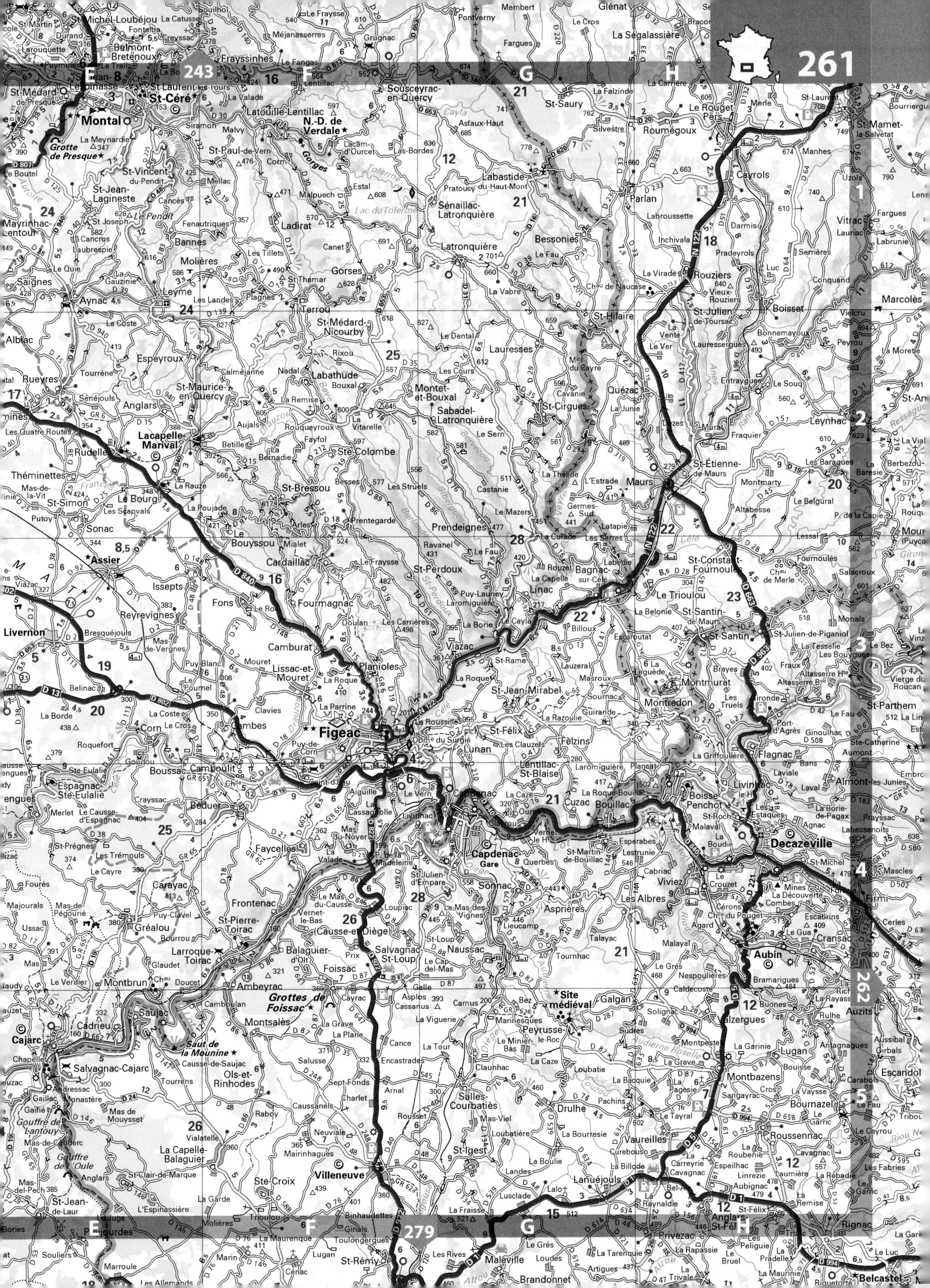

261
243
262
279
E
F
G
H
1
2
3
4
5
St-Michel-Loubéjou
Belmont-Bretenoux
Frayssinhes
St-Céré
Montal
Grotte de Presque
St-Médard-de-Presque
Latouille-Lentillac
N.-D. de Verdale
Sousceyrac-en-Quercy
Lentillac
Le Fangas
Pontverny
Fargues
Membert
Glénat
La Ségalassière
St-Saury
Le Rouget-Pers
Roumégoux
St-Mamet-la-Salvetat
Cayrols
Parlan
Labastide-du-Haut-Mont
Sénaillac-Latronquière
Latronquière
Bessonies
Lac du Tolerme
Gorges
St-Paul-de-Vern
St-Vincent-du-Pendit
St-Jean-Lagineste
Mayrinhac-Lentour
Bannes
Molières
Leyme
Aynac
Saignes
Ladirat
Gorses
Terrou
St-Médard-Nicourby
Laurésses
St-Hilaire
Rouziers
Vieux-Rouziers
St-Julien-de-Toursac
Boisset
Marcolès
Vitrac
Albiac
Rueyres
Espeyroux
St-Maurice-en-Quercy
Anglars
Lacapelle-Marival
Labathude
Montet-et-Bouxal
Sabadel-Latronquière
St-Cirgues
Quézac
Leynhac
St-Étienne-de-Maurs
Maurs
Rudelle
Théminettes
Le Bourg
Ste-Colombe
St-Bressou
Prendeignes
Sonac
Assier
Le Bouyssou
Cardaillac
St-Perdoux
Bagnac-sur-Célé
Linac
St-Constant-Fournoulès
Le Trioulou
St-Santin-de-Maurs
St-Santin
St-Julien-de-Piganiol
Livernon
Reyrevignes
Issepts
Fons
Fourmagnac
Camburat
Lissac-et-Mouret
Planioles
Viazac
Montmurat
Montredon
St-Parthem
Figeac
Cambes
Corn
St-Jean-Mirabel
St-Félix
Lunan
Felzins
Lentillac-St-Blaise
Flagnac
Livinhac-le-Haut
Boisse-Penchot
Decazeville
Espagnac-Ste-Eulalie
Boussac
Camboulit
Béduer
Capdenac
Capdenac-Gare
Cuzac
Bouillac
Viviez
Aubin
Firmi
Cransac
Faycelles
Frontenac
St-Pierre-Toirac
Larroque-Toirac
Gréalou
Carayac
Sonnac
Asprières
Les Albres
Montbrun
Saujac
Cajarc
Salvagnac-Cajarc
Saut de la Mounine
Grottes de Foissac
Foissac
Balaguier-d'Olt
Salvagnac-St-Loup
Naussac
Site médiéval
Peyrusse-le-Roc
Galgan
Alzergues
Montbazens
Lugan
Escandolgues
Bournazel
Roussennac
Vaureilles
Drulhe
Salles-Courbatiès
Villeneuve
St-Igest
Lanuéjouls
Ols-et-Rinhodes
La Capelle-Balaguier
Gouffre de Lantouy
Ste-Croix
St-Jean-de-Laur
Anglars-St-Félix
Rignac
Privezac
Maleville
St-Rémy
Belcastel
D 840
N 122
D 653
D 940
D 994
D 13
D 802
D 662
GR 65

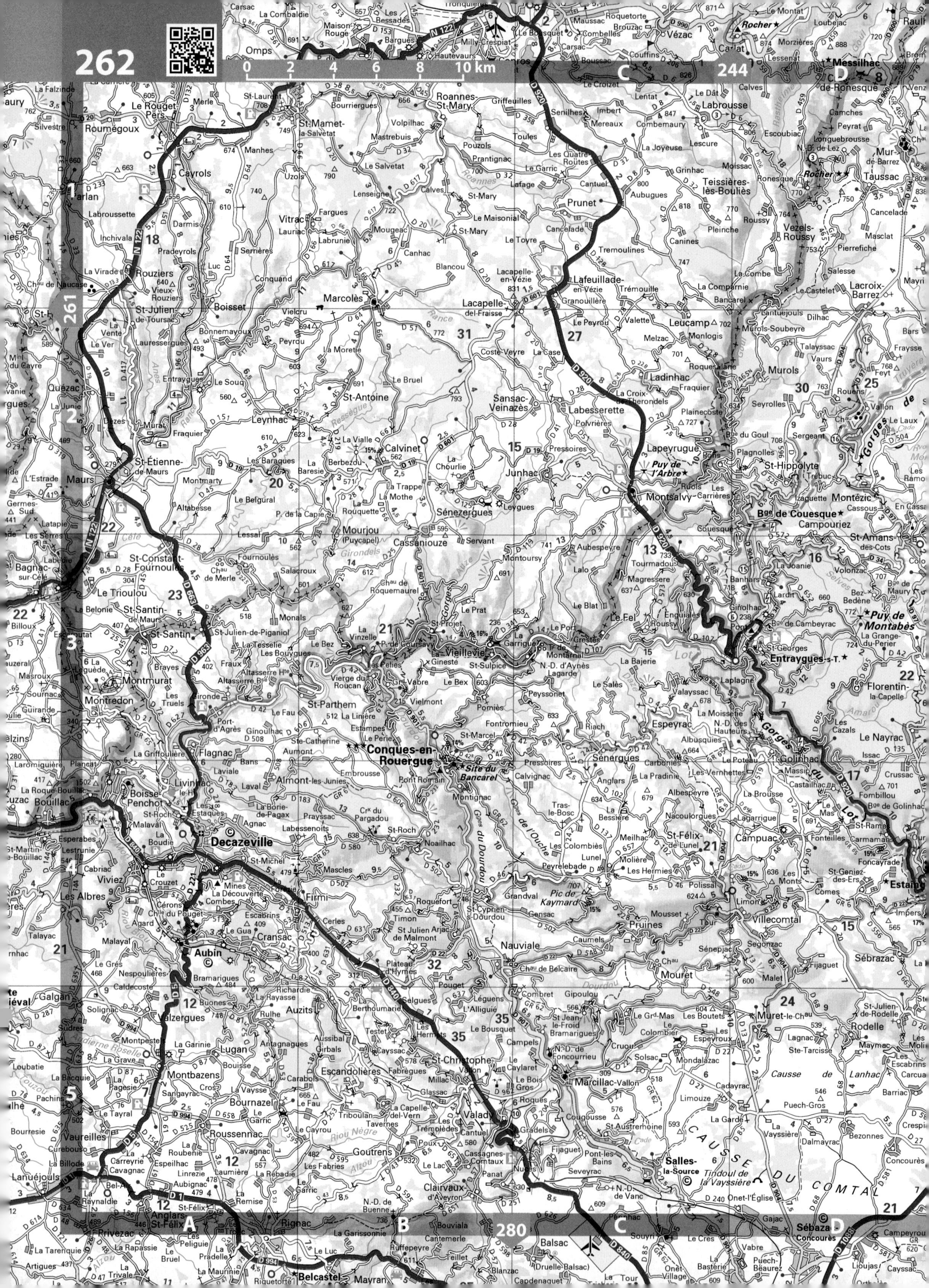
0 2 4 6 8 10 km
244
261
280
Carsac
La Combaldie
Les Bessades
Maison-Rouge
Bargues
Omps
Hautevaurs
Milly-Crespiat
Le Bousquet
Roquetorte
Maussac
Brouzac
Combelles
Vézac
Rocher
Carlat
Le Montat
Loubejac
Morzières
Lessenat
Messilhac
de-Ronesque
Le Rouget-Pers
Roumégoux
Silvestre
St-Laurent
St-Mamet-la-Salvetat
Bourriergues
Roannes-St-Mary
Griffeuilles
Le Croizet
Senilhes
Imbert
Mereaux
Lentat
Labrousse
Combemaury
Calves
Escoubiac
Camches
Peyrat
Longuebrousse
N.-D. de Lez
Mur-de-Barrez
Taussac
Cayrols
Manhes
Volpilhac
Mastrebuis
Pouzols
Prantignac
Toules
Les Quatre Routes
La Joyeuse
Lescure
Uzols
Le Salvetat
Lenseigne
Le Garric
Lafage
Cantuel
Grinhac
Moissac
Teissières-lès-Bouliès
Ronesque
Parlan
Labroussette
Darmis
Fargues
Vitrac
Lauriac
Calves
St-Mary
Le Maisonial
Prunet
Aubugues
Roussy
Vezels-Roussy
Cancelade
Masclat
Pierrefiche
Inchivala
Pradeyrols
Serrières
Mougeac
Labrunie
Canhac
Le Toyre
Tremoulines
Canines
Pleinche
La Virade
Ch.au de Naucase
Rouziers
Vieux-Rouziers
Luc
Conquand
Blancou
Lacapelle-en-Vézie
Lafeuillade-en-Vézie
Granouillère
Trémouille
La Comparnie
La Combe
Salesse
Lacroix-Barrez
Bancarel
Le Castelet
St-Julien-de-Toursac
Boisset
Marcolès
Vielcru
Lacapelle-del-Fraisse
Le Peyrou
Valette
Leucamp
Monlogis
Cantuejouls
Dilhac
Murols-Soubeyre
Bonnemayoux
Laurescergues
Peyrou
La Morette
Coste-Veyre
La Case
Melzac
Talayssac
Vaurs
Fraysse
Feyt
Entraygues
Le Souq
Le Bruel
St-Antoine
Ladinhac
Roquesalane
Fraquier
Murols
Quézac
La Junie
Dezes
Murat
Fraquier
Leynhac
Sansac-Veinazès
Labesserette
La Croix-de-Therondels
Plainecoste
Polvrières
Seyrolles
Rouens
Vallon
Gorges de
La Vialle
Calvinet
La Chourlie
Pressoires
Lapeyrugue
Bg.e du Goul
Plagnolles
Sergeant
Le Laux
St-Étienne-de-Maurs
Les Baraques
Berbezou
Junhac
Puy de l'Arbre
Ruols
St-Hippolyte
Trébuc
Maurs
L'Estrade
Montmarty
La Baresie
La Trappe
La Mothe
Montsalvy
Les Carrières
Izaguette
Montézic
Germes-Sud
Latapie
Les Serres
Altabesse
Le Belgural
La Rouquette
Sénezergues
Leygues
Bg.e de Couesque
Cassous
Campouriez
P. de la Capie
Lessal
Mourjou (Puycapel)
Cassaniouze
Servant
Aubespeyre
Couesque
St-Amans-des-Cots
St-Constant-Fournoulès
Fournoulès
Girondels
Salacroux
Montoursy
Tourmadour
Banhars
La Joanie
Volonzac
Bagnac-sur-Célé
Ch.au de Merle
Ch.au de Roquemaurel
Magressere
Lalo
Le Trioulou
Bg.e de Maury
Bez-Bedène
Lardit
Gorges
La Belonie
St-Santin-de-Maurs
St-Santin
St-Julien-de-Piganiol
Monals
Le Prat
Le Blat
Le Fel
Enguialès
Roussy
Puy de Montabès
La Grange-du-Perier
Bg.e de Cambeyrac
Billoux
La Tesselie
Les Bouygues
Le Bez
La Vinzelle
P. de Coursavy
St-Projet
La Vieillevie
La Garrigue
Le Port
Grestes
Entraygues-s-T.
St-Georges
Florentin-la-Capelle
Montmurat
Brayes
Fraux
Altasserre
Les Pelies
Vierge du Roucan
Gineste
St-Sulpice
N.-D. d'Aynès
Lagarde
La Bajerie
Laplagne
Masrouy
Sournac
Montredon
Les Truels
Gironde
Port-d'Agrès
Le Fau
St-Parthem
La Linière
Estampes
Grd Vabre
Le Bex
Vielmont
Peyssonet
Les Salès
Valayssac
La Moissetie
N.-D. des Hauteurs
Les Cazals
Guirande
Ginoulhac
Ste-Catherine
Le Perie
Pomiès
Fontromieu
Riach
Espeyrac
Albusquiès
Le Nayrac
Flagnac
La Griffoulière
Aumont
Conques-en-Rouergue
St-Marcel
Site du Bancarel
Pressoires
Sénergues
Carbonies
Le Poteau
Golinhac
Issac
Laromiguière
Plancat
Bans
Laviale
Almont-les-Junies
Embrousse
Pont Romain
Calvignac
Anglars
La Pradinie
Les Vernhettes
Massip
Castailhac
Crussac
Fombillou
Bg.e de Golinhac
La Roque-Bouillac
Bouillac
Boisse-Penchot
Livinhac-le-Haut
Laval
La Borie-de-Pagax
Montignac
Tras-le-Bosc
Albespeyre
La Brousse
Lagarrigue
Prayssac
Cr.x du Pargadou
Labessenoits
St-Roch
Noailhac
La Bessière
Nacoulorgues
Campuac
Fonteilles
St-Rames
Carmamans
Esperabes
Lestrunie
St-Martin-de-Bouillac
Cabriac
Viviez
Le Crouzet
Les Estaques
Agnac
La Boudie
Decazeville
Mines
La Découverte
Combes
St-Michel
Mascles
Firmi
Les Colombiès
Meilhac
St-Félix-de-Lunel
Lunel
Molière
Les Hermies
Polissal
Limon
Les Monts
St-Geniez-des-Ers
Foncayrade
Estaing
Les Albres
Cérons
Ch.lle du Pouget
Escabrins
Cransac
Agard
Le Gua
Roquefort
Timon
St Julien Arjac de Malmont
Peyrelebade
Grandval
Pic de Kaymard
Gensac
St-Cyprien-s-Dourdou
Mousset
Tour
Pruines
Villecomtal
Comes
Impers
Sébrazac
Talayac
Malayal
Aubin
Cerles
Plateau d'Hymes
Nauviale
Caumels
Sénepjac
Segonzac
Fijaguet
Le Grès
Nespoulières
Bramarigues
Caldecoste
Le Pouget
Ch.au de Belcaire
Mouret
Malet
Galgan
Solignac
La Rayasse
Richardie
Buones
Rulhe
Auzits
Berthoumarie
Selgues
Léguens
L'Alliguié
Combret
Gipoulou
Le Grd-Mas
Les Boutets
Muret-le-Ch.au
St-Julien-de-Rodelle
Rodelle
Valzergues
Sudres
Montpestels
La Garinie
Lugan
Antagnagues
Aussibal
Girbals
Testet
Les Hermets
Le Bousquet
St-Jean-le-Froid
Bramarigues
Colombier
Les Espeyroux
Lagnac
Ste-Tarcisse
Maymac
Loubatie
La Grave
Bouisse
Cayssac
St-Christophe-Vallon
Campels
N.-D. de Foncourrieu
Cruou
Solsac
Mondalazac
Causse de Lanhac
Escabrins
Carcuac
La Bacquie
Montbazens
Pagesie
Sangayrac
Cros
La Vaysse
Escandolières
Carabols
Fabrègues
Millac
Glassac
Le Caylaret
Le Bois Gros
Marcillac-Vallon
Cadayrac
Barriac
Pachins
Le Tayral
Bournazel
Le Fau
Le Garric
Triboulan
Tavernes
La Capelle-del-Vern
Les Trémolèdes
Valady
Roques
Couguousse
St Austremoine
Limouze
Puech-Gros
Bourresie
Vaureilles
Curebouse
Anglès
Roussennac
Le Cayrou
Riou Nègre
Cantuel
Gradels
La Garde
La Vayssière
Dalmayrac
Bezonnes
Crespin
La Billode
Carreyrie
Cavagnac
Espeilhac
Linrezie
Lumière
La Roubenie
Goutrens
Poux
Cassagnes-Comtaux
Fijaguet
Pont-les-Bains
Concourès
Lanuéjouls
Bel-Air
La Raynaldie
Aubignac
La Rébadie
Les Fabries
Le Lac
Panat
Nuces
Seveyrac
Salles-la-Source
Tindoul de la Vayssière
CAUSSE DU COMTAL
St-Félix
Anglars-St-Félix
Le Garric
La Remise
N.-D. de Buenne
Clairvaux-d'Aveyron
N.-D. de Vanc
Onet-l'Église
Gajac
Sébazac-Concourès
Campeyrou
Privezac
Rignac
Bouviala
La Garissonnie
Cantemerle
Penchac
Souyri
Le Cres
La Tarenquie
La Rapassie
Peliguie
La Pradelle
Le Bruel
Ruffepeyre
Balsac
Vabre
Puech-Beaurez
Artigues
La Trivale
La Maurinie
Riquetorte
Belcastel
Mayran
Le Luc
Blanzac
(Druelle-Balsac)
Cap-denaguet
La Basterie
Onet-Village
Lioujas
Cayssac
Lot
Célé
Rance
Dourdou
Gorges du Dourdou
Gges de l'Ouche
Cade
Riou Mort
Riou Viou
Alzou
Ressègue
Selves
Goul
Truyère
Amarou
Daze
Auze
N 122
D 920
D 840
D 994
D 963
D 601
D 19
D 1

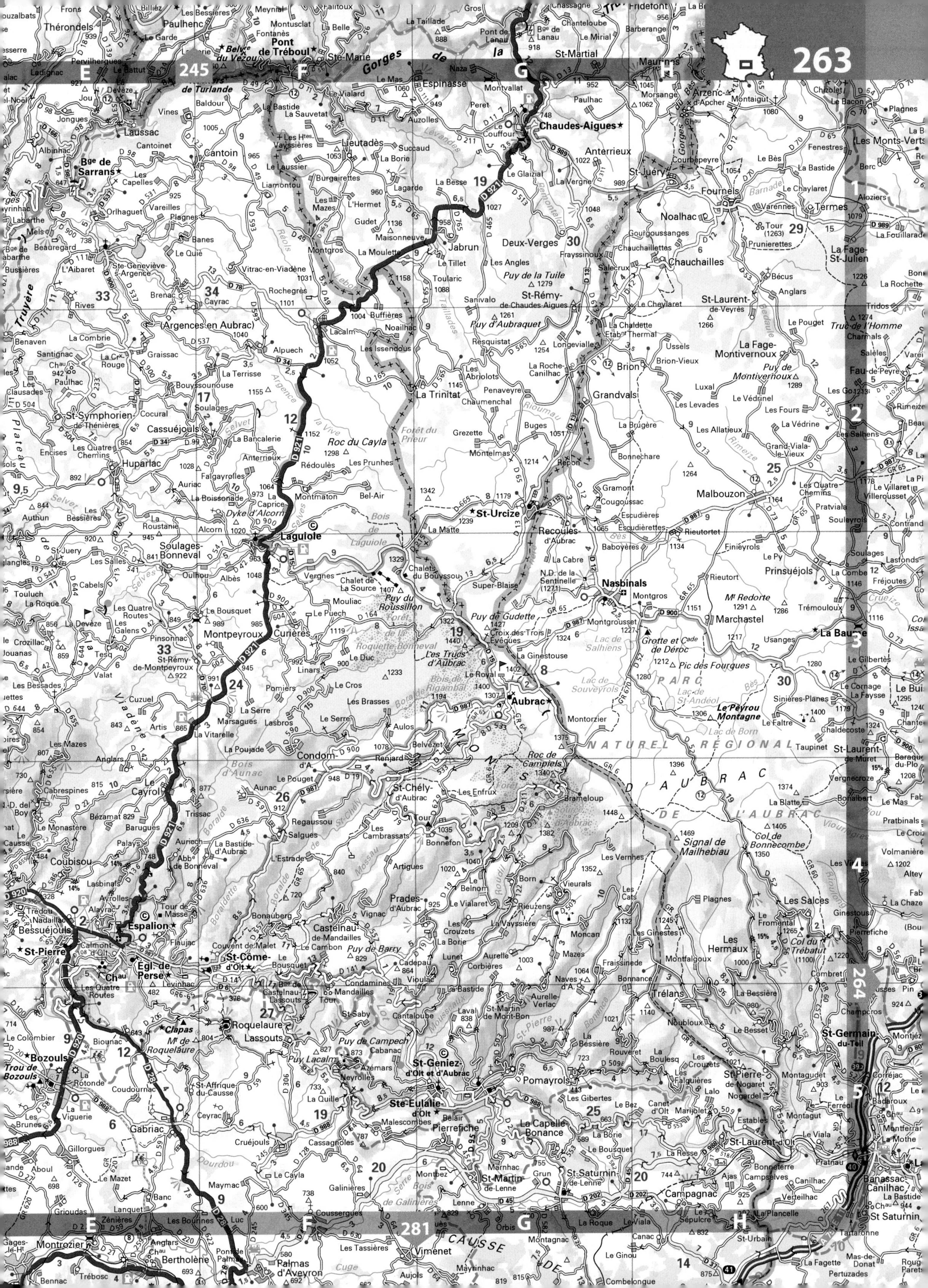

245
264
281
Gorges de la Truyère
Pont de Tréboul
Belvédère du Vézou
Chaudes-Aigues
Bge de Sarrans
Lieutadès
Jabrun
Deux-Verges
St-Rémy-de-Chaudes-Aigues
Puy de la Tuile
Puy d'Aubraquet
Fournels
Noalhac
Chauchailles
St-Laurent-de-Veyrès
La Fage-St-Julien
La Fage-Montivernoux
Puy de Montivernoux
Truc de l'Homme
Brion
Grandvals
La Trinitat
Roc du Cayla
Forêt du Prieur
St-Urcize
Laguiole
Bois de Laguiole
Soulages-Bonneval
Huparlac
Cassuéjouls
St-Symphorien-de-Thénières
Argences en Aubrac
Plateau de la Viadène
Recoules-d'Aubrac
Nasbinals
Malbouzon
Prinsuéjols
Marchastel
Mt Redorte
La Baume
Puy de Gudette
Croix des Trois Évêques
Grotte et Cade de Déroc
Pic des Fourques
Lac de Salhiens
Lac de Souveyrols
Lac de St-Andéol
Le Peyrou Montagne
Lac de Born
PARC NATUREL RÉGIONAL DE L'AUBRAC
MONTS D'AUBRAC
Les Truc d'Aubrac
Bois de Rigambal
Aubrac
Montpeyroux
Curières
Puy du Roussillon
Forêt de la Roquette-Bonneval
Condom-d'Aubrac
Roc de Campiels
St-Chély-d'Aubrac
Signal de Mailhebiau
Col de Bonnecombe
Prades-d'Aubrac
Le Cayrol
Abbe de Bonneval
Coubisou
Espalion
Bessuéjouls
St-Pierre
Calmont d'Olt
Égl. de Perse
St-Côme-d'Olt
Castelnau-de-Mandailles
Puy de Barry
Roquelaure
Lassouts
Mt de Roquelaure
Clapas
Bozouls
Trou de Bozouls
Puy de Campech
Puy Lacalm
St-Geniez-d'Olt et d'Aubrac
Ste-Eulalie-d'Olt
Pomayrols
La Capelle-Bonance
St-Laurent-d'Olt
St-Pierre-de-Nogaret
Trélans
Les Hermaux
Col du Trébatut
Les Salces
St-Germain-du-Teil
Banassac-Canilhac
St Saturnin
Campagnac
St-Saturnin-de-Lenne
St-Martin-de-Lenne
Pierrefiche
Gabriac
Bertholène
Montrozier
Palmas d'Aveyron
Vimenet
CAUSSE DE

0
2
4
6
8
10 km
246
263
282
A
B
C
D
1
2
3
4
5
Blavignac
St-Léger-du-Malzieu
Chazalais
Couffours Hauts
Montchabrier
Le Falzet
Le Pouget
Chaylot
Le Villeret-d'A
Le Fraisse
Le Pin
La Mouteyre
Verreyrolles
Pourcheresse
Romagnac
Verrières
Chanaleilles
Contaldes
Montrezon
Orfeuille
Le Malzieu-Ville
Le Malzieu-Forain
Chizolet
Le Bacon
Plagnes
La Vaissière
Rouveyret
Vareilles
Fraissinet-Langlade
La Bessière
(Les Monts-Verts)
(St-Pierre-le-Vieux)
Le Soulier
Villechailles
L'Estival
La Vialette
Lajo
Chazeau
Madrière
Fajolette
Le Crouzet
Croisières
Reynaldès
Chambon-le-Château
Fenestres
Recoules
Civeyrac
La Gardelle
Le Vernet
Le Marlet
La Chazette
Montclos
St-Symphorien
La Fagette
L'Herm
Ancette
Ancelpont
Le Bouc
Berc
La Bastide
Le Chaylaret
Termes
Aloziers
Sarroul
Tour
Prunières
Chabannes
Ferluc
La Rouzeire
St-Roch
Le Sauvage
Boirelac
Le Chayla
Chams
Laval-A
Apcher
Les Courses
La Roche
Brenac
Montagnac
Billières
La Fouillarade
La Fage-St-Julien
St-Chély-d'Apcher
La Rouvière
Le Rouget
Les Faux
Le Charzel
Ste-Eulalie
Combes
St-Paul-le-Froid
Les Mèdes
Bouchet-Fraisse
Florensac
Chassignoles
Sarrouillet
Grazières-Mages
Le Villaret
Limbertès
Grandrieu
Bonnefont
La Rouyeyre
La Rochette
Anglars
La Védrine
Les Bessons
Tridos
St-Alban-sur-Limagnole
La Bataille
Espinousette
La Fage
Ferluguet
Le Pouget
Truc de l'Homme
Charmals
Combret
Le Crouzet
La Malige
Chardenoux
Baraque-de-Bouviers
Espinouse
Chabestras
Aubespeyre
Veyres
Lile
Rimeize
Sepches
Chabannes
Le Viala
Courbettes
Pont des Sept Trous
Roc de Fenestre
Mararèches
Les Gardiles
Bellelande
Salèles
Vareilles
Le Chambon
Pont-Archat
Le Rouchat
Montchamp
Fau-de-Peyre
Les Estrets
Pont-des-Estrets
Col de la Croix-de-Bor
Boniac
Les Chazes
Crozes
Nozières
Fontans
La Roche
Le Crouzet
St-Denis-en-Margeride
La Panouse
Fours
Rimeizenc
Baraque-de-Bor
Beauregard
Chancelades
Buffeyrettes
Chazeyrolles
La Védrine
Les Salhens
Grandviala
Aumont-Aubrac
Tiracols
Le Recoux
Col des Trois Sœurs
Gély
Le Viala
Lasbros
Villelongue
La Villedieu
Baraques-de-la-Motte
Le Cheylaret
Crouzet-Plo
Montagnac
St-Sauveur-de-Ginestoux
La Pignède
Le Villaret
Villerousset
Ruines romaines
Serverette
Mazel-des-Laubies
Le Vidalès
Les Quatre Chemins
La Chaze-de-Peyre
Longuessagnes
Javols
Pratviala
Les Fons
(Peyre-en-Aubrac)
Souleyrols
Le Contrandés
Ste-Colombe-de-Peyre
Volpillac
La Bastide
Le Crouzet-Chaffol
La Chazotte
Bessils
Les Laubies
Les Salhens
Couffours
Charinac
Soulages
Fontanes
Orbagnac
Aubigeyrette
Aubigeyres
Le Grenaldès
St-Gal
Estables
Col du Cheval Mort
Auranchet
Lasfonds
Le Cher
Arzenc-de-Randon
La Combe
Fréjoutes
St-Sauveur-de-Peyre
La Bessière
St-Amans
Froidviala
Le Giraldès
Donnepau
Couffinet
Chabannes
Le Crouzet
Signal de Randon
Granouillac
Trémouloux
Cheminade
Combettes
Le Choizines
Tartaronne
Coulagnes-Basses
Col des Issartets
Roc de Peyre
Chassagnes
Hᵗᵉˢ Pigeyres
Bˢᵉˢ Pigeyres
Truc de Fortunio
Châteauneuf-de-Randon
La Baume
Combettes
Le Grach
Chapchiniers
Vitrolles
Mausolée du Connétable
Le Moulinet
Recoules-de-Fumas
Ribennes
Les Faux
Rieutort-de-Randon
La Fage
Le Gilbertès
Vallée de l'Enfer
La Veissière
Le Monteil
Coulagnes-Hᵗᵉˢ
Lac de Charpal
Le Cornage
La Faysse
Le Buisson
Rouvière
Fraissinet
Montchiroux
Bois de Bouls
Malassagne
Le Bouchet
Le Mont
Combe-Maury
Laubespin
Sᵃˡ de Salassous
Plateau du Palais du Roi
Viaduc de la Crueize
Baraque de la Grange
Chaldecoste
Chantegrenouille
Champagnac
Lachamp
Les Vernets
Gorges
Ste-Lucie
Espère
La Roche
Gourgons
Col de la Pierre Plantée
Taupinet
St-Laurent-de-Muret
Le Monnet
Tarbes
Parc à loups du Gévaudan
Can de la Roche
Champclos
Coulagnet
Baraque-du-Plo
Les Salles
St-Léger-de-Peyre
Laubert
Vergnecroze
Antrenas
Le Mazet
La Colombèche
Fabrèges
Le Mas
Bonalbert
Crespin
Valadou
Le Rouve
Servières
Les Espinas
Chauvets
La Fagette
Villeneuve
Pelouse
Pratbinals
Ste-Catherine
Montrodat
Séjas
Le Croizier
Le Lignon
Le Grenier
Sages
Le Villaret
Chanteruéjols
Aspres
St-Martin-du-Born
Le Born
Veyrines
Eygas
Volmanières
Le Regourdel
Montrodat
Baldasse
Le Viala-Haut
Le Viala-Bas
Chastel-Nouvel
Alteyrac
La Rouvière
Le Beyrac
Allenc
Alteyrac
Fabrèges
Marvejols
Gabrias
La Boulaine
Bahours
Chanteruéjols
Col de la Tourette
Rieucros
Badaroux
Les Salces
La Chazette
Truc du Midi
Goudard
Pierrefiche
Méjantel
Chabrits
Les Salelles
Les Salces
Ginestous
Chirac
Brugers
Valcroze
Mende
Sirvens
Nojaret
Pierrefiche
(Bourgs-s-Colagne)
Prades
Truc de Grèzes
Chausserans
Chabannes
Ste-Hélène
Chadenet
Col du Trébatut
Le Monastier-Pin-Moriès
Palhers
Le Serre
Cenaret
Causse de Changefège
St-Privat
La Croix-Neuve
Le Crouzet
Mont Valdon
Bagnols-les-Bains
Le Bruel
St-Bonnet-de-Chirac
Grèzes
Boudoux
La Roche
Les Cayres
Mᵗ Mimat
Causse de Mende
Lanuéjols
St-Genies
Combret
Les Bories
Col de Vielbougue
Barjac
La Vigne
Changefège
Mausolée Romain
Vitrolles
Masseguin
St-Julien-du-Tournel
Busses
Pin
Montredon
Rocherousse
Malavieille
Cultures
Brenoux
Le Boy (Préventorium)
Col de la Loubière
Champcros
Moriès
Chabanes
Marijoulet
Le Bruel
Balsièges
St-Bauzile
Venède
Brajon
St-Germain-du-Teil
Montjézieu
Ajustons
Rouffiac
Langlade
Vareilles
Les Sagnoles
Les Sagnes
Larbussel
Esclanèdes
Bramonas
Le Lion
Truc de Balduc
Les Salelles
Le Villard
Chau de Montialoux
Varazoux
Montagudet
Auxillac
Marijoulet
Corréjac
Chanac
Le Falisson
La Croix de Maître Vidal
Le Paven
Chardonnet
Tour du Choizal
St-Étienne-du-Valdonnez
Ferréol
Badaroux
Le Sabatier
Cadoule
Molines
Montagut
Montferrand
Les Fons
Les Arts
La Nojarède
Le Freycinel
Le Viala
La Mothe
Les Balmes
Les Cros-Bas
Laubies
Pratnau
La Canourgue
Le Gazy
Laumède
Le Jas
La Bazalgette
La Fage
La Borie
Les Laubies
St-Frézal
La Roquette
Les Crouzets
Le Cros-Haut
Le Sec
Les Faux
Banassac-Canilhac
Canilhac
Chazoux
La Rouvière
Les Baraque-des-Gendarmes
Montmirat
Col de Montmirat
Les Badieux
Maleville
Les Cheyrouses
St Saturnin
Champerl
Sauveterre
Les Combettes
La Vayssière
Sabot de Malepeyre
Tartaronne
Fontjulien
Boujassac
Mont Chabio
Lonjagnes
Mas-de-Donat
Pouges
Rouges-Parets
Perrusades
La Fagette
Mas-Chouchou
La Capelle
Lueysse
Roussac
Montredon
Chaumeils
La Périgouse
Le Bac
Paros
Salanson
Nozières
Les Bondons
Le Marguefré
Margeride
Truyère
Chapeauroux
Colagne
Lot
Sauveterre

265
247
283
266
E
F
G
H
Arlempdes
Landos
Barges
St-Haon
Le Lac-d'Issarlès
Issarlès
Coucouron
Lafarre
Ste-Eulalie
Gerbier de Jonc
Suc de Séponet
Suc de Montfol
Lachapelle-Graillouse
St-Paul-de-Tartas
Pradelles
St-Étienne-du-Vigan
Usclades-et-Rieutord
Col de Fioulebise
Issanlas
St-Cirgues-en-Montagne
Montgarnier
Suc de Bauzon
Suc du Pal
Burzet
Barrage de Naussac
Naussac-Fontanes
Langogne
Lespéron
Lavillatte
Lanarce
Abbe
Mazan-l'Abbaye
Montpezat-s/s-Bauzon
Le Roux
Rocles
St-Flour-de-Mercoire
St-Alban-en-Montagne
Le Plagnal
Col de la Chavade
Bois du Faultre
Serre de la Pierre Plantée
Thueyts
Astet
Mayres
Barnas
Le Vieux-Mayres
Chaudeyrac
Cheylard-l'Évêque
Cellier-du-Luc
Luc
Laveyrune
St-Étienne-de-Lugdarès
Col du Pendu
Cham de Cham Longe
Serre de la Croix de Bauzon
Col de la Crx de Bauzon
Sommet de Bournazon
Borne
Col de Meyrand
Le Tanargue
Loubaresse
Valgorge
St-Laurent-les-Bains
Somt des Trois Seigneurs
Forêt de Mercoire
Le Moure de la Gardille
La Bastide-Puylaurent
Chabalier
Laval-d'Aurelle
Massif de Prataubérat
Dompnac
Belvézet
St-Frézal-d'Albuges
Chasseradès
Montagne du Goulet
Somt du Goulet
Prévenchères
Montselgues
Thines
St-Mélany
Sablières
Beaumont
St-André-Lachamp
Joyeuse
Le Bleymard
Col des Tribes
Altier
Belvre du Chassezac
La Garde-Guérin
Pied-de-Borne
Ste-Marguerite-Lafigère
Planzolles
Faugères
Payzac
Lablachère
Cubières
Cubiérettes
Villefort
Bge de Villefort
Malarce-s-la-Thines
St-Genest-de-Beauzon
Sommet de Finiels
Col de Finiels
MONT LOZÈRE
NATIONAL
Roc des Echelles
St-André-Capcèze
Malons-et-Elze
Ponteils-et-Brésis
Gravières
Chambonas
Les Assions
Les Vans
Pic Cassini
Mas Camargues
Col de Rabusat
Serre de Barre
Berrias-et-Casteljau
Bois de Païolive

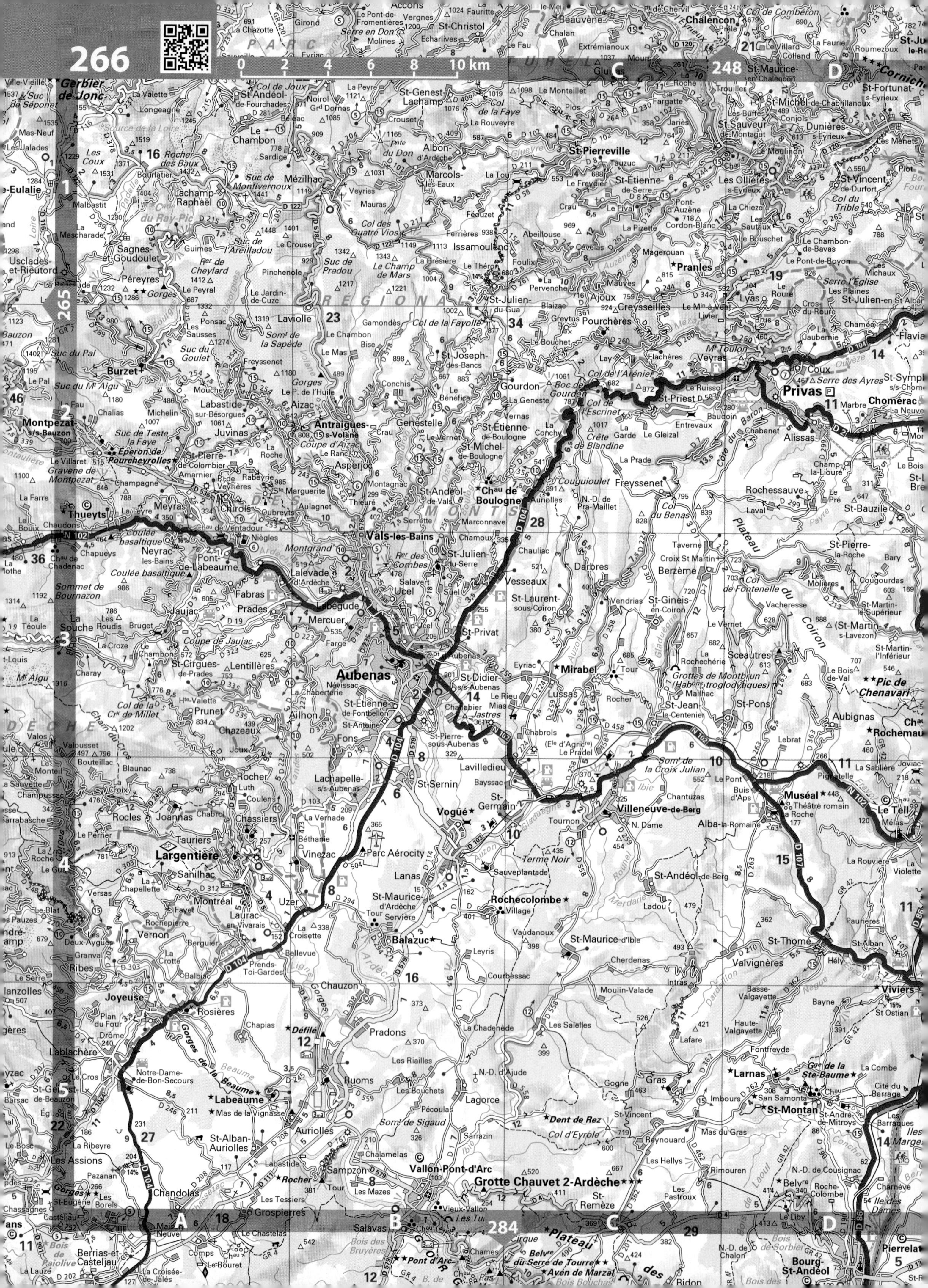
0 2 4 6 8 10 km
248
265
284
Gerbier de Jonc
St-Andéol-de-Fourchades
Le Chambon
Mézilhac
St-Genest-Lachamp
Albon-d'Ardèche
Marcols-les-Eaux
St-Pierreville
St-Étienne-de-Serre
Les Ollières-s-Eyrieux
St-Sauveur-de-Montagut
Dunières-s-Eyrieux
St-Fortunat-s-Eyrieux
St-Vincent-de-Durfort
Chalencon
St-Christol
Lachamp-Raphaël
Sagnes-et-Goudoulet
Usclades-et-Rieutord
Péreyres
Issamoulenc
Pranles
Ajoux
Creysseilles
Pourchères
St-Julien-du-Gua
Laviolle
Burzet
Montpezat-s/s-Bauzon
Labastide-sur-Bésorgues
Juvinas
Antraigues-s-Volane
Aizac
Genestelle
Gourdon
Col de l'Escrinet
St-Priest
Privas
Coux
Veyras
Lyas
Alissas
Chomérac
Freyssenet
Rochessauve
St-Bauzile
Thueyts
Meyras
Chirols
Vals-les-Bains
St-Andéol-de-Vals
Chau de Boulogne
Neyrac-les-Bains
Pont-de-Labeaume
Lalevade-d'Ardèche
Jaujac
Fabras
Prades
Ucel
Vesseaux
St-Laurent-sous-Coiron
St-Privat
Darbres
Berzème
St-Gineis-en-Coiron
Plateau du Coiron
Aubenas
St-Didier-s-Aubenas
Mirabel
Lussas
St-Jean-le-Centenier
St-Pons
Aubignas
Pic de Chenavari
Rochemaure
St-Étienne-de-Fontbellon
Ailhon
Prunet
Lentillères
St-Cirgues-de-Prades
Fons
Lachapelle-s/s-Aubenas
St-Sernin
Lavilledieu
Vogüé
Villeneuve-de-Berg
Alba-la-Romaine
Muséal
Le Teil
Largentière
Chassiers
Rocles
Joannas
Vinezac
Parc Aérocity
Lanas
Sauveplantade
Uzer
Montréal
Laurac-en-Vivarais
St-Maurice-d'Ardèche
Rochecolombe
Balazuc
St-Maurice-d'Ibie
St-Andéol-de-Berg
St-Thomé
Valvignères
Viviers
Joyeuse
Rosières
Chauzon
Pradons
Ruoms
Labeaume
Lablachère
Lagorce
Larnas
St-Montan
Gras
St-Alban-Auriolles
Vallon-Pont-d'Arc
Grotte Chauvet 2-Ardèche
St-Remèze
Bourg-St-Andéol
Chandolas
Grospierres
Salavas
Berrias-et-Casteljau
Pont d'Arc
Aven de Marzal
N 102
D 104
D 107
N 86

267
E
F
G
H
249
285
268
St-Georges-les-Bains
Charmes-s-Rhône
Beaumont-lès-Valence
Montéléger
Beauvallon
Étoile-sur-Rhône
Barcelonne
La Grd Dent
Pierre-Gourde
l'Eyrieux
Beauchastel
La Voulte-s-Rhône
Montmeyran
La Baume-Cornillane
Col J. Cavalli
Plan-de-Baix
Montrond
Col de la Croix
Les Dorelons
La Paillasse
Les Pécolets
Fiancey
St-Genys
Upie
Ourches
Gigors-et-Lozeron
Eygluy-Escoulin
Ambonil
Montoison
Mt Miery
Les Massones
Les Gauthiers
La Rochette-sur-Crest
Beaufort-sur-Gervanne
Rompon
Le Pouzin
Les Petits Robins
Livron-sur-Drôme
Allex
Vaunaveys-la-Rochette
Cobonne
Suze
Vaugelas
Montclar-sur-Gervanne
Le Crassier
Les Fonts-du-Pouzin
Pergaud
Grenouillet
Eurre
Seigneur-Dieu
Loriol-sur-Drôme
La Gardette
St-Bardoux
Grane
Chaufondes
Donjon
Crest
Aouste-sur-Sye
(Mirabel-et-Blacons)
Mirabel
Blacons
Vachères
Chosséon
Les Berthalais
(Véronne)
Les Boissiers
Gaudichart
Payre
Mt Brian
Chabrillan
St-Pierre
Bariol
Porterons
Divajeu
L'Homme
(Divajeu)
La Clastre
Saillans
Verchen
Baix
Cliousclat
Mt Gier
Saulce-s-Rhône
La Colline
Mirmande
Montpourchier
Peygrand
La Tour-de-Verre
Les Reys-de-Saulce
Lambres
Les Gilles
Les Micouleaux
Autichamp
La Roche-s-Grane
Col de Tartaiguille
(Piégros-la-Clastre)
Piégros
(Aubenasson)
St-Sauveur-en-Diois
Espenel
Les Chapeaux
Bressac
Bois de Bressac
Sichier
Le Serre
Col de la Grde Limite
Le Logis-Neuf
Les Tourrettes
Cruas
St-Vincent-de-Barrès
Chiffe
Col du Devès
Le Péage
Vx Village
Pas de Lauzens
(La Répara-Auriples)
Roche Colombe
St-Médard
Serre de la Laveuse
Le Pertuis
Pas de Lestang
Roche Courbe
Le Signal
(Chastel-Arnaud)
Le Grd Travers
N.-D. de Fresneau
St-Didier
La Coucourde
Lachamp
Condillac
Marsanne
Bastet
Roynac
Les Lombards
Bièque
Lastic
Eurre
Saou
Porte de Barry
Le Veyou
Col de Gourdon
La Chaudière
Bois des Roussières
Derbières
Les Combes
Les Trois Ponts
Mt Peyrieux
Cléon-d'Andran
Puy-St-Martin
Saudon
Talon
Soyans
Mgne d'Eson
Francillon-sur-Roubion
Mornans
Le Temple
Montagne de la Chaudière
Le Grd Delmas
Savasse
N. Bge de Rochemaure
Sauzet
La Laupie
Bonlieu-sur-Roubion
Manas
Charols
Pont-de-Barret
Le Poët-Célard
Le Rastel
Le Tollier
Bezaudun-sur-Bîne
Montagne de Couspeau
L'Homme-d'Armes
Ancône
St-Marcel-lès-Sauzet
St-Gervais-sur-R.
Rossignol
Rochebaudin
Félines-s-Rimandoule
(Truinas)
St-André
Bourdeaux
Les Tonils
Montélimar
Montboucher-sur-Jabron
Maurin
St-James
St-Andéol
La Bâtie-Rolland
Le Planas
Salettes
Eyzahut
Serre-Gros
Mgne du Poët
Col du Pertuis
St-Maurice
(Comps)
(Orcinas)
Col Soubeyrand
Crupies
Mgne de St-Maurice
Gorge
Les Lombards
Puygiron
La Bégude-de-Mazenc
Châteauneuf-de-Mazenc
Souspierre
Vieux-Village
Crête des Monges
Les Vitrouillères
Le Plat
Bellevue
Dieulefit
Beau-Vallon
Le Rot
Vesc
Montagne de Vesc
Bouvières
N.-D. de Mastaise
Le Monard
Portes-en-Valdaine
Le Poët-Laval
Réjaubert
Paulhiet
N.-D. de Montceau
Espeluche
Chambaud
La Touche
Le Ferrent
Couvent de Beauvoir
(Rochefort-en-Valdaine)
Le Colombier
Aleyrac
Mt Rachas
Serre Pelé
Mgne de Dieu Grâce
Montjoux
Mgne de Ruy
Champbonnet
Gaillard
Combeaumont
Allan
Ancien Village
B. de Fonbrenoux
Col de la Croix
Béconne
La Paillette
Bec de Jus
Ponçon
Mgne de Miélandre
Malataverne
St-Pierre
Prieuré
Mgne de la Série
Bois de Salles
B. de Tauglignan
Roche-St-Secret-Béconne
Mgne de Col Plat
Châteauneuf-du-Rhône
N.-D. de Montcham
Montjoyer
Abbe de N.-D. d'Aiguebelle
Le Fraysse
Les Artaux
Cime de Rozier
Les Jaillets
Mgne de la Lance
Col de Valouse
Défilé de Donzère
Rocher Garaux
Le Moulin
Mgne d'Autuche
Défilé de Trente Pas
Bois de Grignan
Salles-sous-Bois
Donjon de Blacon
Teyssières
L'Argetas
Réauville
Bayonne
Taulignan
Montbrison
Les Célas
Col de Lachaud
Donzère
Roussas
Valaurie
La Clarté N.-D.
Le Pègue
Les Guilles
Cougoir
St-Ferréol-Trente-Pas
Eyroles
Cité
B. des Mattes
Les Granges-Gontardes
Grignan
N.-D. de Beauvoir
La Combe-de-Sauve
Rousset-les-Vignes
Novézan
La Grde Veyronne
St-Pons
Les Cognets
Condorcet
La Grande Tuilière
Grotte de Rochecourbière
St-Pantaléon-les-Vignes
Font-de-Barral
Venterol
Les Faviers
La Bonté
La Garde-Adhémar
Les Logis-de-Berre
Chantemerle-lès-Grignan
Chamaret
Colonzelle
Grillon
Urdy
Val-des-Nymphes
Valréas
Ste-Perpétue
Les Parpaluds
Aubres
Les Pilles
Les Barquets
Clansayes
Margerie
Montségur-sur-Lauzon
St-Pierre
Les Estangs
Les Devès
Gorge
Nyons
Romanin

0 2 4 6 8 10 km
250
267
286
A
B
C
D
1
2
3
4
5
Die
Jardin des découvertes
Col de Rousset
Chamaloc
Romeyer
Marignac-en-Diois
St-Andéol
Vachères-en-Quint
Ponet-et-St-Auban
Ste-Croix
Pontaix
Barsac
Vercheny
Saillans
Aurel
Espenel
St-Benoit-en-Diois
Rimon-et-Savel
Barnave
Recoubeau-Jansac
Montmaur-en-Diois
Molières-Glandaz
Laval-d'Aix
Aix-en-Diois (Solaure en Diois)
St-Roman
Menglon
Châtillon-en-Diois
Cirque d'Archiane
Treschenu-Creyers
Chichilianne
Clelles
St-Martin-de-Clelles
Mt Aiguille
Col de Menée
St-Maurice-en-Trièves
Lalley
Glandage
Grimone
Col de Grimone
Col de Cabre
Boulc
Miscon
Luc-en-Diois
Pic de Luc
Le Claps (Rochers)
Saut de la Drôme
Lesches-en-Diois
Val-Maravel
Beaurières
La Beaume
Beaumont-en-Diois
Jonchères
Poyols
Montlaur-en-Diois
Aucelon
Pennes-le-Sec
Pradelle
Rochefourchat
Brette
La Chaudière
Col de la Chaudière
Bézaudun-sur-Bîne
Les Tonils
Montagne de Couspeau
St-Nazaire-le-Désert
Volvent
Col de Volvent
Bellegarde-en-Diois
Col de Premol
Charens
Les Prés
Valdrôme
Montlahuc
St-Dizier-en-Diois
Establet
Chalancon
Gumiane
Arnayon
La Motte-Chalancon
Rottier
La Charce
Bruis
Ste-Marie
Montmorin
Cornillon-sur-l'Oule
Cornillac
Pommerol
Villeperdrix
St-May
Rémuzat
Sahune
Montréal-les-Sources
Verclause
Rosans
St-André-de-Rosans
Ribeyret
L'Épine
Col de Palluel
Moydans
Sorbiers
Pelonne
Curnier
Arpavon
Les Pilles
Aubres
Condorcet
Eyroles
St-Ferréol-Trente-Pas
Montjay
Le Poët-Sigillat
Bellecombe-Tarendol
Montferrand-la-Fare
Chanousse
Crupies
Bouvières
Valouse

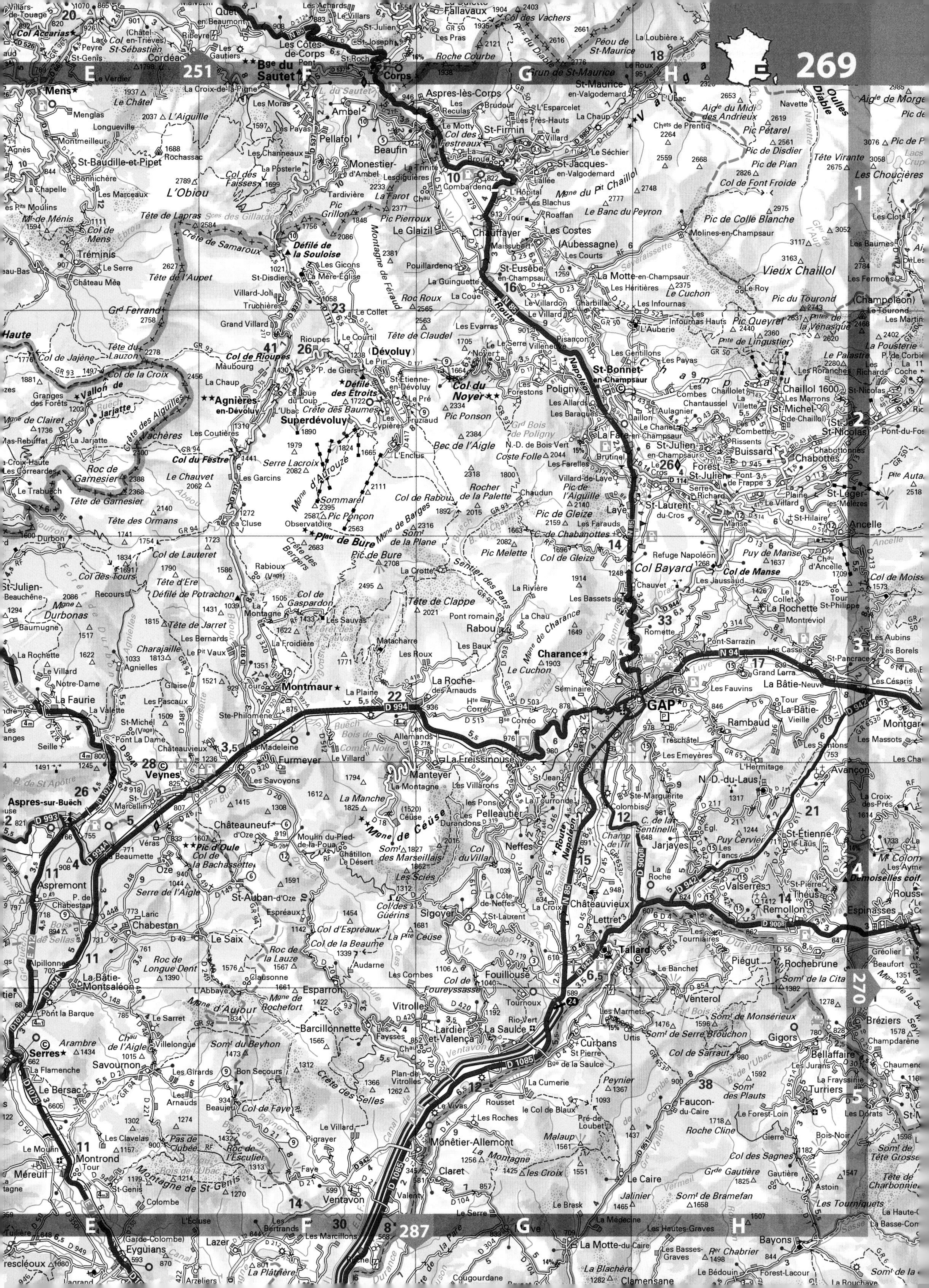

269
251
287
270
E
F
G
H
1
2
3
4
5
Mens
Cordéac
Col Accarias
Col de St-Sébastien
Bge du Sautet
Corps
Les Côtes-de-Corps
Fallavaux
Col des Vachers
Péou de St-Maurice
Roche Courbe
Grun de St-Maurice
St-Maurice-en-Valgodemard
Aspres-lès-Corps
Ambel
Pellafol
Beaufin
Monestier-d'Ambel
St-Firmin
Col des Festreaux
St-Jacques-en-Valgodemard
Aigle du Midi des Andrieux
Pic Pétarel
Pic de Disdier
Pic de Pian
Col de Font Froide
Tête Virante
Les Choucières
Aigle de Morges
Navette
Oulles du Diable
St-Baudille-et-Pipet
L'Obiou
Col des Faïsses
Mgne du Pt Chaillol
Le Banc du Peyron
Pic de Colle Blanche
Molines-en-Champsaur
Vieux Chaillol
Pic du Tourond
(Champoléon)
Tréminis
Col de Mens
Mt de Ménis
Tête de Lapras
Crête de Samaroux
Défilé de la Souloise
Pic Grillon
Pic Pierroux
Le Glaizil
Chauffayer
Les Costes (Aubessagne)
St-Eusèbe-en-Champsaur
La Motte-en-Champsaur
Le Cuchon
Tête de l'Aupet
Château Méa
St-Disdier
Montagne de Féraud
Roc Roux
Grd Ferrand
Truchières
Tête de Claudel
Dévoluy
Pic Queyrel
Pte de la Vénasque
Pte de Lingustier
Haute
Col de Jajène
Col de Rioupes
Col de la Croix
Vallon de la Jarjatte
Agnières-en-Dévoluy
Superdévoluy
Défilé des Étroits
St-Étienne-en-Dévoluy
Crête des Baumes
Col du Noyer
Pic Ponson
St-Bonnet-en-Champsaur
Poligny
Champsaur
Chaillol 1600
St-Michel-de-Chaillol
Crête des Aiguilles
Col du Festre
Roc de Garnesier
Tête de Garnesier
Serre Lacroix
Mgne d'Aurouze
Bec de l'Aigle
Coste Folle
Grd Bois de Poligny
La Fare-en-Champsaur
St-Julien-en-Champsaur
Buissard
Chabottes
Forest-St-Julien
Sommarel
Pic Ponçon
Observatoire
Col de Rabou
Rocher de la Palette
Pic de l'Aiguille
Pic de Gleize
St-Laurent-du-Cros
St-Léger-les-Mélèzes
Ancelle
Tête des Ormans
Plau de Bure
Mgne de Barges
Somt de la Plane
Pic de Bure
Crête des Bergers
Pic Melette
C. de Chabanottes
Col de Gleize
Col Bayard
Col de Manse
Puy de Manse
Refuge Napoléon
Col de Moissière
St-Julien-Beauchêne
Col de Lauteret
Col des Tours
Tête d'Ere
Défilé de Potrachon
Mgne Durbonas
Col de Gaspardon
Tête de Clappe
Sentier des Bans
La Rochette
Charajaille
Tête de Jarret
Forêt de Sauvas
Mgne de Charance
Charance
Rabou
Romette
Montmaur
La Roche-des-Arnauds
Le Cuchon
Séminaire
GAP
La Bâtie-Neuve
La Bâtie-Vieille
Rambaud
La Faurie
Veynes
Furmeyer
La Freissinouse
Manteyer
N.-D.-du-Laus
Avançon
Aspres-sur-Buëch
La Manche
Mgne de Céuse
Céuse
Pelleautier
Route Napoléon
C. de la Sentinelle
Champ de Tir
Jarjayes
Puy Cervier
St-Étienne-le-Laus
Châteauneuf-d'Oze
Pic d'Oule
Col de la Bachassette
Somt des Marseillais
Les Scies
Neffes
Valserres
Théus
Remollon
Espinasses
Mt Colombis
Demoiselles coiffées
Aspremont
Oze
Serre de l'Aigle
St-Auban-d'Oze
Col des Guérins
Sigoyer
Châteauvieux
Lettret
Chabestan
Le Saix
Col d'Espréaux
La Pte Céuse
Col de la Beaume
Tallard
Piégut
Rochebrune
Somt de la Cita
La Bâtie-Montsaléon
Roc de Longue Dent
Roc de la Lauze
Esparron
Fouillouse
Col de Foureyssasse
Venterol
Mgne de Rochefort
Mgne d'Aujour
Barcillonnette
Vitrolles
Lardier-et-Valença
La Saulce
Curbans
Somt de Monsérieux
Somt de Serre Brouchon
Gigors
Bréziers
Bellaffaire
Serres
Arambre
Chau de l'Aigle
Somt du Beyhon
Savournon
Crête des Selles
Plan-de-Vitrolles
Col de Sarraut
Faucon-du-Caire
Somt des Plauts
Turriers
Le Bersac
Col de Faye
Pas de Jubéo
Roc de l'Esculier
Monêtier-Allemont
Peynier
Pré-de-Loubet
Malaup
Roche Cline
Col des Sagnes
Grde Gautière
Somt de Tête Grosse
Tête de Charbonnière
Montrond
Méreuil
Montagne de St-Genis
Ventavon
Claret
Le Caire
Jalinier
Somt de Bramefan
Les Tourniquets
Lazer
Eyguians
La Motte-du-Caire
Clamensane
Bayons
Rer Chabrier
La Blachère
Durance
Buëch
A 51
N 85
N 94
D 994
D 1075
D 1085
D 942
D 900B

270
0 2 4 6 8 10 km
252
269
288
A
B
C
D
1
2
3
4
5
PARC NATIONAL DES ÉCRINS
L'Argentière-la-Bessée
Col de la Pousterle
Sirac
Pic de Vallonpierre
Pic de la Cavale
Pas de la Cavale
Crête de Dormillouse
Dormillouse
Vallée de Freissinières
Freissinières
Champcella
La Roche-de-Rame
Gouffre de Gourfouran
St-Crépin
Eygliers
Mont-Dauphin
Guillestre
Risoul
Risoul 1850
Col de Prelles
Somt Drouvet
Orcières-Merlette
Orcières
Champoléon
Pic de Rochelaire
Tête de Couleau
Le Carabrut
Le Pain de Sucre
Le Mourre Froid
Grd Autane
St-Léger-les-Mélèzes
Ancelle
Réallon
Mt Guillaume
Châteauroux-les-Alpes
St-André-d'Embrun
Pic de Chabrières
Crévoux
Embrun
Baratier
Les Orres
Chorges
Savines-le-Lac
Montgardin
Avançon
Pic de Morgon
Abbaye de Boscodon
Demoiselles coiffées
Rousset
Espinasses
Bge de Serre-Ponçon
La Bréole
St-Vincent-les-Forts
Le Lauzet-Ubaye
Col de Parpaillon
Grd Bérard
Tête de Louis XVI
Méolans-Revel
Les Thuiles
St-Pons
Barcelonnette
Pra Loup
Le Sauze
Col de Vars
Pic de Bernardez
St-Martin-lès-Seyne
Selonnet
Seyne
Col des Fillys
Turriers
Bellaffaire
Col du Fanget
Col de Chabrières
N 94
D 900
D 902

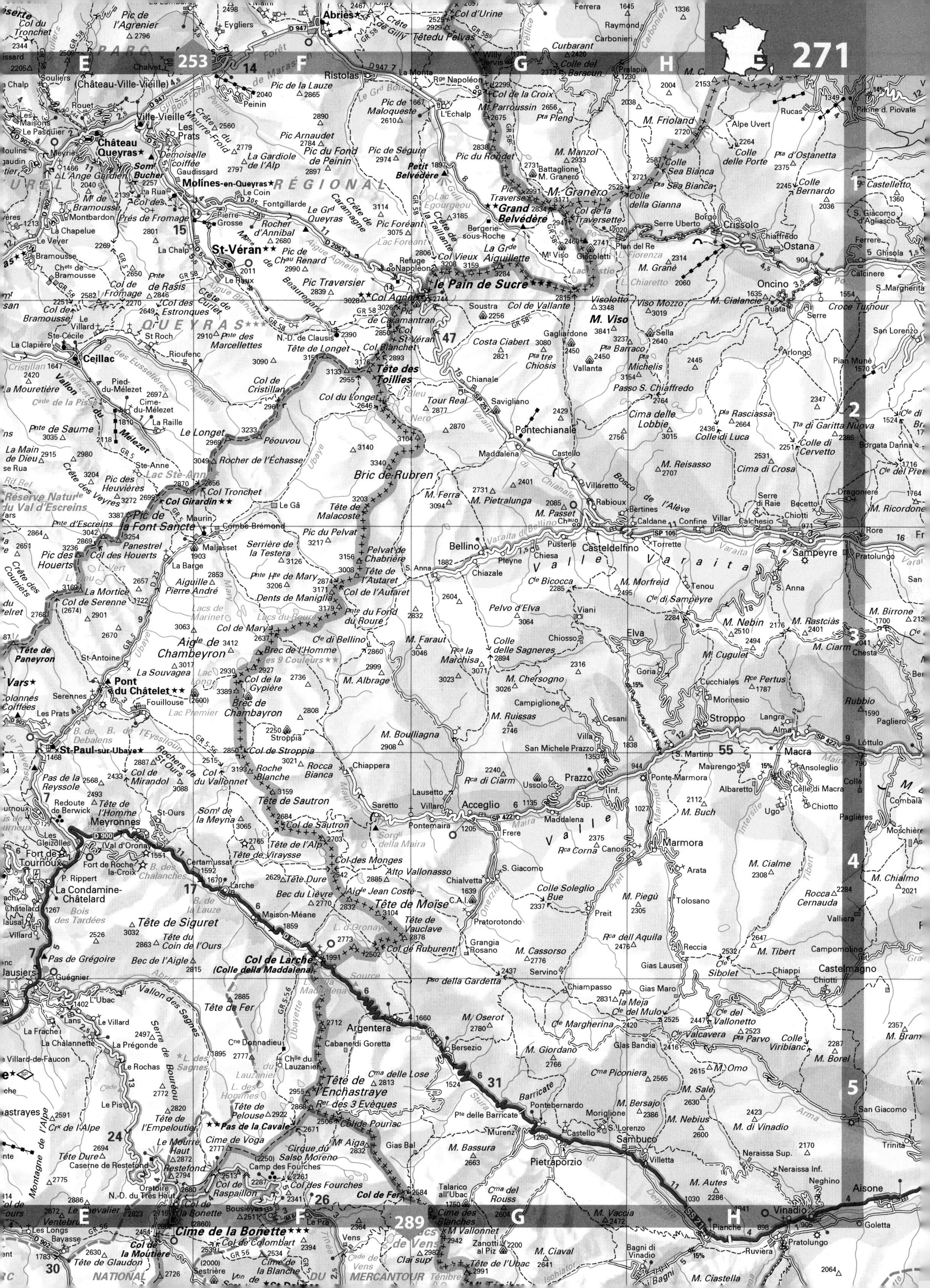

253
289
E
F
G
H
Abriès
Ristolas
Château Queyras
Ville-Vieille
Molines-en-Queyras
St-Véran
Ceillac
Maljasset
Pont du Châtelet
St-Paul-sur-Ubaye
Meyronnes
Fort de Tournoux
La Condamine-Châtelard
Jausiers
Larche
Col de Larche (Colle della Maddalena)
Argentera
Bersezio
Pietraporzio
Sambuco
Vinadio
Aisone
Crissolo
Ostana
Oncino
Pontechianale
Casteldelfino
Sampeyre
Bellino
Elva
Stroppo
Macra
Prazzo
Acceglio
Marmora
Castelmagno
M. Viso
M. Granero
Col Agnel
le Pain de Sucre
Tête des Toillies
Bric de Rubren
Aiguille de Chambeyron
Brec de Chambeyron
Tête de Moïse
Tête de l'Enchastraye
Col de la Cavale
Cime de la Bonette
Col de Fer
Col Girardin
Pic de la Font Sancte
Valle Varaita
Valle Maira
QUEYRAS
PARC NATUREL RÉGIONAL
MERCANTOUR

0 2 4 6 8 10 km
254
292
A
B
C
D
1
2
3
4
5
Côte d'Argent
Biscarrosse
Hourtiquets
En Bonnet
Étang de Biscarrosse et de Parentis
CENTRE D'ESSAIS DES LANDES
Zone militaire interdite
Lahitte
Les Mouliès
Le Bôo
Naoutoy
Bourruque
Parentis-en-Born
Le Lac
Poms
Les Espalanques
Herran
Gastes
Le Pourjeau
Esleys
Hillan
Maynage
Les Forges
Lucats
Dupouy
Lafont
Pelouche
Mongaillard
Forêt de Piche
St-Trosse
Forêt de Ligautenx
Forêt de Ste-Eulalie
Courant de Ste Eulalie
P. de l'Oustaline
Ste-Eulalie-en-Born
Grand Ligautenx
Petit Ligautenx
Lette de Sebiat
Guirosse
Souleyraou
Pontenx-les-Forges
Menaut
Bestaven
Étang d'Aureilhan
Aureilhan
Mimizan-Plage
Merquedey
Vigon
Daricau
Abb.
Mimizan
Baschoc
St-Paul-en-Born
Villenave
La Barde
Jean de Crabe
Île miraculeuse
Larrousseau
Haza
Bouricos
Cantaloup
Baxente
Lüe
Médous
Gillet
Cantauro
Terrenave
Mónòou
Angoulin
Réserve
Salin
Chéou
Esting
Lette d'Esting
Archus
Leych
Gaye
Jouanicot
Escource
Forêt de Mimizan
Bias
Jouanon
Bouheben
Capas
Lisacq
Forêt de St-Julien-en-Born
Larden
Salbert
Lestajau
Lesbordes
Autoroute des Landes
Silo
Contis-Plage
P. Rose
Tuquelets du Nord
Tuquelets du Sud
Contis-les-Marais
Courant de Contis
Tresse
La Lette
Le Cusson
Caoule
Guetch
Casteja
Mézos
Onesse
Onesse-Laharie
Les Pignats
St-Julien-en-Born
Lafitte
Cap-de-l'Homy Plage
Forêt de Lit-et-Mixe
Lit-et-Mixe
Uza
Le Cout
Grand Coulin
Harenoin
Laharie
Tuc-Gail
Hourre
Sindères
Padaou
Lévignacq
Moulin-Vieux
Miquéou
Lugadets
Naboude
Mixe
Vignacot
Carpit
Le Bouscat
Frouas
Louise
Vignac
Bernadic
Mathiouic
Caillaube
Lesperon
Le Souquet
Boucaou
Cerbouyre
St-Girons-Plage
St-Girons
Forêt de Vielle-St-Girons
(Vielle-St-Girons)
Bernadon
Labaste
Crièré
L'Océan
Péliou
Jeantot
Gracian
Gournau
Rion-des-
Arnaoutchot
Mansenes
Vielle
Linxe
Lassalle
Pouin
Leurteyroun
Huchet
Courant d'Huchet
Pas du Loup
Étang de Léon
Escalus
(St-Michel-Escalus)
Castets
Pichelèbe
Réserve naturelle
Lestage
Boos

273
255
293
274
E
F
G
H
1
2
3
4
5
Bidaou
La Crabette
Mirador
Lesquire
La Nave
Belhade
Lagleyre
Capure
Castelnau
La-Porte des Landes
Marianne
Hourtoy
Argelouse
Silo
La Trougne
L'Abeilley
Bourideys
Montauzey
Botte
Moustey
Berdoy
Les Ombres
Capdarrieux
Mothes
Malet
Vieux-Richet
Richet
Moucheruc
Bourdieu
Liposthey
Haut-Richet
Harribey
Barthe
La Ville
Lavigne
Menroux
Pissos
Sore
Pignada
Escourssolles
Bern
Traounquet
Barade de Haouzet
Lagassey
Callen
Dumène
Grison
Le Thus
Gruey
Daugnagne
PARC NATUREL RÉGIONAL
Luxey
La Crotte
Le Hallot
Peyronnet
Bel-Air
Cantegrit
Houssats
Mahan
Forêt de
DES LANDES
Lagavarre
Guisoua
Labrit
Guidenson
Trensacq
Labouheyre
Commensacq
Capbat
La Gelère
Sarroucas
DE GASCOGNE
Autoroute des Landes
Écomusée la Grande Lande (Marquèze)
Silo
Lesgoudies
Nan
Sabres
Perrègue
Las Broudes
Mautoire
Marais du Platiet
Lompré
Le Sen
Pouybaquedis
Peyticq
Silo
Couartes
Maguide
Pouy Blanc
Labrit
Maurin
Luglon
Marais de l'Anguille
Vert
La Place
Cornalis
Marais du Brau de Pian
Peyrau
Cachen
Bélis
Puy Luçon
Hourats
Tauladon
Sanglia
Bezin
Garein
Brocas
Réserve
Parc-de-Poussade
Branenx
Choux
de
Arjuzanx
Moulin Vieux
Bagatelle
Guillemensous
Morcenx-Bourg
Castillon
Arengosse
La Chapelle
Canenx-et-Réaut
chasse
Barbet
Le Fruit
Pelegarie
Marais de la Coumme
Cère
Geloux
Lagraulet
Ygos-St-Saturnin
d'Arjuzanx
Maisonnave
Réaut
Serroun
Villenave
Lucbardez-et-Bargues
La Bastide
Ousse-Suzan
Marrouat
Matha
Birbe
Parentis-d'Uchacq
Mougnoc
Rey
Piroc
Suzan
Bouniart
Garbay
St-Avit
St-Martin-d'Oney
Menjoulicq
Le Caloy
Beylongue
Silos
Pouy
Coumet
Uchacq-et-Parentis
Mellan
Campet-et-Lamolère
Base aérienne
Lamolère
MONT-DE-MARSAN
Raubet
St-Orens
Gaube
Centre

0 2 4 6 8 10 km
256
273
294
Bourideys
Cazalis
Lucmau
Cudos
Bernos-Beaulac
Captieux
Escaudes
Lerm-et-Musset
Goualade
Giscos
St-Michel-de-Castelnau
Lartigue
Maillas
Allons
Houeillès
Champ de Tir
Les Cultures
Silos
Étang de Graoulie
Traverses
Bourriot-Bergonce
Lencouacq
Retjons
Losse
Lubbon
Cachen
Arue
St-Gor
Roquefort
Sarbazan
Vielle-Soubiran
Estigarde
Canenx-et-Réaut
St-Justin
Labastide-d'Armagnac
Créon-d'Armagnac
St-Julien-d'Armagnac
Betbezer-d'Armagnac
Lagrange
Barbotan-les-Thermes
Gabarret
Pouydesseaux
Gaillères
Lacquy
Lucbardez-et-Bargues
St-Avit
MONT-DE-MARSAN
Lavazan
Marions
Sillas
Grignols
Antagnac
St-Martin-Curton
Pindères
Sauméjan
Lapeyrade
Herré
Cazaubon
Mauvezin-d'Armagnac
Parleboscq
Monclar
Cœur d'Aquitaine

275
257
276
295
E
F
G
H
Ste-Marthe
Sénestis
Varès
Grateloup-St-Gayrand
Le Mas-d'Agenais
Grand-Jean
Guérin
Bouglon
Grézet-Cavagnan
Lagruère
Tonneins
Fongrave
Argenton
Ste-Gemme-Martaillac
Calonges
Laparade
Fazanis (Lycée agricole)
Clairac
Granges-sur-Lot
Le Temple-s-Lot
Labastide-Castel-Amouroux
Villeton
Razimet
Castille
Lafitte-sur-Lot
Dolmayrac
Leyritz-Moncassin
Monheurt
Muraillet
Longueville
Bourran
Montpezat
St-Sardos
Casteljaloux
Puch-d'Agenais
Nicole
Lacépède
Villefranche-du-Queyran
Aiguillon
Damazan
St-Léger
St-Léon
Lagarrigue
Galapian
St-Salvy
Prayssas
La Réunion
Anzex
Frégimont
Lusignan-Petit
Caubeyres
Buzet-s-Baïse
Port-Ste-Marie
Clermont-Dessous
Fargues-s-Ourbise
St-Pierre-de-Buzet
Thouars-s-G.
St-Laurent
Ambrus
Feugarolles
Sérignac-sur-G.
Colayrac-St-Cirq
Mongaillard
Vianne
Bruch
Montesquieu
Xaintrailles
Pompiey
Walibi Aquitaine
Lavardac
Barbaste
Espiens
Roquefort
Durance
Ste-Colombe-en-Bruilhois
Boussès
Montagnac-s-Auvignon
Estillac
Moncaut
Nérac
Aubiac
Calignac
Saumont
Laplume
Réaup-Lisse
Andiran
Nomdieu
St-Vincent-de-Lamontjoie
Fréchou
Mézin
Lasserre
Francescas
Lamontjoie
Poudenas
Sos
Lannes
Moncrabeau
Ligardes
Pouy-Roquelaure
Ste-Maure-de-Peyriac
St-Pé-St-Simon
Fourcès
Gazaupouy
La Romieu
Larroque-sur-l'Osse
Castelnau-sur-l'Auvignon
Larroque-Engalin
Montréal-du-Gers
Condom
Castelnau-d'Auzan
Beaumont
Lauraët
Caussens
Marsolan
Lagarde

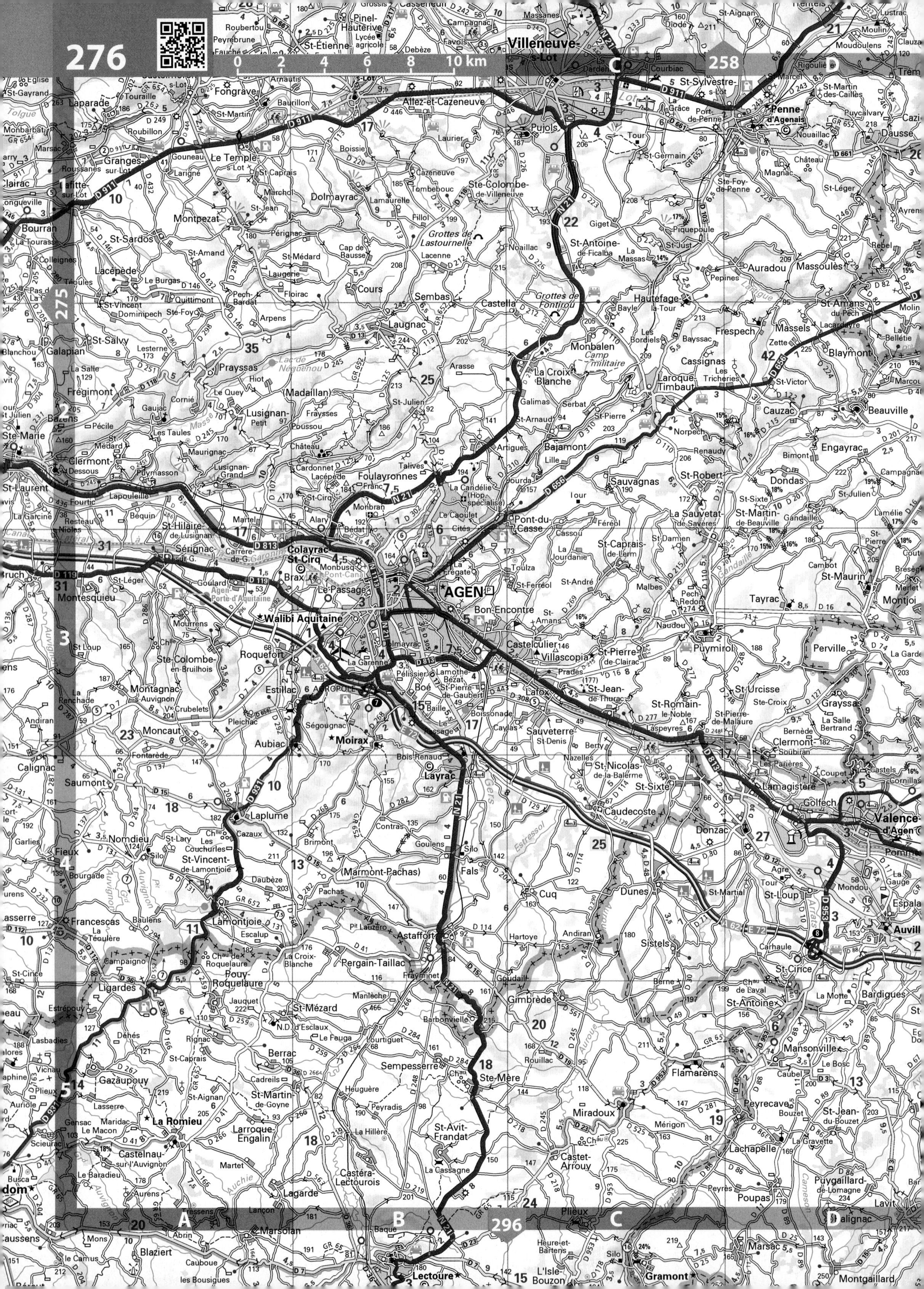

0 2 4 6 8 10 km
258
C
D
Villeneuve-s-Lot
Fongrave
Allez-et-Cazeneuve
Pujols
Penne-d'Agenais
Granges-sur-Lot
Le Temple-s-Lot
Lafitte-sur-Lot
Montpezat
Dolmayrac
Ste-Colombe-de-Villeneuve
St-Antoine-de-Ficalba
Auradou
Massoulès
Grottes de Lastournelle
Grottes de Fontirou
St-Sardos
Lacépède
Cours
Sembas
Castella
Hautefage-la-Tour
Laugnac
Monbalen
Frespech
St-Amans-du-Pech
Massels
Prayssas
Lac de Néguenou
Cassignas
Laroque-Timbaut
Blaymont
La Croix-Blanche
Frégimont
Lusignan-Petit
Beauville
Cauzac
Engayrac
Clermont-Dessous
Foulayronnes
Bajamont
St-Robert
Sauvagnas
Dondas
Pont-du-Casse
St-Hilaire-de-Lusignan
Colayrac-St-Cirq
Sérignac-sur-G.
AGEN
Montesquieu
Le Passage
Walibi Aquitaine
Bon-Encontre
St-Maurin
Tayrac
Roquefort
Ste-Colombe-en-Bruilhois
Estillac
Boé
Castelculier
Puymirol
Perville
Montagnac-s-Auvignon
Moncaut
Aubiac
Moirax
Sauveterre-St-Denis
St-Urcisse
Grayssas
Layrac
St-Nicolas-de-la-Balerme
St-Sixte
Clermont-Soubiran
Lamagistère
Golfech
Valence-d'Agen
Caudecoste
Donzac
Saumont
Laplume
Nomdieu
St-Vincent-de-Lamontjoie
(Marmont-Pachas)
Fals
Cuq
Dunes
Francescas
Lamontjoie
Astaffort
Sistels
St-Loup
Auvillar
Pergain-Taillac
St-Cirice
Pouy-Roquelaure
Ligardes
Gimbrède
Bardigues
St-Mézard
St-Antoine
Berrac
Mansonville
Gazaupouy
Sempesserre
Ste-Mère
Flamarens
Miradoux
Peyrecave
La Romieu
St-Martin-de-Goyne
Larroque-Engalin
St-Avit-Frandat
Castelnau-sur-l'Auvignon
Castéra-Lectourois
Castet-Arrouy
Lachapelle
Lagarde
Puygaillard-de-Lomagne
Marsolan
Lectoure
Gramont
296
A
B
275

277
259
278
297
E
F
G
H
1
2
3
4
5
Tournon-d'Agenais
Masquières
St-Matré
Le Boulvé
Fargues
Carnac-Rouffiac
Cambayrac
Villesèque
Rassiels
Labastide-Marnhac
Le Montat
Lhospitalet
Courbiac
Saux
Anthé
Soussis
Couloussac
Bagat-en-Quercy
St-Pantaléon
St-Daunès
Montaigu-de-Quercy
Belvèze
Montcuq-en-Quercy-Blanc
Lascabanes
Cézac
Pern
Roquecor
Bouloc-en-Quercy
St-Cyprien
Ste-Alauzie
St-Laurent-Lolmie
Montlauzun
Ste-Juliette
Castelnau-Montratier
St-Paul-Flaugnac
Touffailles
Lauzerte
Tréjouls
Sauveterre
Fauroux
Montagudet
Miramont-de-Quercy
St-Amans-de-Pellagal
Cazes-Mondenard
St-Nazaire-de-Valentane
Montbarla
Brassac
Montfermier
Montpezat-de-Quercy
Castelsagrat
Montesquieu
Durfort-Lacapelette
Vazerac
Labarthe
Molières
St-Paul-d'Espis
Lafrançaise
Puycornet
Mirabel
Moissac
St-Vincent-Lespinasse
Malause
St-Nicolas-de-la-Grave
Lizac
Labastide-du-Temple
Meauzac
Montastruc
Piquecos
Lamothe-Capdeville
Albias
Castelsarrasin
Castelmayran
La Ville-Dieu-du-Temple
Albefeuille-Lagarde
Montbeton
MONTAUBAN
Léojac
St-Porquier
Castelferrus
Angeville
Caumont
St-Aignan
Cordes-Tolosannes
Escatalens
Lacourt-St-Pierre
Bressols
Garganvillar
St-Arroumex
Fajolles
Lafitte
Labourgade
Montech
St-Nauphary
Montain
Bourret
Corbarieu
Tarn
Garonne
Aveyron
Barguelonne
Lemboulas
Lembous
Lendou
Séoune
Boudouyssou
Canal latéral à la Garonne
Pente d'eau
Forêt de Montech
DEUX MERS
A 62
E 72
D 813
D 953
D 653
D 656
D 927
D 958
D 820
D 928
D 999

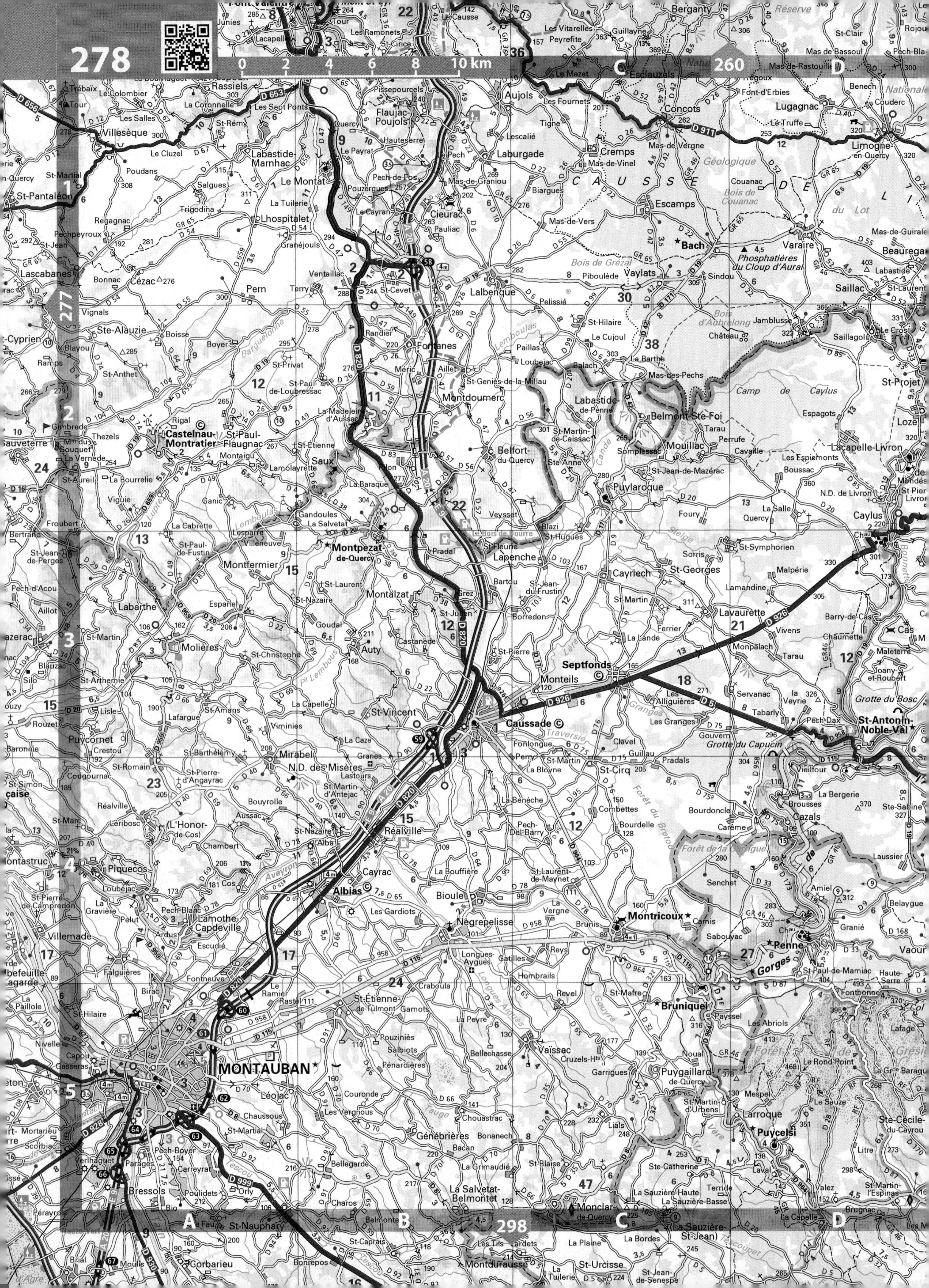
0
2
4
6
8
10 km
A
B
C
D
260
277
298
1
2
3
4
5
Rassiels
Villesèque
St-Pantaléon
Lascabanes
Vignals
Ste-Alauzie
Castelnau-Montratier
St-Paul-Flaugnac
Lhospitalet
Le Montat
Labastide-Marnhac
Flaujac-Poujols
Cieurac
Aujols
Laburgade
Lalbenque
Concots
Esclauzels
Cremps
Escamps
Bach
Vaylats
Lugagnac
Limogne-en-Quercy
Varaire
Beauregard
Saillac
Fontanes
Montdoumerc
Belfort-du-Quercy
Labastide-de-Penne
Belmont-Ste-Foi
Mouillac
Puylaroque
Lapenche
Caylus
Loze
St-Projet
Lacapelle-Livron
Montpezat-de-Quercy
Saux
Montfermier
Montalzat
Molières
Labarthe
Auty
Caussade
Septfonds
Monteils
Cayriech
St-Georges
Lavaurette
St-Antonin-Noble-Val
Puycornet
Mirabel
Réalville
L'Honor-de-Cos
Piquecos
Albias
Cayrac
Bioule
Nègrepelisse
Montricoux
Penne
Bruniquel
Lamothe-Capdeville
Villemade
MONTAUBAN
Léojac
St-Étienne-de-Tulmont
Vaïssac
Puygaillard-de-Quercy
Larroque
Puycelsi
Génébrières
La Salvetat-Belmontet
Monclar-de-Quercy
Bressols
Corbarieu
St-Nauphary
Montdurausse
Gorges
Causse
Camp de Caylus
Grotte du Bosc
Grotte du Capucin
Phosphatières du Cloup d'Aural
Forêt de la Grésigne
D 820
D 926
A 20
E 9
D 958
D 115
D 911

279
261
299
280
E
F
G
H
1
2
3
4
5
Villeneuve
Villefranche-de-Rouergue
Rieupeyroux
La Capelle-Bleys
Najac
Laguépie
St-Martin-Laguépie
Cordes-s-Ciel
Carmaux
Albi
Monestiés
Belcastel
Sauveterre-de-Rouergue
Naucelle
Tanus
Pampelonne
Mirandol-Bourgnounac
Montirat
Lunac
Lescure-Jaoul
La Salvetat-Peyralès
Castanet
Parisot
Caylus
Varen
Cornusson
Verfeil
Martiel
Savignac
Morlhon-le-Ht
Sanvensa
La Rouquette
Monteils
La Fouillade
St-André-de-Najac
St-Christophe
Lacapelle-Ségalar
Laparrouquial
St-Marcel-Campes
Salles
Vindrac-Alayrac
Les Cabannes
Mouzieys-Panens
Virac
Milhavet
Noailles
Villeneuve-s-Vère
Mailhoc
Cestayrols
Castanet
Donnazac
Andillac
Vieux
Cahuzac-s-Vère
Souel
Amarens
Frausseilles
Campagnac
Itzac
Alos
Le Cayla
Blaye-les-Mines
Le Garric
Cagnac-les-Mines
Valderiès
Crespin
Ste-Gemme
Trévien
Almayrac
Montauriol
Rosières
St-Juéry
Lescure-d'A.
Arthès
Mauriac
Broze
Fayssac
Senouillac
Bernac
Castelnau-de-Lévis
Castelnau-de-Montmiral
Tauriac-de-N.
Pradinas
Colombiès
Privezac
Anglars-St-Félix
Rignac
Lanuéjouls
Maleville
Brandonnet
Compolibat
Prévinquières
Toulonjac
St-Rémy
Puyjourdes
Promilhanes
Laramière
Vidaillac
Vailhourles
Puylagarde
Abbe de Loc-Dieu
Abbe de Beaulieu-en-Rouergue
Gorges de l'Aveyron
Gorges du Viaur

280
0 2 4 6 8 10 km
262
279
299
C
D
A
B
RODEZ
Baraqueville
Rieupeyroux
Belcastel
Sauveterre-de-Rouergue
Naucelle
Carmaux
Réquista
Viaduc du Viaur
Salles-la-Source
Sébazac-Concourès
Luc-la-Primaube
Cassagnes-Bégonhès
Brousse-le-Château
Ambialet
St-Juéry
Presqu'île d'Ambialet
Mirandol-Bourgnounac
Pampelonne
Valence-d'Albigeois
Camjac
Calmont
Colombiès
Rignac
Flavin
Druelle
Olemps
Salmiech
Durenque
La Selve
Tanus
Moyrazès
Gorges du Viaur
D 911
D 994
N 88
D 888
D 840
D 903
Aveyron
Viaur
Tarn

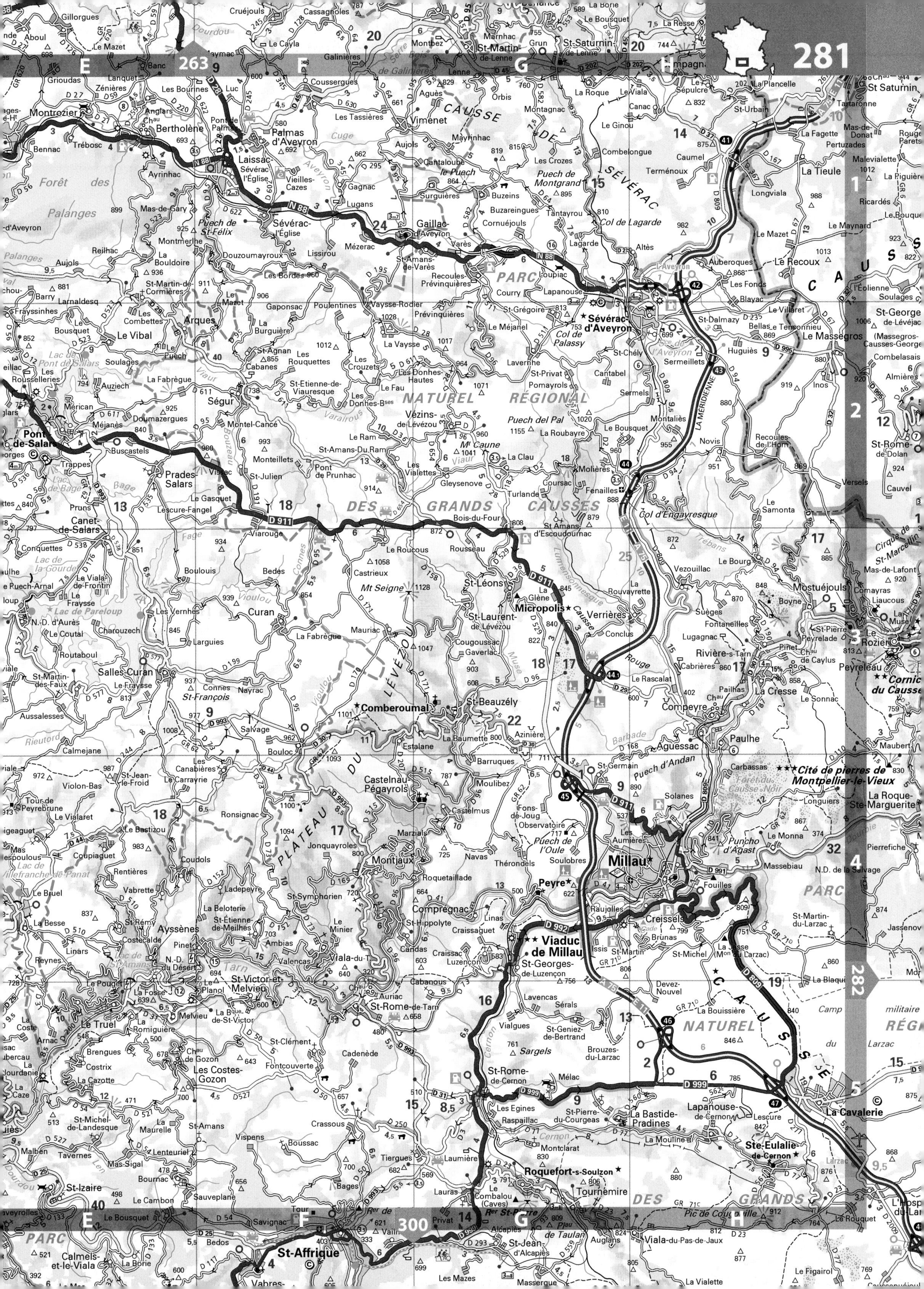

263
300
282
E
F
G
H
1
2
3
4
5
CAUSSE DE SÉVÉRAC
PARC NATUREL RÉGIONAL DES GRANDS CAUSSES
PLATEAU DU LÉVÉZOU
CAUSSE
Forêt des Palanges
Montrozier
Bertholène
Palmas d'Aveyron
Laissac-Sévérac l'Église
Vimenet
St-Martin-de-Lenne
St-Saturnin-de-Lenne
Sévérac-l'Église
Gaillac-d'Aveyron
Sévérac-d'Aveyron
Col de Lagarde
Col de Palassy
Puech de Montgrand
Puech de St-Félix
Lapanouse
Arques
Ségur
Le Vibal
Pont-de-Salars
Prades-Salars
Canet-de-Salars
Vézins-de-Lévézou
Mt Caune
St-Léons
Micropolis
St-Laurent-de-Lévézou
Verrières
Mt Seigne
Curan
Salles-Curan
Lac de Pareloup
Comberoumal
St-Beauzély
Castelnau-Pégayrols
Montjaux
Millau
Peyre
Viaduc de Millau
Creissels
St-Georges-de-Luzençon
St-Rome-de-Tarn
St-Victor-et-Melvieu
Ayssènes
Le Truel
Les Costes-Gozon
St-Rome-de-Cernon
Roquefort-s-Soulzon
Tournemire
St-Affrique
St-Izaire
Ste-Eulalie-de-Cernon
La Cavalerie
Lapanouse-de-Cernon
La Bastide-Pradines
Mostuéjouls
Peyreleau
Le Rozier
Rivière-s-Tarn
Aguessac
Compeyre
Paulhe
Cité de pierres de Montpellier-le-Vieux
La Roque-Ste-Marguerite
Le Massegros
La Tieule
St-Saturnin
Cirque de St-Marcellin
Corniche du Causse
Puech d'Andan
Puncho d'Agast
Col d'Engayresque
LA MÉRIDIENNE
Camp militaire
Larzac
N 88
D 911
D 992
D 999
D 809
A 75
E 11

0 2 4 6 8 10 km
264
281
301
302
C
D
A
B
1
2
3
4
5
CAUSSE DE SAUVETERRE
CAUSSE MÉJEAN
CAUSSE NOIR
PARC NATIONAL DES CÉVENNES
PARC RÉGIONAL
Camp militaire du Larzac
CAUSSES
St Saturnin
Sabot de Malepeyre
Tartaronne
Fontjulien
Mas-de-Donat
La Fagette
Pertuzades
Rouges-Parets
Mas-Crouchou
Le Marguefré
Malevialette
La Tieule
La Piguière
Le Domal
Le Maldéfred
Le Couderc
Les Vinoux
Ricardés
La Lavagne
Le Bouquet
Le Maynard
Marcayres
Le Recoux
Recoulettes
Les Monziols
Bque-de-Trémolet
Les Fonts
l'Eolienne
Soulages
Le Mazel-Bouissy
Le Mas Rouch
Serres
St-Georges-de-Lévéjac
Point Sublime
(Massegros-Causses-Georges)
Le Massegros
St-Hilaire
Cirque des Baumes
Les Baumes Htes
Combelasais
Almières
Inos
Pas de Soucy
Les Détroits
Roc des Hourtous
GORGES DU TARN
Roc du Serre
La Malène
Montignac
Rieisse
Rouveret
Col de Rieisse
Les Vignes
La Maxanne
St-Rome-de-Dolan
Le Bruel
Chau de Blanquefort
Versels
Cauvel
La Bourgarie
Montbuisson
St-Pierre-des-Tripiers
Cirque de St-Marcellin
Rer de Cinglegros
Arcs de St Pierre
Corniches du Causse Méjean
Mas-de-Lafont
Mostuéjouls
Comayras
Liaucous
Boyne
Le Rozier
Peyreleau
Capluc
Le Truel
Terrasses du Truel
Cirque de Madasse
Corniche du Causse Noir
Eglise de St-Jean-de-Balmes
La Roujarie
St-André-de-Vézines
Maubert
Cité de pierres de Montpellier-le-Vieux
Roquesaltes (Rochers)
Le Rajol
Montméjean
Puech du Berc
La Roque-Ste-Marguerite
Longuiers
Monna
Mln de Corps
St-Véran
Tour
Pierrefiche
N.D. de la Salvage
La Resse
Canyon de la Dourbie
St-Martin-du-Larzac
Jassenove
St-Sauveur
Montredon
La Blaquière
Les Homs
Les Cuns
Roc Nantais
Larzac
Les Liquisses
La Cavalerie
St-Martin-du-Vatican
St-Alban (Chlle)
Mas-de-Pomier
Mas du Pré
Egalière
Canalettes
L'Hospitalet-du-Larzac
Le Rouquet
La Blaquererie
Cazejourdes
Le Figairol
Combe-Redonde
Belvézet
Caussenuéjouls
Le Cros-Bas
Le Cros-Haut
La Roquette
Les Crouzets
Laumède
Le Sec
Le Jas
Le Gazy
Boujassac
Bque-de-Lutran
Montredon
La Capelle
Lueysse
Roussac
Chaumeils
La Périgouse
Champerboux
Dignas
Le Bac
Laval-du-Tarn
Teissommières
Perieyres
Rausas
Cabrunas
Cirque de Pougnadoires
Chau de la Caze
Cirque de St Chély
St-Chély-du-Tarn
Puech d'Alluech
Ste-Enimie
Boisset
Grotte Ermitage
Col de Coperlac
Caussignac
Chau Haute-Rive
Anilhac
Mas-St-Chély
St-Côme
Mas-de-Val
Vallongue
Carnac
Le Buffre
Les Avens
Aumières
Le Bédos
La Borie
La Parade
Drigas
Hures-la-Parade
Plaine Chanet
Nivoliers
La Volpilière
Les Bastides
Aven Armand
Hyelzas
Caussenarde
Nabrigas
Les Hérans
Roc St-Gervais
Gorges de la Jonte
La Viale
La Caze
Le Maynial
Les Douzes
Grotte de Dargilan
Dargilan
Veyreau
Luc
Sérigas
Aluech
Vessac
Les Mazes
Navas
Alteyrac
Lanuéjols
La Bouteille
La Foulquarie
Licide
Montjardin
La Claparouse
Espinassous
La Granerie
Layolle
Revens
Trèves
Les Hubertaries
Causse-Bégon
Cantobre
Cl de la Pierre Plantée
Gorges de la Dourbie
Dourbias
St-Gleys
Le Viala
Nant
Ambouls
Castelnau
St-Jean-du-Bruel
Réfrégiès
Valjuille
La Vialette
Valescure
Algues
St-Michel-de-Rouviac
Lavaur
Le Liquier
La Roquette
La Roujarie
Les Frayssinet-Bas
Sauclières
Gressentis
Col de la Barrière
Homs
Campestre-et-Luc
Grailhes
Mas-Gauzin
C. de Campviel
Le Mas-de-la-Font
Costeguison
Saubert
L'Hom
Aures
Col de Perjuret
La Bragouse
Salvinsac
Gatuzières
Ayres
N.-D. du Rocher
Meyrueis
Le Crouzet
Pourcarès
Campis
Col del Bès
Roquedols
Ferrussac
Le Villaret
Marjoab
Abîme de Bramabiau
St-Sauveur-Camprieu
Villemagne
Mouliné
Comeiras
Malbosc
Coupiac
Pas de l'Ase
Gges du Trévezel
Canavère
Le Suquet
Les Monts
Caucalan
Prunaret
Dourbies
Le Mourier
La Rouvière
Col du Minier
Les Gardies
Cassanas
Valdebouze
Les Crozes-Bs
Les Crozes-Hts
Montagne du Lingas
St-Guiral
Pradals
Col de l'Homme Mort
Col des Portes
Col de Mouzoules
Le Jaoul
Le Villaret
Peyraube
Vernes
Les Travers
Arrigas
Aumessas
La Goute
La Bruguière
Estelle
Lembrusquière
Arre
Bez-et-Esparon
Esparon
Roc des Pézouls
Le Quintanel
Le Landre
Navas
Montdardier
Col de la Caumette
Prat-Peyrot
Col de Prat-Peyrot
Le Devois
Col de la Séreyrède
Col de Faubel
L'Espérou
Les Laupiettes
Les Laupies
Montals
Mne d'Aulas
Serreyrède
Lingas
Salagosse
Puechagut
La Gravate
Bque de Rivaud
Rer de Bonnetier
(Bréau-Mars)
Le Puech
Mars
Bréau-et-Salagosse
Aulas
Serres
Molières-Cavaillac
Avèze
Le Vigan
Rochebelle
Campis
Loves
Le Verdier
Pommiers
Mandagout
Beaulieu
La Planque
Rouvièrette
Arphy
Puecharnal
C. des Vieilles
Valleraugue
Taleyrac
Pic de Barette
La Valette
Bois de Randavel
Mas Méjean
Les Angliviels
Mallet
Les Salles
MONT AIGOUAL
Observatoire
Aire de Côte
Arboretum de l'Hort de Dieu
Forêt d'Aire de Côte
Col Salidès
Gaseiral
La Bécède
Montredon
Cabrillac
Les Fons
Les Oubrets
Massevaques
Jontanels
Gges du Tapoul
Tunnel du Marquaires
Bassurels
Le Massillon
Les Ablatats
Fourques
Fraissinet-de-Fourques
Moncamp
Carnac
Rousses
Corniche des Cévennes
Le Pompidou
Molezon
Masbonnet
L'Hospitalet
Montagut
Les Vanels
Vebron
Le Veygalier
Villeneuve
Chaos de Nîmes le Vieux
Col de Solpérière
Col des Faïsses
Barre-des-Cévennes
Col du Rey
Nozières
Racoules
Salgas
Ferrières
St-Laurent-de-Trèves
Puychauzier
Tardonnenche
Le Mazel
Bque de la Fontaine
Balazuègnes
La Salle-Prunet
Rocher de Rochefort
Valbelle
Sce du Pêcher
Montvaillant
Grandville
La Valette
Mne de Lampezou
Mont de Ramponenche
Bédouès
Rampon
Mirat
Bédoues-Cocurès
St-Julien-du-Gourg
Ariges
Florac
Monteils
La Condamine
Crosgarnon
La Citerne
La Champ
Frassinet-de-Poujols
Poujols
Charbonnières
La Chadenède
Chau
Castelbouc
Blajoux
Montbrun
Prunets
Chaldas
Prades
(Gorges-du-Tarn-Causses)
Le Mas-André
Nissoulogres
Le Chambonnet
Biesset
Fayet
Ispagnac
Quézac
Pont
Molines
Rocheblave
Faux
Mont-Méjan
Les Bondons
Le Crouzet
Malbosc
Ruas
Cade de Lozerette
Les Combettes
Nozières
Lonjagnes
Salanson
Paros
Mont Chabio
Les Lacs
Sauveterre
Les Cheyrouses
La Baraque-des-Gendarmes
La Bazalgette
Montmirat
La Fage
La Borie
Les Laubies
Les Faux
Les Badieux
Deïdou
La Fajole
N 106
D 986
D 996
D 999
D 907
GR 60
A 75

265
284
302
303
E
F
G
H
Sommet de Finiels
Col de Finiel
Le Pont-de-Montvert
Pic Cassini
Mas Camargues
Chalet du Chantegrive
Col de Rabusat
Concoules
Tour de Malmontet
Belvre des Bouzèdes
Génolhac
Vialas
Col de Valoussière
St-André-Capcèze
Ponteils-et-Brésis
Malons-et-Elze
Les Salelles
Les Vans
Berrias-et-Casteljau
Bonnevaux
Aujac
Sénéchas
Malbosc
St-Paul-le-Jeune
Grotte de la Cocalière
Bordezac
Gagnières
Bessèges
Courry
Robiac Rochessadoule
Meyrannes
St-Ambroix
Molières-s-Cèze
Chamborigaud
Peyremale
La Vernarède
Portes
Col de Trélis
St-Florent-s-Auzonnet
Les Mages
Montagne du Bougès
Col du Bougès
Cassagnas
Col de Jalcreste
St-Privat-de-Vallongue
St-Andéol-de-Clerguemort
St-Frézal-de-Ventalon
St-Maurice-de-Ventalon
Col de la Croix de Berthel
St-Julien-des-Points
Ste-Cécile-d'Andorge
Le Collet-de-Dèze
St-Michel-de-Dèze
St-Hilaire-de-Lavit
St-André-de-Lancize
Col des Laupies
Plan de Fontmort
Mt Mars
Col de Pendédis
Col de la Baraque
Branoux-les-Taillades
La Grand-Combe
Laval-Pradel
Rousson
Les Salles-du-G.
St-Germain-de-Calberte
St-Martin-de-Lansuscle
C. de Malhausette
St-Martin-de-Boubaux
Lamelouze
Soustelle
St-Julien-les-Rosiers
St-Martin-de-Valgalgues
Salindres
Ste-Croix-Vallée-Française
Gabriac
Notre-Dame-de-Valfrancesque
St-Étienne-Vallée-Française
Moissac-Vallée-Française
Cévennes
Col de l'Exil
St-Paul-la-Coste
Cendras
St-Privat-des-Vieux
Col d'Uglas
Col de St-Pierre
Pic d'Arbousse
St-Jean-du-Gard
Mialet
Grte de Trabuc
Musée du Désert
St-Jean-du-Pin
ALÈS
Méjannes-lès-Alès
Mons
Saumane
Peyrolles
L'Estréchure
Les Plantiers
St-Martin-de-Corconac
Le Mas Soubeyran
Corbès
St-Christol-lès-Alès
St-Hilaire-de-Brethmas
Col de l'Asclier
Col du Mercou
Soudorgues
Ste-Croix-de-Caderle
Thoiras
Générargues
Bambouseraie de Préfrance
Bagard
Porte des Cévennes
Train touristique des Cévennes
Anduze
Vézénobres
Deaux
Montagne du Liron
Lasalle
N.-D.-de-la-Rouvière
Col de la Triballe
St-Martial
St-Bonnet-de-Salendrinque
Vabres
Col de Bane
Boisset-et-Gaujac
Tornac
Ribaute-les-Tavernes
Cardet
Massanes
Cassagnoles
Colognac
Col de Bantarde
C. du Rédarès
St-Félix-de-Pallières
Massillargues-Attuech
Lézan
Maruéjols-lès-Gardon
Boucoiran-et-Nozières
St-Roman-de-Codières
Montagne de la Fage
Monoblet
Fressac
St-Martin-de-Sossenac
St-Nazaire-des-Gardies
St-Jean-de-Serres
Lédignan
St-Bénézet
Domessargues
Sumène
Montagne des Cagnasses
Durfort-et-St-Martin-de-Sossenac
Canaules-et-Argentières
St-Hippolyte-du-Fort
Savignargues
Aigremont
Mauressargues
Pic de Midi
La Cadière-et-Cambo
St-Julien-de-la-Nef
Moulès-et-Baucels
Logrian-Florian
Puechredon
Ganges
Sauve
St-Théodorit
Montagnac
Montignargues
St-Geniès-de-Malgoirès

0 2 4 6 8 10 km
266
283
303
304
A
B
C
D
1
2
3
4
5
Vallon-Pont-d'Arc
Grotte Chauvet 2-Ardèche
Sampzon
Grospierres
Chabrol
Vieux-Vallon
Les Tunnels
Salavas
St-Remèze
Bourg-St-Andéol
Les Vans
Berrias-et-Casteljau
Beaulieu
Pont d'Arc
Labastide-de-Virac
Plateau des Gras
Bidon
Belvre du Serre de Tourre
Aven de Marzal
Belvres de Gaud
Balcon d'Autridge
Hte Corniche
Maladrerie des Templiers
Belvres de Gournier
La Madeleine
Belvre de la Cathédrale
Grand Belvédère
Belvre du Ranc-Pointu
St-Marcel
Gorges de l'Ardèche
St-Marcel-d'Ardèche
Vagnas
Bessas
Aven de la Forestière
Aven d'Orgnac
Barjac
St-Paul-le-Jeune
St-André-de-Cruzières
St-Sauveur-de-Cruzières
Orgnac-l'Aven
Le Garn
Laval-St-Roman
Aiguèze
St-Martin-d'A
St-Just-d'Ardèche
St-Privat-de-Champclos
Issirac
St-Julien-de-Peyrolas
St-Ambroix
Molières-s-Cèze
St-Jean-de-Maruéjols-et-Avéjan
Montclus
St-Christol-de-Rodières
Salazac
St-Paulet-de-Caisson
Pont-St-Esprit
St-Victor-de-Malcap
Tharaux
Rochegude
St-André-de-Roquepertuis
Ancne Chartreuse de Valbonne
Carsan
St-Alexandre
Les Mages
St-Denis
Cornillon
Méjannes-le-Clap
Goudargues
St-Laurent-de-Carnols
St-Michel-d'Euzet
Rivières
St-Julien-de-Cassagnas
Rousson
Chau d'Allègre
Allègre-les-Fumades
Fons-sur-Lussan
Les Concluses
La Roque-sur-Cèze
St-Nazaire
St-Gervais
Gouffre des Aiguières
Verfeuil
St-André-d'Olérargues
Bagnols-s-Cèze
Salindres
Navacelles
Bouquet
Lussan
Sabran
Servas
Les Plans
St-Marcel-de-Careiret
Guidon du Bouquet
Brouzet-lès-Alès
Seynes
Vallérargues
Mons
La Bruguière
St-Laurent-la-Vernède
Cavillargues
St-Pons-la-Calm
Laudun-l'Ardoise
St-Just-et-Vacquières
Fontarèches
Pougnadoresse
Tresques
Connaux
Méjannes-lès-Alès
Belvézet
La Bastide-d'Engras
Gaujac
St-Paul-les-Fonts
Monteils
Euzet
St-Hippolyte-de-Caton
Vallabrix
St-Victor-la-Coste
Deaux
St-Étienne-de-l'Olm
Aigaliers
St-Quentin-la-Poterie
St-Victor-des-Oules
La Capelle-et-Masmolène
Pouzilhac
Vézénobres
St-Jean-de-Ceyrargues
Foissac
Montaren-et-St-Médiers
St-Hippolyte-de-Montaigu
Martignargues
St-Maurice-de-Cazevieille
Serviers-et-Labaume
Uzès
St-Siffret
Flaux
Valliguières
St-Césaire-de-Gauzignan
Castelnau-Valence
Collorgues
Aubussargues
Arpaillargues-et-Aureillac
St-Maximin
Cruviers-Lascours
Maruéjols-lès-Gardon
Boucoiran-et-Nozières
Brignon
St-Dézéry
Garrigues-Ste-Eulalie
Argilliers
Castillon-du-Gard
St-Hilaire-d'Ozilhan
St-Bénézet
Moussac
Bourdic
Vers-Pont-du-Gard
Domessargues
St-Chaptes
Blauzac
Sanilhac-Sagriès
Collias
Pont du Gard
Remoulins
Mauressargues
Sauzet
Fournès
St-Geniès-de-Malgoires
Montagnac
Montignargues
La Rouvière
Dions
Gouffre Espeluca
La Baume
St-Bonnet-du-Gard
Lédenon
Sernhac
Les Fosses de Fournès
Estézargues
Rhône
Cèze
Gardon
Alzon
Tave
Seynes
D 6
D 6086
D 981
D 979
N 86
N 580

267
304
305
286
E
F
G
H
1
2
3
4
5
La Garde-Adhémar
Grignan
Colonzelle
Grillon
Valréas
Rousset-les-Vignes
St-Pantaléon-les-Vignes
Novézan
Venterol
Grotte de Rochecourbière
La Grande Tuilière
Clansayes
Montségur-sur-Lauzon
Richerenches
St-Paul-Trois-Châteaux
Ferme aux crocodiles
Solérieux
La Baume-de-Transit
St-Restitut
Barry
Visan
N.-D. des Vignes
St-Maurice-sur-Eygues
Suze-la-Rousse
Bouchet
Tulette
Les Quatre Chemins
Nyons
Aubres
Les Pilles
Vinsobres
Mirabel-aux-Baronnies
Piégon
Beauvoisin
Bénivay-Ollon
Villedieu
Buisson
St-Roman-de-Malegarde
Puyméras
Mérindol-les-Oliviers
Faucon
Propiac
Pierrelongue
Mollans-sur-Ouvèze
Bollène
Mondragon
Rochegude
Ste-Cécile-les-Vignes
Lagarde-Paréol
Cairanne
Rasteau
Roaix
Vaison-la-Romaine
St-Marcellin-lès-Vaison
Crestet
Entrechaux
Séguret
Sablet
Mornas
Sérignan-du-Comtat
Piolenc
Travaillan
Dentelles de Montmirail
Malaucène
N.-D. du Groseau
Beaumont-du-Ventoux
ORANGE
Camaret-sur-Aigues
Violès
Gigondas
Vacqueyras
Lafare
La Roque-Alric
Le Barroux
Suzette
Bédoin
Crillon-le-Brave
Caromb
Modène
Beaumes-de-Venise
St-Hippolyte-le-Graveyron
Jonquières
Courthézon
Sarrians
Aubignan
Loriol-du-Comtat
St-Pierre-de-Vassols
Mazan
Mormoiro
Caderousse
Châteauneuf-du-Pape
Bédarrides
Carpentras
Monteux
Roquemaure
Montfaucon
Sorgues
Entraigues-sur-la-Sorgue
Althen-des-Paluds
Pernes-les-Fontaines
Venasque
Villeneuve-lès-Avignon
Le Pontet
Vedène
St-Saturnin-lès-Avignon
Jonquerettes
Velleron
L'Isle-sur-la-Sorgue
Le Thor
Saumane-de-Vaucluse
Fontaine-de-Vaucluse
Abbaye de Sénanque
Gordes
Village des Bories
AVIGNON
Châteauneuf-de-Gadagne
Morières-lès-Avignon
Montfavet
Rochefort-du-Gard
Tavel
Sauveterre
Pujaut
Île de la Barthelasse

286
0 2 4 6 8 10 km
268
305
306
285
A
B
C
D
1
2
3
4
5
Nyons
Aubres
Les Pilles
Curnier
Arpavon
Montréal-les-Sources
Le Chambon
Chatusse
Pigerolles
Rosans
St-André-de-Rosans
Montjay
Chanousse
Le Poët-Sigillat
N.-D. de Beaulieu
Bellecombe-Tarendol
Chalabrus
Montferrand-la-Fare
Ste-Jalle
Montaulieu
St-Sauveur-Gouvernet
Lemps
Roussieux
Villebois-les-Pins
Etoile-St-Cyrice
Châteauneuf-de-Bordette
Rochebrune
Bésignan
La Bâtie-Verdun
Chauvac-Laux-Montaux
Laborel
Vercoiran
Ste-Euphémie-s-O.
Beauvoisin
Bénivay
Buis-les-Baronnies
St-Auban-sur-l'Ouvèze
Montguers
Montauban-sur-l'Ouvèze
Ste-Colombe
Propiac
Mérindol-les-Oliviers
La Roche-sur-le-Buis
La Rochette-du-Buis
Ballons
La Penne-sur-l'Ouvèze
Faucon
Le Poët-en-Percip
Izon-la-Bruisse
Pierrelongue
Eygaliers
Plaisians
(Mévouillon)
Eygalayes
Lachau
Mollans-sur-Ouvèze
Pas-du-Ventoux
St-Léger-du-Ventoux
Aulan
Villefranche-le-Château
Séderon
Entrechaux
Brantes
Barret-de-Lioure
Montfroc
Les Omergues
Mt Serein
Savoillan
Reilhanette
Montbrun-les-Bains
MONT VENTOUX
PARC NATUREL RÉGIONAL DU MONT VENTOUX
Ferrassières
Aurel
Bédoin
Flassan
Sault
St-Trinit
Revest-du-Bion
Mormoiron
Villes-sur-Auzon
Monieux
St-Christol
Banon
Blauvac
Méthamis
Malemort-du-Comtat
Venasque
Simiane-la-Rotonde
Murs
Lioux
St-Saturnin-lès-Apt
Rustrel
Gignac
Oppedette
Vachères
Sénanque
Gordes
Roussillon
Village des Bories
Gargas
Colorado de Rustrel
Ste-Croix-à-Lauze
Gorges de la Nesque
Plateau d'Albion
Montagne de Lure

269
306
307
288
Montrond
Mereuil
Ventavon
Monetier-Allemont
Claret
Le Caire
Melve
La Motte-du-Caire
Bayons
Clamensane
Lazer
Eyguians
Saléon
Lagrand
Upaix
Thèze
Sigoyer
Laragne-Montéglin
Le Poët
Vaumeilh
Nibles
Valavoire
Châteaufort
Valernes
Mison
Antonaves
St-Pierre-Avez
Ribiers
Salérans
Éourres
Sisteron
Entrepierres
St-Geniez
Authon
N.-D.-de-Dromon
Le Castellard-Mélan
Hautes-Duyes
Thoard
Noyers-sur-Jabron
St-Vincent-sur-Jabron
Châteauneuf-Miravail
Salignac
Sourribes
Peipin
Aubignosc
Signal de Lure
Montagne de Lure
Volonne
Château-Arnoux-St-Auban
St-Jean
Châteauneuf-Val-St-Donat
L'Escale
Mallefougasse-Augès
Montfort
St Donat
Cruis
Malijai
Route Napoléon
Fontenelle
Mirabeau
Mallemoisson
Aiglun
Le Chaffaut-St-Jurson
Lardiers
St-Étienne-les-Orgues
Ongles
Peyruis
Les Mées
Rochers des Mées
Ganagobie
Monastère
Sigonce
Limans
Lurs
Puimichel
Forcalquier
N.-D. des Anges
Niozelles
Mane
Prieuré de Salagon
Observatoire de Hte Provence
Sauvan
La Brillanne
Oraison
Entrevennes
Le Castellet
St-Julien-d'Asse
Bras-d'Asse
Estoublon
Mézel
St-Jeannet
St-Michel-l'Observatoire
Dauphin
St-Maime
Villeneuve
Brunet
Volx
Lincel

288
0 2 4 6 8 10 km
287
270
308
A
B
C
D
1
2
3
4
5
Selonnet
Seyne
Chabanon
Chardavon
Tête Grosse
Somt de la Chanau
Crête de Val-Haut
Col du Fanget
Clot de Bouc
L'Infernet
Charcherie
Le Grd Puy
Col de Maure
Couloubrous
Grand-Puy
Maure
Cabane des Mulets
l'Oratoire
La Citadelle
Les Cimettes
le Marzenc
Auzet
La Sambuue
Roussimat
Baudinard
La Sapie
Clue de Verdaches
Vaux
Le Moulin
Le Vernet
La Route
Col de Clapouse
Le Château
Barles
Le Forest
Verdaches
Le Haut Vernet
Somt de Chine
Blayeul Somt
Col du Labouret
Le Villard
Le Labouret
Les Sauvans
St-Clément
Somt de Nibles
Feissal
Col St Antoine
Clues de Barles
Le Château
Crête de Blayeul
Site du vélodrome
Esclangon
Ainac
Lambert
Col de Font-Belle
Boullard
St-Pierre
Beaujeu
Somt de Chappe
Le Château
Le Bès
Malefiance
Le Clucheret
Chaudol
Site de l'Ichtyosaure
Hautes-Duyes
Le Villard
Recuit
La Javie
Notre-Dame
N.-D. de Lauzière
Le Clouet
La Robine-sur-Galabre
Le Guéni
Le Brusquet
Le Planas
Col de la Croix
Ste Madeleine
La Forest
Le Mousteiret
Crête de Liman
Le Plan
La Bigue
Thoard
Somt de Pompe
La Rouine
Les Isnards
Marcoux
Draix
Archail
L'Andran
Dalle à ammonites
Chle la Croix
Courbons
Pas de Bonnet
Champtercier
St-Vincent
N.-D. du Bourg
DIGNE-LES-BAINS
Somt de Cucuyon
Pic de Couard
Le Villard
Vaumet
La Peine
Clue de la Peine
Col de la Cine
Somt de Cluchemet
La Reynière
(Tartonne)
Le Thouron
Plan-de-Chaude
Les Sièyes
La Sèbe
St-Pancrace
Étabnt Thermal
Les Augiers
La Tour
La Treille
Plan-de-Gaubert
Gaubert
Les Hostelleries
Somt de Cousson
Les Dourbes
Col du Pas de Labaud
Somt du Grasson
Les Sauzeries-Hautes
Laubre
Les Sauzeries-Basses
Les Dourbettes
Montagne de Coupe
Col du Défend
Chapelle
Rebière
Somt de la Sapée
Lambruisse
Les Fons
La Braïsse
Entrages
St-Jurson
Le Chaffaut-St-Jurson
St-Michel de Cousson
(Clumanc)
Le Riou
Valaury
La Tour
Les Bourillons
Douroulles
Mgne de l'Allier
Somt de la Reynière
La Gourrée
Châteauredon
Chabrières
Clue de Chabrières
N.-D. des Cornettes
St-Pierre
La Clappe
Col de Corobin
Chauvet
Les Nèbles
Chambaresc
Le Gion
Toueste
Somt du Cugulet
Le Castellet
Mézel
Le Brusc
Chaudon
Somt de Mouchon
Les Chaillans
Hyèges
Somt de St Martin
St-Lions
N.-D. de Liesse
Beynes
Creisset
Chaudon-Norante
St-Jacques
Moriez
Col des Robines
St-André-les-Alpes
Chalvet
La Basse-Palud
Gévaudan
Tour
Méouilles
Les Cardaires
Col de la Croix
Palus
Mgne de Beynes
Pont du Pas d'Escale
Gros-Jas
Barrême
Bellegarde
Estoublon
Chle St-Jean
Trévans
St André
Valbonette-Basse
Le Poil
Bois de Liéye
Col de la Pierre Plantée
Pont St-Julien
Courchons
Orésonnis
Gorges de Trévans
Saule-Mort
La Barre
La Sapée
Le Riou d'Ourgeas
Soleil-Bœuf
Route Napoléon
St-Julien-du-Verdon
Lac de Castillon
La Bégude-Blanche
Maulans
Majastres
La Melle
Senez
N.-D. des Clots
Lioux
Somt du Castellard
Blaron
Col de St Jurs
La Blache
St-Georges
Crête de Montmuye
Mgne de Vibres
La Tuilière
La Baume
La Maure
St-Jurs
Allès
Ravin de Balène
Serre de Mont
Naverre
Le Bas-Chadoul
Tour
Blieux
Chiran
Clue de Taulanne
Taulanne
La Crau
Le Cheiron
La Palud
Col des Leques
Lac de Chaudanne
La Blache
Bgde de Castillon
Demandolx
Col de St-Barnabé
Croix de la Mission
Ville
Somt de Crémon
Vauplane
Somt de la Bernarde
Notre-Dame de Valvert
Col de Toutes Aures
Vergons
Pic de Chamatte
Clue de Vergons
L'Iscle
Col de l'Iscle
Crête de Chamatte
Angles
Crête des Serres
Verimande
Allons
Col d'Allons
Bontès
Le Fugeret
La Moutière
St-Domnin
Vaucluse
Le Puy
Pic de Rent
Bois de la Condamine
Méailles
Grotte des Méailles
Col de la Colle St-Michel
N.-D. de la Fleur
St-Michel-Peyresq
Thorame-Haute-Gare
Argens
Mgne de Maurel
La Mure-Argens
Colle Baudet
Peyresq
Rocher du Breuil
Font-Gaillarde
Mgne de Cordœil
La Bâtie
Col de Séoune
St-Thomas
Château-Garnier
Thorame-Basse
Notre-Dame
Le Moustier
Thorame-Haute
Pont de Villaron
Bois du Mont
Le Courradour
Mgne de Chanvet
Mgne de Tournon
Côte Longue
Mgne de Chamatte
Mgne de Mourre-Frey
Somt de Mourre-Frey
Mgne du Cheval Blanc
La Valette
Beauvezer
Villars-Heyssier
St-Pierre
Gges de St-Pierre
Ondres
Crête du Pasquier
Laupon
Chanolles
Chanolette
La Combe
Roufleiran
Bois de Monier
Col de Lachen
Chavailles
Mgne du Carton
Blégiers
Col de la Baisse
Col de Vachière
Somt de Denjuan
La Grd Croix
Villars-Colmars
Pont Misson
Heyre
Les Combes
Faillefeu
Fort de France
Colmars
Fort de Savoie
Chasse
La Colette
Tercier
Tête de l'Adrech de Vachière
Somt du Mourre de Simanice
Bas-Chaumie
Haut-Chaumie
L'Autapie
Roche Cline
Sangraure
Prads-Haute-Bléone
La Favière
Somt du Caduc
Somt de Valcibière
Le Gros Tapy
N.-D.-de-Valvert
Le Seignus
Les Eaux Chaudes
Somt de la Croix
Somt de Valdemars
Vière
Mariaud
Saume-Longe
Somt du Tromas
Mourre-Gros
Allos
Villard
Le Brec
Le Super-Allos
St-Pierre
La Baumelle
La Baume
Bouchier
Roche Grande
Val d'Allos
Tête Noire
Les Mées
Tête de l'Estrop
La Foux
La Foux-d'Allos
Col d'Allos
Le Grd Cheval de Bois
Col du Talon
Les Trois Evêchés
Col de Vautreuil
Pic des Têtes
Mgne des Têtes
Roche Close
Tête de Chabrière
Plan Bas
Tête de Vescal
Tête de la Sestrière
Les Agneliers
Grde Séolane
Pte Séolane
l'Abbaye de Laverq
Les Clarionds
Roche Bénite
Neillère
Bernardez
Pompiéry
La Liberne
Surville
Costebelle
Molanès
Uvernet
(Uvernet-Fours)
Gaudissard
Super-Sauze
Pont du Fau
Gges de la Malune
Le Pain de Sucre
Bachelard
Le Villard d'Abas
Le Chapeau de Gendarme
Les Jurans
Le Fau
Haut-Chardavon
Montagne de l'Ubac
Mgne de la Blanche
l'Aiguillette
Ste-Rose
La Haute-Combe
La Basse-Combe
La Rouchaye
Le Pont
St-Lacour
Galabre
Sasse
Verdon
Bléone
Asse
Estoublaisse
Riou
Aulne
Issole
Encure
Ivoire
Vaïre
N 85
N 202
D 900
D 4085
D 907
D 908
D 955
D 952
D 953

289
E
F
G
H
271
291
309
1
2
3
4
5
Cime de la Bonette
Col de la Bonette
Col de Restefond
Col des Fourches
Col de Fer
Camp des Fourches
Cirque du Salso Moreno
Pas de la Cavale
Col de Pouriac
Mt Aiga
Gias Bal
M. Bassura
Murenz
Pietraporzio
Castello
S. Lorenzo
Sambuco
Villetta
Vinadio
Pratolungo
Goletta
Pianche
Ruviera
Bagni di Vinadio
M. Ciastella
M. Vaccia
M. Ciaval
Migliorero
Talarico all'Ubac
Cme de Rouss
Cime des Blanches
M Vallonnet
Lacs de Vens
Zanotti al Piz
Tête de l'Ubac
Mt Ténibre
Grd Cimon de Rabuons
M. Laroussa
Callieri
Corborant
S. Bernolfo
Cime de Maleterre
Testa Mouton
Maladecia
Testa delle Novelle
F. Nola
Pta Ciarnier
la Capanna
Santuario di Santa Anna
Cime de Colle Longue
Col de la Guercia
Tête Rougnouse
Tête de l'Autaret
Cimes du Lausfer
M. Aver
Rocca della Paur
Cime de la Lombarde
Col de la Lombarde
Mt Malinvern
Baisse de Druos
Isola 2000
Chastillon
Cime des Crosillias
Cime de Merlier
Col Mercière
Tête de la Roubine
Mt St-Sauveur
Mollières
Guercha Soubeirane
Isola
Clocher
P. St-Honorat
Ste-Euroste
Mt Pélevo
La Blache
Pont Rouge
Douans
Tête Gerpe
Pas de Colle Longue
Le Bourguet
Asuéros
St-Étienne-de-Tinée
La Pinatelle
St-Maur
Auron
Nabinas
St-Salvaire
Col de Blainon
Las Donnas
Cime du Chalavet
Sauma Longue
Mt Riounet
Col de Bouchiet
La Vacherie
Chlle St-Sébastien
Roya
Russuenigues
Le Pas-de-Roya
Mt Triboulet
Cime de la Berchia
Chlle des Trinitaires
L'Alpet
Mt Aunos
Col d'Anelle
Pont Haut
St-Dalmas-le-Selvage
Mt Gros Serre de la Braisse
Col de la Braisse
Tête de Sanguinière
Col de Sanguinière
Col de la Cayolle
Tête du Grd Clot
Le Trou de l'Aigle
Col de la Cayolle
Somt des Garrets
Pas du Lausson
Mgne de l'Avalanche
Estenc
L. de l'Estrop
Pont St-Roch
Roche Grande
Col de Jalorgues
Bolofre
Somt de Jalorgues
Demandols
Jalorgues
Tête de Gorgias
Pnte Côte de l'Âne
Pnte des Trois Hommes
Ste-Anne
Cime de Pal
Col de Pal
Mt Rougnous
Col des Trente Souches
Les Tourres
Cime de l'Aspre
Chlle St-Jean
St-Roch
Chamoussillon
Les Grdes Tours du Lac
Tête de l'Encombrette
St-Jean
St-Sébastien
Entraunes
Crêtes de la Voya
Chastelonnette
Val-Pelens
St-Barnabé
Aiguilles de Pelens
Pra-Pelet
St-Jean
Le Monnard
Les Annous
Puy du Pas Roubinous
St-Martin-d'Entraunes
Ste-Marguerite
Villeneuve-d'Entraunes
St-Antoine
Châteauneuf-d'Entraunes
Bouchanières
Péone
Le Villard
Tête de Méric
La Combe
La Baumette
Barels
Mgne de Crous
Col de Crous
Cime Nègre de l'Alp
Col de Crousette
Col de Gipse
Mt Mounier
Tête de Varélios
Montagne Haute
Col de la Valette
Mt Gravières
Gorges de Valabres
Pnte Pénette
Vacherie du Collet
Mt Démant
L'Estrop
Col de Moulines
Vignols
Mt Autcellier
Tête de Chamie
Champ de Tir
La Valle
Rougios
Ste-Anne
Sorbière
Pierre-Blanche
Pont de Paule
Cime des Lauses
Col Ferrière
Mt Giraud
Mt Pepoiri
Tête de la Charnaje
La Colle
Tête du Garnier
Col de la Couillole
Roya
Valberg
Les Amignons
La Condamine
Les Launes
Beuil
Roubion
Roure
St-Sauveur-sur-Tinée
Baus de la Frema
Mt Ray
La Bolline
La Roche
St-Dalmas (Valdeblore)
Mt Cayré Gros
Mt Viroulet
Rimplas
Abélière
Tête de Tigène
Lauvet d'Ilonse
Tête du Pommier
Villars
Les Bouisses
St-Ginie
Ste-Anne
Bergian
St-J.-Baptiste
Moulin
Tête du Giarons
Croix du Sapet
Tête du Sapet
St-Brès
Le Collet
Enaux
Pont de Paniès
La Ribière
Guillaumes
Sauze
Lacs de Lignin
Les Fourcières
Cabane des Bas-Pasqueires
Le Fourciao
Mt St-Honorat
Selves
Villetalle
Sauze-Vieux
Villeplane
N.-D. de Buye des Roberts
Veinas
Barzès
Villetalle-Haut
Villetalle-Bas
Tiré-Bœuf
Tête de la Colombière
Cime de Raton
Amen
Le Lavigne
La Saussette
Mélina
du Coulomp
Aurent
Tête de Travers
St-Martin
La Salette
Grotte du Chat
Mourre Froid
Rocher
Gges de Daluis
Daluis
Dôme de Barrot
Col de Laus
Fl de la Palu
Tête de Rigaud
Raton
Grde Clue
Pte Clue
Gges sup res du Cians
Les Cluots
N.-D. des Carmes
Le Mont
Ilonse
La Bollinette
Marie
Pnte de Serenton
Pierlas
Col de la Sinne
St-Ferréol
Mt Lieuche
St-Pons
Brec d'Ilonse
Mt Combe
Mt Castéo
Bancairon
Clot-de-Marre
Mt Fraccia
Pnte des Quatre Cantons
Pra-d'Astier
Rubi
Lieuche
Villa-Souberra
Ste-Madeleine
Clans
Mt Mangiarde
Chabanès
Liouc
Col de Roua
La Méléa
Argenton
Col du Fa
Content
Sausses
Tête de Pibossan
Léouvé
Col de Pras
Tête de Samos
Col de Mairole
Rigaud
Le Moulin
Mt Mairole
Thiéry
La Madone
Mt Ragias
Rau-Sobran
Mt Falourde
Mt Rochaude
Bairols
Pont-de-Clans
Roussillon
St-Léger
Amarines
St-Sébastien
Le Mt d'Auvare
Auvare
Pont de St-Léger
La Croix
Roudoule
Villard la Croix
Crête d'Aurafort
Puget-Rostang
Col de St-Léger
Rer des Meules
Castellet-lès-Sausses
B. du Fa
Braux
Le Villard
Enriez
Agnerc-Haut
Agnerc-Bas
Les Lacs
Le Brec
St-Pierre
Touët-sur-Var
St-Antoine
Gges infres du Cians
Pont de Cians
Tournefort
Massoins
St-Benoît
Pont de Gueydan
Le Plan
Puget-Théniers
La Pétronille
Villars-sur-Var
Le Breuil
Notre-Dame
Molières
Malaussène
P. des Batteries
La Courbaisse
Entrevaux
Les Scaffarels
Pont-de-la-Reine Jeanne
Clue de Rouaine
Ourges
Col de St-Raphaël
Mt Roccaforte
Mt Rourebel
Rourebel
Mt de Pincogul
Mt Brune
Cime des Collettes
Toudon
Mt Vial
Montagne de Gourdan
Besseuges
La Penne
Ascros
Les Crottes
Ste-Baume
N.-D. des Neiges
St-Jean du Désert
Aussiers
Le Champ
Col de Félines
Col du Trébuchet
Avenos
St-Saturnin
La Rochette
St-Nicolas
Villevieille
Val-de-Chalvagne (Castellet-St-Cassien)
La Serre
Chamengearde
Fontaine
St-Pierre
Vens des Miolans
Miolans
Collongues
St-Antonin
Crête de Saume Longue
Tête du Puy
Cuébris
La Pinéa
Tourette-du-Château
Revest-les-Roches
Défilé du Chaudan
Ubraye
Pic de Chabran
Laval
Col de Laval
Barnaud
Montblanc
L'Hubac
Les Agots
St-Jeannet d'Aupoil
Col du Buis
Amirat
Les Mujouls
P. de Miolans
Cime de la Cacia
N.-D. d'Entrevignes
Mt Long
Clue du Riolan
Sallagriffon
Roquesteron
Vieux-Pierrefeu
Collet des Sausses
Les Concias
Bonson
La Sagne
Clue des Ferriers
Mgne de Gars
Clue d'Aiglun
St-Martin
Sigale
Roquesteron-Grasse
Mt Auvière
Ranc
Vescous
Pierrefeu
Les Coulettes
Le Prignolet
Briançonnet
Gars
Montagne de Charamel
Aiglun
La Clue
Le Collet
Vascognes
St-Laurent
Ste-Pétronille
Clue de la Bouisse
Conségudes
Clue de la Péguière
St-Michel
Les Ferres
Gilette
Ste-Marguerite
Clue de St-Auban
Le Pous
PARC NATIONAL DU MERCANTOUR

0 2 4 6 8 10 km
C
289
D
A
B
308
309
288
St-Étienne-de-Tinée
Auron
Las Donnas
Isola
Isola 2000
Entraunes
Col des Champs
St-Martin-d'Entraunes
Châteauneuf-d'Entraunes
Villeneuve-d'Entraunes
Péone
Valberg
Beuil
Roubion
Roure
St-Sauveur-sur-Tinée
Guillaumes
Croix du Sapet
Rimplas
Mt Mounier
PARC NATIONAL DU MERCANTOUR
Mt St-Honorat
Le Grd Coyer
Gges de Daluis
Daluis
Sausses
Castellet-lès-Sausses
Méailles
Annot
Braux
Gges du Cians
Pierlas
Ilonse
Lieuche
Thiéry
Puget-Théniers
Pont de St-Léger
Entrevaux
Touët-sur-Var
Villars-sur-Var
Tournefort
Massoins
Malaussène
Clue de Rouaine
La Rochette
La Penne
Ascros
St-Antonin
Toudon
Val-de-Chalvagne
Ubraye
Cuébris
Roquesteron
Sigale
Clue du Riolan
Clue d'Aiglun
Aiglun
Briançonnet
Clue de St-Auban
St-Auban
Col de Bleine
Gréolières
Coursegoules
Bézaudun-les-Alpes
Bouyon
Conségudes
Les Ferres
Valderoure
Séranon
Caille
Andon
Cipières
Col de Vence
Baou de St-Jeannet
Plateau de Calern
PARC NATUREL RÉGIONAL DES PRÉALPES D'AZUR
Montagne du Cheiron
Gréolières-les-Neiges
Mt St-Sauveur
Col de la Valette
Gorges de Valabres
Peyroules
Soleilhas

E
F
G
H
M. Matto
Cima di Lausetto
S. Lucia
Ciolla Fama
Tetto Curune
Trinità
Ponte della Rovina
REGIONALE
Asta Soprana
Terme di Valdieri
Punta Stella
M. Bussaia
Sant'Anna
Limone-Piemonte
S. Giovanni
M. Aiera
Monte Barra
M. Garbella
Palanfré
Gias Creusa Sottano
Gias Creusa Soprano
Limonetto
Tête Chaudon
Mt de Carsène
Pte Marguareis
Gouffre de Scarason
Col des Seigneurs
Col de la Boaire
Cime du Bec
Baisse de Druos
Argentera
la Madre di Dio
Diga del Chiotas
ALPI MARITTIME
S. Giacomo di Entracque
Punta Savina
Gias d'Ischietto
Tête des Bresses
Col de Tende
Tunnel de Tende
Cima del Baus
Cima di Brocan
M. Carboné
M. del Frisson
Roche de l'Abisse
Cime de Frémamorte
Cime du Mercantour
Cime de l'Angel
Cougourde
Col de Salèse
Col de Cerise
Cime de l'Agnel
Col du Sabion
Vievola
Col de la Vieille Celle
Cime de l'Évêque
Mt Bertrand
Col Roux
Cime du Gélas
Mt Clapier
La Maledie
Mt Pélago
Cime de Fenestre
Le Boréon
Valmasque
Baisse de Peyrefique
Mt Chajol
Mt Court
Cime Missoun
Casterino
Canaresse
Mt Archas
Cascade
Cime de l'Agnellière
Madone de Fenestre
Mt Neillier
Mt Ste Marie
Fontanalbe
Mt Bergiorin
Morignole
Cime Ventose
Mt Pepouiri
La Maïris
Cime du Piagu
Cde de l'Estrech
Mt du Gd Capelet
Baisse de Valmasque
Lac de Casterine
Mt Agnelet
Tende
Pas du Tanarel
Pont Maïssa
La Trinité
Les Clots
Von de la Madonne de Fenestre
Mt Lapassé
Col de Férisson
Col de Prals
Mt Bégo
La Minière-de-Vallauré
Bosio
Bens
Baus de la Frema
Cime de la Palu
St-Grat
Mt des Merveilles
Vée des Merveilles
PARC
Les Mesches
Von de la Minière
St-Dalmas-de-Tende
N.-D. des Fontaines
La Colmiane
St-Martin-Vésubie
Cime de la Valette
L. Long Sup.
Cime de la Nauque
La Brigue
Mt de Collardente
St-Dalmas-Valdeblore
Pic de Colmiane
Etabnt Thermal
Berthemont-les-Bains
Cime du Diable
Les Merveilles
Pte de la Corne de Bouc
Granile
Cime de Durasque
Val-del-Prat
Venanson
Rigons
Libaret
Engiboi
Mt Capelet Sup.
Pas du Diable
Cime de Corvo
Berghe-Supérieur
Gges de Paganin
Tête de la Nave
Mt Cayré Gros
Plateau de Berthemont
La Lauze
NATIONAL
Granges d'Ughetto
Paganin
Cime de Marte
Mt Chalanche
Blancons
Gges du Colonel
Berghe-Inférieur
Cime de Campbel
Monte Gerbonte
Mt de Serenton
Castel-Viel
Cime de Tuor
Col de Raus
Grges de Fromagine
Plateau de la Céva
Tête de Sirvol
Roquebillière-Vieux
Les Adrès
Mt Péla
Col de St Véran
Ste-Claire
Cime de Coss
Gges de Bergue
Pève
Pte de Lugo
Mt Tournairet
Col du Fort
Roquebillière
Belvédère
Pte des Trois Communes
Fontan
Mt Graï
Ste-Anne
L'Authion
Grange de Praï
Fort
DU
Mille Fourches
Mauroun
Peyremont
Mt Peyrevielle
Granges-de-la-Brasque
Cime des Vallières
Camp d'Argent
La Bollène-Vésubie
Forêt de Cairos
Cime de Colle Basse
Saorge
(Traversée impossible)
Mt Torrage
Carmo Bine
Col d'Andrion
Quinson
Camp-de-Cabanes-Vieilles
Casto
Madone del Poggio
Chabanette
Mangiarde
Cime de l'Aution
Les Clapières
Col de Turini
MERCANTOUR
Ste-Anne
Mt Agu
Mt Lègue
Pas de Muratone
Búggio
Les Fournes
Cime de Suorcas
Gges de Saorge
La Giandola
Mt Ventabren
St-André
Le Seuil
Lantosque
Grges-de-la Maïris
Turini
L'Arbouin
L'Arpette
Pigna
Camarie
St-Jean
Pélasque
Loda
St-Colomban
Cime de Peïra-Cava
Moulinet
Mangiabo
Breil-s-Roya
M. Gouta
Tête d'Alpe
Castel Vittorio
La Tour
Castel Ginestet
Le Figaret d'Utelle
St-Arnoux
Le Suquet
Pierre Plate
Cime du Simon
St-Sébastien
Col de Brouis
Cime du Bosc
M. Alto
Tour
M. Vetta
Suc de Cabagne
Peïra-Cava
N.-D. de la Menour
Mt Gros
Mt Forquin
Pienne-Basse
Utelle
Colomp
St-Pierre
La Cabanette
Gges du Piaon
Piène-Haute
Libre
Mt Colombin
M. Morgi
Rocchetta-Nervina
M. Calvaira
Colla Bassa
Apricale
La Madone d'Utelle
St-Jean-la-Rivière
Col de Rocca Seira
Col de la Porte
Col de l'Orme
Col de l'Able
Piaon
Beroulf
Ste-Madeleine
Col du Pérus
Mt Grazian
M. Abellio
Fanghetto
Isolabona
Sanctuaire
Pont de la Mescla
Belvre du Saut-des-Français
Col St-Roch
Duranus
St-Vincent
Mt Agaisen
Airole
Huesti
Gges de la Vésubie
Cime de Gros Braus
Tour
Col St Michel
Le Gros-d'Utelle
Lucéram
Col de Braus
Le Golf
Sospel
Olivetta-San-Michele
Perinaldo
Défilé du Chaudan
La Villette
Cime du Savel
Col du Dragon
St-Roch
Mt Barbonnet
Bossare
Bévéra
Collabassa
Dolceacqua
Chau des Doria
M. Rebuffao
Le Chaudan
Coaraze
Mt Férion
Col de la Croix
Mortisson
Col St-Jean
Col de Treitore
M. Pozzo
Trucco
Bonson
Levens
St-Laurent
Mt l'Albarée
Mt Grammont
Susenen
Pont Durandy
Plan-du-Var
Les Traverses
Mt Castello
Touët-de-l'Escarène
Mt Farguet
Mt Méras
Col de Castillon
Mt Razet
Torri
Varase
Brunetti
San Martino
Gilette
Baus-Roux
Le Plan Marlet
Castillon
S. Pancrazio
Calvo
M. Baraccone
Soldano
Ste-Claire
Bendejun
Berre-les-Alpes
L'Escarène
Très
Col Segra
Viaduc du Caramel
Villatella
Bévera
San Biagio
Vallebona
Pont Charles-Albert
Les Rochettes
Le Vignal
Mt Ours
Col de Restaud
Sant'Antonio
Séglia
San Lorenzo
Camporosso
Vallecrosia Alta
La Roquette-s-Var
St-Antoine
Châteauneuf-Villevieille
Contes
Col de Nice
Gorges du Paillon
Pic de Baudon
Col des Banquettes
Monti
Roc d'Orméa
Sealza
Croce
Borghetto
Sasso
St-Martin-du-Var
St-Blaise
Scios
Peille
Ste-Agnès
Castellar
Mortola Sup.
Ventimiglia
Camporosso Mare
La Croix-de-Fer
Mt Cima
Plan d'Arriou
La Vernéa
Blausasc
Col de la Madone
Grimaldi
Latte
Les Condamines
Anc^n Village
Gorbio
Cabrolles
Mortola Inferiore
Vallecrosia
Les Moulins
Castagniers
Tourrette-Levens
La Grave
Peillon
L'Annonciade
Ponte San Ludovico
Jins Hanbury
Bordighera
Carros-Village
Mt Macaron
Cauvini
La Pointe de Contes
Mt Agel
Roquebrune-
Capo Mortola
Aspremont
Les Moulins
Les Cognas
Ste-Thecle
St-Martin-de-Peille
Obsre
MENTON
Les Selves
Carros
Mt Chauve
Mt de l'Ibac
Borghéas
Cap-Martin
La Bégude
Cantaron
P. de Peille
La Colle
Laghet
309
Beausoleil
Cap Martin
Colomars
Drap
Falicon
St-André-de-la-Roche
Astrorama
La Sirole
Trinité
Col d'Èze
St-Roman
St-Michel
MONTE-CARLO

0 2 4 6 8 10 km
272
312
(Vielle-St-Girons)
Vielle-St-Girons
Bernadon
Jeantot
Gracian
Linxe
Pouin
Leurteyroun
Huchet
Pas du Loup
Pichelèbe
Étang de Léon
Escalus
(St-Michel-Escalus)
Castets
Camerade
St-Michel
Castillon
Taller
Réserve naturelle
Moliets
Marquis
Léon
Maa
Le Village-sous-les-Pins
Quartier-Laguain
Le Conte
Lacay
Moliets-Plage
Moliets-et-Maa
Betoy
Minjouay
Chanchon
Autoroute des Landes
Étang de Laprade
Étang de Coidoum
Messanges-Plage
Messanges
Bayle
Moysan
Grangeon
Herm
Petit Marquis
Cluquetardit
Vieux-Boucau-les-Bains
Quartier-Caliot
Tustête
Tropica parc
Azur
Port d'Albret
Étang de Soustons
Coudère
Magescq
Larroze
Candale
Le Houdin
Nerthe
Tastet
Soustons
Leborde
Forêt de Soustons
Dolouets
Abbesse
Plage des Casernes
Guin
Hardy
La Bagnère
Duha
Étang Hardy
Gaillou-de-Pountaout
Étang Blanc
La Pince
St-Paul-lès-Dax
Seignosse-le-Penon
N.-D. de Fatima
Les Monts
Gourby
Eyranx
Seignosse-les-Estagnots
Seignosse
Réserve naturelle
Étang Noir
Frat
Tosse
Saas
Angoumé
Mées
St-Vincent-de-Xaintes
Hossegor
Lac d'Hossegor
Soorts-Hossegor
Lagrollet
St-Geours-de-Maremne
Rivière-Saas-et-Gourby
Thermes-de-Saubusse
La Rocque
Tercis-les-Bains
L'Étoile
Saubion
Casablanca
Vimport
Camp
Œyreluy
Pont d'Hiern
Angresse
St-Vincent-de-Tyrosse
Una
Saubusse
Étabt thermal
St-Pandelon
Capbreton
Bourret
Josse
Petit Carrère
Siest
Heugas
Bénesse-Maremne
St-Jean-de-Marsacq
Pont Lamarquèze
Orist
Mahourat
Moulin de Bénesse
Silo Puyau
Pey
Castets
Bernets
Réserve Naturelle du Marais d'Orx
Saubrigues
Gayrosse
Geloux
Mombet
La Mine
Labenne
Labenne-Océan
Orx
St-Lon-les-Mines
Ugne
Montauzet
Lacarmenté
Tastet
Navachon
Ondres-Plage
Castets
Villenave
St-Étienne-d'Orthe
Bellegarde
Larrouy
Cagnotte
Ondres
Rasport
Le Moulin à Vent
Bélus
Lac d'Irieu
St-Martin-de-Hinx
Larroque
Monchoisi
Port-de-Lanne
Tarnos-Plage
Lalanne
Camiade
St-André-de-Seignanx
Ste-Marie-de-Gosse
Biarrotte
Pissot
St-Martin-de-Seignanx
La Pipette
Bordus
Le Bec du Gave
Orthevielle
Peyrehorade
Chau d'Aspremont
Castagnet
Monplaisir
Biaudos
Horgave
Tarnos
Labadie
Benzin
Gaves Réunis
Cauneille
La Barre
Vincennes
Castillon
Quartier-Neuf
St-Laurent-de-Gosse
Les Barthes
Hastingues
Boucau
Chiberta
Grand Villenave
Abbe d'Arthous
Œyregave
Brit
St-Étienne
Saubis
St-Barthélemy
St-Jean
La Bourgade
Sames
Bordes-du-Haut
Les Barthes
Montpellier
Guiche
Rougigou
BAYONNE
Anglet
Lissalde
Bordes-du-Bas
Burre
Quartier-du-Port
Urcuit
Urt
Lahonce
Oyhanto
Or le Baron
Lagaillardie
Lanusse
Lassarrade
Chau de Gramont
Les Cinq Cantons
Butte de Miremont
Crx de Mouguerre
St-Pierre-d'Irube
Souhy
Asserol
Négresse
Mouguerre
Briscous-les-Salines
Séquillon
Nogues
Ors des Tisserands
Bidache
Came
La Gaité
Bardos
Or Lambert
Bassussarry
Larraldia
Mentachoury
Briscous
Or du Battan
Le Mech
Guinand
Arcangues
Arbonne
Berriotz
Héguia
Elizaberry
Monastère des Bénédictines
Abbaye de Belloc
Or de Mixe
La Ferrerie
Arraùntz
Villefranque
Pilota-Plaza
L'Enseigne
d'Hasparren
La Bastide-Clairence
Arancou
Hérauritz
Alotz
Adour
Luy
Lesponte
Magescq
Courant d'Huchet
Étang de Pinsolle
Étang de Garros
Ardanavy
Joyeuse
de Capbreton

293
E
F
G
H
273
313
294
Gournau
Rion-des-Landes
Piroc
Rey
Suzan
Garbay
St-Maurice-sur-l'Adour
Beylongue
Pouy
Silos
Coumet
Quartierot
Mellan
Raubet
Uchacq-et-Parentis
Campet-et-Lamolère
Lamolère
Base aérienne
St-Jean-d'Août
Boos
Lestage
Quartier-de-Marcel
St-Yaguen
Ricq
St-Orens
Gaube
Cougnala
Carsen-Ponson
Pouy-des-Trucs
Patton
Le Cos
Ste-Croix
Meilhan
Barlac
Le Caloy
Bertheuil
St-Pierre-du-Mont
Laluque
Lesgor
Cangrand
St-Perdon
Perichon
Malet
Bourg-Neuf
Campagne
Loustalet
Ponson
Carcarès-Ste-Croix
Parpaillot
Ronsacq
Candille
Tartas
La Gare
Grd Candeles
Lestronques
Haut-Mauco
Bégaar
Le Leuy
Guiroton
Le Cout
Bernadia
Jeanbidaou
Mugriet
Aurice
St-Christau
Petche
Marrein
Deyouan
Pontonx-s-l'Adour
N.-D. de Buglose
St-Jean-de-Lier
Audon
Pelin
Souprosse
St-Étienne
Lamothe
Bas-Mauco
Buglose
Gouts
Durou
Gousse
Vicq-d'Auribat
Onard
Cauna
Lagastet
Gurgues
Étabnt thermal
Goudosse
Gendarme
Berceau-de-St-Vincent-de-Paul
Cassen
Ste-Eulalie
Préchacq-les-Bains
Poyanne
Laurede
Laguillon
Adour
Téthieu
Louer
St-Geours-d'Auribat
Nerbis
Toulouzette
St-Sever
Loubart
St-Vincent-de-Paul
Boucosse
Silos
Mugron
Augreilh
Soustras
Goos
Gamarde-les-Bains
Arènes
Arcet
Fleurus
Escales
Cazaubon
DAX
Yzosse
Mouras
Nousse
Lourquen
Montaut
Banos
Labouyrie
Candresse
Hinx
Montfort-en-Chalosse
Hauriet
Captan
Lahosse
Poyaller
Brocas
Audignon
Eyres-Moncube
Narrosse
St-Aubin
Aules
Laur
Beyrie
Larbey
Maylis
Dumes
La Capère
Sort-en-Chalosse
Poyartin
Gibret
Doazit
Barrat
Bégu
Baigts
Caupenne
Candale
Horsarrieu
Saugnac-et-Cambran
Garrey
Lurbe
Bergouey
Marquebielle
Ste-Colombe
Ozourt
Castelnau-Chalosse
St-Laurent
Serreslous-et-Arribans
Téoulé
Aubagnan
Macouaou
Mimbaste
Clermont
Donzacq
Lamasquère
St-Girons
Hagetmau
Lataulade
St-Cricq-Chalosse
Le Tray
Bastennes
B. de Labarthe
Gaujacq
Cap-de-Monpeyroux
Pachiou
Pomarez
Labatjuzan
Vieux-Bourg
Bellegarde
Agès
Le Pouy
Grotte du Pape
Brassempouy
Lande d'Agès
St-Martin
Lembeye
Arènes
Pouillon
Maréchal
Charles
Moulieron
Cazalis
Labastide-Chalosse
Momuy
Lacrabe
Lamothe
Estibeaux
Castel-Sarrazin
Le Bourgadot
Nassiet
Cazalon
Morganx
Misson
Amou
Casenave
Monségur
Mouscardès
Arsague
Argoubet
Castaignos-Souslens
Argelos
Mant
Habas
Villandrau
Tilh
Marpaps
Poudenx
Peyre
Monget
Labatut
Ossages
St-Girons-en-Béarn
Bonnegarde
Beyries
Bassercles
Castelner
Mala
Bonnut
Sault-de-Navailles
Bellevue
Ste-Marie
Labeyrie
Arget
St-Cricq-du-Gave
Lahontan
N.-D. d'Abet
Puyoô
St-Boès
Mastrot
Lacadée
Loup
St-Médard
Moustrou
Ramous
Bellocq
Baigts-de-Béarn
Mont du Gal Foy
Sallespisse
Hagetaubin
Casteide-Candau
Morlanne
Qr du Guilhat
Qr du Bois
Bérenx
Cassaber
St-Pé
Salles-Mongiscard
Castétarbe
Argelès
Mascouette
Aurit
Carresse-Cassaber
Sarrabère
Orthez
Balansun
Mesplède
Pomps
Cazet
Marlat
Lavie
Baure
Noarrieu
N'Haux
Uzan
Géus-d'Arzacq
Auterrive
Salies-de-Béarn
Ste-Suzanne
Castétis
Arthez-de-Béarn
Castagnède
Le Cout
Lanneplaa
Mondrans
Lescloupé
Argagnon
Castillon
Arnos
Pène de Mu
Pléchot
Biron
Brassalay
Sarpourenx
Trescoint
Laà-Mondrans
Lasbordes
Beigmau
Arrac
Caubin
Doazon
Escos
Orion

294
0 2 4 6 8 10 km
293
274
314
A
B
C
D
1
2
3
4
5
MONT-DE-MARSAN
Uchacq-et-Parentis
Base aérienne
St-Jean-d'Août
Centre pénitentiaire
St-Médard
St-Pierre-du-Mont
St-Perdon
Pouydesseaux
St-Avit
Ste-Foy
La Bataille
Maureillan
Beaussiet
Bougue
Villeneuve-de-Marsan
St-Cricq-Villeneuve
Perquie
Mazerolles
Laglorieuse
Pujo-le-Plan
Bretagne-de-Marsan
Lacquy
Noel
Le Frêche
St-Vidou
Ognoas
Arthez-d'Armagnac
Lannemaignan
Mauléon-d'Armagnac
Montégut
Bourdalat
Monguilhem
Maupas
Castex-d'Armagnac
Estang
Lias-d'Armagnac
Monclar
Mauvezin-d'Armagnac
Labastide-d'Armagnac
Lagrange
Artassenx
Maurrin
Bascons
Castandet
Benquet
St-Christau
Haut-Mauco
St-Gein
Hontanx
Toujouse
Monlezun-d'Armagnac
Panjas
Laujuzan
Grenade-sur-l'Adour
St-Maurice-sur-Adour
Larrivière-St-Savin
Bordères-et-Lamensans
Cazères-sur-l'Adour
Le Vignau
Lussagnet
Le Houga
Perchède
Magnan
Mormès
Renung
Montgaillard
Fargues
Montsoué
Pouy de Montsoué
Eyres-Moncube
Sarraziet
Duhort-Bachen
Classun
Buanes
Eugénie-les-Bains
Aire-sur-l'Adour
Barcelonne-du-Gers
Vergoignan
Arblade-le-Bas
Luppé-Violles
Lanne-Soubiran
St-Griède
St-Martin-d'Armagnac
Lelin-Lapujolle
Caumont
St-Germé
Tarsac
Riscle
Coudures
Vielle-Tursan
St-Loubouer
Bahus-Soubiran
Aubagnan
Ste-Colombe
Hagetmau
Serres-Gaston
Urgons
Samadet
Castelnau-Tursan
Pécorade
Geaune
Sorbets
Payros-Cazautets
Clèdes
Latrille
Mauries
Ségos
Lannux
Labarthète
Corneillan
St-Mont
Bernède
Arboucave
Puyol-Cazalet
Miramont-Sensacq
St-Agnet
Aurensan
Projan
Verlus
Viella
Maumusson-Laguian
Cannet
Morganx
Monségur
Mant
Lacajunte
Sarron
Pimbo
Portet
Aubous
Aydie
Moncla
Garlin
Diusse
Castetpugon
Mont-Disse
Philondenx
Malaussanne
Montagut
Arget
Cabidos
Poursiugues-Boucoue
Arzacq-Arraziguet
Coublucq
Boueilh-Boueilho-Lasque
Lauret
Baliracq-Maumusson
Tadousse-Ussau
Mascaraàs-Haron
Conchez-de-Béarn
Arroses
Aurions-Idernes
Piets-Plasence-Moustrou
Morlanne
Vignes
Pouliacq
Ribarrouy
St-Jean-Poudge
Cadillon
Crouseilles
Lasserre
Garos
Louvigny
Méracq
Taron-Sadirac-Viellenave
Burosse-Mendousse
Vialer
Séméacq-Blachon
Monpezat
Bouillon
Mialos
Garlède-Mondebat
Claracq
Pomps
Uzan
Fichous-Riumayou
Séby
Lème
Geus-d'Arzacq
Arreule
Lonçon
Auga
Thèze
Lalonquette
Mouhous
Lannecaube
Arricau-Bordes
Castillon
Carrère
Lalongue
Gayon
Lespielle
Viven
Miossens-Lanusse
Arnos
Mazerolles
Corbère-Abères

275
296
315
E
F
G
H
Escalans
N.D. de Pibèque
Pellenaut
Larroque-sur-l'Osse
Sempé
Moussaron
Le Marais
Rouge
Lasserre
Arech
Labarrère
Balarin
Marrin
Parleboscq
Castelnau-d'Auzan
Montréal-du-Gers
Tour de Luzan
Le Granhé
Tavernes
Eîtron Béziey
Villa gallo-romaine
Lassale Baqué
Lamarque
Beaumont
Larressingle
Pouy
Caussens
Peyriac
Mons
Lacaze
Mura
Bouau
Arquizan
Séviac
Rome
Moreau
Rieupeyroux
Lauraët
Routges
Couchet
Laballe
Église
Egl.
Montaut
Vopillon
Malossane
Le Camus
Béraut
Ste-Fauste
Le Sentex
Houeillères
Pomiro
Fondelin
Hérret
Cabeil
Doat
Lacs d'Armagnac
Lamothe
Tour
Pardeillan
St-Lanne
Péatgé
Cape
Ramounet
Cassaigne
Trizac
Leberon
Chau de Tauzia
St-Trens-Pouy-Petit
Pouy-Petit
Roque
Le Tourné
Cutxan
Maignan
Guinlet
Esplavis
Bretagne-d'Armagnac
Lagraulet-du-Gers
Mouchan
Pouchahan
Millet
Le Verduzan
Larroussa
St-André
Abbe de Flaran
Le Canonge
Maignaut-Tauzia
Thor
Laboge
Cap-Pelat
Espujos
Larroudé
Esbérous
Broustet
Garderon
Cazeneuve
Armagnac
Gondrin
Busca-Maniban
Valence-sur-Baïse
Monluc
Campagne-d'Armagnac
St-Aubin
Escagnan
Rouquettes
St-Puy
Ordac
Eauze
La Pelinguette
Mansencôme
Camarade
Avéron
Réans
Le Duret
Carreté
Ampeils
Ayzieu
Artigau
Pontet
St-Amand
Estivau
Forêt de Gondrin
Courrensan
Polignac
Roques
Bidalet
Le Terme
Aulagnères
Blancaste
Pennevert
Lapouche
Le Prada
Jeandaugé
Le Béziat
Pardailhan
Beaucaire
Ayguetinte
Sauboires
Crespalet
La Paix
Pléou
Mauras
Cacarens
Cadignan
Bordes
Lagardère
Bezolles
Larro
Bourrouillan
Moussinot
Le Laca
Silo
Salles-d'Armagnac
Lesquirle
Ramouzens
Bourguet
Galaubas
Bétricot
Pourquet
Justian
Le Soulan
Castéra-Verduzan
Castéra-Vieux
Manciet
Rageperdix
Noulens
Lannepax
Le Cavé
Jouéou
Mourède
Lasserre
Rozès
Le Comte
Massa
Lamothe
Bascous
Arnaute
Miran
Ste-Christie-d'Armagnac
Espas
Baradot
Camp de Haut
Bonas
Bordes
Bouit
Testalade
Le Courdé
Labarthe
Lalanne
Pessalle
Marambat
St-Paul-de-Baïse
Lescout
Gimat
La Parisienne
Dému
Daugue
Beaulieu
Lagraulas
Vic-Fezensac
Las Bordères
Mestaunet
St-Michel
Nogaro
Cravencères
Séailles
Carget
Jegun
Loubédat
Avéron-Bergelle
Réchet
Aste
St-Pé
Bagatelle
Pléhaut
Lézian
Le Peyré
Herrebouc
Sion
Castillon-Debats
Bats
Préneron
St-Jean-Poutge
Antras
Margouët-Meymes
Le Parre
Forêt d'Aignan
Roquebrune
Tour gallo-romaine
Bétous
Pouquet
Pujos
Caillavet
Ramensan
Bouzon-Gellenave
Sabazan
Castelmore
Cahuzères
Bois de Mazous
Cos
Las
Le Boupat
la Roque
Bédat
Biran
Fustérouau
Aignan
Blanin
St-Laurent
Belmont
Chat
Le Marteret
Mauret
Lartigue
la Plagne
Lupiac
Lacoste
Gignan
Tudelle
Ordan-Larroque
Termes-d'Armagnac
Gellenave
Lapeyrie
Castelnavet
Le Mas
La Barthe
Mimort
Fromentas
Pujos
Bazian
Le Brouilh-Monbert
Les Barthères
Pouydraguin
Riberette
Ardens
Cazaux-d'Anglès
Montgaillard
St-Yors
Laubare
Izotges
Loussous-Débat
Bières-En-Armagnac
Ponsan
Riguepeu
Cassebertats
Mazères
Tasque
Croute
St-Pierre-d'Aubézies
Peyrusse-Grande
Pitron
Nux
Couloumé-Mondebat
Montégut
Peyrusse-Vieille
Callian
Forêt de Montpellier
St-Arailles
Labenne
Lasserade
Mondebat
Duransan
Gazax-et-Baccarisse
Capmartin
Cazieux
Boussas
Castelnau-d'Anglès
Mirannes
Silo
Barran
Galiax
Préchac-sur-Adour
Plaisance
Malajasse
La Martinique
La Castagnère
Soubaignan
Pontic
Baulat
Pagès
Ricau
Baccarisse
Savis
Sabarros
Cadiran-de-Bas
Beaumarchés
Louslitges
St Fris
Donjon
L'Isle-de-Noé
Ju-Belloc
Mazères
Cayron
Maurar
Barrottes
Bassoues
Montesquiou
St-Aunix-Lengros
Belloc
Esparbès
Coutens
Armous-et-Caux
Baliot
Les Oulès
Encanstans
Lassalle
Courties
La Plagne
Carole
En-Ma
Ladevèze-Rivière
Scieurac-et-Flourès
Haget
Le Prat
Mouchès
Tieste-Uragnoux
Hères
La Madeleine
Tourdun
Lamazère
Ladevèze-Ville
Mascaras
Bois de Bassoues
Pouylebon
Estipouy
Vicnau
Soublecause
Juillac
Le Trouette
Miramo
Labatut-Rivière
Espagnet
Laveraët
Castille
Monclar-sur-Losse
Valentées
Beaulieu
St-Pierre
Armentieux
Marciac
St-Christaud
Garac
Artigues
Mirande
Idrac-Respailles
Caussade-Rivière
N.-D. de la Croix
Bars
Les Perdigues
Lacas
Estirac
Pelacave
Pallanne
Villefranque
Cornac
Samazan
Marignan
St-Martin
Auriébat
St-Justin
Ricourt
Marseillan
En Guillempey
St-Médard
La Flourette
Sombrun
Sauveterre
Loran
Le Choumac
Berdoues
Maubourguet
La Carrère
Blousson-Sérian
Peymoune
Tillac
St-Maur
Verdier
Lahitte
Ourdan
Campourau
N 524
N 124
D 931
D 924
D 930
D 939
D 935
D 943
D 946
N 21
GR 65
GR 653

0 2 4 6 8 10 km
276
295
316
A
B
C
D
1
2
3
4
5
Larroque-Engalin
St-Avit-Frandat
Castet-Arrouy
Lachapelle
Puygaillard-de-Lomagne
Marsolan
Lectoure
Plieux
Gramont
Balignac
Montgaillard
L'Isle-Bouzon
St-Créac
Mauroux
Roquepine
Terraube
Lac des Trois Vallées
Mas-d'Auvignon
Pauilhac
Castelnau-d'Arbieu
St-Clar
Avezan
Castéron
Gaudonville
Cumont
St-Puy
Lamothe-Goas
Urdens
St-Léonard
Tournecoupe
Pessoulens
La Sauvetat
Fleurance
Brugnens
Cadeilhan
Bivès
Estramiac
Marignac
Avensac
Ayguetinte
Larroque-St-Sernin
Ste-Radegonde
Castéra-Verduzan
Réjaumont
Cézan
Céran
Bajonnette
Homps
Montestruc-sur-Gers
Lalanne
Goutz
Monfort
Solomiac
Préchac
Puységur
Pis
Ste-Gemme
Taybosc
St-Brès
Lavardens
Jegun
Mérens
Roquefort
Ste-Christie
Gavarret-sur-Aulouste
Miramont-Latour
Tourrenquets
Maravat
Sérempuy
Labrihe
Peyrusse-Massas
Mirepoix
Puycasquier
Mansempuy
Antras
Castillon-Massas
St-Lary
Roquelaure
Preignan
Crastes
Augnax
St-Antonin
Mauvezin
Montaut-les-Créneaux
Nougaroulet
Ansan
St-Sauvy
Ordan-Larroque
Duran
Blanquefort
Leboulin
Lahitte
Marsan
Aubiet
AUCH
Montégut
Ste-Marie
Gimont
Pessan
Lussan
Barran
Pavie
L'Isle-Arné
Juilles
Lasséran
L'Isle-de-Noé
St-Jean-le-Comtal
Auterive
St-Caprais
Montiron
Lasseube-Propre
Castelnau-Barbarens
Bédéchan
Aurimont
Lamazère
Boucagnères
Haulies
St-André
Mouchès
Miramont-d'Astarac
Orbessan
Traversères
Tirent-Pontéjac
Lahas
Labéjan
Durban
Lartigue
Boulaur
Bézéril
Noilhan
Idrac-Respaillès
Sansan
Saramon
Polastron
Ornézan
St-Martin-Gimois
Seissan
Monferran-Plavès
Sémézies-Cachan
Mongausy
St-Soulan
St-Médard
St-Élix-d'Astarac
Lamaguère
Montamat
Samatan
Labarthe

297
277
298
317
E
F
G
H
Montech
Beaumont-de-Lomagne
Verdun-s-Garonne
Labastide-St-Pierre
Grisolles
Grenade
Castelnau-d'Estrétefonds
Fronton
Bouloc
Villeneuve-lès-B.
Launac
Cadours
Cologne
Merville
Seilh
Gagnac
Castelginest
Aucamville
Blagnac
TOULOUSE-BLAGNAC
Colomiers
Pibrac
Léguevin
L'Isle-Jourdain
Tournefeuille
La Salvetat-St-Gilles
Plaisance-du-Touch
Cugnaux
Villeneuve-Tolosane
Portet-s-Garonne
Fonsorbes
St-Lys
Seysses
Lévignac
Montaigut-s-Save
Mondonville
Cornebarrieu
Beauzelle
Fenouillet
St-Jory
Bruguières
St-Alban
Aussonne
Pompignan
Campsas
Montbartier
Finhan
Mas-Grenier
Bessens
Dieupentale
Savenès
Bouillac
Larrazet
Sérignac
Lafitte
Escatalens
Garganvillar
Caumont
Clermont-Savès
Monferran-Savès
Pujaudran
Bonrepos-sur-Aussonnelle
Saiguède
St-Thomas
Pompiac
Ste-Foy-de-Peyrolières
Roques
Pinsaguel
Vieille-Toulouse
Ramonville-St-Agne
Lacroix-Falgarde
Forêt de Bouconne
GARONNE

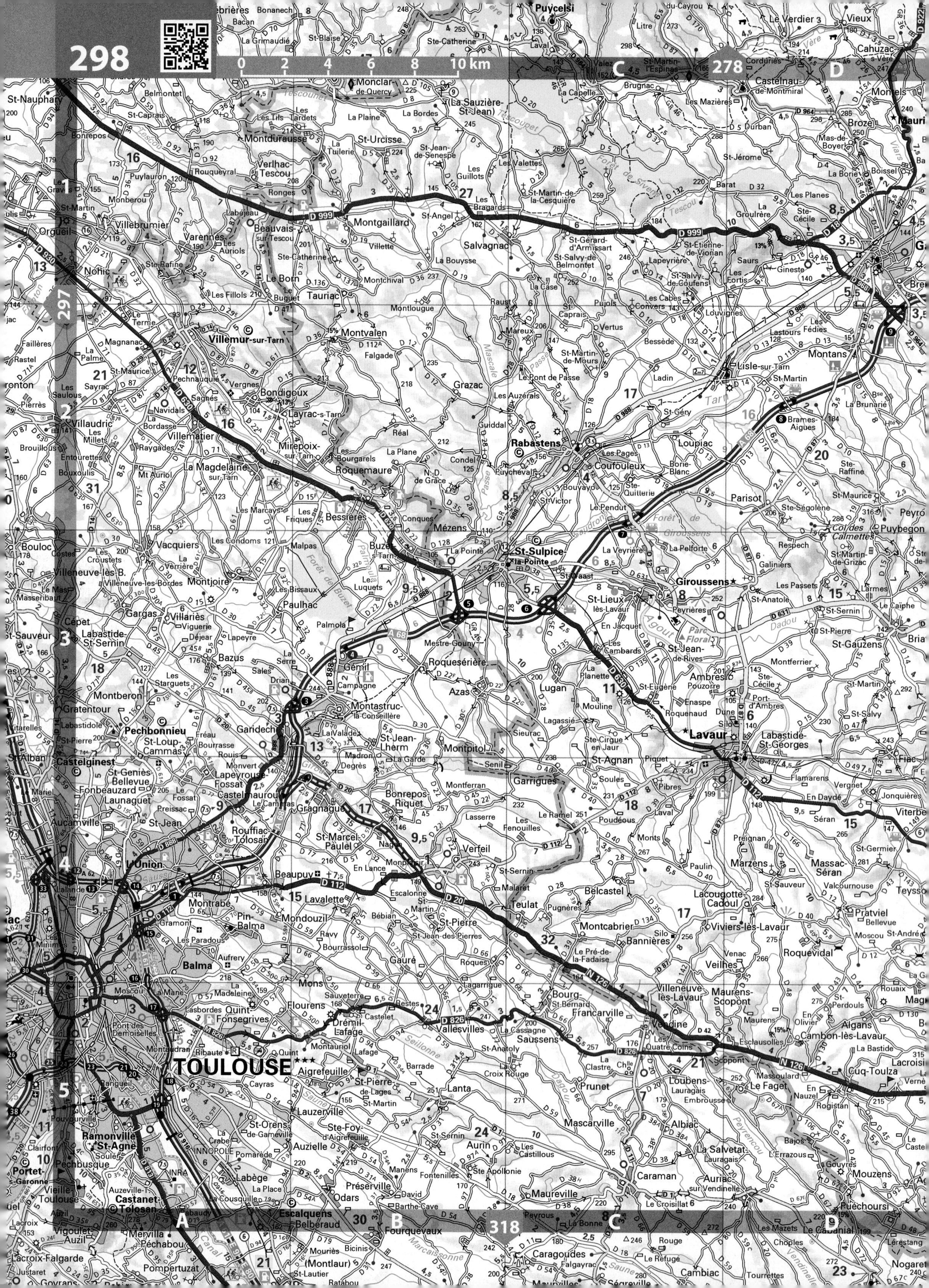
0 2 4 6 8 10 km
278
C
D
297
318
A
B
C
D
1
2
3
4
5
Puycelsi
Castelnau-de-Montmiral
Cahuzac-s-Vère
Vieux
Le Verdier
Monclar-de-Quercy
(La Sauzière-St-Jean)
St-Nauphary
Bonrepos
Montdurausse
St-Urcisse
Verlhac-Tescou
Puylauron
Monberou
St-Martin
Orgueil
Villebrumier
Varennes
Beauvais-sur-Tescou
Montgaillard
Salvagnac
St-Angel
Les Bragards
St-Martin-de-la-Cesquière
St-Gérard-d'Armissart
St-Salvy-de-Belmontet
St-Étienne-de-Vionan
Lapeyrière
Saurs
Gineste
Montels
Broze
Nohic
Ste-Rafine
Le Born
Tauriac
Montlougue
Montvalen
Villemur-sur-Tarn
Magnanac
Faillères
Rastel
La Palme
St-Maurice
Sayrac
Pechnauquié
Vergnes
Bondigoux
Layrac-s-Tarn
Navidals
Villaudric
Villematier
Mirepoix-sur-Tarn
Réal
Grazac
Raust
Mareux
St-Caprais
Vertus
St-Martin-de-Mours
Le Pont de Passe
Les Auzérals
Guiddal
Rabastens
Coufouleux
Loupiac
Lisle-sur-Tarn
Montans
Brames-Aigues
La Brunarié
Parisot
Ste-Ségolène
Col des Calmettes
Puybegon
Roquemaure
Bessières
Mézens
Buzet-s-Tarn
Forêt de Buzet
Paulhac
St-Sulpice-la-Pointe
Giroussens
St-Lieux-lès-Lavaur
Peyrières
Parc Floral
St-Jean-de-Rives
Ambres
Lavaur
Labastide-St-Georges
St-Gauzens
Montferrier
Fronton
La Magdelaine-sur-Tarn
Bouloc
Villeneuve-lès-B.
Vacquiers
Montjoire
Gargas
Villariès
Bazus
Cépet
Labastide-St-Sernin
St-Sauveur
Montberon
Gratentour
Pechbonnieu
St-Loup-Cammas
Castelginest
St-Geniès-Bellevue
Fonbeauzard
Launaguet
Aucamville
St-Jean
Lapeyrouse-Fossat
Castelmaurou
Garidech
Gémil
Montastruc-la-Conseillère
Roquesérière
Azas
Lugan
St-Jean-Lherm
Montpitol
Garrigues
St-Agnan
Bonrepos-Riquet
Gragnague
Rouffiac-Tolosan
L'Union
Beaupuy
Montrabé
Verfeil
Teulat
Belcastel
Marzens
Massac-Séran
Lacougotte-Cadoul
Viviers-lès-Lavaur
Pratviel
Roquevidal
Montcabrier
Bannières
Veilhes
Villeneuve-lès-Lavaur
Maurens-Scopont
Algans
Cambon-lès-Lavaur
Vendine
Cuq-Toulza
Le Faget
Loubens-Lauragais
Albiac
La Salvetat-Lauragais
Auriac-sur-Vendinelle
Mouzens
Puéchoursi
Caraman
Prunet
Mascarville
Maureville
Aurin
Lanta
Vallesvilles
Saussens
Bourg-St-Bernard
Francarville
Le Pré-de-la-Fadaise
Pin-Balma
Balma
Mons
Flourens
Drémil-Lafage
Quint-Fonsegrives
Mondouzil
Gauré
St-Pierre
Aigrefeuille
St-Pierre-de-Lages
TOULOUSE★★★
St-Orens-de-Gameville
Lauzerville
Ste-Foy-d'Aigrefeuille
Auzielle
Labège
Odars
Préserville
Ste Apollonie
Escalquens
Belberaud
Fourquevaux
Castanet-Tolosan
Ramonville-St-Agne
Pechbusque
Vieille-Toulouse
Portet-s-Garonne
Vigoulet-Auzil
Lacroix-Falgarde
Mervilla
Pechabou
Pompertuzat
Montlaur
Caragoudes
Cambiac
Ségreville
Le Cabanial
Nogaret
Viterbe
Jonquières
Séran
St-Germier
Teysso
D 999
D 988
D 630
A 68
D 631
D 112
D 20
D 826
N 126
A 62
A 61
Tarn
Agout
Dadou
Girou
Saune
Canal

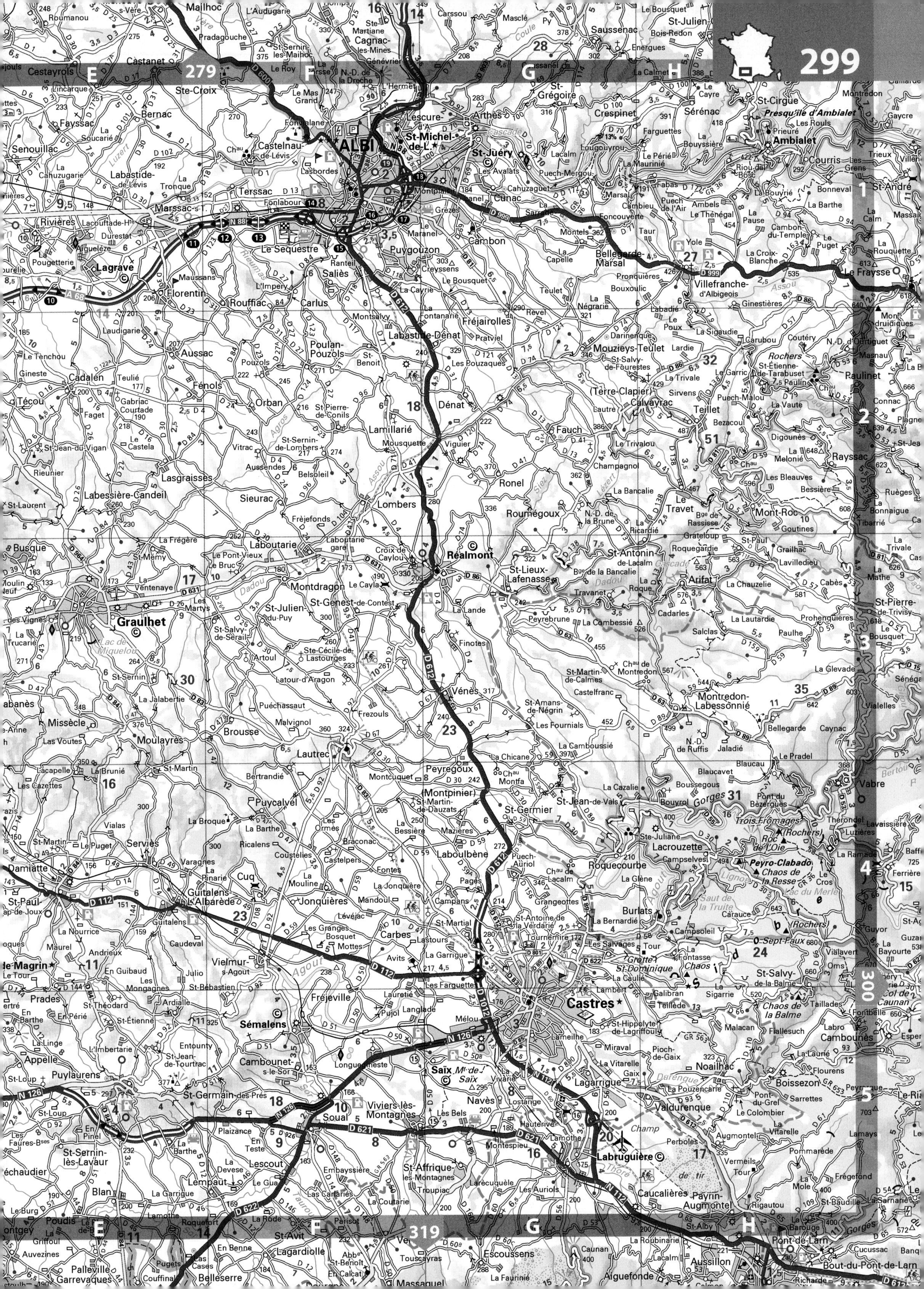

279
E
F
G
H
ALBI
St-Michel-de-L.
Lescure-d'A.
Arthes
St-Juéry
Castelnau-de-Lévis
Marssac-s-T.
Terssac
Le Sequestre
Lagrave
Florentin
Puygouzon
Cambon
Cunac
Saliès
Carlus
Rouffiac
Fréjairolles
Labastide-Dénat
Dénat
Poulan-Pouzols
Fénols
Orban
Cadalen
Aussac
Lamillarié
Villefranche-d'Albigeois
Bellegarde-Marsal
Mouzieys-Teulet
Teillet
Ambialet
Presqu'île d'Ambialet
St-Cirgue
Sérénac
Crespinet
Saussenac
Le Fraysse
Raulinet
Rayssac
Mont-Roc
Ronel
Fauch
Roumégoux
Lombers
Réalmont
Montdragon
St-Lieux-Lafenasse
St-Antonin-de-Lacalm
Arifat
Graulhet
Labessière-Candeil
Lasgraisses
Sieurac
Laboutarie
St-Julien-du-Puy
St-Genest-de-Contest
Vénès
Montredon-Labessonnié
Lautrec
Brousse
Moulayrès
Peyregoux
Puycalvel
St-Germier
St-Jean-de-Vals
Roquecourbe
Lacrouzette
Vabre
Cuq
Guitalens-L'Albarède
Jonquières
Laboulbène
Burlats
Castres
Vielmur-s-Agout
Sémalens
Fréjeville
Saïx
Cambounet-s-le-Sor
St-Germain-des-Prés
Puylaurens
Soual
Viviers-lès-Montagnes
Navès
Lagarrigue
Valdurenque
Noailhac
Boissezon
Labruguière
St-Affrique-les-Montagnes
Lempaut
Lescout
Caucalières
Payrin-Augmontel
Aussillon
Pont-de-Larn
Escoussens
Aiguefonde
319
300
Peyro-Clabado
Chaos de la Balme
Sept-Faux

300
0 2 4 6 8 10 km
281
299
320
A
B
C
D
1
2
3
4
5
PARC NATUREL RÉGIONAL DES GRANDS CAUSSES
PARC NATUREL RÉGIONAL DU HAUT-LANGUEDOC
MONTS DE LACAUNE
MONTS DE L'ESPINOUSE
Brousse-le-Château
Broquiès
St-Izaire
St-Affrique
Vabres-l'Abbaye
Coupiac
Montclar
Plaisance
Trébas
Curvalle
St-André
Alban
Le Fraysse
Miolles
Balaguier-s-Rance
St-Sernin-s-Rance
Martrin
St-Juéry
Calmels-et-le-Viala
Rebourguil
Montlaur
Pousthomy
Montfranc
Massals
Raulinet
Combret
Belmont-s-Rance
Camarès
Rayssac
St-Salvi-de-Carcavès
Laval-Roquecezière
St-Sever-du-Moustier
Murasson
Prohencoux
Mounes-Prohencoux
Peux-et-Couffouleux
Le Masnau-Massuguiès
St-Pierre-de-Trivisy
Senaux
Viane
Lacaze
Gijounet
Lacaune
Moulin-Mage
Barre
Vabre
Espérausses
Berlats
Nages
Murat-s-Vèbre
Brassac
Lamontélarié
La Salvetat-sur-Agout
Fraisse-sur-Agout
Le Bez
Cambounès
Anglès
Le Soulié
St-Pons
Riols
Prémian
St-Étienne-d'Albagnan
St-Vincent-d'Olargues
Bout-du-Pont-de-Larn
Rouairoux
Lac du Laouzas
Col de Sié
Col du Bouissou
Roc de Montalet
Puech Margot
Puech du Singladou
Pas du Loup
Pas de la Bataillole
Cap Redoundé
Plo de Canac
Merdellou
Col de la Bassine
La Quille
Pierre Plantée
Col du Poirier
Roc de Layre
Col de Fontfroide
Col de Vergnolou
Col de la Baraque
Col du Fauredon
Col de Caunan
Forêt de Montroucous
Forêt de Valbonne
Forêt de Combesalat
Saut de Vésoles
Somail

282
E
F
G
H
CAUSSES
GRANDS
DU
LARZAC
Pradines
Ste-Eulalie-de-Cernon
Montclarat
Roquefort-s-Soulzon
Tournemire
Le Combalou (Caves)
Rer St-Pierre
St-Jean-d'Alcapiès
Alcapiès
Plau de Taulan
Auglans
Viala-du-Pas-de-Jaux
Pic de Cougouille
L'Hospitalet-du-Larzac
Le Rouquet
La Blaquererie
Combe-Redonde
Cazejourdes
Mas-de-Pomier
Mas du Pré
Le Liquier
Les Fraysinnet-B
Egalière
Canalettes
Les Mazes
St-Etienne-de-Naucoules
St-Jean-d'Alcas
Hermilix
Massergue
St-Paul-des-Fonts
(St-Jean-et-St-Paul)
La Vialette
La Fage
Rocher du Larzac
Le Figairol
Caussenuéjouls
La Gruelle
Prévinquières
Les Menudes
Tour des Aiguillons
Belvézet
La Salvetat
La Couvertoirade
Nonenque (Abbe)
La Batisse
Le Mas Andral
Mascourbe
Marnhagues
St-Beaulize
La Fajole
Antignes
Bosc
Cornus
Les Infruts
La Pezade
Canals
Sorgues
Bauras
Mas-d'Aussel
Combefère
Rochers
Le Caylar
Le Cros
Sorbs
Latude
St-Félix-de-Sorgues
(Marnhagues-et-Latour)
St-Maurice-de-Sorgues
Fondamente
Montpaon
St-Rome
Léaumard
Mas-Raynal
Aven de Mas-Raynal
Latour
Canabols
Rebouisses
Moulès
St-Julien
Tournadous
Plateau de Guilhaumard
Pas de Licous
Labastide des Fonts
Tapies
Les Rives
Madières
Mas Audran
St-Michel
Le Bouis
Montagnol
Laval
Tesselières
Pas-de-Ceilhes
St-Xist
Larbussel
Le Clapier
Mas-Hugonenq
Bouviala
Romiguières
St-Félix-de-l'Héras
Pas de l'Escalette
Camp-Rouch
La Prade
Rigal
Sylvanès
Anc Abbe
Chlle Russe
Bains-de-Sylvanès
La Baume
Lagraverie
Fayet
Col Notre-Dame
Rocozels
Ceilhes-et-Rocozels
Mas-Neuf
Autignaguet
Roqueredonde
Labeil
Les Sièges
Montmagnon
Belvre de l'Escalette
Pégairolles-de-l'Escalette
Cirque de Labeil
La Canourgue
Mas-de-Rouquet
Cirque du Bout du Monde
La Roque
St-Pierre-de-la-Fage
Mas-de-Bedos
Cenomes
Col de St-Pierre
Laroque
Pierrefiche
Cusses
La Frezière
Mas de Grèse
Plateau de l'Escandorgue
Col du Perthus (785)
Lauroux
Poujols
Soubès
Gourgas
Parlatges
La Trivalle
La Regagnerie
Tauriac-de-Camarès
Rouvignac
des Monts
Les Cabrils
La Borie-Noble
Gabriac
Col de l'Homme Mort
Plateau du Grézac
St-Étienne-de-Gorgas
Aubaygues
Brusque
Maussac
Puy du Lion
Fanjaud
Bas d'Avène
Avène
Brès
Les Bains d'Avène
Causse
La Dalmerie
Joncelets
Cabrierettes
St-Sauveur
Soulages
Les Plans
Les Condamines
Pic de Vinas
Fozières
St-Privat
Labiras
St-Thomas
Mélagues
Lavagne
Sadde
Vinas
Les Planes
La Rode-Basse
Laboissière
St-Barthélémy
Bois de Melac
Joncels
Lodève
Le Thérondel
Prieuré St-Michel-de-Grandmont
Bois de St-Thomas
La Vayssède
Bobes
Rieu Sec
Le Coural
Truscas
Valeyrac
Bernagues
Campeyroux
L'Ambayran
Col de la Baraque de Bral
Campestre
Soumont
Usclas-du-Bosc
Rocher des Vierges
La Mouline
St-Pierre-des-Cats
La Daguette
Serviès
Monts de Montmare
Sérieys
Ste Colombe
Gges de l'Orb
Roc Mendic
Vasplongues
N.-D. de Nize
Mas-de-Mérou
Le Bosc
St-Jean-de-la-Blaquière
Mont Frech
Col de Thalis
Mt Agut
Col du Layrac
Cazilhac
Taillevent
Le Pont-de-l'Orb
La Séguinerie
Méguillou
Col des Clares
Laval-de-Nize
Briandes
Villecun
Olmet-et-Villecun
Mas d'Alary
St-Martin
Loiras
St-Saturnin-de-Lucian
Col de Coustel
Albès
St-Amans-de-Mounis
Boulssou
St-Geniès-de-Varensal
Col de la Pause
Graissessac
Le Bousquet-d'Orb
Lunas
Gours
Les Pascals
Lavalette
Le Puech
St-Julien
St-Alban
Le Viala
Salelles
St-Guiraud
La Croix-de-Mounis
Les Péras
Plaisance
Pabo
Mècle
Peyremale
Les Nières
Fontenilles
Sénégra
Camplong
Le Ruffas
Mas Colombier
Plo de Laurier
St-Amans
Le Mourel
St-Martin-des-Combes
La Fourille
Les Valarèdes
Les Mas-Delon
Les Hémiés
Rabéjac
Cartels
St-Fréchoux
L'Auverne
Laulo
Rabieux
Castanet-le-Haut
Sommet de l'Espinouse
Andabre
Rongas
St-Étienne-Estréchoux
La Combe
Clocher
Castanet-le-Bas
St-Xist
Frangouille
Caunas
Vérailles
Dio-et-Valquières
Col de Dio
Chlle de Roubignac
Vernazoubres
Toucou
Octon
Celles
Vage ruiné
Lac du Salagou
Mas-Audran
Abbe
Loste
St-Gervais-sur-Mare
Plo des Brus
Compeyre
Cours
Maurian
Vérénoux
Boussagues
Viaduc
La Tour-sur-Orb
Boubals
Le Mas-Blanc
C. de la Merquière
Campillergues
Brenas
Basse
Le Mas-Bas
Pradels
Le Mas de Clergues
La Grange-Montagne
Les Bories
Pas de la Lauze
Col de l'Ourtigas
Belvre
C. des Treize Vents
La Roche
Clairac
Le Bousquet
Mérifons
Liausson
Mt Mars
Mne de Liausson
Clermont-l'Hérault
Col de Pierre-Plantée
C. de Madale
Les Bourdelles
Le Pradal
La Gure
Pont du diable
Villemagne-l'Argentière
Carlencas-et-Levas
La Lieude
Malavieille
Roques
Cirque de Mourèze
N.-D. du Peyrou
Réserve Nationale
Rosis
C. des Avels
Madale
Les Cros
C. des Princes
Taussac-la-Billière
La Sesquière
Bédarieux
Levas
Le Mas Bousquet
Le Mas-Canet
Taussac
Salasc
Mourèze
Villeneuvette
Douch
La Fage
Chasse
St-Vital
Le Fraisse
Bardejean
Nissergues
N.-D. de Capimont
Tunnel du Col du Buis
B. de l'Evers
Vignals
Les Montades
Mas Nouguier
Mas-du-Rouet
Marbre
Pic de Vissou
Le Mas-Roujou
Nèb
302
Mont Caroux
Héric
Combes
Lamalou-les-Bains
Hérépian
Poux-Sec
Pézènes-les-Mines
Valmascle
Lieuran-Cabrières
Gorges d'Héric
Colombières-sur-Orb
St-Martin-de-l'Arcon
Le Vernet
Le Martinet
Moulinas
Violès
Les Aires
La Caumette
Soumartre
B. de Pouzes
Fournols
Bois des Moulesses
Les Crozes
Cabrières
Péret
Aspiran
Cerisier
Les Pradals
Mons
La Coste
Aire Vieille
Margal
Le Poujol-sur-Orb
St-Michel de Mourcairol
Bois de Lestellier
Bel-Air
Faugères
Fos
Paders
Mas-Rolland
(Montesquieu)
Vailhan
Le Mas-Rouch
Fontès
L'Étang
Paulhan
Moulin
Tarassac
La Trivalle
La Voulte
Gorges de l'Orb
La Pomarède
Plaussenous
Estaussan
Suc de Calen
Pic de la Coquillade
La Borie-Nouvelle
Roquessels
Tour
Vieussan
La Tour du Pin
Cabrerolles
Aigues-Vives
Caussiniojouls
Castelsec
Neffiès
Adissan
Le Pin
Boissezon
Mézeilles
Laurenque
Rouvigno
Lau
La Liquière
Laurens
Marbre
Nizas
St-Nazaire-de-Ladarez
Lenthéric
Escagnès
Cèps
Gabian
Caux
321
Marbre
Tour
Roquebrun
Autignac
Grézan
Cassan
Roujan
Daurion
Lézignan-la-Cèbe
La Mausse
Berlou
Mt Peyroux
Fouzilhon
N.-D. de Mougères
Margon
Loubatières
Alzon
Col de la Barrière
Homs
Campestre-et-Luc
Grailhes
Mas-Gauzin
Mas du Viala
Le Luc
Le Salze
Régagnas
Ville-vieille
Calmels
Le Camp-d'Alton
Puech Tudes
Soulagets
Les Baumes
La Vernède
Lagarrigue
Le Mas-Rouch
Lodève
Le Caylar
Pas de l'Escalette

302
0 2 4 6 8 10 km
283
301
322
A
B
C
D
1
2
3
4
5
Bréau-et-Salagosse
Molières-Cavaillac
Esparon
Bouliech
Espéries
Sumène
Sounalou
Montagne
Cézas
Valatougès
L'Église-de-Cros
St-Hippolyte-du-Fort
Labric
Mandiargues
Pic de Midi
Alzon
Arre
Roc des Pézouls
Le Verdier
St-Bresson
St-Julien-de-la-Nef
Défilé
La Cadière-et-Cambo
(Moulès-et-Baucels)
Moulès
La Baraque
La Gardiole
Col de Barrière
Homs
Campestre-et-Luc
Mas-Gauzin
C. de Campviel
Le Quintanel
Le Landre
Navas
Pommiers
Montdardier
La Papeterie
Ganges
Valmarie
Laroque
Montoulieu
La Vieille
La Masselle
Aguzan
Le Salze
Régagnas
Mas du Viala
Rigalderie
Perrarines
St-Laurent-le-Minier
Les Malines
Pic d'Anjeau
Cazilhac-Le-Haut
Le Pont
Cazilhac-Le-Bas
Grotte des Lauriers
Plateau de Thaurac
Mas de Pradines
Mt Haut
Luc
Cirque de Vissec
La Lavagne
Blandas
Le Barral
Roc de Sénescal
Col de la Cyre
Gorge
Agonès
Grotte des Demoiselles
Ville-Vieille
Le Camp-d'Alton
Vissec
Assas
Sce de Lafoux
Cirque de Navacelles
Caverne du Mauré
Beauquiniès
Rogues
Coupiac
Valrac
St-Bauzille-de-Putois
B. de Sauzet
Pompignan
Mirabel
Guillaumand
Tourres
Sorbs
La Baume-Auriol
La Borie d'Arre
Gorniès
Soutayrol
Abîme de Rabanel
Brissac
Crête de Taillade
Gorges
Le Cros
Le Claux
Vis
Pont Vieux
Montagne de la Séranne
Le Roc Blanc
N.-D. du Suc
Ferrières-les-Verreries
Les Embruscalles
Clare
Latude
Les Baumes
Puech Tudes
Le Viala
La Prunarède
La Jurade
Le Grenouillet
Madières
St-André-de-Buèges
C. de la Cardonille
Bois du Pous
Le Pous
Tourguille
Bois de la Baume
Mas Blanc
Mas de Murle
Lauret
Les Rives
Bois du Capucin
St-Michel
Soulagets
Les Besses
St-Maurice-Navacelles
Mas-des-Prats
Les Rives
Le Villaret
Mastargues
Boisseron
St-Étienne-d'Issensac
Notre-Dame-de-Londres
La Verrière
La Prade
Mas-de-Jourdes
Puech Agut
St-Jean-de-Buèges
Vareilles
Pont
Peyre Martine
Gges de la Buèges
Source de la Buèges
Les Natges
Le Coulet
Le Méjanel
Pégairolles-de-Buèges
Gervais
Bertrand
Frouzet
Lamalou
Grd Arc
Mne de la Suque
Rav. des Arcs
Pont de Janiq
Rouet
(Rouet)
Le Camp
Gabriac
Bois du Pâtus
Mne d'Hortus
Gourdou
Valflaunès
Le Rey
La Roque
Lancy
Valcyre
Canourgue
Mas-de-Bedos
La Vacquerie-et-St-Martin-de-Castries
Ferrussac
St-Martin-d'Azirou
Causse-de-la-Selle
La Conque
Montlous
Mascla
St-Martin-de-Londres
Biranques
La Borie
Le Fesq
Pic St-Loup
Mas-de-Londres
Chau de Montferrand
La Vieille
La Roque
St-Pierre-de-la-Fage
Parlatges
du Monde
Gourgas
Les Lavagnes
Marrou
Buis
Mne de Labat
Paillas
B. de Bouis
Mas de Bouis
Cazevieille
Tour
St-Mathieu-de-Tréviers
Tréviers
St-Étienne-de-Gourgas
La Trivalle
Grotte de Baume Cellier
Grotte du Sergent
Défilé
Hérault
Mne de la Celette
Village Préhistorique
Terrain
Sueilles
Roubiac
la Figarède
La Salade
Ceceles
Les Salces
Ermitage de N.-D. de Belle Grâce
Bois de Mounié
Cambous
St-Jean-de-Cuculles
Les Cazarels
N.-D. des champs
St-Privat
Mont St-Baudille
Cirque de l'Infernet
Gorges de l'Hérault
Viols-le-Fort
(Viols-en-Laval) militaire
Bois de l'Ane
Le Triadou
Gges du Verdus
Bois de Fontanilles
Mas de Cournon
Lavit
Tour
Les Matelles
Source
Restinclières
St-Vincent-de-Barbeyrargues
Prieuré St-Michel-de-Grandmont
Usclas-du-Bosc
La Font-du-Griffe
St-Guilhem-le-Désert
Lavène
Les Matelettes
La Baraque
Rocher des Vierges
Grotte de Clamouse
Puéchabon
Cantagrils
Bois de Valène
Le Rouquet
St-Jean-de-la-Blaquière
Arboras
Pont du Diable
St-Gély-du-Fesc
Coulondres
Prades-le-Lez
Loiras
Le Barry
St-Jean-de-Fos
Argelliers
St-Clément-de-Rivière
Le Viala
St-Saturnin-de-Lucian
Meillade
Montpeyroux
Mas Neuf
Tour
Murles
Bois de Asse
Les Sajolles
La Lironde
N.-D. de Baillarguet
Alban
Salelles
St-Guiraud
St-Étienne
St-Geniès
Aniane
Obsre
Combaillaux
Castel
Montferrier-sur-Lez
Laulo
Rabieux
Jonquières
Lagamas
Bois de la Rouvière
Vailhauquès
Clapiers
Mas-Audran
St-Félix-de-Lodez
Ste-Brigitte
St-Dominique
La Boissière
Montlobre
Fontfroide-le-Haut
Agropolis Museum
Lacoste
Ceyras
Gignac
N.-D. de Grâce
Capion
St-Martin
St-Félix
Montarnaud
Grabels
Parc zoologique
Université
Plan de Jalade
Les Bories
Clermont-l'Hérault
St-André-de-Sangonis
Mas de Navas
St-Jean-d'Aumière
Mas de Capdaniel
Mas d'Alhen
Bel-Air
Juvignac
La Paillade
Mausson
N.-D. du Peyrou
Cambous
Larcade
L'Hermitage
Celleneuve
Brignac
Popian
La Taillade
Les Quatre Pilas
St-Paul-et-Valmalle
Villeneuvette
La Sablière
Pouzols
St-Bauzille-de-la-Sylve
Mas-d'Arnaud
Valmalle
Mt Haut
Tour
St-Georges-d'Orques
Nébian
Fouscais
Canet
Pioch Rouquier
La Mosson
Roujou
Mas-Clavel
(Aumelas)
Vignogoul
(Ancne Abbaye)
L'Engarran
Bionne
Dourbie
Le Pouget
Vendémian
Lamouroux
Murviel-lès-Montpellier
St-Martin
Lavérune
Le Terral
Tressan
L'Estang
Rouvièges
Cardonnet
Le Grd Puech
Pignan
St-Jean-de-Védas
Puilacher
Saussan
St-Jean-le-Sec
Aspiran
Plaissan
Bélarga
Cabrials
Mne de la Moure
Cournonterral
Fabrègues
La Lauze
Maurin
Poulaud
L'Étang
St-Martin
Mas d'Antonègre
Agnac
Cournonsec
Maison d'arrêt
Adissan
Paulhan
Campagnan
St-Julien
Launac
St-André
Montpellier Fabrègues
Mas-de-Mante
Villeneuve-lès-Maguelone
Bedel
Usclas-d'Hérault
St-Pargoire
St-Bauzille
Étg de l'Arnel
Nizas
Mas des Quinze
Montbazin
Gardiole
Mireval
Beauregard
Maguelone
St-Pons-de-Mauchiens
Marcouine
Aumes
Daurion
La Clapière
Les Campaucels
Villeveyrac
Gigean
Cazouls-d'Hérault
Abbaye de Valmagne
Puech de Madame
Étang de Vic
Les Moures
Lézignan-la-Cèbe
La Grangette
Poussan
Ancne Abbe de St-Félix-de-Montceau
Roc d'Anduze
Vic-la-Gardiole

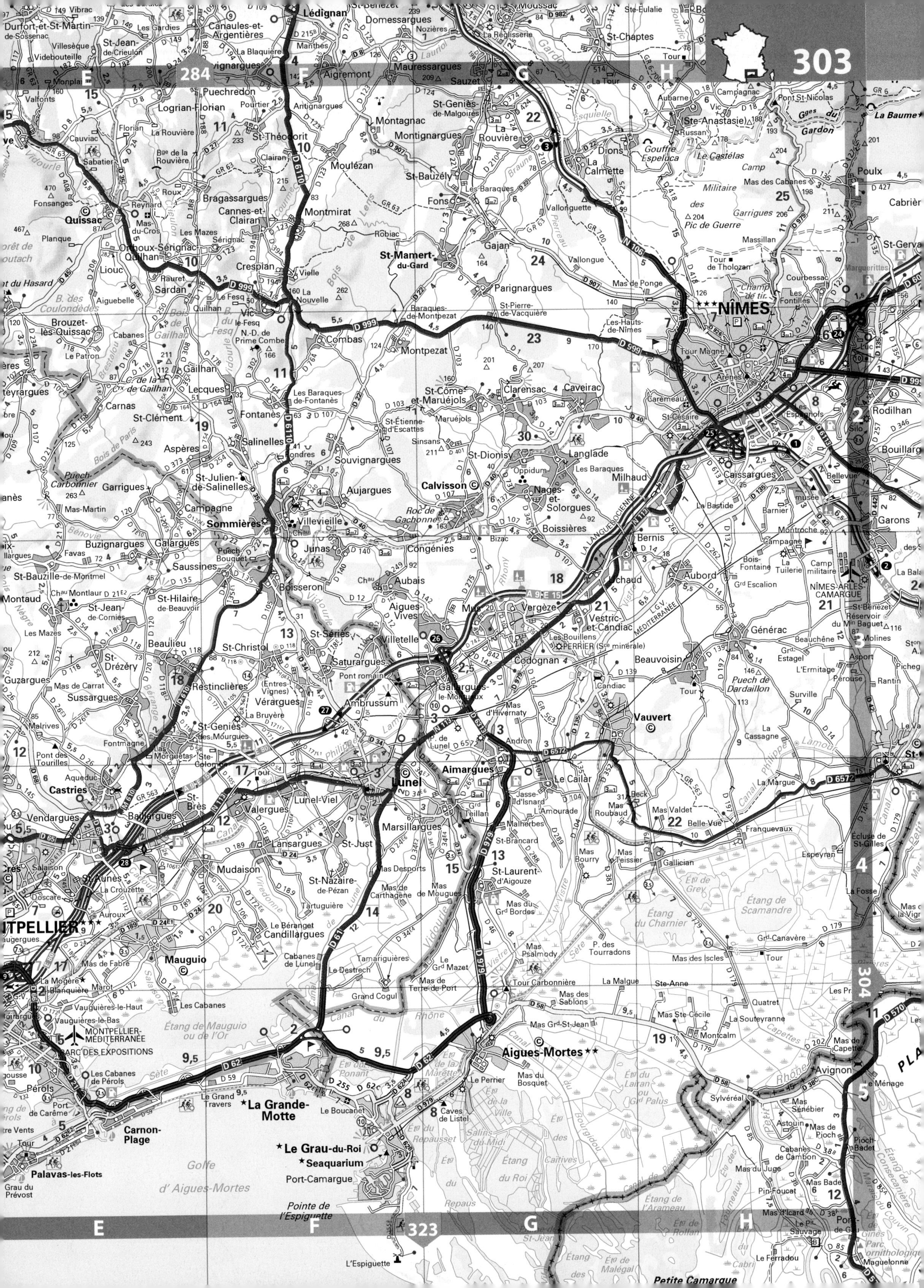

284
E
F
G
H
Lédignan
Domessargues
Canaules-et-Argentières
Durfort-et-St-Martin-de-Sossenac
St-Jean-de-Crieulon
Aigremont
Mauressargues
Sauzet
St-Chaptes
Puechredon
Logrian-Florian
Antignargues
Montagnac
Montignargues
St-Geniès-de-Malgoirès
La Rouvière
St-Théodorit
Moulézan
St-Bauzély
Dions
La Calmette
Ste-Anastasie
Gouffre Espeluca
Le Castélas
Camp Militaire des Garrigues
Pic de Guerre
Poulx
Cabrières
Quissac
Bragassargues
Cannes-et-Clairan
Montmirat
Fons
Orthoux-Sérignac-Quilhan
Crespian
St-Mamert-du-Gard
Gajan
Parignargues
Vallongue
Massillan
St-Gervasy
Liouc
Sardan
Vic-le-Fesq
La Nouvelle
Combas
Montpezat
St-Pierre-de-Vacquière
Les-Hauts-de-Nîmes
NÎMES
Courbessac
Les Fontilles
Carnas
Gailhan
Lecques
Fontanès
St-Clément
Salinelles
Aspères
Souvignargues
St-Côme-et-Maruéjols
Clarensac
Caveirac
St-Étienne-d'Escattes
Langlade
St-Dionisy
Milhaud
Caissargues
Rodilhan
Bouillargues
Garons
Nages-et-Solorgues
Calvisson
Boissières
Bernis
Aubord
Uchaud
Vergèze
Vestric-et-Candiac
Générac
Beauvoisin
Codognan
Vauvert
St-Julien-de-Salinelles
Garrigues
Campagne
Sommières
Villevieille
Aujargues
Junas
Congénies
Buzignargues
Galargues
Saussines
Boisseron
Aubais
Aigues-Vives
Mus
Montaud
St-Jean-de-Cornies
St-Hilaire-de-Beauvoir
Beaulieu
St-Christol
St-Sériès
Villetelle
Saturargues
Gallargues-le-Montueux
St-Drézéry
Sussargues
Restinclières
Vérargues
Ambrussum
St-Geniès-des-Mourgues
Lunel
Aimargues
Le Cailar
Castries
Vendargues
Baillargues
St-Brès
Valergues
Lunel-Viel
Marsillargues
St-Laurent-d'Aigouze
Lansargues
St-Just
St-Nazaire-de-Pézan
Mudaison
Candillargues
Mauguio
Gallician
Franquevaux
Étang de Scamandre
Étang du Charnier
MONTPELLIER
MONTPELLIER-MÉDITERRANÉE
Étang de Mauguio ou de l'Or
Aigues-Mortes
La Grande-Motte
Carnon-Plage
Pérols
Palavas-les-Flots
Le Grau-du-Roi
Seaquarium
Port-Camargue
Golfe d'Aigues-Mortes
Pointe de l'Espiguette
L'Espiguette
Sylvéréal
Avignon
Montcalm
Petite Camargue
NÎMES-ARLES CAMARGUE
Écluse de St-Gilles
304
323

0 2 4 6 8 10 km
284
303
325
A
B
C
D
1
2
3
4
5
AVIGNON
Villeneuve-lès-Avignon
Le Pontet
Remoulins
Fournès
Estézargues
Domazan
Saze
Rochefort-du-Gard
Les Angles
Morières-lès-A.
Montfavet
St-Bonnet-du-Gard
Lédenon
Sernhac
Poulx
Cabrières
St-Gervasy
Bezouce
Marguerittes
Meynes
Montfrin
Théziers
Aramon
Barbentane
Rognonas
Châteaurenard
Noves
Boulbon
Graveson
Eyragues
Maillane
Vallabrègues
Redessan
Manduel
Rodilhan
Bouillargues
Jonquières-St-Vincent
Beaucaire
Tarascon
St-Rémy-de-Provence
St-Étienne-du-Grès
Les Antiques
Glanum
Les Baux-de-Provence
Chaîne des Alpilles
Garons
Bellegarde
NÎMES-ARLES-CAMARGUE
Fontvieille
Paradou
Maussane-les-Alpilles
Mouriès
Abbe de Montmajour
Fourques
St-Gilles
ARLES
Raphèle-lès-Arles
St-Martin-de-Crau
Musée de la Camargue
Albaron
PLAINE
DE
LA
CAMARGUE
PARC NATUREL RÉGIONAL
Étang de Vaccarès
Le Sambuc
Mas-Thibert
Marais du Vigueirat
CRAU
Étang de Malagroy
Étang de Consécanière
Pont-de-Gau
Maguelonne
Salin-de-Badon

305
285
286
306
326
E
F
G
H
St-Saturnin-lès-Avignon
Grotte de Thouzon
Cambuisson
Velleron
La Crémade
Pouraque
Les Vergiers
Les Beylons
Murs
Fontjouvale
Lioux
Le Combe
Le Parrotier
Fontaube
Jonquerettes
L'Isle-sur-la-Sorgue
St-Antoine
Saumane-de-Vaucluse
Fontaine-de-Vaucluse
Mourre de la Belle Étoile
Abbaye de Sénanque
Joucas
Les Gardiols
Le Thor
Les Barbiers
Pérréal
Villars
Les Petits Cléments
Les Viaux
Aqueduc
Gordes
Village des Bories
Les Cortasses
Roussillon
Les Lombards
Les Ripets
Les Tamisiers
Caumont-sur-Durance
Velorgues
Cabrières-d'Avignon
Les Cèdres
Les Sauvestres
Les Marres
Chaussée des Géants
Les Sauvans
Gargas
Apt
Les Gondonnets
Les Ferriers
Carrière d'Ocre
Perrotet
St-Michel
Lagnes
Les Imberts
Musée
Les Huguets
Le Chêne
Chartreuse de Bonpas
Le Petit Palais
St-Pantaléon
La Verrière
Mille
Saignon
Les Vignères
Coustellet
Les Gros
N.-D.-de-Lumières
Goult
Pont Julien
L'Isolette
Les Tourrettes
Les Agnels
Trente-Moutte
Beaumettes
Lumières
Les Maquignons
Les Chapelins
Cavaillon
Bel-Air
Coulon
Maubec
Oppède
Les Poulivets
Ménerbes
Lacoste
St-Véran
Le Pointu
Buoux
Auribeau
St-Sauveur
St-Andiol
St-Jacques
Robion
Taillades
Sivergues
St-Estève
M.I.N.
Vidauque
Oppède-le-Vieux
La Peyrière
Abbaye St-Hilaire
Bonnieux
Prieuré de St-Symphorien
Fort de Buoux
Plan-d'Orgon
Petit Luberon
Les Moutins
Enclos des Bories
Mollégès
Hautes Plaines
Massif des Cèdres
Montagne du Luberon
Le Bastidon
Pré de Roustan
Tour
La Chambarelle
Bastidon-du-Pradon
Tête des Buisses
Cheval-Blanc
Gerbaud
Vaugines
Cucuron
Orgon
L'Aumône
Le Trou-du-Rat
Onze Heures
les Portalets
Roquefraîche
Cap de Serre
Combe de Lourmarin
St-Didier
Valdition
N.-D.-de-Beauregard
Durance
La Font-de-l'Orme
Lourmarin
La Gravière
Gorges du Régalon
Champeau
Mérindol
Les Borrys
Les Beaumes
Fontenille
Puyvert
Le Logis-Neuf
Puget
Lauris
Cadenet
Malconseil
Soulière
St-Sixte
La Campane
Le Perier
Redon
La Fabrique
Eygalières
Les Plaines
La Lempe
Malespine
Bas-Iclons
Le Colombier
La Tapie
Sénas
Mallemort
Brame-Jean
Charleval
Lévêque
Abbaye de Silvacane
Les Marmets
Bonneval
La Baronnerie
Roquemartine
Castelas de Roquemartine
Pont Royal
Marseille
La Roque-d'Anthéron
P.-de Cadenet
Tour
Les Opiès
Grottes de Calès
Canal E.D.F.
Canal de Marseille
Bassin de St-Christophe
Aureille
Eyguières
Montagne du Défends
Lamanon
Alleins
Plan de Sèze
Chaîne des Côtes
Caïre-Val
St-Estève-Janson
Les Taillades
Vieux Vernègues
Château-Bas
Cazan
Colline de Roque Rousse
Vernègues
Temple romain
Janet
Régine
Crapone
Grand-Brahis
Curebourse
Ravin de Tallagard
Pt-St-Paul
Rognes
Arnajon
La Jasse
Aiguebelle
Ste-Rép.
Mas-Neuf
La Calanque
Badasset
Aurons
Lambesc
St-Suffren
La Cride
Brest
Château la Coste
Les Cabanes
Le Merle (École d'Agric.re)
Salon-de-Provence
L'Étape
Beaulieu
Les Blazots
Chaîne de la Trévaresse
La Samatane
Bel-Air
Musée
Pélissanne
La Barben
Château
Zoo
Touloubre
St-Cannat
Valmousse
La Madeleine
Centre de détention
Les Décanis
Le Seuil
Le Luquier
Canal d'Istres
Beauchamps
Grans
Gigery
Forêt de St-Cannat
Val-d'Estable
Font-Rousse
Suffren
Camp militaire
Caseneuve
Les Quatre-Termes
La Montauronne
Miramas
Lançon-Provence
Autoroute du Soleil
Le Val de Sibourg
Lignane
La Ste-Croix
Belval
Le Pont-de-Rhaud
Contoux
Chaîne
Valserre
Éguilles
Le Verry
Centre d'essais
Champ de Tir
Cornillon-Confoux
Coudoux
La Fare-les-Oliviers
Les Figons
Miramas-le-Vx
St-Chamas
Sulauze
Moulin-du-Pont
La Provençale
St-Léger
Calissanne
Les Guigues
Ventabren
Pont-Flavien
Les Baisses
Pont de la Fare
Les Quatre-Tours
La Bastide-Neuve
Velaux
Gallice
Les Tuilières
Les Milles
La Bayanne
Étang de l'Olivier
Oppidum du Castellan
Port de Beau Rivage
La Bosque
ISTRES-LE-TUBÉ
Meynes
St-Pons
Aqueduc de Roquefavour
Boucasson
Mauran
St-Estève
Istres
Port des Heures Claires
La Suzanne
Saragousse
La Mérindolle
Aix-la-Duranne
Pôle d'Activités
Maison d'arrêt
Rassuen
Les Quatre-Vents
Étang
Bouquet
La Tour-d'Arbois
L'Enfant
Rognac
Ranquet
Berre-l'Étang
Vitrolles
Lavalduc
Massane
Varage
St-Mitre-
Port du Passet
Étang de Vaïne
Hydroaérodrome
L'Agneau
Calas
La Mounine
Aix-en-Provence
Étang de Lavalduc
Étang de Citis

306
0 2 4 6 8 10 km
287
305
327
A
B
C
D
1
2
3
4
5
Apt
Saignon
Buoux
Sivergues
Auribeau
Mourre Nègre
Grand Lubéron
Colorado de Rustrel
Gignac
Viens
Oppedette
Caseneuve
St-Martin-de-Castillon
Céreste
Reillanne
Montjustin
Castellet-en Luberon
Vitrolles-en-Luberon
Peypin-d'Aigues
La Bastide-des-Jourdans
Cabrières-d'Aigues
La Motte-d'Aigues
St-Martin-de-la-Brasque
Grambois
Cucuron
Vaugines
Sannes
Ansouis
Cadenet
Villelaure
La Tour-d'Aigues
Beaumont-de-Pertuis
Mirabeau
Pertuis
La Bastidonne
St-Paul-lès-Durance
Manosque
Mane
Dauphin
St-Maime
Villeneuve
Volx
Pierrevert
Ste-Tulle
Corbières-en-Provence
Gréoux-les-Bains
Vinon-sur-Verdon
Ginasservis
CENTRE D'ÉTUDES DE CADARACHE (C.E.A.)
Le Puy-Ste-Réparade
Château la Coste
Meyrargues
Peyrolles-en-Provence
Jouques
Rians
Artigues
Esparron
Venelles
Vauvenargues
Montagne Ste-Victoire
La Croix de Provence
AIX-EN-PROVENCE
Le Tholonet
Puyloubier
Pourrières
Beaurecueil
Châteauneuf-le-Rouge
Meyreuil
Rousset
Trets
Peynier
Fuveau
Gardanne
Bouc-Bel-Air
Les Milles
Luynes
St-Maximin-la-Ste-Baume
Ollières
Seillons-Source-d'Argens
Gorges de l'Infernet
PARC NATUREL RÉGIONAL DU LUBERON
AUTOROUTE DU VAL DE DURANCE
Durance
Verdon

287
288
328
308
Bras-d'Asse
Le Castellet
St-Julien-d'Asse
Majastres
St-Jurs
Brunet
Puimoisson
Valensole
Riez
Moustiers-Ste-Marie
PARC NATUREL RÉGIONAL DU VERDON
Roumoules
Allemagne-en-Provence
St-Martin-de-Brômes
Montagnac-Montpezat
Ste-Croix-du-Verdon
Aiguines
Les Salles-sur-Verdon
Cirque de Vaumale
Corniche Sublime
GRAND CANYON DU VERDON
Belvre de Mayreste
La Palud-sur-Verdon
Point Sublime
Rougon
Balcons de la Mescla
Pont de l'Artuby
Trigance
Esparron-de-Verdon
Quinson
Gorges du Verdon
St-Laurent-du-Verdon
N.-D. de Baudinard
Bauduen
Artignosc-s-Verdon
CAMP MILITAIRE
Grand Plan de Canjuers
Régusse
Montmeyan
Moissac-Bellevue
Aups
Tourtour
Villecroze
Salernes
Tavernes
Varages
Fox-Amphoux
Sillans-la-Cascade
Barjols
Pontevès
Cotignac
Entrecasteaux
St-Antonin-du-Var
Lorgues
Brue-Auriac
Notre-Dame
Châteauvert
Correns
Montfort-sur-Argens
Carcès
Abbe du Thoronet
Le Thoronet
Bras
Le Val
Cabasse
Vins-sur-Caramy

0 2 4 6 8 10 km
289
329
307
A
B
C
D
1
2
3
4
5
Julien-du-Verdon
Lac de Castillon
Clue de Vergons
Notre-Dame de Valvert
Somt de la Bernarde
Le Touyet
Ubraye
Laval
Pic de Chabran
Col de Laval
Venières
L'Hubac
La Serre
Les Agots
St-Jeannet
Amirat
Collongues
Fontaine
Chamengeard
Les Mujouls
Clue d'Aiglun
Mgne de Gars
Gars
Briançonnet
Crête des Ferriers
Le Prignolet
Les Coulettes
Soleilhas
St-Auban
Clue de St-Auban
Les Deffends
Montagne de Charamel
Le Collet
Col de Pinpinier
Le Mas
Harpille
Les Sausses
Le Brunet
Les Lattes
La Faye
Col des Portes
Peyroules
La Foux
Col de Bleine
Mgne de Thorenc
Pic de l'Aigle
Cime de Bausson
Thorenc
Mgne de Bleine
Bas-Thorenc
Col St Pierre
Valderoure
La Ferrière
Quatre Tours
Les Quatre Chemins
Oppidum de Castellaras
La Basse-Vallette
Malamaire
Caillon
Col Bas
Bauroux
Caille
Séranon
Mgne de l'Ubac
Andon
Les Teillès
La Pinée
Pont-du-Loup
La Moulière
L'Audibergue
Col de Valferrière
Mgne de l'Audibergue
Sal d'Andon
Les Amphons
Mgne de Thiey
Davert
Escragnolles
Belvre de Baou Mourine
Pas de la Faye
St-Jean
Ponadieu (P. naturel)
Napoléon
St-Vallier-de-Thiey
Souterroscope de la Baume Obscure
Col de la Lèque
Grte des Audides
Grottes de St-Cézaire
Cabris
Tumulus
Spéracèdes
Le Tignet
St-Cézaire-sur-Siagne
La Maurelière
La Crau
Clue de Taulanne
Taulanne
Col des Leques
Le Cheiron
La Palud
Bge de Castillon
Ville
Croix de la Mission
Demandolx
Lac de Chaudanne
La Blache
N.-D. du Roc
Bge de Chaudanne
Chaudanne
Col de St-Barnabé
Pré Chauvin
La Tuilière
Cadières de Brandis
Villars-Brandis
Castellane
La Garde
Mgne de Teillon
Col de Luens
Chasteuil
Porte de St-Jean
Brans
Berbené
Destourbes
VERDON
Clue de Chasteuil
Taloire
St-Thyrse
Eoulx
Robion
Clue de Carejuan
Pont-de-Soleils
Soleils
La Bâtie
La Rivière
Le Mousteiret
Valcros
Ste-Anne
Demuyes
Le Bourguet
Châteauvieux
Taulane
Le Logis-du-Pin
La Doire
Point Sublime
B. de la Faye
Bagarry
Brenon
La Martre
Château-Rima
Villaute
Bois de Séranon
La Lubi
Trigance
Riblaquon
Le Plan-d'Anelle
Clare
Le Castellas
Col de Clavel
l'Artuby
Mgne de Lachens
Gorges de l'Artuby
Le Picauvet
Mgne de Brouis
Barlet
La Bastide
Bargème
Le Collet
Ste-Pétronille
La Roque Esclapon
Esclapon
Blacouas
Vallon du Fil
Balcons de la Mescla
Jabron
Pont de l'Artuby
La Souche
Le Moutet
Bois de Malay
Comps-sur-Artuby
Canyon de l'Artuby
Colline d'Estelle
Les Bessons
St-Bayon
Chamay
La Colle
St-Romain
Montagne de Malay
St-Marcelin
Mons
La Gray
Le Fil
MILITAIRE
La Barre
Le Logis-Neuf
Sauvechane
Praguillen
Guent
Paresse
Col de la glacière
Préfagoux
Beauregard
Roche Taillée (Aqueduc romain)
Mieraure
DE
CANJUERS
Bourigaille
L'Eouves
St-Ferréol
La Cabrière
Le Logis-d'Auveine
Peygros
Mgne de Beau-Soleil
Camp militaire
Bois du Défens
Pierrion
Blaque Meyanne
Col du Bel-Homme
Le Cuinier
Seillans
Fayence
Callian
Montauroux
Tourrettes
Tassy
Tournon
Les Veyans
Lavelan
Maligoon
Bargemon
Le Baguier
N.-D. de l'Ormeau
N.-D. des Cyprès
N.-D. de Spéluque
Couan
St-Martin
Favas
Montferrat
Ste-Anne
Méaulx
Les Selves
Les Terrassonnes
Les Crouis
Belluny
St-Cassien-des-Bois
Les Pourrières
Ampus
Châteaudouble
Col de Boussague
Callas
Claviers
Le Plan
Vallon du Riou
Brovès-en-Seillans
Les Marjoris
Olves
La Grde Rimade
La Grange
Gges de Châteaudouble
La Garde
Colle Pelade
Champ
Route coupée
Rebouillon
St-Auxile
Garron
Les Quatre Chemins
La Bégude
Trestaure
Les Colles
Lac de St-Cassien
Pont-de-Pré-Claou
Les Clèdes
Bge du Riou de Méaulx
Grime
Le Soleil-des-Adrets
Massif
Figanières
Notre-Dame
Lentier
Matourne
La Clappe
Les Plans
Le Figuieret
Les Salles
Pierre-de-la-Fée
Le Flayosquet
Antouidane
Draguignan
Bois de Prignonet
St-Pons
Terrissole
Ggoes de Pennafort
Bois du Rouet
Forêt St-Paul
St-Paul-en-Forêt
La Rouvière
Bompin
St-Denis
Maupas
Bagnols-en-Forêt
St-Antoine
La Verrerie
Esterel
Séguret
Les Adrets-de-l'Esterel
L'Eglise
Flayosc
Sauve-Clare
Camp militaire
Musée
Les Plles Esclans
Jas-d'Esclans
Colle du Rouet
Le Rouët
Bois de Défens
Pic de la Gardiette
Carrefour-du-Logis-de-Paris
Le Planestel
Berne
La Foux
N.-D. des Selves
Les Crottes
Grds Esclans
St-Michel-d'Esclans
Bois de Malvoisin
Champ de Tir
La Lieutenante
Boson
Mt Vinaigre
Col de l'Aire-de-l'Olivier
Ermitage St-Ferréol
Trans-en-Provence
Cascades
Les Nourradons
Le Mitan
Catchéou
Les Agates
La Bouverie
Les Pins Parasols
Pin-de-la-Légue
MASSIF DE L'ESTEREL
Lorgues
Roubine
St-Ott
La Motte
Saut du Capelan
Clastron
Les Serres
Forêt de Terres Gastes
Quartier Lecocq
Lagourin
Le Capitou de Esterel
Zoo
P. du Pigeonnier
Rochers
N.-D. de Floriège
Les Chênes-Verts
Les Clarètes
Ste-Roseline
Les Valises
Le Muy
LA PROVENÇALE
Le Canaver
Le Gabre
Musée
N.-D. de Jérusalem
C. du Mistral
C. Belle-Barbe
Les Arcs
Tour
St-Pierre
La Roquette
Palayson
Puget-s-Argens
Mosquée
Cam C. Robert Mémorial
La Tour de Mare
P. de Pierre
Taradeau
Les Manéous
Les Crotes
N.-D. de la Roquette
Rocher de Roquebrune
Roquebrune-sur-Argens
Colombier
Pagode
Valescure
Montrouge
Agay
St-Louis
Le Pont-d'Argens
St-Martin-d'Argens
La Cognasse
Les Preyres
Arènes
Fréjus
St-Raphaël
Cap-Esterel
Tholon
Sommet de l'Escarayol
Vidauban
Ste-Brigitte
Astros
Entraygues
Sommet du Peynier
Les Bauquières
St-Martin
Les Clos
Somt de St-Martin
Col de Valdingarde
Les Baux
Les Grds Châteaux
Les Tourres
Aquatica
Fréjus-Plage
Le Lion
Boulouris
Dramont
Île d'Or
Sommet de Castel-Diol
Forêt
Chaumes

289 290
E
F
G
H
Sigale
Roquesteron-Grasse
Aiglun
Cuébris
Vieux-Pierrefeu
Tourette-du-Château
Revest-les-Roches
Bonson
Levens
Coaraze
Conségudes
Les Ferres
Gilette
Bouyon
Pierrefeu
Ste-Marguerite
Plan-du-Var
Bendejun
Châteauneuf Villevieille
Contes
L'Escarène
Gréolières-les-Neiges
Cheiron
PARC NATUREL RÉGIONAL DES PRÉALPES D'AZUR
Bézaudun-les-Alpes
Le Broc
Carros-Village
St-Martin-du-Var
La Roquette-s-Var
St-Blaise
Castagniers
Tourrette-Levens
Peillon
Blausasc
Gréolières
Coursegoules
Cipières
Carros
Aspremont
Mt Chauve
Cantaron
Gattières
Baou de St-Jeannet
St-Jeannet
Colomars
Falicon
St-André-de-la-Roche
La Trinité
La Turbie
Col de Vence
Courmes
Gges du Loup
Gourdon
Tourrettes-sur-Loup
Vence
La Gaude
St-Roman-de-Bellet
Èze
Cap-d'Ail
Beaulieu-sur-Mer
Villefranche-sur-Mer
St-Jean-Cap-Ferrat
Cap Ferrat
Le Bar-s-Loup
Pont-du-Loup
La Colle-sur-Loup
St-Paul-de-Vence
St-Laurent-du-Var
NICE
GRASSE
Magagnosc
Le Rouret
Châteauneuf-Grasse
Opio
Roquefort-les-Pins
Cagnes-s-M.
Villeneuve-Loubet
Cros-de-Cagnes
NICE CÔTE-D'AZUR
CÔTE D'AZUR
Baie des Anges
Valbonne
Sophia-Antipolis
Biot
Villeneuve-Loubet-Plage
Marineland
Mouans-Sartoux
Mougins
Pégomas
Le Cannet
Vallauris
ANTIBES
Golfe-Juan
Juan-les-Pins
Cap d'Antibes
Mandelieu-la-Napoule
CANNES
Pnte de la Croisette
Île Ste-Marguerite
Île St-Honorat
Îles de Lérins
La Napoule
Théoule-sur-Mer
Pnte de l'Esquillon
Miramar
Le Trayas
Pic du Cap Roux
Anthéor
l'Esterel
Cap-Martin
Cap Martin
Beausoleil
MONTE-CARLO
MONACO
La Condamine
1
2
3
4
5

0 2 4 6 8 10 km
C
292
D
Hossegor
Capbreton
Labenne-Océan
Labenne
Ondres-Plage
Ondres
Tarnos-Plage
Tarnos
Boucau
La Barre
Chiberta
L. de Chiberta
Chambre d'Amour
Pnte St-Martin
★ Rer de la Vierge
★★ BIARRITZ
Anglet
BAYONNE ★★
Ilbarritz
Bidart
Ste-Madeleine
Les Embruns
Plage de Parlementia
Guéthary
Arcangues
Bassussarry
Arbonne
Villefranque
Ustaritz
Jatxou
Halsou
Larressore
Espelette
Souraïde
Itxassou
CÔTE BASQUE
★★ ST-JEAN-DE-LUZ
Pnte de Ste-Barbe
★★ Corniche Basque
Ciboure
Socoa
I. Amuitz
Cabo Higer
Pnte de Ste-Anne
Punta Turulla
Na Sa de Guadalupe
Hendaye-Plage
Abbadie ★★
Hendaye
Urrugne
Hondarribia
Alto del Jaizkibel
Monte Jaizkibel
Irun
Behobie
Biriatou
Col de Courlecou
San Martzial
Mt Choldocogagna
Ascain ★
Serres
Chantaco
St-Pée-s-Nivelle
Olha
Ibarron
Lande d'Ordotz
Etchenika
Amotz
Amezpetu
Col de St-Ignace
Sare
★★★ La Rhune
Lehenbiscay
Istilharte
★ Ainhoa
Col de Pinodiéta
Mt Urzumu
Mt Ereby
Col des Trois-Croix
Pic du Mondarrain
Dantxarinea
Dancharia
Artzamendi
C. de Lizuniaga
Bera
Zalain
Pic d'Ibanteli
Grottes de Sare
Zugarramurdi
Cuevas de Bruja
Urdazubi/ Urdax
Pic Sayberri
Col des Trois Bornes
Col de Lizarrieta
Lesaka
Etxalar
Igantzi
Puerto de Otxondo
Gorra
Azkar
Lizartzu
Pic d'Iguzki
Col de Mé
Lezo
Uruenea
Elizalde
Gurutze
San Narziso
Erlaitz
Ugaldetxo
Altzibar y Karrika (Oiartzun)
Ergoien
Pagogaña
Castillo del Inglés
Endarlatsa
Aiako Harria (Peñas de Aia)
Ermita de San Antón
Collado de Arichulegui
Cuevas de Landarbaso
Monte Aldura
Zaria
Bianditz
Alto de Bianditz
Mte Aguerregui
Pagolleta egaña
Artikutza
Altueta
Unanue
San Juan
San José
Arantza
Apaola
Arrigaztelu
Azkilarrea
Montes de Bidasoa
Bardo
Azcusa
Collado de Edquisaroy
Alcurrunz
Collado Achuela
Izcolegui
Parque Natural Señorio de Bertiz
Legate
Goizamendi
Pico Gorramakil
Gorramendi
Amaiur/Maya
Azpilkueta
Bozate
Erratzu
Arizkun
Iñarbil
Gorostapalo
Col d'Isp
Goizueta
Descarga
Arzán
Loizate
Ecaitza
Mendaur
Asquin
Otesón
Oronoz
Sunbilla
Valle del Baztan
A
B
C
D
1
2
3
4
5

292
293
313
330
St-Vincent-de-Tyrosse
Angresse
Saubion
Saubusse
Œyreluy
St-Pandelon
Saugnac-et-Cambran
Siest
Heugas
Josse
Bénesse-Maremne
St-Jean-de-Marsacq
Orist
Pey
Bénesse-lès-Dax
Mimbaste
Cap-de-Monpeyroux
Saubrigues
Orx
St-Lon-les-Mines
Gaas
Pouillon
Estibeaux
St-Étienne-d'Orthe
Bélus
Cagnotte
Misson
Mouscardès
St-Martin-de-Hinx
Port-de-Lanne
Habas
St-André-de-Seignanx
Ste-Marie-de-Gosse
Biarrotte
Biaudos
Orthevielle
Peyrehorade
Chau d'Aspremont
Labatut
Ossages
St-Laurent-de-Gosse
Hastingues
Abbe d'Arthous
Œyregave
Cauneille
Sorde-l'Abbaye
St-Cricq-du-Gave
Lahontan
Puyoô
Ramous
Bellocq
St-Barthélemy
Sames
Guiche
Bordes-du-Haut
Léren
Urt
Urcuit
Lahonce
Bardos
Bidache
Came
St-Pé-de-Léren
St-Dos
Carresse-Cassaber
Salies-de-Béarn
Bérenx
Briscous
Séguillon
Guinerand
Auterrive
Castagnède
Labastide-Villefranche
Escos
Arancou
La Bastide-Clairence
Oraàs
Bergouey-Viellenave
Abitain
Athos-Aspis
Sauveterre-de-Béarn
Burgaronne
Orion
Hasparren
Ayherre
Orègue
Arraute-Charritte
Masparraute
Ilharre
Autevielle-St-Martin-Bideren
Guinarthe-Parenties
Andrein
Barraute-Camu
St-Gladie-Arrive-Munein
Bonloc
Isturits
Grottes d'Isturitz et d'Oxocelhaya
Amorots-Succos
Béguios
Labets-Biscay
Gabat
Arbouet-Sussaute
Osserain-Rivareyte
Mendionde
Macaye
St-Martin-d'Arberoue
Luxe-Sumberraute
Amendeuix-Oneix
Garris
Arbérats-Sillègue
Espiute
Tabaille-Usquain
Gestas
St-Esteben
Méharin
St-Palais
Aïcirits-Camou-Suhast
Domezain-Berraute
Etcharry
Nabas
Louhossoa
Hélette
Béhasque-Lapiste
Aroue-Ithorots-Olhaïby
Lichos
Armendarits
Beyrie-sur-Joyeuse
Orsanco
Larribar-Sorhapuru
Charritte-de-Bas
Iholdy
Uhart-Mixe
Pont-Noblia
Bidarray
Lohitzun-Oyhercq
Irissarry
Ostabat-Asme
Arhansus
Ainharp
Espès-Undurein
Ossès
St-Martin-d'Arrossa
Suhescun
Juxue
Viodos-Abense-de-Bas
Larceveau-Arros-Cibits
Pagolle
Aïnhice-Mongelos
Gamarthe
Bunus
Jaxu
Ibarrolle
Mauléon-Licharre
Garindein
Musculdy
St-Just-Ibarre
Col d'Osquich
Bussunarits-Sarrasquette
Ordiarp
Gotein-Libarrenx
Irouléguy
Ascarat
Ispoure
St-Étienne-de-Baïgorry
Anhaux
Uhart-Cize
Lacarre
Col d'Ipharlatcé
Col des Palombières
Pic de Garralda
Mt Baygoura
Halzamendy
Hochahandy
Pic d'Elaudy
Moiné Mendia
Adour
Gaves Réunis
D 817
D 933
D 918
D 11
D 936
A 64 - E 80
E
F
G
H

0 2 4 6 8 10 km
292
310
330
A
B
C
D
1
2
3
4
5
Tarnos
St-Martin-de-Seignanx
Boucau
Biarrotte
Biaudos
Ste-Marie-de-Gosse
Orthevielle
Peyrehorade
Port-de-Lanne
St-Martin-de-Hinx
St-André-
Bélus
Cauneille
Œyregave
St-Laurent-de-Gosse
Hastingues
Abbe d'Arthous
Sames
St-Barthélemy
Grand Villenave
Saubis
Montpellier
Adour
BAYONNE
Anglet
Lahonce
Urcuit
Urt
Guiche
Lissalde
Bordes-du-Haut
Bordes-du-Bas
Mouguerre
Cx de Mouguerre
St-Pierre-d'Irube
Briscous
Bardos
Bidache
Chau de Gramont
Came
Butte de Miremont
St-Pé-de-Léren
Arcangues
Arbonne
Villefranque
Mentachoury
Elizaberry
Monastère des Bénédictines
Abbaye de Belloc
La Bastide-Clairence
Landes d'Hasparren
Route impériale des Cimes
Ustaritz
Jatxou
Halsou
Larressore
Hasparren
Ayherre
Orègue
Arraute-Charritte
Charritte
Bergouey-Viellenave
Viellenave-sur-Bidouze
Masparraute
Labets-Biscay
Gabat
Labastide-Villefranche
Arancou
St-Pée-s-Nivelle
Espelette
Souraïde
Cambo-les-Bains
Bonloc
Grottes d'Isturitz et d'Oxocelhaya
Isturits
St-Martin-d'Arberoue
Amorots-Succos
Béguios
Luxe-Sumberraute
Amendeuix-Oneix
Garris
St-Palais
Mendionde
Macaye
Mt Ursuya
Pic de Garralda
St-Esteben
Méharin
Ainhoa
Itxassou
Pas de Roland
Louhossoa
Col des Trois-Croix
Pic du Mondarrain
Artzamendi
Dancharia
Dantxarinea
Hélette
Armendarits
Iholdy
Beyrie-sur-Joyeuse
Orsanco
Mt Baygoura
Urdazubi/Urdax
Col de Méhatché
Pic d'Iguzki
Pic Gakoeta
Pont-Noblia
Bidarray
Halzamendy
Irissarry
Olce
Uhart-Mixe
Puerto de Otxondo
Lizartzu
Ossès
St-Martin-d'Arrossa
Suhescun
Col d'Iphariatcé
Ostabat-Asme
Pico Gorramakil
Pic d'Iparla
Larceveau-Arros-Cibits
Amaiur/Maya
Gorramendi
Col des Palombières
Ainhice-Mongelos
Gamarthe
Bunus
Azpilkueta
Erratzu
Jaxu
Ibarrolle
St-Just-Ibarre
Arizkun
Col d'Ispéguy
Irouléguy
Bustince-Iriberry
Lacarre
St-Étienne-de-Baïgorry
Anhaux
Uhart-Cize
Ispoure
Bussunarits-Sarrasquette
Elizondo
St-Jean-Pied-de-Port
St-Jean-le-Vieux
Ahaxe-Alciette-Bascassan
Col d'Elhorrieta
Oylarandoy
Col d'Aharza
Munhoa
Caro
St-Michel
Aincille
Lecumberry
Pic de Belchou
Burga
Col d'Urdanzia
Banca
Béhorléguy
Mendive
Col de Berdaritz
Vallée des Aldudes
Aldudes
Arnéguy
Estérençuby
Pic de Béhorléguy
Pic de Zabozé
Hauskoa
Luzaide Valcarlos
Col d'Aphanize
Errola
Esnazu
Urepel
Pic de Beillurti
Pic d'Itchachéguy
Phagalcette
Col d'Haltza
Ahusquy

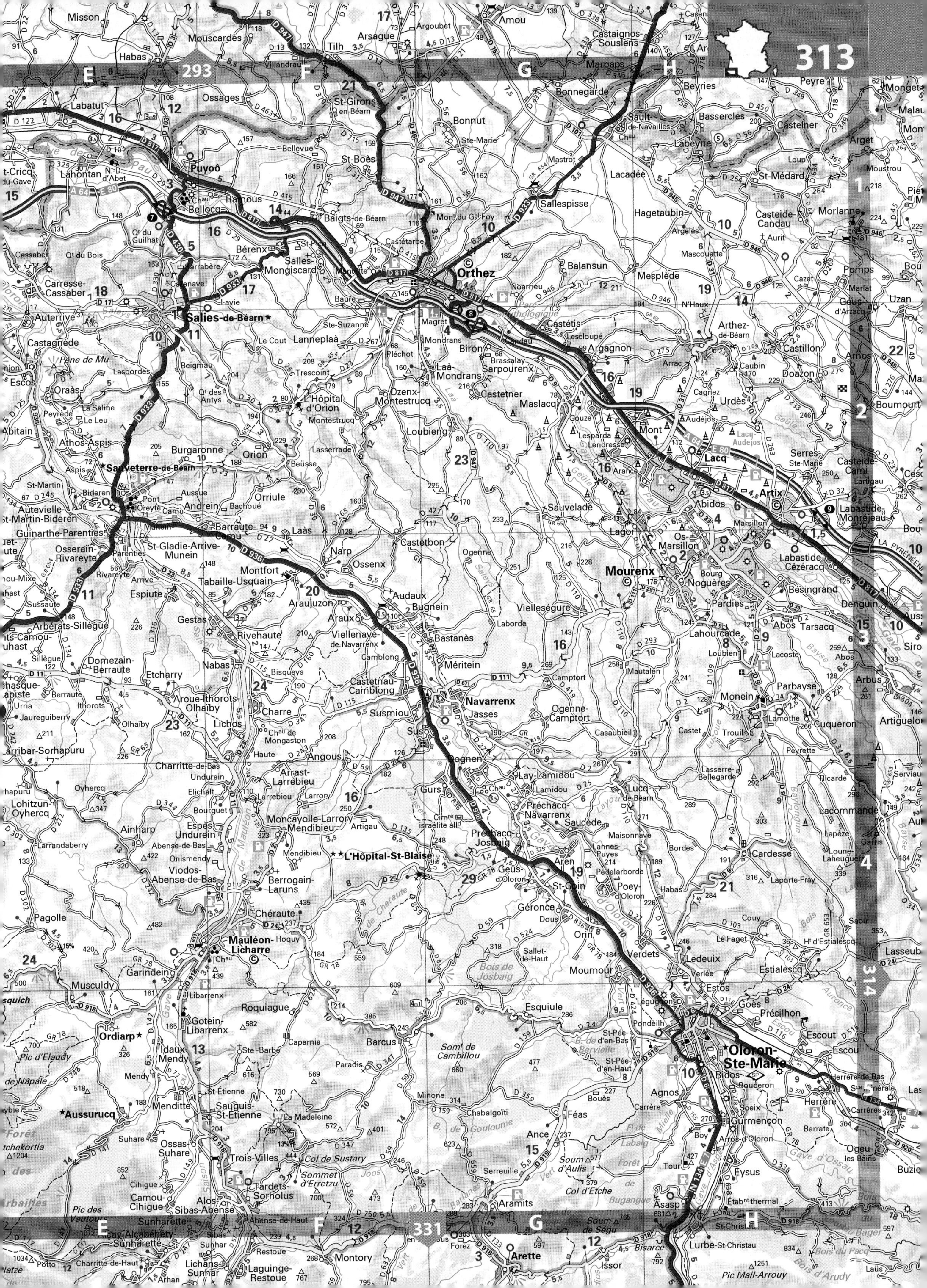
313
293
314
331
E
F
G
H
Misson
Mouscardès
Habas
Tilh
Arsague
Argoubet
Amou
Castaignos-Souslens
Marpaps
Beyries
Peyre
Mongets
Labatut
Ossages
St-Girons-en-Béarn
Bonnegarde
Sault-de-Navailles
Bassercles
Castelner
Malaussanne
Bonnut
Ste-Marie
Labeyrie
Arget
Bellevue
Mastrot
Loup
Moustrou
Lahontan
N.-D. d'Abet
Puyoô
St-Boès
Lacadée
St-Médard
Sallespisse
Hagetaubin
Casteide-Candau
Morlanne
Ramous
Bellocq
Baigts-de-Béarn
Mont du Gal Foy
Argelès
Mascouette
Aurit
Pomps
Cassaber
Qr du Bois
Qr du Guilhat
Bérenx
Salles-Mongiscard
Castétarbe
Orthez
Balansun
Mesplède
Carresse-Cassaber
Sarrabère
Cabenave
Lavie
Baure
Noarrieu
N'Haux
Arthez-de-Béarn
Géus-d'Arzacq
Uzan
Auterrive
Salies-de-Béarn
Ste-Suzanne
Magret
Parc ornithologique
Castétis
Castagnède
Le Cout
Lanneplaà
Mondrans
Biron
Lescloupé
Argagnon
Castillon
Arnos
Pène de Mu
Beigmau
Plèchot
Brassalay
Sarpourenx
Arrac
Caubin
Doazon
Escos
Lasbordes
Trescoint
Laà-Mondrans
Castetner
Oraàs
Qr des Antys
L'Hôpital-d'Orion
Ozenx-Montestrucq
Maslacq
Cagnez
Urdès
Boumourt
La Saline
Peyrède
Le Leu
Montestrucq
Gouze
Audéjos
Lacq-Audéjos
Abitain
Loubieng
Lesparda
Lendresse
Mont
Athos-Aspis
Burgaronne
Orion
Lasserrade
Lacq
Serres-Ste-Marie
Casteide-Cami
Aspis
Sauveterre-de-Béarn
Beüsse
Arance
Lartigau
St-Martin
Bideren
Aussue
Orriule
Autevielle-St-Martin-Bideren
Pont
Oreyte
Camu
Andrein
Bachoué
Sauvelade
Abidos
Artix
Labastide-Monréjeau
Guinarthe-Parenties
Munein
Barraute-Camu
Laàs
Castetbon
Lagor
Marsillon
Os-Marsillon
Osserain-Rivareyte
St-Gladie-Arrive-Munein
Narp
Ogenne
Mourenx
Labastide-Cézéracq
Rivareyte
Arrive
Montfort
Tabaille-Usquain
Ossenx
Bourg
Noguères
Besingrand
Espiute
Araujuzon
Audaux
Bugnein
Vielleségure
Pardies
Denguin
Sussaute
Arbérats-Sillègue
Gestas
Araux
Laborde
Abos
Tarsacq
Rivehaute
Viellenave-de-Navarrenx
Bastanès
Lahourcade
Sillègue
Domezain-Berraute
Nabas
Camblong
Méritein
Loubien
Lacoste
Bisqueys
Mautalen
Arbus
Berraute
Ithorots
Etcharry
Aroue-Ithorots-Olhaïby
Castetnau-Camblong
Navarrenx
Camptort
Monein
Parbayse
Urrià
Jaureguiberry
Olhaïby
Charre
Susmiou
Jasses
Ogenne-Camptort
Castet
Lamothe
Trouil
Cuqueron
Artiguelouve
Lichos
Chau de Mongaston
Sus
Casaubieil
Larribar-Sorhapuru
Haute
Angous
Peyrette
Serviau
Charritte-de-Bas
Undurein
Dognen
Lay-Lamidou
Lasserre-Bellegarde
Ricarde
Oyhercq
Elichalt
Arrast-Larrebieu
Lamidou
Lucq-de-Béarn
Lohitzun-Oyhercq
Bourguet
Larrebieu
Larrory
Gurs
Préchacq-Navarrenx
Lacommande
Ainharp
Espès-Undurein
Moncayolle-Larrory-Mendibieu
Artigau
Cimre israélite alld
Saucède
Maisonnave
Larrandaberry
Abense-de-Bas
Onismendy
Mendibieu
L'Hôpital-St-Blaise
Préchacq-Josbaig
Lannes-Puyes
Bordes
Lapèze
Garris
Cardesse
Viodos-Abense-de-Bas
Berrogain-Laruns
Aren
Géus-d'Oloron
St-Goin
Pédelarborde
Poey-d'Oloron
Habas
Laporte-Fray
Pagolle
Chéraute
Géronce
Dous
Orin
Couy
Saou
Mauléon-Licharre
Hoquy
Sallet-de-Haut
Bois de Josbaig
Moumour
Verdets
Le Faget
Hd d'Estialescq
Lasseube
Ledeux
Estialescq
Garindein
Musculdy
Libarrenx
Verlée
Estos
Goès
Précilhon
Roquiague
Esquiule
Léguignon
Pondeilh
Escout
Escou
Gotein-Libarrenx
Barcus
Caparnia
St-Pée-d'en-Bas
St-Pée-d'en-Haut
Oloron-Ste-Marie
Ordiarp
Pic d'Elaudy
Idaux-Mendy
Ste-Barbe
Somt de Cambillou
Herrère-de-Bas
St-Chérale
Bidos
Bouderon
Mendy
Paradis
Minone
Chabalgoïti
Boués
Agnos
Herrère
de Napale
Mendite
St-Étienne
Sauguis-St-Étienne
La Madeleine
B. de Gouloume
Féas
Carrère
Soeix
Gurmençon
Barrate
Aussurucq
Suhare
Ossas-Suhare
Ance
Arros-d'Oloron
Ogeu-les-Bains
Buzie
Forêt
Trois-Villes
Col de Sustary
Soum d'Aulis
Col d'Etche
Forêt de Bugangue
Eysus
Cihigue
Camou-Cihigue
Sommet d'Erretzu
Tardets-Sorholus
Serreuille
Tour
Asasp
Étabnt thermal
Pic des Vautours
Alos
Sibas-Abense
Aramits
Abense-de-Haut
Sunharette
Cay-Alçabéhéty-Sunharette
Sibas
Sunhar
Restoue
Montory
Forez
Arette
Soum de Ségu
Bisarce
Issor
St-Christau
Lurbe-St-Christau
Bois du Pacq
Bois du Bager
Pic Mail-Arrouy
Charritte-de-Haut
Potto
Lichans-Sunhar
Laguinge-Restoue
Arhan
Laùs
Gave de Pau
Gave d'Oloron
Gave d'Ossau
Saison
Baïse
Auronce
Joos
Vert
Saleys
Laà
Géüle
Lausset
LA PYRÉNÉENNE
A 64
E 80
E 7
N 134
D 817
D 933
D 936
D 947
D 945
D 946
D 918
D 919
D 9

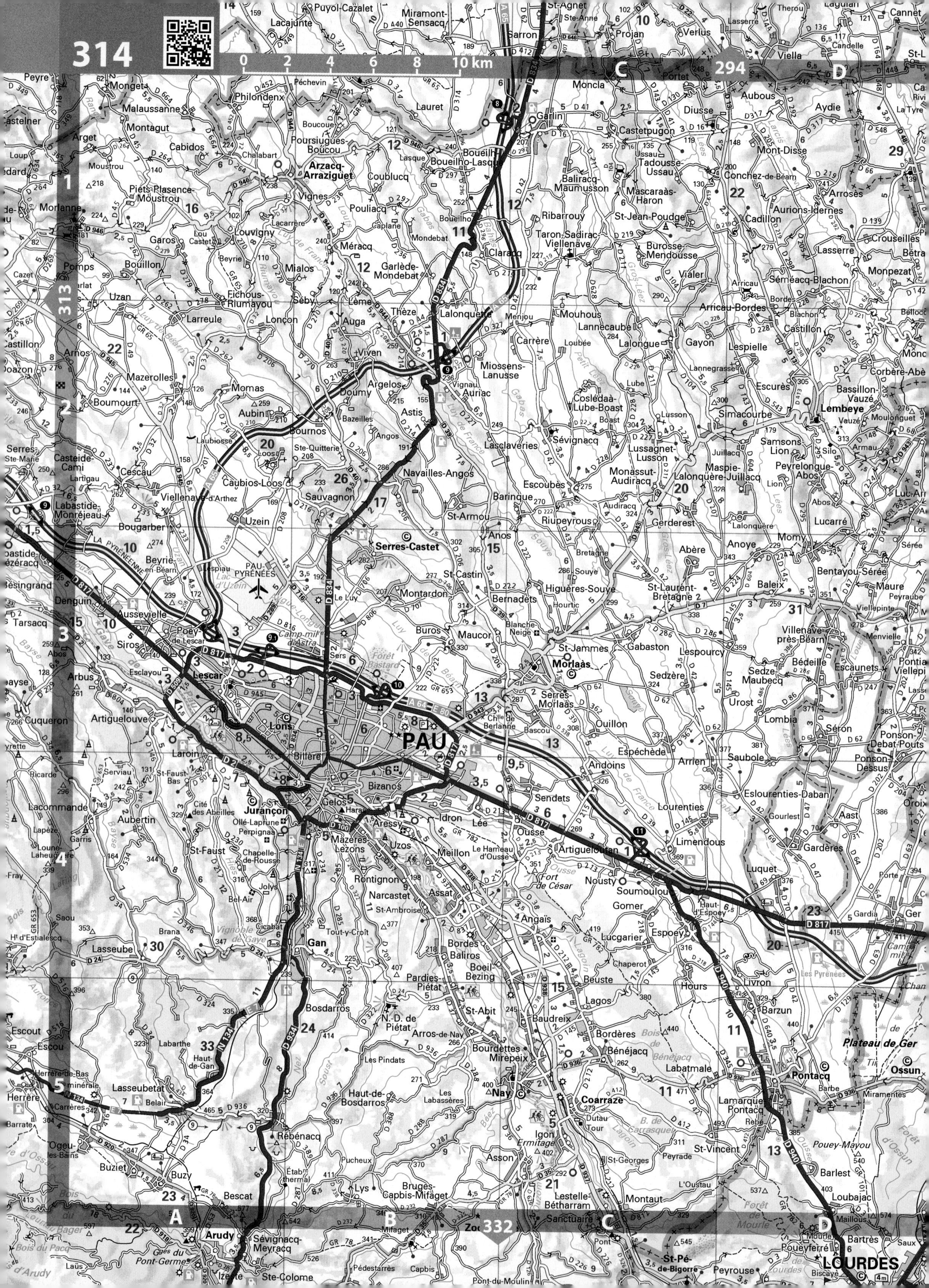

314
0 2 4 6 8 10 km
294
313
332
PAU
Lescar
Lons
Billère
Jurançon
Gelos
Bizanos
Idron
Lée
Ousse
Sendets
Morlaàs
Serres-Castet
Serres-Morlaàs
Montardon
Buros
Maucor
Sauvagnon
Navailles-Angos
Caubios-Loos
Uzein
Bougarber
Beyrie-en-Béarn
Denguin
Aussevielle
Poey-de-Lescar
Siros
Arbus
Artiguelouve
Laroin
St-Faust
Aubertin
Lacommande
Lasseube
Gan
Rontignon
Narcastet
Uzos
Mazères-Lezons
Aressy
Meillon
Assat
Angaïs
Bordes
Baliros
Boeil-Bezing
Pardies-Piétat
Bosdarros
Arros-de-Nay
Haut-de-Bosdarros
Nay
Coarraze
Igon
Asson
Lestelle-Bétharram
Montaut
St-Vincent
Pontacq
Barzun
Livron
Espoey
Soumoulou
Nousty
Artigueloutan
Limendous
Lourenties
Andoins
Espéchède
Ouillon
Sedzère
Gabaston
St-Jammes
Bernadets
St-Castin
Anos
St-Armou
Barinque
Escoubès
Sévignacq
Lasclaveries
Auriac
Miossens-Lanusse
Thèze
Lalonquette
Claracq
Garlin
Lembeye
Simacourbe
Arzacq-Arraziguet
Morlanne
Pomps
Uzan
Larreule
Mazerolles
Momas
Aubin
Bournos
Doumy
Argelos
Astis
Viven
Auga
Lonçon
Séby
Mialos
Méracq
Garlède-Mondebat
Louvigny
Garos
Bouillon
Fichous-Riumayou
Rébénacq
Buziet
Buzy
Arudy
Sévignacq-Meyracq
Bruges-Capbis-Mifaget
Lys
Sanctuaire
St-Pé-de-Bigorre
Peyrouse
LOURDES
Bartrès
Loubajac
Barlest
Ossun
Plateau de Ger
Gardères
Luquet
Séron
Lombia
Urost
Saubole
Eslourenties-Daban
Bédeille
Escaunets
Villenave-près-Béarn
Baleix
Maure
Momy
Lucarré
Anoye
Abère
Higuères-Souye
St-Laurent-Bretagne
Riupeyrous
Gerderest
Monassut-Audiracq
Lussagnet-Lusson
Maspie-Lalonquère-Juillacq
Peyrelongue-Abos
Samsons-Lion
Castillon
Lespielle
Gayon
Lalongue
Carrère
Mouhous
Lannecaube
Taron-Sadirac-Viellenave
Burosse-Mendousse
St-Jean-Poudge
Ribarrouy
Mascaraàs-Haron
Tadousse-Ussau
Castetpugon
Diusse
Moncla
Portet
Aubous
Aydie
Mont-Disse
Conchez-de-Béarn
Cadillon
Arrosès
Crouseilles
Lasserre
Monpezat
Séméacq-Blachon
Arricau-Bordes
Corbère-Abères
Bassillon-Vauzé
Viella
Lacajunte
Puyol-Cazalet
Miramont-Sensacq
Sarron
Projan
Verlus
Philondenx
Malaussanne
Montagut
Cabidos
Piets-Plasence-Moustrou
Poursiugues-Boucoue
Coublucq
Boueilh-Boueilho-Lasque
Vignes
Pouliacq
Lème
Casteide-Cami
Cescau
Viellenave-d'Arthez
Labastide-Monréjeau
Boumourt
Arnos
Cuqueron
Herrère
Escou
Escout
Ogeu-les-Bains
Lasseubetat
Haut-de-Gan
Labarthe
Izeste
Ste-Colome
Capbis
Pédestarrès
Pont-du-Moulin
Poueyferré
Camp militaire d'Astra
Forêt Bastard
PAU-PYRÉNÉES
Lac de l'Uzein
Vignoble de Gaye
Fort de César
Forêt de Mourle
Forêt d'Ossun
LA PYRÉNÉENNE
A 64
E 80
A 65
D 817
D 834
D 943
D 938
D 936
D 934
D 940
N 134

315
295
316
333
E
F
G
H
Plaisance
Préchac-sur-Adour
Gazax-et-Baccarisse
Castelnau-d'Anglès
Montesquiou
L'Isle-de-Noé
Bassoues
Jû-Belloc
St-Aunix-Lengros
Courties
Armous-et-Cau
Scieurac-et-Flourès
Mouchès
Lamazère
Tieste-Uragnoux
Ladevèze-Rivière
Tourdun
Estipouy
Mascaras
Pouylebon
Monclar-sur-Losse
Soublecause
Labatut-Rivière
Juillac
Laveraët
St-Christaud
Armentieux
Marciac
Mirande
Idrac-Respaillès
Caussade-Rivière
Bars
Estirac
Pallanne
Villefranque
Monlezun
Marseillan
St-Martin
St-Médard
Auriébat
St-Justin
Ricourt
Sombrun
Maubourguet
Sauveterre
Blousson-Sérian
Tillac
St-Maur
Berdoues
Lahitte-Toupière
Troncens
Laas
Monfaucon
Sembouès
Monpardiac
Ponsampère
Lafitole
Buzon
Cazaux-Villecomtal
Bazugues
Belloc-St-Clamens
Larreule
Monségur
Ansost
Nouilhan
Gensac
Beccas
Aux-Aussat
Laguian-Mazous
Mielan
St-Michel
St-Élix-Theux
Labatut
Barbachen
Malabat
Haget
Betplan
Ste-Dode
Liac
Puntous de Laguian
Caixon
Ségalas
Villecomtal-sur-Arros
Sauviac
Artagnan
Sadeillan
Vic-en-Bigorre
Estampes
Montaut
Rabastens-de-Bigorre
Mont-de-Marrast
Barcugnan
Sanous
Casteide-Doat
Sarriac-Bigorre
Montégut-Arros
Castex
St-Ost
Estampures
Mingot
Sénac
Fréchède
Manas-Bastanous
Ste-Aurence-Cazaux
St-Lézer
Camalès
Bazillac
St-Sever-de-Rustan
Moumoulous
Bernadets-Debat
Sarraguzan
Cuélas
Ponsan-Soubiran
Montaner
Pujo
Ugnouas
Lacassagne
Mansan
Escondeaux
Mazerolles
Duffort
Talazac
Villenave-près-Marsac
Lescurry
Lameac
Fontrailles
Marsac
Tostat
Castéra-Lou
Peyrun
Bouilh-Devant
Antin
Trie-sur-Baïse
Siarrouy
N.-D. de l'Espérance
Sarniguet
Jacque
Andrest
Soréac
Trouley-Labarthe
Lapeyre
Guizerix
Lagarde
Gayan
Aurensan
Louit
Bouilh-Péreuilh
Marseillan
Osmets
Lubret-St-Luc
Lalanne-Trie
Sadournin
Chis
Chelle-Debat
Vidou
Bazet
Dours
Luby-Betmont
Puntous
Oursbelille
Bours
Castelvieilh
Mun
Puydarrieux
Hachan
Barthe
Sabalos
Collongues
Villembits
Tournous-Darré
Campuzan
Orleix
Oléac-Debat
Cabanac
Lamarque-Rustaing
Betpouy
Organ
Bordères-sur-l'Échez
Pouyastruc
Aubarède
Lustar
Sentous
Cizos
Lizos
Sère-Rustaing
Bugard
Boulin
Hourc
Marquerie
Peyriguère
Libaros
Tournous-Devant
Vieuzos
Thuy
Goudon
Aureilhan
Coussan
Bonnefont
Caubous
Ibos
TARBES
Séméac
Souyeaux
Sarrouilles
Gonez
Mouledous
Orieux
Sabarros
Lansac
Laslades
Sinzos
Clarac
Montastruc
Bernadets-Dessus
Galan
Recurt
Monlong
Juillan
Laloubère
Soues
Lespouey
Calavanté
Lhez
Peyraube
N.-D. de Garaison
Odos
Barbazan-Debat
Angos
Bordes
Burg
Galez
Horgues
Salles-Adour
Mascaras
Bonrepos
Louey
Momères
Allier
Montignac
Fréchou-Fréchet
Tournay
Ozon
Castéra-Lanusse
Lanespède
Castelbajac
Hibarette
Bernac-Debat
Oueilloux
Oléac-Dessus
Houeydets
Clarens
Réjaumont
Lanne
St-Martin
Bernac-Dessus
Barbazan-Dessus
Luc
Hitte
Poumarous
Ricaud
Bégole
Bénac
Arcizac-Adour
Barry
Visker
Vielle-Adour
Chelle-Spou
Caharet
Campistrous
Villeneuve-Lécussan
Averan
Layrisse
Orincles
Montgaillard
Orignac
Gourgue
Péré
Lutilhous
Lagrange
Lannemezan
Uglas
Julos
Loucrup
Antist
Cieutat
Capvern-les-Bains
Paréac
Artiguemy
Bourréac
Escoubès-Pouts
Ordizan

316
0 2 4 6 8 10 km
296
315
334
A
B
C
D
1
2
3
4
5
Gimont
Pessan
Lussan
L'Isle-Arné
N.-D. de Cahuzac
Abbᵉ de Planselve
Lasseran
L'Isle-de-Noé
St-Jean-le-Comtal
Lasseube-Propre
Auterive
Castelnau-Barbarens
St-Caprais
Bédéchan
Aurimont
Montiron
Mouchès
Lamazère
Boucagnères
Haulies
St-André
Miramont-d'Astarac
Orbessan
Traversères
Tirent-Pontéjac
Lahas
Labéjan
Durban
Lartigue
Boulaur
Bézéril
Noilhan
Idrac-Respaillès
Sansan
Saramon
Polastron
Ornézan
St-Martin-Gimois
Loubersan
Seissan
Monferran-Plavès
Faget-Abbatial
Sémézies-Cachan
Mongausy
St-Soulan
St-Médard
Lamaguère
St-Élix-d'Astarac
Samatan
Clermont-Pouyguillès
Labarthe
Tachoires
Montamat
Lombez
Pouy-Loubrin
Pellefigue
Gaujac
Lourties-Monbrun
Belloc-St-Clamens
Moncassin
Moncorneil-Grazan
Simorre
Betcave-Aguin
Sauveterre
Puylausic
St-Élix-Theux
St-Arroman
Masseube
Sabaillan
Tournan
Bellegarde
Meilhan
Villefranche
Montadet
Esclassan-Labastide
Cadeillan
Espaon
Lagarde-Hachan
Sère
Gaujan
Boissède
Garravet
Samaran
Viozan
Aujan-Mournède
Panassac
Bézues-Bajon
Monties
Monbardon
Molas
Mirambeau
Frontignan-Savès
St-Ost
Aussos
Sarcos
L'Isle-en-Dodon
Ste-Aurence-Cazaux
Arrouède
Puymaurin
Agassac
Ponsan-Soubiran
Monlaur-Bernet
Cabas-Loumassès
Nénigan
Anan
Ambax
Castelgaillard
Cuélas
Chélan
St-Blancard
Lunax
Manent-Montané
Lalanne-Arqué
St-Ferréol-de-Comminges
Montesquieu-Guittaut
Coueilles
Riolas
Peyret-St-André
Sariac-Magnoac
Mont-d'Astarac
St-Frajou
St-Laurent
Fabas
Larroque
Castelnau-Magnoac
Thermes-Magnoac
Péguilhan
Salerm
Puntous
Barthe
Betbèze
Mondilhan
Montbernard
Aries-Espénan
Lalanne
Boulogne-sur-Gesse
Lilhac
Peyrissas
Betpouy
Organ
Pouy
Castéra-Vignoles
St-André
Eoux
Cizos
Devèze
Blajan
St-Pé-Delbosc
Escanecrabe
Vieuzos
Villemur
Gensac-de-Boulogne
Ciadoux
Esparron
Benque
Caubous
Monléon-Magnoac
St-Loup-en-Comminges
Montgaillard-sur-Save
Laran
Gaussan
Nizan-Gesse
Lespugue
Saman
Boussan
Alan
Bazordan
Montmaurin
Charlas
Cassagnabère-Tournas
Montoulieu-St-Bernard
Recurt
Lassales
Sarrecave
St-Lary-Boujean
Aurignac
Monlong
N.-D. de Garaison
Sarremezan
Cardeilhac
Peyrouzet
Balesta
Larroque
St-Élix-Séglan
Boudrac
Cazaril-Tambourès
St-Marcet
Aulon
Lalouret-Laffiteau
Larcan
Cazeneuve-Montaut
Bouzin
Le Fréchet
Réjaumont
St-Plancard
Lodes
Lécussan
Villeneuve-Lécussan
St-Ignan
Latoue
Auzas
Laffite-Toupière
Sédeilhac
Loudet
Saux-et-Pomarède
Lieoux
Proupiary
Mancioux
Lannemezan
Anguevielle
Le Cuing
Castillon-de-St-Martory
St-Martory
Arnaud-Guilhem
Landorthe
Villeneuve-de-Rivière
Ponlat-Taillebourg
St-Médard

317
297
318
335
E
F
G
H
L'Isle-Jourdain
Léguevin
Colomiers
Pibrac
Brax
Mérenville
Tournefeuille
Plaisance-du-Touch
La Salvetat-St-Gilles
Pujaudran
Clermont-Savès
Monferran-Savès
Frégouville
Marestaing
Castillon-Savès
Caumont
Endoufielle
Cazaux-Savès
Aurade
Lias
Fontenilles
Fonsorbes
Bonrepos-sur-Aussonnelle
Saiguède
Empeaux
St-Thomas
St-Lys
Pompiac
Seysses-Savès
Nizas
Savignac-Mona
Ste-Foy-de-Peyrolières
Bragayrac
Cambernard
St-Clar-de-Rivière
Lamasquère
Seysses
Frouzins
Cugnaux
Villeneuve-Tolosane
Portet-s-Garonne
Pinsaguel
Roques
Roquettes
Muret
Saubens
Pins-Justaret
Villate
Vieille-Toulouse
Ramonville-St-Agne
Pechbusque
Lacroix-Falgarde
Goyrans
Vigoulet-Auzil
Aureville
Clermont-le-Fort
Labarthe-sur-Lèze
Vernet
Venerque
Eaunes
Lagardelle-sur-Lèze
Le Fauga
Labastidette
Lherm
St-Hilaire
Poucharramet
Rieumes
Sabonnères
Beaufort
Monblanc
Pébées
Montgras
Sauvimont
Montégut-Savès
St-Loube
Forgues
Lahage
Laymont
Monès
Plagnole
Le Pin-Murelet
Montpézat
Lautignac
Sajas
Savères
Montastruc-Savès
St-Araille
Sénarens
Labastide-Clermont
Pouy-de-Touges
Bérat
Lavernose-Lacasse
Longages
Noé
Mauzac
Montaut
Beaumont-sur-Lèze
Miremont
Auribail
Lagrâce-Dieu
St-Sulpice-sur-Lèze
Capens
Marquefave
Puydaniel
Mauressac
Gratens
Casties-Labrande
Peyssies
Lafitte-Vigordane
Marignac-Lasclares
Castelnau-Picampeau
Montégut-Bourjac
Le Fousseret
Montoussin
St-Élix-le-Château
Salles-s-Garonne
Carbonne
Montgazin
Lacaugne
Lézat-sur-Lèze
Lavelanet-de-Comminges
St-Julien-sur-Garonne
Rieux-Volvestre
Mailholas
Latrape
St-Ybars
Castagnac
Massabrac
Ste-Suzanne
Durfort
Villeneuve-du-Latou
Bax
Canens
Lapeyrère
Montesquieu-Volvestre
Gensac-s-Garonne
Gouternisse
Cazères
Palaminy
Couladère
Mondavezan
Lescuns
Sana
Marignac-Laspeyres
Martres-Tolosane
Mauran
Montclar-de-Comminges
St-Christaud
Gouzens
Thouars-sur-Arize
Latour
Méras
Sieuras
Castex
Fornex
La Bastide-de-Besplas
St-Michel
Le Plan
Plagne
Roquefort-s-Garonne
Ausseing
Montberaud
Daumazan-sur-Arize
Carla-Bayle
Artigat
Cérizols
Belbèze-en-Comminges
Cassagne
Ste-Croix-Volvestre
Montbrun-Bocage
Campagne-sur-Arize
Castéras
Le Fossat
Gaillard-du-Bosc
A 64
E 80
N 124
D 817
D 820
D 919
Garonne
Lèze
Arize
Touch
Save

0 2 4 6 8 10 km
298
317
336
TOULOUSE
Ramonville-St-Agne
Castanet-Tolosan
Labège
Escalquens
St-Orens-de-Gameville
Quint-Fonsegrives
Balma
Lanta
Caraman
Auzielle
Fourquevaux
Montgiscard
Baziège
Ayguesvives
Villenouvelle
Montesquieu-Lauragais
Villefranche-de-Lauragais
Avignonet-Lauragais
Montferrand
Seuil de Naurouze
Labastide-d'Anjou
Baraigne
Nailloux
Montgeard
Calmont
Mazères
Saverdun
Cintegabelle
Auterive
Grépiac
Venerque
Belpech
Salles-sur-l'Hers
Molandier
St-Félix-Lauragais
Revel
Mas-Stes-Puelles
Le Vernet
Montaut
Lézat
Canal du Midi
Ariège
Hers Mort

319
Castres
Mazamet
Labruguière
Revel
Sorèze
Dourgne
Massaguel
Castelnaudary
Carcassonne
LA CITÉ
Montréal
Fanjeaux
Bram
Saissac
Montolieu
Mas-Cabardès
Conques-sur-Orbiel
Villemoustaussou
Pennautier
Trèbes
Aussillon
Pont-de-Larn
Puylaurens
Sémalens
Saïx
Soual
Verdalle
Escoussens
Arfons
Les Cammazes
Durfort
Labécède-Lauragais
Issel
Verdun-en-Lauragais
St-Papoul
Villepinte
Alzonne
Pezens
Moussoulens
Aragon
Salsigne
Lastours
Limousis
Villardonnel
Fraisse-Cabardès
Brousses-et-Villaret
Caudebronde
Cuxac-Cabardès
Fontiers-Cabardès
Lacombe
Laprade
Les Martys
Miraval-C.
Roquefère
Labastide-Esparbairenque
Pradelles-Cabardès
PARC NATUREL RÉGIONAL
MONTAGNE
Pic de Montaud
Forêt de Montaud
Montagne Noire
Mont Alric
Pas du Sant
Grotte de Calel
Lac de la Cavayère
Terrain militaire
Villesèquelande
Caux-et-Sauzens
Alairac
Arzens
Villeneuve-lès-Montréal
Prouille
Lasserre-de-Prouille
Brézilhac
Cailhavel
Cailhau
Gramazie
Villasavary
Laurac
Mireval-Lauragais
Pexiora
Lasbordes
St-Martin-Lalande
Villespy
Cenne-Monestiés
Raissac-s-Lampy
Ste-Eulalie
Cazilhac
Palaja
Berriac
Villedubert
Bouilhonnac
Villeneuve-Minervois
Villegly
Bagnoles
Malves-en-Minervois
Fontiès-d'Aude
Montirat
Monze
Roullens
Preixan
Cavanac
Couffoulens
Leuc
Rouffiac
299
337
320
D 622
D 612
D 118
D 6113
D 119
D 623
A 61
E 80
N 126
N 112

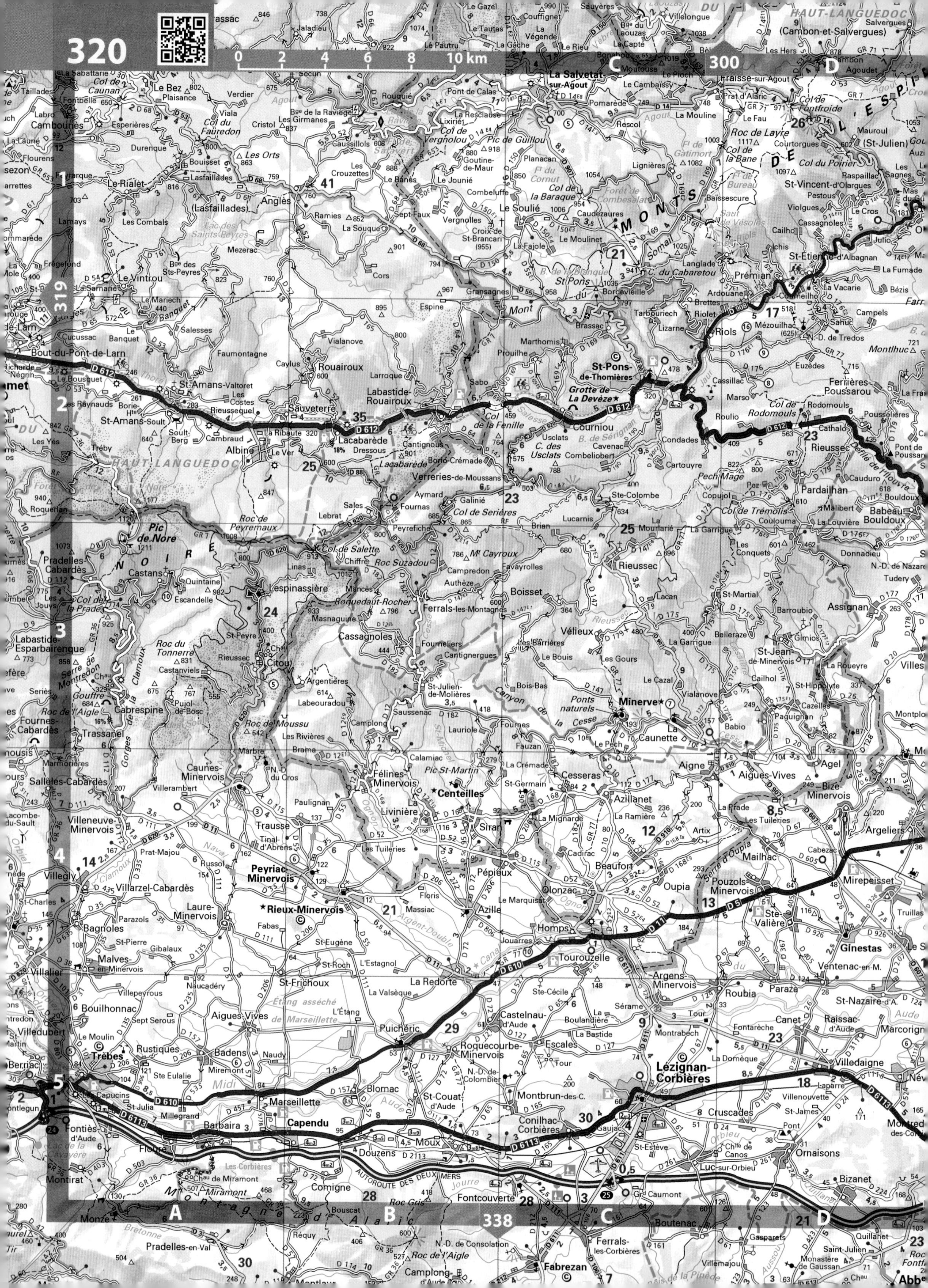
0 2 4 6 8 10 km
300
319
338
A
B
C
D
1
2
3
4
5
HAUT-LANGUEDOC
(Cambon-et-Salvergues)
La Salvetat-sur-Agout
Fraisse-sur-Agout
Col de Caunan
Le Bez
Plaisance
Verdier
Secun
Rouquié
Pont de Calas
Cambounès
Esperières
Col du Fauredon
Cristol
Les Girmanes
Lixirié
Col de Vergnolou
Pic de Guillou
Pomarède
Rescol
La Mouline
Col de Fontfroide
Roc de Layre
Col de la Bane
Col du Poirier
Mauroul (St-Julien)
Courtorgues
Les Orts
Boisset
Lasfaillades
Le Rialet
(Lasfaillades)
Anglès
Les Crouzettes
Le Banès
Le Jounié
Combeluffe
Planacan
Col de la Baraque
Forêt de Combesalat
Lignières
MONTS
DE
L'ESPINOUSE
Baissescure
Raspaillac
St-Vincent-d'Olargues
Pestous
Viol gues
Cassagnoles
Le Cros
Les Combals
Lamays
Ramies
La Souque
Sept-Faux
Vergnolles
Croix-de-St-Brancari (955)
Le Soulié
Caudezaures
Le Moulinet
La Fajole
C. du Cabaretou
Langlade
Prémian
St-Étienne-d'Albagnan
Ichis
Cailho
La Fumade
Mezerac
Bgе des Sts-Peyres
Le Vintrou
Cors
Gransagnes
St Pons
Bordevieille
Ardouane
Brettes
Riolet
La Vacarie
Bézis
Le Mariech
Le Banquet
Salesses
Espine
Mont
Brassac
Tarbouriech
Lizarne
Riols
Mézouilhac (625)
Sahuc
Campels
N.-D. de Tredos
Cucussac
Bout-du-Pont-de-Larn
Faumontagne
Vialanove
Caylus
Rouairoux
Larroque
Marthomis
Prouilhe
St-Pons-de-Thomières
Cassillac
Euzedes
Montlhuc
Ferrières-Poussarou
Le Bousquet
St-Amans-Valtoret
Les Costes
Rieussequel
Sauveterre
Labastide-Rouairoux
Sabo
Grotte de La Devèze
Marso
Roulio
Col de Rodomouls
Rodomouls
Poussellières
Pont de Poussarou
Les Raynauds
Borie
St-Amans-Soult
Soult-Berg
Cambraud
La Ribaute
Lacabarède
Dressous
Cantignous
Col de la Fenille
Courniou
Usclats
C. des Usclats
Cavenac
Combeliobert
Condades
Cathalo
Rieussec
Défilé de l'Ilouvre
Les Yès
Tréby
Albine
Le Ver
Lacabarède
Borio-Crémade
Cartouyre
Pech Mage
Cauduro
Verreries-de-Moussans
Aymard
Fournas
Galinié
Ste-Colombe
Copujol
Col de Trémolis
Pardailhan
Malibert
Babeau-Bouldoux
Bouldoux
Roquerlan
Sales
Lebrat
Col de Serières
Lucarnis
Brian
La Mourlarié
La Garrigue
Coulouma
La Louvière
Roc de Peyremaux
Peyrefiche
Pic de Nore
NOIRE
Col de Salette
Chiffre
Roc Suzadou
Mt Cayroux
Favayrolles
Rieussec
Les Conquets
Donnadieu
N.-D. de Nazare
Tudery
Pradelles-Cabardès
Castans
Quintaine
Escandelle
Linas
Lespinassière
Mancès
Roquedaut-Rocher
Campredon
Authèze
Boisset
Lacan
St-Martial
Barroubio
Assignan
Col de la Prade
Masnaguine
Ferrals-les-Montagnes
Labastide-Esparbairenque
Serre de Montredon
Clamoux
Roc du Tonnerre
St-Peyre
Rieussec
Citou
Cassagnoles
Fourneliers
Cantignergues
Vélieux
Les Barrières
Le Bouis
Les Gours
La Garrigue
Belleraze
St-Jean-de-Minervois
Gimios
La Roueyre
Gouffre
Roc de l'Aigle
Cabrespine
Castanviels
Pujol-de-Bosc
Argentières
Labeouradou
St-Julien-de-Molières
Canyon de la Cesse
Bois-Bas
Le Cazal
Cailhol
St-Hippolyte
Cazelles
Paguignan
Babio
Fournes-Cabardès
Trassanel
Gorges de la Clamoux
Roc de Moussu
Saussenac
Camplong
Lauriole
Ponts naturels
Minerve
Vialanove
La Caunette
Le Pech
Fauzan
Les Rivières
Brama
Marbre
N.-D. du Cros
Calamiac
La Crémade
Cesseras
Aigne
Aigues-Vives
Agel
Bize-Minervois
Salleles-Cabardès
Caunes-Minervois
Villerambert
Félines-Minervois
Pic St-Martin
Centeilles
St-Germain
Azillanet
La Prade
Les Tuileries
Argeliers
Villeneuve-Minervois
Trausse
Paulignan
Livinière
La Mignarde
La Ramière
Artix
Siran
Tinal-d'Abrens
Les Tuileries
Cadirac
Mailhac
Cabezac
Prat-Majou
Russol
Naval
Pépieux
Beaufort
Oupia
Serre d'Oupia
Pouzols-Minervois
Mirepeisset
Villegly
Villarzel-Cabardès
Peyriac-Minervois
Floris
Olonzac
Le Marquisat
Ste-Valière
Laure-Minervois
Rieux-Minervois
Massiac
Azille
Homps
Ginestas
Truilhas
St-Charles
Parazols
Fabas
Argent-Double
Jouarres
Tourouzelle
Ventenac-en-M.
Bagnoles
St-Pierre
Gibalaux
St-Eugène
Malves-en-Minervois
St-Roch
L'Estagnol
Villalier
Naucadéry
St-Frichoux
La Redorte
Argens-Minervois
Roubia
Paraza
St-Nazaire-d'A.
Villepeyrous
La Valsèque
Ste-Cécile
Sérame
Bouilhonnac
Étang asséché de Marseillette
L'Étang
Castelnau-d'Aude
La Boulandière
La Bastide
Tour
Montrabech
Fontarèche
Canet
Raissac-d'Aude
Marcorignan
Aude
Villedubert
Sept Serous
Aigues-Vives
Le Moulin
Trèbes
Rustiques
Badens
Naudy
Puichéric
Roquecourbe-Minervois
Escales
La Domèque
Lézignan-Corbières
Villedaigne
Berriac
Ste Eulalie
Miremont
N.-D.-de-Colombier
Laparre
Capucins
St Julia
Millegrand
Marseillette
Blomac
St-Couat-d'Aude
Montbrun-des-C.
Villenouvette
Cruscades
St-James
Fontiès-d'Aude
Barbaira
Capendu
Moux
Douzens
Conilhac-Corbières
Gaujac
St-Estève
Pont
Ornaisons
Montredon-des-Corbières
Floure
Lac de la Cavayère
Les Corbières
Chau de Miramont
AUTOROUTE DES DEUX MERS
Jourre
Luc-sur-Orbieu
Chlle de Canos
Orbieu
Bizanet
Montirat
Miramont
Comigne
Fontcouverte
Gd Caumont
Roc Gris
Monze
Montagne d'Alaric
Bouscat
Boutenac
Gasparets
Quillanet
Réquy
Pradelles-en-Val
N.-D. de Consolation
Roc de l'Aigle
Ferrals-les-Corbières
Saint-Julien
Monastère de Gaussan
Camplong-d'Aude
Fabrezan
Villemajou
Bretonne
D 612
D 610
D 6113
D 11
D 5
GR 7
GR 36
GR 77

321
301
322
339
E
F
G
H
1
2
3
4
5
Bédarieux
Carlencas-et-Levas
Lamalou-les-Bains
Hérépian
Mont Caroux
Colombières-sur-Orb
St-Martin-de-l'Arçon
Mons
Le Poujol-sur-Orb
Les Aires
Faugères
Roquessels
Caussiniojouls
Cabrerolles
Pézènes-les-Mines
Fos
Vailhan
Neffiès
Valmascle
Cabrières
Lieuran-Cabrières
Péret
Aspiran
Fontès
Adissan
Nizas
Caux
Roujan
Gabian
Cassan
Fouzilhon
Margon
Pouzolles
Magalas
Lézignan-la-Cèbe
Alignan-du-Vent
Tourbes
Pézenas
Puissalicon
Abeilhan
Coulobres
Espondeilhan
Servian
Valros
Laurens
Autignac
St-Nazaire-de-Ladarez
Roquebrun
Berlou
Causses-et-Veyran
St-Geniès-de-Fontedit
Murviel-lès-Béziers
Cessenon-sur-Orb
Prades-sur-Vernazobre
Pierrerue
Cébazan
Cazedarnes
Puimisson
Pailhès
Thézan-lès-Béziers
Lieuran-lès-Béziers
Bassan
Cazouls-lès-Béziers
Corneilhan
Lignan-sur-Orb
Boujan-sur-Libron
Maraussan
Puisserguier
Creissan
Cruzy
Quarante
Capestang
Montady
Maureilhan
BÉZIERS
Écluses de Fonsérannes
Colombiers
Oppidum d'Ensérune
Nissan-lez-Enserune
Sauvian
Villeneuve-lès-Béziers
Cers
Portiragnes
Sérignan
Vendres
Lespignan
Valras-Plage
Montblanc
Bessan
St-Thibéry
Vias
BÉZIERS CAP D'AGDE
Montels
Poilhes
Ouveillan
Amphoralis
Sallèles d'Aude
Cuxac-d'Aude
Coursan
Salles-d'Aude
Fleury
NARBONNE
Vinassan
Armissan
Narbonne-Plage
St-Pierre-la-Mer
Gouffre de l'Œil Doux
NATUREL
PARC
Clape
RÉGIONAL
Montagne de la Clape
Sérignan-Plage
Portiragnes-Plage
Grau de Vendres
Étang de Pissevaches

0 2 4 6 8 10 km
A
B
C
D
1
2
3
4
5
302
321
Grotte de Clamouse
Gorges
Puéchabon
Pont du Diable
Soumont
Usclas-du-Bosc
Rocher des Vierges
Arboras
St-Jean-de-la-Blaquière
Le Bosc
Mas-de-Mérou
Le Barry
St-Jean-de-Fos
Aniane
St-Martin
Lavalette
Le Puech
St-Alban
Salelles
St-Saturnin-de-Lucian
Montpeyroux
St-Guiraud
St-Etienne
St-Geniès
Les Pascals
Le Ruffas
Plo de Laurier
St-Amans
Le Mourel
Les Hémies
Rabéjac
Mas Colombier
Caunas
Dio-et-Valquières
Valquières
St-Martin-des-Combes
Le Mas-Delon
La Fourille
Les Valarèdes
Toucou
Cartels
St-Fréchoux
Laulo
l'Auverne
Rabieux
Jonquières
St-Félix-de-Lodez
Lagamas
St-Dominique
La Boissière
Col de Dio
Brenas
Octon
Celles
Lac du Salagou
Mas Audran
Lacoste
Ceyras
St-André-de-Sangonis
Gignac
N.-D. de Grâce
Capion
St-Martin
Mas de Navas
St-Jean-d'Aumière
Mas de Capdaniel
Mas d'Alhen
Le Mas-Blanc
C. de la Merquière
Basse
Le Mas-Bas
Pradels
Campillergues
Le Mas de Clergues
La Grange-Montagne
Les Bories
Le Bousquet
Carlencas-et-Levas
Mérifons
Liausson
Mt Mars
Mgne de Liausson
Clermont-l'Hérault
Cambous
Larcade
L'Hermitage
Roques
La Lieude
Malavieille
Cirque de Mourèze
N.-D. du Peyrou
Brignac
Popian
Bédarieux
Le Mas Bousquet
Le Mas-Canet
Salasc
Mourèze
Villeneuvette
Pouzols
La Taillade
St-Bauzille-de-la-Sylve
Mas-d'Arnaud
Levas
Taussac
Mas Nouguier
Mas-du Rouet
Nébian
Marbre
Pic de Vissou
Le Mas-Roujou
La Sablière
Fouscais
Canet
Mt Hau
Tunnel du Col du Buis
Les Vignals
B. de l'Evers
Poux-Sec
Les Montades
Valmascle
Lieuran-Cabrières
Dourbie
Tressan
Le Pouget
Mas-Clavel
(Aumelas)
La Caumette
Soumartre
B. de Pouzes
Pézènes-les-Mines
Fournols
Bois des Moulesses
Cabrières
Les Crozes
Péret
L'Estang
Vendémian
Cardon
Le Grd Puech
Bois de Lestellier
Bel-Air
Faugères
Fos
Paders
Le Mas-Rouch
Aspiran
Pulacher
Plaissan
Rouvièges
Mas-Rolland (Montesquieu)
Vailhan
L'Étang
Bélarga
St-Martin
Cabrials
Mgne d'Antonègre
Roquessels
Caussiniojouls
Castelsec
Fontès
Paulhan
Campagnan
Mgne de la Moure
Neffiès
Adissan
Bedel
St-Pargoire
La Liquière
Laurens
Marbre
Gabian
Usclas-d'Hérault
Nizas
Caux
Roujan
Cassan
St-Pons-de-Mauchiens
Lavagnac
La Clapière
Marcouine
Villeveyrac
Abbaye de Valmagne
Lenthéric
Autignac
Grézan
Fouzilhon
N.-D. de Mougères
Margon
Daurion
Lézignan-la-Cèbe
Cazouls-d'Hérault
Les Campaucels
Puech de Madame
La Grangette
Montagnac
Poussan
Pouzolles
Loubatières
Le Parc Ste-Hélène
St-Jean de Bébian
Bessilles
Veyrac
La Rouquette
Magalas
Cazillac
St-Geniès-de-Fontedit
Puissalicon
St-Jean
Alignan-du-Vent
St-Siméon
Aumes
St-Martin-de-Graves
Pézenas
St-Martin-de-la-Garrigue
Plau des Paredous
Valjoyeuse
Farlet
Montmèze
Loupian
Tour
Coulobres
Espondeilhan
Abeilhan
St-Martial
Tourbes
St-Roch
Conas
St-Hilaire
St-Paul-le-Haut
Castelnau-de-Guers
La Castillonne
Font-Mars
Villa Loupian
Puimisson
St-Martin-des-Champs
N.-D. des Pins
Pailhès
Thézan-lès-Béziers
Lieuran-lès-Béziers
Cabrerolles
Servian
Valros
Bonne Terre
Nézignan-l'Évêque
Ste-Rose
Creyssels
Mèze
St-Appolis
La Grand-Grange
Île de Thau
Corneilhan
Bassan
La Prèpe
La Roque
St-Pierre
St-Thibéry
Pont Romain
Pinet
St-Jean-des-Sources
Bellevue
Félines
Le Mourre-Blanc
Parcs à Huîtres
La Bégude-de-Jordy
Thongue
La Gardie
La Bellonette
Salines de Villeroy
Canterannes
Ribaute
La Baume
Montblanc
Pomérols
Lignan-sur-Orb
Masacy
Boujan-sur-Libron
Bellevue
La Vière
Florensac
La Rouquette
La Grenatière
Villeroy
Étang de Thau
St-Géniès
Les Castans
Bel-Air
La Fadèze
La Valmale
St-Jean-de-Libron
Clairac
Béziers-Montblanc
Bessan
St-Louis
Moure
Veyrac
Marseillan
Raissac
BÉZIERS
Cabrials
St-Bauzille
Coussergues
Montmarin
Caillan
Poussan-le-Bas
St-Jean-de-la-Cavalerie
Libron
BASSIN
Riac
La Tour
La Grassette
Le Neuf Preignes
La Jourdane
Hérault
Le Castellas
Gourgasse
Écluses de Fonséranes
St-Martin-le-Grd
BÉZIERS CAP D'AGDE
Le Vieux Preignes
La Gardie
Étang de Bagnas
Les Onglous
Colombiers
La Miquelle
Cers
Vias
Agde
Marseillan-Plage
Poussan-le-Haut
Sahuc
Bayssan
Villeneuve-lès-Béziers
Portiragnes
Mt St-Loup
Maraval
Nissan-lez-Enserune
Sauvian
L'Espagnac
Port-Cassafières
Vias-Plage
Tamarissière
N.-D. du Grau
Port-Ambonne
Le Môle
Le Cap-d'Agde
Sérignan
Vendres
Portiragnes-Plage
La Guirandette
Le Grau-d'Agde
Lespignan
Rochelongue
Aqualand
Cap-d'Agde
Fort Brescou
Rocher de la Lauze
Sérignan-Plage
Puech-Blanc
La Vistoule
Clotinières
L'Étang de Vendres
Orb
Pont de Fleury
La Batisse
Valras-Plage
Fleury
La Pagèze
La Yole
Puech de Labade
Les Cabanes

E
F
G
H
303
324
St-Gély
St-Clément-de-Rivière
Prades-le-Lez
Assas
Teyran
Castries
Sussargues
Restinclières
St-Vincent-de-Barbeyrargues
St-Geniès-des-Mourgues
Lunel
Lunel-Viel
Valergues
Baillargues
St-Brès
Vendargues
Jacou
Clapiers
Montferrier-sur-Lez
Le Crès
Castelnau-le-Lez
Combaillaux
Murles
Vailhauquès
Montarnaud
Grabels
Juvignac
MONTPELLIER
St-Georges-d'Orques
St-Paul-et-Valmalle
Murviel-lès-Montpellier
Pignan
Lavérune
St-Jean-de-Védas
Saussan
Fabrègues
Cournonterral
Cournonsec
Montbazin
Gigean
Mireval
Vic-la-Gardiole
Frontignan
Sète
Lattes
Pérols
Mauguio
Villeneuve-lès-Maguelone
Maguelone
Palavas-les-Flots
Carnon-Plage
La Grande-Motte
Le Grau-du-Roi
Seaquarium
Port-Camargue
Pointe de l'Espiguette
L'Espiguette
Marsillargues
St-Just
Lansargues
Mudaison
St-Aunès
Candillargues
St-Nazaire-de-Pézan
MONTPELLIER-MÉDITERRANÉE
PARC DES EXPOSITIONS
Étang de Mauguio ou de l'Or
Golfe d' Aigues-Mortes
Montagne de la Gardiole
Frontignan-Plage
La Peyrade
Issanka
Balaruc-les-Bains
La Corniche
Mont St-Clair
Aimargues
G O L F E
D U

324
323
304
0 2 4 6 8 10 km
Candiac
Vauvert
Tour
Dardaillon
Surville
Rantin
La Grand-Cabane
Aimargues
Lunel
Le Cailar
Jasse-d'Isnard
L'Amourade
Marsillargues
Malherbes
St-Brancard
Mas Bourry
Mas Roubaud
Beck
Mas Valdet
Belle-Vue
Franquevaux
La Margue
St-Gilles
Le Vallon
Les Grilles
Grd Mas du Roy
Mas de Vert
Fourques
Arènes
Mas du Tort
Camargue
Gimeaux
Les Passerons
Mas de Julian
Saliers
Figarès
Stanislas
Écluse de St-Gilles
Espeyran
Gallician
Mas Teissier
St-Laurent-d'Aigouze
Mas Desports
Mas de Carthagène
Mas de Mougues
Mas du Grd Bordes
Étang de Scamandre
Étang du Charnier
Étg de Grey
La Fosse
Mas de la Vigne
Marais des Saliers
Musée de la Camargue
Albaron
Signoret
Mas du Pt de Rousty
Ste Cécile
Montredon
Tour de Mondony
Bouchaud
La Montcalde
Van Gogh
Mas de la Ville
Gageron
Brunet
Rizières
Meyran
PARC
DE
LA
NATUREL
RÉGIONAL
DE
CAMARGUE
Le Grd Antonelle
Mas d'Agon
Villeneuve
Mas du Cabassolle
Grd Romieu
Tamariguières
Le Grd Mazet
Mas de-Port
Grand Cogul
Tour Carbonnière
Mas Psalmody
P. des Tourradons
Grd-Canavère
Mas des Iscles
Tour
La Malgue
Ste-Anne
Mas des Sablons
Mas Grd-St-Jean
Mas Ste-Cécile
Quatret
La Souteyranne
Montcalm
Les Pradaux
Les Bruns
Le Paty-de-la-Trinité
Méjanes
Pâtis de la Trinité
PLAINE
Mas de Capette
Avignon
Le Ménage
Aigues-Mortes
Le Perrier
Mas du Bosquet
Caves de Listel
Sylvéréal
Mas Sénébier
Astouin
Mas de Pioch
Pioch-Badet
Cabanes de Cambon
Mas du Juge
Pin-Foucat
Mas Bade
Mas d'Icard
Le Pt Sauvage
Pont-de-Gau
Le Ferradou
Maguelonne
Parc ornithologique
Le Grd-Radeau
Étang de Vaccarès
Marais de la Sigoulette
Les Frignants
Île de Mornes
Étang de Malagroy
Étang de Monro
Bois des Rièges
Mas de Cacharel
Étang de l'Impérial
Étg du Lion
Étg du Fournelet
Fiélouse
La Capelière
Étang de Consecanière
Marais de Couvin
Salins du Midi
Étang du Roi
Étg des Caitives
Étg de la Ville
Étg du Repausset
Étg du Repaus
Plaine de St-Jean
Étang des Salants
Étg de Malégal
Étg de Rollan
Étang de l'Arameau
Petite Camargue
Étg du Cabri
Étang d'Icard
Étg des Launes
Musée
Stes-Maries-de-la-Mer
Port Gardian
Grau d'Orgon
Digue à la Mer
Phare de la Gacholle
Étg de la Dame
Étg du Tampan
Étang de Galabert
Golfe de Beauduc
Beauduc
Étg du Grd Rascaillan
Pointe du Sablon
Étg de Beauduc
LION
Rhône
Canal du Rhône à Sète
Vidourle
Vistre
Petit Rhône
Grand Rhône
D 6572
D 570
D 979
D 58
D 179
D 37
D 38
D 85
A
B
C
D
1
2
3
4
5

Montmajour
Meunerie romaine
Tours de Castillon
Eyguières
Mouriès
Les Paluds
Le Grd Berbegal
l'Ilon
305
E
F
G
H
La Fourbine
Bois-Vert
Grd Brahis
La Jasse
Curebourse
Mas-Neuf
La Calanque
Aurons
Salon-de-Provence
Pélissanne
La Barben
Raphèle-lès-Arles
Moulès
Balarin
Tourniaire
Caphan
Vilpail
St-Martin-de-Crau
St-Hippolyte
La Samatane
La Lieutenante
Poscros
Le Merle (École d'Agricre)
Les Cabanes
Bel-Air
Les Blazots
Les Canourgues
Centre de détention
Le Luquier
Beauchamps
Grans
Gigery
Lançon-Provence
Marais de Meyranne
PLAINE
La Dynamite
Les Poulagères
Le Vallon
Suffren
Pt Rouvian
Étang d'Entressen
Camp militaire
Miramas
Mas de l'Hoste
Mas de Lanau
Mas de Fray
Mas des Aulnes
Parc militaire de Baussenq
Entressen
Le Grd Mas
La Ste-Croix
Belval
Le Pont-de-Rhaud
Contoux
Mas de Pernes
Étang des Aulnes
Le Mas-Chauvet
Le Verry
CENTRE D'ESSAIS
Bellan
Vergières
Miramas-le-Vx
Champ de Tir
Cornillon-Confoux
L'Armellière
Pt St-Jean
Capeau
Mas Giraud
Mas-Thibert
St-Chamas
St-Léger
Les Guigues
Calissanne
Marais de Capeau
Mas d'Icart
CRAU
Pont-Flavien
Les Baisses
Pont de la Fa
Le Sambuc
Marais du Vigueirat
La Bayanne
Étg de l'Olivier
Oppidum du Castellan
Port de Beau Rivage
La Bosque
ISTRES-LE-TUBÉ
Istres
Boucasson
Mauran
St-Estève
Le Retour-des-Aires
La Forêt
Tour du Valat
Grd Boisviel
Le Pit Pâtis
Mas de Peint
Étang du Landre
Port des Heures Claires
ÉTANG
Bouquet
La Suzanne
Rassuen
Les Quatre-Vents
Musée
Tour de Parade
La Pite Porcelette
La Porcelette
Boisverdun
Le Radeau
Marais du Retour
La Fossette
Le Ventillon
Ranquet
N.-D. de Caderot
Peaudure
Chatrouse
Rebatun
Les Bannes
Lavalduc
Étg de Lavalduc
Étg de Citis
Massane
DE
Port du Passet
Les Marquises
La Louisiane
Le Relais
Les Carabins
Oppidum St-Blaise
St-Mitre-les-Remparts
Port de la Pointe
La Pointe
MARSEILLE
Pit Badon
Gd Badon
Le Vedeau
Salin du Relai
Valin
Étg de l'Estomac
Étg du Pourra
BERRE
Chamone
Salin du Caban
Fos-s-Mer
Étg d'Engrenier
La Grd Ponche
l'Eysselle
Terminal minéralier
Pointe de St-Gervais
Plage-de-Fos
N.-D. des Marins
Martigues
La Bélugue
Bac de Barcarin
Terminal méthanier
Terminal pétrolier
Port-de-Bouc
Faraman
Salin-de-Giraud
Port de Fos
Terminal à Conteneurs
La Lèque
La Mède
Les Tourels
Port-St-Louis-du-Rhône
Phare de St-Louis
Lavéra
Châteauneuf-les-Martigues
Port pétrolier de Lavéra
Les Ventrons
la Palissade
GRAND RHÔNE
Ponteau
St-Pierre
St-Julien-les-Martigues
La Bastide-Blanche
Bois de Châteauneuf
GOLFE
Étang de Faraman
Salin de Giraud
Cal. des Renaïres
Chaîne
Agut
Val-de-Ricard
Plage des Laurons
Les Rouges
La Folie
Faraman
Étg de Grde Palun
They de la Gracieuse
DE
FOS
Pointe de Bonnieu
La Couronne
Sausset-les-Pins
Plage
de
Piémanson
They de Roustan
Les Ragues d'Arnette
Carro
Ste-Croix
Les Tamaris
Carry-le-Rouet
Cap Couronne
Ile Aragnon
Côte
326
1
2
3
4
5
E
F
G
H

Istres
Port des Heures Claires
0 2 4 6 8 10 km
305
C
D
Mauran
St-Estève
La Suzanne
Bouquet
Meyrnes
St-Pons
Aqueduc de Roquefavour
La Mérindolle
Aix-la Duranne
Fossette
Le Ventillon
Feuillane
Les Bannes
Ranquet
Lavalduc
Massane
Varage
St-Mitre-les-Remparts
Les Carabins
Oppidum St-Blaise
Valin
Fos-s-Mer
Pointe de St-Gervais
Plage-de-Fos
Terminal minéralier
Terminal méthanier
Terminal pétrolier
Port de Fos
Conteneurs
Port-de-Bouc
La Lèque
Phare de St-Louis
Port pétrolier de Lavéra
Lavéra
Ponteau
GOLFE
DE
FOS
Cal. des Renaïres
They de la Gracieuse
Plage des Laurons
Pointe de Bonnieu
Les Ragues d'Arnette
La Couronne
Carro
Cap Couronne
Ste-Croix
Les Tamaris
Ile Aragnon
N.-D. des Marins
Martigues
Canal de Marseille au Rhône
La Mède
Les Ventrons
St-Pierre
St-Julien-les-Martigues
Agut
Les Rouges
La Folie
Chaîne de l'Estaque
Bois de Châteauneuf
Bois de Carry
Châteauneuf-les-Martigues
La Bastide-Blanche
Sausset-les-Pins
Carry-le-Rouet
Le Rouet-Plage
Val-de-Ricard
Côte Bleue
DE
BERRE
N.-D. de Caderot
Berre-l'Étang
Port du Passet
Port de la Pointe
La Pointe
Hydroaérodrome
MARSEILLE-PROVENCE
L'Agneau
Marignane
Plage de Bolmon
Les Tourels
Étang de Vaïne
Rognac
Vitrolles
Les Pins
Montvallon
Le Griffon
St-Victoret
Pas-des-Lanciers
Bricard
Gignac-la-Nerthe
Parc d'attractions
Le Douard
Le Rove
Ensuès-la-Redonne
La Redonne
Méjean
Les Figuières
Madrague-de-Gignac
Niolon
La Vesse
Anse de l'Estaque
L'Estaque
Souterrain du Rove
Plan-des-Pennes
La Nerthe
Jas-de-Rhodes
La Gavotte
St-Antoine
Les Cadeneaux
Les Pennes-Mirabeau
Plan-de-Campagne
Les Pinchinades
Stadium
Les Plaines d'Arbois
Aix-en-Provence T.G.V.
Cabriès
Calas
Réservoir du Réaltor
Plateau de Vitrolles
St-Louis
La Madrague-de-la-Ville
Rade de Marseille
MARSEILLE
Île Ratonneau
Le Frioul
Île Pomègues
Chau d'If
Cap Caveaux
Îles du Frioul
Rade d'Endoume
Plages du Prado
Bonneveine
La Pointe-Rouge
La Madrague-de-Montredon
Mt Rose
Cap Croisette
Île Tiboulen
Île Maïre
Les Goudes
Callelongue
Île de Planier
Île de Jarre
Île de Riou
1
2
3
4
5
A
B
C
D

306
328
E
F
G
H
Meyreuil
Châteauneuf-le-Rouge
Rousset
Pourcieux
St-Maximin-la-Ste-Baume
Mont Aurélien
Bouc-Bel-Air
Gardanne
Fuveau
Peynier
Trets
Belcodène
Gréasque
Simiane-Collongue
Mimet
Oratoire St-Jean-du-Puy
Montagne de Regagnas
Pas de la Couelle
Les Adrets
PARC NATUREL
RÉGIONAL
St-Savournin
Cadolive
Peypin
La Bouilladisse
St-Zacharie
Rougiers
Châteauneuf
Vieux-Rougiers
Pilon du Roi
Chaîne de l'Étoile
Auriol
La Destrousse
Nans-les-Pins
Roquevaire
Col du Marseillais
Forêt domaniale de la Ste-Baume
Plan-d'Aups-Ste-Baume
Mazaugues
Plan-de-Cuques
Allauch
Crx de Garlaban
Col de Roussargue
Tête de Roussargue
Col de l'Espigoulier
Roque Forcade
Pic de Bertagne
MASSIF DE LA SAINTE BAUME
St-Pilon
Signal de la Ste-Baume
Joug de l'Aigle
Aubagne
Gémenos
St-Jean-de-Garguier
Riboux
Signes
Chibron
Parc de St-Pons
Cuges-les-Pins
Mt Cruvelier
O.K. Corral (Parc d'attractions)
Castellet Paul-Ricard
St-Marcel
La Penne-sur-Huveaune
Carnoux-en-Provence
Col de l'Ange
Le Camp-du-Castellet
PARC NATIONAL
Chaîne de St-Cyr
Mt Carpiagne
Camp militaire
Roquefort-la-Bédoule
Pas d'Oullier
Puits-d'Encastre
Plateau de Siou-Blanc
Col de la Gineste
Cassis
Massif de Puget
CALANQUES
Port-Miou
Pas de la Colle
Rte des Crêtes
Ceyreste
La Cadière-d'Azur
Le Castellet
Le Beausset
Rocher de l'Aigle
Bec Sormiou
Cal. de Sormiou
Cap Morgiou
Grotte Cosquer
Cal. de Sugiton
Cal. de Morgiou
Cal. de Port-Pin
Cal. d'En-Vau
Cap Canaille
Sémaphore
La Ciotat
Clos des plages
Les Lecques
St-Cyr-sur-Mer
Le Gros Cerveau
Évenos
Ollioules
Île Calseraigne
Congloué
Les Calanques
Cal. de Figuerolles
Cap de l'Aigle
Île Verte
Bandol
Île de Bendor
Pnte de la Cride
Sanary-sur-Mer
Fort de Six-Fours
Institut Océanographique Paul Ricard
Six-Fours-les-Plages
Le Brusc
Grd Rouveau
Îles des Embiez
Île du Grd Gaou
Île du Pit Gaou
N.-D. du Mai
Presqu'île du Cap Sicié
Cap Sicié
Les Sablettes
La Seyne-sur-Mer

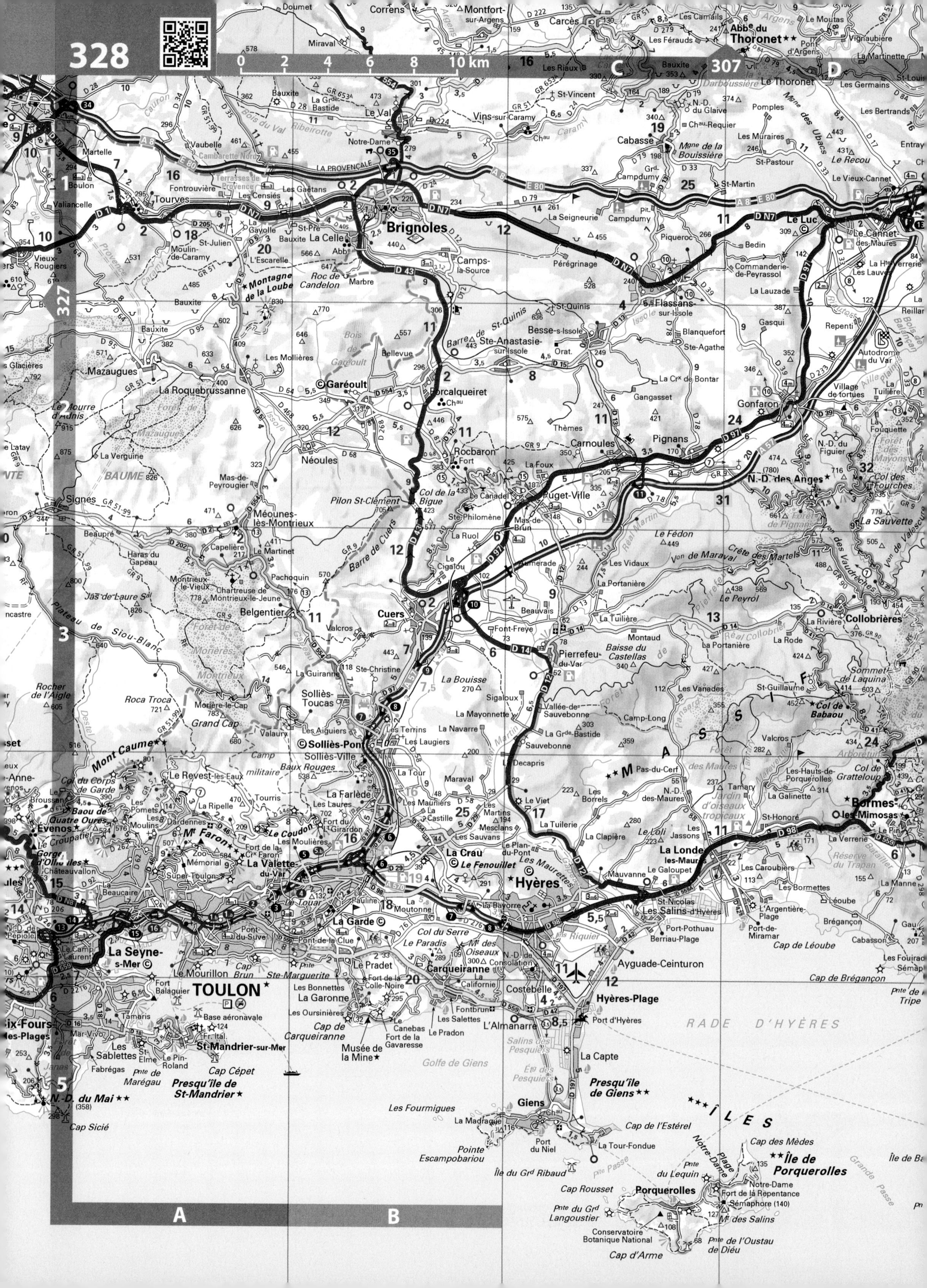
0 2 4 6 8 10 km
307
327
Correns
Montfort-sur-Argens
Carcès
Abbe du Thoronet ★★
Le Thoronet
Le Val
Vins-sur-Caramy
Cabasse
Bauxite
La Gde Bastide
Notre-Dame
Martelle
Boulon
Valiancelle
Tourves
Fontrouvière
Les Censiès
Les Gaëtans
LA PROVENÇALE
Brignoles
La Celle
Camps-la-Source
St-Julien
Moulin-de-Caramy
L'Escarelle
Vieux-Rougiers
★Montagne de la Loube
Roc de Candelon
Marbre
Péréginage
La Seigneurie
Campdumy
Piqueroc
Le Luc
Le Cannet-des-Maures
Bedin
Commanderie-de-Peyrassol
Flassans-sur-Issole
St-Quinis
Besse-s-Issole
Ste-Anastasie-sur-Issole
Blanquefort
Ste-Agathe
La Crx de Bontar
Gangasset
Gonfaron
Autodrome du Var
Village de tortues
Mazaugues
La Roquebrussanne
Les Mollières
Bellevue
Gareoult
Forcalqueiret
Néoules
Rocbaron
La Verguine
Thèmes
Carnoules
Pignans
N.-D. des Anges ★
Col des Fourches
La Sauvette
Mas-de-Peyrougier
Signes
Méounes-lès-Montrieux
Pilon St-Clément
Col de la Bigue
Puget-Ville
La Foux
Le Canadel
Ste-Philomène
Mas-de-Brun
Le Fédon
Crête des Martels
Beaupré
Haras du Gapeau
Capelière
Le Martinet
Barre de Cuers
Montrieux-le-Vieux
Chartreuse de Montrieux-le-Jeune
Pachoquin
La Ruol
Le Cigalou
Aumerade
Les Vidaux
La Portanière
Le Peyrol
Belgentier
Cuers
Valcros
Beauvais
La Tuilière
Montaud
Collobrières
La Rivière
Plateau de Siou-Blanc
Font-Freye
Pierrefeu-du-Var
Baisse du Castellas
La Rode
Rocher de l'Aigle
Roca Troca
Morière-le-Cap
Grand Cap
La Guiranne
Ste-Christine
Solliès-Toucas
La Bouisse
Sigaloux
Vallée-de-Sauvebonne
Les Vanades
St-Guillaume
Sommet de Laquina
Col de Babaou
Camp-Long
La Mayonnette
La Navarre
La Gde Bastide
Sauvebonne
Valcros
Mont Caume ★★
Les Aiguiers
Valaury
Solliès-Pont
Solliès-Ville
Les Terrins
Les Laugiers
Camp militaire
Baux Rouges
Decapris
Pas-du-Cerf
M A S S I F
des Maures
Col du Corps de Garde
Baou de Quatre Oures
Le Revest-les-Eaux
La Ripelle
Tourris
La Farlède
Les Laures
La Tour
Maraval
Les Borrels
N.-D. des-Maures
Tamary
Les-Hauts-de-Porquerolles
La Galinette
Col de Gratteloup
Bormes-les-Mimosas
Evenos
Le Croupatier
Dardennes
Mt Faron
Le Coudon
Les Mauniers
La Castille
Les Martins
Le Viet
La Tuilerie
Jardin d'oiseaux tropicaux
Les Jassons
St-Honoré
Gorges d'Ollioules
Châteauvallon
Zoo
Mémorial
Super-Toulon
La Valette-du-Var
Les Moulières
Fort du Lt Girardon
Les Sauvans
Mesclans
La Clapière
Le Loli
La Londe-les-Maures
La Verrerie
Réserve du Trapan
La Beaucaire
La Crau
Le Fenouillet
Le Plan-du-Pont
Hyères
Les Maurettes
Mauvanne
Le Galoupet
Les Caroubiers
Les Bormettes
Le Touar
Pauline
La Moutonne
La Bayorre
St-Nicolas
Les Salins-d'Hyères
L'Argentière-Plage
Léoube
Brégançon
La Seyne-s-Mer
Pont-du-Suve
La Garde
Col du Serre
Le Paradis
Mt des Oiseaux
N.-D. de Consolation
Les Riquier
Port-Pothuau
Berriau-Plage
Port-de-Miramar
Cap de Léoube
Cabasson
Le Mourillon
Cap Brun
Pont-de-la-Clue
Le Pradet
Carqueiranne
Ayguade-Ceinturon
Pnte Ste-Marguerite
Cap de Brégançon
Fort Balaguier
TOULON ★
Fort de la Colle-Noire
La Californie
Costebelle
Hyères-Plage
Tamaris
Base aéronavale
Les Bonnettes
La Garonne
Les Oursinières
Fontbrun
Les Salettes
L'Almanarre
Port d'Hyères
Six-Fours-les-Plages
Mar-Vivo
Les Sablettes
Fort de la Gavaresse
Canebas
Le Pradon
Cap de Carqueiranne
St-Mandrier-sur-Mer
RADE D'HYÈRES
St-Elme
Le Pin-Roland
Musée de la Mine ★
Golfe de Giens
Salins des Pesquiers
La Capte
Fabrégas
Pnte de Marégau
Cap Cépet
Presqu'île de St-Mandrier ★
Presqu'île de Giens ★★
N.-D. du Mai ★★
Les Fourmigues
Giens
★★★ ÎLES
Cap Sicié
La Madrague
Cap de l'Estérel
Pointe Escampobariou
Port du Niel
La Tour-Fondue
Cap des Mèdes
★★ Île de Porquerolles
Île du Grd Ribaud
Pnte du Lequin
Plage Notre-Dame
Cap Rousset
Porquerolles
Notre-Dame
Fort de la Repentance
Sémaphore (140)
Pnte du Grd Langoustier
Mt des Salins
Conservatoire Botanique National
Pnte de l'Oustau de Diéu
Cap d'Arme
A
B
C
D

Les Arcs
Taradeau
Vidauban
Les Valises
La Roquette
Roquebrune-sur-Argens
Rocher de Roquebrune
Puget-s-Argens
Fréjus
Fréjus-Plage
Boulouris
Cap du Dramont
Sémaphore ★★
Île d'Or
Golfe de Fréjus
★★★ Corniche
St-Aygulf
Villepey
Pte de la Lauvette
La Gaillarde
Pte de la Calle
Les Calanques
Pte des Issambres
Les Issambres
San-Peïre-s-Mer
Val d'Esquières
La Nartelle
Cap des Sardinaux
Tourelle de la Sèche-à-l'Huile
Ste-Maxime ★
Golfe de St-Tropez
Beauvallon
★★ ST-TROPEZ
Port-Grimaud ★
Pte des Rabiou
Tourelle de la Moutte
Cap de St-Tropez
Plage des Salins
Pte de Capon
Cap du Pinet
Plage de Tahiti
Anse de Pampelonne
Plage de Pampelonne
Pte de la Bonne Terrasse
Phare de Camarat ★
Cap Camarat
Presqu'île de St-Tropez ★★
Plage de l'Escalet
Cap Taillat
Plage de la Briande
★★ Cap Lardier
Pte Andati
Cavalaire-s-Mer
Cap Cavalaire
Baie de Cavalaire
Gigaro
Ramatuelle ★
Gassin
Col de Paillas
Col de Collebasse
La Croix-Valmer
Cogolin
Grimaud ★
La Garde-Freinet
Col de Vignon
M A U R E S
Colle Dure
Col de Gratteloup
Col de Valdingarde
Sommet du Peynier
Sommet de Castel-Diol
Les Mayons
Monastère de la Verne ★★
La Môle
Col du Canadel ★
Rayol-Canadel-s-Mer
Domaine du Rayol ★★
Pte de la Chappe
Cavalière
Aiguebelle
Pramousquier
Cap Nègre
Le Lavandou ★
Pte de Layet
★★ Corniche des Maures
Plage de la Favière
Port de Bormes-les-Mimosas
Baie de Gau
Pte de l'Esquillette
Cap Bénat
Cap Blanc
Île de Port-Cros ★★★
(Parc National)
Port-Cros
Port-Man
Pte du Vallon
Rer de la Gabinière
Île du Levant
Héliopolis
Le Grd Avis
Le Grd Cap
Pte Maupertuis
Phare du Titan
Pte de l'Areste
Pte de Calle-Rousse
Pte du Castellas
Zone interdite
H Y È R E S
F G H
1 2 3 4 5
308

313
332
E
F
G
H
Mauléon-Licharre
Chéraute
Pagolle
Garindein
Musculdy
Libarrenx
Gotein-Libarrenx
Roquiague
Ordiarp
Pic d'Elaudy
Idaux-Mendy
Ste-Barbe
Aussurucq
Menditte
Sauguis-St-Etienne
La Madeleine
Ossas-Suhare
Trois-Villes
Col de Sustary
Sommet d'Erretzu
Tardets-Sorholus
Alos
Sibas-Abense
Camou-Cihigue
Pic des Vautours
Sunharette
Alçay-Alcabéhéty-Sunharette
Abense-de-Haut
Lichans-Sunhar
Laguinge-Restoue
Montory
Haux
Lacarry-Arhan-Charritte-de-Haut
Etchebar
Licq-Athérey
Pic Laramendy
Pic Salhagagne
Larrau
Col de Lakurde
Negumendi
Crevasses d'Holcarté
Col d'Erroymendi
Ste-Engrâce
Gorges de Kakuetta
Gorges d'Ujarre
Col de la Pierre St-Martin
La Verna
Pic d'Arbouty
Pic d'Issarbe
Col de Suscousse
Pic d'Arguibelle
Barlanès
Pic de Sudou
Col d'Ordabure
Pic d'Igountze
Pic de Legorre
Barcus
Som^t de Cambillou
Géronce
Moumour
Esquiule
Lanne-en-Barétous
Aramits
Arette
Soum de Ségu
Issor
Soum de Liorry
Col de Lie
Soum d'Ire
Pic Soulaing
Col de Labays
Pic de Guilhers
Pas de Guilhers
Col de Soudet
Arette-Pierre-St-Martin
Pic du Soumcouy
Tête Sauvage
Pas d'Azuns
Portillo de Eraice
Pic Lakhoura
Chardékagagna
Otchogorrigagna
Pic d'Anie
Table des trois Rois
Pic d'Ansabère
Lescun
Le Layens
Lourdios-Ichère
Col d'Ichère
Col de Houratate
Col de Bouezou
Oloron-Ste-Marie
Ledeuix
Verdets
Estos
Goès
Précilhon
Escout
Bidos
Agnos
Gurmençon
Asasp
Lurbe-St-Christau
Escot
Défilé d'Escot
Pic Mail-Arrouy
Sarrance
Trône du Roi
Pic Roumendarès
Col de Marie-Blanque
Plateau du Bénou
Bedous
Osse-en-Aspe
Accous
Lées-Athas
Aydius
Pic Montagnon
Pic de Mousté
Cette-Eygun
Etsaut
Borce
Fort du Portalet
Urdos
Col du Somport
Candanchú
Somport
Tunnel du Somport
Les Forges d'Abel
Pic de Sesques
Pic Gaziés
Pic de Labigouer
Pic Lariste
Pic de Burcq
Pic Rouge
Pic d'Arlet
Pic de Gabedaille
PARC NATIONAL DES PYRÉNÉES
VALLÉE D'ASPE
Uztárroz
Isaba
Roncal
Garde
Ansó
Siresa
Hecho
Fago
Zuriza
Peña Escaurre
Sierra de Arrigorrieta
Punta Barrena
Visaurin
Monte Campanil
Sierra de Bernera
Canfranc-Estación
Larrón

0 2 4 6 8 10 km
314
331
A
B
C
D
1
2
3
4
5
Rébénacq
Igon
Asson
St-Vincent
Pouey-Mayou
Barlest
Pucheux
Lestelle-Bétharram
Montaut
Loubajac
Arudy
Sévignacq-Meyracq
Parc Zoologique
Sanctuaire
Bartrès
LOURDES
St-Pé-de-Bigorre
Peyrouse
Poueyferré
Izeste
Ste-Colome
Pédestarrès
Capbis
Pont-du-Moulin
Grottes de Bétharram
Louvie-Juzon
Pé-de-Hourat
Arthez-d'Asson
Col de Marie-Blanque
Plateau de Bénou
Castet
Pène-Peyrau
Les Oules
Pène de la Hèche
Les Toupiettes
Le Béout
Omex
Aspin-en-Lavedan
Col de Castet
Bilhères
Bielle
Le Mail
Pic de Merdanson
Pic Durban
Soum de Moulle
Ségus
Ossen
Viger
Som^t de Sesenite
Pic de Males Ores
Calibet
Pic de Monbula
Soum de Montne
Pic de Pibeste
Lugagnan
Agos-Vidalos
Falaise aux Vautours
Pène de Béarn
Montagnon
Gère-Bélesten
Col de Jaout
Pic Mondragon
La Herrère
Pic de l'Estibète
Soum de Conques
Soum du Prat du Rey
Le Tousseau
Pic du Moulle de Jaout
Soum d'Arriste
Col d'Andorre
Ouzous
Aste-Béon
Monplaisir
Etchartes
Soum de Granquet
Salles
Rochers des cinq-Monts
Pic d'Auzu
Col de Louvie
Ferrières
Col de Spandelles
Sère-en-L.
Ayzac-Ost
Gez
Pic Bareilles
Louvie-Soubiron
Arbéost
Pic Navaillo
Soum de Pène
Argelès-Gazost
Aydius
Col de Sieste
Béost
Pic Lorry
Bages
Assouste
Soum de Grum
Col d'Aubisque
Pic de Bazès
Col de Couraduque
Arras-en-Lavedan
Arcizans-Dessus
Gaillagos
Laruns
Col d'Arrioutort
Pic de la Gentiane
Montagnon d'Iseye
Eaux-Bonnes
Crêtes Blanches
Col de Soum
Cap d'Aout
Aucun
Bun
Sireix
Lau-Balagnas
Arcizans-Avant
St-Savin
Col d'Iseye
Les Eaux-Chaudes
Gourette
Col du Soulor
Arrens-Marsous
Col des Bordères
Terre-Nère
Pierrefitte-Nestalas
Pic Permayou
Pic de Gourzy
Pont d'Enfer
Pic de Ger
Pic de la Latte de Bazen
Turon de Bène
Soulom
Villelongue
Pène Médaa
Grd Gabizos
Pouey-Laun
Artouech
Esplaus
Labat d'Aucun
Labat de Bun
Estaing
Pic de Sesques
Col de Lurdé
Pic de Goupey
Sanctus
Col d'Uzious
Pène Blanque
Géougue d'Arre
Vallée d'Arrens
Pic du Midi d'Arrens
Pic de Cabaliros
Col de Contente
Capéran de Sesques
VALLÉE D'OSSAU
Pic de la Sagette
Le Tech
Miaous
Vielettes
Les Colonies
Pont de Méyabat
Pic de Viscos
Viscos
Pic Gaziés
Gabas
Pic Biscau
Pic Estibère
Tucoy
Lac d'Estaing
Gorge de Luz
Pic d'Auliou
Pic Arrouy
Pic des Tourettes
Soum de Bassia du Hoo
Moun Né
Cauterets
Canceru
Chet de la Reine Hortense
Luz-Ardiden
Grust
Sazos
Fabrèges
Pic du Pt Lurien
Pic Lavigne
Porte d'Arrens
Soum de Grum
Cque du Lys
Cambasque
Plau du Lisey
Soum des Aulhères
Soum de la Hourquette
Lac de Bious-Artigues
Pic d'Ayous
Le Courouaou
Pont de Camps
Le Lurien
Larribet
Grd Barbat
Établts Thermaux
Pic de Péguère
La Raillère
Étabt de Pisciculture
Lacs d'Ayous
C. d'Ayous
Pic Saoubiste
Col de Suzon
Col d'Arrious
Balaïtous (Ledormeur)
Pont d'Espagne
Soum d'Arriou Né
Soum de Naout Coste
St-Sauveur
Pic Hourquette
Pic du Midi d'Ossau
Pic Peyreget
Pombie
Pont d'Arrious
Palas
A. Michaud
PARC NATIONAL
Pic Arrouy
Val de Jéret
Soum de Peyre-Lance
La Fruitière
Pic des Moines
Soques
Pic d'Arriel
Balaïtous
Pic de Gaube
Vallée de Lutour
Pic d'Ardiden
Pic Mayouret
Lac de Gaube
Russel
PYRÉNÉES
Valle de Astún
Cirque d'Anéou
Col du Pourtalet
Pic du Pourtalet
Pic de Soques
Aguas Limpias
Alfonso XIII
Embalse de Respomuso
Pic de Cambalès
Lacs de Cambalès
Pic Araillous
Marcadau (E. Wallon)
Pic de Chanchou
Col du Somport
Pic d'Anéou
Grde Fache
DES PYRÉNÉES
Col de Culaous
Candanchú
Embalse de la Sarra
Port du Marcadau
Grd Pic de Péterneille
Pic Chabarrou
Pic d'Estibe Aute
L. d'Estom
Pic de Cestrède
Pico de Anayet
Peña Foradada
Les Oulettes
Pic de la Sède
Anayet
Picos del Infierno
Embalse de Bachimaña
Embalses de Bramatuero
Grd Pic d'Arratille
Pic des Oulettes
Hourquettes d'Ossoue
Baysselance
Malh Arrouy
El Formigal
Sallent de Gállego
Soum d'Aspé
Campo de Troya
Embalse de Gálego
Embalse de Lanuza
Balneario de Panticosa
Picos del Serrato
Vignemale
Collado de Izas
Pico de los Tres Hombres
Lanuza
Canfranc-Estación
Pasino
Peñas de Fenias
Soum Blanc de Secugnat
Ibón de Samán
Bgde d'Ossoue
N.-D. des Neiges
Larrón
Pico de Escarra
Embalse del Escarra
Escarrilla
Garganta del Escalar
Embalse de Brazato
Pic de Lourdes
Tarañones
Pena del Calcin
Pico del Brazato
Pico de Villá
Pico de Baldairan
Ibón Tramacastilla
Sandinies
Embalse de Ip
Río Aragón
Tramacastilla de Tena
Panticosa
Pico de Ferreras
Pic Gabiet
Collarada
El Pueyo de Jaca
Peña Nevara
Peña Reiona
Embalse de Búbal
Pic de la Bernatoire
Pic de Tentes
Port de Boucharo
Peña Telera
Pico de las Escuelas
Saqués
Piedrafita de Jaca
Hoz de Jaca
Valle de Tena
Sarradets
Villanúa
Búbal
Ibon de Sabocos
Bujaruelo (1338)
le Taillon
Brèche de Roland
Cirque
Sierra de Tendeñera
Monasterio de Sta Elena
Parque Nac

315
E
F
G
H
334
Hibarette
St-Martin
Bernac-Debat
Lanne
Bénac
Barry
Visker
Arcizac-Adour
Bernac-Dessus
Barbazan-Dessus
Frechet
Oueilloux
Oléac-Dessus
Luc
Hitte
Ozon-Darré
Poumarous
Chelle-Spou
Lanespède
Lanusse
Plateau
Houeydets
Bégole
Ricaud
Caharet
Lutilhous
Lagrange
Inst. d'études atmosphériques
Lannemezan
La Demi-Lune
Averan
Layrisse
Orincles
Loucrup
Montgaillard
Hiis
Vielle-Adour
Orignac
Ortignac
La Hounte
Cieutat
Gourgue
Péré
Capvern-les-Bains
Artiguemy
L'Escaladieu
Mauvezin
Capvern
Julos
Paréac
Escoubès-Pouts
Antist
Ordizan
Trébons
Astugue
Arcizac-ez-Angles
Arrayou-Lahitte
Gez-ez-Angles
Ossun-ez-Angles
Les Angles
Artigues
Arrodets-ez-Angles
Sère-Lanso
Juncalas
Castelloubon
Argelès-Bagnères
Mérilheu
Hauban
Le Hailla
Bonnemazon
Bourg-de-Bigorre
Benqué
Molère
Tilhouse
Avezac-Prat-Lahitte
Neuilh
Pouzac
Bagnères-de-Bigorre
Uzer
Bettes
Castillon
Espieilh
Sarlabous
Esconnets
Fréchendets
Bastère
Lies
La Coume
Col des Palomières
Le Bédat
Labassère
Germs-sur-l'O.
Donjon
Parc Thermal de Salut
Gerde
Asté
Marsas
Asque
Escots
Bulan
Lomné
Espèche
Espéchère
Chau
Banios
Labastide
Laborde
Esparros
Cheust
Pic de la Clique
Ourdis-Cotdoussan
Gazost
Aranou
Soulagnets
Grotte de Médous
Le Monné
Beaudéan
Graouo
Campan
Pic d'Asté
Col du Couret
Sulfureuse de Labassère
Couret
Arrodets
Pic de Montégut
Gouffre d'Esparros
Col de Coupe
Pic d'Arneille
Las Tachouères
Hèches
Casque du Lhéris
La Scierie
Pic de l'Oussouet
Lesponne
Vallée de Lesponne
Col de Magenta
St-Roch
Rimoula
Galade
Peyras
Forêt des Baronnies
Rebouc
Pic de Montaigu
Pic de Lhens
Abay
Pic de Hount Blanque
Ste-Marie-de-Campan
Pène de Téoulère
Signal de Bassia
Col de Tramassel
Pic de Barran
Chiroulet
Col d'Ouscouaou
Lac d'Isaby
Lac Bleu
La Laurence
La Séoube
Col de Beyrède
Sarrancolin
Col d'Arizes
Pène Lounque
St Michel
Gripp
Cabadur
Sarrat de Bon
Espiadet
Col d'Aspin
Beyrède-Jumet
Jumet
Camous
Pic du Midi de Bigorre
L. de Peyrelade
P. Blanque
Observatoire les Laquets
Soum Arrouy
Col d'Aoube
Lac d'Oncet
C. de Sencours
Taoulet
Bagnet
Artigues-Campan
Cade du Garet
Cade de l'Arises
Payolle
Marbre
Aspin-Aure
Pla del Naou
Barrancoueu
Pène Taillade
Soum de Nère
Col du Tourmalet
Bastan
Barèges
Laquette
Super-Barèges
La Mongie
Pène Blanque
Pène Arrouye
Lac de Grézioles
Campana de Cloutou
Pic des Quatre Termes
L. de Port-Bielh
Cabanes de Camoudiet
Hourquette d'Ancizan
Cadéac
Tour
Arreau
Pailhac
Jézeau
Cazaux-Debat
Lançon
Ilhan
Ris
La Prade
Bordères-Louron
Esquièze-Sère
Viey
Sers
Lienz
P. de la Gaubie
Font d'Ayré
Pic d'Ayré
P. de la Caoubère
Betpouey
Viella
Esterre
Luz-St-Sauveur
P. de Lurtet
L. de la Glère
MASSIF DE NÉOUVIELLE
Col de Madaméte
Pic d'Estibère
Col d'Aubert
Pic de Néouvielle
Lac d'Aumar
Lac d'Aubert
Pic d'Anglade
Lac de l'Oule
Pic de Baztan
Lavedan
Bastan
Pic d'Aulon
L'Arbizon
Ancizan
Guchen
Grézian
Gouaux
Aulon
Grges de Lurgues
Bazus-Aure
Guchan
Agos
Grailhen
Col du Pla
Pic de Bergons
L. du Pourtet
Pont d'Esdouroucats
Pic de Maucapéra
Packe
Lac de Rabiet
Cap de Long
Lac d'Orédon
Col de Portet
Espiaube
Soulan
Vielle-Aure
Camparan
Avajan
Vielle-Louron
Pragnères
PARC NATIONAL
L. Tourrat
Bge de Cap-de-Long
Col de Couplan
Sapinière de Couplan
Neste de Couplan
Pène Male
Soum de Matte
La Cabane
Etabnt Thermal
Cadeilhan-Trachère
Vignec
Bourisp
Sailhan
Estensan
Adervielle-Pouchergues
Estarvielle
Mont
Armenteule
Génos
Loudervielle
Trimbareilles
Pic d'Espade
Pic Long
Pic de Bugatet
Pic Méchant
Pic d'Arrouye
Pla-d'Adet
Eget
St-Lary-Soulan
Azet
Ens
Tramezaïgues
Maison-Blanche
Pic de Campbieil
DES
Granges de Campbieil
Port de Campbieil
PYRÉNÉES
Le Plan d'Aragnouet
Fabian
Boucagnère
Le Pont du Moudang
Méyabat
Aragnouet
Piau-Engaly
Col d'Azet
Val-Louron
Loudenvielle
Vallée de Louron
Germ
Peyragudes
Peyresourde
Chaos de Coumély
Soum des Salettes
Mgne de Coumély
Héas
N.-D. de Héas
Bge des Gloriettes
Hourquette de Héas
Pic de la Géla
Pic de Gerbats
Pic de Cuneille
Pic de Tramezaïgues
Pic d'Aret
Pic de Sarrouès
Grges du Moudang
Pic de Garlitz
Tunnel d'Aragnouet-Bielsa (Réglementé)
Port Vieux
Cap de Toudous
Pic de la Haille
Pic d'Arrouyette
Pic de Thou
Artiguelongue
P. du Prat
Tramezaygues
Pas de Couret
Pimené
Gavarnie
Espuguettes
Cirque d'Estaubé
Soum de Bieil
Cirque de Troumouse
Port de Barroude
Pic de Troumouse
Tùnel de Bielsa
Hospital de Parzan
Port de Héchempy
Port du Moudang
Pic d'Arriouère
Hospice de Rioumajou
Pic de Batoua
Pic de Guerreys
Pic de Lustou
Pic de l'Abeille
L. de Pouchergues
Pic de Hourgade
L. de Caillauas
Lassoula
Grd Astazou
Tuquerouye
Pic de la Munia
Sierra de Liena
Pic de l'Espade
Pic Schrader
Pic des Gourgs blancs
Marboré
Pic de Pinède
MONTE PERDIDO
Na Sa de Pineta
Port d'Ourdissetou
Port du Plan
Pic d'Ourdissetou
Pic Lêz Gougs-Tortes
de Ordesa
Perdido
Parzan
Fredançon
Rioumajou
N.-D. des Neiges
P. Tisné
Pic de Pichebrou
Escala
La Barthe-de-Neste
Tuzaguet
Cantaous
Pinas
Montoussé
Bizous
Izaux
Mour
Le Plan
Pénart
Lortet
Bazus-Neste
St-Arroman
Gazave
Mazouau
Héchettes
Cap d'Estivère
Léchan
Pène Haute
Col d'Estivère
Pic de Montaut
Ilhet
VALLÉE D'AURE
Baricave
Mt Castéra
Fréchet-Aure
Ardengost
Col de l'Aouet
Cap Nestès
Forêt de Bareilles
Bareilles
Pouy
Is
Cne de Saubette
Somt du Templa
Mont Né
Port de Pierrefite
L. de Bordères
Pic du Lion
Cazaux-Dessus
Anéran
Cazaux-Fréchet-Anéran-Camors
Camors
Portet-de-Luchon
Col de Peyresourde
Gouaux-de-Larboust
Cap des Pales
Montségu
Val d'Esquierry
Val d'Astau
Lac d'Oô
Pic des Spijoles
Pic Perdiguère
Lac du Portillon
Lac d'Espingo
Hautaget
Montsérié
Bize
Nistos
Nistos-Haut
Haut-Nistos
Sausset
Pic de Douly
Pic du Mt Aspet
Chalets St-Néré
Mgne d'Areng
Mgne d'Espiaube
Vallée d'Oueil
Bourg-d'Oueil
Poubeau
Jurvielle
Montégut
Nestier
St-Laurent-de-Neste
Anères
Lagrange
Camelot
Peyre-Hicade
Barbet
Tourrudats
Auérets
Escourtats
Aruats
Canal de la Neste

0 2 4 6 8 10 km
316
333
A
B
C
D
1
2
3
4
5
St-Gaudens
St-Bertrand-de-Comminges
Bagnères-de-Luchon
Superbagnères
Vielha
Montréjeau
Valentine
Miramont-de-Comminges
Aspet
Col de Portet d'Aspet
St-Béat
Marignac
Cierp-Gaud
Bossòst
Les
Canejan
Fos
Melles
Barbazan
Montespan
Salies-du-Salat
Beauchalot
Estancarbon
Pointis-Inard
Labarthe-Inard
Savarthès
Landorthe
Villeneuve-de-Rivière
Bordes-de-Rivière
Clarac
Ausson
Pointis-de-Rivière
Huos
Gourdan-Polignan
Lombrès
Tibiran-Jaunac
Valcabrère
Génos
Malvezie
Arbon
Izaut-de-l'Hôtel
Encausse-les-Thermes
Soueich
Estadens
Sengouagnet
Milhac
Juzet-d'Izaut
Arguenos
Pic de Cagire
Saléchan
Siradan
Frontignan-de-Comminges
Boutx
Lez
Arlos
Argut-Dessous
Salles-et-Pratviel
Antignac
Moustajon
Juzet-de-Luchon
Montauban-de-Luchon
St-Mamet
Castillon-de-Larboust
Cazeaux-de-Larboust
Col de Peyresourde
Peyragudes
Pic de Bacanère
Pic de Burat
Pic de Sacaube
Vallée du Lys
Vallée de la Pique
Hospice de France (1385)
Pic des Crabioules
Pic Perdiguère
Pic de Sauvegarde
Pas de la Montjoie
Pic de la Mine
Port de Vena
Artiga de Lin
Es Bòrdes
Arres
Vilamòs
Era Bordeta
Arròs
Vila
Aubert
Vilac
Gausac
Casau
Betren
Escunhau
Casarilh
Garòs
Arties
Salardú
Gessa
Baquèira
Tredòs
Montcorbau
Mont
V A L   D' A R A N
Pontaut
Pont du Roi
Plan de Montmajou
Montlude
Pic de Crabère
Pic de Mauberme
Col d'Aoueran
Cap de la Pique
Tuc de Seneviès
Cap de Gauch
Pic de la Calabasse
Col d'Auarde
Galey
St-Lary
Augirein
Orgibet
Antras
Sentein
Portet-d'Aspet
Mont Né
Port de Balès
Bourg-d'Oueil
Vallée d'Oueil
Mayrègne
St-Paul-d'Oueil
St-Aventin
Montsegu
Col de l'Aouet
Pic du Gar
Col de Menté
Tuc de l'Étang
Col d'Artigascou
Reserva Nacional
Uelhs deth Joèu
Asseradora
Tuca-Betrém
A 64
E 80
N 125
D 817
N 230
D 618

335
317
336
E
F
G
H
1
2
3
4
5
St-Girons
St-Lizier
Montjoie-en-Couserans
Lorp-Sentaraille
Caumont
Prat-Bonrepaux
Lacave
Mercenac
Taurignan-Castet
Taurignan-Vieux
Gajan
Montesquieu-Avantès
Clermont
Allières
Durban-s-Arize
Castelnau-Durban
Rimont
Lescure
La Bastide-de-Sérou
Le Mas-d'Azil
Grotte du Mas-d'Azil
Sabarat
Les Bordes-sur-Arize
Campagne-sur-Arize
Daumazan-sur-Arize
Montbrun-Bocage
Ste-Croix-Volvestre
Montardit
Mérigon
Tourtouse
Bédeille
Barjac
Contrazy
Mauvezin-de-Ste-Croix
Cabanères
Camarade
Montfa
Fabas
Cérizols
Ausseing
Roquefort-s-Garonne
Montclar-de-Comminges
St-Michel
La Bastide-du-Salat
Mauvezin-de-Prat
Francazal
Montgauch
Cazavet
Montégut-en-Couserans
Moulis
Engomer
Audressein
Castillon-en-Couserans
Les Bordes-s-Lez
Uchentein
Bethmale
Arrien-en-B.
Vallée de Bethmale
Alos
Soueix-Rogalle
Sentenac-d'Oust
Oust
Seix
Ercé
Vallée du Garbet
Aulus-les-Bains
Massat
Biert
Gorges de Ribaouto
Lacourt
Erp
Rivèrenert
Esplas-de-Sérou
Montagagne
Sentenac-de-Sérou
Som^t de Portel
Col de Péguère
Col de Port
Col des Caougnous
Col de la Crouzette
Col de Rille
Pic d'Eychenne
Col d'Ayens
Tuc de la Courate
Massif
Col de Saraillé
Col de Latrape
Col d'Agnes
Port de Saleix
Pic des Trois Seigneurs
Pic de la Journalade
Pic d'Estibat
Pic de Girantes
Pic Rouge de Bassiès
Pic de Montbéas
Pic de Certascan
Pic de Turguilla
Pointe des Trois Comtes
Port de l'Artigue
Mont Rouch
Pic de Marterat
Port de Marterat
Cap de Ruhos
Pic de Montareing
Pic des Mulats
Pic des Pontils
Port de Salau
Pic de Montaud
Port d'Aula
Pic des Trois Comtes
Pic de Barlonguère
Mont Valier
Col de Pause
Pic de Fonta
Couflens
Salau
Vallée d'Ustou
(Ustou)
Guzet-Neige
Pic de Soubirou
Pic de Montagnou
Pic de Séron
Pic de Freychet
Pic de Mt Rouge
Auzat
Suc-et-Sentenac
Pic de Moredo
Cabeza de Marimanya
Vall del Noguera Pallaresa
La Noguera Pallaresa
Montgarri
Baqueira
Tuc de la Llança
Pic de Ventolao
Pic de Brougat
Cordillera de Pilas
Alòs d'Isil
Isil
Noarre
Parc Naturel Régional des Pyrénées Ariégeoises
Montagne
Petites Pyrénées
Pic de l'Estelas
Pic du Midi de Bordes
Pic de Montgarie
Tuc de Quer Ner
Cap Ner
Tuc de Pourtillou
Tuc du Coucou
Pic de Trémul
Pic de Pomebrunet
Tuc des Hèches
Pic de la Pale
Carla-Bayle
Artigat
Pailhès
Gabre
Aigues-Juntes
Suzan
Montels
Alzen
Burret
Le Bosc
D 117
D 618
D 18
D 3
D 32
D 8

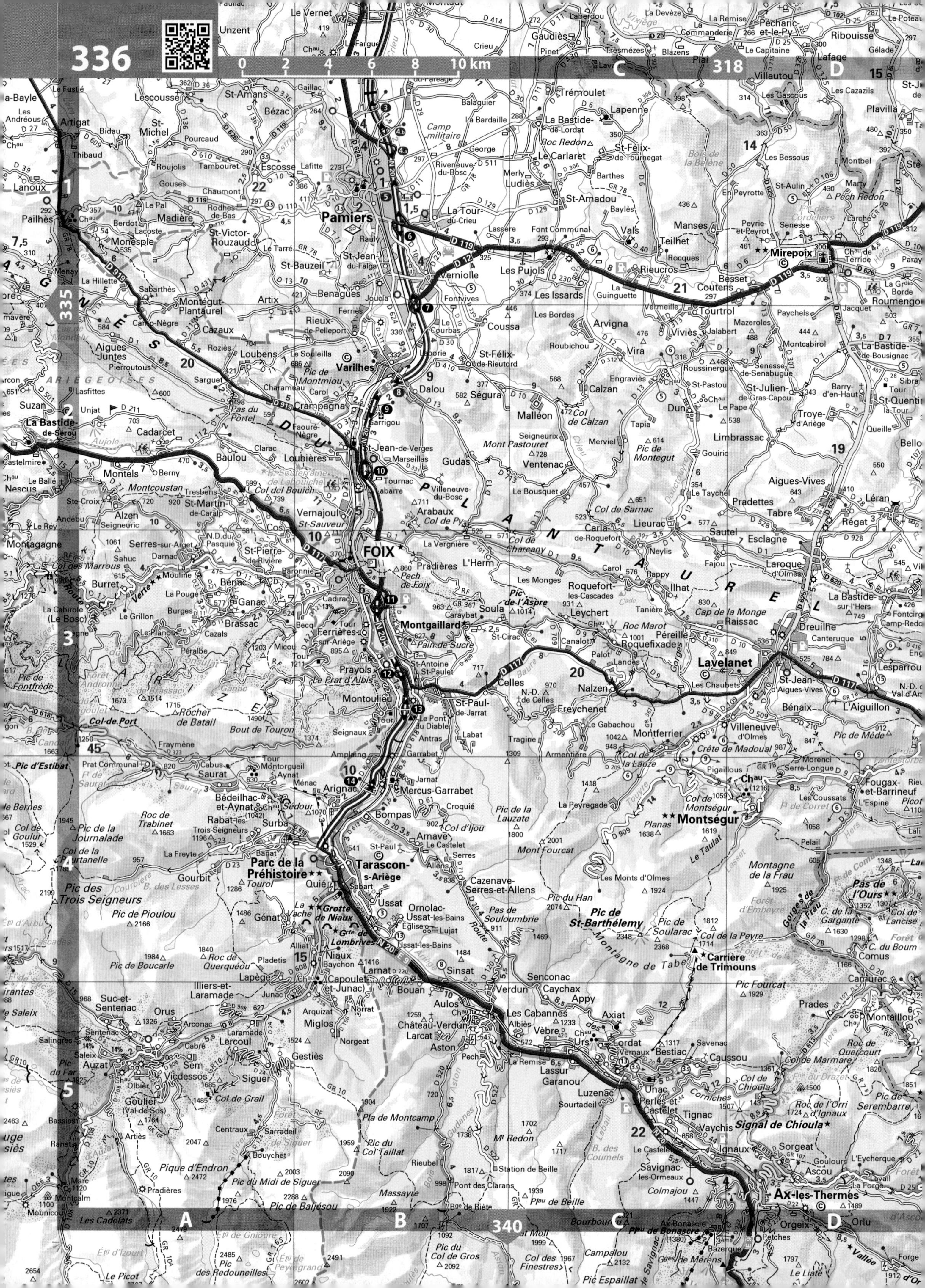

336
0 2 4 6 8 10 km
318
335
340
A
B
C
D
1
2
3
4
5
Pamiers
Mirepoix
Varilhes
FOIX
Pech de Foix
Montgaillard
Pain de Sucre
Lavelanet
Montségur
Tarascon-s-Ariège
Parc de la Préhistoire
Grotte de Niaux
Grte de Lombrives
Ax-les-Thermes
Carrière de Trimouns
Signal de Chioula
Pas de l'Ours
La Bastide-de-Sérou
Le Vernet
Unzent
Gaudiès
Pécharic-et-le-Py
Ribouisse
Lafage
Villautou
Artigat
Le Fustié
Lescousse
St-Amans
Bézac
St-Michel
Thibaud
Roujolis
Tambouret
Escosse
Lafitte
Lanoux
Pailhès
Madière
Rodhes-de-Bas
St-Victor-Rouzaud
Monesple
Berdot
Lacoste
St-Bauzeil
St-Jean-du-Falga
Vernajoul
Benagues
Artix
Sabarthès
Montégut-Plantaurel
Cazaux
Camp-Nègre
Aigues-Juntes
Loubens
Pierroutous
Rieux-de-Pelleport
Ferriès
Crampagna
Sarguet
Lasfittes
Suzan
Unjat
Cadarcet
Baulou
Loubières
Clarac
St-Jean-de-Verges
Marseillas
Tournac
Labarre
Montels
Berny
Nescus
Montcoustan
St-Martin-de-Caralp
Col del Bouich
Alzen
Cos
Serres-sur-Arget
St-Pierre-de-Rivière
Montagagne
Col des Marrous
Burret
Bénac
Ganac
Brassac
La Cabirole (Le Bosc)
Le Grillon
Burges
Cazals
Ferrières-sur-Ariège
Prayols
Le Prat d'Albis
Montoulieu
Pic de Fontfrède
Rocher de Batail
Bout de Touron
Col de Port
Saurat
Prat Communal
Pic d'Estibat
Arignac
Mercus-Garrabet
Bédeilhac-et-Aynat
Surba
Rabat-les-Trois-Seigneurs
Roc de Trabinet
Pic de la Journalade
Col de Port
Pic des Trois Seigneurs
Gourbit
Pic de Pioulou
Génat
Niaux
Alliat
Ussat
Ornolac-Ussat-les-Bains
Bompas
Arnave
Croquié
Col d'Ijou
Pic de la Lauzate
Mont Fourcat
Cazenave-Serres-et-Allens
Pas de Souloumbrie
Pic du Han
Pic de St-Barthélemy
Pic de Soularac
Col de la Peyre
Montagne de Tabe
Montagne de la Frau
Gorges de la Frau
Comus
Camurac
Montaillou
Prades
Sinsat
Verdun
Senconac
Caychax
Appy
Axiat
Les Cabannes
Aulos
Bouan
Château-Verdun
Larcat
Aston
Vèbre
Urs
Lordat
Bestiac
Savenac
Caussou
Luzenac
Garanou
Lassur
Unac
Perles-et-Castelet
Tignac
Vaychis
Ignaux
Sorgeat
Ascou
Orgeix
Orlu
Col de Chioula
Roc de Quercourt
Col de Marmare
Pic de Serembarre
Savignac-les-Ormeaux
Colmajou
Station de Beille
Plau de Beille
Mt Redon
Pic du Col Taillat
Pla de Montcamp
Massayre
Pont des Clarans
Rieubel
Suc-et-Sentenac
Orus
Illiers-et-Laramade
Lapège
Capoulet-et-Junac
Miglos
Norgeat
Arquizat
Gestiès
Lercoul
Siguer
Sem
Vicdessos
Auzat
Goulier (Val-de-Sos)
Col de Grail
Olbier
Artiès
Pique d'Endron
Pic du Midi de Siguer
Pic de Baljésou
Bouychet
Pradières
Marc
Montcalm
Mounicou
Les Cadelats
Le Picot
Pic des Redouneilles
Étg d'Izourt
Étg de Gnioure
Pic du Col de Gros
Col des Finestres
Pic Espaillat
Campalou
Bourbourg
Ax-Bonascre
Plau de Bonascre
Petches
Bazerque
Le Liate
Forge
Vallée d'Orlu
Dreuilhe
Raissac
Péreille
Roquefixade
Roc Marot
Leychert
Roquefort-les-Cascades
Ilhat
Cap de la Monge
Carol
Les Monges
L'Herm
Pradières
La Vergnière
Soula
Pic de l'Aspre
Caraybat
St-Cirac
Celles
N.-D. de Celles
Nalzen
Freychenet
Le Gabachou
Montferrier
Villeneuve-d'Olmes
Crête de Madoual
Col de la Lauze
Pigaillous
Col de Montségur
Planas
Les Monts d'Olmes
St-Paul-de-Jarrat
Le Pont du Diable
Antras
Labat
Tragine
Armentière
La Peyregade
Fougax-et-Barrineuf
Serre-Longue
Morencl
Bénaix
L'Aiguillon
St-Jean-d'Aigues-Vives
Pic de Mède
Lesparrou
La Bastide-sur-l'Hers
Fontcirgue
Camp-Redon
Canterugue
Laroque-d'Olmes
Esclagne
Sautel
Fajou
Neylis
Lieurac
Carla-de-Roquefort
Col de Sarnac
Le Taychel
Pradettes
Tabre
Régat
Léran
Aigues-Vives
Limbrassac
Troye-d'Ariège
Gouiric
Dun
Le Pape
Col de Calzan
Calzan
Malléon
Ségura
Dalou
Tapia
Merviel
Pic de Montegut
Mont Pastouret
Seigneurix
Ventenac
Gudas
Villeneuve-du-Bosc
Arabaux
Col de Py
Col de Charcany
Le Bousquet
Coussa
St-Félix-de-Rieutord
Laborie
Les Bordes
Arvigna
Vira
Roubichou
Engraviès
Roussinergue
St-Pastou
Viviès
Tourtrol
Jalabert
Mazeroles
Montcabirol
Senesse-de-Senabugue
St-Julien-de-Gras-Capou
Barry-d'en-Haut
St-Quentin-la-Tour
La Bastide-de-Bousignac
Paychels
Roumengoux
Jacquet
Besset
Coutens
Rieucros
La Guinguette
Les Issards
Les Pujols
Vernolle
Fontvives
Le Courbas
Joucla
Font Communal
Lassere
Teilhet
Vals
Manses
Rocques
Senesse
Peyrie-et-Peyrot
Larche
Pech Redon
St-Aulin
En Peyrotte
Marty
Montbel
Plavilla
Les Cazazils
Les Bessous
Les Gascous
Tremoulet
Lapenne
La Bastide-de-Lordat
Roc Redon
Le Carlaret
St-Félix-de-Tournegat
Barthes
Merly
Ludiès
St-Amadou
Baylès
La Tour-du-Crieu
Riveneuve-du-Bosc
George
La Bardaille
Balaguier
Camp militaire
Crieu
Laberdou
Trémezes
Blazens
Pinet
La Devèze
La Remise
La Commanderie
Le Capitaine
Gélade
Le Poteau
Borde
Bois de la Belène
Gouriac
Pas du Portel
Faouré-Nègre
Garrigou
Charameau
Le Souleilla
Pic de Montmiou
Carol
Vernajoul
St-Sauveur
Baronnie
Cadirac
Becq
Micou
Tour
Pic de Querquéou
Roc de Querquéou
Pladetis
Junac
Sentenac
Arconac
Cabré
Laramade
Salingres
Pic du Far
Bassiès
Centraux
Sarradeil
Roc de l'Orri d'Ignaux
Col de la Gargante
Col de Lancise
C. du Boum
Forêt d'Embeyre
Le Castelet
Serres
Allens
Sabart
Quié
Ussat-les-Bains
Lujat
Église
Baychon
Lornat
Pech
Albiès
La Remise
Sourtadeil
Le Castelet
Vallée d'Orlu

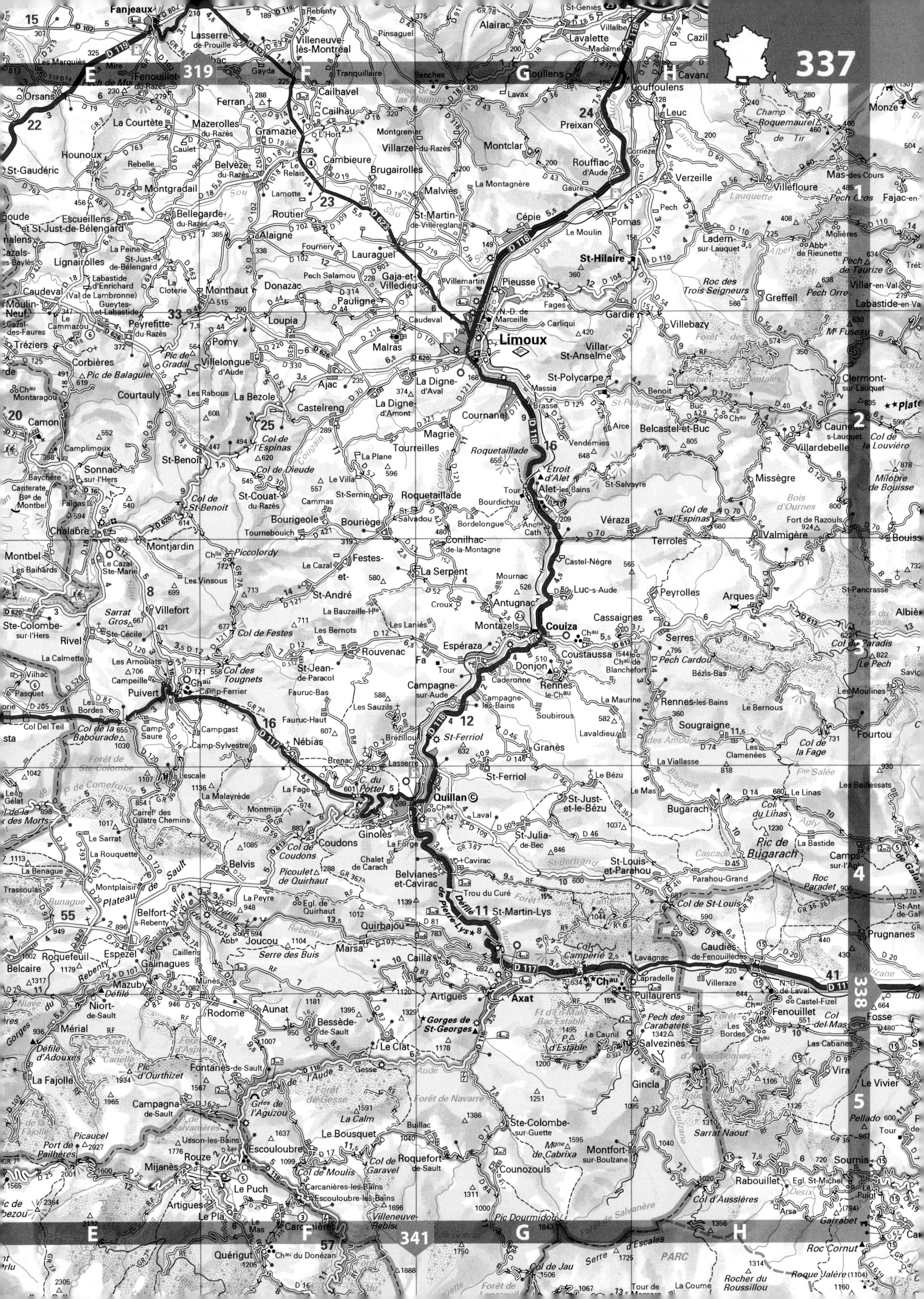

337
319
338
341
E
F
G
H
1
2
3
4
5
Fanjeaux
Lasserre-de-Prouille
Villeneuve-lès-Montréal
Pinsaguel
Alairac
St-Geniès
Lavalette
Villalbe
Cazil
Fenouillet-du-Razès
Gayda
Tranquillaire
Sanches
Roullens
Cavanac
Couffoulens
Orsans
Ferran
Cailhavel
Cailhau
Bois de las Mounjos
Lavax
Leuc
Monze
Champ Roquemaurel de Tir
La Courtète
Mazerolles-du-Razès
Gramazie
L'Hort
Montgrenier
Villarzel-du-Razès
Montclar
Preixan
Hounoux
Caulet
Rebelle
Belvèze-du-Razès
Cambieure
Brugairolles
Rouffiac-d'Aude
Cornèze
Verzeille
Mas-des-Cours
St-Gaudéric
Montgradail
Le Relais
Lamotte
Malviès
La Montagnère
Gaure
Villefloure
Pech Gros
Fajac-en-
Escueillens-et-St-Just-de-Bélengard
Bellegarde-du-Razès
Routier
St-Martin-de-Villereglan
Cépie
Pomas
Pech
Lauquette
Alaigne
Fournery
Lauraguel
Le Moulin
Ladern-sur-Lauquet
Abbé de Rieunette
Molières
La Peine
St-Just-de-Bélengard
Lignairolles
Pech Salamou
Gaja-et-Villedieu
Villemartin
Pieusse
St-Hilaire
Pech de Taurize
Villar-en-Val
Caudeval
Labastide-d'Enrichard (Val de Lambronne)
Gueytes-et-Labastide
La Cloterie
Monthaut
Donazac
Pauligne
Roc des Trois Seigneurs
Greffeil
Pech Orre
Labastide-en-Val
Moulin-Neuf
Cazal-des-Faures
Le Cammazou
Peyrefitte-du-Razès
Loupia
N.-D. de Marceille
Fages
Carliqui
Gardie
Villebazy
Tréziers
Pomy
Malras
Limoux
Villar-St-Anselme
Mt Fuseau
Corbières
Pic de Gradal
Villelongue-d'Aude
Pic de Balaguier
Ajac
La Digne-d'Aval
St-Polycarpe
Massia
Brasse
Benoit
Corbières occidentales
Clermont-sur-Lauquet
Courtauly
Les Rabous
La Bezole
Castelreng
La Digne-d'Amont
Cournanel
Buc
Belcastel-et-Buc
Caunette-s-Lauquet
Plateau
Ch^{au} Montaragou
Camon
Col de l'Espinas
Magrie
Tourreilles
Roquetaillade
Vendémies
Arce
Villardebelle
Col de la Louvièro
Camplimoux
Sonnac-sur-l'Hers
St-Benoît
Col de Dieude
La Plane
Le Villa
Étroit d'Alet
Alet-les-Bains
St-Salvayre
Missègre
Milobre de Bouisse
Baychère
Canterate
Bgde de Montbel
Falgas
St-Couat-du-Razès
Cammas
St-Sernin
Roquetaillade
Bourdichou
Col de St-Benoît
Bourigeole
Bouriège
St-Salvadou
La Bordelongue
Anc^{ne} Cath
Véraza
Col de l'Espinas
Bois d'Ournes
Fort de Razouls
Valmigère
Chalabre
Tournebouich
Conilhac-de-la-Montagne
Terroles
Bouisse
Montbel
Montjardin
Piccolordy
Festes-et-St-André
Le Cazal
La Serpent
Castel-Nègre
Les Baihards
Le Cazal-Ste-Marie
Les Vinsous
Mournac
Luc-s-Aude
Peyrolles
Arques
St-Pancrasse
Croux
Antugnac
Villefort
Sarrat Gros
La Bauzeille-H^{te}
Cassaignes
Albières
Ste-Colombe-sur-l'Hers
Ste-Cécile
Col de Festes
Les Laniés
Les Bernots
Montazels
Couiza
Serres
Col de Paradis
Rivel
La Calmette
Les Arnoulats
Rouvenac
Espéraza
Coustaussa
Pech Cardou
Le Pech
Vilhac
Pasquet
Campeille
Col des Tougnets
St-Jean-de-Paracol
Fa
Tour
Donjon
Ch^{au} de Blanchefort
Bézis-Bas
Puivert
Camp-Ferrier
Fauruc-Bas
Campagne-sur-Aude
Caderonne
Rennes-le-Ch^{au}
Les Moulines
Les Bordes
Col Del Teil
Col de la Babourade
Les Sauzils
Campagne-les-Bains
Soubirous
La Maurine
Rennes-les-Bains
Le Bernous
Camp-Saure
Campgast
Fauruc-Haut
St-Ferriol
Lavaldieu
Sougraigne
Fourtou
Camp-Sylvestre
Nébias
Brézilhou
Granès
Les Clamenées
Col de la Fage
Forêt de Ste-Colombe
Brenac
Lasserre
La Viallasse
Fne Salée
Lescale
St-Ferriol
Le Bézu
Le Mas
Les Baillessats
Fl de Comefroide
La Malayrède
La Fage
C. du Portel
Quillan
St-Just-et-le-Bézu
Le Linas
Col du Linas
Carref^r des Quatre Chemins
Montmija
Laval
Bugarach
Les Morts
Le Sarrat
Coudons
Ginoles
St-Julia-de-Bec
Pic de Bugarach
La Bastide
La Rouquette
Col de Coudons
La Forge
Camps-sur-l'Agly
La Benague
Belvis
Chalet de Carach
Cavirac
St-Louis-et-Parahou
Trassoulas
Montplaisir
Picoulet de Quirhaut
Belvianes-et-Cavirac
Parahou-Grand
Roc Paradet
Plateau de Sault
La Peyre
Egl. de Quirhaut
Trou du Curé
Forêt des Fanges
Belfort-s-Rebenty
Défilé de Joucou
St-Martin-Lys
Col de St-Louis
St-Ant
Quirbajou
Défilé de Pierre-Lys
Prugnanes
Joucou
Serre des Buis
Marsa
Col Campérie
Lavagnac
Caudiès-de-Fenouillèdes
Roquefeuil
Espezel
Caillens
Galinagues
Cailla
Belcaire
Rebenty
Mazuby
Défilé
Axat
Ch^{au}
Lapradelle
Villeraze
N.-D. de Laval
Niort-de-Sault
Rodome
Aunat
Bessède-de-Sault
Artigues
Puilaurens
Castel-Fizel
Fenouillet
Col del Mas
Fosse
Mérial
Gorges de St-Georges
Ft d'En-Malo
Bac Estable
Pech des Carabatels
Le Clat
Défilé d'Adouxes
Forêt d'Aspre
Le Caunil
Salvezines
Les Bordes
Las Cabanes
La Fajolle
Pic d'Ourthizet
Fontanes-de-Sault
Gesse
Vira
Le Vivier
Forêt de Gesse
Forêt de Navarre
Gincla
Campagna-de-Sault
Grles de l'Aguzou
La Calm
Pellado
Picaucel
Usson-les-Bains
Escouloubre
Le Bousquet
Buillac
Ste-Colombe-sur-Guette
Sarrat Naout
Tour
Port de Pailhères
Rouze
Mijanès
Col de Moulis
Col de Garavel
Roquefort-de-Sault
Mane de Cabrixa
Montfort-sur-Boulzane
Sournia
Carcanières-les-Bains
Escouloubre-les-Bains
Counozouls
Rabouillet
Egl. St-Michel
Desix
Le Puch
Col d'Aussières
Artigues
Villeneuve-Rebise
Pic Dourmidou
Forêt de Salvanère
Garrabet
Le Pla
Le Mas
Carcanières
Quérigut
Ch^{au} du Donézan
Serre d'Escales
PARC
Roc Cornut
Col de Jau
Rocher du Roussillou
Roque Jalère
Tour de Mascarou
La Coume

0 2 4 6 8 10 km
Capendu
Moux
Douzens
Corbières
Ornaisons
Bizanet
320
Fontcouverte
Boutenac
Ferrals-les-Corbières
Monze
Pradelles-en-Val
Montagne d'Alaric
Roc Gris
Réquy
Roc de l'Aigle
N.-D. de Consolation
Fabrezan
Camplong-d'Aude
Montlaur
Mas-des-Cours
Villerouge-la-Crémade
Monastère de Gaussan
Saint-Julien
Les Olieux
St-Martin de Toques
Fajac-en-Val
Pech Gros
Arquettes-en-Val
Domneuve
Pech-Lat
Ardolou
Vaugelas
Montséret
St-André-de-Roquelongue
La Coque
Cicéron
Ribaute
Les Vals
Belle Vue
Les Palais
Thézan-des-Corbières
Col de Taurize
Serviès-en-Val
Villemagne
Moulin de Boysède
Lagrasse
Caraguilhes
Pradines
Pech de Taurize
Trébet
Terre-Rouge
Tournissan
St-Laurent-de-la-Cabrerisse
Villar-en-Val
Villetritouls
Rieux-en-Val
N.-D. du Carla
Prat-Neuf
Rabet-Montjoi
Sault
Donos
Plan de Couloubret
Labastide-en-Val
Taurize
337
Caunettes-en-Val
St-Auriol
St-Estève
Taura
Portel-des
Mayronnes
Mont Tauseau
St-Pierre-des-Champs
Talairan
Coustouge
Fontjoncouse
Montplaisir
Ripaud
Clermont-sur-Lauquet
Jonquières
St-Martin-des-Puits
Le Razès
Jonquières
Le Cingle
St-Victor Ermitage
Gléon
Plateau de Lacamp
Serre de Blanes
Plan du Pal
Caunette-s-Lauquet
Villardebelle
Col de la Louviéro
Lairière
Chau de Durfort
Tréviac-Bas
Come-de-Bête
Villesèque-des-Corbières
Milobre de Bouisse
Col de Villerouge
Col du Prat
Albas
Gorges du Terminet
Vignevieille
Termes
Villerouge-Termenès
Durban-Corbières
Montjoi
Félines-Termenès
Pech de Guillaumet
Cascastel-des-Corbières
Fort de Razouls
Salza
Bouisse
Pech Montaut
Col de Bedos
Villeneuve-les-Corbières
Lanet
Davejean
Col de la Gineste
Col d'Amiel
Quintillan
Mouthoumet
Serre de Quintillan
St-Jean-de-Barrou
Fraissé-des-Corbières
St-Pancrasse
Laroque-de-Fa
Pic Cascagne
Col du Prat
Palairac
Col de Couisse
Col de Cantelouр
Albières
Pont d'Orbieu
Borde-Grande
Col de Ferréol
Embres-et-Castelmaure
N.-D. de l'Olive
Col de Feuilla
Col du Paradis
La Grave d'Auriac
Castelmaure
Le Pech
Auriac
Savignan
Dernacueillette
Maisons
Col d'Extrême
Montoulié de Périllou
Ségure
Les Moulines
Massac
N.-D. de Faste
Milobre de Massac
Tour des Géographes
Montgaillard
Nouvelles
Col de Redoulade
Pech de Genièvre
Fourtou
Col de Cédeillan
Pech de Frayssé
St-Roch
Périllos (Village en ruine)
Col de la Fage
Tuchan
Chau d'Aguilar
Mt Plat
Roc Fourcat
Rouffiac-des-Corbières
Col de Grès
Les Baillessats
Soulatgé
Le Linas
Chau de Peyrepertuse
Col de la Croix dessus
Padern
La Vall Oriole
Opoul-Périllos
Cubières-sur-Cinoble
Devès
Duilhac-s/s-Peyrepertuse
Paziols
N.-D. du Bon Conseil
Gorges de Galamus
Col du Tribi
Cucugnan
Rer du Mont St-Bernard
Camps-sur-l'Agly
Roc Paradet
La Quille
Chau de Quéribus
Vingrau
Pas de l'Escale
Sarrat de Montpeyrous
Fort de Salses
St-Antoine-de-Galamus
Pla de St-Paul
Col de Corbasse
Grau de Maury
Mas Janeill
Mas-de-Las-Frèdes
Mas Vespeil
Prugnanes
La Devèze
Centre européen de Préhistoire
St-Paul-de-Fenouillet
Maury
Mas-Amiel
Tautavel
Serre d'el Clot
Montpins
Terrain militaire
Lesquerde
Tour
Clue de la Fou
Alzine
Castel-Fizel
Col del Mas
Fosse
Borde-Vieille
Borde-Neuve
Mas Camps
Cases-de-Pène
Espira-de-l'Agly
Rivesaltes
St-Martin
St-Arnac
Tour
Latour-de-France
Estagel
Mas Jau
N.-D. de Pène
Le Vivier
Felluns
Serre de Vèrges
Aqueduc
Lansac
Rasiguères
Planèzes
Calce
Ste-Catherine
Ansignan
Baixas
Peyrestortes
Prats-de-Sournia
Bge de Caramany
Pézilla-de-Conflent
Trilla
Cassagnes
Cuchous
Montner
Sournia
Caramany
Col de la Bataille
Força Réal
Ermitage (507)
Col de la Dona
Mas de Las Fons
Egl. St-Michel
Col des Auzines
Caladroi
St-Estève
Bélesta
Trévillach
Campoussy
Corneilla-la-Rivière
Pézilla-la-Rivière
Villeneuve-la-Rivière
Baho
Roc Cornut
342
Tarerach
Montalba-le-Château
Sybille
Néfiach
Millas
Roque Jalère (1104)
Col de Guers (821)

PARC NATUREL RÉGIONAL DE LA NARBONNAISE
MÉDITERRANÉE
Armissan
St-Pierre-la-Mer
Port de Brossolette
Narbonne-Plage
Les Hauts de Narbonne
Moujan
Pech Redon
L'Hospitalet
Terrain militaire
Vires
Montagne de la Clape
Coffre de Pech Redon
Rouquette
Lunes
Craboules
Montfort
Les Monges
N.-D. des Auzils
Le Pech-Rouge
Cimetière marin
Le Rec d'Argent
Les Ayguades
Étg de Mateille
Montplaisir
Rochegrise
La Nautique
Grd Mandirac
Les Pesquis
Bages
Étang de Gruissan
Gruissan
Gruissan-Plage
Musée
Île St-Martin
Estarac
Étg de Campignol
L'Évêque
L'Ayrolle
Salin de St-Martin
Étg du Doul
Peyriac-de-Mer
Î. de Planasse
Étang de Bages et de Sigean
Réserve africaine
Île de l'Aute
Étang de l'Ayrolle
Grau de la Vieille Nouvelle
Le Hameau du Lac
Île Ste-Lucie
La Courtive
Villefalse
Les Cabanes
Grd Salin
Salin de Ste-Lucie
Sigean
Port-la-Nouvelle
Parc éolien des Corbières maritimes
Cap Romarin
Marbre
La Palme
Salin de Lapalme
Les Cabanes-de-Lapalme
St-Pancrace
Étg de Lapalme
Grau de la Franqui
La Franqui
Caves
Treilles
Cap Leucate
Leucate
Leucate-Plage
Fitou
Les Cabanes-de-Fitou
Grau de Leucate
Port-Fitou
Étang de Leucate ou de Salses
Pnte de la Corrège
Port-Leucate
Aquamagic
Salses-le-Château
Grde Dosse
Paquebot Lydia (ensablé)
Garrieux
Île de la Coudalère
Luna Park
Port-Barcarès
Centre nautique
Camp militaire
Port St-Ange
Le Barcarès
St-Hippolyte
St-Laurent-de-la-Salanque
Torreilles-Plage
Claira
Jouègue
Torreilles
Villelongue-de-la-Salanque
Ste-Marie-la-Mer
Ste-Marie-Plage
Bompas
Canet-en-Roussillon
PERPIGNAN
Canet-Plage
Cabestany
l'Esparrou
E F G H
321
343
1 2 3 4 5

336
0 2 4 6 8 10 km
A
B
C
D
1
2
3
4
5
Trois Seigneurs
Pic de Pioulou
Génat
Grotte de Niaux
Ussat
Ornolac-Ussat-les-Bains
Ussat-les-Bains
Lujat
Pas de Souloumbrie
Pic de St-Barthélemy
Pic de Soularac
Montagne de Tabe
Niaux
Grte de Lombrives
Capoulet-et-Junac
Larnat
Bouan
Sinsat
Verdun
Senconac
Caychax
Appy
Aulos
Axiat
Les Cabannes
Château-Verdun
Larcat
Aston
Vèbre
Urs
Lordat
Bestiac
Lassur
Garanou
Unac
Luzenac
Perles-et-Castelet
Sourtadeil
Tignac
Col de Latrape
Pic de Cayzardet
Col d'Agnes
Aulus-les-Bains
Prat
Mataou
Pic de Girantes
Port de Saleix
Illiers-et-Laramade
Suc-et-Sentenac
Orus
Arconac
Laramade
Lercoul
Junac
Arquizat
Miglos
Norrat
Norgeat
Gestiès
Salingres
Sentenac
Saleix
Cabre
Auzat
Sem
Vicdessos
Siguer
Col d'Escots
Étg de Guzet
Pic du Fourllet
Étg d'Arse
Étgs de Bassiès
Pic du Far
Olbier
Goulier (Val-de-Sos)
Col de Grail
Pla de Montcamp
Pic de Mt Rouge
Pic de Séron
Étg du Garbet
Étg d'Aubé
Bassiès
Artiès
Centraux
Sarradeil
Forêt de Siguer
Pic du Col Taillat
Mt Redon
Pic Rouge de Bassiès
Ranet
Bouychet
Rieubel
Station de Beille
B. des Coumels
Le Castelet
Savignac-les-Ormeaux
Colmajou
Pic de Turguilla
Pointe des Trois Comtes
Pique d'Endron
Pic du Midi de Siguer
Massayre
Pont des Clarans
L'Artigue
Marc
Montcalm
Mounicou
Pradières
Pic de Baljésou
Bge de Riète
Plau de Beille
Port de l'Artigue
Les Cadelats
Étg de Gnioure
Bourbourou
Ax-Bonascre
Plau de Bonascre
Pic de Brougat
Étg d'Izourt
Pic du Col de Gros
Prat Moll
Col des Finestres
Campalou
Pic des Redouneilles
Étg de Peyregrand
Pic Espaillat
Pic de Montcalm
Bge de Pla de Soulcem
Le Picot
Pic de l'Aspre
Pic de Bourbonne
Pic du Pas de Bouc
Peyregrand
Bge de Laparan
Col de la Didorte
Plau du Saquet
Pic du Port de Sullo
Pic de Malcaras
Étg Fourcat
Quioulès
Pic d'Estats
Pic de Canalbonne
Orrhys de Carla
Pic de Tristagne
Port de Siguer
Étg Blaou
Pic du Thoumasset
Pic de Riet
Pic de Lauzate
Tute de l'Ours
Pic du Port (Pic de Font Blanca)
Pic de l'Estagnole
Pic de Caballère
Pic de l'Étg Rebenty
Port de Bagnels
Garsan
Col de Beil
Lo de Baborte
Lo Fondo
Pic de la Rouge
Orrhys de la Crouz
Arcalis
Pic de Ruille
Étg de Fontargent
B. de Ruburu
Vall Ferrera F.E.M. 1940
Port de Bouet
Port de Rat
Pic de Catavardis
El Serrat
Pica de Serrère
Pic de la Portaneille
Port de Fontargente
Col de l'Albe
Tose de Pèdourres
Monteixo
Pic de Médécourbe
Les Salines
Pic de l'Estanyó
Pic des Bareytes
Llorts
E. de Cabana Sorda
La Baladosa
Pic de Nèrassol
Sierra de Monteixo
Lo de Bayau
Vall Ferrera
Costuix
Areu
Vallpeguera
Pics de Casamanya
Arans
Vall Nord
Valira del Nord
ANDORRA
l'Aldosa
El Tarter
Vall d'Inclés
Soldeu
Pic de la Cabanette
L'Hospitalet-près-l'Andorre
Roc Mèle
Pic de la Cabaneta
Alt de Comapedrosa
Arinsal
Mas de Ribafeta
La Cortinada
Cascada
Ransol
Tor
Norís
Alt de la Capa
Ansalonga
Sornàs
Canillo
Sant Joan de Caselles
Port Dret
Bordes de Envalira
Erts
Ordino
Coll d'Ordino
Prats
Xixerella
Santuari de Meritxell
Gorja
Tossal de la Llosada
Port de Cabús
Coll la Botella
Pal
Bony de les Neres
Sant Romà
Grand Valira
Túnel d'Envalira
Pas de la Casa
Alins
Capifonds
Escàs
L'Aldosa
Encamp
Les Bons
Port d'Envalira
Tour Cerdan
Mànìga
Pic dels Llacs
La Massana
Vila
Els Cortals
Pic Alt del Cubil
Étg de Font Nègre
Pic de Font Frède
Sierra de Cubil
Coll. de Sabollera
Salòria
Collada de Montaner
Sispony
Anyós
Pic de Carroi
El Tremat
Estany d'Engolasters
Alt del Griu
Grau Roig
Circ dels Pessons
Pics Orientaux de Font Nègre
Os de Civís
Pic d'Aòs
ANDORRA LA VELLA
Escaldes-Engordany
Pic dels Pessons
Pic Nègre d'Envalira
Bordes de Conflent
Salòria F.E.M.1880
Sant Miquel d'Engolasters
Tossal Braibal
Estany de Montmalús
Portella Blanca
Pic de Peyrefourque
Sta Coloma
Entremessaigues
Riu Madriu
Pic de Camp Colomer
Pic Pedrós
Bordes de Llosá
Aixàs
Aixovall
Certers
Coll. de Vall Civera
Puigpedrós (ou P. de Campcardos)
Bixessarri
Coll. de Vista
Santuari de Canolich
Llumeneres
Obaga de Nou Fonts
Muga
Ermita de Sta magdalena
Civís
Sant Julià de Lòria
Nagol
Pic dels Estanyons
Pic de la Portelleta
Folch
Deveza
Fontaneda
Aixirivall
Port Negre
Pic Negre
P. de Monturull
Sierra de Can Colomé
Ras de Conques
Aubinyà
Bordes de la Peguera
E. de la Pera
Ars
Asnurri
Mas d'Alins
Els Plans
Torre dels Soldats
La Carabassa
Girul
Merang
Monchetas
Sierra de la Velleta
Sant Joan Fumat
Argolell
Juberri
Bosc de la Rabassa
Arcavell
S. de Arcavell
F.E.M.
Cap del Rec
Pelat de Talltendre
Seix
Solanell
Puig Punsó
Corborriu de la Llosa
Eller
Albet
Roc de la Creu
Aránser
Viliella
Estelareny
Bescaran
Pla de Lles
Talltendre
Sant Andreu
Sendes
Castellnou de Carcolze
Sa de la Tuta
Lles de Cerdanya
Cortàs
Turbiàs
Anserall
Calvinyà
Aristot
Músser
Ardòvol
Prullans
Isòvol
Castellbò
Bellestar
Estamariu
Beneidó
El Pont de Bar
Traveseres
Roca Redonda
La Seu d'Urgell/ Seo de Urgel
La Cabana
Banys de Sant Vicenç
Martinet
Bellver de Cerdanya
Pallerols
Aravell
Castellciutat
Les Torres
Toloriu
Turo de Patallin
Bar
Riu
Avellanet
El Segre
Alàs i Cerc
Arsègue
Montellà
Montferrer i Castellbò
Ortedó
N 260
N 145
N 20
N 22
N 320
CG 1
CG 2
CG 3
19
34
28
22
15

341
337
342
E
F
G
H
Axat
Puilaurens
Salvezines
Gincla
Montfort-sur-Boulzane
Ste-Colombe-sur-Guette
Counozouls
Roquefort-de-Sault
Gorges de St-Georges
Le Clat
Bessède-de-Sault
Aunat
Rodome
Niort-de-Sault
Mérial
Belcaire
Camurac
Comus
Montaillou
Prades
Roquefeuil
Espezel
Galinagues
Mazuby
Joucou
Marsa
Quirbajou
Artigues
Fontanes-de-Sault
Campagna-de-Sault
La Fajolle
Col du Pradel
Col de Chioula
Sorgeat
Ascou
Ax-les-Thermes
Orgeix
Orlu
Vallée d'Orlu
Mérens-les-Vals
Port de Pailhères
Mijanès
Rouze
Escouloubre
Le Puch
Le Bousquet
La Calm
Col de Moulis
Col de Garavel
Carcanières
Quérigut
Ch^au du Donézan
Pic de Tarbezou
Col des Hares
Puyvalador
Rieutort
Fontrabiouse
Réal
Odeillo
Madrès
Col de Jau
Forêt de Gravas
Pic du Bernard-Sauvage
Pic Dourmidou
La Glèbe
Urbanya
Nohèdes
Col de Portus
Pic de la Pelade
Col de Sansa
Puig d'Escoutou
Mt Coronat
Formiguères
Pic Peric
Pic du Pam
Matemale
Les Angles
Mont Llaret
Roc d'Aude
Railleu
Sansa
Ayguatébia-Talau
Caudiès-de-Conflent
Villefranche-de-Conflent
Serdinya
Jujols
Olette
Evol
Oreilla
Souanyas
Escaro
Nyer
Canaveilles
Thuès-Entre-Valls
Gorges de la Carança
Fontpédrouse
Mont-Louis
La Llagonne
Sauto
Fetges
Planès
St-Pierre-dels-Forcats
La Cabanasse
Col del Pam
Pla des Avellans
Font-Romeu-Odeillo-Via
Ermitage
Pyrénées 2000
Bolquère
Super-Bolquère
Targassonne
Égat
Pic Carlit
Porté-Puymorens
Col de Puymorens
Pic Pédrous
Lac des Bouillouses
PARC NATUREL RÉGIONAL DES PYRÉNÉES CATALANES
Angoustrine
Villeneuve-des-Escaldes
Dorres
Enveitg
Ur
Latour-de-Carol
Llívia
Estavar
Saillagouse
Eyne
Llo
Err
Ste-Léocadie
Puigcerdà
Bourg-Madame
Osséja
Nahuja
Palau-de-Cerdagne
Valcebollère
Err-Puigmal 2900
Gorges du Sègre
Col de Mantet
Mantet
Pic de Gallinas
Pic du Géant
Vallter 2000
Roc Colom
Setcases
Núria
Vall de Núria
Puigmal
Queralbs
Pic de Dorria
La Molina
Toses
Urtx
Alp
Das
Urús
Puig Cerveris
Vilallonga de Ter
Tregurà de Dalt
N 116
N 260
D 118
D 618

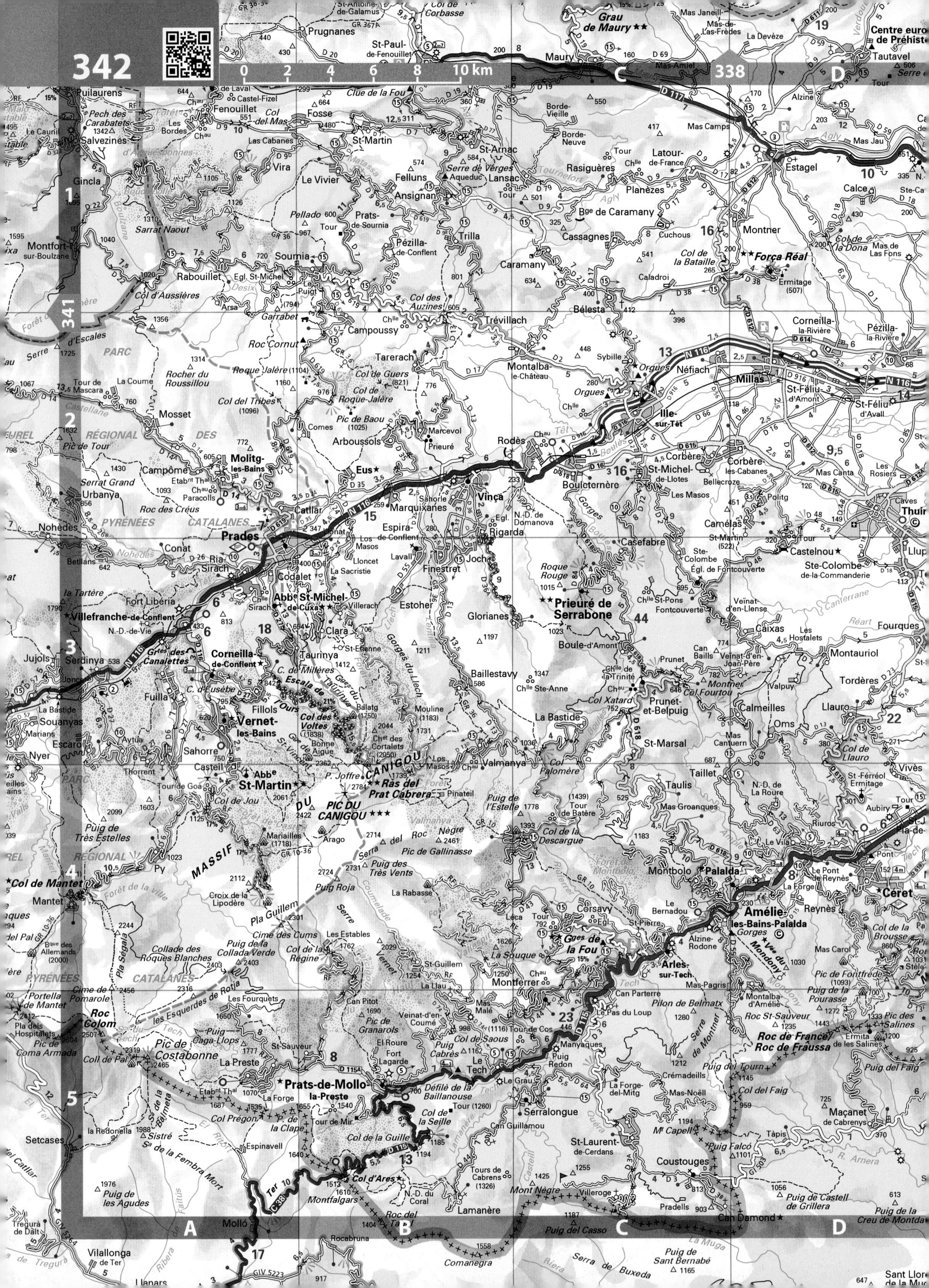
0 2 4 6 8 10 km
338
341
A
B
C
D
1
2
3
4
5
Puilaurens
Salvezines
Gincla
Montfort-sur-Boulzane
Fenouillet
Col del Mas
Fosse
St-Martin
Prugnanes
St-Paul-de-Fenouillet
Clue de la Fou
Grau de Maury
Maury
Mas-Amiel
Tautavel
Centre euro de Préhist
Estagel
Latour-de-France
Rasiguères
Planèzes
Cassagnes
Montner
Força Réal
Col de la Bataille
Caladroi
Bélesta
Caramany
St-Arnac
Lansac
Ansignan
Felluns
Le Vivier
Vira
Sarrat Naout
Soumia
Prats-de-Sournia
Pézilla-de-Conflent
Trilla
Rabouillet
Col d'Aussières
Col des Auzines
Trévillach
Campoussy
Roc Cornut
Tarerach
Col de Guers
Col de Roque-Jalère
Pic de Baou
Roque Jalère (1104)
Rocher du Roussillou
Col del Tribes (1096)
Mosset
PARC
RÉGIONAL
DES
PYRÉNÉES
CATALANES
Montalba-le-Château
Sybille
Orgues
Néfiach
Millas
St-Féliu-d'Amont
St-Féliu-d'Avall
Corneilla-la-Rivière
Pézilla-la-Rivière
Ille-sur-Têt
Rodès
Arboussols
Marcevol
Prieuré
Eus
Molitg-les-Bains
Campôme
Urbanya
Serrat Grand
Roc des Créus
Nohèdes
Conat
Ria-Sirach
Prades
Catllar
Marquixanes
Vinça
Espira-de-Conflent
Rigarda
Joch
Finestret
Codalet
Abbe St-Michel-de-Cuxa
Villefranche-de-Conflent
Fort Libéria
Corbère
Corbère-les-Cabanes
St-Michel-de-Llotes
Bouleternère
Casefabre
Prieuré de Serrabone
Roque Rouge
Camélas
Castelnou
Thuir
Ste-Colombe-de-la-Commanderie
Glorianes
Boule-d'Amont
Caixas
Fourques
Montauriol
Tordères
Llauro
Oms
Calmeilles
Prunet-et-Belpuig
Col Xatard
Col Fourtou
St-Marsal
La Bastide
Baillestavy
Estoher
Clara
Taurinya
Corneilla-de-Conflent
Grtes des Canalettes
Serdinya
Jujols
Souanyas
Escaro
Nyer
Fuilla
Vernet-les-Bains
Fillols
Sahorre
Castell
Abbe St-Martin
Col des Voltes
Balatg
CANIGOU
Ras del Prat Cabrera
PIC DU CANIGOU
Valmanya
Col Palomère
Taillet
Taulis
Puig de l'Estelle
Tour de Batère
Col de la Descarque
MASSIF
Mariailles
Py
Col de Mantet
Mantet
Puig de Très Estelles
Serra del Roc Nègre
Pic de Gallinasse
Puig des Très Vents
Puig Roja
La Rabasse
Montbolo
Palalda
Amélie-les-Bains-Palalda
Céret
Reynès
Le Pont de Reynès
Corsavy
Gges de la Fou
Arles-sur-Tech
Montferrer
La Souque
St-Guillem
Les Estables
Col de la Regine
Cime des Cums
Pla Guillem
Puig de la Collada Verde
Collade des Roques Blanches
Roc Colom
Pic de Costabonne
Coll de Pal
Pla dels Hospitalets
Pic de Coma Armada
Puig Gaga-Llops
La Preste
St-Sauveur
Pic de Granarols
Prats-de-Mollo-la-Preste
Le Tech
Défilé de la Baillanouse
Col de la Seille
Col de la Guille
Col d'Ares
Tour de Mir
Col Pregon
Serralongue
St-Laurent-de-Cerdans
Coustouges
Mt Capell
Puig Falcó
Col del Faig
Maçanet de Cabrenys
Roc de France
Roc de Frausa
Pic des Salines
Pilon de Belmatx
Can Parterre
Le Pas du Loup
Manyaques
Lamanère
Mont Nègre
Villeroge
Pradells
Can Damond
Roc de Castell de Grillera
Puig de la Creu de Montda
Setcases
Molló
Vilallonga de Ter
Tregurà de Dalt
Puig de les Agudes
Rocabruna
Puig del Casso
Comanegra
Serra de Buxeda
Puig de Sant Bernabé
Montfalgars
N.-D. du Coral
La Muga
Ter
Tech
Têt
Agly

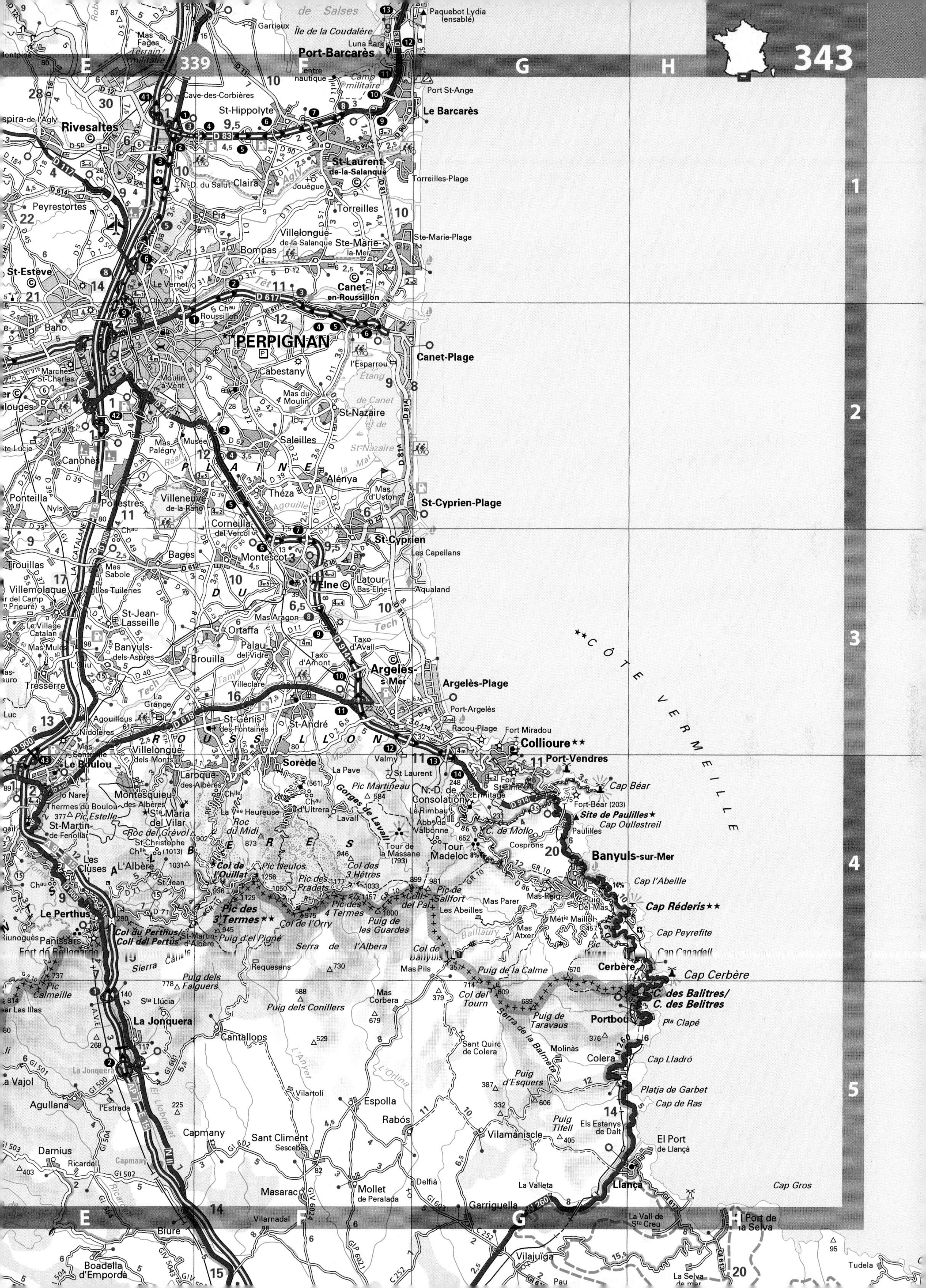

Paquebot Lydia (ensablé)
Île de la Coudalère
Port-Barcarès
Port St-Ange
Le Barcarès
Rivesaltes
St-Hippolyte
St-Laurent-de-la-Salanque
Torreilles-Plage
Torreilles
Claira
Peyrestortes
Pia
Villelongue-de-la-Salanque
Ste-Marie-la-Mer
Ste-Marie-Plage
Bompas
St-Estève
Le Vernet
Canet-en-Roussillon
Baho
PERPIGNAN
Canet-Plage
Cabestany
Saleilles
St-Nazaire
Canohès
Alénya
Théza
Pollestres
Villeneuve-de-la-Raho
Corneilla-del-Vercol
Ponteilla
St-Cyprien-Plage
St-Cyprien
Les Capellans
Montescot
Bages
Elne
Latour-Bas-Elne
Aqualand
Trouillas
Villemolaque
St-Jean-Lasseille
Ortaffa
Banyuls-dels-Aspres
Brouilla
Palau-del-Vidre
Taxo d'Avall
Argelès-s-Mer
Argelès-Plage
Port-Argelès
Racou-Plage
Fort Miradou
Collioure
Port-Vendres
★★CÔTE VERMEILLE
Tresserre
Villeclare
St-Génis-des-Fontaines
St-André
Sorède
Le Boulou
Villelongue-dels-Monts
Laroque-des-Albères
Montesquieu-des-Albères
Cap Béar
Site de Paulilles
Cap Oullestreil
Banyuls-sur-Mer
Cap l'Abeille
Cap Rédéris
Cap Peyrefite
Cerbère
Cap Cerbère
C. des Balitres/ C. des Belitres
Portbou
Pta Clapé
Colera
Cap Lladró
Platja de Garbet
Cap de Ras
El Port de Llançà
Llançà
Cap Gros
Le Perthus
Col du Perthus/ Coll del Pertús
Pic des 3 Termes
Pic Neulos
La Jonquera
Agullana
Capmany
Cantallops
Espolla
Rabós
Sant Climent Sescebes
Vilamaniscle
Garriguella
Masarac
Mollet de Peralada
Darnius
Vilajuïga
Boadella d'Empordà
Biure
Tour Madeloc
Tour de la Massane
Puig de la Calme
Col dels Belitres
Serra de l'Albera
PLAINE DU ROUSSILLON
ALBÈRES
E F G H
1 2 3 4 5

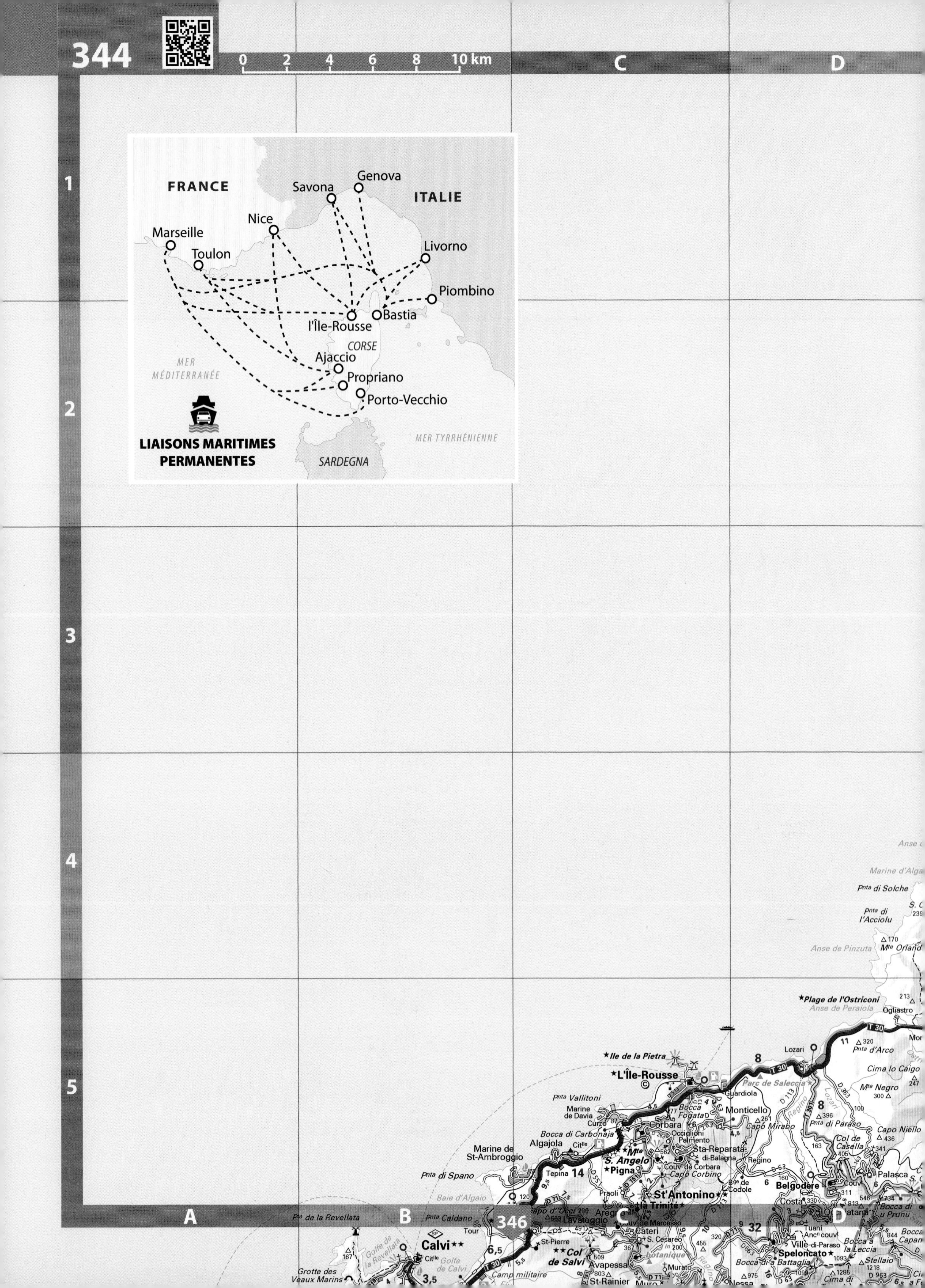
0 2 4 6 8 10 km
C
D
1
2
3
4
5
A
B
C
D
FRANCE
ITALIE
Genova
Savona
Nice
Marseille
Toulon
Livorno
Piombino
Bastia
l'Île-Rousse
CORSE
Ajaccio
Propriano
Porto-Vecchio
MER MÉDITERRANÉE
MER TYRRHÉNIENNE
SARDEGNA
LIAISONS MARITIMES PERMANENTES
346
Ile de la Pietra
L'Île-Rousse
Lozari
Plage de l'Ostriconi
Anse de Peraiola
Ogliastro
Anse de Pinzuta
Pnta di Solche
Pnta di l'Acciolu
Marine d'Alga
Pnta Vallitoni
Marine de Davia
Algajola
Bocca di Carbonaja
Marine de St-Ambroggio
Pnta di Spano
Baie d'Algaio
Pte de la Revellata
Pnta Caldano
Calvi
Golfe de Calvi
Grotte des Veaux Marins
Corbara
Monticello
Sta-Reparata-di-Balagna
Pigna
Mte S. Angelo
St'Antonino
la Trinité
Lavatoggio
Aregno
Cateri
Belgodere
Palasca
Speloncato
Ville-di-Paraso
Costa
Col de Salvi
Avapessa
Muro
Nessa
Feliceto
St-Rainier
Camp militaire
Capo Mirabo
Capo Corbino
Pnta di Paraso
Cima lo Caigo
Mte Negro
Capo Niello
Col de Casella
Bocca di u Prunu
Regino
Guardiola
Parc de Saleccia
Occiglioni
Palmento
Tepina
Praoli
Bocca Fogata
Codole
Tuani
Bocca a la Leccia
Bocca di Battaglia
Stellaio
Cima di

E
F
G
H
CAP CORSE
I. de la Giraglia (Réserve naturelle)
Pnta di Agnello
Capo Grosso
Tour
Tollare
Barcaggio
Pnta di Corno di Becco
Mte Maggiore
Cima di a Campana
Capo Bianco
Iles Finocchiarola (Réserve naturelle)
Sta Maria
Poggio
(Ersa)
Granaggiolo
Col St-Nicolas
C de Serra
Belvre du Moulin Mattei
Cannelle
Baie de Tamarone
Baie de Centuri
Botticella
Rogliano
Centuri-Port
Orche
Tours
Mute
Macinaggio
I. de Capense (Réserve naturelle)
Centuri
Camera
Olivo
Vignale
Annonciation (ancien couvent)
Sottana
Bettolacce
Tomino
Morsiglia
Pruno
Mucchieta
Mte di u Castello
Marine de Meria
Meria
Capo Corvoli
Mte Fornello
Pnta della Filetta Soprana
Pastina
Mte Castello
Golfe d'Aliso
Morteda
Ancien couvent St-François
Col de Ste Lucie
Luri
Campo
Pino
Tour de Sénèque
Poggio
Piazza
Castiglione
Sta-Severa
Mte Minervio
Fieno
Castello
Tufo
Marine de Luri
Pnta Minervio
Mte Liccioli
Mte Castello
Adamo
Minerbio
Barrettali
Mte di St' Angelo
Piazza
Cagnano
Marine de Porticciolo
Ortali
Tour de Losse
Mte Alticcione
Ghilloni
Marine de Giottani
Conchiglio
La Pedina
Pietracorbara
Mte di a Croce
Marinca
Canari
Cortina
Orneto
Marine de Pietracorbara
Pinzuta
Selmacci
Piazza
Mte Cuccaro
Cima di e Folicce
Punta di Canelle
St Michel
Ste Catherine
Marine de Canelle
Abro
Ogliastro
Sisco
Moline
Crosciano
Marine de Sisco
Barrigioni
Balba
Vicaja
Lainosa
Rocher d'Albo
Mte Corvo
Mte Merizatodio
Marine d'Albo
Olcani
Monte Stello
Silgaggia
Fort
Couvent
Nonza
Bocca di Sta Maria
Sta-Maria-Assunta
Castello
Erbalunga
Brando
Mte Capra
Pozzo
Poretto
Grillasca
Celle
Olmeta-di-Capocorso
Lavasina
GOLFE DE ST FLORENT
Marine de Negru
Sta-Maria-di-Lota
Partine
Figarella
Miomo
Mte Pruno
Mandriale
St-Hyacinthe
Bocca di S Leonardo
Acqualta
Muchieta
Grigione
Braccolaccia
Marine de Farinole
San Martino-di-Lota
Canale
Pietranera
Anse de Faggiola
Punta di Curza
Farinole
Cima di Gratera
Alzeto
Palagaccio
Pnta di Santolino
Plage de Saleccia
Plage de Loto
Ville-di-Pietrabugno
Guaitella
Ste Lucie
Pnta Vecchiaia
Ghignu
Pnta Mortella
P. de Patrimonio
Fiume Albino
Serra di Pigno
Etang de Loto
Cardo
Patrimonio
Col de S. Bernardino
Palazzo
Mont Robbia
les Marines du Soleil
Monserato
Citadelle
AGRIATES
Poggio
Suerta
BASTIA
Phare de Fornali
Barbaggio
Mte di Arazza
Mont Genova
DES
Treperi
Mte Castagne
Mte Secco
Mte St' Angelo
Col de Teghime
St-Florent
Ancne Cath. de Nebbio
Poggio
P. de Chiurlino
Mte Lavezzo
Casta
S. Pancrace
Furiani
Mte a Torra
La Marana
Bocca di Vezzu
Baccialu
Mte a Mazzola
Olivacce
P. du Diable
Champ
Cima di Pedi Pilato
St-François
Poggio-d'Oletta
Bge de Padula
Oletta
Biguglia
Étang
Mont Filetto
de
Ruaghiola
Aliso
Cima di u Zuccarello
Mte di Tuda
Casetta
Casatorra
Olmeta-di-Tuda
Défilé de Lancone
Pineto
Mte Ambrica
Bocca di S. Pancrazio
Tir
Col de S. Stefano
Île S. Damiano
Les Sables de Biguglia
LA BALANINA
Lavandaggio
Sto-Pietro-di-Tenda
Vallecalle
Bevinco
Ortale
Réserve Naturelle
Cima a Muzelli
Fusaja
Biguglia
Urtaca
San-Gavino-di-Tenda
Rapale
Mte Torricelle
Valrose
Mon d'arrêt
Camp militaire
Mte Asto
Sorio
Égl. de San Cesareo
San Michele
Rutali
Plage de la Marana
Cima de Mitilelli
St Laurent
Pieve
Murato
Cima di Taffoni
Revinco
BASTIA-PORETTA
Lama
Bocca a Croce
Égl. de San Nicolao
Borgo
Bocca di Tenda
Mte Buggientone
Plage de Pineto
Cima di Pinzali
Pietralba
347
Lucciana
Crocetta
La Canonica (Anne cath.)
Cima di Tanona
Vignale
San Parteo
Fouilles de Mariana
Chlle
Mte Reghia di Pozzo
Col de Bigorno
Campitello
Scolca
Casamozza
Pedano
Mte Maggiore
Bigorno
Volpajola
Fontanone
Golo
Cap Sud

0 2 4 6 8 10 km
A
B
C
D
1
2
3
4
5
Plage de l'Ostriconi
Anse de Peraiola
Ogliastro
Ile de la Pietra
L'Île-Rousse
Lozari
Parc de Saleccia
Pnta Vallitoni
Marine de Davia
Guardiola
Monticello
Corbara
Occiglioni
Palmento
Sta-Reparata-di-Balagna
Bocca di Carbonaja
Algajola
Marine de St-Ambroggio
Mte S. Angelo
Pigna
Capo Corbino
Couvt de Corbara
Belgodère
Palasca
Pnta di Spano
Baie d'Algaio
St'Antonino
la Trinité
Aregno
Lavatoggio
Cateri
Lumio
Pnta Caldano
Pte de la Revellata
Calvi
Golfe de Calvi
Golfe de la Revellata
Col de Salvi
Avapessa
Muro
St-Rainier
Speloncato
Pioggiola
Olmi-Cappella
Mausoléo
Nessa
Feliceto
Grotte des Veaux Marins
Anse de Recisa
N. D. de la Serra
Camp militaire
Fiume Secco
(Montegrosso)
Lunghignano
Cassano
Zilia
Pnta Cataraghiu
Pietra Major
Montemaggiore
CALVI-STE-CATHERINE
Champ de Tir
Baie de Nichiareto
Pnta di Cantaleli
Capu di a Veta
Capo di u Tir
Ste-Restitude
Mte Grosso
Gorges de la Tartagine
Capo a u Cavallo
Sémaphore
Moncale
Calenzana
Bocca Serria
Capo Piano
Capo Rutalbo
Mte Cintu
Capo Porcarello
Suare
Pnta Radiche
Capo a Dente
Mte Padro
Capo Mondolo
San Quilico
Bocca di Marsolinu
Capo lovo
Bie de Santucce
Col de Tartagine
Capo Selolla
Asco
Capo di a Morsetta
Argentella
Pieve
Capo Ghinepaco
Chaos de Bocca Rezza
Mte Corona
Capo Ladroncello
Pont Génois
Baie de Crovani
Feravola
Capo di l'Argentella
Amago
Pnta di Alovano
Bonifato
Réserve de faune d'Asco
Mte Martino
Casa-Vecchia
Capo di Vegno
Pnta Gialba
Giunte
Pnta Ciuttone
Bocca Bassa
PARC
Pnta Bonasa
Bocca di Bonasa
Carozzu
Spasimata
Bergerie de Pinnera
Golfe de Galéria
Léva
Santa Lucia
Prezzuna
Capo Formicolaio
Capo a u Ceppo
La Mufrella
La Caldane
Haut-Asco
Capo Bianco
Pnta Jumentella
Pnta Stollo
Tour
Olmo
Crête de Chiumi
Lucca
Pnta Scala
Capo Razino
Pnta Rossa
Capo Porcolicato
Galéria
Le Fango
Chiornia
Capo Stranciacone
Capo a u Perdato
Capo Terri Corscia
Tuarelli
Altore
Mte CINTO
Pnta Validori
Capo Tondo
Calcai
Colombo
Capo Ovaggia
Forêt du Fango
Manso
Capo a e Poste
Pnta Minuta
Ercu (non gardé)
Bergerie de Bicharello
Golfe de Focolara
Focolara
Pirio
Bies de Candela
Bie de Cesta
Pnta Nera
Capo Bugello
Cascade
Capo al Mangano
Corscia
Punta Palazzu
Bocca di Fuata
Pnta di Literniccia
Filosorma
Capo Uccello
Mte Albano
Lozzi
I. de Gargalo
Elbo
Ombria
Capo di Tartavello
Capo Rosso
Bardiana
Monte-Estremo
Capo Rosso
Paglia Orba
Grotte des Anges
Poggio
Cuccia
Col de Palmarella
Capo Manganello
Capo di Eltro
P. de la Rocce
Ste Marie
Capo Tafonato
Calasima
Pietra-Zitamboli
Calacuccia
Golfe de Solana
Scandola
Girolata
Salisser
Bocca di Melza
Capo di a Media
Trouée du Tafonato
Ciottulu di i Mori
Albertacce
Sidossi
Réserve Naturelle
Golfe de Girolata
Plage de Tuara
Capo di Curzo
Col de Capronale
Réserve de Chasse
Ométa
E Custole
Pnta Scopiccia
Pnta Licciola
Casamacciuli
Punta Rossa
Pnta Muchillina
Pnta Scandola
Col de la Croix
Osani
Curzo
Capo a u Cellu
Capo Toso
Capo di Guagnerola
Bocca a l'Arinella
A Tossella
Capo d'Osani
Capo Senino
Mte Senino
Partinello
Pinito
Capo a u Querceto
Col de Cocavera
Bergeries de Radule
Le Forcelle
Frascaja
Bergerie
Capo di Valandro
Capo di a Candela
Pnta a la Scopa
Vetricella
Serriera
Bocca a u Verghiolu
Col de Vergio
Popaghja
Anse de Lignaggia
Capo Paolo
Capo a u Frassello
Col de Salto
Vergio
Forêt de Valdu-Niellu
Capo Facciato
Plage de Gradelle
Plage de Caspio
Capo Aggitorio
Capo alla Ruia
Bergeries de Colga
Pnta Artica
Pnta Bianca
Capo a la Vetta
Capo Ferolata
Aïtone
Col de St Pierre
Mte Tozzo
Capo di Stazzona
Bie d'Insèche
Bie de Ceppo
GOLFE DE PORTO
Plage de Bussaglia
Marine de Porto
Capo d'Ota
Porto
Vaïta
P. de Pianella
Ota
Gges de Spelunca
Évisa
Capo di Melo
U Territore
Lac de Nino
Anse de Castagna
Tour
Anse de Ficajola
Les Calanche
P. de Porto
P. de l'Onda
P. de Zaglia
P. de la Tavulella
Cristinacce
Cimatella
Bies de Vaccaia
A Pianetta
Les Roches bleues
P. de Cario
Tombalo
Chidazzo
Capezzolo
Capo a u Pruno
Bocca d'Acqua Ciarnente
Capo a u Chiostro
Capo Vardiola
Tour de Turghiu
Col d'Osini
Vistale
Capo d'Orto
Foce d'Orto
Capo a la Rocca
Capo Polmonaccia
Marignana
Col de Sevi
l'Inscinosa
Manganu
Capo a Sorbi
Capo Rosso
Col de Lava
Piana
Capo di u Vitullo
Capo S. Angelo
Capo a la Moneta
Lac de Capitello
La Rinella
Capo a le Porte
Bocca Soglia
Bocca di San Martino
Capo Macendole
Renno
Cerasa
Cascade de Piscia a l'Onda
Lac de Creno
Mte St'Eliseo
Bie de Bellebone
Mte Rao
Capo a la Forcella
Macinaggio
Soccia
Capo a Pantane
Orto
Bie de Caracuto
Letia
St-Roch
Pnta a i Tuselli
Plage d'Arone
Capo a le Forcelle
348
St-Martin
Étabt Thermal
Guagno-les-Bains
Poggiolo
Guagno
Pnta a i Muzzolin
Balogna
Capu di Calazzu
Revinda
P. de Chiuni
Golfe de Topiti
Malzone
P. de Fornello
Pnta d'Orchino
Capo a la Tuma
Vico
Col de St Antoine
Couvent de St-François
Chigliani
Murzo
Capo Sorru
Bocca di Sorru
Pnta di Porcilelle
Campu d'Occhiu
Bocca a Missicelli
Capo Grosso

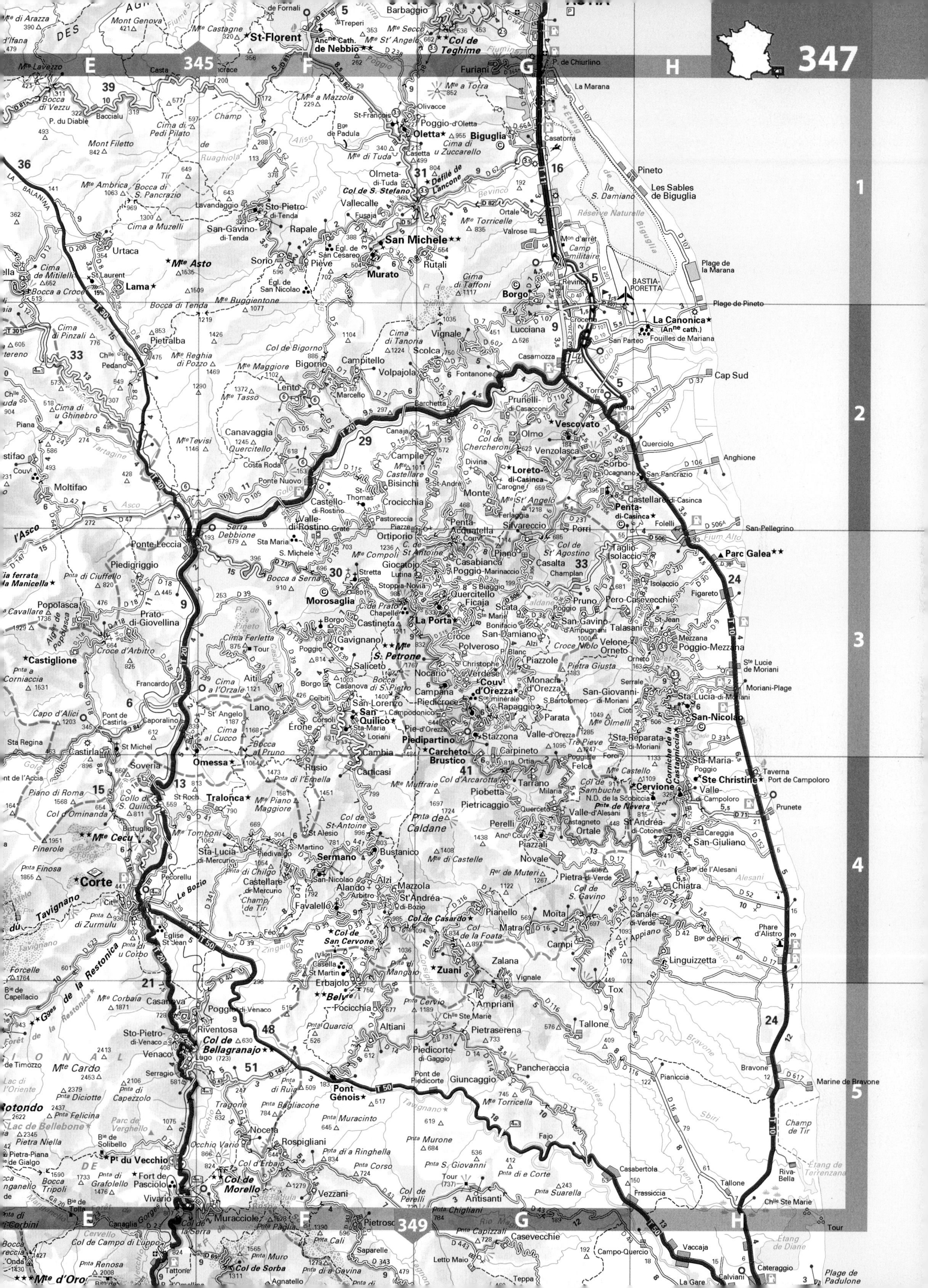

347
345
349
E
F
G
H
1
2
3
4
5
St-Florent
Col de Teghime
Furiani
Barbaggio
Patrimonio
La Marana
Oletta
Biguglia
Poggio-d'Oletta
Olmeta-di-Tuda
Col de S. Stefano
Défilé de Lancone
Sto-Pietro-di-Tenda
San-Gavino-di-Tenda
Lavandaggio
Vallecalle
Rapale
Sorio
San Michele
Murato
Rutali
Pieve
Urtaca
Lama
Mte Asto
Pineto
Les Sables de Biguglia
Étang de Biguglia
Réserve Naturelle
Borgo
Bastia-Poretta
La Canonica
Fouilles de Mariana
Lucciana
Casamozza
Vignale
Scolca
Bigorno
Campitello
Volpajola
Lento
Pietralba
Canavaggia
Cap Sud
Torra
Arena
Prunelli-di-Casacconi
Vescovato
Venzolasca
Querciolo
Sorbo-Ocagnano
San Pancrazio
Anghione
Castellare-di-Casinca
Penta-di-Casinca
Folelli
Loreto-di-Casinca
Moltifao
Ponte-Leccia
Ponte Nuovo
Castello-di-Rostino
Valle-di-Rostino
Morosaglia
Piedigriggio
Popolasca
Prato-di-Giovellina
Castiglione
Crocicchia
Ortiporio
Bisinchi
Campile
Penta-Acquatella
Silvareccio
Porri
Taglio-Isolaccio
San-Pellegrino
Parc Galea
Casabianca
Casalta
Pruno
Pero-Casevecchie
Figareto
Piano
Scata
La Porta
Ficaja
Quercitello
San-Damiano
San-Gavino-d'Ampugnani
Talasani
Velone-Orneto
Poggio-Mezzana
Croce
Polveroso
Piazzole
Nocario
Verdèse
Couvt d'Orezza
Monacia-d'Orezza
Saliceto
Campana
Piedicroce
Rapaggio
Parata
San-Giovanni-di-Moriani
Sta-Lucia-di-Moriani
Moriani-Plage
San-Nicolao
S. Petrone
Omessa
Soveria
Castirla
Corte
Tralonca
Carcheto-Brustico
Piedipartino
Stazzona
Carticasi
Rusio
Erone
San Quilico
Lano
Cambia
Tarrano
Felce
Cervione
Ste Christine
Valle-di-Campoloro
Prunete
Taverna
Port de Campoloro
Piobetta
Pietricaggio
Valle-d'Alesani
Ortale
Sant'Andréa-di-Cotone
San-Giuliano
Piazzali
Perelli
Novale
Sermano
Bustanico
Sta-Lucia-di-Mercurio
Castellare-di-Mercurio
Alando
Mazzola
Favalello
Pietra-di-Verde
Chiatra
Canale-di-Verde
Moïta
Pianello
Matra
Campi
Linguizzetta
Phare d'Alistro
Zuani
Zalana
Tox
Erbajolo
Focicchia
Altiani
Ampriani
Pietraserena
Tallone
Casanova
Poggio-di-Venaco
Riventosa
Col de Bellagranajo
Venaco
Sto-Pietro-di-Venaco
Lugo
Serragio
Mte Cardo
Piedicorte-di-Gaggio
Pancheraccia
Giuncaggio
Pont Génois
Bravone
Marine de Bravone
Pianiccia
Rospigliani
Noceta
Tragone
Pt du Vecchio
Vivario
Col de Morello
Vezzani
Antisanti
Casabertola
Frassiccia
Tallone
Riva-Bella
Chlle Ste Marie
Muracciole
Pietroso
Casevecchie
Vaccaja
Cateraggio
Col de Sorba
Campo-Quercio
Tattone
Plage de Padulone
Étang de Diane
Tour

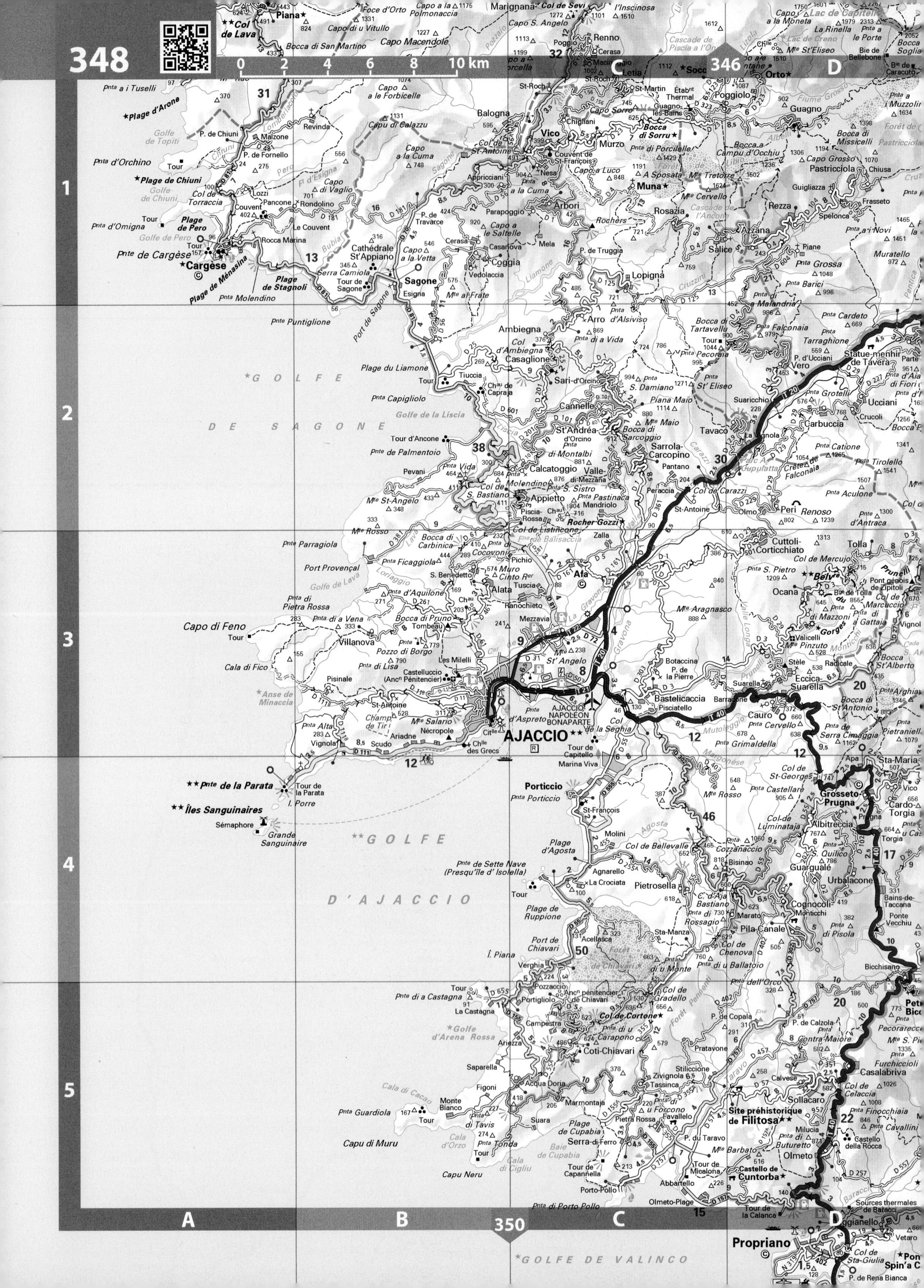
0 2 4 6 8 10 km
346
C
D
1
2
3
4
5
A
B
C
D
350
Piana
Col de Lava
Capo Macendolè
Bocca di San Martino
Capo a la Moneta
La Rinella
Orto
Poggiolo
Guagno
Vico
Couvent de St-François
Murzo
Bocca di Sorru
Muna
Rosazia
Salice
Azzana
Pastricciola
Rezza
Plage d'Arone
Golfe de Topiti
Pnta d'Orchino
Plage de Chiuni
Golfe de Chiuni
Col de Torraccia
Pnta d'Omigna
Plage de Pero
Golfe de Pero
Pnte de Cargèse
Cargèse
Plage de Ménasina
Plage de Stagnoli
Pnta Molendino
Rocca Marina
Le Couvent
Cathédrale St'Appiano
Sagone
Esigna
Coggia
Vedolaccia
Balogna
Col de St-Antoine
Lopigna
Pnte Puntiglione
GOLFE DE SAGONE
Plage du Liamone
Tiuccia
Ambiegna
Casaglione
Sari-d'Orcino
Cannelle
Pnta Capigliolo
Golfe de la Liscia
Tour d'Ancone
Pnte de Palmentoio
Calcatoggio
Appietto
Sarrola-Carcopino
Tavaco
Vero
Bocca di Tartavellu
Ucciani
Carbuccia
Pnte Parragiola
Port Provençal
Golfe de Lava
Pnta di Pietra Rossa
Capo di Feno
Villanova
Cala di Fico
Alata
Afa
Mezzavia
Bocca di Pruno
Pozzo di Borgo
Ocana
Cuttoli-Corticchiato
Tolla
Col de Mercujo
Mte Aragnasco
Anse de Minaccia
Pisinale
St-Antoine
Vignola
Scudo
Ariadne
Nécropole
Chlle des Grecs
AJACCIO
Pnte d'Aspreto
AJACCIO-NAPOLÉON BONAPARTE
Col de la Seghia
Tour de Capitello
Marina Viva
Bastelicaccia
Cauro
Eccica-Suarella
Pnte de la Parata
Tour de la Parata
I. Porre
Îles Sanguinaires
Sémaphore
Grande Sanguinaire
Porticcio
Pnta Porticcio
St-François
Mte Rosso
Grosseto-Prugna
Albitreccia
Col de Luminataja
GOLFE D'AJACCIO
Plage d'Agosta
Pnte de Sette Nave (Presqu'île d' Isolella)
Agnarello
La Crociata
Col de Bellevalle
Pietrosella
Cozzanaccio
Guarguale
Urbalacone
Plage de Ruppione
Port de Chiavari
Acellasca
Forêt de Chiavari
Î. Piana
Verghia
Pila-Canale
Sta-Manza
Col de Chenova
Bicchisano
Pnte di a Castagna
La Castagna
Portigliolo
Col de Cortone
Col de Gradello
Golfe d'Arena Rossa
Campestra
Coti-Chiavari
Ariezza
Saparella
Pratavone
Casalabriva
Cala di Cacao
Figoni
Acqua Doria
Marmontaja
Monte Bianco
Pnta Guardiola
Pnta di Tavis
Suara
Capu di Muru
Cala d'Orzo
Pnta Tonda
Plage de Cupabia
Serra-di-Ferro
Baie de Cupabia
Site préhistorique de Filitosa
Sollacaro
Olmeto
Castello de Cuntorba
Capu Neru
Cala di Ciglìu
Tour de Capannella
Porto-Pollo
Abbartello
Olmeto-Plage
Pnta di Porto Pollo
Tour de la Calanca
Propriano
GOLFE DE VALINCO

347
351
E
F
G
H
1
2
3
4
5
Casabertola
Frassicci
Vaccaja
Cateraggio
Plage de Padulone
Étang de Diane
Campo-Quercio
La Gare
Calviani
Fort de Matra
Thermes romains
Ville antique
Aléria
Teppe Rosse
Casabianda
Domaine de Casabianda
Centre pénitencier agricole
Étang de Sale
Réserve de Faune de Casabianda
Vadina
Île d'Urbino
Étang d'Urbino
Domaine de Pinia
Ghisonaccia
Ghisonaccia-Gare
St-Antoine
Pratello
Abbazia
Morta
Migliacciaro
Calzarello
Casamozza
Agnatello
Serra-di-Fiumorbo
Mignataja
Plage de Quercioni
Vix
Travo
Lostinchello
Ventiseri
Marine de Solaro
Solaro
Marine de Scaffa Rossa
Solenzara
Togna
(Sari-Solenzara)
La Penna
Cala d'Oro
Canella
Anse de Favona
Favone
Col de Guardia
Anse de Tarco
Tarco
Tour
Anse de Fautea
Bocca di a Parata
Pirelli
La Testa
Î. Roscana
Pinarellu
Golfe de Pinarellu
Î. de Pinarellu
Ste-Lucie-de-Porto-Vecchio
Conca
Lecci
Torraccia
Poggioli
Capo
Cirendino
Porto-Vecchiaccio
Ribba
Fossi
Torre
San Cipriani
Pnta Capicciola
Pnta d'Araso
Castellu d'Araghju
Gialla
Pnta Valle Maggiore
Taglio Rosso
Pnta Pinosa
Mte Lalo
Pnta d'Aquella
Pnta di Tefica
Pnta d'Orto
Col de Larone
Pnta di Ferriate
Pnta di l'Uncinuto
Mte Piano
Pnta Batarchione
Cabanes de Capello
Trou de la Bombe
Aig les de Bavella
Col de Bavella
Bavella
Pnta Tafonata di Paliri
Mte Incudine
Mufrareccia
Pnta di Malanda
Asinao
Col de Luana
Pnta Tinturaia
Bocca d'Asinao
Rocchio-Pinzuto
Pnta di Boccarona
Pnta Mozza
Mte Vitullo
Bocca di u Saltu
Col de Pré d'Agnellu
Mte Malo
Bocca di Cateri
Pnta Castellaccio
Chisa
Basalla
Bura
Pnta de Penna di l'Aquila
Mte Sordo
Usciolu
Mte Formicola
Pnta di Juva
Parata
Pnta di Quarcio-Grosso
Castastaggio
Piediquarcio
Mte Cucheru
Pinello
Ania
Etabnt Thermal
Pietrapola
San-Gavino-di-Fiumorbo
Isolaccio-di-Fiumorbo
Traggina
Acciani
Prunelli-di-Fiumorbo
Padula
Aiola
Altana
Poggio-di-Nazza
Mte d'Oro
Pnta di a Cappella
Prati
Pnta di Campolongo
Col de Verde
Pnta Bocca dell Oro
Pnta di Campiglione
Lugo-di-Nazza
Mte di Core
Pnta Kyrie-Eleison
Rer de Christe-Eleison
Pnta di Serra
Pnta d'Uccello
Sampolo
Défilé de l'Inzecca
Défilé des Strette
Pinzalone
Quinzena
Salastraco
Pnta Razzete
Maison Pieraggi
Samuleto
Aghione
Teppa
Pnta di Finocchiaia
Casevecchie
Pnta Capizzali
Letto Maio
Pnta Chigliani
Antisanti
Tour
Pnta S. Giovanni
Pnta di e Corte
Pnta Suarella
Pnta Murone
Fajo
Vezzani
Pietroso
Saparelle
Agnatello
Pnta di Logoniello
Agheri
Rosse
Pnta Scalaiolo
Ghisoni
Col de Sorba
Pnta Muro
Col de Palmente
Mte Calvi
Pnta di l'Oriente
Capannelle
P. de Casso
Mte Renoso
Bocca di a Cagnone
C. de Pruno
Pnta Cappella
Pnta dell Oro
Scaldasole
Mte Grosso
Chiraldino
Mte Giovanni
Tinoso
Pnta Vaccaio
Pnta Coperchiata
Val d'Ese
Bastelica
Col de Ciano
Palneca
Vizziluca
Ciamannacce
Pnta di a Veracaccia
Col de Bottaggio
Tasso
Col d'Arusula
Sampolo
Cozzano
P. de Brando
Giovicacce
Bocca di Lera
PARC
NATUREL
RÉGIONAL
DE
CORSE
Vergajo
Guitera-les-Bains
Zicavo
Bains-de-Guitera
Pnta di l'Erta
Bergeries-de-Basseta
Matalza
Pnta d'Alluccia
Zévaco
Corrano
Frassello
Frasseto
Col de Granaccia
St-Pierre
Bergerie de Cavallara
Pnta Tozzarella
Punta di Sistaja
Plau du Coscione
Olivese
Pnta di Menta
Pnta di Giavingiolo
Pnta di Renuccio
Pnta di Piena Longa
Pnta di Menta Morta
Fozzaninco
Col de la Vaccia
Argiusta-Moriccio
Pnta di la Mascaraccia
Pnta d'Ariola
Pnta Grossa
Pnta di u Marcorinaccio
Cantoli
Aullène
Pnta di Cuciurpula
Col de St Eustache
Quenza
Sorbollano
Zonza
Pnta Quercitella
Pnta Velaco
Zérubia
Serra-di-Scopamène
Sites de Cucuruzzu et Capula
San-Gavino-di-Carbini
Chaos de Paccionitoli
Pnta di u Sapalone
Bocca di Pelza
Mte Calva
Paccionitoli
Carabona
Bocca d'Illarata
Giglio
Pnta di u Diamante
Mte Rosso
Gualdariccio
Levie
Carbini
Cargiaca
Loreto-di-Tallano
St-Jean-Baptiste
Altagène
St-Andréa-di-Tallano
Zoza
Mela
Olmiccia
Ste-Lucie-de-Tallano
Couvt St-François
Pnta di Corbo
Orone
Panteno
Agnarone
Fenaggia
Col de Mela
Pnta di a Vacca Morta
L'Ospedale
Tirolo
Bisène
Chialza
Foce di Mela
Casablanca
Mte Piano Maggiore
Mte d'Oro
Vizzavona
Col de Vizzavona
La Foce
Forêt de Vizzavona
La Madonuccia
Bocognano
Busso
P. de Sellola
Tattone
P. d'Omellina
Canaglia
Muracciole
Col de la Serra
Vivario
Fort de Pasciolo
Pt du Vecchio
Col de Morello
Col d'Erbajo
Noceta
Rospigliani
Pnta di a Ringhella
Pnta Corso
Col de Perelli
Col de Campo di Luppo
Pnta Renosa
Laccione
Villanova
Capitello
Pnta Sfronditata
Pnta di a Vetta
Col de Scalella
Mte Niello
Pnta Volta
Pnta di u Feno
Tour
D 344
D 343
D 443
D 144
D 244
D 145
D 45
D 645
D 745
D 845
D 545
D 445
D 69
D 268
D 168
D 168A
D 368
D 420
D 69
T 10
T 20
T 50

350
0 2 4 6 8 10 km
348
A
B
C
D
1
2
3
4
5
Plage de Ruppione
Port de Chiavari
Acellasca
Bastiano
Rossagio
Sta-Manza
Pila-Canale
Cognocoli-Monticchi
Pnta di Pisola
Taccana
Ponte Vecchiu
Bicchisano
Verghia
Pozzaccio
Portigliolo
Ancn pénitencier de Chiavari
Col de Gradello
Col de Cortone
Pnte di a Castagna
La Castagna
Golfe d'Arena Rossa
Campestra
Pnta di u Carapono
Coti-Chiavari
Ariezza
Saparella
Acqua Doria
Figoni
Cala di Cacao
Monte Bianco
Pnta Guardiola
Tour
Pnta di Tavis
Pnta Tonda
Cala d'Orzo
Capu di Muru
Capu Neru
Suara
Marmontaje
Plage de Cupabia
Serra-di-Ferro
Baie de Cupabia
Cala di Cigliu
Tour de Capannella
Porto-Pollo
Pnta di Porto Pollo
Pietra Rossa
Pnta di u Forcono
Favallelo
Zivignola
Tassinca
Stiliccione
P. du Taravo
Mte Barbato
Tour de Micalona
Abbartello
Olmeto Plage
Castello de Cuntorba
Site préhistorique de Filitosa
P. de Copala
Pratavone
P. de Calzola
Contra Maiore
Casalabriva
Calvese
Sollacaro
Milucia
Pnta di Buturetto
Olmeto
Col de Celaccia
Pnta Finocchiaia
Pnta Cavallini
Castello della Rocca
Pecorarecc
Furchicciolì
Mte S. Pi
Sources thermales de Baracci
Tour de la Calanca
Viggianello
Vetaro
Propriano
Col de Sta-Giulia
P. de Rena Bianca
GOLFE DE VALINCO
Plage de Portigliolo
Portigliolo
Pnta di Cardicciani
Pnte de Campomoro
Campomoro
Tour
Belvedere
Belvédère-Campomoro
Tivolaggio
Pnta di u Turco
Pnta di Muro
Col de Bilia
Bilia
Bocca di Biscelli
Sartène
Pnta d'Arbolli
Bocca Albitrina
Col de Sua
Alo-Bisucce
Zevoli
Grossa
Pnta di Manna Molina
Pnta di Cuccari
Pnta di u Monte
Bocca di
Cala di Agulia
Pnta d'Eccica
Pnta Quarcioqua
Castello di Cagalla
Cala di Conca
Tour de Senetosa
Punta di Senetosa
Pnta Capannaccia
Alignements de Palaggiu
Bocca di Capirossu
Pnta Pastania
Tizzano
Fort
Pnta Pietra Nera
Bergerie
Mégalithes de Cauria
Zivia
Pnta di Villa
Pnta Cauria
Cap de Zivia
Golfe de Murtoli
Murtoli
Plage d'Erbaju
Rocher du Lion
Golfe de Roccapina
Cap de Roccapina
Îlots des Moin
RÉSE

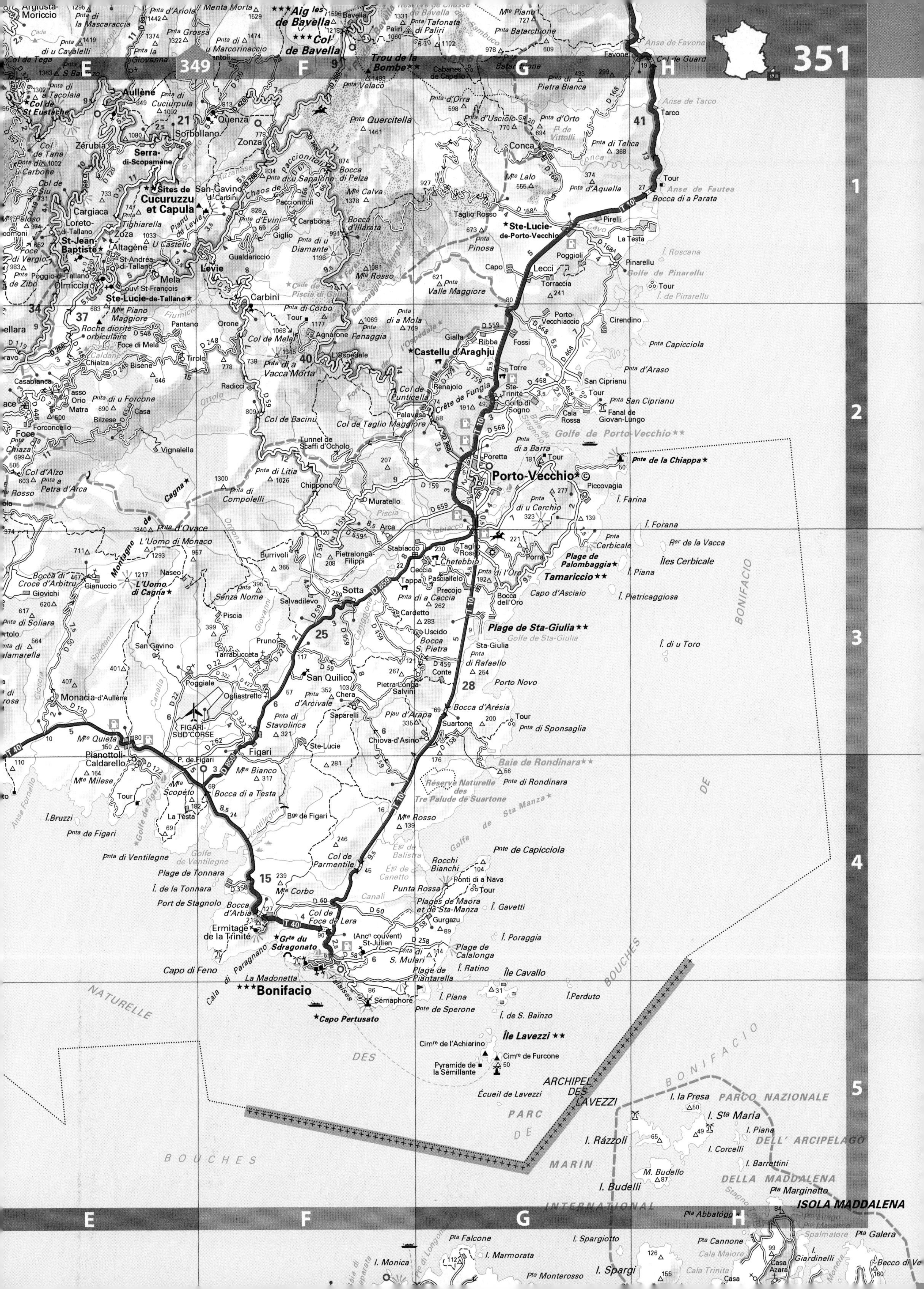
349
E
F
G
H
1
2
3
4
5
Aig les de Bavella
Col de Bavella
Trou de la Bombe
Favone
Col de Guardia
Anse de Favone
Anse de Tarco
Tarco
Aullène
Col de St Eustache
Quenza
Sorbollano
Zonza
Zérubia
Serra-di-Scopamène
Pta Quercitella
Conca
Mte Lalo
Pta d'Aquella
Tour
Anse de Fautea
Bocca di a Parata
Sites de Cucuruzzu et Capula
San-Gavino di Carbini
Paccionitoli
Carabona
Mte Calva
Bocca di Pelza
Cargiaca
Loreto-di-Tallano
Zoza
Altagène
St-Jean-Baptiste
Levie
Gualdariccio
Pta di u Diamante
Mte Rosso
Taglio Rosso
Ste-Lucie-de-Porto-Vecchio
Pirelli
La Testa
Î. Roscana
Pinarellu
Golfe de Pinarellu
Î. de Pinarellu
Poggioli
Lecci
Torraccia
Capo
Pta Pinosa
Valle Maggiore
Olmiccia
Mela
Ste-Lucie-de-Tallano
Carbini
Pta di Corbo
Roche diorite orbiculaire
Foce di Mela
Pantano
Orone
Agnarone
Fenaggia
Col de Mela
Pta di a Vacca Morta
L'Ospedale
Castellu d'Araghju
Gialla
Ribba
Fossi
Porto-Vecchiaccio
Cirendino
Pta Capicciola
Pta d'Araso
San Ciprianu
Pta San Ciprianu
Fanal de Giovan-Lungo
Torre
Ste-Trinité
Golfo di Sogno
Cala Rossa
Renajolo
Crête de Fungia
Col de Punticella
Palavesa
Col de Taglio Maggiore
Col de Bacinu
Chialza
Bisène
Tirolo
Radicci
Casabianca
Tasso
Orio
Matra
Pta di u Forcone
Bilzese
Casa
Forconcello
Foce
Chiaza
Vignalella
Tunnel de Scaffi d'Ocholo
Golfe de Porto-Vecchio
Pta di a Barra
Tour
Pte de la Chiappa
Poretta
Porto-Vecchio
Piccovagia
Pta di u Cerchio
Î. Farina
Î. Forana
Col d'Alzo
Pta a Petra d'Arca
Cagna
Pta di Litia
Pta di Compolelli
Chippono
Muratello
Pischia
Arca
Stabiacco
Pta d'Ovace
L'Uomo di Monaco
Montagne de Cagna
Burrivoli
Pietralonga-Filippi
Taglio Rosso
Chetebbio
Ceccia
Tappa
Pasciallelo
Porra
Pta Cerbicale
Rer de la Vacca
Îles Cerbicale
Plage de Palombaggia
Tamariccio
Î. Piana
Capo d'Asciaio
Î. Pietricaggiosa
Bocca di Croce d'Arbitru
Gianuccio
Giovichi
L'Uomo di Cagna
Naseo
Senza Nome
Salvadilevo
Sotta
Pta di a Caccia
Precojo
Bocca dell'Oro
Piscia
Cardetto
Uscido
Bocca S. Pietra
Plage de Sta-Giulia
Golfe de Sta-Giulia
Sta-Giulia
Pta di Rafaello
Î. di u Toro
BONIFACIO
Pta di Soliara
San-Gavino
Pruno
Tarrabucceta
San Quilico
Conte
Porto Novo
Pietra-Longa-Salvini
Chera
Pta d'Arcivale
Poggiale
Ogliastrello
Monacia-d'Aullène
Saparelli
Plau d'Arapa
Bocca d'Arésia
Tour
Pta di Sponsaglia
Suartone
Pta di Stavolinca
FIGARI-SUD CORSE
Chiova-d'Asino
Mte Quieta
Pianottoli-Caldarello
Figari
Ste-Lucie
P. de Figari
Mte Bianco
Mte Milese
Mte Scopèto
Bocca di a Testa
Baie de Rondinara
Pta di Rondinara
Réserve Naturelle des Tre Padule de Suartone
Golfe de Sta Manza
Tour
La Testa
Î. Bruzzi
Pta de Figari
Bge de Figari
Mte Rosso
Golfe de Ventilegne
Pta di Ventilegne
Plage de Tonnara
Î. de la Tonnara
Port de Stagnolo
Col de Parmentile
Pte de Capicciola
Rocchi Bianchi
Ponti di a Nava
Tour
Punta Rossa
Mte Corbo
Canali
Plages de Maora et de Sta-Manza
Î. Gavetti
Gurgazu
Bocca d'Arbia
Col de Foce de Lera
Ermitage de la Trinité
Grte du Sdragonato
(Ancn couvent)
St-Julien
Î. Poraggia
Plage de Calalonga
S. Murari
Î. Ratino
Capo di Feno
Plage de Piantarella
Île Cavallo
La Madonetta
Bonifacio
NATURELLE
Sémaphore
Î. Piana
Pte de Sperone
Î.Perduto
Capo Pertusato
Î. de S. Baïnzo
Île Lavezzi
Cimre de l'Achiarino
Cimre de Furcone
Pyramide de la Sémillante
DES
ARCHIPEL DES LAVEZZI
Écueil de Lavezzi
BOUCHES
PARC
DE
MARIN
INTERNATIONAL
BONIFACIO
PARCO NAZIONALE
DELL' ARCIPELAGO
DELLA MADDALENA
I. la Presa
I. Sta Maria
I. Piana
I. Rázzoli
I. Corcelli
I. Barrettini
M. Budello
I. Budelli
Pta Marginetto
ISOLA MADDALENA
Pta Abbatóggia
Pta Falcone
I. Spargiotto
Pta Cannone
Pta Galera
Spalmatore
I. Marmorata
Cala Maiore
I. Giardinelli
I. Monica
Pta Monterosso
I. Spargi
Cala Trinita
Casa Azara
Becco di Ve

FRANCE ADMINISTRATIVE

numéro nom chef-lieu

- 01 Ain - *Bourg-en-Bresse*
- 02 Aisne - *Laon*
- 03 Allier - *Moulins*
- 04 Alpes-de-Haute-Provence - *Digne-les-Bains*
- 05 Hautes-Alpes - *Gap*
- 06 Alpes-Maritimes - *Nice*
- 07 Ardèche - *Privas*
- 08 Ardennes - *Charleville-Mézières*
- 09 Ariège - *Foix*
- 10 Aube - *Troyes*
- 11 Aude - *Carcassonne*
- 12 Aveyron - *Rodez*
- 13 Bouches-du-Rhône - *Marseille*
- 14 Calvados - *Caen*
- 15 Cantal - *Aurillac*
- 16 Charente - *Angoulême*
- 17 Charente-Maritime - *La Rochelle*
- 18 Cher - *Bourges*
- 19 Corrèze - *Tulle*
- 2A Corse-du-Sud - *Ajaccio*
- 2B Haute-Corse - *Bastia*
- 21 Côte-d'Or - *Dijon*
- 22 Côtes-d'Armor - *St-Brieuc*
- 23 Creuse - *Guéret*
- 24 Dordogne - *Périgueux*
- 25 Doubs - *Besançon*
- 26 Drôme - *Valence*
- 27 Eure - *Évreux*
- 28 Eure-et-Loir - *Chartres*
- 29 Finistère - *Quimper*
- 30 Gard - *Nîmes*
- 31 Haute-Garonne - *Toulouse*
- 32 Gers - *Auch*
- 33 Gironde - *Bordeaux*
- 34 Hérault - *Montpellier*
- 35 Ille-et-Vilaine - *Rennes*
- 36 Indre - *Châteauroux*
- 37 Indre-et-Loire - *Tours*
- 38 Isère - *Grenoble*
- 39 Jura - *Lons-le-Saunier*
- 40 Landes - *Mont-de-Marsan*
- 41 Loir-et-Cher - *Blois*
- 42 Loire - *St-Étienne*
- 43 Haute-Loire - *Le Puy-en-Velay*
- 44 Loire-Atlantique - *Nantes*
- 45 Loiret - *Orléans*
- 46 Lot - *Cahors*
- 47 Lot-et-Garonne - *Agen*
- 48 Lozère - *Mende*
- 49 Maine-et-Loire - *Angers*
- 50 Manche - *St-Lô*
- 51 Marne - *Châlons-en-Champagne*
- 52 Haute-Marne - *Chaumont*
- 53 Mayenne - *Laval*
- 54 Meurthe-et-Moselle - *Nancy*
- 55 Meuse - *Bar-le-Duc*
- 56 Morbihan - *Vannes*
- 57 Moselle - *Metz*
- 58 Nièvre - *Nevers*
- 59 Nord - *Lille*
- 60 Oise - *Beauvais*
- 61 Orne - *Alençon*
- 62 Pas-de-Calais - *Arras*
- 63 Puy-de-Dôme - *Clermont-Ferrand*
- 64 Pyrénées-Atlantiques - *Pau*
- 65 Hautes-Pyrénées - *Tarbes*
- 66 Pyrénées-Orientales - *Perpignan*
- 67 Bas-Rhin - *Strasbourg*
- 68 Haut-Rhin - *Colmar*
- 69 Rhône - *Lyon*
- 70 Haute-Saône - *Vesoul*
- 71 Saône-et-Loire - *Mâcon*
- 72 Sarthe - *Le Mans*
- 73 Savoie - *Chambéry*
- 74 Haute-Savoie - *Annecy*
- 75 Ville de Paris - *Paris*
- 76 Seine-Maritime - *Rouen*
- 77 Seine-et-Marne - *Melun*
- 78 Yvelines - *Versailles*
- 79 Deux-Sèvres - *Niort*
- 80 Somme - *Amiens*
- 81 Tarn - *Albi*
- 82 Tarn-et-Garonne - *Montauban*
- 83 Var - *Toulon*
- 84 Vaucluse - *Avignon*
- 85 Vendée - *La Roche-sur-Yon*
- 86 Vienne - *Poitiers*
- 87 Haute-Vienne - *Limoges*
- 88 Vosges - *Épinal*
- 89 Yonne - *Auxerre*
- 90 Territoire-de-Belfort - *Belfort*
- 91 Essonne - *Évry-Courcouronnes*
- 92 Hauts-de-Seine - *Nanterre*
- 93 Seine-Saint-Denis - *Bobigny*
- 94 Val-de-Marne - *Créteil*
- 95 Val-d'Oise - *Pontoise*

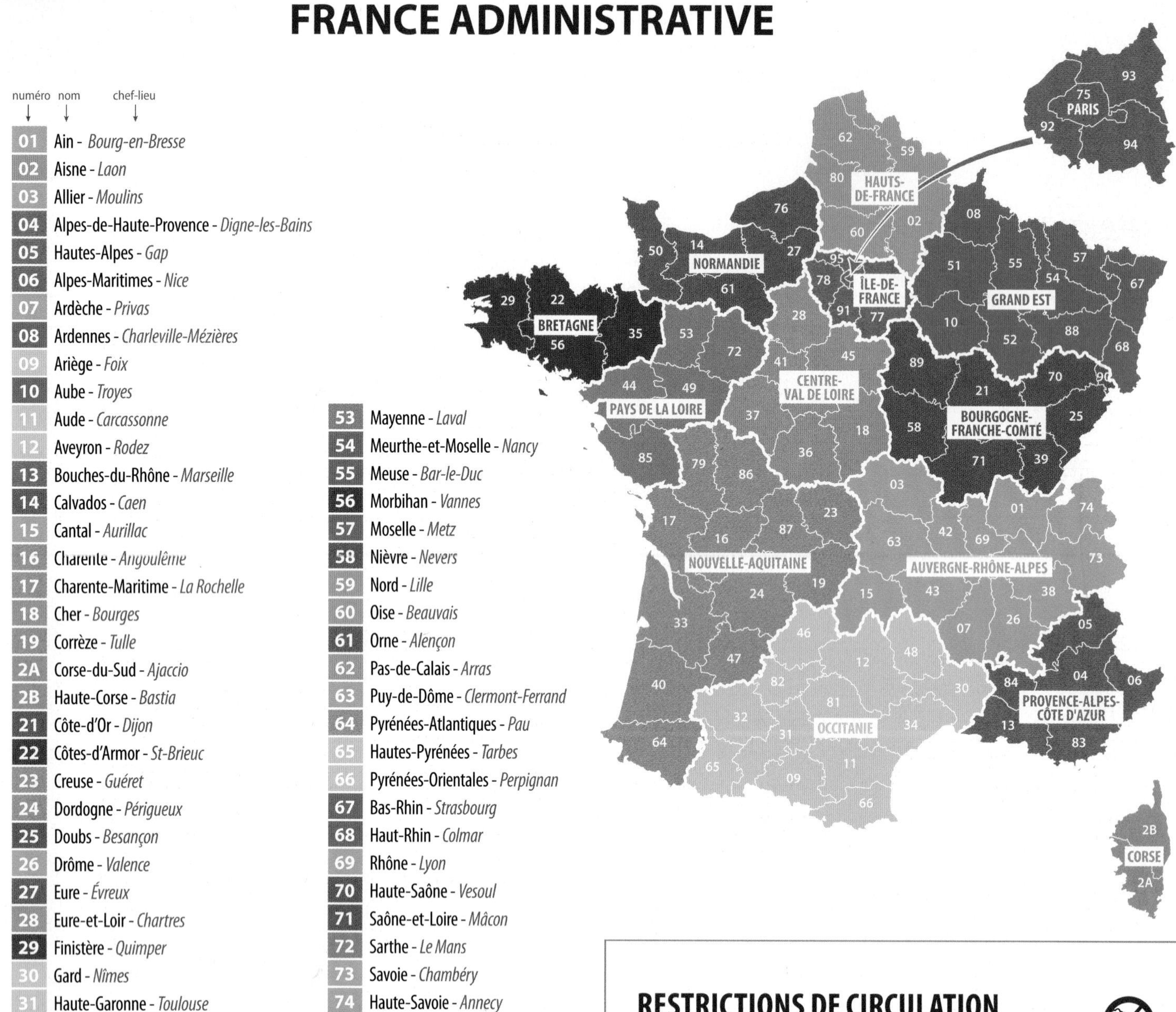

RESTRICTIONS DE CIRCULATION LIÉES À LA POLLUTION DANS LES VILLES

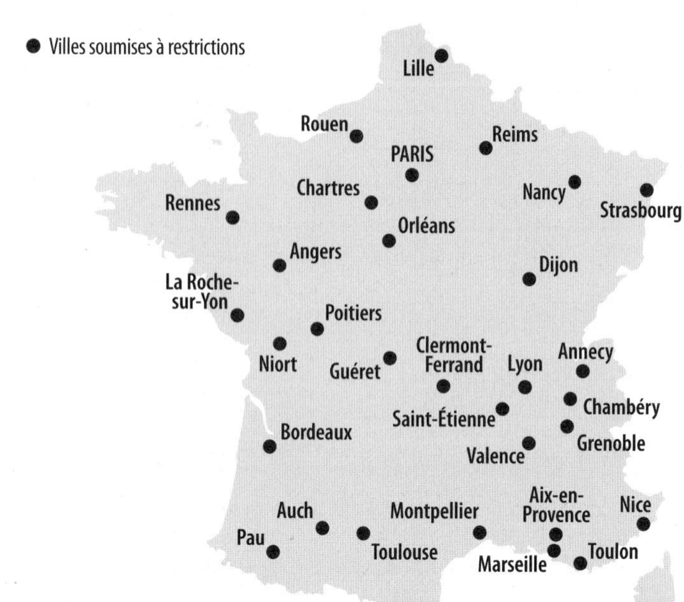

www.certificat-air.gouv.fr

Sous réserve de l'adhésion d'autres métropoles ou territoires.

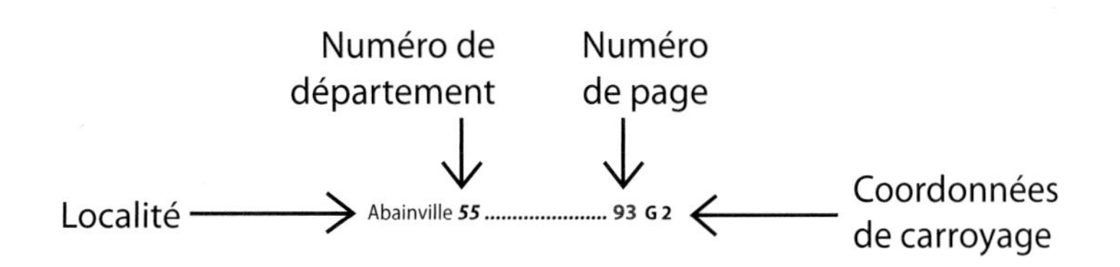
Numéro de département
Numéro de page
Localité
Abainville 55 .... 93 G 2
Coordonnées de carroyage

A

B

C

Compreignac 87 205 H3
Comps 26 267 H4
Comps 30 304 B2
Comps 33 237 G3
Comps-la-Grand-Ville 12 280 D3
Comps-sur-Artuby 83 308 A2
La Comté 62 7 H5
Comus 11 336 D4
Conan 41 132 A3
Conand 01 214 B4
Conat 66 342 A3
Conca 2A 349 G5
Concarneau 29 100 A4
Concevreux 02 41 E2
Concèze 19 223 H5
Conches-en-Ouche 27 56 A2
Conches-sur-Gondoire 77 59 F3
Conchez-de-Béarn 64 294 C5
Conchil-le-Temple 62 6 B5
Conchy-les-Pots 60 23 F5
Conchy-sur-Canche 62 12 C2
Les Conclusses 30 284 B3
Concorès 46 259 H3
Concoret 56 103 F3
Concots 46 278 C1
Concoules 30 283 G1
Concourson-sur-Layon 49 149 H5
Concremiers 36 187 H1
Concressault 18 155 G1
Concriers 41 132 B3
Condac 16 203 F2
Condal 71 195 H2
Condamine 01 214 C1
Condamine 39 178 D5
La Condamine-Châtelard 04 271 E4
Condat 15 227 E5
Condat 46 242 C4
Condat-en-Combraille 63 208 C5
Condat-lès-Montboissier 63 228 C3
Condat-sur-Ganaveix 19 224 C4
Condat-sur-Trincou 24 222 C5
Condat-sur-Vézère 24 241 G3
Condat-sur-Vienne 87 205 G5
Condé 36 172 B3
Condé-en-Barrois 55 63 H3
Condé-en-Brie 02 60 D1
Condé-Folie 80 11 H4
Condé-lès-Autry 08 43 E3
Condé-lès-Herpy 08 41 H1
Condé-Northen 57 46 C5
Condé-Sainte-Libiaire 77 59 F3
Condé-sur-Aisne 02 40 C2
Condé-sur-Ifs 14 54 A1
Condé-sur-Iton 27 56 A3
Condé-sur-l'Escaut 59 9 H4
Condé-sur-Marne 51 61 H1
Condé-sur-Noireau 14 53 F3
Condé-sur-Risle 27 35 F3
Condé-sur-Sarthe 61 83 G4
Condé-sur-Seulles 14 33 E4
Condé-sur-Suippe 02 41 F2
Condé-sur-Vesgre 78 57 F4
Condé-sur-Vire 50 32 B5
Condeau 61 85 E4
Condécourt 95 57 H1
Condeissiat 01 213 G1
Condéon 16 220 C4
Condes 39 196 C4
Condes 52 117 E3
Condette 62 6 B2
Condezaygues 47 258 D5
Condillac 26 267 E3
Condom 32 275 G5
Condom-d'Aubrac 12 263 F3
Condorcet 26 268 A5
Condren 02 24 B5
Condrieu 69 231 E4
Conflandey 70 141 E3
Conflans-en-Jarnisy 54 45 E5
Conflans-Sainte-Honorine 78 58 A2
Conflans-sur-Anille 72 108 D5
Conflans-sur-Lanterne 70 141 F2
Conflans-sur-Loing 45 112 C5
Conflans-sur-Seine 51 90 B2
Confolens 16 204 C3
Confolens *Cascade de* 38 251 G4
Confolent-Port-Dieu 19 226 C3
Confort 01 215 E1
Confort-Meilars 29 99 E2
Confracourt 70 140 C4
Confrançon 01 195 G5
Congé-sur-Orne 72 107 H2
Congénies 30 303 F2
Congerville 91 87 E4
Congerville-Thionville 91 87 E4
Congis-sur-Thérouanne 77 59 G1
Congrier 53 127 G2
Congy 51 61 F3
Conie-Molitard 28 110 A3
Conilhac-Corbières 11 320 C5
Conilhac-de-la-Montagne 11 337 G3
Conjux 73 215 E5
Conlie 72 107 F3
Conliège 39 179 F5
Connac 12 280 D5
Connangles 43 246 D1
Connantray-Vaurefroy 51 61 G4
Connantre 51 61 F5
Connaux 30 284 D4
Conne-de-Labarde 24 258 B1
Connelles 27 36 C4
Connerré 72 108 B4
Connezac 24 222 B3
Connigis 02 60 C1
Conquereuil 44 126 B4
Conque-en-Rouergue 12 262 B4
Conques-sur-Orbiel 11 319 H4
Le Conquet 29 74 C2
Conqueyrac 30 302 D1
Cons-la-Grandville 54 44 D2
Cons-Sainte-Colombe 74 216 A5
Consac 17 219 G4
Conségudes 06 309 F1
Consenvoye 55 43 H3
Consigny 52 117 G2
Consolation *Cirque de* 25 163 E4
Consolation-Maisonnettes 25 163 E4
Contalmaison 80 13 G5
Contamine-Sarzin 74 215 F2
Contamine-sur-Arve 74 216 A1
Les Contamines-Montjoie 74 216 D4
Contault 51 63 E2
Contay 80 13 E5
Conte 39 180 A4
Contes 06 291 F5
Contes 62 6 D5
Contescourt 02 24 A3
Contest 53 82 B5
Conteville 14 33 H5
Conteville 27 35 E2
Conteville 60 22 A4
Conteville 76 21 F4
Conteville 80 12 B3
Conteville-en-Ternois 62 7 G5
Conteville-lès-Boulogne 62 2 B5
Conthil 57 66 D3
Contigné 49 128 C3
Contigny 03 192 A4
Contilly 72 84 A4
Continvoir 37 151 E2
Contis-Plage 40 272 A3
Contoire 80 22 D4
Contrazy 09 335 G2
Contré 17 202 B2
Contre 80 22 A3
Contréglise 70 140 D2
Contremoulins 76 19 E3
Contres 18 173 F3
Contres 41 153 F2
Contreuve 08 42 C2
Contrevoz 01 214 C5
Contrexéville 88 118 B2
Contrières 50 51 G1
Contrisson 55 63 F3
Conty 80 22 A3
Contz-les-Bains 57 46 B2
Conzieu 01 214 C5
Coole 51 62 B4
Coolus 51 62 B2
La Copechagnière 85 166 A3
Copponex 74 215 G2
Coq *Col du* 38 233 E5
Coquainvilliers 14 34 C4
Coquelles 62 2 C3
La Coquille 24 223 E3
Corancez 28 86 B5
Corancy 58 176 A1
Coray 29 100 B2
Corbara 2B 344 C5
Corbarieu 82 297 H1
Corbas 69 231 F1
Corbehem 62 14 A2
Corbeil 51 91 G2
Corbeil-Cerf 60 38 A3
Corbeil-Essonnes 91 88 A2
Corbeilles 45 112 A4
Corbel 73 233 E4
Corbelin 38 232 C2
Corbenay 70 119 F5
Corbeny 02 41 F1
Corbère 66 342 C2
Corbère-Abères 64 314 D2
Corbère-les-Cabanes 66 342 D2
Corberon 21 178 A1
Corbès 30 283 G4
Corbie 80 22 D2
Le Corbier 73 252 A1
La Corbière 70 141 H2
Corbières 11 337 E2
Corbières-en-Provence 04 306 C2
Corbigny 58 157 G4
Corbon 14 34 A5
Corbon 61 84 C4
Corbonod 01 215 E3
Corbreuse 91 87 E3
Corcelle-Mieslot 25 162 B2
Corcelles 01 214 C2
Corcelles 58 174 B2
Corcelles 70 142 A4
Corcelles-en-Beaujolais 69 212 D1
Corcelles-Ferrières 25 161 G4
Corcelles-les-Arts 21 177 G2
Corcelles-lès-Cîteaux 21 160 B5
Corcelles-les-Monts 21 159 H3
Corcieux 88 120 B2
Corcondray 25 161 G4
Corconne 30 303 E1
Corcoué-sur-Logne 44 165 G1
Corcy 02 40 A4
Cordéac 38 251 E5
Cordebugle 14 34 D5
Cordelle 42 211 G3
Cordemais 44 147 E3
Cordes-sur-Ciel 81 279 F4
Cordes-Tolosannes 82 277 F5
Cordesse 71 176 D1
Cordey 14 53 H3
Cordieux 01 213 G4
Cordiron 25 161 G3
Cordon 74 216 C3
Cordonnet 70 161 H2
Coren 15 245 H3
Corenc 38 251 E1
Corent 63 227 H2
Corfélix 51 61 E3
Corgengoux 21 178 A2
Corgenon 01 195 G5
Corgirnon 52 139 H2
Corgnac-sur-l'Isle 24 223 E5
Corgoloin 21 177 H1
Corignac 17 237 H1
Corlay 22 77 H4
Corlée 52 139 G2
Corlier 01 214 B2
Cormainville 28 110 B3
Cormaranche-en-Bugey 01 214 C3
Cormatin 71 194 D2
Corme-Écluse 17 219 E1
Corme-Royal 17 201 E5
Cormeilles 27 34 D4
Cormeilles 60 22 B4
Cormeilles-en-Parisis 95 58 B2
Cormeilles-en-Vexin 95 37 H5
Cormelles-le-Royal 14 33 G5
Le Cormenier 79 184 D5
Cormenon 41 109 E5
Cormeray 41 153 F1
Cormeray 50 80 D2
Cormery 37 152 A4
Cormes 72 108 D3
Cormet de Roselend 73 216 D5
Cormicy 51 41 F2
Le Cormier 27 56 C2
Cormolain 14 32 C5
Cormont 62 6 B3
Cormontreuil 51 41 G4
Cormoranche-sur-Saône 01 195 E5
Cormost 10 115 E3
Cormot-le-Grand 21 177 F2
Cormoyeux 51 41 F5
Cormoz 01 195 H3
Corn 46 261 E3
Cornac 46 243 E5
Cornant 89 113 F3
Cornas 07 249 F4
Cornay 08 43 F3
Corné 49 149 H1
Cornebarrieu 31 297 H4
Corneilhan 34 321 G3
Corneilla-de-Conflent 66 342 A3
Corneilla-del-Vercol 66 343 F2
Corneilla-la-Rivière 66 342 D2
Corneillan 32 294 C4
Corneuil 27 56 B3
Corneville-la-Fouquetière 27 55 G1
Corneville-sur-Risle 27 35 F3
Cornier 74 215 H1
Cornièville 55 64 D5
Cornil 19 242 D2
Cornillac 26 268 B5
Cornille 24 240 D1
Cornillé 35 105 E3
Cornillé-les-Caves 49 150 A1
Cornillon 30 284 C2
Cornillon-Confoux 13 305 F5
Cornillon-en-Trièves 38 250 D5
Cornillon-sur-l'Oule 26 268 B5
Cornimont 88 120 A4
Cornod 39 196 B4
Cornot 70 140 C4
La Cornuaille 49 148 D1
Cornus 12 301 G1
Cornusse 18 173 H2
Cornusson *Château de* 82 279 E3
Corny 27 36 D3
Corny-Machéroménil 08 26 B5
Corny-sur-Moselle 57 65 G2
Coron 49 149 F5
Corong *Gorges du* 22 77 E3
Corpe 85 183 F2
Corpeau 21 177 G2
Corpoyer-la-Chapelle 21 159 F1
Corps 38 251 F5
Corps-Nuds 35 104 B4
Corquilleroy 45 112 B4
Corquoy 18 172 D3
Corrano 2A 349 E3
Corravillers 70 119 H5
Corre 70 118 C5
Corrençon-en-Vercors 38 250 C3
Correns 83 307 F5
Corrèze 19 225 E5
Corribert 51 61 E2
Corrobert 51 60 D2
Corrombles 21 158 C1
Corronsac 31 318 A2
Corroy 51 61 F5
Corsaint 21 158 C1
Corsavy 66 342 C4
Corscia 2B 346 D4
Corsen *Pointe de* 29 74 C2
Corsept 44 146 C3
Corseul 22 79 F3
Cortambert 71 194 D2
Corte 2B 347 E4
Cortevaix 71 194 C2
Cortone *Col de* 2A 348 C5
Cortrat 45 134 D2
Les Corvées-les-Yys 28 85 G5
Corveissiat 01 196 B5
Corvol-d'Embernard 58 157 E4
Corvol-l'Orgueilleux 58 157 E2
Corzé 49 128 D5
Cos 09 336 A2
Cosges 39 178 D4
Coslédaà-Lube-Boast 64 314 C2
Cosmes 53 105 H5
Cosnac 19 242 C3
Cosne-d'Allier 03 191 F3
Cosne-sur-Loire 58 156 A2
Cosnes-et-Romain 54 44 D1
Cosqueville 50 29 G2
Cossaye 58 175 E5
Cossé-d'Anjou 49 149 F5
Cossé-en-Champagne 53 106 D5
Cossé-le-Vivien 53 105 H5
Cossesseville 14 53 F2
Cosswiller 67 97 E1
Costa 2B 346 D2
Costaros 43 247 F5
Les Costes 05 269 G1
Les Costes-Gozon 12 281 E5
La Côte 70 141 H3
Cote 304 55 43 H4
La Côte-d'Aime 73 234 D2
La Côte-d'Arbroz 74 198 C5
La Côte-en-Couzan 42 211 E5
La Côte-Saint-André 38 232 A4
Le Coteau 42 211 G3
Côtebrune 25 162 C3
Les Côtes-d'Arey 38 231 F4
Les Côtes-de-Corps 38 251 F5
Coti-Chiavari 2A 348 C5
Cotignac 83 307 G5
La Cotinière 17 200 A3
Cottance 42 212 A5
Cottenchy 80 22 C3
Cottévrard 76 20 C4
Cottier 25 161 G4
Cottun 14 32 D3
Cou *Col de* 74 198 A4
La Couarde 79 185 G4
La Couarde-sur-Mer 17 182 D5
Couargues 18 156 A4
Coubert 77 59 E5
Coubeyrac 33 257 E1
Coubisou 12 263 E4
Coubjours 24 241 G1
Coublanc 52 139 H4
Coublanc 71 212 A1
Coublevie 38 232 C5
Coublucq 64 294 B5
Coubon 43 247 F4
La Coubre *Phare de* 17 218 B1
Coubron 93 58 D3
Couches 71 177 F3
Couchey 21 160 A4
La Coucourde 26 267 E3
Coucouron 07 265 G1
Coucy 08 42 B1
Coucy-la-Ville 02 40 B1
Coucy-le-Château-Auffrique 02 40 B1
Coucy-lès-Eppes 02 25 E5
Couddes 41 153 F3
Coudehard 61 54 C3
Coudekerque-Branche 59 3 G2
Coudekerque-Village 59 3 G2
Coudes 63 228 A2
Coudeville-sur-Mer 50 51 F2
Le Coudon 83 328 B4
Coudons 11 337 F4
Coudoux 13 305 G5
Coudray 27 37 E3
Le Coudray 28 86 B4
Le Coudray 44 126 A5
Coudray 45 111 H2
Coudray 53 128 B3
Coudray-au-Perche 28 109 E2
Le Coudray-Macouard 49 150 B4
Le Coudray-Montceaux 91 88 A2
Coudray-Rabut 14 34 C3
Le Coudray-Saint-Germer 60 37 G2
Coudray-Salbart *Château de* 79 184 D3
Le Coudray-sur-Thelle 60 38 A3
La Coudre 79 167 G2
Les Coudreaux 77 59 E3
Coudreceau 28 85 E5
Coudrecieux 72 108 C5
Coudres 27 56 C3
Coudroy 45 134 B2
Coudun 60 39 F1
Coudures 40 294 A3
Coueilles 31 316 D3
Couëlan *Château de* 22 103 F1
Couëron 44 147 F4
Couesmes 37 130 B5
Couesmes-en-Froulay 53 82 A3
Couesque *Barrage de* 12 262 D2
Les Couets 44 147 G4
Couffé 44 148 A2
Couffoulens 11 337 G1
Couffy 41 153 F4
Couffy-sur-Sarsonne 19 226 B2
Couflens 09 335 F5
Coufouleux 81 298 C2
Cougnac *Grottes de* 46 259 H2
Couhé 86 186 A4
Couilly-Pont-aux-Dames 77 59 G3
Couin 62 13 E4
Couiza 11 337 G3
Couladère 31 317 F5
Coulaines 72 107 H4
Coulandon 03 192 A2
Coulangeron 89 136 A4
Coulanges 03 193 E2
Coulanges 41 152 D1
Coulanges-la-Vineuse 89 136 B4
Coulanges-lès-Nevers 58 174 C2
Coulanges-sur-Yonne 89 157 F1
Coulans-sur-Gée 72 107 F4
Coulans-sur-Lizon 25 180 A1
Coulaures 24 241 E1
Couledoux 31 334 C3
Couleuvre 03 174 A5
Coulevon 70 141 F4
Coulgens 16 203 G5
Coulimer 61 84 B3
Coullemelle 80 22 C4
Coullemont 62 13 E3
Coullons 45 134 B5
Coulmer 61 54 D4
Coulmier-le-Sec 21 138 A3
Coulmiers 45 110 C5
Coulobres 34 321 G2
Coulogne 62 2 D3
Couloisy 60 39 H2
Coulombiers 72 83 G5
Coulombiers 86 186 A2
Coulombs 14 33 F3
Coulombs 28 57 E5
Coulombs-en-Valois 77 60 A1
Coulomby 62 6 D2
Coulommes 77 59 G3
Coulommes-et-Marqueny 08 42 C1
Coulommes-la-Montagne 51 41 F4
Coulommiers 77 59 H4
Coulommiers-la-Tour 41 131 H3
Coulon 79 184 C4
Coulonces 14 52 C3
Coulonces 61 54 B3
La Coulonche 61 53 F5
Coulongé 72 130 A4
Coulonge-sur-Charente 17 201 F4
Coulonges 16 203 E4
Coulonges 17 219 H2
Coulonges 27 56 B3
Coulonges 86 188 A3
Coulonges-Cohan 02 40 D4
Coulonges-les-Sablons 61 85 E4
Coulonges-sur-l'Autize 79 184 C2
Coulonges-sur-Sarthe 61 84 A3
Coulonges-Thouarsais 79 167 H2
Coulonvillers 80 11 H3
Couloumé-Mondebat 32 295 F4
Coulounieix-Chamiers 24 240 C2
Coulours 89 114 A3
Couloutre 58 156 C2
Coulouvray-Boisbenâtre 50 52 A3
Coulvain 14 52 D1
Coulx 47 257 H5
Coume 57 46 D5
Counozouls 11 337 G5
Coupelle-Neuve 62 7 E4
Coupelle-Vieille 62 7 E4
Coupesarte 14 54 B1
Coupetz 51 62 B3
Coupéville 51 62 D2
Coupiac 12 300 B1
Coupray 52 116 C5
Coupru 02 60 B1
Couptrain 53 82 D3
Coupvray 77 59 F3
Couquèques 33 219 E5
Cour-Cheverny 41 153 F1
Cour-et-Buis 38 231 G4
Cour-l'Évêque 52 116 C5
La Cour-Marigny 45 134 C2
Cour-Maugis-sur-Maugis 61 84 D4
Cour-Saint-Maurice 25 163 F3
Cour-sur-Loire 41 132 B5
Courances 91 88 A4
Courant 17 201 G2
Courban 21 116 B5
La Courbe 61 53 H4
Courbehaye 28 110 B3
Courbépine 27 35 F5
Courbes 02 24 C4
Courbesseaux 54 66 C5
Courbette 39 196 B1
Courbeveille 53 105 H4
Courbevoie 92 58 B3
Courbiac 47 277 E1
Courbillac 16 202 C5
Courboin 02 60 C2
Courbons 04 288 A3
Courbouzon 39 179 E5
Courbouzon 41 132 C4
Courboyer *Manoir de* 61 84 C4
Courçais 03 190 B3
Courçay 37 152 B4
Courceaux 89 89 G4
Courcebœufs 72 107 H3
Courcelette 80 13 G5
Courcelle 91 58 A5
Courcelles 17 201 H3
Courcelles 25 161 H5
Courcelles 54 94 C4
Courcelles 58 157 E2
Courcelles 90 142 D4
Courcelles-au-Bois 80 13 F4
Courcelles-Chaussy 57 66 B1
Courcelles-de-Touraine 37 151 E1
Courcelles-en-Barrois 55 64 C4
Courcelles-en-Bassée 77 89 E4

D

E

F

A B C D E F G H I J K L M N O P Q R S T U V W X Y Z

G

H

A B C D E F G H I J K L M N O P Q R S T U V W X Y Z

M

A B C D E F G H I J K L M N O P Q R S T U V W X Y Z

N

O

P

Q

R

S

T

U

V

A B C D E F G H I J K L M N O P Q R S T U V W X Y Z

W

X

Y

Z

Plans

Curiosités
Bâtiment intéressant - Tour
Édifice religieux intéressant

Voirie
Autoroute - Double chaussée de type autoroutier
Échangeurs numérotés : complet - partiels
Grande voie de circulation
Rue réglementée ou impraticable
Rue piétonne - Tramway
Parking
Tunnel
Gare et voie ferrée
Funiculaire, voie à crémaillère
Téléphérique, télécabine

Signes divers
Édifice religieux
Mosquée - Synagogue
Ruines
Jardin, parc, bois - Cimetière
Stade - Golf
Hippodrome
Piscine de plein air, couverte
Vue
Monument - Fontaine
Port de plaisance - Phare
Information touristique
Aéroport - Station de métro
Gare routière
Transport par bateau : passagers et voitures, passagers seulement
Bureau principal de poste restante
Hôtel de ville
Université, grande école
Bâtiment public repéré

Town plans

Sights
Place of interest - Tower
Interesting place of worship

Roads
Motorway - Dual carriageway
Numbered junctions: complete, limited
Major thoroughfare
Unsuitable for traffic or street subject to restrictions
Pedestrian street - Tramway
Car park
Tunnel
Station and railway
Funicular
Cable-car

Various signs
Place of worship
Mosque - Synagogue
Ruins
Garden, park, wood - Cemetery
Stadium - Golf course
Racecourse
Outdoor or indoor swimming pool
View
Monument - Fountain
Pleasure boat harbour - Lighthouse
Tourist Information Centre
Airport - Underground station
Coach station
Ferry services: passengers and cars - passengers only
Main post office with poste restante
Town Hall
University, College
Public buildings

Stadtpläne

Sehenswürdigkeiten
Sehenswertes Gebäude - Turm
Sehenswerter Sakralbau

Straßen
Autobahn - Schnellstraße
Nummerierte Voll - bzw. Teilanschlussstellen
Hauptverkehrsstraße
Gesperrte Straße oder mit Verkehrsbeschränkungen
Fußgängerzone - Straßenbahn
Parkplat
Tunnel
Bahnhof und Bahnlinie
Standseilbahn
Seilschwebebahn

Sonstige Zeichen
Sakralbau
Moschee - Synagoge
Ruine
Garten, Park, Wäldchen - Friedhof
Stadion - Golfplatz
Pferderennbahn
Freibad - Hallenbad
Aussicht
Denkmal - Brunnen
Yachthafen - Leuchtturm
Informationsstelle
Flughafen - U-Bahnstation
Autobusbahnhof
Schiffsverbindungen: Autofähre, Personenfähre
Hauptpostamt (postlagernde Sendungen)
Rathaus
Universität, Hochschule
Öffentliches Gebäude

Plattegronden

Bezienswaardigheden
Interessant gebouw - Toren
Interessant kerkelijk gebouw

Wegen
Autosnelweg - Weg met gescheiden rijbanen
Knooppunt / aansluiting: volledig, gedeeltelijk
Hoofdverkeersweg
Onbegaanbare straat, beperkt toegankelijk
Voetgangersgebied - Tramlijn
Parkeerplaats
Tunnel
Station, spoorweg
Kabelspoor
Tandradbaan

Overige tekens
Kerkelijk gebouw
Moskee - Synagoge
Ruïne
Tuin, park, bos - Begraafplaats
Stadion - Golfterrein
Renbaan
Zwembad: openlucht, overdekt
Uitzicht
Gedenkteken, standbeeld - Fontein
Jachthaven - Vuurtoren
Informatie voor toeristen
Luchthaven - Metrostation
Busstation
Vervoer per boot: Passagiers en auto's - uitsluitend passagiers
Hoofdkantoor voor poste-restante
Stadhuis
Universiteit, hogeschool
Openbaar gebouw

Piante

Curiosità
Edificio interessante - Torre
Costruzione religiosa interessante

Viabilità
Autostrada - Doppia carreggiata tipo autostrada
Svincoli numerati: completo, parziale
Grande via di circolazione
Via regolamentata o impraticabile
Via pedonale - Tranvia
Parcheggio
Galleria
Stazione e ferrovia
Funicolare
Funivia, cabinovia

Simboli vari
Costruzione religiosa
Moschea - Sinagoga
Ruderi
Giardino, parco, bosco - Cimitero
Stadio - Golf
Ippodromo
Piscina: all'aperto, coperta
Vista
Monumento - Fontana
Porto turistico - Faro
Ufficio informazioni turistiche
Aeroporto - Stazione della metropolitana
Autostazione
Trasporto con traghetto: passeggeri ed autovetture - solo passeggeri
Ufficio centrale di fermo posta
Municipio
Università, scuola superiore
Edificio pubblico

Planos

Curiosidades
Edificio interesante - Torre
Edificio religioso interesante

Vías de circulación
Autopista - Autovía
Enlaces numerados: completo, parciales
Vía importante de circulación
Calle reglamentada o impracticable
Calle peatonal - Tranvía
Aparcamiento
Túnel
Estación y línea férrea
Funicular, línea de cremallera
Teleférico, telecabina

Signos diversos
Edificio religioso
Mezquita - Sinagoga
Ruinas
Jardín, parque, madera - Cementerio
Estadio - Golf
Hipódromo
Piscina al aire libre, cubierta
Vista parcial
Monumento - Fuente
Puerto deportivo - Faro
Oficina de Información de Turismo
Aeropuerto - Estación de metro
Estación de autobuses
Transporte por barco: pasajeros y vehículos, pasajeros solamente
Oficina de correos
Ayuntamiento
Universidad, escuela superior
Edificio público

Plans de ville

Town plans / Stadtpläne / Stadsplattegronden
Piante di città / Planos de ciudades

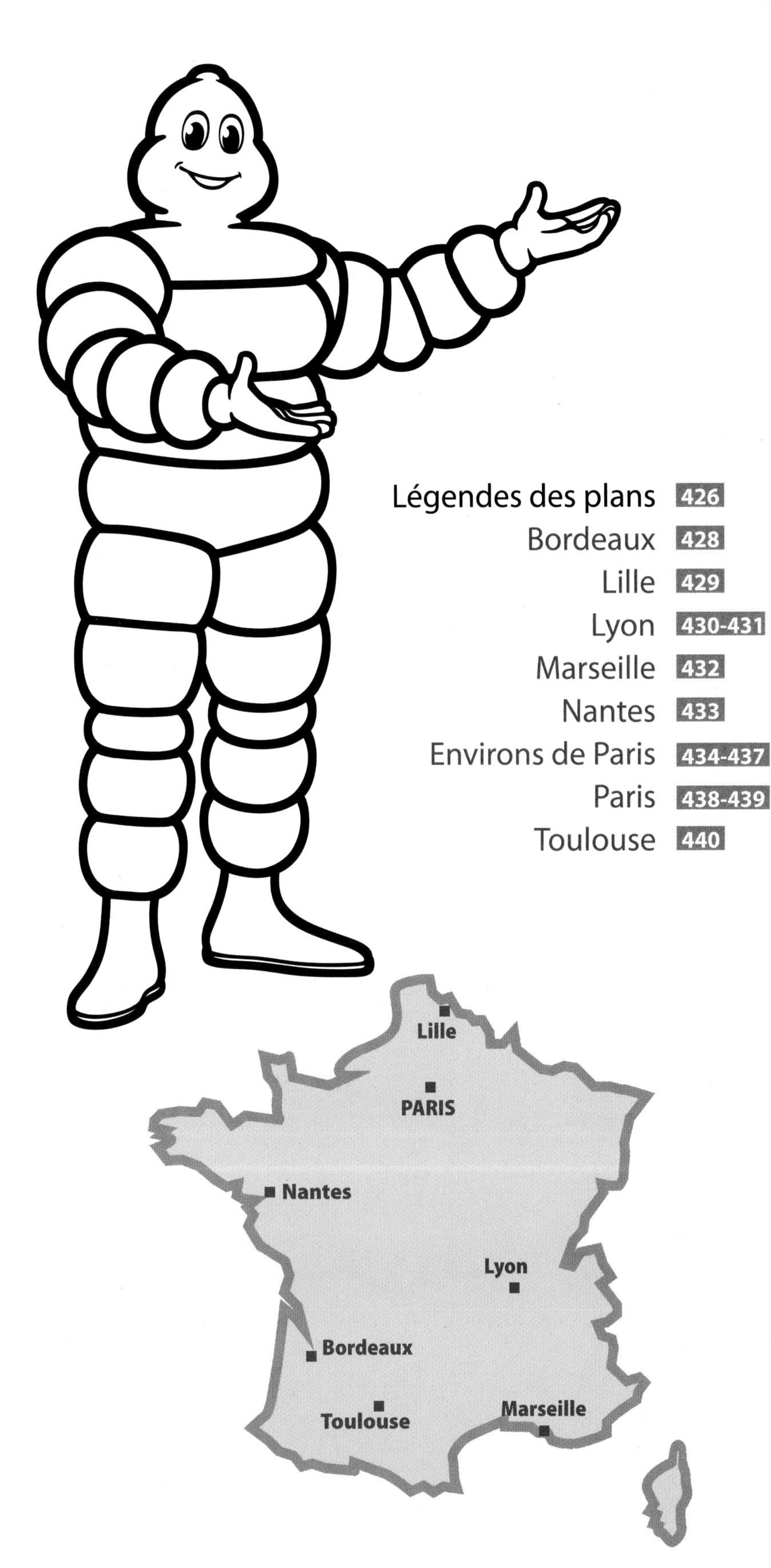

Comment utiliser les QR Codes ?

1) Téléchargez gratuitement (ou mettez à jour)une application de lecture de QR Codes sur votre smartphone
2) Lancez l'application et visez le code souhaité
3) Le plan de la ville désirée apparaît automatiquement sur votre smartphone
4) Zoomez / Dézoomez pour faciliter votre déplacement !

How to use the QR Codes

1) Download (or update) the free QR Code reader app on your smartphone
2) Launch the app and point your smartphone at the required code
3) A map of the town/city will appear automatically on your smartphone
4) Zoom in/out to help you move around

Wie verwendet man QR Codes ?

1. Laden Sie eine Applikation zum Lesen von QR Codes (oder ein Update) kostenlos auf Ihr Smartphone herunter.
2. Starten Sie die Applikation und lesen Sie den gewünschten Code.
3. Der gewünschte Stadtplan erscheint automatisch auf Ihrem Smartphone.
4. Vergrößern/Verkleinern Sie den Zoom, um Ihre Fahrt zu erleichtern.

Hoe moet u de QR Codes gebruiken?

1. Download (of update) gratis een app om QR codes op uw smartphone te lezen
2. Start de app en selecteer de gewenste code
3. De gewenste stadsplattegrond verschijnt automatisch op uw smartphone
4. Zoom in of uit om uw verplaatsing beter te kunnen zien!

Come si usano i codici QR ?

1. Scarica gratuitamente (o aggiorna) un'applicazione di lettura di codici QR sul tuo smartphone
2. Lancia l'applicazione e punta il codice desiderato
3. La pianta della città desiderata appare automaticamente sul tuo smartphone
4. Zooma/dezooma per spostarti più facilmente!

Cómo utilizar los códigos QR

1. Descargue (o actualice) gratuitamente una aplicación de lectura de códigos QR para su smartphone
2. Abra la aplicación y seleccione el código deseado
3. El plano de ciudad deseado aparece automáticamente en su smartphone
4. Haga zoom adelante/atrás para facilitar el desplazamiento

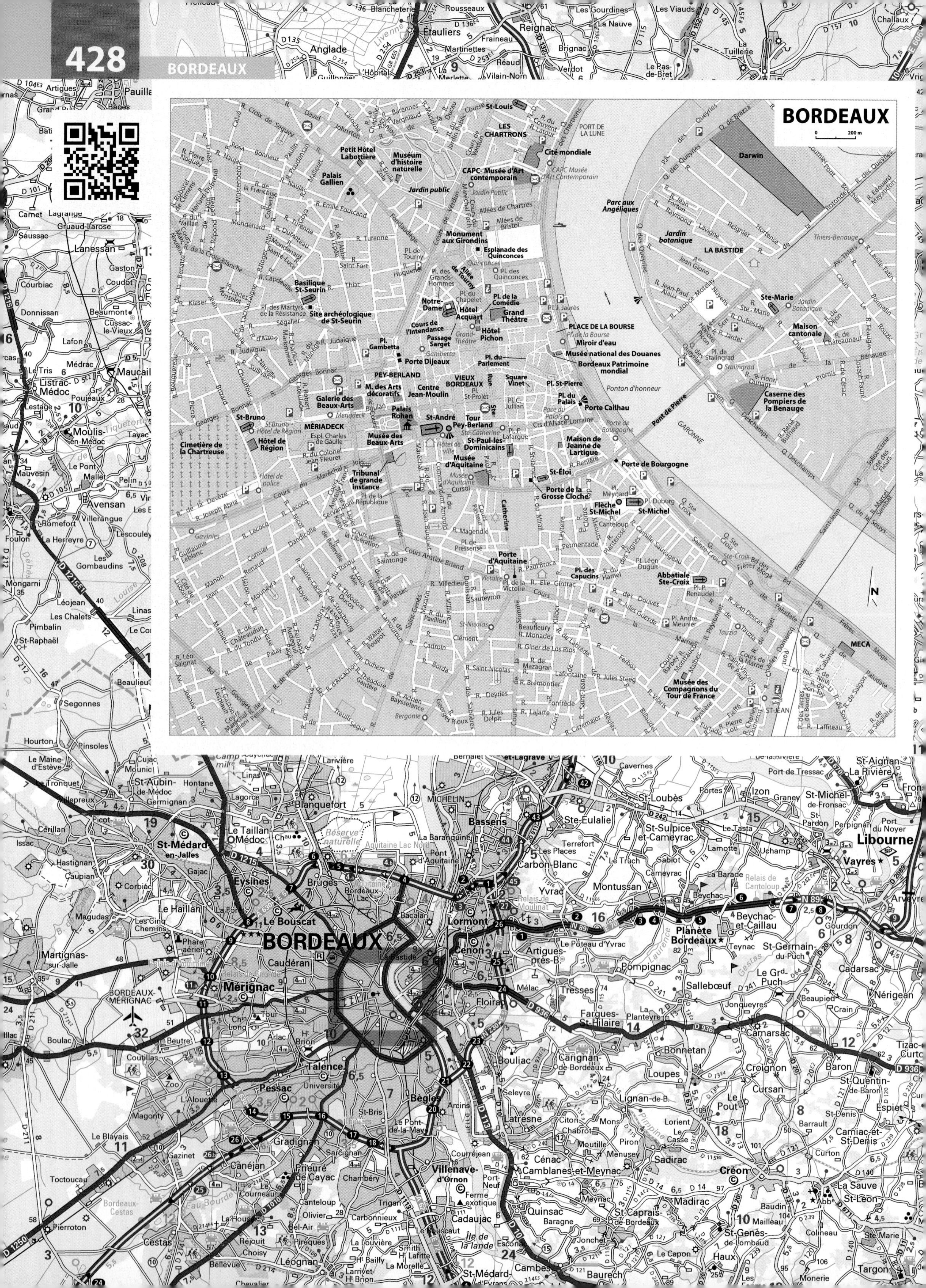

BORDEAUX

0 200 m

Mouscron (Moeskroen)
Comines (Komen)
Warneton (Waasten)
Nieuwkerke (Neuve-Église)
Ploegsteert
Nieppe
Armentières
Houplines
Linselles
Bondues
Tourcoing
Roubaix
Wattrelos
Mouvaux
Croix
Wasquehal
Marcq-en-B.
Wambrechies
Marquette-lez-Lille
Lompret
Pérenchies
Prémesques
Lambersart
Lomme
Lille (Rijsel)
Mons-en-Barœul
Villeneuve d'Ascq
Hem
Lannoy
Toufflers
Templeuve
Baisieux
Hallennes-lez-H.
Loos
Haubourdin
Ronchin
Lezennes
Lesquin
Faches-Thumesnil
Wattignies
Emmerin
Wavrin
Seclin
Tournai (Doornik)
Esplechin
Camphin-en-Pévèle
Cysoing
LILLE
0 250 m
IEPER (YPRES)
OOSTENDE
GENT, ROUBAIX, TOURCOING
GENT, ARMENTIÈRES
LOMME, ARMENTIÈRES
DUNKERQUE, BÉTHUNE
HAUBOURDIN
SECLIN
PARIS, VALENCIENNES
VILLENEUVE D'ASCQ
LE CANON D'OR
LA MADELEINE
LE CHAMP DE COURSES
Citadelle
Porte royale
Parc de la Citadelle
CHAMP DE MARS
Zoo de Lille
Cita-Parc
Jardin Vauban
Monument aux Fusillés
CANAL DE LA DEÛLE
Maison natale de Charles de Gaulle
Pl. des Archives
Porte de Gand
Musée des Canonniers sédentaires
Parc Henri Matisse
Jardin des Géants
Cimetière de l'Est
N.-D.-de-la-Treille
VIEUX LILLE
Ste-Catherine
Rue Royale
R. Esquermoise
Porte de Roubaix
Hôtel Bidé-de-Granville
Opéra
Vieille Bourse
LILLE-EUROPE
Tour de Lille
Tour Lilleurope WTC
WAAO
Centre Euralille
L'Aéronef
Tripostal
LILLE-FLANDRES
St-Maurice
CENTRE
VAUBAN-ESQUERMES
Lille Grand Palais
PALAIS DES BEAUX-ARTS
Hermitage Gantois
Hôtel de ville
Pavillon St-Sauveur
Noble Tour
Porte de Paris
Chapelle du Réduit
WAZEMMES
Marché de Wazemmes
St-Pierre-St-Paul
Maison Coilliot
Musée d'Histoire naturelle de Lille
Gare St-Sauveur
Parc J.-B.-Lebas
Maison Folie Wazemmes
Centre d'arts plastiques et visuels
Pl. de la Solidarité
Rue des Postes
Cité Philanthropique
Maison Folie Moulins
MOULINS
Flow

LYON
Villeurbanne
Vénissieux
St-Priest
Bron
Oullins
Caluire-et-Cuire
Rillieux-la-Pape
Vaulx-en-Velin
Meyzieu
Décines-Charpieu
Genas
Givors
VIENNE
Trévoux
Villars-les-Dombes
Chalamont
Montluel
Miribel
Neuville-s-Saône
Limonest
Tassin-la-Demi-Lune
Ecully
Charbonnières-les-Bains
Ste-Foy-lès-Lyon
St-Genis-Laval
Brignais
Irigny
Feyzin
Corbas
Mions
St-Symphorien-d'Ozon
Heyrieux
La Verpillière
Vaugneray
Mornant
Anse
Châtillon
Couvent
Pérouges
Meximieux
Chasse-s-Rhône
St-Romain-en-Gal
Rive-de-Gier
Châteauneuf
LYON SAINT-EXUPÉRY
Colombier-Saugnieu
Chaponnay
Marennes
Villefontaine
St-Quentin-Fallavier
Charantonnay
Septème
Estrablin
Pont-Évêque
Royas
Beauvoir-de-Marc
Ambérieux-en-Dombes
Savigneux
Reyrieux
Mionnay
Tramoyes
St-André-de-Corcy
Villeneuve
Fareins
Jassans-Riottier
Lacenas
Gleizé

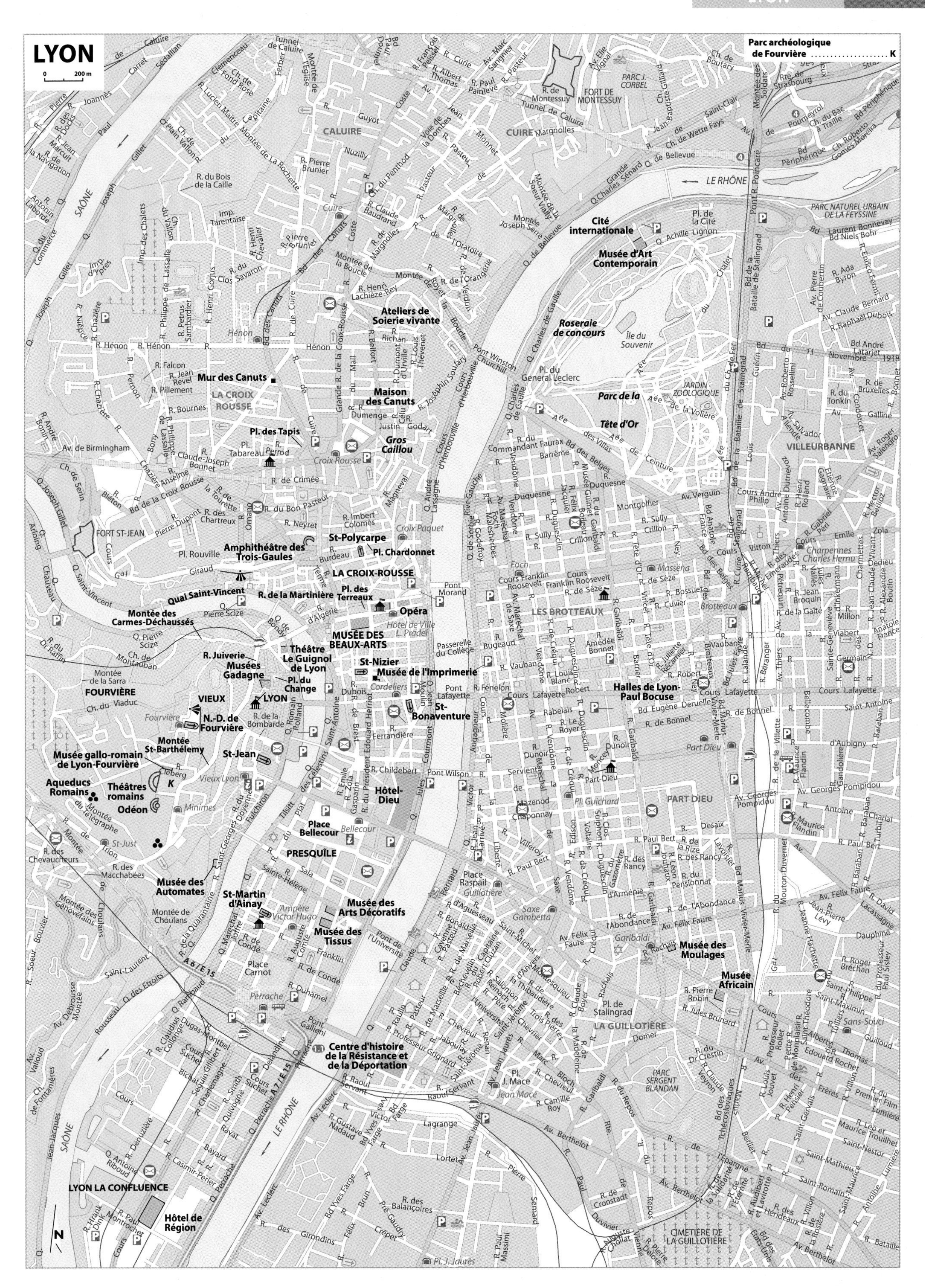

LYON
0 200 m
Parc archéologique de Fourvière .... K
FORT DE MONTESSUY
PARC J. CORBEL
CALUIRE
CUIRE
LE RHÔNE
SAÔNE
PARC NATUREL URBAIN DE LA FEYSSINE
Cité internationale
Musée d'Art Contemporain
Ateliers de Soierie vivante
Roseraie de concours
Île du Souvenir
Mur des Canuts
LA CROIX ROUSSE
Maison des Canuts
JARDIN ZOOLOGIQUE
Parc de la Tête d'Or
Pl. des Tapis
Gros Caillou
VILLEURBANNE
FORT ST-JEAN
St-Polycarpe
Pl. Chardonnet
Amphithéâtre des Trois-Gaules
LA CROIX-ROUSSE
Quai Saint-Vincent
R. de la Martinière
Pl. des Terreaux
Opéra
Montée des Carmes-Déchaussés
MUSÉE DES BEAUX-ARTS
LES BROTTEAUX
R. Juiverie
Théâtre Le Guignol de Lyon
Musées Gadagne
St-Nizier
Musée de l'Imprimerie
Pl. du Change
FOURVIÈRE
VIEUX LYON
N.-D. de Fourvière
St-Bonaventure
Halles de Lyon-Paul Bocuse
Montée St-Barthélemy
Musée gallo-romain de Lyon-Fourvière
St-Jean
Aqueducs Romains
Théâtres romains
Odéon
Hôtel-Dieu
PART DIEU
Place Bellecour
PRESQU'ÎLE
Musée des Automates
St-Martin d'Ainay
Musée des Arts Décoratifs
Musée des Tissus
Place Raspail
Place Carnot
Musée des Moulages
Musée Africain
Pl. de Stalingrad
LA GUILLOTIÈRE
Centre d'histoire de la Résistance et de la Déportation
PARC SERGENT BLANDAN
Pl. J. Macé
LYON LA CONFLUENCE
Hôtel de Région
CIMETIÈRE DE LA GUILLOTIÈRE
N

MARSEILLE
Palais de la Bourse-Musée de la Marine et de l'Economie de Marseille .... M¹
Maison de l'artisanat et des métiers d'arts .... M²
0 300 m
N
Docks de la Joliette
FRAC
Pl. de la Joliette
LA JOLIETTE
BASSIN DE LA GRANDE JOLIETTE
Ancienne Cath. de la Major
Cathédrale de la Major
Centre de la Vieille Charité
Rue du Panier
LE PANIER
Hôtel-Dieu
Musée Regards de Provence
Villa Méditerranée
Mucem
Fort St-Jean
St-Laurent
Mémorial des Déportations
Musée des Docks romains
Pavillon Daviel
Hôtel de Cabre
Maison diamantée
Porte d'Aix
Musée d'Histoire de Marseille
Port antique
Alcazar
Cours Belsunce
R. Longue des Capucins
NOAILLES
Mémorial de la Marseillaise
St-Vincent de Paul
Boulevard de la Libération
Bd Longchamp
Palais Longchamp
Musée des Beaux-Arts
Musée Grobet-Labadié
Muséum d'histoire naturelle
Gare St-Charles
La Canebière
Pl. du Marché des Capucins
Pl. J. Jaurès
Cours Julien
St-Ferréol
Q. de la Fraternité
Pl. Thiars les Arcenaux
VIEUX-PORT
Ferry Boat
Opéra
Palais du Pharo
Parc du Pharo
Q. de Rive Neuve
Théâtre de la Criée
Cours Honoré-d'Estienne-d'Orves
Fort St-Nicolas
Mon de Santons Marcel Carbonel
Basilique St-Victor
Jardin P. Puget
Musée Cantini
Rue St-Ferréol
R. d'Aubagne
R. Paradis
Av. du Prado
Pl. Castellane
Notre-Dame de la Garde
ST-LAMBERT
PARC DU 26E CENTENAIRE
Tunnel Louis Rège
St-Estève-Janson
Castellane
Pont de Pertuis
Som^t de Malacoste
St-Paul-lès-Durance
Mallabé
Les Goirands
La Loubière
Le Logis-d'Anne
Aiguebelle
Les Quatre-Termes
Coudoux
Ventabren
Velaux
Aqueduc de Roquefavour
Saragousse
Chaîne de Marseille
Rognac
Vitrolles
Les Pins Montvallon
Le Griffon
Pas-des-Lanciers
Rebuty
Gignac-La Nerthe
La Nerthe
Le Rove
St-Antoine
L'Estaque
Niolon
Rade de Marseille
Les Aygalades
La Batarelle
St-Joseph
Le Merlan
Croix-Rouge
Ch^au Gombert
La Montade
Grottes Loubière
Chaîne de l'Étoile
Plan-de-Cuques
Allauch
St-Jérôme
La Rose
Les Olives
St-Just
St-Julien
Les Trois-Lucs
La Valentine
St-Barnabé
La Pomme
Les Camoins
Camoins-les-Bains
La Treille
Aubagne
La Bastidonne
La Penne-sur-Huveaune
St-Marcel
St-Menet
Le Charrel
Carnoux-en-Provence
MARSEILLE
Île Ratonneau
Le Frioul
Ch^au d'If
Île Pomègues
Cap Caveaux
Îles du Frioul
Rade d'Endoume
Prado Carénage
Plages du Prado
Bonneveine
La Pointe-Rouge
La Madrague-de-Montredon
Montredon
Mazargues
Ste-Marguerite
Le Cabot
St-Loup
La Capelette
Valmante
Redon
Vaufrèges
La Panouse
PARC NATIONAL
Col de la Gineste
Luminy
Logisson
Massif de Puget
Forêt de la Gardiole
CALANQUES
Cap Croisette
Île Tiboulen
Callelongue
Les Goudes
Île Maire
Sormiou
Bec Sormiou
Morgiou
Cap Morgiou
Grotte Cosquer
Île de Jarre
Île Calseraigne
Cassis
La Fontasse
Port-Miou
N.D. de Bon-Voyage
Cap Canaille
Roquefort-la-Bédoule
Les Janots
Ste-Croix
Pas de la Colle
Ceyreste
Le Baguier
Jeanseaume
Clos des plages
La Destrousse
Le Regage
P.-de-Joux
Col du Marseillais
Roquevaire
Lascours
Pichauris
Auriol
Pas-de-Trets
Le Pujol
Les Bosq
Pont-de-l'Étoile
Napollon
St-Pierre-les-A.
St-Jean-de-Garguier
Gémenos
MASSIF DE LA SAINTE-BAUME
Col de l'Espigoulier
Roque Forcade
Pic de Bertagne
Tête de Roussargue
Col de Roussargue
Plan-d'Aups-Ste-Baume
La Coutronne
Parc de St-Pons
Cuges-les-Pins
Col de l'Ange
Pinval
Julhans
Petit Rouvière
Rouvière
Pas d'Oullier
Mauregard
La Bégude
L'Adret
Mont-Vert
N.-D. d'Orgnon
Le Logis-Neuf
La Bourdonnière
Les Pégoulières
Les Termes
Col de Garlaban
Crx de Garlaban
N.-D.-du Château
M^t St-Cyr
Mt Carpiagne
Camp militaire
La Gélade
Les Barles
Les Fourniers
Marseilleveyre
Mt Rose
Cal. de Sormiou
Cal. de Morgiou
Cal. de Sugiton
Cal. d'En-Vau
Cal. de Port-Pin
R^te des Crêtes
Mt de la Saoupe
St-Cyr
Les Lecques

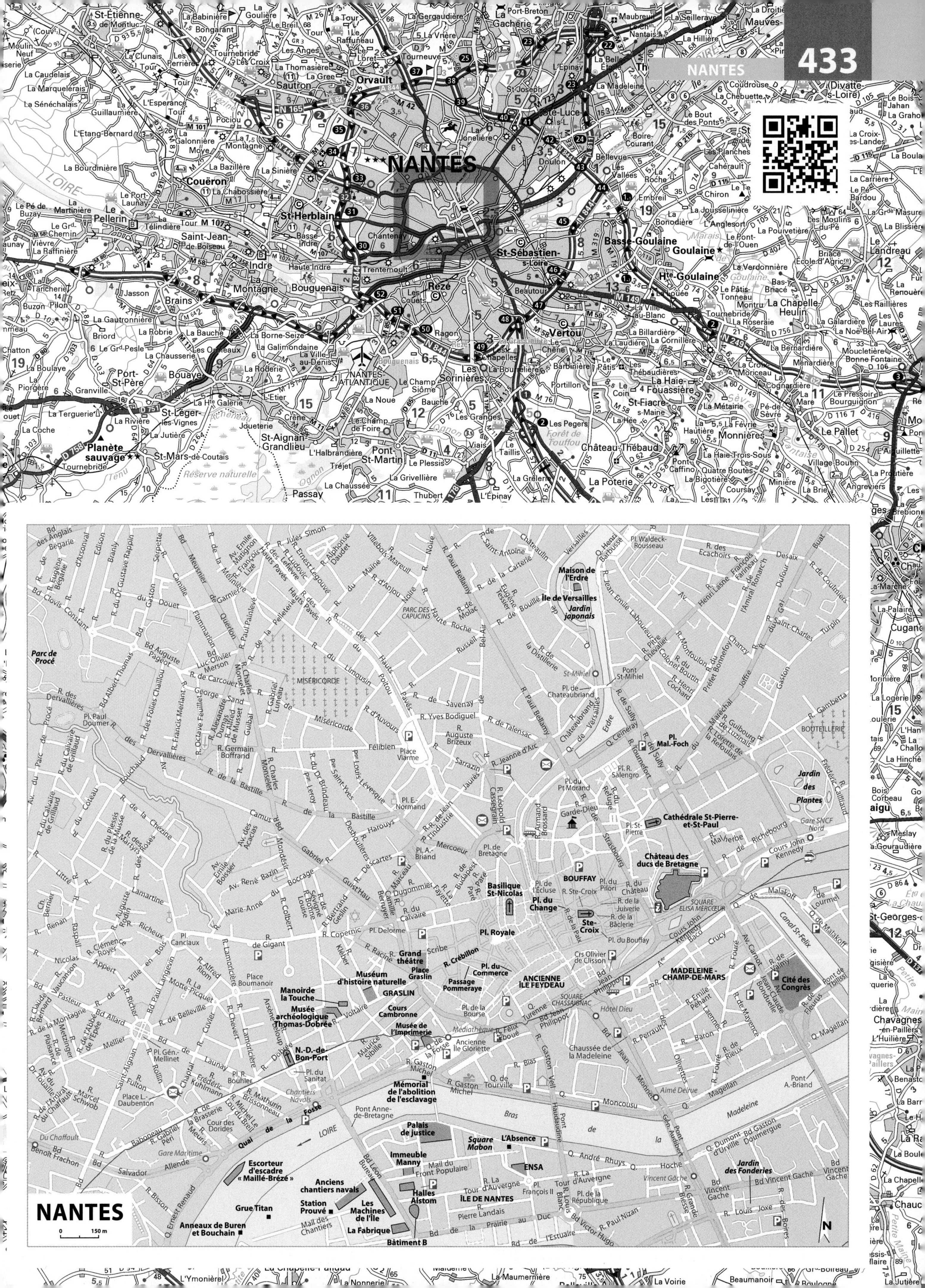
NANTES
LOIRE
Orvault
Sautron
St-Étienne-de-Montluc
Couëron
St-Herblain
Le Pellerin
Saint-Jean-de-Boiseau
Indre
La Montagne
Bouguenais
Brains
Rezé
St-Sébastien-s-Loire
Basse-Goulaine
Goulaine
Hte-Goulaine
Ste-Luce-s-L.
Carquefou
Thouaré
Mauves-s-L.
Vertou
Les Sorinières
Bouaye
Port-St-Père
St-Léger-les-Vignes
St-Aignan-Grandlieu
Pont-St-Martin
Château-Thébaud
La Haie-Fouassière
Monnières
Le Pallet
La Chapelle-Heulin
Le Landreau
NANTES-ATLANTIQUE
Planète sauvage
St-Mars-de-Coutais
Réserve naturelle
Forêt de Touffou
Passay
St-Fiacre-s-Maine
Chantenay
Trentemoult
Haute Indre
Basse Indre
Parc de Procé
MISÉRICORDE
PARC DES CAPUCINS
Maison de l'Erdre
Île de Versailles
Jardin japonais
Pl. Mal.-Foch
Cathédrale St-Pierre-et-St-Paul
Jardin des Plantes
Gare SNCF Nord
Château des ducs de Bretagne
SQUARE ELISA MERCŒUR
BOUFFAY
Basilique St-Nicolas
Pl. du Change
Ste-Croix
Pl. Royale
Grand théâtre
Place Graslin
Muséum d'histoire naturelle
GRASLIN
Manoir de la Touche
Musée archéologique Thomas-Dobrée
Cours Cambronne
Musée de l'Imprimerie
N.-D.-de-Bon-Port
Passage Pommeraye
Pl. du Commerce
ANCIENNE ÎLE FEYDEAU
MADELEINE - CHAMP-DE-MARS
Cité des Congrès
Canal St-Félix
Mémorial de l'abolition de l'esclavage
Palais de justice
Square Mabon
L'Absence
ENSA
Immeuble Manny
Anciens chantiers navals
Halles Alstom
Station Prouvé
Les Machines de l'Île
La Fabrique
Bâtiment B
Grue Titan
Anneaux de Buren et Bouchain
Escorteur d'escadre « Maillé-Brézé »
ÎLE DE NANTES
Jardin des Fonderies
Quai de la Fosse
Pont Anne-de-Bretagne
Chaussée de la Madeleine
Hôtel Dieu
Médiathèque
Ancienne île Gloriette
NANTES
0 150 m
N

PONTOISE
CERGY-PONTOISE
Cergy
Osny
Ennery
Auvers-s-Oise
Valmondois
Butry-s-Oise
Méry-s-Oise
Mériel
L'Isle-Adam
FORÊT DE L'ISLE-ADAM
Nerville-la-Forêt
Maffliers
Montsoult
Villiers-Adam
Baillet-en-France
Béthemont-la-Forêt
Chauvry
Frépillon
Bessancourt
St-Ouen-l'Aumône
Éragny
Neuville-s-Oise
Pierrelaye
Taverny
Beauchamp
St-Leu-la-Forêt
St-Prix
FORÊT DE MONTMORENCY
Bouffémont
Domont
Montlignon
Andilly
Margency
Le Plessis-Bouchard
Ermont
Eaubonne
Soisy-s-Montmorency
Franconville
Montigny-lès-Cormeilles
Herblay-s-Seine
Conflans-Ste H.
Andrésy
Maurecourt
la Frette-s-Seine
Cormeilles-en-Parisis
Sannois
St-Gratien
Enghien-les-Bains
Épinay-s-S.
Deuil-la-Barre
Achères
FORÊT DE ST-GERMAIN
Maisons-Laffitte
le Mesnil-le-Roi
Sartrouville
ARGENTEUIL
Bezons
Houilles
Carrières-s/s-Bois
Carrières-s-S.
Colombes
Bois-Colombes
Gennevilliers
Villeneuve-la-Garenne
Asnières-s-S.
Clichy
la Garenne-Colombes
Courbevoie
Levallois-Perret
NANTERRE
LA DÉFENSE
NEUILLY-s-S.
Puteaux
Suresnes
Rueil-Malmaison
Chatou
le Vésinet
Montesson
le Pecq
Croissy-s-Seine
Bougival
Louveciennes
Marly-le-Roi
le Port Marly
St-GERMAIN-EN-LAYE
Fourqueux
Mareil-Marly
L'Étang-la-Ville
La Celle-St Cloud
Forêt de la Malmaison
Bois de Boulogne
ARC DE TRIOMPHE
INVALIDES

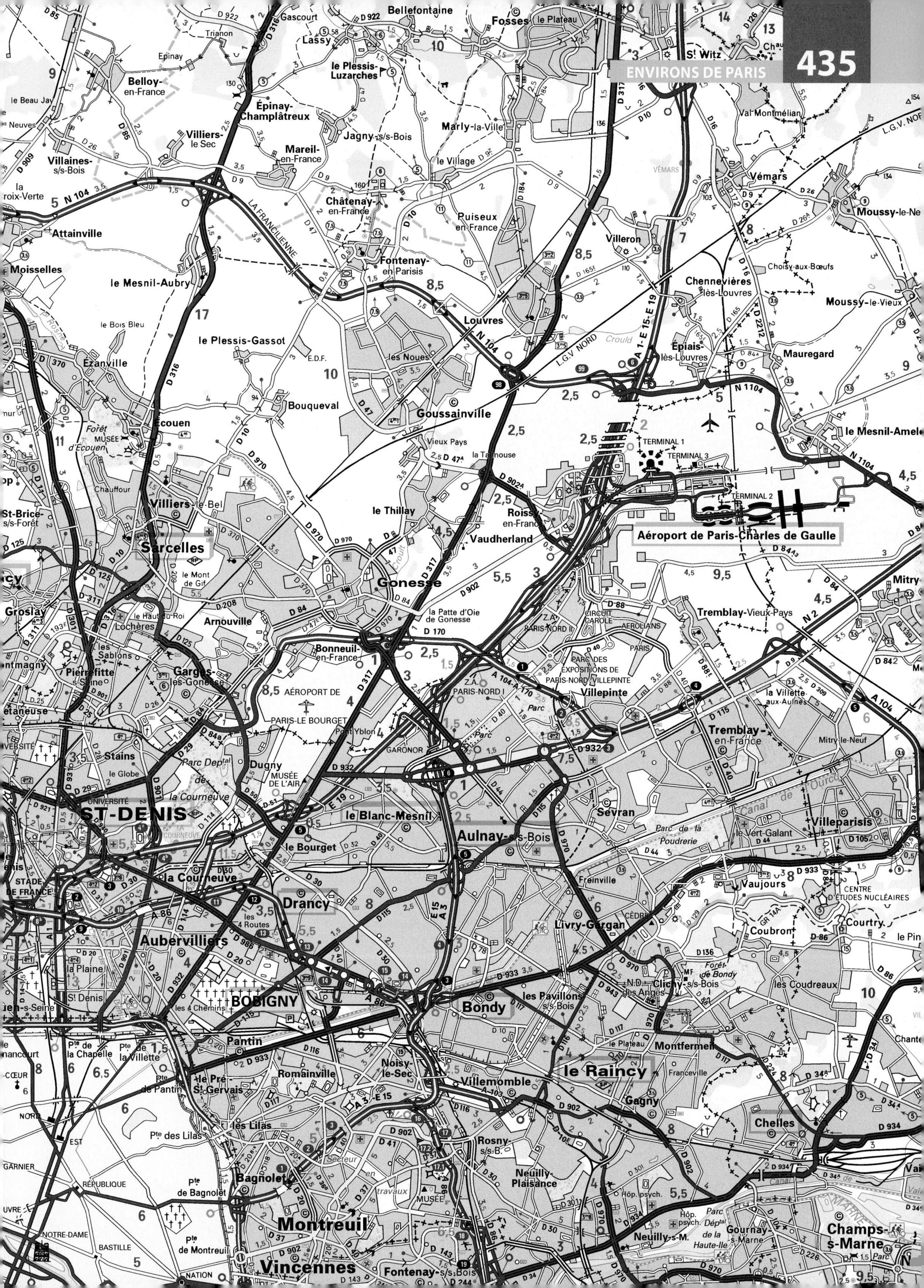
Bellefontaine
Fosses
le Plateau
St Witz
Gascourt
Lassy
Trianon
Epinay
Belloy-en-France
le Plessis-Luzarches
le Beau Jay
Épinay-Champlâtreux
Marly-la-Ville
Val Montmélian
Villiers-le Sec
Jagny-s/s-Bois
Villaines-s/s-Bois
Mareil-en-France
le Village
Vémars
Châtenay-en-France
Puiseux-en-France
Moussy-le-Neuf
Attainville
LA FRANCILIENNE
Villeron
Moisselles
Fontenay-en-Parisis
Choisy-aux-Bœufs
le Mesnil-Aubry
Chennevières-lès-Louvres
Moussy-le-Vieux
Louvres
le Bois Bleu
le Plessis-Gassot
Épiais-lès-Louvres
Mauregard
Ézanville
E.D.F.
les Noues
Bouqueval
Goussainville
le Mesnil-Amelot
Forêt
MUSÉE d'Écouen
Écouen
Vieux Pays
TERMINAL 1
TERMINAL 3
TERMINAL 2
la Tamouse
Chauffour
le Thillay
Roissy-en-France
Villiers-le-Bel
St-Brice-s/s-Forêt
Vaudherland
Aéroport de Paris-Charles de Gaulle
Sarcelles
le Mont de Gif
Gonesse
Tremblay-Vieux-Pays
Groslay
le Haut du Roi
Lochères
Arnouville
la Patte d'Oie de Gonesse
CIRCUIT CAROLE
AÉROLIANS
PARIS-NORD II
Bonneuil-en-France
les Sablons
Pierrefitte-s-Seine
Garges-lès-Gonesse
PARC DES EXPOSITIONS DE PARIS-NORD VILLEPINTE
AÉROPORT DE PARIS-LE BOURGET
Z.A. PARIS-NORD I
Villepinte
la Villette-aux-Aulnes
Tremblay-en-France
Mitry-le-Neuf
Pont Yblon
GARONOR
Stains
le Globe
Parc Deptal de la Courneuve
Dugny
MUSÉE DE L'AIR
ST-DENIS
le Blanc-Mesnil
Aulnay-s/s-Bois
Sevran
Canal de l'Ourcq
Villeparisis
Parc de la Poudrerie
le Vert-Galant
le Bourget
STADE DE FRANCE
la Courneuve
Freinville
Vaujours
CENTRE D'ÉTUDES NUCLÉAIRES
Drancy
Livry-Gargan
Courtry
Coubron
Aubervilliers
les 4 Routes
Forêt de Bondy
la Plaine
BOBIGNY
Bondy
les Pavillons s/s-Bois
Clichy-s/s-Bois
N.D. des Anges
les Coudreaux
St Denis
les 4 Chemins
Pantin
le Plateau
Montfermeil
Pte de la Chapelle
Pte de la Villette
Noisy-le-Sec
le Raincy
Franceville
Romainville
Villemomble
Pte de Pantin
le Pré-St-Gervais
Gagny
Chelles
les Lilas
Pte des Lilas
Rosny-s/s-B.
Secteur en travaux
Bagnolet
Neuilly-Plaisance
Pte de Bagnolet
MUSÉE
Hôp. psych.
Montreuil
Hôp. psych.
Parc Déptal de la Haute-Île
Gournay-s-Marne
Neuilly-s-M.
Champs-s-Marne
Pte de Montreuil
Vincennes
Fontenay-s/s-Bois
GARNIER
RÉPUBLIQUE
NOTRE-DAME
BASTILLE
NATION
NORD
EST

Bougival
La Celle-St Cloud
Forêt de la Malmaison
St-Cloud
Mémorial du Mt Valérien
Bois de Boulogne
Pte Dauphine
Pte de la Muette
INVALIDES
Louveciennes
Parc forestier
Noisy-le-Roi
Bailly
Vaucresson
Garches
Pavillon du Butard
BOULOGNE BILLANCOURT
Parc de St-Cloud
Pte d'Auteuil
R. Garros
Jin A. Kahn
MONTPARNASSE
Pte de Versailles
Pte de Chatillon
Rocquencourt
ARBORETUM
Parly 2
Marnes-la-Coquette
Haras de Jardy
Ville-d'Avray
MANUFACTURE
Issy-les-Moulineaux
Vanves
Malakoff
Montrouge
Fontenay-le-Fleury
le Chesnay-Rocquencourt
Forêt de Fausses-Reposes
Sèvres
Bellevue
Meudon
Pte St Antoine
Trianons
Observre Terrasse
Forêt de Meudon
Clamart
Châtillon
Bagneux
St Cyr-l'École
I.N.R.A.
Chau
VERSAILLES
Chaville
Viroflay
Chêne des Missions
Fontenay-aux-Roses
CAMP DE SATORY
le Pont Colbert
Vélizy-Villacoublay
Meudon-la-Forêt
le Plessis-Robinson
Bouviers
Bois des Gonards
Arcades de Buc
Versailles
Buc
les Metz
Jouy-en-Josas
Mon de Chateaubriand
Châtenay-Malabry
Sceaux
Guyancourt
la Minière
Haras
Pt Jouy
Vauboyen
Musée
Bièvres
l'Obélisque
Forêt de Verrières
la Croix de Berny
les Loges-en-Josas
ÉCOLE H.E.C.
le Val d'Albian
Verrières-le-Buisson
Antony
Fresnes
Villaroy
Parc de St Marc
Viltain
Villeras
Vaupéreux
Toussus le-Noble
Étang Vieux
Réserve Ornithologique
Étang de Saclay
Igny
Amblainvilliers
Mérantaise
Magny-Village
Orsigny
Romainville
Villeneuve
Châteaufort
le Christ de Saclay
Vauhallan
Saclay
Gommonvilliers
Massy
Milon-la-Chapelle
la Geneste
Gomberville
Limon
Abbe de St Louis du Temple
le Pileu
Magny-les-Hameaux
Villiers-le-Bâcle
CENTRE C.E.A. DE SACLAY
Cressely
Rhodon
le Mesnil-Blondel
Palaiseau
ÉCOLE POLYTECHNIQUE
les Champarts
Chilly-Mazarin
Chau de la Madeleine
St Rémy-lès-Chevreuse
St Aubin
Moulon
SYNCHROTRON SOLEIL
UNIVERSITÉ PARIS-SACLAY
la Troche
Lozère
Champlan
Gif-s-Yvette
Orsay
Coubertin
Courcelle
Vaugien
Bures-s-Yvette
les Casseaux
Villebon-s-Yvette
la Guiéterie
Beauséjour
Madrid
Damiette
les Coudraies
Villiers
la Villedieu
Saulxier
Longjumeau
la Folie Rigault
Hacquinière
les Ulis
Z.A. DE COURTABOEUF
Gravigny
Tour
la Vacheresse
Chevry
Montjay
Mondétour
Villejust
Saulx-les-Chartreux
Balizy
Boullay-les-Troux
Montabé
Mauregard
Gometz-le-Châtel
Ballainvilliers
Beaudreville
St Clair
E.D.F.
Épinay-s-Orge
les Molières
Villeziers
la Folie Bessin
Fretay
Rouillon
la Gare de Boullay
Gometz-la-Ville
St Jean de Beauregard
Nozay
Villiers-s-Orge
Villebouzin
le Breuil
le Fay
Sallemouille
Bel Ebat
la Brosse
la Ville du Bois
Chaumusson
la Ronce
le Gué
C.G.E.
le Perray
Limours-en-Hurepoix
Roussigny
Frileuse
Couvent
Janvry
BEAUVERT
le Mesnil
Ste-Geneviève-des-Bois
Montlhéry
Longpont-s-Orge
le Pivot
Chante-Coq
le Déluge
LE FOND DES PRÉS
Ardillières
Marivaux
Fresneau
le Mesnil
Marcoussis
CENTRE TECHNIQUE NATIONAL DE RUGBY
Forges-les-Bains
Mulleron
Tour Guipereux
St Michel-s-Orge
le Cormier
Bligny
Linas
Malassis
Donjon
la Forêt
le Chardonnet
AUTODROME
Briis-s-Forges
Fontenay-
Forêt de la Roche-Turpin
Rosière

Montreuil
Vincennes
Bagnolet
Fontenay-s/s-Bois
Nogent-s-M.
le Perreux-s-M.
Noisy-le-Grd
Bry-s-M.
St Mandé
Bois de Vincennes
Charenton-le-Pont
St Maurice
Joinville-le-Pont
Villiers-s-M.
Champigny-s-M.
le Plessis-Trévise
Ivry-s-Seine
Maisons-Alfort
Alfortville
le Kremlin-Bicêtre
St Maur-des-Fossés
Chennevières-s-Marne
Pontault-Combault
Vitry-s-Seine
Villejuif
CRÉTEIL
la Queue-en-Brie
Ormesson-sur-Marne
Bonneuil-s-M.
Noiseau
Chevilly-Larue
Thiais
Choisy-le-Roi
Sucy-en-Brie
Forêt de Notre-Dame
Lésigny
Orly
Valenton
Limeil-Brévannes
Boissy-St Léger
Grosbois
Marolles-en-Brie
Villeneuve-le-Roi
Villeneuve-St Georges
Santeny
Ablon-s-Seine
Yerres
Villecresnes
Crosne
Athis-Mons
Servon
Paray-Vieille-Poste
Vigneux-s-Seine
Montgeron
Brunoy
Mandres-les-Roses
Périgny
Juvisy-sur-Orge
Épinay s/s-Sénart
Boussy-St Antoine
Draveil
Viry-Châtillon
Varennes-Jarcy
Quincy-s/s-Sénart
FORÊT DE SÉNART
Morsang-s-Orge
Grigny
Combs-la-Ville
Soisy-s-Seine
Ris-Orangis
Étiolles
Tigery
Lieusaint
SÉNART (Ville Nouvelle)
Fleury-Mérogis
ÉVRY
St-Germain-lès-Corbeil
Moissy-Cramayel
Agglomération d'Évry

Paris

CLICHY
COURBEVOIE
LA DÉFENSE
PUTEAUX
NEUILLY-S-SEINE
LEVALLOIS-PERRET
SEINE
Ile de la Jatte
Ile de Puteaux
BOIS DE BOULOGNE
PORTE DE ST-OUEN
PORTE POUCHET
PORTE DE CLICHY
PORTE D'ASNIÈRES
PORTE DE CHAMPERRET
PORTE DE VILLIERS
PORTE DES TERNES
PORTE MAILLOT
PORTE DAUPHINE
PORTE DE LA MUETTE
PORTE DE PASSY
PORTE D'AUTEUIL
PORTE MOLITOR
PORTE DE ST-CLOUD
PORTE DU POINT DU JOUR
QUAI D'ISSY
PORTE DE SÈVRES
PORTE D'ISSY LES MOULINEAUX
PORTE DE VERSAILLES
PORTE DE PLAISANCE
PORTE DE LA PLAINE
PORTE BRANCION
PORTE DE VANVES
PORTE DIDOT
PORTE DE MONTROUGE
PORTE DE CHÂTILLON
PORTE D'ORLÉANS
PORTE DE NEUILLY
PORTE DES SABLONS
PORTE ST-JAMES
PORTE DE LA SEINE
PORTE DE BAGATELLE
PORTE DE MADRID
PORTE DE COURCELLES
17E
16E
8E
7E
15E
BATIGNOLLES
TERNES
ÉTOILE
TROCADÉRO
LA MUETTE
PASSY
AUTEUIL
BEAUGRENELLE
VAUGIRARD
MONTPARNASSE
ALÉSIA
PALAIS DES CONGRÈS
ARC DE TRIOMPHE
PARC MONCEAU
GARE ST-LAZARE
STE-MARIE-MADELEINE
GRAND PALAIS
PETIT PALAIS
OBÉLISQUE
JARDIN DES TUILERIES
PALAIS DE TOKYO
PALAIS DE CHAILLOT
MUSÉE DU QUAI BRANLY J. CHIRAC
TOUR EIFFEL
CHAMP DE MARS
ASSEMBLÉE NATIONALE
MUSÉE D'ORSAY
HÔTEL DES INVALIDES
ÉCOLE MILITAIRE
MAISON DE LA RADIO
ROLAND GARROS
STADE JEAN BOUIN
PARC DES PRINCES
GARE MONTPARNASSE
TOUR
PARIS EXPO
BOULEVARD PÉRIPHÉRIQUE
CAEN ROUEN
A 14
A13
N13
BOULOGNE-BILLANCOURT
Ile de St-Germain
Ile de Billancourt
VANVES
ISSY-LES-MOULINEAUX
MALAKOFF
MONTROUGE
Av. Charles de Gaulle
Av. de la Grande Armée
Av. des Champs Elysées
Av. Foch
Av. Kléber
Av. d'Iéna
Av. Marceau
Av. George V
Av. Montaigne
Av. de New York
Av. du Prés' Kennedy
Av. de Versailles
Bd Haussmann
Bd Malesherbes
Cours Albert 1er
Cours la Reine
Q. d'Orsay
Q. Branly
Q. André Citroën
R. de Vaugirard
R. Lecourbe
R. de la Convention
Bd de Grenelle
Av. Émile Zola
Allée de Longchamp
Av. de l'Hippodrome
Bd Lefèbvre
Bd Brune
Bd Murat
Bd Suchet
Bd Lannes
Av. Victor Hugo
Av. Georges Mandel
Av. Paul Doumer
R. de Rennes
Bd Raspail
Av. du Maine
0
1 km

Paris

ST-OUEN-S-SEINE
ST-DENIS
AUBERVILLIERS
PORTE DE LA CHAPELLE
PORTE D'AUBERVILLIERS
PORTE DE LA VILLETTE
PORTE DE CLIGNANCOURT
PORTE DES POISSONNIERS
BOULEVARD PÉRIPHÉRIQUE
PANTIN
Canal de l'Ourcq
CITÉ DES SCIENCES ET DE L'INDUSTRIE
PARC DE LA VILLETTE
ZENITH
PHILHARMONIE DE PARIS
GRANDE HALLE
PORTE DE PANTIN
LE PRÉ-ST-GERVAIS
PORTE DE CHAUMONT
18E
19E
SACRÉ-CŒUR
MONTMARTRE
PIGALLE
GARE DU NORD
GARE DE L'EST
Pl. de la Bataille de Stalingrad
Bassin de la Villette
BUTTES CHAUMONT
PORTE DU PRÉ ST GERVAIS
LES LILAS
PORTE DES LILAS
9E
10E
BELLEVILLE
PORTE DE MÉNILMONTANT
MÉNILMONTANT
BOURSE
2E
SENTIER
RÉPUBLIQUE
Pl. de la République
PORTE DE BAGNOLET
BAGNOLET
PARIS CENTRE
PALAIS ROYAL
ST EUSTACHE
LES HALLES
FORUM LA CANOPÉE
BEAUBOURG
CENTRE POMPIDOU
MUSÉE DU LOUVRE
3E
11E
PÈRE LACHAISE
20E
CHARONNE
Pl. Gambetta
1ER
CHÂTELET
CONCIERGERIE
HÔTEL DE VILLE
NOTRE-DAME
4E
BASTILLE
Pl. de la Bastille
OPÉRA BASTILLE
PORTE DE MONTREUIL
MONTREUIL
SÉNAT
6E
LUXEMBOURG
PANTHÉON
QUARTIER LATIN
5E
JARDIN DES PLANTES
MUSEUM
GARE D'AUSTERLITZ
GARE DE LYON
NATION
Pl. de la Nation
PORTE DE VINCENNES
12E
PORTE DE ST-MANDÉ
PORTE DE MONTEMPOIVRE
ACCORHOTELS ARENA
BERCY
ST-MANDÉ
PORTE DE REUILLY
PORTE DORÉE
BIBLIOTHÈQUE NATIONALE DE FRANCE
Pl. d'Italie
ITALIE
13E
PORTE DE CHARENTON
BOIS DE VINCENNES
PORTE DE BERCY
QUAI D'IVRY
PORTE DE VITRY
POTERNE DES PEUPLIERS
STADE CHARLÉTY
PORTE DE CHOISY
PORTE D'IVRY
CHARENTON-LE-PONT
SEINE
MARNE
PORTE DE GENTILLY
PORTE D'ITALIE
IVRY-S-SEINE
GENTILLY
LE KREMLIN-BICÊTRE
LYON
LILLE
METZ NANCY

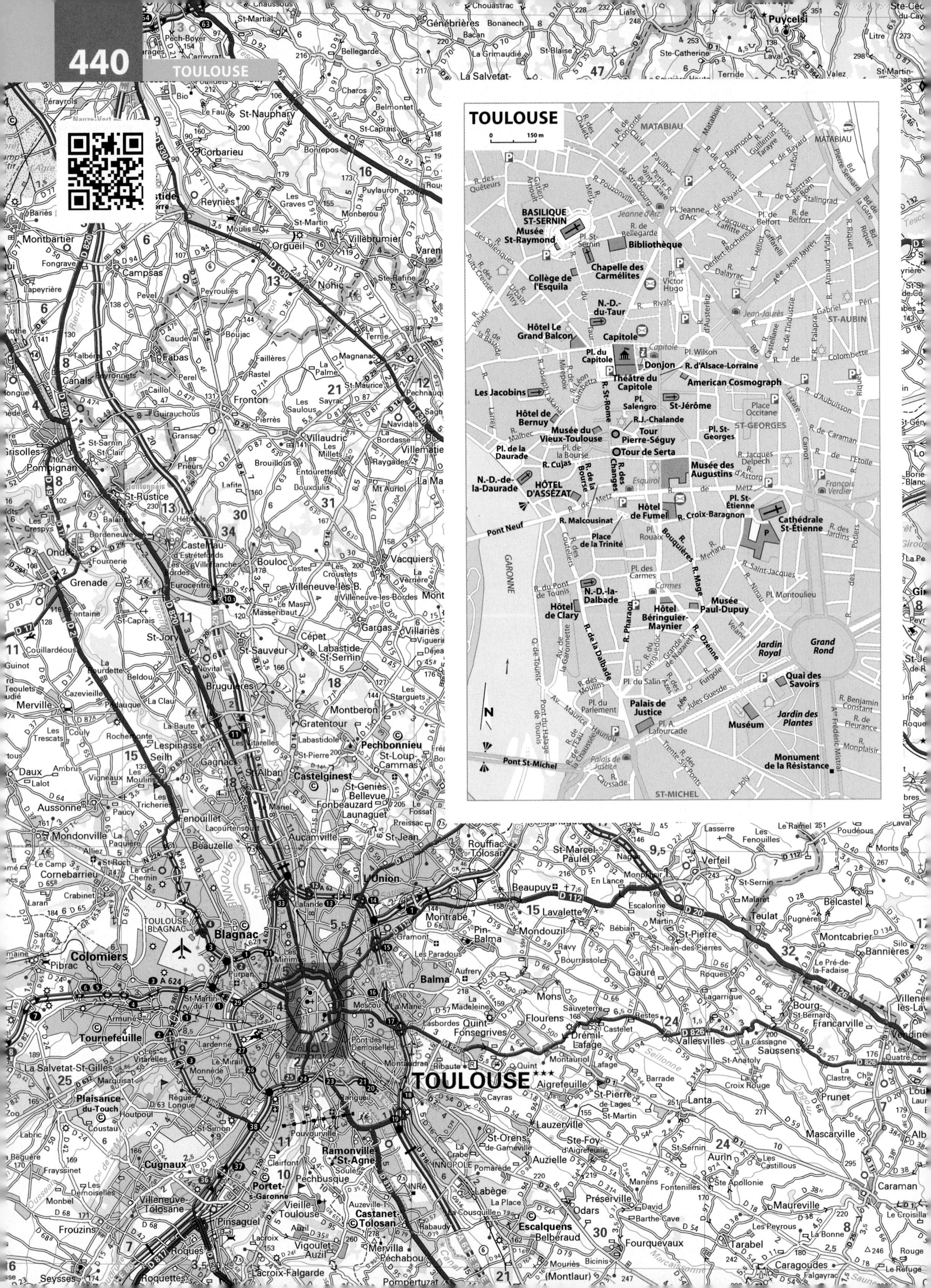
TOULOUSE
0 150 m
MATABIAU
BASILIQUE ST-SERNIN
Musée St-Raymond
Bibliothèque
Chapelle des Carmélites
Collège de l'Esquila
N.-D.-du-Taur
Hôtel Le Grand Balcon
Capitole
Pl. du Capitole
Donjon
R. d'Alsace-Lorraine
Théâtre du Capitole
American Cosmograph
Les Jacobins
Pl. Salengro
St-Jérôme
Hôtel de Bernuy
R.J.-Chalande
Musée du Vieux-Toulouse
Tour Pierre-Séguy
Tour de Serta
Pl. de la Daurade
R. Cujas
Musée des Augustins
N.-D.-de-la-Daurade
HÔTEL D'ASSÉZAT
Hôtel de Fumel
R. Croix-Baragnon
Pl. St-Étienne
Cathédrale St-Étienne
Pont Neuf
R. Malcousinat
Place de la Trinité
GARONNE
N.-D.-la-Dalbade
Hôtel de Clary
Hôtel Béringuier-Maynier
Musée Paul-Dupuy
Pl. Montoulieu
Jardin Royal
Grand Rond
Quai des Savoirs
Palais de Justice
Jardin des Plantes
Muséum
Pont St-Michel
Monument de la Résistance
ST-AUBIN
ST-GEORGES
ST-MICHEL
Place Occitane
Pl. Wilson
Pl. Jeanne d'Arc
Pl. de Belfort
Pl. St-Georges
Pl. des Carmes
Pl. du Salin
Pl. du Parlement
Pl. A. Lafourcade
Pl. Victor Hugo
Pl. St-Sernin
Pl. Rouaix
TOULOUSE ★★★
TOULOUSE BLAGNAC
Blagnac
Colomiers
Tournefeuille
Plaisance-du-Touch
Cugnaux
Portet-s-Garonne
Ramonville-St-Agne
Castanet-Tolosan
Balma
L'Union
St-Orens-de-Gameville
Escalquens
Labège
Castelginest
Pechbonnieu
Fronton
Bouloc
Grenade
Montbartier
Villebrumier
Orgueil
Nohic
Verfeil
Lanta
Caraman
Vendine
Puycelsi
St-Jory
Bruguières
Aucamville
Fenouillet
Beauzelle
Cornebarrieu
Pibrac
Mondonville
Aussonne
Seilh
Merville
Montrabé
Beaupuy
Lavalette
Mons
Flourens
Quint-Fonsegrives
Aigrefeuille
Auzielle
Préserville
Odars
Fourquevaux
Villeneuve-Tolosane
Pinsaguel
Roques
Roquettes
Seysses
Frouzins
Vigoulet-Auzil
Pechabou
Pechbusque
Vieille-Toulouse
Montberon
Gratentour
Villeneuve-lès-B.
Vacquiers
Castelnau-d'Estrétefonds
Pompignan
Canals
Campsas
Fabas
Labastide-St-Sernin
St-Loup-Cammas
Fonbeauzard
Launaguet
St-Jean
Rouffiac-Tolosan
St-Marcel-Paulel
Teulat
Belcastel
Montcabrier
Bannières
Bourg-St-Bernard
Francarville
Saussens
Vallesvilles
Dremil-Lafage
Gauré
Mascarville
Maureville
Tarabel
Caragoudes
Aurin
Ste-Foy-d'Aigrefeuille
Montlaur

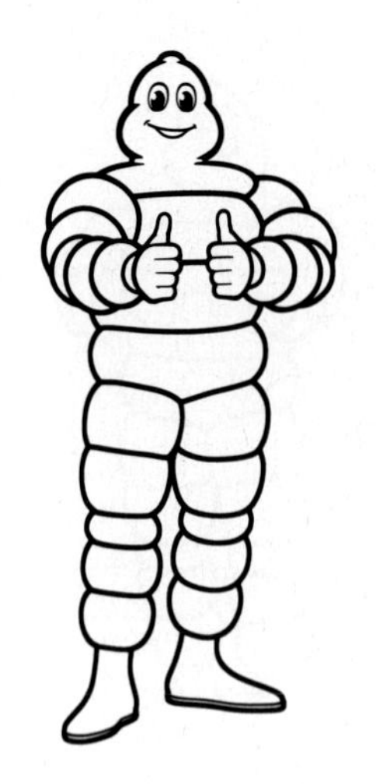

Édition 20 - Éditeur : Michelin Éditions
Société par actions simplifiée au capital de 487 500 EUR
57 rue Gaston Tessier – 75019 Paris (France)
R.C.S. Paris 882 639 354 - DL : OCTOBRE 2021

CARTE STRADALI E TURISTICHE PUBBLICAZIONE PERIODICA
Reg. Trib. Di Milano N° 80 del 24/02/1997 Dir. resp. Dott. MARCO DO.

Couverture : RossHelen/iStock / 4ème de couverture le vignoble: FreeProd/easyFotostock/age fotostock
Achevé d'imprimer en 06/2021 par - Nuovo Istituto Italiano Arti Grafiche (NIIAG) - Via Zanica, 92 - I 24126 Bergamo - MADE IN ITALY